AF644655

निवेदन

जालसाज़ी का विरोध करें और सफलता के लिए एक मज़बूत आधार तैयार करें।

पुस्तकें हमारी सबसे अच्छी दोस्त होती हैं, यही वह कहावत है, जिसे सुनकर हम सब बड़े हुए हैं, हालाँकि पायरेसी के चोर लगातार 'हमारे सबसे अच्छे दोस्त' के साथ जालसाज़ी कर रहे हैं। हमारी सभी पुस्तकों और उनसे संबंधित ऑनलाइन पूरक संसाधनों का कॉपीराइट हमारे पास सुरक्षित हैं और हम किसी को भी इन्हें कॉपी करने का कोई अधिकार नहीं देते हैं, पायरेसी पुस्तकों की चोरी करने जैसा है। ज्ञान वास्तविकता से आता है, आइए इस जालसाज़ी को हतोत्साहित करें। इसलिए, हम अपने सभी पाठकों से पायरेटेड पुस्तकों को रोकने और प्रमाणिक पुस्तकों को **चुनने का निवेदन करते हैं।**

पायरेटेड पुस्तकों की पहचान कैसे करें?

1 कवर और स्पाइन

- देखें और महसूस करें (नयी या इस्तेमाल की गयी पुस्तक)
- कवर पर धुँधली तस्वीरें
- सामने चिपकाया गया होलोग्राम
- ख़राब स्पाइन (सिकुड़न) या इसके निचले भाग पर एयर पॉकेट
- अस्पष्ट ISBN/बार कोड
- McGraw Hill Edge के एक्सक्लूसिव कवरेज के लिए मिटा हुआ/ग़ैर-कार्यात्मक यूनिक कूपन कोड

2 टेक्स्ट/प्रिंटिंग/बाइंडिंग

- पृष्ठों की असमान स्याही
- खराब गुणवत्ता या धुँधली तस्वीरें/छवियाँ/चार्ट
- निम्न स्तरीय गुणवत्ता और अपारदर्शिता
- ग़लत संरेखण वाले पृष्ठ
- पृष्ठों का ग़ायब होना
- निम्न स्तरीय जिल्द गुणवत्ता

आप इस वीडियो पर जाकर देख सकते हैं कि पायरेटेड पुस्तक की पहचान कैसे करें।

पायरेसी की पहचान करने के बारे में अधिक जानकारी के लिए, https://www.mheducation.co.in/piracy पर जायें। पायरेटेड पुस्तक की रिपोर्ट करने के लिए, बैक कवर पर दिये गये व्हाट्सएप कोड पर 'Hi' भेजे या हमें support.india@mheducation.com पर लिखें।

रिपोर्ट की गयी पायरेटेड पुस्तकों की जाँच उनकी चोरी से निपटने के लिए की जाती है।

आइए, पायरेसी के चोरों से लड़ें और असली पुस्तक का इस्तेमाल करने का संकल्प करें!

लेखकों के बारे में
(ABOUT THE AUTHORS)

प्रो. माजिद हुसैन का जन्म 2 जुलाई 1938 को ग्राम बनहेरा टांडा, जिला हरिद्वार में हुआ था। उन्होंने अपनी प्रारंभिक शिक्षा नेहरू इंटर कॉलेज, मंगलौर जिला हरिद्वार, उत्तराखंड से पूरी की। उन्होंने अलीगढ़ मुस्लिम विश्वविद्यालय, अलीगढ़ से भूगोल में एम.ए. (गोल्ड मेडलिस्ट), एलएलबी और भूगोल में पीएच.डी. की डिग्री प्राप्त की थी। उन्होंने स्वानसी विश्वविद्यालय (वेल्स) और स्कूल ऑफ ओरिएंटल एंड अफ्रीकन स्टडीज, लंदन से भी उच्च शिक्षा प्राप्त की। प्रो. हुसैन जामिया मिलिया इस्लामिया, नई दिल्ली के भूगोल विभाग के अध्यक्ष भी रहे और 2003 में प्रोफेसर के पद से सेवानिवृत्त हुए थे। उन्होंने भूगोल में कठिन अवधारणाओं को स्पष्ट और सरल बनाने की उत्कृष्ट क्षमता रखने के कारण चार दर्जन से अधिक पुस्तकों का लेखन और संपादन किया। प्रो. हुसैन अंतर्राष्ट्रीय ख्याति के एक भारतीय भूगोलवेत्ता थे। वे कई विश्वविद्यालयों में अध्यापन, उच्च कोटि के प्रकाशनों, और शोध कार्यों के माध्यम से भूगोल में अपने अपार योगदान के लिए जाने जाते थे। उनकी अनूठी शिक्षण शैली ने छात्रों को सबसे जटिल प्रकरणों को आत्मसात करने में भी मदद की। उन्होंने प्रारंभिक परीक्षा के लिए भूगोल को एक वैकल्पिक विषय के तौर पर, पर्यावरण और पारिस्थितिकी की तैयारी के लिए एक पूरे मॉडयूल के तहत पढ़ाया, और अपने छात्रों को व्यक्तित्व परीक्षण की भी सलाह दी। उनके द्वारा पढ़ाए गए कई छात्र IAS, IPS, IFS और अन्य विशिष्ट सेवाओं में रहकर देश की सेवा कर रहे हैं। उनकी क्षमताएं केवल शोध और शिक्षण तक ही सीमित नहीं थी, बल्कि उन्होंने यूपीएससी और अन्य प्रतियोगी परीक्षाओं के लिए कई उपयोगी पुस्तकें भी लिखीं हैं।

उनके द्वारा लिखी गई पुस्तकों को पेन्सिलवेनिया विश्वविद्यालय एवं अन्य कई विदेशी विश्वविद्यालयों में पाठय पुस्तक के रूप में भी पढ़ाया जाता है। उनके द्वारा लिखी गई कुछ पुस्तकें जैसे भारत का भूगोल, विश्व का भूगोल, भौतिक भूगोल के मूल सिद्धांत, भूगोल: 3000 नियम और अवधारणाएँ, भारत और विश्व भूगोल, पर्यावरण और पारिस्थितिकी - जैव विविधता, जलवायु परिवर्तन और आपदा प्रबंधन, मानव भूगोल, भौगोलिक विचारधारा का विकास, जनसंख्या भूगोल (मानव भूगोल के परिप्रेक्ष्य में), भूगोल में मॉडल, व्यवस्थित कृषि भूगोल, जैव-भूगोल (भौतिक भूगोल के परिप्रेक्ष्य में) भारत में सबसे अधिक बिकने वाली पुस्तकों में शामिल हैं।

उन्होंने जिन शिक्षा संस्थानों में सेवाएं दी हैं, उनमें जामिया मिलिया इस्लामिया, नई दिल्ली, नॉर्थ ईस्ट हिल यूनिवर्सिटी, शिलांग और कश्मीर विश्वविद्यालय, श्रीनगर शामिल हैं। अपने 43 वर्षों के लंबे सेवाकाल में वह कई अन्य पदों पर भी आसीन रहे, जिनमें पूर्व अध्यक्ष इंडियन नेशनल कार्टोग्राफिक एसोसिएशन, पूर्व-उपाध्यक्ष-इंटरनेशनल एसोसिएशन ऑफ लैंडस्केप इकोलॉजी (दो कार्यकाल) आदि शामिल हैं।

प्रो. माजिद हुसैन भारत में भूगोल के सबसे वरिष्ठ संकाय सदस्यों में से एक थे, जिन्हें भूगोल के क्षेत्र में उनके अमूल्य शोध के लिए कई पुरस्कारों और विशिष्टताओं से भी सम्मानित किया गया था।

उन्हें 1997 में अमेरिकन बायोग्राफिकल सोसाइटी द्वारा 'मैन ऑफ द ईयर अवार्ड' से सम्मानित किया गया था।

उन्हें दिल्ली सरकार ने 1997 में 'सर्वश्रेष्ठ भूगोल शिक्षक' अवार्ड दिया था। उन्हें 2008 में 'भूगोल भूषण पुरस्कार' और 2011 में 'शिक्षा रत्न पुरस्कार' डेक्कन जियोग्राफिकल सोसाइटी इंडिया द्वारा दिया गया था।

प्रो. माजिद हुसैन को भारत के एक प्रतिष्ठित शिक्षाविद के रूप में हमेशा याद किया जाएगा। यूपीएससी और प्रतियोगी परीक्षा साहित्य में उनका योगदान अमूल्य है, जिसने भारत में एक प्रतिष्ठित शिक्षाविद् के रूप में उनकी पहचान को मजबूत किया है।

पल्लवी सक्सेना, भूगोल के लिए एक निपुण यूपीएससी संकाय सदस्य के रूप उन्होंने अपनी विशेषज्ञता और समर्पण के साथ 10,000 से अधिक अभ्यर्थियों का मार्गदर्शन किया है। उन्होंने एनआईटी भोपाल से एनर्जी इंजीनियरिंग में बी.टेक. और ओ.पी. जिंदल ग्लोबल यूनिवर्सिटी से पब्लिक पॉलिसी में एम.ए. किया है, जहाँ वे गोल्ड मेडलिस्ट थीं। पल्लवी की शैक्षणिक उपलब्धियों में तीन बार यूपीएससी साक्षात्कार के लिए उपस्थित होना, भूगोल के लिए यूजीसी-नेट में 100वाँ पर्सेंटाइल हासिल करना और पर्यावरण विज्ञान में यूजीसी-नेट उत्तीर्ण करना शामिल है। उन्होंने मध्य प्रदेश सरकार के साथ अटल बिहारी वाजपेयी सुशासन और नीति विश्लेषण संस्थान में नीति मूल्यांकन में सलाहकार के रूप में भी काम किया है। पूर्व में वह बायजू आईएएस से जुड़ी तथा वर्तमान में वह Sarrthi IAS (पूर्व में Edsarrthi) में भूगोल विषय की संकाय सदस्य हैं।

7 वां संस्करण

माजिद हुसैन
भारत एवं विश्व का भूगोल

सिविल सेवा और राज्य सेवा की परीक्षाओं हेतु

पल्लवी सक्सेना

McGraw Hill Education (India) Private Limited

Published by McGraw Hill Education (India) Private Limited
Registered Office: Anjana Complex No: 5/90 A, Butt Road, St. Thomas Mount, Chennai – 600016

Majid Husain Bharat evam Vishwa ka Bhugol™, 7e

Second reprint 2026

Print Edition:
ISBN-(13 digits): 978-93-6444-307-4
ISBN-(10 digits): 93-6444-307-1

E-Book Edition:
ISBN-(13 digits): 978-93-6444-643-3
ISBN-(10 digits): 93-6444-643-7

03 04 05 06 07 RAJ 30 29 28 27 26

Typeset at Transcend Content Solution, 163F Jaigirghat Road, Panchanantala, Kolkata – 700 063, and printed and bound in India at Rajkamal Electric Press, Kundli, Haryana.

Cover Designer: Neeraj Dayal
Cover Image Source: Shutterstock

Visit us at: www.mheducation.co.in

Write to us at: support.india@mheducation.com

CIN: U80302TN2010PTC111532
Toll Free Number: 1800 103 5875

मेरी बहन

स्वर्गीय सईदा बानो को समर्पित

–स्वर्गीय प्रो. माजिद हुसैन

मेरी भांजी

धानी को समर्पित

–पल्लवी सक्सेना

गुरु
माजिद हुसैन का
संदेश

I wish all of you may be I. A. S.

M. H.

(अभ्यर्थियों के प्रति शिक्षक की प्रतिबद्धता)

यह संदेश माजिद हुसैन सर ने उस समय लिखा था जब वे अस्पताल में अपने जीवन के लिए संघर्ष कर रहे थे, लेकिन अपनी चेतना के अंतिम कुछ दिनों में उनके विचारों में छात्रों के प्रति चिंता ही व्याप्त थी।

24 जनवरी 2019 को उनकी आत्मा परमपिता परमात्मा में विलीन हो गई।

सातवें संस्करण की प्रस्तावना
(PREFACE TO THE SEVENTH EDITION)

लोक सेवा परीक्षा की तैयारी चुनौतीपूर्ण, परंतु परिणाम सम्मानजनक होता है, जिसके लिए न केवल कड़ी मेहनत की आवश्यकता होती है, बल्कि विविध विषयों में महारत हासिल करने के लिए संरचित दृष्टिकोण की भी आवश्यकता होती है। इसमें भूगोल का सटीक ज्ञान काफी महत्वपूर्ण है, यह भौतिक परिदृश्यों की समझ को मानवीय अंत:क्रियाओं से जोड़ता है। वास्तव में यह एक ऐसा अंतर्विषयक विषय है, जो प्राकृतिक घटनाओं, पर्यावरणीय चुनौतियों तथा वैश्विक अंतर्संबंधों को समझने की आधारशीला रखता है - जो भविष्य के नीति निर्माताओं के लिए आवश्यक है। हाल के वर्षों में यह विषय एक गेम-चेंजर के रूप में उभरा है, जिससे 10 से 15 प्रश्न पूछे जाते हैं।

यद्यपि, माजिद हुसैन लिखित "***भारत एवं विश्व भूगोल***" ने अपने **सातवें संस्करण** में प्रो. माजिद हुसैन द्वारा लिखित मूल सामग्री को बरकरार रखा है, इसे यूपीएससी अभ्यर्थियों की उभरती आवश्यकताओं के साथ अनकूलित करने के लिए सावधानीपूर्वक तरीके से संशोधित और नये रंग-रूप में पुनर्गठित किया गया है, जिसमें विशेष रूप से परीक्षा-केंद्रित परिशुद्धता के साथ वैचारिक स्पष्टता को संतुलित करने के लिए प्रारंभिक एवं मुख्य, दोनों ही परीक्षाओं के व्यापक पाठ्यक्रम को शामिल किया गया है। अभ्यर्थियों को इस विषय के प्रति एक विश्लेषणात्मक दृष्टिकोण विकसित करने में सक्षम बनाने के लिए कई उदाहरण तथा केस स्टडी भी शामिल किए गए हैं।

पूर्व अभ्यर्थी होने के नाते मैं यह जानती हूँ कि जटिल भौगोलिक अवधारणाओं को समझना कठिन होता है। अभ्यर्थी प्राय: रटने पर मजबूर होते हैं, जिससे विषय में उनकी रुचि कम हो जाती है। इस विशिष्ट समस्या को हल करने के लिए हमने यह सुनिश्चित किया है कि सभी विषयों को या तो पाठ के माध्यम से, या चित्रों, आरेखों, मानचित्रों तथा वीडियो जैसे इंटरैक्टिव माध्यमों द्वारा वैचारिक रूप से समझाया जाए, जिन्हें हमने इस संस्करण में जोड़ा है! इसके अतिरिक्त, जहाँ भी आवश्यक हुआ है, हमने याद रखने और रटने की प्रक्रिया को थोड़ा कम बोझिल बनाने हेतु लर्निंग ट्रिक्स या अधिगम युक्ति तथा क्विक रिवीजन या त्वरित पुनरावृत्ति बॉक्स बनाए हैं।

विषय की समग्र समझ प्रदान करने के लिए वर्तमान भौगोलिक विकास को स्थिर सामग्री के साथ एकीकृत करने पर विशेष बल दिया गया है। हमने अध्यायों के अंत में UPSC CSE में पूछे गए प्रश्नों को भी दिया है, ताकि यह सुनिश्चित किया जा सके कि अभ्यर्थी अपनी तैयारी का आकलन कर उसे और निखार सकें।

भूगोल के सबसे प्रतिष्ठित नामों में से एक, प्रो. माजिद हुसैन के साथ सह-लेखक के रूप में मैंने पूर्व अभ्यर्थी तथा लोक सेवा अभ्यर्थियों के वर्तमान सलाहकार के रूप में अपने अनुभव के साथ उनके गहन ज्ञान को पूरक बनाने की कोशिश की है, ताकि एक ऐसा संसाधन बनाया जा सके, जो न केवल जानकारीपूर्ण हो, बल्कि उपयोगकर्ता के अनुकूल भी हो। हमारा दृष्टिकोण इस विश्वास से निर्देशित है कि सही रणनीति एवं समुचित संसाधन किसी भी अभ्यर्थी की सफलता की संभावनाओं को पर्याप्त सीमा तक बढ़ा सकते हैं।

मैं इस संस्करण को जीवंत बनाने में मैकग्रॉ हिल टीम द्वारा प्रदान किए गए प्रोत्साहन एवं समर्थन के लिए उनकी बहुत आभारी हूँ। मैं विशेष रूप से धर्मेन्द्र शर्मा को उनके अमूल्य योगदान के लिए, राहुल भाटड़िया, श्री अतुल गुप्ता, श्री निखिल वढेरा, श्री तनवीर अहमद और श्री ललित सिंह को मेरी लेखन यात्रा के दौरान उनके निरंतर समर्थन के लिए धन्यवाद देती हूँ। उनकी गुणवत्ता एवं उत्कृष्टता के प्रति प्रतिबद्धता के कारण ही यह सुनिश्चित हो सका कि यह पुस्तक लक्षित पाठकों की अपेक्षाओं के अनुरूप तैयार की गई।

मैं अपने परिवार एवं मित्रों के प्रति भी अपना हार्दिक आभार व्यक्त करना चाहूंगी। मैं अपने पति देवेश, जो मेरी प्रेरणा के स्तंभ हैं, को अपना हार्दिक धन्यवाद देती हूं; मेरे माता-पिता, डॉ. पी.के. सक्सेना एवं डॉ. रजनी सक्सेना, जिन्होंने मुझमें अधिगम के प्रति प्रेम पैदा किया; मेरी प्यारी बहन, प्राची और जीजा जी, मयन बंसल, जिन्होंने मुझे हमेशा प्रोत्साहित किया; और मेरे ससुराल वाले, श्रीमती किरण सूद, श्री सुभाष चन्दर सूद और कार्तिक सूद, जिन्होंने हमेशा मेरा साथ दिया है। मैं अपने प्यारे दोस्तों - पृथा, निखिल, रागिनी तथा स्नेहा की भी उतनी ही आभारी हूं, जिनके सौहार्द एवं सकारात्मकता ने मेरे जीवन को बहुत समृद्ध किया है।

पाठकों, हम आशा करते हैं कि यह पुस्तक आपकी तैयारी में एक विश्वसनीय साथी के रूप में काम करेगी। यूपीएससी लोक सेवा परीक्षा में सफलता केवल विषयों को समझने भर की नहीं है; यह विभिन्न विषयों के बीच के बिंदुओं को जोड़ने तथा अंतर्विषयक तरीके से सोचने की क्षमता से भी सम्बद्ध है। यह पुस्तक इसी प्रयास के प्रति हमारा विनम्र योगदान है।

हम इस पुस्तक के सुधार के लिए आपकी बहुमूल्य प्रतिक्रियाओं एवं सुझावों का स्वागत करते हैं। उत्कृष्टता की खोज में आपको बहुत-बहुत शुभकामनाएँ!

हार्दिक शुभकामनाएं,

पल्लवी सक्सेना
pallavisaxena1810@gmail.com

प्रथम संस्करण का प्राक्कथन
(PREFACE TO THE FIRST EDITION)

संघ लोक सेवा आयोग ने 2011 से सिविल सेवा की प्रारम्भिक परीक्षा के प्रारूप में परिवर्तन कर दिया है। प्रारम्भिक परीक्षा में अब दो अनिवार्य प्रश्न-पत्र सम्मिलित होंगे, जिनके प्रत्येक के 200 अंक होंगे। प्रश्नपत्र-I में समसामयिक घटनाएं, भारत का इतिहास, भारत एवं विश्व का भूगोल (भारत एवं विश्व का भौतिक, आर्थिक भूगोल), भारतीय राजव्यवस्था एवं शासन, आर्थिक एवं सामाजिक विकास तथा पर्यावरण एवं पारिस्थितिकी।

प्रश्नपत्र-II अभियोग्यता परीक्षण पर आधारित होगा, जिसमें अभ्यर्थी की अवबोध क्षमता, निर्णयन एवं सामान्य मानसिक योग्यता का परीक्षण किया जाएगा।

प्रारम्भिक परीक्षा के संशोधित प्रारूप में, भारत एवं विश्व का भूगोल, जनांकिकी, पर्यावरण एवं पारिस्थितिकी को विशेष महत्व दिया गया है। प्रस्तुत पुस्तक सिविल सेवा (संघ लोक सेवा आयोग) की प्रारम्भिक परीक्षा में स्वयंमेव संलग्न अभ्यर्थियों को तैयारी हेतु त्वरित सहायता प्रदान करती है। इसका उद्देश्य अभ्यर्थियों को भौतिक एवं आर्थिक भूगोल की अवधारणाओं की जानकारी देना तथा भूगोल, जनांकिकी, पर्यावरण एवं पारिस्थितिकी से सम्बन्धित मुद्दों के तर्कपूर्ण अवबोध एवं जटिल परीक्षणों से परिचित कराना है।

यह पुस्तक 12 अध्यायों में विभाजित की गई है - (1) ब्रह्माण्ड एवं सौरमण्डल, (2) भू-आकृति विज्ञान, (3) जलवायु विज्ञान, (4) सागरीय विज्ञान, (5) जैविक भूगोल, (6) विश्व महाद्वीपों तथा देशों से संबन्धित तथ्य, (7) विश्व आर्थिक भूगोल, (8) कृषि, (9) मानव भूगोल, (10) भारत: भौतिक, (11) जनसंख्या, तथा; (12) भारतीय राज्य।

सरल एवं स्पष्ट भाषा शैली में लिखित एवं लगभग 400 मानचित्रों एवं रेखाचित्रों से सुसज्जित यह पुस्तक न केवल विभिन्न लोक सेवा परीक्षाओं के अभ्यर्थियों की गहन अध्ययन में सहायक होगी अपितु भूगोल विषय में रुचि रखने वाले पाठकों के लिए भी उपयोगी सिद्ध होगी। इसके अतिरिक्त यह अधिकाधिक सीखने का स्रोत भी सिद्ध होगी।

लेखक उन समस्त लेखकों का सहृदय धन्यवाद करता है जिनके कार्यों की सहायता एवं संदर्भ इस पुस्तक में लिए गए हैं। लेखक डॉ. रमेश सिंह (निदेशक, सिविल्स इण्डिया) तथा उनके सहयोगियों ऋतुराज सिंह, आशीष के. वशिष्ठ और उनके स्टाफ का उनके अंप्रतिम सहायोग एवं उपयोगी सुझावों हेतु आभार व्यक्त करता हैं। इस पुस्तक के यथासमय प्रकाशन करने हेतु लेखक मैक्ग्रॉ-हिल एजुकेशन के दक्ष कार्मिकों को विशेष रूप से धन्यवाद प्रेषित करता है।

पुस्तक लेखन के दौरान घर एवं कार्यालय में अनुकूल वातावरण का होना अत्यावश्यक है। लेखक अपने घर के सदस्यों, सहयोगियों एवं मित्रों के प्रति विशेष धन्यवाद व्यक्त करता है। लेखक जावेद आलम, डॉ. एस.बी. हुसैन, मंसूर माजिद, ए.आर. मेहदी, शाहिदा नाज, सैफी जाका, माजिद ए. रहमान, मदीहा, जिबरान, राशिद फरीहा, अरीब, हिबा एवं उजैर का आभार प्रकट करना चाहता है, जिन्होंने पुस्तक लेखन के दौरान शांत वातावरण बनाए रखा। ईश्वर इन सभी का भला करे।

माजिद हुसैन

प्रवृत्ति विश्लेषण
(TREND ANALYSIS)

	2024		2023		2022		2021		2020		कुल	
	प्रारंभिक	मुख्य	प्रारंभिक	मुख्य	प्रारंभिक	मुख्य	प्रारंभिक	मुख्य	प्रारंभिक	मुख्य	प्रारंभिक	मुख्य
भाग I - विश्व का भूगोल (World's Geography)												
अध्याय 1 ब्रह्माण्ड और सौरमण्डल (The Universe & the Solar System)		1			1						1	1
अध्याय 2 भू-आकृति विज्ञान (Geomorphology)	2		1	1		1		2		1	3	5
अध्याय 3 जलवायु विज्ञान (Climatology)	5	1	3		1		2		1		12	1
अध्याय 4 समुद्र विज्ञान (Oceanography)						1	2				2	1
अध्याय 5 जलवायु परिवर्तन और इसका जलवायु और महासागरों पर प्रभाव (Climate Change and Its Impact on Climate & Oceans)								1			0	1
अध्याय 6 जैव भूगोल (Biogeography)							1				1	0
अध्याय 7 विश्व/महाद्वीपों/देशों के बारे में तथ्य (Facts About the World/ Continents/Countries)	1				1				1		3	0
अध्याय 8 विश्व के संसाधन (World Resources)			1					1			1	1
अध्याय 9 कृषि (Agriculture)						1	2		1		3	1
अध्याय 10 उद्योग एवं उनकी अवस्थिति (Industries and their location)											0	0
अध्याय 11 जनांकिकी (Demography)	2	1									2	1
भाग II - भारत का भूगोल (India's Geography)												0
अध्याय 12 भारत का भौतिक भूगोल (Physical Geography of India)	1	1	5	1	2		3	1	1	2	12	5
अध्याय 13 भारत की जनसंख्या (India's Population)											0	0
अध्याय 14 भारत का आर्थिक भूगोल (Economic Geography of India)			2	2	2	3	1			2	5	7
अध्याय 15 भारतीय राज्य और संघ राज्य क्षेत्र (Indian States and Union Territories)											0	0

विषय सूची
(TABLE OF CONTENTS)

भाग II: भारत का भूगोल (India's Geography)

भाग **I**

विश्व का भूगोल (World's Geography)

इस अध्याय पर वैचारिक वीडियो देखने के लिए कृपया यहां दिए गए क्यूआर कोड को स्कैन करें

अध्याय
1

ब्रह्माण्ड और सौरमण्डल (THE UNIVERSE AND THE SOLAR SYSTEM)

CHAPTER OUTLINE

✓याद रखने की युक्ति (Learning Trick)   **त्वरित पुनरावलोकन (Quick Revision)*

ब्रह्माण्ड (THE UNIVERSE)

ब्रह्माण्ड आकार और आयाम में इतना बड़ा है कि इसकी कल्पना नहीं की जा सकती है। इसमें विद्यमान सूक्ष्म कणों से लेकर बड़ी से बड़ी आकाशगंगाएँ (अब तक की सबसे बड़ी ज्ञात संरचना) सम्मिलित है। किसी को पता ही नहीं है कि ब्रह्माण्ड का आकार कितना बड़ा है, परन्तु खगोलशास्त्र के विद्वानों के अनुसार ब्रह्माण्ड में लगभग 100 बिलियन से लेकर कुछ ट्रिलियन तक आकाशगंगाएँ हैं और प्रत्येक आकाशगंगा में औसतन 100 बिलियन सितारे हैं।

ब्रह्माण्ड के विकासवादी सिद्धांत के अनुसार, ब्रह्माण्ड अनंत है और अंतरिक्ष में आकाशगंगाओं का वितरण सभी दिशाओं में समान है। इस अवधारणा के तहत, किसी पर्यवेक्षक (Observer) को किसी भी आकाशगंगा से ब्रह्माण्ड की रचना (Composition) समरूप दिखाई देती है।

ब्रह्माण्ड की उत्पत्ति का सबसे स्वीकृत सिद्धांत महाविस्फोट सिद्धांत अथवा बिग बैंग थ्योरी है (चित्र 1.1)। इस सिद्धांत के अनुसार, ब्रह्माण्ड में वर्तमान और भूतकाल के सभी पदार्थ एक ही

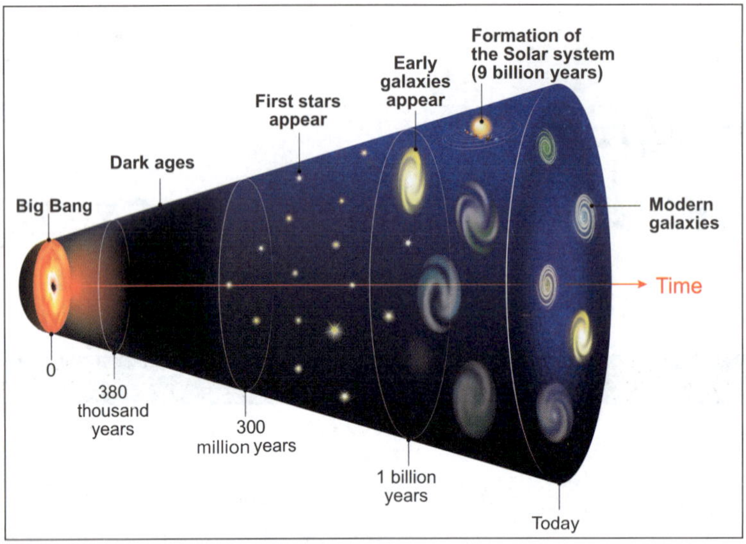

चित्र 1.1
बिग बैंग सिद्धांत

समय में अस्तित्व में आए। ब्रह्माण्ड अपने जन्म के बाद से एक अविश्वसनीय दर से फैल रहा है, जिसे प्रसरण के रूप में जाना जाता है। इस प्रक्रिया में अंतरिक्ष प्रकाश की गति से भी अधिक तेजी से फैला है। जैसे-जैसे अंतरिक्ष का विस्तार हुआ, ब्रह्माण्ड ठंडा होता गया और पदार्थ बनता गया और यह न्यूट्रॉन, प्रोटॉन, इलेक्ट्रॉन, एंटी-इलेक्ट्रॉन, फोटॉन और न्यूट्रिनो से भर गया।

सन् 1925 में अमेरिकी खगोलशास्त्री एडविन हबल यह साबित करने वाले पहले व्यक्ति थे कि ब्रह्माण्ड का विस्तार हो रहा है। इसका प्रमाण रेडशिफ्ट से मिलता है। जब प्रकाश का कोई स्रोत हमसे दूर जाता है, तो प्रकाश फैल जाता है और वर्ण स्पेक्ट्रम (जिसकी तरंग दैर्ध्य लंबी होती है) के लाल सिरे की ओर स्थानांतरित हो जाता है। आकाशगंगा जितनी अधिक दूर होती है, उसका रेडशिफ्ट उतना ही अधिक होता है और वह उतनी ही अधिक तेजी से दूर हो रही होती है।

चित्र 1.1 महाविस्फोट अथवा बिग बैंग सिद्धांत वर्तमान शोधों से संकेत मिलता है कि ब्रह्माण्ड का विस्तार अनंत काल तक हो सकता है। पहले यह सोचा गया था कि ब्रह्माण्ड का विस्तार धीमी गति से हो रहा होगा, क्योंकि पदार्थ के गुरुत्वाकर्षण ने विस्तार को धीमा कर दिया होगा। लेकिन, 1998 में हबल स्पेस टेलीस्कोप के अवलोकनों के आधार पर यह पता चला कि ब्रह्माण्ड का विस्तार गुरुत्वाकर्षण के कारण धीमा नहीं हो रहा था, बल्कि किसी अज्ञात बल के कारण तेज हो रहा था। इस त्वरित विस्तार को संपादित करने वाले इस बल का नाम गुप्त ऊर्जा अथवा डार्क एनर्जी है, जो विज्ञान के सबसे बड़े रहस्यों में से एक है।

हमारे ब्रह्माण्ड की उत्पति संबंधी मूल बातें समझने के बाद, आइए अब हम इसके घटकों के बारे में चर्चा करते हैं। हमारे ब्रह्माण्ड में असंख्य खगोलीय पिंड मौजूद हैं, जैसे कि ग्रह प्रणाली, तारा समूह, नीहारिकाएँ और आकाशगंगाएँ, साथ ही साथ खगोलीय पिंड-जैसे कि क्षुद्रग्रह, चंद्रमा, ग्रह आदि।

आकाशगंगाएँ (Galaxies)

आकाशगंगा सितारों, नीहारिकाओं और अंतर-तारा पदार्थों का विशाल समूह है। आकाशगंगाएँ ब्रह्माण्ड की मूलभूत इकाइयां हैं। आकाशगंगा अरबों सितारों का एक विशाल परिवार है और यह अपने स्वयं के गुरुत्वाकर्षण क्षेत्र द्वारा एक साथ बंधी होती है। ब्रह्माण्ड गैस और धूल कणों सहित सितारों की आकाशगंगाओं से बना है।

ब्रह्माण्ड में अरबों आकाशगंगाएँ हैं, जो आकृति और माप में भिन्न-भिन्न हैं। बौनी आकाशगंगाएँ वह होती हैं जिनमें कम-से-कम 1000 तारे होते हैं और विशाल आकाशगंगाओं में एक ट्रिलियन से अधिक तारे होते हैं। सबसे छोटी आकाशगंगाओं में लगभग 100,000 तारे होते हैं, जबकि सबसे बड़ी आकाशगंगाओं में 100 ट्रिलियन तारे होते हैं।

आकाशगंगाओं के दो मौलिक प्रकारों की पहचान की गई है- (i) नियमित आकाशगंगाएँ और (ii) अनियमित आकाशगंगाएँ।

नियमित आकाशगंगाओं को उनके नियमित आकार से पहचाना जाता है, जो डिस्क के आकार का, अंडाकार, सर्पिल अथवा मसूराकार (लेंटिकुलर) हो सकता है। अनियमित आकाशगंगाओं में

किसी विशिष्ट आकार का अभाव होता है और वे हबल अनुक्रम के किसी भी नियमित वर्ग में नहीं आती हैं। अनियमित आकाशगंगाओं में प्राचीन तारों की संख्या अधिक होती है (चित्र 1.2)।

चित्र 1.2
आकाशगंगाओं के प्रकार

(i) नियमित आकाशगंगाएँ (Regular Galaxies)

नियमित आकाशगंगाएँ या तो सर्पिलाकार या अंडाकार हो सकती हैं।

(क) सर्पिलाकार आकाशगंगाएँ

आकाश-गंगा और विशाल एंड्रोमिडा डिस्क के आकार की सर्पिलाकार आकाशगंगाओं के उत्तम उदाहरण हैं। इनके मध्य भाग में सितारों का जमावड़ा अधिक होता है। सर्पिलाकार आकाशगंगाओं में वक्राकार भुजाएँ होती हैं। लगभग 60-70 प्रतिशत आकाशगंगाओं में वक्राकार भुजाएँ होती हैं। सर्पिलाकार आकाशगंगाओं में अन्तर्तारकीय गैस पर्याप्त मात्रा में होती है, जिससे नए सितारों की उत्पत्ति होती रहती है। सर्पिलाकार आकाशगंगाओं की परिक्रमा के दौरान यह गैस और धूलकणों को समेट लेता है, जिससे उनकी भुजाओं में नये चमकीले सितारों का जन्म होता रहता है।

(ख) दीर्घवृत्ताकार आकाशगंगाएँ

ये वे आकाशगंगाएँ हैं जो ब्रह्माण्ड में संख्या में दूसरे स्थान पर हैं। लगभग 20% आकाशगंगाएँ दीर्घवृत्ताकार हैं।

ये सामान्यतया सर्पिलाकार आकाशगंगाओं से छोटी होती हैं। सामान्यत: इनका आकार सममित या गोलाकार होता है। इनमें स्थित अधिकांश सितारे बहुत प्राचीन हैं और इनमें किसी नये सितारे का जन्म भी नहीं होता है। इनमें से कुछ का आकार इतना छोटा होता है कि उनको 'बौना' शब्द की संज्ञा दी जाती है। सबसे बड़ी दीर्घवृत्ताकार आकाशगंगाओं का व्यास लगभग 1.7 मिलियन प्रकाश-वर्ष माना जाता है। ब्रह्माण्ड में बड़ी और अधिक चमकने वाली आकाशगंगाएँ दीर्घवृत्ताकार होती हैं, जिनका द्रव्यमान हमारी आकाशगंगा का 10^{13} गुना होता है।

(ग) मसुराकार (लेंटिकुलर) आकाशगंगाएँ

इन आकाशगंगाओं को अंडाकार और सर्पिल आकाशगंगाओं के बीच रूपात्मक रूप से वर्गीकृत किया गया है। इनमें सर्पिल आकाशगंगाओं के समान केन्द्र और डिस्क में एक उभार है, लेकिन इनमें सर्पिल भुजाओं या अंतर्तारकीय सामग्री के कोई संकेत नहीं दिखते हैं। इन आकाशगंगाओं की उत्पत्ति अब भी अज्ञात है। लेकिन, एक विचार के अनुसार वे मूल रूप से सर्पिल आकाशगंगाएँ थीं, जो किसी अन्य आकाशगंगा के संपर्क में आने के बाद अपनी अंतर्तारकीय सामग्री का उपयोग कर चुकी हैं अथवा खो चुकी हैं।

(ii) अनियमित आकाशगंगाएँ (Irregular Galaxies)

कुल आकाशगंगाओं का लगभग दस प्रतिशत अनियमित आकाशगंगाएँ हैं और इनके अनेक उपवर्ग हैं। अनियमित आकाशगंगाओं के सितारे सामान्यतया बहुत प्राचीन होते हैं। कुछ में पुराने और नये सितारों का भी मिश्रण पाया जाता है।

हमारी आकाशगंगा और अन्य सर्पिलाकार आकाशगंगाओं में पुराने सितारे मध्य भाग में और नये एवं अधिक चमकने वाले सितारे उनकी भुजाओं में पाये जाते हैं।

हमारी आकाशगंगा (मिल्की वे) [Our Galaxy (Milky Way)]
हमारी आकाशगंगा की आकृति एक चपटी डिस्क के समान है, जिसके केंद्र में उभार है। इसका व्यास लगभग एक लाख प्रकाश वर्ष के बराबर है। केंद्र में, इसका व्यास दस हजार प्रकाश वर्ष के बराबर है, जबकि डिस्क के छोरों पर इसकी मोटाई पाँच सौ से दो हजार प्रकाश वर्ष तक है। आकाशगंगा सितारों, गैस और धूल से भरी है तथा इसकी भुजाओं में जुड़वा सितारे पाये जाते हैं। अभी तक शुद्ध रूप से यह नहीं कहा जा सकता कि सूर्य आकाशगंगा के केंद्र से कितनी दूर है, लेकिन इसको पारंपरिक रूप से 26000 प्रकाश वर्ष दूर माना जाता है। इस प्रकार, हमारा सौरमंडल आकाशगंगा के केंद्र से अपेक्षाकृत दूर है। हमारी आकाशगंगा विशाल है, जिसका विस्तार लगभग 100,000 प्रकाश वर्ष (एक प्रकाश वर्ष लगभग 9460 बिलियन किमी अथवा 9.4607×10^{12} किमी) है। इसकी तुलना में, हमारा सौरमंडल बहुत छोटा है, जो केवल 45 प्रकाश वर्ष (लगभग 30 ट्रिलियन किमी) के बराबर है। हमारी आकाशगंगा के केंद्र में अतिविशालकाय ब्लैक होल है, जिसे सैजिटेरियस ए कहा जाता है, जो हमारे सूर्य के द्रव्यमान का लगभग 4.3 मिलियन गुना है। पूरी आकाशगंगा अंतरिक्ष में परिक्रमा कर रही है, यद्यपि इसके केन्द्रीय भाग के सितारे, बाह्य भाग के सितारों की तुलना में तीव्र गति से परिक्रमण करते हैं। हमारा सूर्य, जो इसके केन्द्र से लगभग एक-तिहाई दूर है, आकाशगंगा का एक चक्कर लगभग 225 मिलियन वर्ष में लगाता है (चित्र 1.3)।

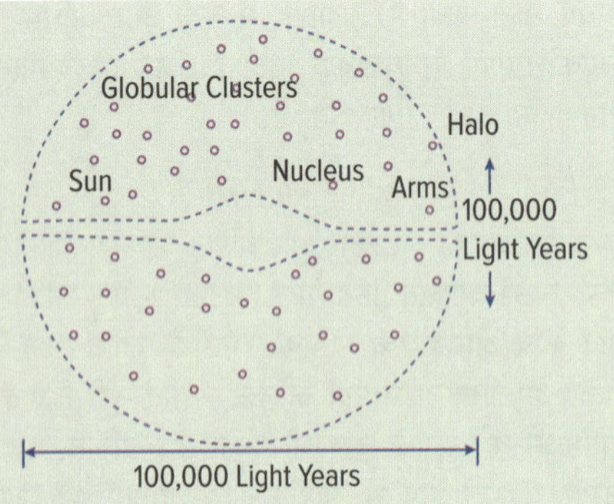

चित्र 1.3
हमारी आकाशगंगा – मिल्की वे

निहारिका (Nebulae)

आकाशगंगा में पाए जाने वाले धूल और गैस के बादलों को निहारिका कहा जाता है। यदि निहारिका के बादल की गैस उज्ज्वलित हो जाये या दूर स्थित वस्तुओं से सीधे आने वाले या अस्पष्ट प्रकाश को प्रतिबिंबित करे, तो निहारिका चमकने लगती है। ये निहारिकाएँ अंततः सितारों और तारा प्रणालियों के रूप में विकसित होती हैं। निहारिका का सर्वोत्तम उदाहरण ईगल निहारिका है, जिसमें "पिलर्स ऑफ क्रिएशन" हैं, जो पृथ्वी से लगभग 6500 प्रकाश वर्ष दूर हैं (चित्र 1.4)।

सितारे

सितारे जलती हुई गैस, मुख्य रूप से हाइड्रोजन के विशाल गोले होते हैं, जो अपने नाभिक में परमाणु संलयन के कारण चमकते हैं। इस संलयन प्रक्रिया से ऊर्जा उत्पन्न होती है, जो बाहर की ओर विकिरण करती है और इस कारण हम बहुत दूर से इन्हें देख पाते हैं। हमारा सूर्य भी एक सितारा ही है।

सितारे का जीवनचक्र

जन्म

सितारे का जन्म निहारिका, गैस और धूल के विशाल बादल से होता है। गुरुत्वाकर्षण बल के कारण, गैस और धूल घने गोले में परिवर्तित हो जाते हैं और अंततः ये इतने गर्म हो जाते हैं कि इनमें परमाणु संलयन की प्रक्रिया शुरू हो जाती है।

मध्य जीवन काल

नाभिकीय संलयन की प्रक्रिया शुरू होने से सितारा "ज्वलन चरण" (बर्निंग फेज) में प्रवेश कर जाता है और यह उष्मा एवं प्रकाश का गोला बन जाता है। इस चरण में सितारे में मौजूद विशाल हाइड्रोजन भंडार आरंभ में संलयन क्रिया करता रहता है और हीलियम का निर्माण करता है, जिससे विशाल मात्रा में ऊर्जा निकलती है। यह चरण लाखों या अरबों वर्षों तक जारी रहता है और यह इस बात पर निर्भर करता है कि सितारे का आकार कितना बड़ा है।

चित्र 1.4
पिलर्स ऑफ क्रिएशन

उत्तर चरण

जब सितारे का हाइड्रोजन ईंधन समाप्त हो जाता है, तो सितारे का कोर संकुचित होने लगता है और गर्म हो जाता है और इसकी बाहरी परतें फैलती जाती हैं और ठंडी होती जाती हैं। इसके बाद, तारों का भाग्य उसके द्रव्यमान पर निर्भर करता है-

- यदि सितारे का द्रव्यमान सूर्य के द्रव्यमान से 8 गुना से कम होता है, तो सितारा विशाल चमकीला तारा (रेड जाएंट) बन जाता है और इसकी बाहरी परतें बाहर निकल जाती हैं और ग्रह नीहारिका बन जाता है। शेष कोर, चंद्रशेखर सीमा (सूर्य के द्रव्यमान का 1.4 गुना) से कम होने के कारण, श्वेत वामन में परिवर्तित हो जाता है। हमारा सूर्य भी एक दिन श्वेत वामन में परिवर्तित हो जाएगा। जब सितारा संकुचित होकर श्वेत वामन बन जाता है, तो इसमें ऊर्जा का कोई स्रोत नहीं रह जाता है और यह ठंडा होता जाता है और इसका प्रकाश मंद पड़ता जाता है। यद्यपि ऐसा नहीं देखा गया है, परंतु श्वेत वामन अपने अंतिम चरण में एक छोटा, ठंडा, प्रकाशहीन पिंड में परिवर्तित हो जाता होगा, जिसे 'कृष्ण वामन' कहा जाता है।
- यदि सितारे का द्रव्यमान सूर्य के द्रव्यमान के 8 गुना से अधिक है, लेकिन 20-25 गुना से कम होता है, तो सितारा विशाल लाल चमकीला तारा (रेड जाएंट) में परिवर्तित होने के बाद, उसमें विस्फोट हो जाता है, जिसे सुपरनोवा कहा जाता है। शेष कोर सामान्यतया सूर्य के द्रव्यमान का 1.4 से 3 गुना रह जाता है और इन्हें न्यूट्रॉन तारे कहा जाता है। न्यूट्रॉन तारे लगभग पूरी तरह से न्यूट्रॉन से ही बने होते हैं।
- अत्यधिक द्रव्यमान वाला तारा (सूर्य के द्रव्यमान से 20 से 25 गुना), रेड अथवा ब्लू सुपरजाएंट बन सकता है और अंततः सुपरनोवा की प्रक्रिया से गुजरता है। यदि अवशिष्ट कोर सूर्य के द्रव्यमान से 3 गुना से अधिक शेष रहती है, तो यह "कृष्ण विवर" (ब्लैक होल) में परिवर्तित हो जाता है। "कृष्ण विवर" (ब्लैक होल) का गुरुत्वाकर्षण इतना अधिक होता है कि प्रकाश भी इससे बाहर नहीं आ पाता है। यद्यपि, ब्लैक होल कुछ विकिरण छोड़ते हैं, जिन्हें हॉकिंग विकिरण के रूप में जाना जाता है।

त्वरित पुनरावलोकन

चंद्रशेखर सीमा

→ इसमें अवशिष्ट कोर के द्रव्यमान पर विचार किया जाता है।

अवशिष्ट का द्रव्यमान	सितारे की अंतिम अवस्था
सूर्य के द्रव्यमान का 1.4 गुना	श्वेत वामन → (संभवतः कृष्ण वामन)
सूर्य के द्रव्यमान का 1.4 से 3 गुना	न्यूट्रॉन सितारा
सूर्य के द्रव्यमान का 3 गुना से अधिक	कृष्ण विवर (ब्लैक होल)

सौरमंडल (THE SOLAR SYSTEM)

'सूर्य' के परिवार को सौरमंडल के नाम से जाना जाता है। सौर मण्डल में आठ प्रमुख ग्रह, न्यूनतम पाँच ज्ञात छोटे ग्रह [अर्थात् सेरेस, प्लूटो (सबसे बड़ा), हाउमिया, मेकेमेक (नवीनतम) और एरिस], उपग्रह और असंख्य क्षुद्रग्रह, उल्कापिंड और धूमकेतु सूर्य की परिक्रमा करते हैं और सौरमंडल का निर्माण करते हैं। सूर्य हमारा मातृ तारा और निकटतम तारा भी है, जिसके आंतरिक गहरे भाग में होने वाली नाभिकीय संलयन प्रतिक्रियाओं से ऊर्जा उत्पन्न होती है। इस ऊर्जा से पृथ्वी को प्रकाश और उष्मा मिलती है जिससे यहां जीवन संभव हो पाया है। (चित्र 1.5)

सौरमंडल की उत्पत्ति (Origin of Solar System)

कांट की गैसीय परिकल्पना और लैप्लास का नेबुलर सिद्धांत जैसे कुछ ऐसे सिद्धांत हैं, जो हमारे सौरमंडल के निर्माण को समझाने का प्रयास करते हैं। आइए, हम यहाँ इनकी चर्चा करें।

कांट की गैसीय परिकल्पना- इमैनुएल कांट द्वारा प्रस्तावित गैसीय परिकल्पना में यह माना गया है कि प्रारंभिक पदार्थ के बड़े कण ब्रह्माण्ड में बिखरे हुए थे और "किसी कारणवश" ये टकराने लगे। इन टक्करों से उष्मा उत्पन्न हुई, जिससे प्रारंभिक पदार्थ ठोस से तरल में और अंततः गैसीय अवस्था में परिवर्तित हो गया, जिससे निहारिका (नेबुला) का निर्माण हुआ। निहारिका अपने अक्ष के चारों घूर्णन करने लगी, जिससे केंद्र में उभार उत्पन्न हुआ। जैसे-जैसे यह उभार बढ़ता गया, छल्लों का निर्माण हुआ और ये छल्ले केंद्रीय द्रव्यमान से अलग होते गए। शेष केंद्रीय द्रव्यमान सूर्य बन गया, जबकि अलग हुए छल्ले अंततः ग्रह बन गए। जब यही प्रक्रिया ग्रहों के स्तर पर घटित हुई, तो इससे उन ग्रहों के उपग्रहों का जन्म हुआ।

यद्यपि, इस सिद्धांत में कुछ कमियां थीं, जैसे कि प्रारंभिक पदार्थ और इसके टकराव के लिए ऊर्जा कहां से आई। साथ ही, टकराव से घूर्णन गति कैसे उत्पन्न हुई?

लैप्लास ने अपनी नेबुलर परिकल्पना सिद्धांत में इन कमियों का समाधान प्रस्तुत किया। उन्होंने माना कि प्रारंभ से ही घूर्णनशील निहारिका (नेबुला) विद्यमान थी। यह अपने घूर्णन के कारण, अपनी बाहरी सतह से लगातार उष्मा खो रही थी। इस कारण इसका संकुचन हुआ और इसकी घूर्णन गति बढ़ गई। जैसे-जैसे घूर्णन गति बढ़ी, इसके छल्ले केंद्रीय द्रव्यमान से अलग होने लगे। प्रत्येक अलग हुआ छल्ला एक गैसीय द्रव्यमान में संघनित होता

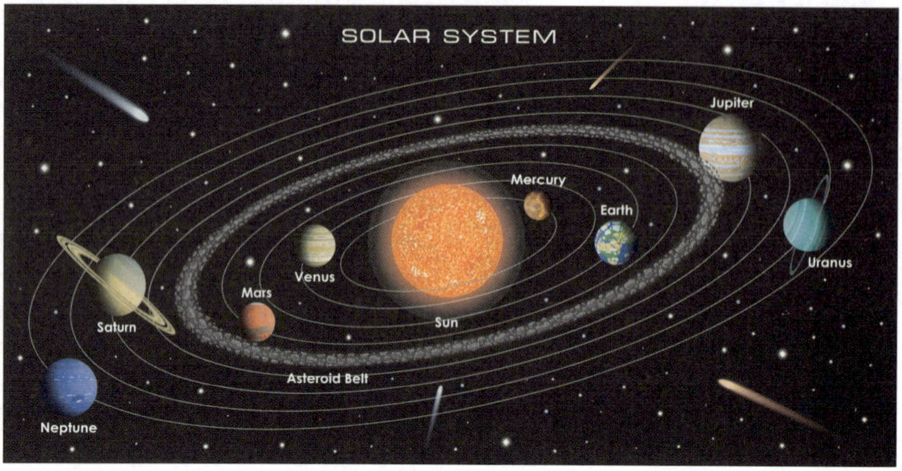

चित्र 1.5A
हमारा सौरमण्डल

चित्र 1.5B
ग्रह और सूर्य का आकार

गया और निहारिका (नेबुला) के चारों ओर घूर्णन करने लगा। समय के साथ, ये गैसीय द्रव्यमान ठंडे होकर ठोस होते गए और इस तरह, ग्रहों का निर्माण हुआ। निहारिका (नेबुला) के शेष भाग से अंततः सूर्य बना।

इस सिद्धांत में भी कमियां थीं। लैप्लास ने यह नहीं बताया कि इस निहारिका (नेबुला) का स्रोत क्या है। साथ ही, यदि ग्रह घूर्णनशील निहारिका (नेबुला) से बने हैं, तो नेबुला का शेष भाग, अर्थात् सूर्य को सिद्धांततः अपने छोटे आकार के कारण सबसे अधिक गति से घूर्णन करना चाहिए था। यद्यपि, ऐसा नहीं है।

तत्पश्चात् ओटो श्मिट और विक्टर सफरोनोव का अभिवृद्धि का सिद्धांत आया। उनके अनुसार, कणों की निरंतर अभिवृद्धि से निहारिका (नेबुला) और अंततः ग्रहों का निर्माण होता है।

नेबुला → धूल के कण → बोल्डर → ग्रहाणु → छोटे चट्टानी पिंड

हमारे सौरमंडल की उत्पत्ति के बारे में एक और (मगर कम स्वीकृत) सिद्धांत है। चेम्बरलीन-मौलटन प्लैनेटेसिमल हाइपोथीसिस के अनुसार, हमारे युवा सूर्य के पास से कोई निकटवर्ती सितारा गुजरा, जिससे सूर्य में ज्वारीय उभार आया और सौर ज्वाला उत्पन्न हुई। इस कारण सूर्य से सामग्री का बार-बार उत्क्षेपण हुआ। पास से गुजरने वाले सितारे के गुरुत्वाकर्षण प्रभाव के कारण इस उत्क्षेपित सामग्री से दो सर्पिलाकार भुजाओं का निर्माण हुआ। इसमें से कुछ सामग्री परिक्रमा पथ में बनी रही। यह सामग्री ठंडी होकर छोटे पिंडों, जिन्हें छोटे चट्टानी पिंड (प्लैनेटेसिमल) कहा गया और बड़े पिंडों, जिन्हें प्रोटोप्लैनेट कहा गया, उनमें संघनित होती गई। समय के साथ, इन पिंडों के बीच टकराव के कारण ग्रहों और उनके चंद्रमाओं का निर्माण हुआ, वहीं धूमकेतु और क्षुद्रग्रह अवशिष्ट मलबे के रूप में रह गए।

हमारे सौरमंडल की उत्पत्ति से संबंधित कुछ अन्य सिद्धांत भी हैं, जिनकी सूची तालिका 1.1 में दी गई है।

तालिका 1.1 सौर मंडल की उत्पत्ति के बारे में परिकल्पना और सिद्धांत

क्र. सं.	परिकल्पना/सिद्धांत का नाम	प्रतिपादक	वर्ष
1.	गैसीय परिकल्पना	इम्मैनुएल कांट	1755
2.	नेबुलर परिकल्पना	पियरे-साइमन लाप्लास	1796
3.	ग्रहीय परिकल्पना	टी. सी. चेम्बरलिन, एफ.आर. मौलटन	1905
4.	ज्वारीय परिकल्पना	सर जेम्स जीन्स और जेफ्रीज	1919
5.	द्वैतारक (बाइनरी स्टार) परिकल्पना	एच. एन. रसेल	1937
6.	सेफिड परिकल्पना	ए. सी. बनर्जी	1942
7.	अंतर-तारकीय धूल परिकल्पना	ओटो श्मिट	1943
8.	भंवर (वॉर्टेक्स) मॉडल	सी. एफ. वॉन वीजसेकर	1944
9.	गैसीय बादल संघनन परिकल्पना	जेरार्ड कूपर	1949
10.	सुपरनोवा परिकल्पना	एफ. होयल	1946
11.	विद्युतचुंबकीय सिद्धांत (बैंड-संरचना मॉडल)	हैन्स अल्फवेन	1954
12.	प्रोटोप्लेनेट सिद्धांत	डब्ल्यू. एच. मैक्रे	1960
13.	ग्रहण (कैप्चर) सिद्धांत	माइकल मार्क वूल्फसन	1964
14.	बृहस्पति-सूर्य बाइनरी सिस्टम परिकल्पना	ई. एम. ड्रोबिशेव्स्की	1974

सौरमंडल की उत्पत्ति संभवत: अंतरिक्ष में अवस्थित गैस और धूल के विशाल बादल में गुरुत्वाकर्षण के नष्ट होने के कारण हुई। ऐसा प्रतीत होता है कि ग्रहों की संरचना में अंतर का संबंध उनकी सूर्य से दूरी है। सूर्य के निकट के पिंड (स्थलीय ग्रह) चट्टानों और धातुओं से बने हैं, जो उँचे तापमान पर इस रूप में बने है, जबकि बाहरी ग्रह ऐसे तत्वों से बने हैं, जो निम्न तापमान पर ठोस (संघनित) होते हैं। यही कारण है कि सूर्य के निकट के चार ग्रहों को स्थलीय ग्रह कहा जाता है, जबकि सूर्य से अधिक दूरी वाले चार ग्रहों को गैस जाएंट कहा जाता है।

सूर्य (Sun)

सूर्य का निर्माण तब हुआ, जब धूल और गैस का घूमता हुआ बादल संकुचित होता गया और पदार्थ को अपने केंद्र में खींच लिया। जब इसके केंद्र में तापमान 1,000,000°C तक बढ़ गया, तो नाभिकीय संलयन – हाइड्रोजन का हीलियम में संलयन हुआ, जिससे ऊर्जा का निर्माण हुआ। इस प्रक्रिया में निरंतर उष्मा और प्रकाश की धारा निकलती रही। सूर्य का द्रव्यमान सौरमंडल के द्रव्यमान का 99 प्रतिशत से भी अधिक है। सूर्य के द्रव्यमान में हाइड्रोजन (74 प्रतिशत), हीलियम (24 प्रतिशत), ऑक्सीजन (0.77 प्रतिशत), कार्बन (0.3 प्रतिशत) और थोड़ी मात्रा में अन्य तत्व हैं। आंतरिक संरचना के अध्ययन से पता चलता है कि इसमें कोर, विकिरण क्षेत्र और संवहनी क्षेत्र शामिल हैं। सूर्य का वातावरण तीन परतों में विभाजित है- प्रकाशमंडल या फोटोस्फीयर, वर्णमंडल अथवा क्रोमोस्फीयर और किरीट अथवा कोरोना (चित्र 1.6)।

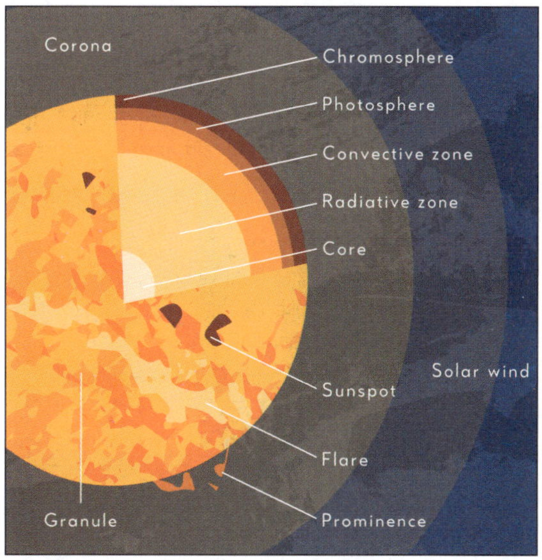

चित्र 1.6
सूर्य की संरचना और वातावरण

सूर्य का कोर वह क्षेत्र है, जहां नाभिकीय संलयन होता है और ऊर्जा निकलती है। यह ऊर्जा विकिरण क्षेत्र में विद्युतचुंबकीय विकिरण के रूप में प्रवाहित होती है और संवहन (संवहन क्षेत्र से) के माध्यम से सूर्य के वातावरण तक पहुंचती है, जहां से प्रकाशमंडल की शुरूआत होती है।

प्रकाश मण्डल (Photosphere)

सूर्य की अधिक चमकीली बाहरी परत को प्रकाश मण्डल कहा जाता है। यह सर्वाधिक विकिरणों, विशेष रूप से दृश्यमान प्रकाश का उत्सर्जन करती है। इसमें जलती हुई गैसों का 100-400 किमी मोटा क्षेत्र शामिल होता है। प्रकाश मण्डल बेहद असमान सतह है। प्रकाश मण्डल के बाहरी हिस्से पर प्रभावी तापमान लगभग 5500 डिग्री सेल्सियस है।

वर्ण मण्डल (Chromosphere)

प्रकाश मण्डल (फोटोस्फीयर) के ठीक ऊपर वर्ण मण्डल (क्रोमोस्फीयर) है। यह जलती हुई गैसों की अपेक्षाकृत एक पतली परत है।

किरीट (Corona)

सूर्य के वायुमंडल की तीसरी परत को किरीट (कोरोना) कहा जाता है, जो कि दृश्यमान प्रकाश में प्रकाश मण्डल (फोटोस्फीयर) की तुलना में दस लाख गुना अधिक धुंधली होती है। किरीट (कोरोना) को केवल पूर्ण सूर्य ग्रहण के दौरान ही देखा जा सकता है। यह सफेद स्ट्रीमर या आयनित गैसों के प्लम के रूप में दिखाई देता है, जो अंतरिक्ष में बाहर की ओर फैले रहते हैं। सूर्य के किरीट (कोरोना) में तापमान 3 मिलियन डिग्री सेल्सियस तक पहुंच सकता है। जैसे-जैसे गैसें ठंडी होती जाती हैं, वे सौर पवन बनती जाती हैं। यह क्षेत्र अत्यधिक पराबैंगनी और एक्स-रे उत्सर्जन का शक्तिशाली स्रोत भी है।

सौर कलंक (Sunspot)

सूर्य की सतह पर अवस्थित काला धब्बा सौर कलंक (सनस्पॉट) के रूप में जाना जाता है। सौर कलंक (सनस्पॉट) अंधेरे क्षेत्रों के रूप में दिखाई देते हैं, क्योंकि इनका तापमान आसपास के प्रकाशमंडल की तुलना में लगभग 1500 डिग्री सेल्सियस कम होता है। सौर कलंक की औसत आयु चंद दिनों से लेकर कुछ महीनों तक की होती है। प्रत्येक सौर कलंक के मध्य भाग को प्रच्छाया या अम्ब्रा कहते हैं और उसके चारों ओर प्रकाशित भाग को उपछाया या पेनम्ब्रा कहते हैं। ग्यारह वर्ष के चक्र में दिखाई देने वाले सौर कलंकों (सनस्पॉट) की संख्या घटती बढ़ती रहती है। कहा जाता है कि जब सौर-कलंक उत्पन्न नहीं होते, तब सूर्य का तापमान लगभग 0.1 प्रतिशत कम रहता है और सौर विकिरण में यह बदलाव पृथ्वी की जलवायु को प्रभावित कर सकता है।

सौर कलंक (सनस्पॉट) चक्र लगभग 11 वर्षों का होता है, जिसके दौरान सूर्य की सतह पर सौर कलंकों (सनस्पॉट) की संख्या घटती-बढ़ती रहती है।

सौर अधिकतम (मैग्जिमा)

- जब सौर कलंक (सनस्पॉट) और सौर गतिविधि सबसे अधिक होती है।
- इतने सारे सौर कलंकों (सनस्पॉट) की मौजूदगी के कारण इस अवधि में सूर्य का तापमान सामान्य से कम रहता है।

सौर न्यूनतम (मिनिमा)

- जब सौर कलंक और सौर गतिविधि सबसे कम होती है।
- इस अवधि में सौर कलंकों की संख्या सबसे कम होती हैं।

सौर से जुड़ी हुई अनेक प्रकार की गतिविधियाँ होती रहती हैं, जो पृथ्वी को भी प्रभावित कर सकती हैं। इस खंड में हम इनमें से कुछ घटनाओं का अध्ययन करेंगे।

सौर तूफान- सौर ज्वाला और कोरोनल मास इजेक्शन (सीएमई) जैसी सौर गतिविधियों के कारण अंतरिक्ष के मौसम में होने वाली गड़बड़ियाँ हैं। सौर तुफान हमारे उपग्रहों, पॉवर ग्रिड आदि सहित हमारे संचार और बिजली की आधारभूत संरचनाओं पर व्यापक प्रभाव डाल सकते हैं।

सौर ज्वाला- ये घुमावदार चुंबकीय क्षेत्रों (जैसे जब रबर बैंड अपनी मूल स्थिति में वापस आते हैं) में ऊर्जा के निकलने के कारण होने वाले भयानक विस्फोट हैं। इनके कारण सूर्य के प्रकाश में अचानक वृद्धि हो सकती है। सौर ज्वाला की घटना सदैव तो नहीं, परंतु अधिकतर सीएमई के कारण होती हैं। इसके कारण पृथ्वी पर विद्युत और इलेक्ट्रॉनिक प्रणालियां खराब हो सकती हैं, क्योंकि इस घटना में बड़ी संख्या में चार्ज कण पृथ्वी पर आते हैं।

कोरोनल मास इजेक्शन- इस घटना में सूर्य के किरीट (कोरोना) से बड़ी मात्रा में प्लाज्मा का निष्कासन होता है। जब तक सूर्य का गुरुत्वाकर्षण इसे रोक पाने में असमर्थ रहता है, तब तक प्लाज्मा फैलता रहता है। इस प्रक्रिया में हमारे सौरमंडल में बड़ी मात्रा में चार्ज कण आते हैं।

सौर पवनें - "यह" सूर्य के किरीट (कोरोना) से आने वाली चार्ज कणों की धारा है।

ऑरोरा- इसे ध्रुवीय प्रकाश (पोलर लाइट्स) भी कहा जाता है। वायुमंडल में नाइट्रोजन और ऑक्सीजन के अणुओं का ऊर्जन (एक्साइटेशन) होने के कारण यह घटित होता है। सूर्य से आने वाले चार्ज कण इन गैसों को ऊर्जित कर देते हैं। जब ये अणु अपनी सामान्य (गैर-ऊर्जन) अवस्था में लौटते हैं, तब प्रकाशाणु (फोटॉन) के रूप में ऊर्जा छोड़ते हैं, जो आकाश में लाल/नीले/हरे ऑरोरा के रूप में दिखाई देती हैं।

उत्तरी गोलार्द्ध में इसे ऑरोरा बोरेलिस कहा जाता है और दक्षिणी गोलार्द्ध में इसे ऑरोरा ऑस्ट्रेलिस कहा जाता है।

ऑरोरा को केवल ध्रुवीय क्षेत्रों के आसपास ही देखा जा सकता है, क्योंकि पृथ्वी के चुंबकीय ध्रुव, अपनी वर्तमान संरचना में अपने भौगोलिक ध्रुवों के साथ मेल खाते हैं। सूर्य से आने वाले चार्ज कण पृथ्वी के चुंबकीय ध्रुवों की ओर आकर्षित होते हैं, जिससे ध्रुवीय क्षेत्रों में ऑरोरा घटित होती है।

ग्रह (Planets)

वह खगोलीय पिंड, जो तीन शर्तों अर्थात् वह अपने मेजबान सितारे के चारों ओर परिक्रमा करता हो, परिक्रमा पथ अधिकांशत: गोलाकार (पूर्णत: गोलाकार आवश्यक नहीं है) हो और अपने सितारे के चारों ओर अपनी कक्षा के मार्ग में आने वाले किसी भी समान आकार की वस्तुओं को हटाने के लिए पर्याप्त गुरुत्वाकर्षण हो, इस चक्र को जो पूरी करता हो, उसे ग्रह के रूप में जाना जाता है।

याद रखने की युक्ति (Learning Trick)

ग्रहों के क्रम को याद रखने का आसान तरीका

Mercury Venus Earth Mars Jupiter

My **V**ery **E**ducated **M**other **J**ust **S**erved **U**s **N**oodles

Saturn Uranus Neptune

हमारे सौरमंडल में ग्रहों को सामान्यत: निम्नलिखित दो भागों में विभाजित किया जाता है:-

(i) आंतरिक ग्रह (बुध, शुक्र, पृथ्वी और मंगल),

(ii) बाह्य ग्रह (बृहस्पति, शनि, अरुण और वरुण)।

आंतरिक और बाह्य ग्रहों के बीच संरचना, आकार, घनत्व आदि जैसे विभिन्न पहलुओं के आधार पर अंतर तालिका 1.2 में दर्शाया गया है।

तालिका 1.2 सौरमंडल के आंतरिक बनाम बाह्य ग्रह

पहलू	आंतरिक ग्रह	बाह्य ग्रह
नाम	बुध, शुक्र, पृथ्वी, मंगल	बृहस्पति, शनि, अरुण, वरुण
संरचना	चट्टानी, धातु-समृद्ध	गैसीय (हाइड्रोजन, हीलियम), बर्फीला
आकार	छोटा	बड़ा
घनत्व	उच्च घनत्व (3.9 से 5.5 ग्राम/सेमी^{3})	कम घनत्व (0.7 से 1.6 ग्राम/सेमी^{3})
सतह	ठोस सतह	ठोस सतह नहीं है, गैस और तरल परतों से बने हैं।
चुंबकीय क्षेत्र	(पृथ्वी को छोड़कर) कमजोर या नहीं है	मजबूत चुंबकीय क्षेत्र है
छल्ले	इनमें छल्ले नहीं है।	प्रमुखत: वलय प्रणालियाँ हैं। (सभी चारों में)
चंद्रमा	या तो कम या कोई चंद्रमा नहीं है। (पृथ्वी का 1, मंगल के 2 चन्द्रमा हैं)	अनेक चंद्रमा हैं। (बृहस्पति के 95, शनि के 274, आदि)
तापमान	औसत तापमान अधिक है।	औसत तापमान कम है।
निर्माण	सूर्य के निकट भारी तत्वों से बने हैं।	सूर्य से दूर, हल्के तत्वों से बने हैं।
कक्षा	सूर्य के चारों ओर छोटी कक्षाएँ	सूर्य के चारों ओर लंबी कक्षाएँ
कक्षीय गति	तेज कक्षीय गति	धीमी कक्षीय गति
घूर्णन	धीमी घूर्णन अवधि (लंबे दिन)	तेज घूर्णन अवधि (छोटे दिन)
वायुमंडल	पतला वायुमंडल (शुक्र और पृथ्वी को छोड़कर)	मोटा वायुमंडल
भूवैज्ञानिक गतिविधि	मौजूद (ज्वालामुखी, भूकंप)	न्यूनतम है अथवा नहीं है।

पृथ्वी (Earth)

व्यासः 12,742 किमी
द्रव्यमानः 5,976 मिलियन, मिलियन, मिलियन टन
वैश्विक औसत सतही तापमानः 15°C
सूर्य से दूरीः 150 मिलियन किमी (93 मिलियन मील)
दिन की लंबाईः 23.92 घंटे
वर्ष की लंबाईः 365.25 पृथ्वी दिन
सतह का गुरुत्वाकर्षणः 1 किग्रा = 1 किग्रा

पृथ्वी का आकार गेंद के समान है, लेकिन यह पूरी तरह गोल भी नहीं है। पृथ्वी के घूर्णन बल के कारण भूमध्य रेखा पर पृथ्वी थोड़ी उभरी हुई है और उत्तरी तथा दक्षिणी ध्रुवों पर थोड़ी चपटी है। इसलिए, पृथ्वी वास्तव में जियोइड या चपटी गेंद की आकृति की है। (चित्र 1.7)

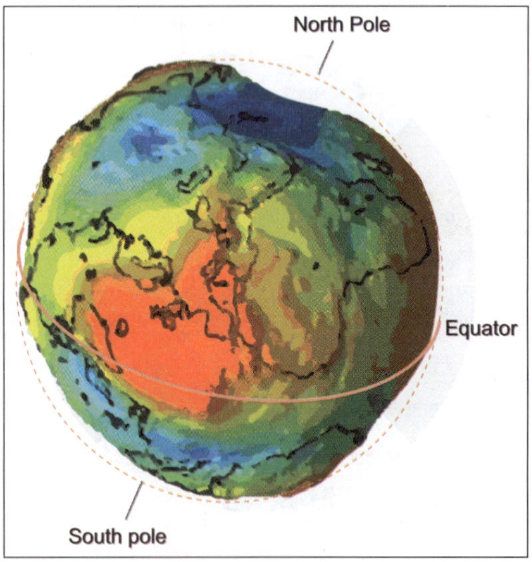

चित्र 1.7
पृथ्वी का आकार

पृथ्वी अपने आकार और सूर्य से दूरी के कारण स्थलीय ग्रहों (बुध, शुक्र, पृथ्वी और मंगल) में विशिष्ट ग्रह है। पृथ्वी सौरमण्डल का इस मायने में विशिष्ट पिंड है कि केवल पृथ्वी पर ही जीवन है - इसका आकार, गुरुत्वाकर्षण खिंचाव और सूर्य से दूरी के कारण इस पर जीवन के विकास के लिए अनुकूल परिस्थितियाँ बनी हैं। वातावरण और जलमंडल को विकसित करने और उसे बनाए रखने के लिए इसका आकार पर्याप्त बड़ा है। पृथ्वी पर तापमान की विविधता इस प्रकार की है कि इसकी सतह पर पानी द्रव, ठोस और गैस के रूप में मौजूद रह सकता है। पानी की उपस्थिति ही पृथ्वी को विशिष्ट ग्रह बनाती है। सौरमण्डल के अन्य ग्रहों के बारे में विवरण के लिए तालिका 1.3 देखें।

गोल्डीलॉक्स जोन - इसका तात्पर्य सितारे से ग्रह की उस दूरी से है, जिस दूरी पर ग्रह की वायुमंडलीय परिस्थितियाँ ऐसी होती हैं कि पानी तरल रूप में बना रहता है। इस तरह के क्षेत्र की सितारे से दूरी तारे के आकार और शक्ति पर निर्भर करती है। उदाहरण के लिए, पृथ्वी सूर्य के गोल्डीलॉक्स जोन में स्थित है।

पृथ्वी का विकास (Evolution of the Earth)

स्थलमंडल (The Lithosphere)

जब पृथ्वी ठंडा होना प्रारंभ किया, तो विभेदन की प्रक्रिया शुरु हुई। इस प्रक्रिया में हल्के पदार्थ गहरे अंदर से तैरकर ऊपर आ गए और ठंडे होकर कठोर चट्टानों में परिवर्तित हो गए। जैसे-जैसे पृथ्वी का आंतरिक भाग ठंडा होता गया, वैसे-वैसे पृथ्वी सिकुड़ती गयी और इसकी बाह्य परत के सिकुड़ने से पर्वत और घाटियाँ बनती गयीं।

पृथ्वी का वायुमंडल (The Earth's Atmosphere)

विभेदन की प्रक्रिया के दौरान गैसों का निष्कासन भी हुआ, अर्थात् पृथ्वी के आंतरिक भाग से गैसों का निष्कासन हुआ, जिससे वायुमंडल का निर्माण हुआ। पृथ्वी के निर्माण के प्रारंभिक चरणों में हमारा वायुमंडल हाइड्रोजन और हीलियम गैसों में समृद्ध था। ये गैसें अंततः सौर पवनों द्वारा हटा दी गई। बाद में निरंतर ज्वालामुखी विस्फोटों के कारण राख, लावा, कार्बन और जलवाष्प पृथ्वी की

तालिका 1.3 सौरमण्डल संबंधी तथ्य

	बुध	शुक्र	पृथ्वी	चंद्रमा	मंगल	बृहस्पति	शनि	यूरेनस	नेपच्यून	प्लूटो*
द्रव्यमान (10^{24} किग्रा)	0.330	4.87	5.97	0.073	0.642	1898	568	86.8	102	0.0146
व्यास (किमी)	4879	12,104	12,756	3475	6792	142,984	120,536	51,118	49,528	2370
घनत्व (किग्रा/मी^{3})	5427	5243	5514	3340	3933	1326	687	1271	1638	2095
गुरुत्वाकर्षण (मी/सेकेंड^2)	3.7	8.9	9.8	1.6	3.7	23.1	9.0	8.7	11.0	0.7
पलायन वेग	4.3	10.4	11.2	2.4	5.0	59.5	35.5	21.3	23.5	1.3
घूर्णन अवधि (घंटे)	1407.6	−5832.5	23.9	655.7	24.6	9.9	10.7	−17.2	16.1	−153.3

(Continued)

तालिका 1.3 *(Continued)*

	बुध	शुक्र	पृथ्वी	चंद्रमा	मंगल	बृहस्पति	शनि	यूरेनस	नेपच्यून	प्लूटो*
दिन की अवधि (घंटे)	4222.6	2802.0	24.0	708.7	24.7	9.9	10.7	17.2	16.1	153.3
सूर्य से दूरी (10^6 किमी)	57.9	108.2	149.6	0.384	227.9	778.6	1433.5	2872.5	4495.1	5906.4
परिक्रमा अवधि (दिन)	88.0	224.7	365.2	27.3	687.0	4331	10,747	30,589	59,800	90,560
परिक्रमा वेग (किमी/सेकेंड)	47.4	35.0	29.8	1.0	24.1	13.1	9.7	6.8	5.4	4.7
परिक्रमा झुकाव (डिग्री)	7.0	3.4	0.0	5.1	1.9	1.3	2.5	0.8	1.8	17.2
औसत तापमान (डिग्री सेल्सियस)	167	464	15	−20	−65	−110	−140	−195	−200	−225
चंद्रमाओं की संख्या	0	0	1	0	2	79	82	27	14	5
वलय प्रणाली (रिंग सिस्टम)	नहीं	नहीं	नहीं	नहीं	नहीं	हाँ	हाँ	हाँ	हाँ	नहीं

*अंतर्राष्ट्रीय खगोल संघ (IAU) ने 2006 में अपनी 26वीं महासभा में यम (प्लूटो) का ग्रह का दर्जा समाप्त कर इसे बौने ग्रह की श्रेणी में रख दिया है। इसके पुनर्वर्गीकरण का कारण यह था कि यह सूर्य के चारों ओर अपनी कक्षा से अपने समान आकार की वस्तुओं को हटा नहीं सका है।

सतह पर आते गए, जिससे वायुमंडल में कार्बन डाइऑक्साइड, नाइट्रोजनयुक्त गैसें (NO_2, NH_3) और जलवाष्प प्रचूर मात्रा में हो गयीं। पृथ्वी पर जीवन के विकास होने से प्रकाश संश्लेषण की क्रिया हुई, जिससे पृथ्वी का वायुमंडल, जिसमें कि ऑक्सीजन की कमी थी, ऑक्सीजन समृद्ध बना और कार्बन डाइऑक्साइड की मात्रा में कमी आई। इस प्रकार, हमारे वायुमंडल की वर्तमान संरचना बनी।

पृथ्वी का जलमंडल (Earth's Hydrosphere)

बड़े पैमाने पर ज्वालामुखी विस्फोटों के कारण वायुमंडल में अत्यधिक जलवाष्प आया। जलवाष्प के कारण पृथ्वी पर निरंतर वर्षा होती रही, जिससे जलमंडल का निर्माण हुआ। जल की बूंदों से बने बादलों ने सूर्य की कुछ विकिरणों को पुन: अंतरिक्ष में परावर्तित कर दिया। पृथ्वी का तापमान स्थिर हो गया और कार्बन, हाइड्रोजन और नाइट्रोजन (हाइड्रोकार्बन और प्रोटीन) पर आधारित प्रारंभिक जीवन रूपों का उदय हुआ।

पृथ्वी पर स्थित महासागर और समुद्र 361 मिलियन वर्ग किलोमीटर से अधिक क्षेत्र में फैले हुए हैं, जो मंगल की सतह का दोगुना और चंद्रमा की सतह का नौ गुना है।

ग्रहिका (Asteroids)

लाखों ऐसे पिंड हैं, जो ग्रह निर्माण के अवशेष हैं और सूर्य के चारों ओर परिक्रमा करते रहते हैं। ये अधिकांशत: पिंड मंगल ग्रह और बृहस्पति ग्रह के बीच के क्षेत्र में स्थित हैं। इन्हें ग्रहिकाएं (एस्टिरॉयड) कहा जाता है। इन ग्रहिकाओं के टुकड़े टूटकर उल्कापिंड बनते हैं, जो पृथ्वी की सतह तक पहुंच सकते हैं।

धूमकेतु/पुच्छल तारा (Comets)

धूमकेतु सौरमंडल के सबसे दर्शनीय और अप्रत्याशित पिण्डों में से एक हैं। ये जमी हुई गैसों (पानी, अमोनिया, मीथेन और कार्बन डाइऑक्साइड) से बने होते हैं, जिनमें छोटे चट्टानी और धात्विक खनिजों के टुकड़े भी होते हैं। अत: इनकी तुलना बड़े, गंदे बर्फ के गोलों से की गई है (चित्र 1.7)। धूमकेतु, जो बर्फ और धूल से बने होते हैं, हमारे सौरमंडल के बाहर उत्पन्न हुए होते हैं। इनकी दीर्घवृत्ताकार कक्षा होने के कारण ये सूर्य के निकट और सौरमंडल के आंतरिक भाग में आ जाते हैं। कई धूमकेतुओं की बहुत दीर्घ कक्षाएँ होती हैं जो इन्हें प्लूटो से भी परे ले जाती हैं। अपनी परिक्रमा के दौरान जब धूमकेतु शनि की कक्षा में प्रवेश करते हैं, तो पृथ्वी से दिखाई देते हैं। हैली धूमकेतु, सबसे बड़े धूमकेतुओं में से एक है। हेली धूमकेतु अपनी कक्षा में परिक्रमा करते हुए प्रत्येक 76 वर्ष पर पृथ्वी के समीप से गुजरता है। यह आखिरी बार वर्ष 1986 में पृथ्वी के समीप होकर गुजरा था।

धूमकेतुओं की एक बहुत ही विशिष्ट विशेषता इनकी पूंछ है, जो इन्हें अन्य खगोलीय पिंडों से अलग करती है। धूमकेतु अंतरिक्ष में स्थित गंदे बर्फ के गोले के समान हैं। जैसे-जैसे ये सूर्य के पास से गुजरते हैं, सूर्य की उष्मा से इनकी बर्फ वाष्प में परिवर्तित होती जाती है, जिससे धूल और गैस निकलती है। ये कण धूमकेतु को सूर्य से दूर ले जाते हैं, और इस दौरान धूमकेतु के दो पुच्छल बन जाते हैं - एक पुच्छल धूल युक्त होती है, जो धूमकेतु की कक्षा में इसका अनुसरण करती है और दूसरी चमकती हुई आयन पूंछ होती है, जो सौर पवन के प्रभाव से इससे दूर ले जाती है (चित्र 1.8)।

उल्का (Meteoroids)

उल्काएँ बाह्य अंतरिक्ष में स्थित छोटे चट्टानी या धात्विक पिंड होती हैं। उल्काएँ ग्रहिकाओं की तुलना में आकार में काफी छोटी होती हैं। इनका आकार रेत के कणों से लेकर लगभग एक मीटर चौड़े बोल्डर जितना होता है। उल्काएँ धूमकेतु या ग्रहिकाओं से उत्पन्न

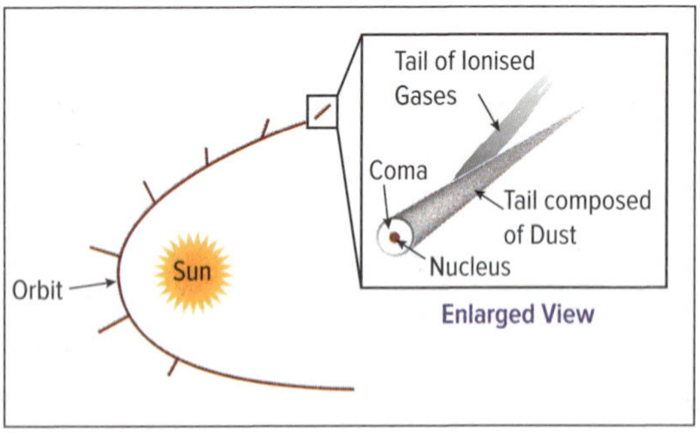

चित्र 1.8
सूर्य की परिक्रमा के दौरान धूमकेतु के पुच्छलों की दिशा

होती हैं और ये सौरमंडल में परिक्रमा करती रहती हैं। उल्काएँ जब पृथ्वी के वायुमंडल में प्रवेश करती हैं, तो इन्हें प्रतिरोध का सामना कर पड़ता है और ये घर्षण के कारण प्रायः वाष्पीकृत हो जाती हैं। इस घटना को उल्कापात या तारा टूटना के रूप में जाना जाता है।

उल्कापात (Meteors)

उल्कापात प्रकाश की वे रेखाएँ हैं, जो हमें रात के समय आकाश में किसी उल्का के पृथ्वी के वायुमंडल में प्रवेश करने और उसके वाष्पीकृत होने पर दिखाई पड़ती हैं। इस प्रक्रिया को सामान्यतया "तारा का टूटना" या "तारा का गिरना" कहा जाता है। उल्का और पृथ्वी के वातावरण में स्थित गैसों के बीच घर्षण से उत्पन्न अत्यधिक उष्मा के कारण ये चमकदार रेखा दिखाई पड़ती है। इसी घर्षण के कारण उल्का चमकती है और विघटित हो जाती है।

उल्का पिंड (Meteorite)

अंतरिक्ष से उल्का का कोई भी भाग, जो पूरी तरह वातावरण में जल नहीं पाता है और पृथ्वी, चंद्रमा, या किसी अन्य ग्रह पर गिर जाता है, उसे उल्का पिंड कहते हैं। उल्का पिंड के गिरने से धरातल पर अक्सर क्रेटर बन जाता है। यह अलग-अलग अनुपात में निकल (Nickel) और लौह धातुओं के मिश्रण (जिसमें सामान्यतः लगभग 10 प्रतिशत निकल और लगभग 90 प्रतिशत लौह धातु होती है) और सिलिकेट खनिजों से बना होता है।

उल्कापिंड से बना सबसे बड़ा गड्ढा (क्रेटर) – दक्षिण अफ्रीका का व्रेडेफोर्ट क्रेटर, जो 300 किमी चौड़ा और लगभग 40 किमी गहरा है। यह विश्व का सबसे बड़ा उल्कापिंड गड्ढा (क्रेटर) है।

यह क्रेटर 2 बिलियन वर्ष से भी अधिक समय पूर्व बना था। भारत, महाराष्ट्र में स्थित लोनार झील भी उल्कापिंड गड्ढा (क्रेटर) है।

याद रखने की युक्ति (Learning Trick)

Meteoroi**d**: **D**ancing in the space
Meteo**r**: **R**oasted by Earth's atmosphere
Meteori**t**e: **T**hrown on the ground, making craters

चंद्रमा (THE MOON)

अंतरिक्ष कार्यक्रम के विकास के फलस्वरुप चंद्रमा सौरमंडल का वह खगोलीय पिंड है, जिसके बारे में हमारे पास सर्वाधिक जानकारियां हैं। चंद्रमा पृथ्वी का प्राकृतिक उपग्रह है। इसका "व्यास 3,475 किमी" है। चंद्रमा पर अरबों गड्ढे हैं, जिनका आकार सूक्ष्म गड्ढों से लेकर सैकड़ों किलोमीटर व्यास वाले विशाल गोलाकार बेसिन तक है (**तालिका 1.4**)।

तालिका 1.4 चंद्रमा के बारे में तथ्य

द्रव्यमान (10^{24} किग्रा)	0.073
व्यास (किमी)	3475
घनत्व (किग्रा/मी^{3})	3340
गुरुत्वाकर्षण (मी/सेकेंड^2)	1.6
पलायन वेग (किमी./से.)	2.4
घूर्णन अवधि (घंटे)	655.7
दिन की लंबाई (घंटे)	708.7
धरती से दूरी (10^6 किमी)	0.384
कक्षीय (परिक्रमा) अवधि (दिन)	27.3
कक्षीय (परिक्रमा) वेग (किमी/सेकेंड)	1.0
कक्षीय (परिक्रमा) झुकाव (डिग्री)	5.1
औसत तापमान (डिग्री सेल्सियस)	−20
वलय तंत्र	नहीं है।

"जायंट इम्पैक्ट हाइपोथेसिस" के अनुसार, चन्द्रमा का निर्माण लगभग 4.5 बिलियन वर्ष पहले एक बौने ग्रह-थिया के पृथ्वी से टकराने के कारण हुआ था।

चंद्रमा, पृथ्वी की तुलना में अपने अक्ष पर अधिक धीमी गति से घूमता है और अपने अक्ष पर एक घूर्णन पूर्ण करने में 27 दिन का समय लेता है। चूंकि इसे पृथ्वी के चारों ओर एक परिक्रमा करने में भी लगभग इतना ही समय लगता है, अतः पृथ्वी से इसका एक ही भाग अथवा गोलार्द्ध दिखाई देता है (इसे ज्वारबंधन कहते हैं)। दो पूर्णिमाओं के बीच की अवधि 29.5 दिन

है। चूंकि चंद्रमा पृथ्वी की तुलना में अपनी स्थिति बदलता रहता है। अत: महीने के अलग-अलग समय में यह अलग-अलग आकार में दिखाई देता है। चन्द्रमा के इन बदलते स्वरुपों को चन्द्रकलाएं कहते हैं **(चित्र 1.9)**।

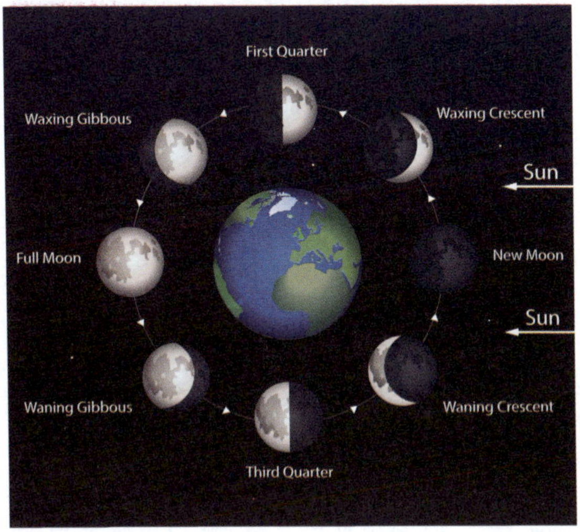

चित्र 1.9
चंद्र कलाएं (उत्तरी गोलार्द्ध)

पृथ्वी से जुड़े तथ्य (ABOUT EARTH)

ऋतुएँ (Seasons)

पृथ्वी अपनी धुरी पर झुकी हुई है और ध्रुव तारा सदैव इसके उत्तरी ध्रुव पर रहता है। सूर्य की परिक्रमा करते समय पृथ्वी का अक्षीय झुकाव 23.5 डिग्री है, जिसके कारण मौसमी परिवर्तन होते हैं **(चित्र 1.10)**। जून के महीने में जब उत्तरी गोलार्द्ध सूर्य की ओर झुका होता है, तब इसे अधिकतम उष्मा प्राप्त होती है, जबकि दक्षिणी गोलार्द्ध को बहुत कम उष्मा मिलती है। इस प्रकार, उत्तरी गोलार्द्ध में ग्रीष्म ऋतु और दक्षिणी गोलार्द्ध में शीत ऋतु होती है। छह महीने बाद, दिसंबर माह में पृथ्वी सूर्य के चारों ओर आधी परिक्रमा कर चुकी होती है, तब इसके उत्तरी गोलार्द्ध का झुकाव सूर्य से दूर होता है और इस कारण गोलार्द्ध और ऋतुओं की स्थिति बदल जाती है।

21 जून को सूर्य की किरणें कर्क रेखा (23.5 डिग्री उत्तरी अक्षांश) पर लम्बवत पड़ती हैं और उत्तरी गोलार्द्ध में मध्य ग्रीष्मकाल होता है। दक्षिणी गोलार्द्ध में मध्य ग्रीष्मकाल 23 दिसंबर को होता है, जब सूर्य की किरणें मकर रेखा (23.5 डिग्री दक्षिण) पर लम्बवत पड़ती है **(तालिका 1.5 और 1.6)**।

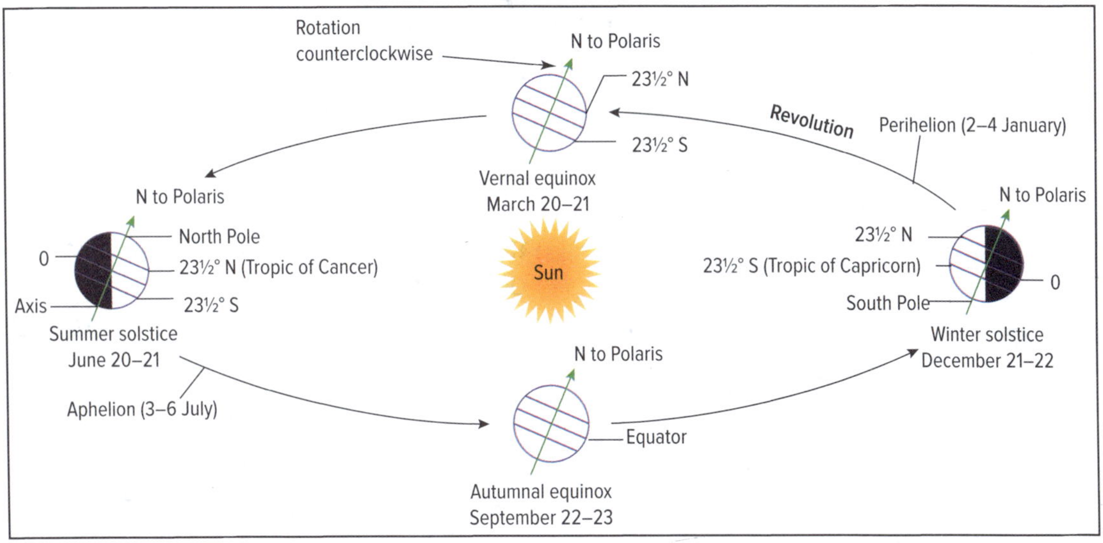

चित्र 1.10
पृथ्वी-सूर्य संबंध

तालिका 1.5 पृथ्वी पर मौसम बदलने के कारण

कारक	विवरण
परिक्रमण	पृथ्वी 365.25 दिनों में 107,280 किमी/घंटा (66,660 मील प्रति घंटे) की गति से सूर्य की परिक्रमा करती है।
घूर्णन	पृथ्वी भूमध्य रेखा पर 1,675 किमी/घंटा (1,041 मील प्रति घंटे) की गति से लगभग 24 घंटे में अपनी धुरी पर घूमती है।
झुकाव	पृथ्वी की धुरी अपनी कक्षा के तल (ग्रहण तल) के लंबवत 23.5 डिग्री झुकी हुई है।
अक्ष	पृथ्वी की धुरी एक निश्चित संरेखण (अक्षीय समानांतरता) बनाए रखती है, जिसमें ध्रुव तारा सदैव उत्तरी ध्रुव पर बना रहता है।
गोलाई	पृथ्वी का आकार चपटा गोलाकार है, जो गोलाकार दिखाई देता है लेकिन अपने घूर्णन के कारण ध्रुवों पर थोड़ा चपटा है।

तालिका 1.6 पृथ्वी की कक्षा के माध्यम से मौसमी चक्र

दिवस	घटना का नाम (उत्तरी गोलार्द्ध में)	ऊपरी सूर्य स्थान
21-22 दिसंबर	मकर संक्रांति (दिसंबर सोल्सटीस)	23.5° दक्षिण अक्षांश (मकर रेखा)
20-21 मार्च	बसंत विषुव (मार्च विषुव)	0° (विषुवत रेखा)
20-21 जून	कर्क संक्रांति (जून सोल्सटीस)	23.5° उत्तर अक्षांश (कर्क रेखा)
22-23 सितंबर	शरदकालीन विषुवत (सितंबर विषुव)	0° (विषुवत रेखा)

सूर्य और चंद्रमा से दूरी (Distance from the Sun and the Moon)

पृथ्वी औसतन लगभग 150 मिलियन किलोमीटर (अर्थात् 1 खगोलीय इकाई) की दूरी से सूर्य की परिक्रमा करती है। पृथ्वी का सूर्य से सबसे निकटतम बिंदु, जिसे उपसौर (पेरिहेलियन) कहा जाता है, प्रत्येक वर्ष 3/4 जनवरी के आसपास होता है, जो लगभग 147.1 मिलियन किलोमीटर की दूरी पर होता है। पृथ्वी का सूर्य से सर्वाधिक दूरस्थ बिंदु, जिसे अपसौर (एपहेलियन) कहा जाता है, 3-6 जुलाई के आसपास होता है, जो लगभग 152.5 मिलियन किलोमीटर की दूरी पर होता है। पृथ्वी से चंद्रमा की औसत दूरी लगभग 384,400 किलोमीटर है। उप-भू बिन्दु (पेरिजी) पर चंद्रमा पृथ्वी के सबसे निकट होता है, जो लगभग 363,300 किलोमीटर की दूरी पर है, जबकि अप-भू बिन्दु (एपोजी) पर चन्द्रमा पृथ्वी से सर्वाधिक दूर होता है, जो कि लगभग 405,500 किलोमीटर की दूरी पर है।

याद रखने की युक्ति (Learning Trick)

A is for **A**way i.e. Distant (Aphelion, Apogee).
P is for **P**eriphery i.e. Closeby (Perihelion, Perigee)

अंतर्राष्ट्रीय तिथि रेखा (INTERNATIONAL DATE LINE)

कोई भी स्थान, जो ग्रीनविच से 180° पश्चिम में स्थित है, उसका समय ग्रीनविच (लंदन) के समय से बारह घंटे पीछे होगा और कोई स्थान, जो ग्रीनविच से 180° पूर्व में स्थित है, उसका समय बारह घंटे आगे होगा। इन तथ्यों में सामंजस्य स्थापित करने के लिए एक काल्पनिक रेखा - "अंतर्राष्ट्रीय तिथि रेखा" - स्थापित की गई है। यह रेखा अपने मार्ग में आने वाले भूस्थल को छोड़कर 180° देशांतर का अनुसरण करती है, अत: कुछ स्थानों पर यह 180° देशांतर से हटकर गुजरती है। जब कोई यात्री पूर्वी गोलार्द्ध से पश्चिमी गोलार्द्ध की ओर अंतर्राष्ट्रीय तिथि रेखा को पार करता है, तो उसको एक दिन 'छोड़' देना पड़ता है; अत: तिथि एक दिन आगे रखी जाती है। इसके विपरीत यदि कोई यात्री पश्चिमी गोलार्द्ध से पूर्वी गोलार्द्ध की ओर अंतर्राष्ट्रीय तिथि रेखा पार करता है, तो वह समय अर्जित करता जाता है, अत: उस अर्जित समय के साथ सामंजस्य बिठाने के लिए एक दिन की पुनरावृत्ति करनी होती है। अत: तिथि को एक दिन पीछे रखा जाता है, जैसा कि मानक समय क्षेत्र चित्र 1.11 में दर्शाया गया है।

समन्वित सार्वभौमिक समय (Coordinated Universal Time)

1928 में ग्रीनविच समय को सार्वभौमिक समय प्रणाली से बदल दिया गया और 1964 में इस प्रणाली का विस्तार किया गया और समन्वित सार्वभौमिक समय (यूटीसी) की स्थापना की गई। वर्तमान में सभी देशों में सरकारी कामकाज के लिए यूटीसी समय का उपयोग किया जाता है। यद्यपि प्रधान मेरिडियन अभी भी ग्रीनविच से होकर ही गुजरती है, परंतु यूटीसी समय पेरिस के विश्वव्यापी प्रसारण से संगृहीत औसत समय गणनाओं पर आधारित है।

प्रत्येक समय क्षेत्र के मध्य भाग के दोनों ओर 7.5° का अंतराल होता है और यह एक घंटे के समय का प्रतिनिधित्व करता है। यदा-कदा, जैसा कि आप (चित्र 1.11) में देख सकते हैं,

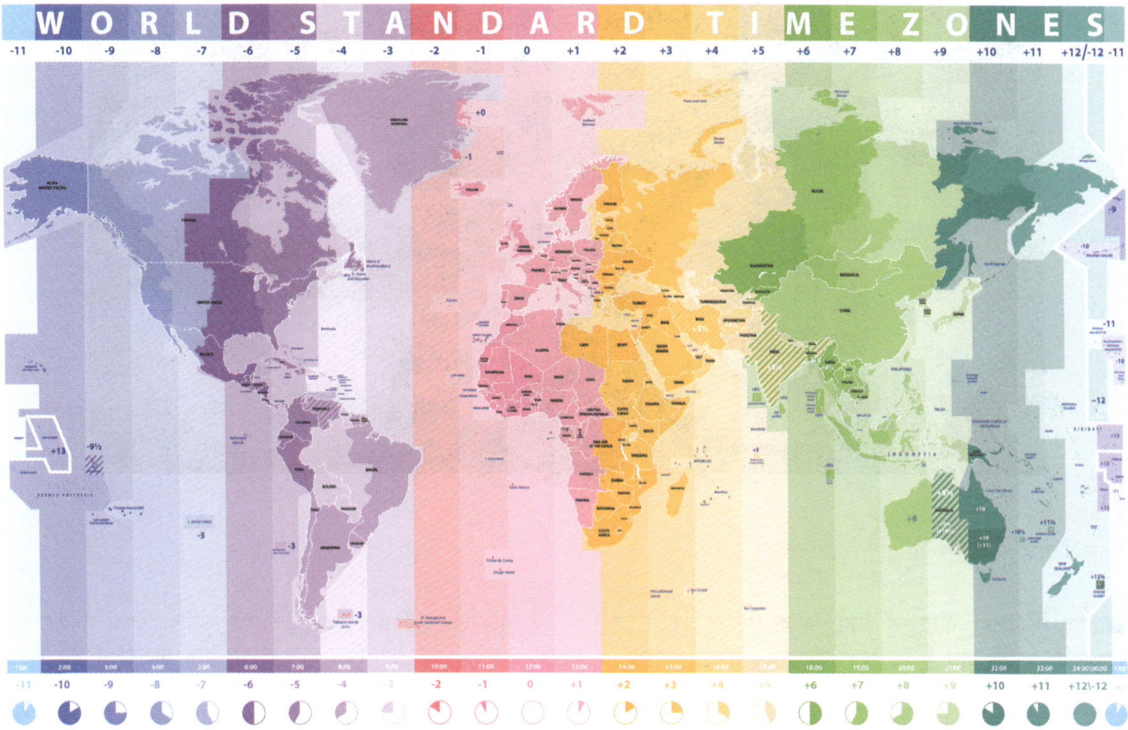

चित्र 1.11

विश्व के मानक समय क्षेत्र

कुछ देशों में समय क्षेत्रों में संशोधन करके इसकी सीमाओं में परिवर्तन किया गया है ताकि कुछ क्षेत्रों को एक ही समय क्षेत्र में रखा जा सके। उदाहरण के लिए चीन का समय क्षेत्र देखें।

अक्षांश (Latitudes)

विषुवत रेखा के समानांतर पृथ्वी के चारों ओर काल्पनिक रेखाओं का एक नेटवर्क है, जिसे अक्षांश रेखाएं कहा जाता है। ये रेखाएं विषुवत रेखा के उत्तर और दक्षिण में कोणीय दूरी को डिग्री (°) में दर्शाती हैं। यह रेखाएं विषुवत रेखा पर 0° से लेकर ध्रुवों पर 90° उत्तरी अक्षांश और 90° दक्षिणी अक्षांश तक हैं। इन्हें समानांतर रेखाएं भी कहा जाता है और कोई भी दो अक्षांश रेखाएं कभी एक-दूसरे को काटती नहीं है। पृथ्वी के जलवायु क्षेत्रों (उष्णकटिबंधीय, समशीतोष्ण, शीत) के निर्धारण में इनकी महत्वपूर्ण भूमिका है।

उत्तरी और दक्षिणी गोलार्द्ध (The Northern and Southern Hemispheres)

विषुवत रेखा पृथ्वी के मध्य में खींची गई एक ऐसी काल्पनिक रेखा है, जहाँ इसकी परिधि सबसे अधिक होती है। यदि हम पृथ्वी को विषुवत रेखा से दो भागों में विभाजित करते हैं, तो पृथ्वी दो गोलार्धों में विभाजित हो जाती है- उत्तरी और दक्षिणी गोलार्द्ध। पृथ्वी का अधिकांश भूस्थल उत्तरी गोलार्द्ध में है। केवल यूरोप और उत्तरी अमेरिका ही ऐसे महाद्वीप हैं, जो पूरी तरह से उत्तरी गोलार्द्ध में स्थित हैं और केवल ऑस्ट्रेलिया और अंटार्कटिका ही ऐसे महाद्वीप हैं, जो पूरी तरह से दक्षिणी गोलार्द्ध में स्थित हैं (चित्र 1.12)।

देशांतर (Longitudes)

देशांतर रेखाएं विशाल वृत्तों (वह काल्पनिक वृत्त, जो किसी गोले को दो बराबर भागों में विभाजित करते हैं) का समूह है, जो ध्रुवों पर आकर मिलती हैं। प्रधान मेरिडियन, जो यूनाइटेड किंगडम के ग्रीनविच से होकर गुजरती है, को 0° देशांतर माना जाता है। देशांतर रेखाएं प्रधान मेरिडियन के पूर्व या पश्चिम में कोणीय दूरी को डिग्री (°) में दर्शाती हैं, जो 0° से 180° (पश्चिम देशांतर) या 0° से 180° (पूर्व देशांतर) तक होती हैं। समय के निर्धारण में इनका महत्वपूर्ण योगदान है। पृथ्वी को 1 डिग्री देशांतर घूमने में 4 मिनट लगते हैं। इस आधार पर, यदि दो स्थान 15 डिग्री देशांतर की दूरी पर हैं, तो वे 60 मिनट का समय अंतराल अनुभव करेंगे।

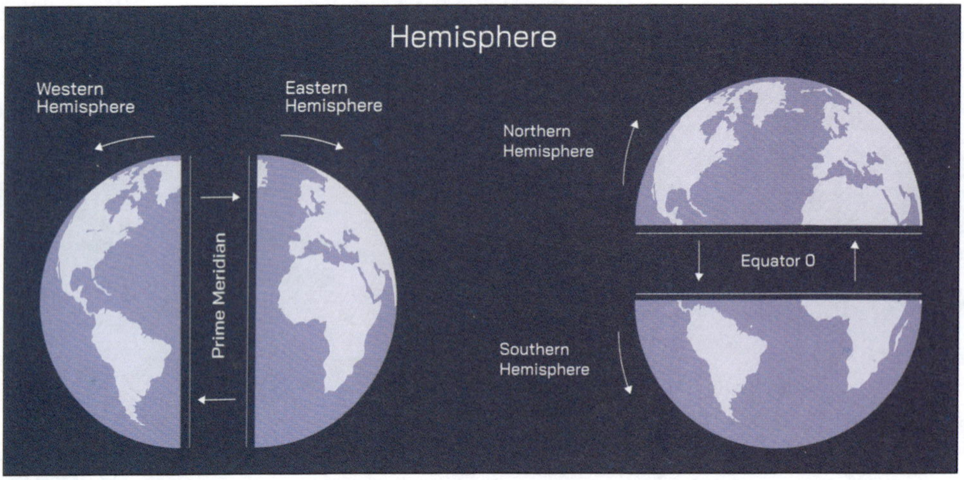

चित्र 1.12
चार गोलार्द्ध

उदाहरण के लिए, भारत के लिए मानक देशांतर 82.5° पूर्वी देशांतर है। इसका अर्थ है कि भारत का समय यूनाइटेड किंगडम, जिसका मानक देशांतर 0° है, के समय से 5.5 घंटे आगे हैं। 0° देशांतर के पश्चिम में स्थित स्थान समय में आगे हैं, जबकि इसके पश्चिम में स्थित स्थान पीछे हैं।

पूर्वी और पश्चिमी गोलार्द्ध (The Eastern and Western Hemispheres)

पृथ्वी को दो अन्य काल्पनिक रेखाओं- प्राइम मेरिडियन (0°) देशांतर और 180° देशांतर के माध्यम से भी विभाजित किया जा सकता है। ये रेखाएं उत्तरी और दक्षिणी ध्रुवों के बीच एक दूसरे के विपरीत खींची गई हैं। इन रेखाओं से पूर्वी और पश्चिमी गोलार्द्ध बनते हैं। पूर्वी गोलार्द्ध में स्थित महाद्वीपों को पारंपरिक रूप से पुरानी दुनिया कहा जाता है, जबकि पश्चिमी गोलार्द्ध में स्थित- अमेरिका - को नई दुनिया कहा है, जिसकी खोज युरोपीय लोगों ने 15वीं शताब्दी में की थी (चित्र 1.12)।

ग्रहण (ECLIPSES)

जब एक खगोलीय पिंड दूसरे खगोलीय पिंड के छाया क्षेत्र में आ जाता है तो ग्रहण की घटना घटती है। पृथ्वी के संदर्भ में दो प्रकार के प्रमुख ग्रहण हैं: सूर्य ग्रहण और चंद्र ग्रहण (चित्र 1.13)।

ग्रहण के बारे में आगे जानकारी प्राप्त करने से पहले कुछ शब्दावली का जानना आवश्यक है:

- **प्रच्छाया (अम्ब्रा):** छाया के वह केंद्रीय, गहन अंधकारयुक्त हिस्सा, जहां सूर्य/चंद्रमा छाया से पूरी तरह अवरुद्ध हो जाते हैं।
- **उपछाया (पेनम्ब्रा):** छाया का वह बाहरी हिस्सा, जहाँ छाया से सूर्य/चंद्रमा आंशिक रूप से अवरुद्ध होते हैं।

सूर्य ग्रहण (Solar Eclipse)

जब चंद्रमा पृथ्वी और सूर्य के बीच से गुजरता है और इससे सूर्य का प्रकाश पूर्णत: या अंशत: अवरुद्ध हो जाता है, तो इसे सूर्य ग्रहण कहा जाता है।

सूर्य ग्रहण के प्रकार (Types of Solar Eclipses)

1. पूर्ण सूर्य ग्रहण: पृथ्वी से देखने पर जब चंद्रमा सूर्य को पूरी तरह से ढक ले, तो पूर्ण सूर्य ग्रहण होता है।
2. आंशिक सूर्य ग्रहण: इसमे चंद्रमा से सूर्य का केवल एक भाग ही ढकता है।
3. वलयाकार सूर्य ग्रहण: इस प्रकार के सूर्य ग्रहण में चंद्रमा केवल सूर्य के केंद्र को ढकता है, जिससे एक वलय जैसी आकृति बन जाती है, जिसे अग्नि वलय ("रिंग ऑफ फायर") कहा जाता है।

चंद्र ग्रहण (Lunar Eclipse)

जब पृथ्वी सूर्य और चंद्रमा के बीच से गुजरती है और पृथ्वी की छाया चंद्रमा पर पड़ती है, तो चंद्र ग्रहण की घटना होती है।

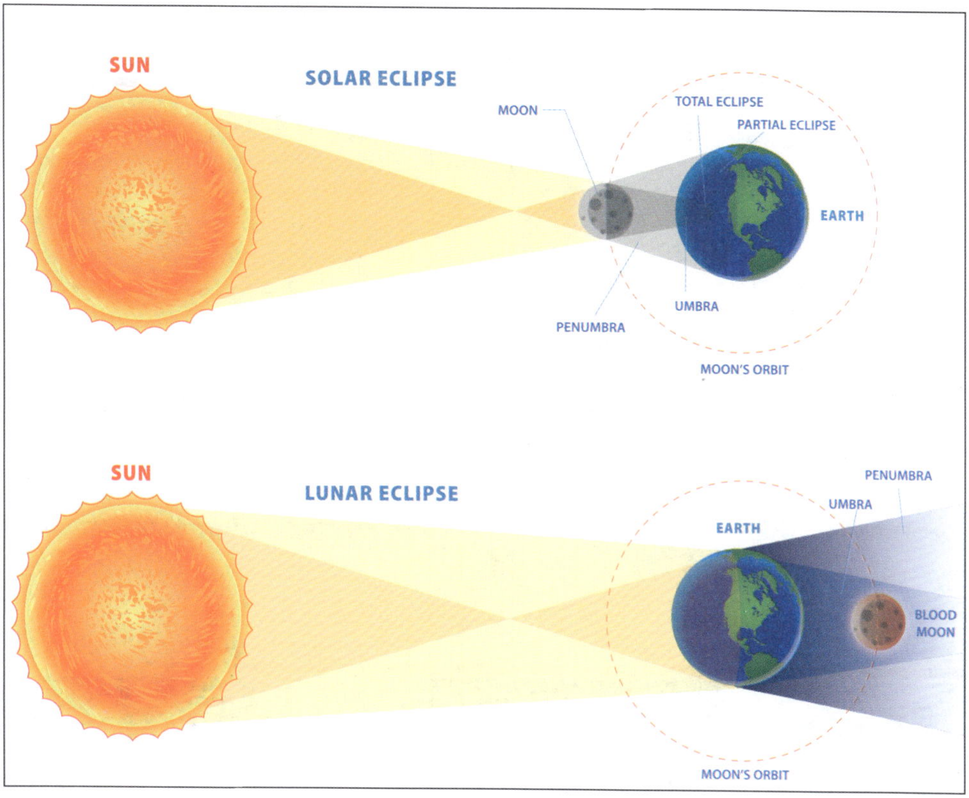

चित्र 1.13
सूर्य और चंद्र ग्रहण

चंद्र ग्रहण के प्रकार (Types of Lunar Eclipses)

1. **पूर्ण चंद्र ग्रहण:** जब पृथ्वी की प्रच्छाया चंद्रमा को पूरी तरह से ढक लेती है। पृथ्वी के वायुमंडल में सूर्य के प्रकाश बिखराव के कारण यह लाल रंग का दिख सकता है।
   इस लाल रंग के चंद्रमा को अक्सर बोलचाल की भाषा में "ब्लड मून" भी कहा जाता है।
2. **आंशिक चंद्र ग्रहण:** जब पृथ्वी की प्रच्छाया से चंद्रमा का केवल एक भाग ही ढके।
3. **उपच्छाया चंद्र ग्रहण:** जब चंद्रमा पृथ्वी की उपच्छाया से होकर गुजरता है, तो इससे सूक्ष्म धुंधलापन होता है, जिसे देख पाना प्राय: कठिन होता है।

यूपीएससी प्रारंभिक परीक्षा के विगत वर्षों के प्रश्न

1. यदि कोई मुख्य सौर तूफान (सौर प्रज्वाल) पृथ्वी पर पहुँचता है, तो पृथ्वी पर निम्नलिखित में कौन-से संभव प्रभाव होंगे? (2022)
   1. GPS और दिक्संचालन (नैविगेशन) प्रणालियाँ विफल हो सकती है।
   2. विषुवतीय क्षेत्रें में सुनामियाँ आ सकती हैं।
   3. बिजली ग्रिड क्षतिग्रस्त हो सकते हैं।
   4. पृथ्वी के अधिकांश भाग पर तीव्र ध्रुवीय ज्योतियाँ घटित हो सकती हैं।
   5. ग्रह के अधिकांश हिस्से पर दावाग्नियाँ घटित हो सकती हैं।
   6. उपग्रहों की कक्षाएँ विक्षुब्ध हो सकती हैं।
   7. ध्रुवीय क्षेत्रें के ऊपर से उड़ते हुए वायुयान का लघुतरंग रेडियो संचार बाधित हो सकता है।

   नीचे दिए कूट का प्रयोग कर सही उत्तर चुनिएः

   (a) केवल 1, 2, 4 और 5
   (b) केवल 2, 3, 5, 6 और 7
   (c) केवल 1, 2, 4, 6 और 7
   (d) 1, 2, 3, 4, 5, 6 और 7

उत्तर कुंजी

1. **(c)**

यूपीएससी मुख्य परीक्षा के विगत वर्षों के प्रश्न

1. ऑरोरा ऑस्ट्रेलिस और ऑरोरा बोरियालिस क्या है? ये कैसे उत्प्रेरित होते हैं? (2024, 15 अंक)

अध्याय

2

इस अध्याय पर वैचारिक वीडियो देखने के लिए कृपया यहां दिए गए क्यूआर कोड को स्कैन करें

भू-आकृति विज्ञान (GEOMORPHOLOGY)

अध्याय की रूपरेखा (Chapter Outline)

✓ *याद रखने की युक्ति (Learning Trick)*   * *त्वरित पुनरावलोकन (Quick Revision)*

भू-आकृति विज्ञान (GEOMORPHOLOGY)

भू-आकृति विज्ञान में भू-आकृतियों की उत्पत्ति, उनके विकास, निर्माण, वर्गीकरण एवं स्थानिक वितरण का विश्लेषण तथा वर्णन किया जाता है। कुछ विशेषज्ञों के अनुसार, भू-आकृति विज्ञान शब्दावली का सर्वप्रथम प्रयोग जे. डब्ल्यू.पॉवेल एवं डब्ल्यू. जे.मकगी ने किया था, यद्यपि इस संबंध में विवाद है। लेकिन, भू-आकृति शब्द को लोकप्रिय बनाने का श्रेय विलियम मॉरिस डेविस को जाता है। उन्होंने 'भौगोलिक चक्र' का प्रतिपादन किया था, जिसे 'डेविस चक्र' के नाम से भी जाना जाता है।

हाल के वर्षों में भू-आकृति विज्ञान के विशेषज्ञों की अपरदन, अपक्षय, अपवाहन तथा निक्षेपण की प्रक्रियाओं को समझने, ऐसी प्रक्रियाओं के घटित होने की दर मापने तथा आकारमिति एवं जिन सामग्रियों से निर्मित हैं, उनका मात्रात्मक विश्लेषण करने में गहन रुचि दिखाने की प्रवृत्ति रही है। इसके अलावा, भू-आकृति विज्ञान केवल अकादमिक अध्ययन तक ही सीमित नहीं है, बल्कि इसमें प्रायोगिक पहलू भी जोड़ा गया है। अनुप्रयुक्त भू-आकृति विज्ञान एवं मानवीय भू-आकृति विज्ञान इसके उदाहरण हैं।

पृथ्वी के चार मण्डल (EARTH'S FOUR SPHERES)

पृथ्वी के धरातल पर चार मण्डल पाये जाते हैं (चित्र 2.1)। चित्र 2.1 में दर्शाया गया है कि जलमण्डल, वायुमण्डल एवं स्थलमण्डल, तीन अजैविक मण्डल, जहां परस्परव्यापी होते हैं, वहां जीवमण्डल अर्थात जीवन पाया जाता है। अजैविक मण्डल वायुमंडल, जलमंडल एवं स्थलमंडल हैं। जैविक मण्डल जीवमंडल है। चूंकि ये चारों मण्डल प्रकृति में स्वतंत्र इकाइयाँ नहीं हैं, इसलिए इनकी सीमाएँ परस्पर संक्रमणीय होती हैं तथा इनका स्पष्ट सीमांकन नहीं किया जा सकता है।

वायुमंडल (Atmosphere)

वायुमंडल पृथ्वी के चारों ओर व्याप्त गैसों का वह पतला आवरण है, जो गुरुत्वाकर्षण बल के कारण विद्यमान है। वायुमण्डल पृथ्वी की पर्पटी एवं आंतरिक भाग से उत्पन्न गैसों एवं लंबे समय से सभी जीवों द्वारा उत्सर्जन की गयी गैसों से बना है। निचला वायुमंडल सौर मंडल में विशिष्ट है। यह नाइट्रोजन, ऑक्सीजन, आर्गन, कार्बन डाइऑक्साइड, जल वाष्प तथा थोड़ी मात्रा में अवशेष (ट्रेस) गैसों से मिलकर बना है।

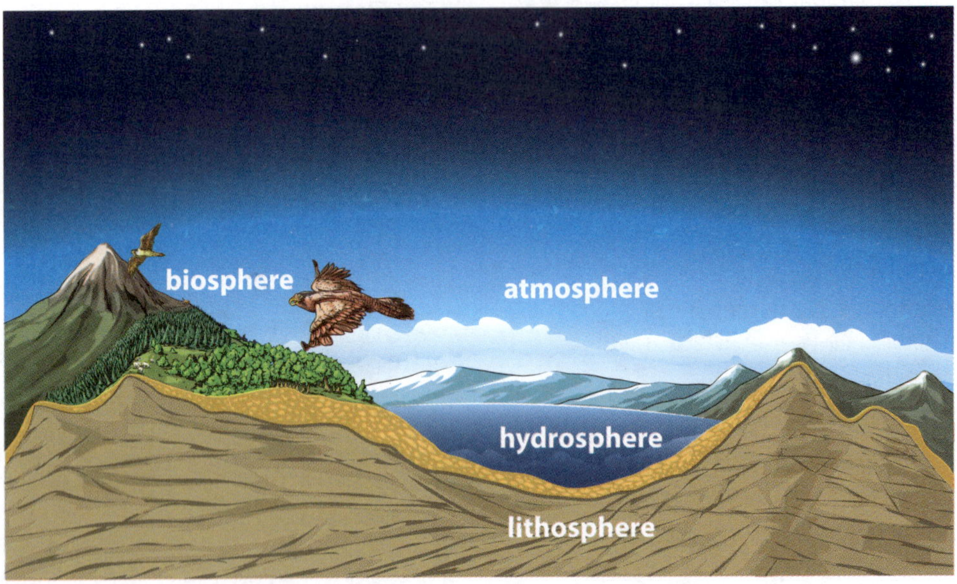

चित्र 2.1
पृथ्वी के चार मण्डल

जल मण्डल (Hydrosphere)

जल मण्डल में पृथ्वी की सतह पर सभी रूपों में स्थित पानी अर्थात महासागर, झीलें, नदियाँ, भूजल, बर्फ तथा जलवाष्प आदि शामिल हैं। पृथ्वी का पानी वायुमंडल में सतह पर तथा सतह के पास की परत में द्रव, ठोस एवं गैसीय अवस्थाओं में उपस्थित है। पानी दो रूपों में होता है, ताजा पानी (मीठा जल) एवं लवणयुक्त पानी (सागरों का जल)। इसमें ऊष्मा का महत्वपूर्ण गुण होता है तथा यह विलायक के रूप में अपनी असाधारण भूमिकाएँ निभाता है। सौरमंडल के ग्रहों में केवल पृथ्वी पर ही पर्याप्त मात्रा में पानी है।

शीत मण्डल (Cryosphere)

क्रायोस्फीयर शब्द दो ग्रीक शब्दों लिया गया है- क्रियोस, जिसका अर्थ ठंड, पाला या बर्फ है; तथा स्फैरा, जिसका अर्थ ग्लोब या गेंद है। इस प्रकार, क्रायोस्फीयर का अर्थ है- पृथ्वी का बर्फ से जमा हुआ क्षेत्र। यह क्षेत्र बर्फ, पर्माफ्रॉस्ट, तैरती हुई बर्फ तथा ग्लेशियरों के रूप में जमे हुए पानी से बनता है। इस क्षेत्र की स्थिरता एवं निरंतरता पर्यावरणीय संतुलन के लिए आवश्यक है। शीत मण्डल (Cryosphere)) आयतन में किसी भी प्रकार का उतार-चढ़ाव, वैश्विक समुद्र स्तर में परिवर्तन का कारण बनता है तथा ऊर्जा वितरण को प्रभावित करता है, जो अंततः जल मण्डल (Hydrosphere), वायुमंडल (Atmosphere) एवं जीव मण्डल (Biosphere) को प्रभावित करता है। जैसे-जैसे शीत मण्डल (Cryosphere) का आयतन बढ़ता जाता है, वैसे-वैसे समुद्र के जलस्तर में कमी आती जाती है और जैसे-जैसे इसका आयतन घटता जाता है, वैसे-वैसे समुद्र का जलस्तर बढ़ता जाता है।

जलवायु परिवर्तन से संबंधित वैश्विक तापमान वृद्धि के कारण शीत मण्डल (Cryosphere) के आयतन में तेजी से कमी आ रही है, जिससे पृथ्वी की अन्य सभी मण्डल प्रतिकूल रूप से प्रभावित हो रहे हैं।

इस समय छह सौ मिलियन से अधिक मनुष्य लगभग एक मिलियन पशु प्रजातियाँ तथा 3,55,000 ज्ञात पादप प्रजातियाँ पृथ्वी के वायु, जल एवं भूमि पर निर्भर हैं।

स्थल मण्डल (Lithosphere)

स्थल (Lithosphere) पृथ्वी की वह कठोर बाहरी परत है, जिसमें भू-पर्पटी (Crust) एवं मेंटल का सबसे ऊपरी हिस्सा शामिल है। स्थल (Lithosphere) नीचे की परतों की तुलना में काफी भंजनशील होती है। यह पृथ्वी के अंदर ऊष्मा तथा दबाव के असमान वितरण के कारण गतिशील हैं।

जीव मण्डल (Biosphere)

"Bios" का अर्थ है- जीवन, तथा sphere का अर्थ होता है-मंडल। बायोस्फीयर, अर्थात् जीव मंडल शब्द का सर्वप्रथम प्रयोग 1875 में ऑस्ट्रियाई भूविज्ञानी एडुआर्ड सुएस ने किया था। सभी जीवों को उनके भौतिक पर्यावरण से जोड़ने वाले परस्पर जुड़े जटिल संजाल को जीव मण्डल (Biosphere) कहते हैं। जीव मण्डल को पारिस्थितिकी मण्डल (Ecosphere) भी कहा जाता है।जीव मण्डल (Biosphere) वायुमंडल में समुद्र तल से लगभग 8 किमी (5 मील) की उंचाई तक फैला हुआ है। जीव मण्डल सम्पूर्ण पृथ्वी के पैमाने पर बहुत ही छोटा क्षेत्र है, जिसकी तुलना सेब के आकार की अपेक्षा उसके छिलके की मोटाई से की जा सकती है। वास्तव में अधिकांश जीवित प्राणी जीव मण्डल के एक छोटे से भाग में रहते हैं, जो समुद्र की सतह से लगभग 500 मीटर नीचे से लेकर समुद्र तल से लगभग 6 किलोमीटर ऊपर तक फैला है। जीव मण्डल वह क्षेत्र है, जहाँ वायुमंडल, स्थल मण्डल तथा जल मण्डल मिलकर जीवन को संभव बनाते हैं; यह सभी जीवों को उनके भौतिक पर्यावरण से जोड़ने वाला जटिल संजाल है। जीवन इन प्राकृतिक सीमाओं के भीतर संवहनीय होता है। वहीं, जीवन प्रक्रियाओं ने विभिन्न पारस्परिक प्रक्रियाओं के माध्यम से अन्य तीन परतों को महत्वपूर्ण रूप से आकार प्रदान किया है। जीव मण्डल ने समय-समय पर स्वयं को विकसित एवं पुनर्गठित किया है, इसने विलुप्त होने के खतरे का सामना किया है, नई जीवन शक्ति प्राप्त की है तथा यह समग्र रूप से फलने-फूलने में सफल रहा है। सौर मण्डल में केवल पृथ्वी पर ही जीव मण्डल होने की जानकारी है; अतः, जैसा कि हम अभी तक जानते हैं, केवल पृथ्वी पर ही जीवन पाया जाता है।

पृथ्वी का आंतरिक भाग (INTERIOR OF THE EARTH)

पृथ्वी का आंतरिक भाग तथा इसकी संरचना हमेशा से भूवैज्ञानिकों एवं भू-आकृतिविज्ञान विशेषज्ञों के बीच बड़े विवाद का विषय रहा है। प्रत्यक्ष प्रमाणों के अभाव में जैसे-जैसे गहराई में जाते हैं, वैसे-वैसे इसके तापमान, दबाव एवं घनत्व में आने वाले परिवर्तन की मदद से पृथ्वी के आंतरिक भाग का अनुमान लगाया जाता रहा है।

आइए, पहले यह समझें कि पृथ्वी के आंतरिक भाग के बारे में जानना आवश्यक क्यों है? पृथ्वी के आंतरिक भाग के बारे में जानना महत्वपूर्ण इसलिए है, क्योंकि:

- इससे हमें पृथ्वी की सतह पर तथा उसके नीचे होने वाले परिवर्तनों को समझने में मदद मिलती है।
- इससे ज्वालामुखी तथा भूकंप जैसी प्राकृतिक घटनाओं के बारे में पता चलता है।

- यह अन्य ग्रहों एवं खगोलीय पिंडों की संरचना के बारे में अंतर्दृष्टि प्रदान करता है।
- इससे वायुमंडल के विकास तथा इस समय इसके संघटकों के बारे में जानने में मदद मिलती है।
- यह भविष्य में गहरे समुद्र में स्थित खनिजों की खोज करने तथा उनका खनन करने के लिए आवश्यक है।

इस पहेली को समझने के लिए अनेक प्रत्यक्ष एवं अप्रत्यक्ष स्तोत हैं-

- **प्रत्यक्ष स्त्रोत (Direct Sources):** इससे हम पृथ्वी की सतह के नीचे देख पाते हैं।
    - **खनन एवं बेधन (Mining and Drilling):** पृथ्वी की गहराई में खनन एवं बेधन कार्य, जैसे- दक्षिण अफ्रीका में सोने की गहरी खादानों,म्पोनेंग (4 किमी गहरी) तथा टाउटोना (3.9 किमी गहरी) और रूस में कोला प्रायद्वीप (12 किमी गहरी) से प्रत्यक्ष नमूने मिलते हैं।
    - **ज्वालामुखी विस्फोट (Volcanic Eruptions):** ज्वालामुखी विस्फोट के दौरान पृथ्वी के अंदर स्थित सामग्री सतह पर आ जाती है, जिससे इसकी संरचना का पता चलता है।
- **अप्रत्यक्ष स्त्रोत (Indirect Sources):** सांख्यिकीय बाह्यकलन से पृथ्वी की आंतरिक संरचना के बारे में अप्रत्यक्ष रूप से अनुमान लगाने में मदद मिलती है।
    - **उल्का पिंड एवं खगोलीय पिंड (Meteors and Celestial Bodies):** चूंकि इनका निर्माण भी पृथ्वी के समान ही हुआ है, अत: इनका अध्ययन करने से भी पृथ्वी की आंतरिक संरचना के बारे में जानकारी मिलती है।
    - **गुरुत्वाकर्षण (Gravitation):** गुरुत्वाकर्षण में भिन्नताएं (गुरुत्वाकर्षण विसंगतियां) पृथ्वी के अंदर विभिन्न सामग्रियों के वितरण के बारे में बताता है; भारी सामग्री वाले क्षेत्रों में मजबूत गुरुत्वाकर्षण होता है।
    - **चुंबकीय क्षेत्र में परिवर्तन (Magnetic Field Shifts):** पृथ्वी का चुंबकीय क्षेत्र हर 200,000 से 300,000 वर्षों में या हर साल 20 किमी में बदल जाता है तथा उलट जाता है, जो पृथ्वी के अंदर सामग्री की गतिशीलता को दिखाता है।
    - **भूकंपीय तरंगें (Seismic Waves):** भूकंप के दौरान उत्पन्न भूकंपीय तरंगें पृथ्वी के आंतरिक भाग के बारे में विस्तृत जानकारियां प्रदान करती हैं।

अन्य अवलोकन (Other Observations)

- **ताप संकेतक (Heat Indicators):** ज्वालामुखी विस्फोट, गर्म झरने तथा गीजर यह बताते हैं कि आंतरिक भाग बहुत गर्म है।
- **रेडियोधर्मी क्षय (Radioactive Decay):** उच्च तापमान रेडियोधर्मी सामग्री के क्षय के कारण होता है।
- **दबाव का अनुमान (Pressure Estimates):** गुरुत्वाकर्षण एवं पृथ्वी के व्यास के माध्यम से पृथ्वी की गहराई में दाब का अनुमान लगाने में मदद मिलती है।

यद्यपि, भूकंपीय तरंगों की मदद से पृथ्वी की भौतिक संरचना की एक विश्वसनीय तस्वीर प्राप्त की गई है।

भूकंपीय तरंगें एवं पृथ्वी का आंतरिक भाग (Seismic Waves and Interior of the Earth)

पृथ्वी की विभिन्न परतों में भूकंपीय तरंगों के व्यवहार से पृथ्वी के संघटन तथा इसकी संरचना के बारे में सर्वाधिक प्रामाणिक साक्ष्य मिलती हैं। उदाहरण के लिए, जब कोई भूकंप या भूमिगत परमाणु परीक्षण पृथ्वी के माध्यम से प्रघाती तरंगें भेजता है, तो ठंडे क्षेत्र, जो सामान्यत: कठोर होते हैं, इन तरंगों को गर्म क्षेत्रों की तुलना में अधिक वेग से प्रसारित करते हैं।

भूकंप पृथ्वी में अचानक होने वाली वे हलचलें हैं, जो चट्टानों में संगृहीत ऊर्जा के निकलने के कारण होती हैं। स्थलमंडल में वह बिंदु, जहां से ऊर्जा निकलती है, उसे भूकंप उद्गम केन्द्र ('Focus' या 'Hypocenter') कहा जाता है। उद्गम केन्द्र से भूगर्भी तरंगें (Body Waves) निकलती हैं। जब ये भूगर्भी तरंगें पृथ्वी की सतह तक पहुंचती हैं, तो सतह की चट्टानों से टकराने के कारण सतह तरंगें बनती हैं।

पृथ्वी की सतह पर उद्गम केन्द्र (Focus) के सबसे निकट बिंदु को अधिकेन्द्र (Epicentre)कहा जाता है। यह वह स्थान है, जहां भूकंप की तरंगों के कारण अधिकतम नुकसान होता है।

आइए, समझें कि विभिन्न माध्यमों में विभिन्न भूकंपीय तरंगों की गति हमें पृथ्वी के आंतरिक भाग के बारे में समझने में किस प्रकार मदद करती है **(चित्र 2.2 और 2.2A)**।

प्राथमिक तरंगें (Primary Waves)

इन्हें अनुदैर्ध्य या संपीडन तरंगें भी कहा जाता है। इस प्रकार की तरंग गति में माध्यम के कण तरंग के प्रसार की दिशा में कंपन करते हैं। ये तरंगे उच्च आवृत्ति वाली, छोटी तरंगदैर्ध्य वाली, अनुदैर्ध्य तरंगें होती हैं। ये तरंगें न केवल पृथ्वी के ठोस भाग, बल्कि कोर के तरल भाग के माध्यम से भी होकर गुजरती हैं। प्राथमिक तरंगें

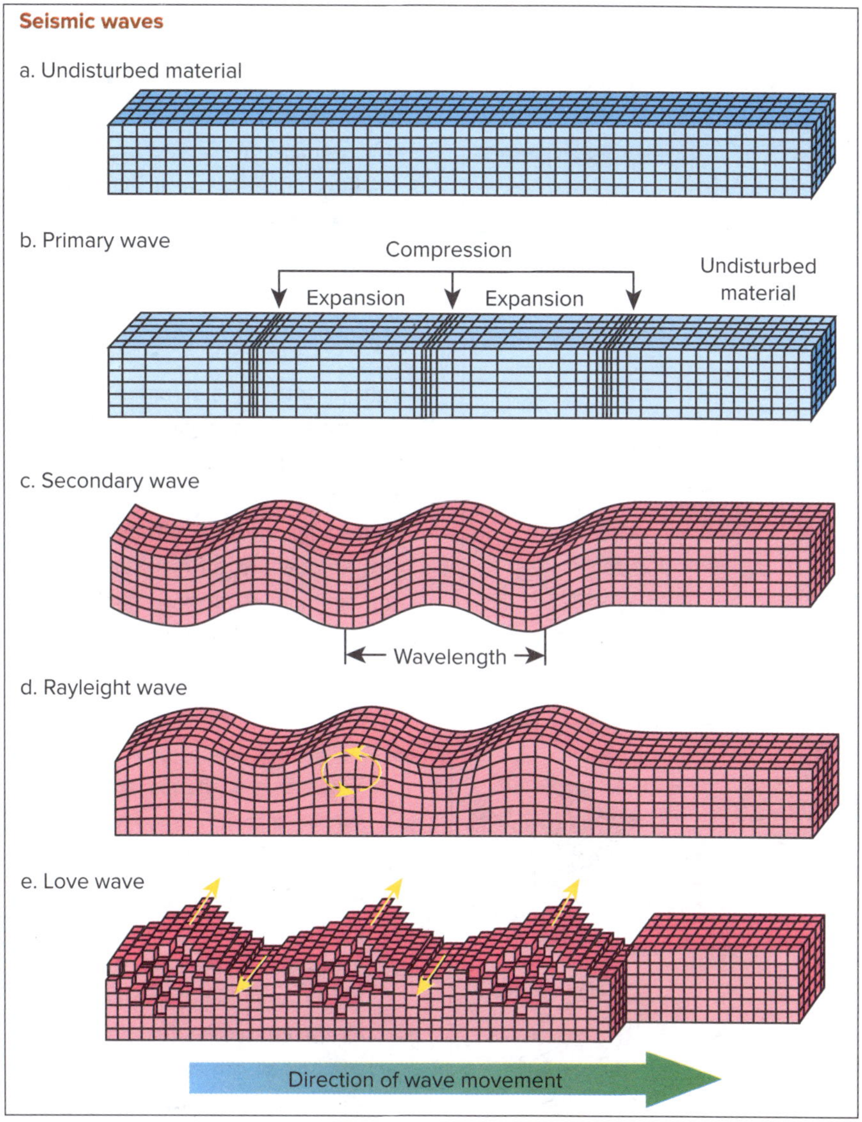

चित्र 2.2
भूकंपीय तरंगों की गति

ठोस एवं अधिक घने पदार्थों में से अधिक तेज गति से गुजरती है तथा कुछ परिस्थितियों में ये तरंगें अपवर्तित होकर द्वितीयक तरंग में बदल जाती है या द्वितीयक तरंग अपवर्तित होकर प्राथमिक तरंग में बदल जाती है। इन तरंगों की गति तरल पदार्थों में धीमी होती है। ये तरंगें ध्वनि तरंगों के अनुरूप होती हैं। ये तरंगें सबसे तीव्र होती हैं तथा भूकंप के बाद किसी स्थान पर पहुंचने वाली पहली भूकंपीय तरंगें होती हैं **(चित्र 2.3)**।

द्वितीयक तरंगें (Secondary Waves)

इन्हें अनुप्रस्थ या आड़ी तरंगें भी कहा जाता है। द्वितीयक तरंगें पानी की लहरों या प्रकाश तरंगों के समान होती हैं, जिसमें कण तरंग की गति के लंबवत दिशा में चलते हैं। ये तरंगें उच्च आवृत्ति एवं छोटी तरंग दैर्ध्य वाली तरंगें होती हैं, जो उद्गम केन्द्र (फोकस) से सभी दिशाओं में प्रसारित होती हैं **(चित्र 2.3)**।

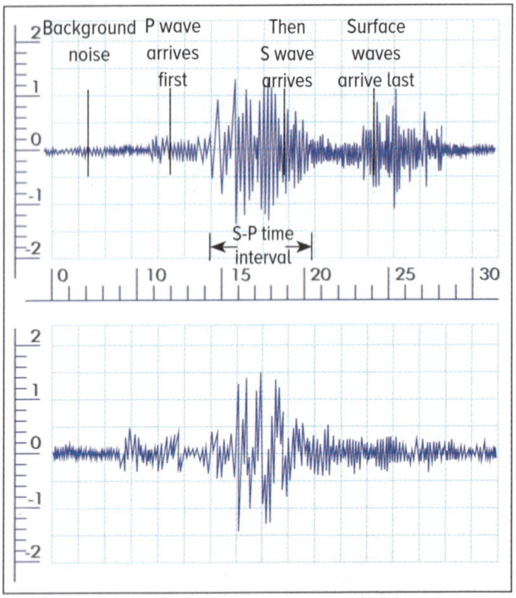

चित्र 2.2A

विभिन्न प्रकार की भूकंपीय तरंगों का ग्राफिकल प्रस्तुतिकरण

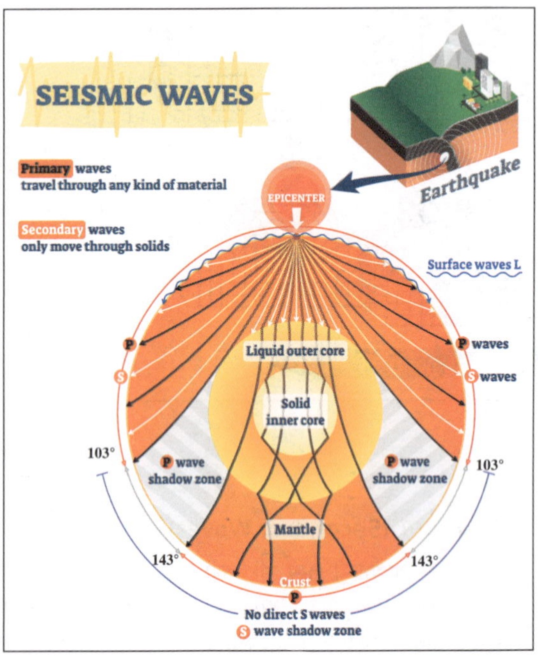

चित्र 2.3

पृथ्वी के अंदर भूकंपीय तरंगें

द्वितीयक तरंगें तरल पदार्थों में से होकर नहीं गुजर सकती है। 'S' तरंगों का छाया क्षेत्र भूकंप के उद्गम केन्द्र से लगभग आधे ग्लोब तक फैल जाता है। इसे केवल तभी समझाया जा सकता है, जब हम यह मानें कि पृथ्वी का बाहरी कोर तरल है। चूंकि 'S' तरंगें तरल पदार्थ से होकर नहीं गुजर सकतीं, वे कोर के माध्यम से नहीं गुजरतीं हैं। 'P'-तरंगों (प्राथमिक तरंगें) और 'S'-तरंगों (द्वितीयक तरंगें) की पहचान पहली बार वर्ष 1900 में ब्रिटिश भूविज्ञानी एवं भूकंपविज्ञानी रिचर्ड डिक्सन ओल्डम ने की थी तथा इनकी व्याख्या की थी।

धरातलीय तरंगें (Surface Waves)

धरातलीय तरंगों को लंबी अवधि की तरंगें कहा जाता है। ये तरंगें सामान्य रूप से केवल पृथ्वी की सतह को प्रभावित करती हैं तथा कम गहराई पर समाप्त हो जाती हैं। कम आवृत्ति, दीर्घ तरंग दैर्ध्य एवं अनुप्रस्थ कंपन धरातलीय तरंगों की विशेषताएं हैं। इनका निश्चित कंपन अधिकेंद्र के निकट विकसित होता है। पृथ्वी के धरातल पर अधिकतर जान एवं माल का नुकसान इन्हीं तरंगों द्वारा होता है। ये सभी भूकंपीय तरंगों में सर्वाधिक दूरी तय करती हैं तथा भूकम्प मापक (सिस्मोग्राफ) पर सबसे अंत में रिकॉर्ड होती हैं।

धरातलीय तरंगें दो प्रकार की होती हैं:

- **'L'-तरंगें (L-waves):** ये अनुरूपक धरातलीय तरंगें हैं, जिन्हें लव तरंगें भी कहा जाता है (ये S-तरंगों की तरह अनुप्रस्थ होती हैं)। इनका वेग सभी धरातलीय तरंगों में सर्वाधिक होता है तथा ये जमीन के अत्यधिक क्षैतिज कंपन का कारण बन सकती हैं। ये तरंगें भूकम्प मापक (सिस्मोग्राफ) तक पहुंचने वाली तीसरी तरंगें होती हैं और ये चट्टानों को विस्थापित कर सकती हैं, जिससे भवन आदि संरचनाएँ गिर सकती हैं। लव तरंगों का नाम ब्रिटिश गणितज्ञ एवं भूभौतिकीविद् A.E.H. लव (ऑगस्टस एडवर्ड हफ लव)के नाम पर रखा गया है, जिन्होंने 20वीं सदी की शुरुआत में इन तरंगों के प्रसार संबंधी गणितीय मॉडल विकसित किया था।
- **'R'-तरंगें (R-Waves):** इन्हें रेली तरंगें भी कहा जाता है। दीर्घवृत्ताकार या रोलिंग गति की विशेषता वाली इन तरंगों में ऊर्ध्वाधर एवं क्षैतिज, दोनों ही कणों मे गति होती है। यह गति महासागर की लहरों की गति के समान होती है। ये सबसे धीमी धरातलीय तरंगें होती हैं तथा सामान्य रूप से भूकंप के दौरान ये जान-माल की हानि का कारण बन सकती हैं, क्योंकि इनसे अत्यधिक कंपन होता है और रोलिंग गति होती है। अपनी ऊर्ध्वाधर गति के कारण ये सुनामी के लिए

त्वरित पुनरावलोकन (Quick Revision)

भूकंपीय तरंगें

	तरंग	प्रकटनका क्रम	प्रकार	प्रभाव
1.	P-तरंगें (प्राथमिक)	पहला	अनुदैर्ध्य (भू-गर्भीय)	पृथ्वी के आंतरिक भाग में स्थित विभिन्न सामग्रियों की पहचान
2.	S-तरंगें (द्वितीयक)	द्वितीय	अनुप्रस्थ (भू-गर्भीय)	तरल बाह्य कोर की पहचान
3.	L-तरंगें (लव)	तृतीय	अनुप्रस्थ (धरातलीय)	सर्वाधिक विनाशकारी। भूकंप से होने वाली सर्वाधिक जान-माल की हानि इन्हीं तरंगों के कारण होती है।
4.	R-तरंगें (रेले)	चतुर्थ (अंतिम)	रोलिंग गति (धरातलीय)	सुनामी

जिम्मेदार होती हैं। इन तरंगों का नाम लॉर्ड रेली के नाम पर रखा गया है, जिन्होंने वर्ष 1885 में इस प्रकार की तरंगों के अस्तित्व का गणितीय पुर्वानुमान लगाया था।

भूकंपीय तरंगों के अध्ययन के आधार पर पृथ्वी की आंतरिक संरचना (Seismic Waves as Probes of Earth's Interior)

पृथ्वी से होकर गुजरने वाली भूकंपीय तरंगें इस तरह से अपवर्तित होती हैं कि वे पृथ्वी के आंतरिक भाग में अलग-अलग असातत्य दिखाती हैं तथा इस आधार पर हम यह मान सकते हैं कि पृथ्वी में: (i) एक ठोस आंतरिक कोर है, (ii) एक तरल बाह्य कोर है, (iii) एक नरम दुर्बलता मण्डल (Asthenosphere) है और (iv) एक कठोर भूपरल (स्थलमंडल) है।

यदि पृथ्वी एक जैसी ठोस होती, तो भूकंपीय तरंगें इसमें से समान गति से गुजरती। ऐसी स्थिति में भूकंपीय किरण (तरंग अग्रभाग के लंबवत एक रेखा) एक सीधी रेखा होती, यद्यपि, शुरुआती जाँच में पाया गया है कि भूकंपीय तरंगें भूकंप के मार्ग से उत्तरोत्तर दूर स्थित स्टेशनों पर अपेक्षा से पहले पहुँचती हैं। दूर स्थित स्टेशन पर पहुँचने वाली किरणें, भूकंप के अधिकेन्द्र के निकट स्थित स्टेशनों पर पहुँचने वाली किरणों की तुलना में पृथ्वी की अधिक गहराई में से होकर गुजरती हैं। यदि लंबी दूरी की तरंगें जैसे-जैसे पृथ्वी में अधिक गहराई से होकर गुजरती हैं, उनका यात्रा समय उत्तरोत्तर कम होता जाता है, तो इससे स्पष्ट होता है कि ये तरंगें पृथ्वी के धरातल के पास की तुलना में गहराई में अधिक तेजी से यात्रा करती हैं। इसके अलावा, दुनिया भर में स्थित सभी भूकंपीय स्टेशनों पर भूकंपीय तरंगें नहीं आती हैं। इसका अर्थ है कि कुछ ऐसे क्षेत्र भी हैं जहाँ कोई भूकंपीय तरंग नहीं आती है। इन्हें छाया क्षेत्र कहा जाता है। इन तथ्यों से यह महत्वपूर्ण निष्कर्ष प्राप्त होता है कि पृथ्वी एक जैसी, समान द्रव्यमान वाली नहीं है, बल्कि इसकी भौतिक अवस्था गहराई के साथ बदलती है। परिणामस्वरूप भूकंपीय तरंगें पृथ्वी में वक्राकार चलती हैं (चित्र 2.3)।

छाया क्षेत्र (Shadow Zone)

पृथ्वी के चारों ओर एक ऐसा क्षेत्र, जहाँ कोई भूकंपीय तरंगें प्राप्त नहीं होती हैं, छाया क्षेत्र कहलाता है। यह क्षेत्र पृथ्वी के तरल कोर द्वारा S तरंगों को रोकने तथा P तरंगों को मोड़ या अपवर्तित कर दिये जाने के कारण बनता है।

P तरंगों के लिए यह छाया क्षेत्र भूकंप के उद्गम केन्द्र से दोनों ओर 103 डिग्री से 142 डिग्री तक होता है। S तरंगों के लिए छाया क्षेत्र भूकंप के उद्गम केन्द्र से 103 डिग्री पश्चिम से 103 डिग्री पूर्व तक होता है। ये तरंगों के अपवर्तन के कारण बनता है। S तरंगों का छाया क्षेत्र बड़ा होता है, क्योंकि ये तरंगें तरल बाहरी कोर से होकर नहीं गुजर पाती हैं।

इस प्रकार, पृथ्वी की आंतरिक संरचना अलग-अलग है, अर्थात, इसके संघटक पदार्थ अलग-अलग है तथा इनके घनत्व के अनुसार ये अलग-अलग परतों में विद्यमान हैं। सघन पदार्थ केंद्र के पास केंद्रित हैं, जबकि कम सघन पदार्थ सतह के पास हैं। आंतरिक परतों की पहचान इनके संघटकों एवं भौतिक गुणों के आधार पर की गयी है। रासायनिक संघटकों के आधार पर ये परतें हैं: (1) भूपटल (क्रस्ट), (2) आवरण (मेंटल), और (3) केन्द्रीय भाग (कोर)। भौतिक गुणों के आधार पर ये परतें हैं: (i) स्थलमण्डल (Lithosphere), (ii) दुर्बलता मण्डल (Asthenosphere), (iii) मध्यमण्डल (Mesosphere), (iv) बाह्य केन्द्र (external Core), तथा (v) आंतरिक केन्द्र (Indoor Core)।

भू-पर्पटी (Crust)

पृथ्वी की सबसे बाहरी परत, या खोल, को भू-पर्पटी के रूप में जाना जाता है। पृथ्वी की पर्पटी को सामान्य रूप से जहां मोहरोविक (मोहो) सीमा समाप्त होती है उसके ऊपर के भाग के रूप में परिभाषित किया जाता है। यह कठोर होती है तथा कुल पृथ्वी के 1 प्रतिशत से भी कम भाग को दर्शाती है (चित्र 2.4)। इसमें 2 भाग हैं- घनी महासागरीय (Basaltic) और हल्की महाद्वीपीय (Granitic) पर्पटी।

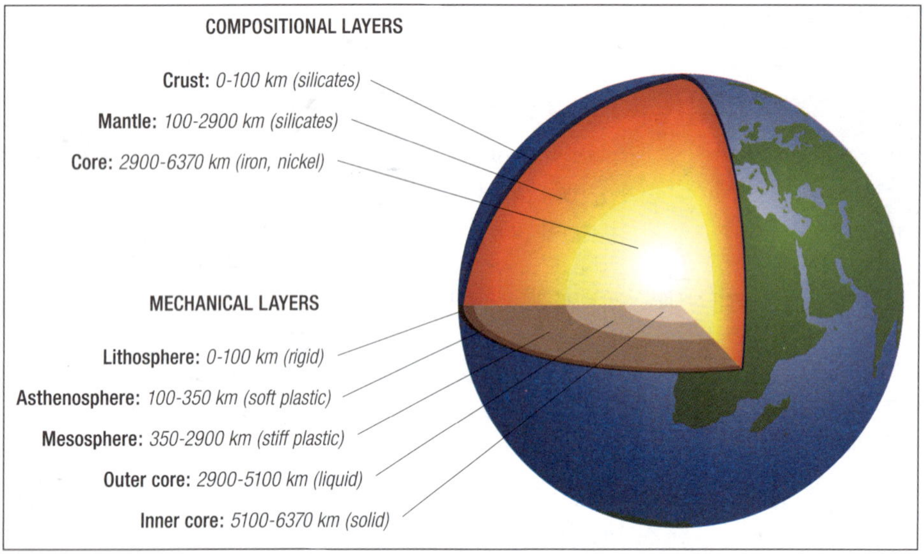

चित्र 2.4
पृथ्वी के आंतरिक भाग की प्रमुख परतें

महासागरीय भू-पर्पटी (SiMa) सघन है तथा उसकी मोटाई कम (5–30 किमी) है और महाद्वीपीय भू-पर्पटी (SiAl) कम घनी एवं अधिक मोटी (50–70 किमी) होती है। प्रमुख पर्वत श्रृंखलाओं के क्षेत्रों में महाद्वीपीय भू-पर्पटी की मोटाई और भी अधिक होती है। उदाहरण के लिए, हिमालयी क्षेत्र में यह 70–100 किमी तक मोटी है। ऊपरी और निचली भू-पर्पटी को कॉनराड असातत्य द्वारा अलग किया जाता है।

आवरण (Mantle)

पृथ्वी की आंतरिक संरचना का वह भाग, जो भू-पर्पटी के आधार (मोहो-असातत्य) और केन्द्र (कोर) के बीच होता है, आवरण कहलाता है। आवरण (मेंटल) की गहराई 35 किमी से लेकर 2900 किमी तक होती है। निचले भाग में इसका घनत्व 3.3 से 5.7 तक होता है। इसके ऊपरी भाग का घनत्व 2.9 से 3.3 के बीच होता है। यह ठोस चट्टान से बना है **(चित्र 2.4)**। भू-पर्पटी तथा आवरण का सबसे ठोस भाग स्थल मण्डल कहलाता है। स्थल मण्डल की मोटाई 10 से 200 किमी (औसतन 100 किमी) तक होती है। इसकी प्रकृति भंजनशील होती है।

स्थल मण्डल (लिथोस्फीयर) के नीचे 400 किमी की गहराई तक दुर्बलता मण्डल (एस्थेनोस्फीयर)है। यह अर्द्ध-ठोस पिघली हुई परत है, जो पूरी तरह से आवरण (मेंटल)में आती है। ज्वालामुखी में से निकलने वाला लावा (मैग्मा) इसी परत से आता है। आवरण का निचला भाग दुर्बलता मण्डल (एस्थेनोस्फीयर) से भी नीचे तक फैला है। यह ठोस अवस्था में होती है तथा यह ऊपरी आवरण (मेंटल) से रेपेट्टी असातत्य द्वारा अलग होती है। ये पृथ्वी की भू-पर्पटी में वे स्थान हैं, जहाँ से भूकंपीय तरंगों की गति तथा/या दिशा में अचानक परिवर्तन आता है।

आवरण एवं केन्द्र (कोर) परतों को गुटेनबर्ग असातत्य अलग करती है। ये कुल पृथ्वी एवं उसके द्रव्यमान का लगभग 99 प्रतिशत हैं।

केन्द्र (Core)

पृथ्वी का केंद्रीय भाग, जो 2900 किमी की गहराई से नीचे स्थित है, केन्द्र (कोर) कहलाता है। यह घनी निकल-लोहा धातुओं के मिश्रण (निफे) का बना है। केन्द्र (कोर) का तापमान लगभग 5400° सेंटीग्रेड होने का अनुमान है। यह सूर्य के प्रकाशमंडल से

याद रखने की युक्ति (Learning Trick)

असातत्यता

Cats Make Really Good Leaps
बिल्लियाँ लगाती हैं बहुत अच्छी छलांग

- Cats → Conrad (कॉनरोड)
- Make → Mohorovicic (मोहोरोविचिक)
- Really → Repetti (रिपेटी)
- Good → Gutenberg (गुटेनबर्ग)
- Leaps → Lehmann (लेहमेन)

भी अधिक गर्म हो सकता है। बाहरी केन्द्र तरल होता है, जबकि आंतरिक केन्द्र ठोस होता है। 'S' तरंगें, जो केवल ठोस पदार्थों से ही गुजर सकती हैं, 2900 किमी की गहराई पर अचानक गायब हो जाती हैं (चित्र 2.4)।

भूकंपीय असात्यता (Seismic Discontinuities)

ये पृथ्वी की भू-पर्पटी में वे स्थान हैं, जहाँ भूकंपीय तरंगों के वेग एवं/या दिशा में अचानक परिवर्तन आता है।

पाँच असात्यताएँ हैं, जैसा कि चित्र 2.5 और तालिका 2.1 में दर्शाया गया है।

निष्कर्षत: पृथ्वी से होकर गुजरने वाली पी तरंगों एवं एस तरंगों का वेग यह संकेत देता है कि पृथ्वी की आंतरिक संरचना में एक ठोस आंतरिक केन्द्र, एक तरल बाहरी केन्द्र, एक मोटा आवरण (मेंटल), एक नरम दुर्बलता मण्डल (एस्थेनोस्फीयर) तथा एक कठोर स्थल मण्डल है (चित्र 2.3 और 2.4)।

तालिका 2.1 असातत्यताओं के प्रकार एवं उनके स्थान

असातत्यता	जिनके बीच स्थित है
कॉनराड	ऊपरी और निचली भू-पर्पटी (क्रस्ट)
मोहरोविक	भ-पर्पटी (क्रस्ट) एवं आवरण (मेंटल) परत
रेपिटी	ऊपरी आवरण एवं निचले आवरण (मेंटल) के बीच
गुटेनबर्ग	आवरण (मेंटल) एवं केन्द्र (कोर)
लेहमैन	बाहरी केन्द्र और आंतरिक केन्द्र (कोर)

चट्टानें (ROCKS)

चट्टान खनिजों का एक ऐसा समुच्चय है, जो स्थलमंडल का एक महत्वपूर्ण भाग है। सबसे महत्वपूर्ण चट्टानें, जिनसे खनिज बनते हैं, इस प्रकार हैं- फेल्डस्पार, माइका, एम्फीबोल्स, पाइरोक्सेन, ओ.लिविन, क्वार्ट्ज, कैल्साइट, डोलोमाइट, क्ले और जिप्सम। चट्टानों को उत्पत्ति एवं निर्माण के तरीके के आधार पर, चट्टानों को इस प्रकार वर्गीकृत किया जा सकता है: (i) आग्नेय, (ii) अवसादी, एवं (iii) कायांतरित।

आग्नेय चट्टानें (Igneous Rocks)

इन चट्टानों का निर्माण पिघले हुए सिलिकेट खनिजों (लावा) के ठंडा होने तथा जमने से हुआ है। आग्नेय चट्टानों में ज्वालामुखी एवं प्लूटोनिक चट्टानें शामिल हैं। इन्हें प्राथमिक चट्टानें भी कहा जाता है तथा इनकी बनावट एवं संरचना के आधार पर इनका वर्गीकरण किया गया है। मुख्य आग्नेय चट्टानों में बेसाल्ट, गैब्रो, एंडेसाइट, डायोराइट, रियोलाइट तथा ग्रेनाइट सम्मिलित हैं। आग्नेय चट्टानों को अन्त: निर्मित (अंतर्वेधी) तथा बाह्य निर्मित (बहिर्वेधी) चट्टानों में भी वर्गीकृत किया जा सकता है:

(क) अन्त: निर्मित आग्नेय चट्टानें (Intrusive/ Plutonic Igneous Rocks)

अन्त: निर्मित आग्नेय चट्टानें अपनी तरल अवस्था में किसी चट्टान के बीच में अथवा अन्य चट्टानों में प्रवेश करती हैं तथा जम जाती हैं। बाद में ऊपर की चट्टान का क्षरण होने पर ये पृथ्वी की सतह पर दिखाई पड़ती हैं।

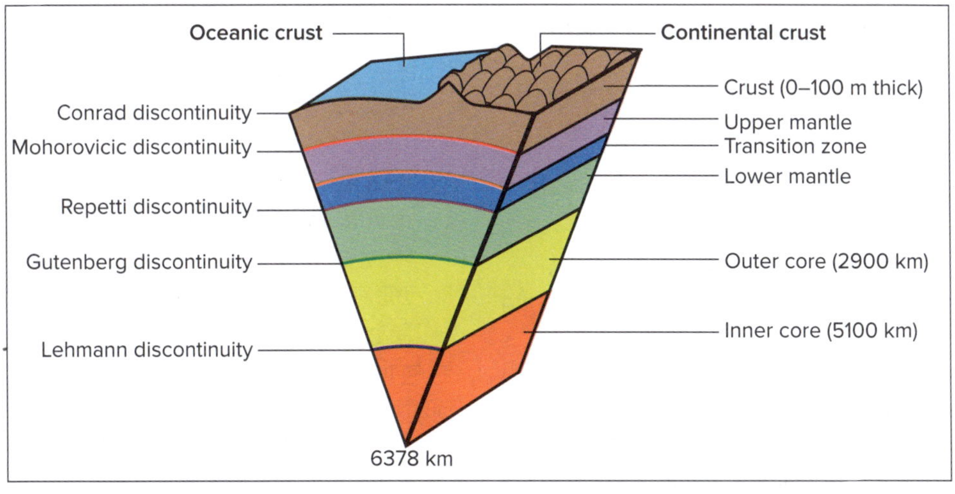

चित्र 2.5
पृथ्वी की आंतरिक संरचना में स्थित असातत्यताएँ

(ख) बाह्य निर्मित आग्नेय चट्टानें (Extrusive/ Volcanic Igneous Rocks)

पृथ्वी की सतह के ऊपर लावा (मैग्मा) के जमने के कारण बनने वाली चट्टानों को बाह्य निर्मित आग्नेय चट्टानें कहा जाता है।

दोनों के बीच अंतर नीचे दी गई तालिका 2.2 में दर्शाया गया है।

तालिका 2.2 अन्त: निर्मित एवं बहिर्वेधी बाह्य निर्मित आग्नेय चट्टानों के बीच के अंतर

कारक	अंत: निर्मित (अंतर्वेधी) चट्टानें	बाह्य निर्मित चट्टानें
स्थान	पृथ्वी की सतह के नीचे भू-पर्पटी में लावा (मैग्मा) के जमने के कारण बनती हैं। ऊपरी परतों के क्षरण के बाद इन्हें देखा जा सकता है।	ये लावा के जमने के कारण बनती हैं (सतह पर आने वाले मैग्मा को लावा कहते हैं)। ये चट्टानें अक्सर लावा पठारों में देखी जा सकती हैं (चित्र 2.6)।
कणों का आकार	चूँकि ये चट्टानें पृथ्वी की सतह के नीचे ठंडी होकर बनती हैं, इसलिए इनके ठंडे होने की गति धीमी होती है तथा इनके कणों का आकार बड़ा होता है।	चूँकि ये वायुमंडल के संपर्क में होती हैं तथा तेजी से ठंडी होती हैं अत: इनके दाने का आकार छोटा होता है।
लावा (मैग्मा) का प्रकार	इनका निर्माण अधिकतर अम्लीय (अधिक चिपचिपा) लावा (मैग्मा)से होता है।	इनका निर्माण अधिकतर क्षारीय (कम चिपचिपा) लावा (मैग्मा) से होता है।
विशेषताएँ	ये हल्के रंग की एवं कम घनी होती हैं।	ये गहरे रंग की एवं सघन होती हैं।
उदाहरण	ग्रेनाइट, डायोराइट	बेसाल्ट, ओब्सीडियन, प्यूमिस।

आग्नेय चट्टानों की विशेषताएँ (Characteristics of Igneous Rocks)

आग्नेय चट्टानों की मुख्य विशेषताएँ निम्नवत हैं:

1. ये चट्टानें पिघले हुए लावा (मैग्मा) के ठंडे होने से ठोस बनती हैं।
2. ये सामान्य रूप से अलग-अलग परतों में नहीं पाई जाती हैं।
3. आग्नेय चट्टानें में सामान्यत: जीवाश्म नहीं होती हैं।
4. ये सामान्य रूप से कठोर होती हैं तथा इन चट्टानों के संधि-स्थलों से होकर पानी बड़ी मुश्किल से रिसता है।
5. आग्नेय चट्टानें दानेदार एवं क्रिस्टलीय होती हैं। यद्यपि, क्रिस्टल का आकार चट्टान-दर-चट्टान भिन्न-भिन्न होता है।
6. आग्नेय चट्टानें अधिकतर ज्वालामुखी से निकलने वाले लावा से बनती हैं।
7. अधिकांश आग्नेय चट्टानें सिलिकेट खनिजों से बनी होती हैं।
8. आग्नेय चट्टानों में सामान्य रूप से लौह अयस्क, तांबा, सोना, चांदी, जस्ता, सीसा, मैंगनीज, अभ्रक आदि जैसे मूल्यवान खनिज पाए जाते हैं।

अवसादी चट्टानें (Sedimentary Rocks)

तलछट के संचय होने या शिला निर्माण होने तथा समेकन होने के कारण निर्मित होने वाली चट्टानों को अवसादी चट्टानें कहा जाता है। अवसादी (तलछटी) चट्टानें निम्न प्रकार की हो सकती हैं:

जलज या जलीय चट्टानें (Argillaceous Or Aqueous Rocks)

जलज चट्टानें अवसादी (तलछटी) चट्टानें वे चट्टानें हैं, जो मुख्य रूप से मृदा खनिजों एवं महीन दाने वाली तलछट से बनी होती हैं। इसके उदाहरणों में शेल तथा पंकाश्म (मडस्टोन) शामिल हैं। ये नरम, विखंडनीय तथा अभेद्य होती हैं। अपरदी (डेट्रिटल) तलछटी चट्टानों का एक समूह पानी में जमा होता है। ये सामान्य रूप से मृदा, शेल, पंकाश्म (मडस्टोन), पांशु प्रस्तर (सिल्टस्टोन) तथा मार्ल होते हैं।

जलज चट्टानें (Argillaceous Rocks)

जलज चट्टानें तीन प्रकार की होती हैं:

1. **समुद्री (Marine) जलज:** जलज अवसादी चट्टानें मुख्य रूप से समुद्र एवं महासागरों में तलछट के जमाव तथा समेकन के कारण बनती हैं।
2. **सरोवरीय जलज (Lacustrine):** जलज अवसादी चट्टानें झील के क्षेत्र में तलछट के जमाव एवं समेकन के कारण बनती हैं। सामान्य रूप से तलछट झीलों के तल पर जमा होती हैं।
3. **नदीकृत जलज (Riverine):** जलज अवसादी चट्टानें वे चट्टाने हैं, जिनका निर्माण नदी के तटवर्ती क्षेत्रों में तलछट के जमाव के कारण होता है। तलछट का जमाव नदियों के तल तथा बाढ़ के मैदानों में होता है।

वायुद्वारा उड़ा कर लाये गये कणों के जमने से निर्मित चट्टानों को वायुनिर्मित चट्टानें कहा जाता है। लोएस सबसे महत्वपूर्ण वायु निर्मित चट्टानों में से एक है। लोएस चट्टानें अपने स्त्रोत क्षेत्र से दूर एवं रेगिस्तान के बाहर पायी जाती हैं। लोएस चट्टाने सुसंबद्ध (साथ-साथ बंधी हुई) होती हैं, लेकिन सीमेंटेड नहीं होती हैं और इनमें से जल आसानी से छन जाता है। इन चट्टानों में परतों को अभाव होता है, जो कि इस बात का स्पष्ट प्रमाण है कि इनकी उत्पत्ति हवा द्वारा

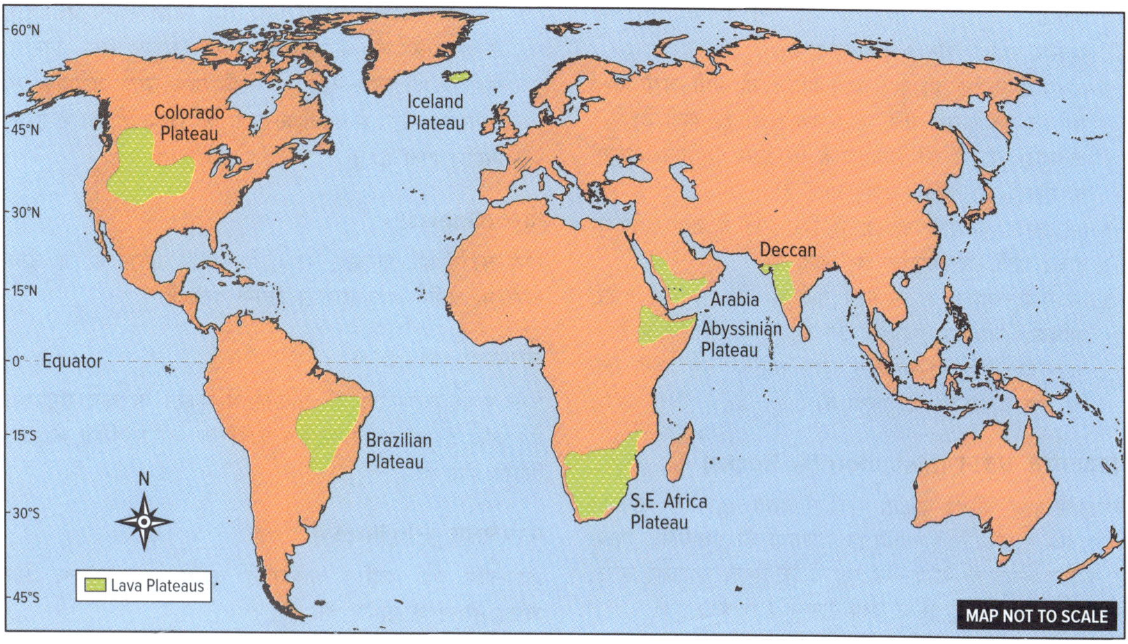

चित्र 2.6
विश्व के मुख्य लावा पठार

उड़ा कर लाये गये कणों से हुई है। दुनिया में सर्वाधिक विस्तारित वायु निर्मित चट्टानें उत्तरी चीन में हैं (चित्र 2.7)।

लोएस वायुनिर्मित चट्टानें (निक्षेप) उत्तरी यूरोपीय मैदानों, एशियाई स्टेपी, मध्य उत्तरी अमेरिका तथा अर्जेंटीना में भी पाई जाती हैं।

हिमानी निर्मित चट्टानें (Glacial)

हिमनद (ग्लेशियर) द्वारा जमा किए गए तलछट से निर्मित चट्टानों को हिमानी निर्मित अवसादी चट्टानें कहा जाता है। इन्हें टिल डिपॉजिट या हिमोढ़ जमाव के नाम से भी जाना जाता है। टिल या हिमोढ़ जमाव के शिलियन (लिथिफिकेशन) के कारण बनने वाली तलछटी चट्टानों को टिलाइट परतदार चट्टानें कहा जाता है।

अवसादी चट्टानों की विशेषताएँ (Characteristics of Sedimentary Rocks)

अवसादी चट्टानों की मुख्य विशेषताएँ इस प्रकार हैं:

1. अवसादी चट्टानों के निर्माण की सामग्री तीनों चट्टान वर्ग में से किसी भी वर्ग की पहले से मौजूद चट्टान और साथ ही नव निर्मित कार्बनिक पदार्थ से प्राप्त होती है। यद्यपि, आग्नेय चट्टान अकार्बनिक खनिज पदार्थ का सबसे महत्वपूर्ण मूल स्रोत है, जो अवसादी चट्टान बनाता है।

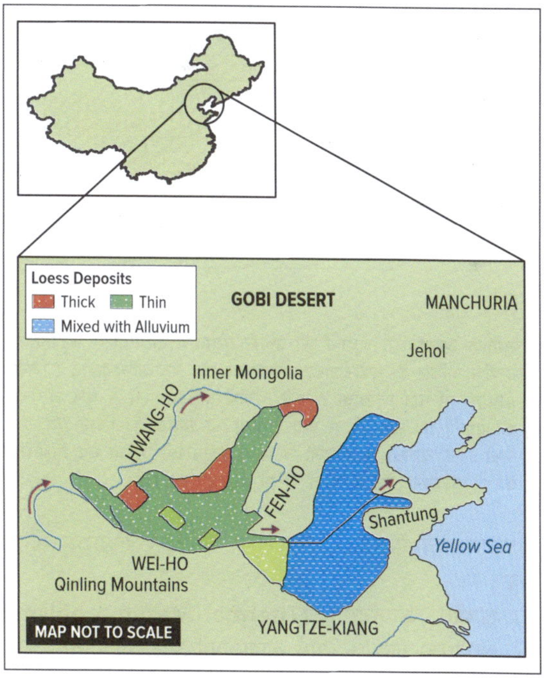

चित्र 2.7
उत्तरी चीन में स्थित वायुनिर्मित चट्टानें

2. अवसादी चट्टानों में परतें या स्तर होते हैं। इसलिए, उन्हें अक्सर परतदार चट्टानें कहा जाता है।
3. अवसादी चट्टानों की परतें कभी क्षैतिज, तो कभी-कभी पार्श्व संपीडन एवं तन्यता बलों के कारण झुकी हुई होती हैं।
4. अवसादी चट्टानों की विशेषता है कि इसमें विभिन्न आकारों के टुकड़ों की संधि (जोड़) होती है।
5. अधिकांश अवसादी चट्टानों में छिद्र होते हैं तथा उनमें से होकर पानी सरलतापूर्वक छन जाता है।
6. अवसादी चट्टानों में जीवाश्म होते हैं और इसलिए हमारा अधिकाईं जीवाश्म ईंधन भी इन चट्टानों में पाया जाता है।
7. अवसादी चट्टानें सु-समेकित, कम समेकित और यहां तक कि असमेकित भी हो सकती हैं।

कायांतरित चट्टानें (Metamorphic Rocks)

ये चट्टानें पृथ्वी की भू-पर्पटीमें पहले से स्थित चट्टानों पर तापमान एवं दबाव में परिवर्तन होने और तरल पदार्थों की रासायनिक क्रिया के कारण बनती हैं। कायांतरित चट्टानों के प्रमुख उदाहरण स्लेट, संगमरमर, क्वार्टजाइट, सिस्ट तथा नीस हैं (चित्र 2.8)।

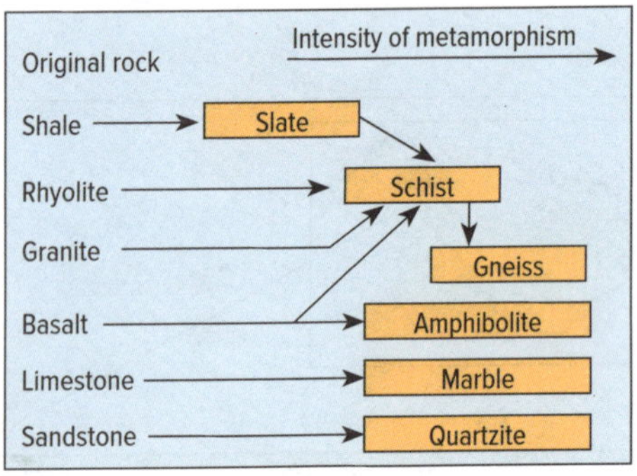

चित्र 2.8

सामान्य कायांतरित चट्टानों की उत्पत्ति सामान्य कायांतरित चट्टानों की उत्पत्ति जटिल है। क्वार्टजाइट, संगमरमर एवं मेटाकॉन्लोमेरेट (जिसे डायग्राम में नहीं दिखाया गया है), जैसे कुछ मामलों में मूल चट्टानों की प्रकृति का आसानी से पता लगाया जा सकता है। सिस्ट एवं नीस जैसी अन्य चट्टानों के मामलों में स्रोत चट्टान की प्रकृति को निर्धारित करना मुश्किल और कभी-कभी तो असंभव होता है।

कायांतरण की पद्धति के आधार पर रूपांतरण दो प्रकार के हो सकते हैं:

1. **ऊष्मीय कायांतरण (Thermal Metamorphism):** अत्यधिक तापमान (गर्म लावा, गर्म गैसें, वाष्प तथा तरल पदार्थ, भूतापीय गर्मी, आदि) के कारण अवसादी एवं आग्नेय चट्टानों के खनिजों में परिवर्तन।
2. **गतिशील कायांतरण (Dynamic Metamorphism):** उच्च दाब के कारण कायांतरित चट्टानों का निर्माण। कभी-कभी उच्च दाब के साथ-साथ उच्च तापमान एवं रासायनिक रूप से आवेशित पानी की क्रिया के कारण इनका निर्माण होता है।

नीस (Gneiss)

नीस चट्टानें मोटे दानेदार, बैंडेड, क्रिस्टलीय चट्टान है, जो उच्च श्रेणी के क्षेत्रीय कायांतरण से उत्पन्न होती है।

संगमरमर (Marble)

चूना पत्थर कायांतरण की प्रक्रिया से गुजरने के बाद संगमरमर बन जाता है। संगमरमर ऊष्मीय कायांतरण की स्थितियों के तहत निर्मित होता है।

फायलाइट (Phyllite)

फायलाइट वह विदरित कायांतरित चट्टान है, जो स्लेट और अभ्रक-सिस्ट के समान है।

क्वार्टजाइट (Quartzite)

क्वार्टजाइट कायांतरित बलुआ चट्टान है।

क्वार्टजाइट चट्टान कंग्लोमरेट, बलुआ पत्थर (सैंडस्टोन) तथा गाद पत्थर (सिल्ट-स्टोन) की कायांतरित चट्टान के समान है, जिसके कणों के बीच में भर जाने से इसका निर्माण होता है।

सिस्ट (Schist)

सिस्ट पत्तीनुमा परतदार, मध्यम से मोटे दानेदारयुक्त कायांतरित चट्टान है, जो क्षेत्रीय कायांतरण के प्रभाव से निर्मित होती हैं।

स्लेट (Slate)

स्लेट बहुत ही महीन कणों वाली कायांतरित चट्टान है, जो सामान्य रूप से शेल के निम्न-श्रेणी के कायांतरण द्वारा निर्मित होती है। इसकी विशेषता बार-बार पत्तियों के समान पतली परत बनना (उत्कृष्ट पर्णन) है, जिसे स्लेटी विदलन (Slaty cleavage) के रूप में जाना जाता है।

कायांतरित चट्टानों की विशेषताएँ (Characteristics of Metamorphic Rocks)

कायांतरित चट्टानों की मुख्य विशेषताएँ इस प्रकार हैं:

1. कायांतरित चट्टानें पहले से मौजूद चट्टानों की बनावट एवं खनिज संरचना में परिवर्तन के कारण बनती हैं।

2. कायांतरित होने के बाद कुछ चट्टानें अपने मूल रूप से अधिक कठोर हो जाती हैं। उदाहरण के लिए, चूना पत्थर से संगमरमर, बलुआ पत्थर से क्वार्टजाइट तथा कार्बन से हीरा।
3. मूल अवसादी चट्टानों के जीवाश्म नष्ट हो जाते हैं और इसलिए, उनमें सामान्य रूप से जीवाश्म नहीं होते हैं। यद्यपि, दुर्लभ मामलों में जब कायांतरण की प्रक्रिया बहुत धीमी हो, तो उनमें कुछ जीवाश्म हो सकते हैं।
4. मोटे दानेयुक्त कायांतरित चट्टानें अपूर्ण रूप से पर्णित होती हैं, जैसे ग्रेनाइट से नीस, जबकि बारीक दाने वाली कायांतरित चट्टानें पूरी तरह से पर्णित होती हैं, जैसे कि शेल से सिस्ट।
5. अनेक कायांतरित चट्टानें अभेद्य (संगमरमर एवं स्लेट) होती हैं, अर्थात उनमें से होकर पानी नहीं छन सकता है तथा कुछ कायांतरित चट्टानों से पानी आसानी से छन सकता है।
6. अनेक कायांतरित चट्टानों की पूरी परत अलग हो सकती है, जैसे कि अभ्रक सिस्ट।
7. अधिकांश नीसीय कायांतरित चट्टानों में दानेदार क्वार्ट्ज एवं फेल्डस्पार की पट्टियाँ शामिल होती हैं।

त्वरित पुनरावलोकन (Quick Revision)

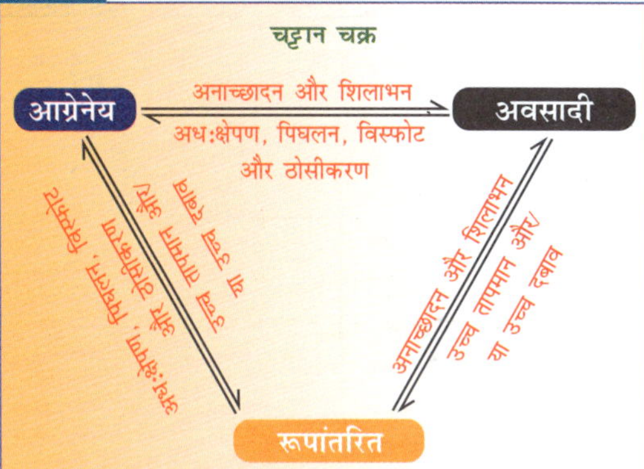

Rock material keeps on recycling from 4 into other types.

महाद्वीपीय विस्थापन सिद्धांत (CONTINENTAL DRIFT THEORY)

पृथ्वी के सम्पूर्ण धरातल पर एक दूसरे के सापेक्ष महाद्वीपों की गतिशीलता को महाद्वीपीय विस्थापन के रूप में जाना जाता है। यद्यपि, इस विषय का प्रतिपादन करने वाले अनेक शुरुआती खोजकर्ताओं के लिए यह केवल अनुमान का विषय था। महाद्वीपीय विस्थापन का पहला व्यापक मामला जर्मन मौसम विज्ञानी, ध्रुवीय खोजकर्ता, खगोलशास्त्री एवं भूविज्ञानी अल्फ्रेड वेगेनर ने 1912 में प्रस्तुत किया। वेगेनर ने बताया कि एक समय पृथ्वी की सम्पूर्ण भूमि केवल एक ही महाद्वीप में थी तथा उसके चारों ओर महासागर था। इन जुड़े हुए महाद्वीपों को उसने पैंजिया (पैन = सम्पूर्ण + जिया = पृथ्वी) तथा आसपास के महासागर को पैंथालसा(पैन = सम्पूर्ण + थालसा = महासागर) कहा। वेगेनर का मानना था कि पैंजिया ट्राइएसिक काल के दौरान खण्डों में विभाजित हुआ तथा वर्तमान स्थिति में पहुँचा है और ये खण्ड अभी भी विस्थापित हो रहे हैं **(चित्र 2.9)**।

अपने सिद्धांत के पक्ष में वेगेनर ने कुछ धारणाएँ दी हैं, जो निम्नवत हैं:

- SiAl का SiMa पर मुक्त प्रवाह, यानी, महाद्वीपों का महासागरों पर मुक्त प्रवाह था।
- महासागरीय भू-पर्पटी (क्रस्ट) निष्क्रिय था।
- कारक बल: ज्वारीय बल (जो पश्चिम की ओर विस्थापन का कारण बना) तथा गुरुत्वाकर्षण + ध्रुवीय पलायन बल (जो भूमध्य रेखा की ओर विसस्थापन का कारण बना)।इसमें ज्वारीय बलों की भूमिका अधिक रही है।
- पैंजिया अंतत: ट्राइएसिक काल (251-199.6 माया; मेसोजोइक युग) "प्रारंभिक जुरासिक युग" में महाद्वीपों में विभाजित हुआ।

वेगनर ने अपने सुपर महाद्वीप (पैंजिया) के सिद्धांत के पक्ष में विभिन्न साक्ष्य दिये हैं। सुपर महाद्वीप धीरे-धीरे उत्तरी (लॉरेशिया) एवं दक्षिणी (गोंडवानालैंड) भू-भागों में विभाजित हुआ और अंतत: वर्तमान समय के महाद्वीप अस्तित्व में आए।

वेगनर ने अपने साक्ष्य में कहा कि उत्तरी एवं दक्षिणी अटलांटिक महासागर में स्थित महाद्वीपों के तटों में भौगोलिक समानता है। उनके द्वारा दिये गये अन्य साक्ष्यों में इस महासागर के दोनों किनारों को आरी के दाँतों की भाँति जोड़ा जा सकता है, अलग-अलग महाद्वीपीय भूखण्डों पर समान भूवैज्ञानिक संरचनाएँ, प्राचीन निक्षेपों के विलक्षण क्षेत्र जैसे घाना में सोने के प्लेसर निक्षेप की उपस्थिति शामिल है। इसका स्तोत ब्राजील में सोने की नसें (गोल्ड वेन्स) के अलावा और दूसरा नहीं हो सकता है। विशिष्ट जलवायु परिस्थितियों उदाहरण के लिए भारत, अफ्रीका, ऑस्ट्रेलिया, अंटार्कटिका तथा दक्षिण अमेरिका एक दूसरे से बहुत दूर होने के बावजूद इनमें समान हिमनद का होना और समय के साथ जीवाश्म प्रजातियों अर्थात मेसोसॉरस, एक छोटा सरीसृप जो उथले (गहरे नहीं) पानी में रहने के लिए अनुकूलित है, के जीवाश्म का वितरण, जो केवल दक्षिण अफ्रीका और ब्राजील की इरावर संरचनाओं में पाए जाते हैं, जबकि ये स्थान आज 4,800 किमी दूर हैं तथा इनके बीच एक महासागर भी स्थित है।

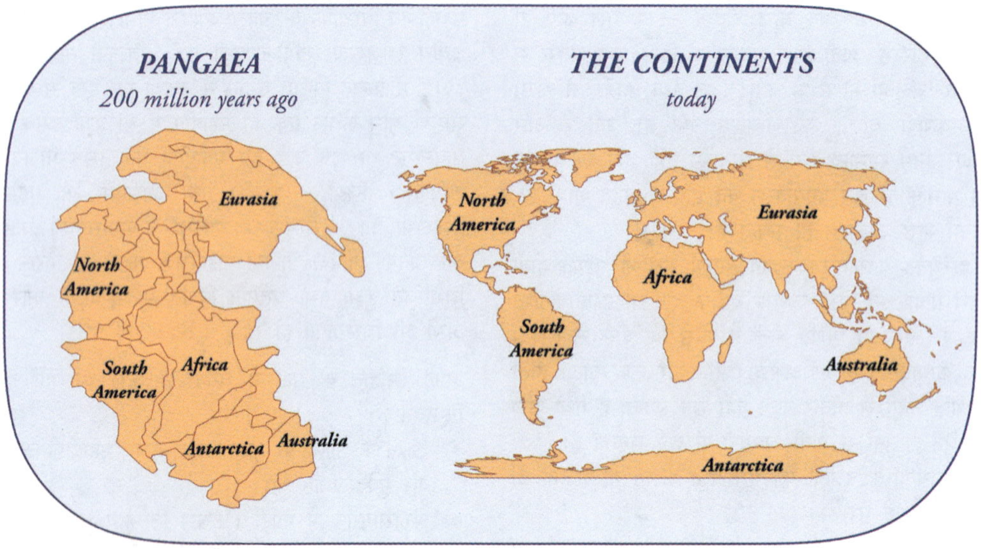

चित्र 2.9
महाद्वीपीय विस्थापन

त्वरित पुनरावलोकन (Quick Revision)

महाद्वीपीय विस्थापन का सिद्धांत

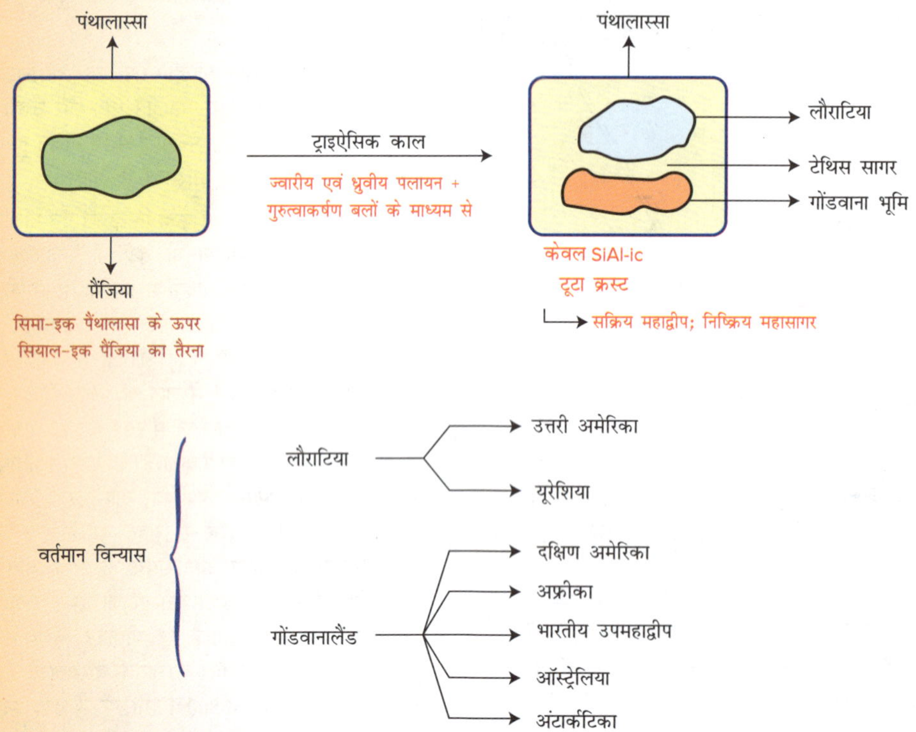

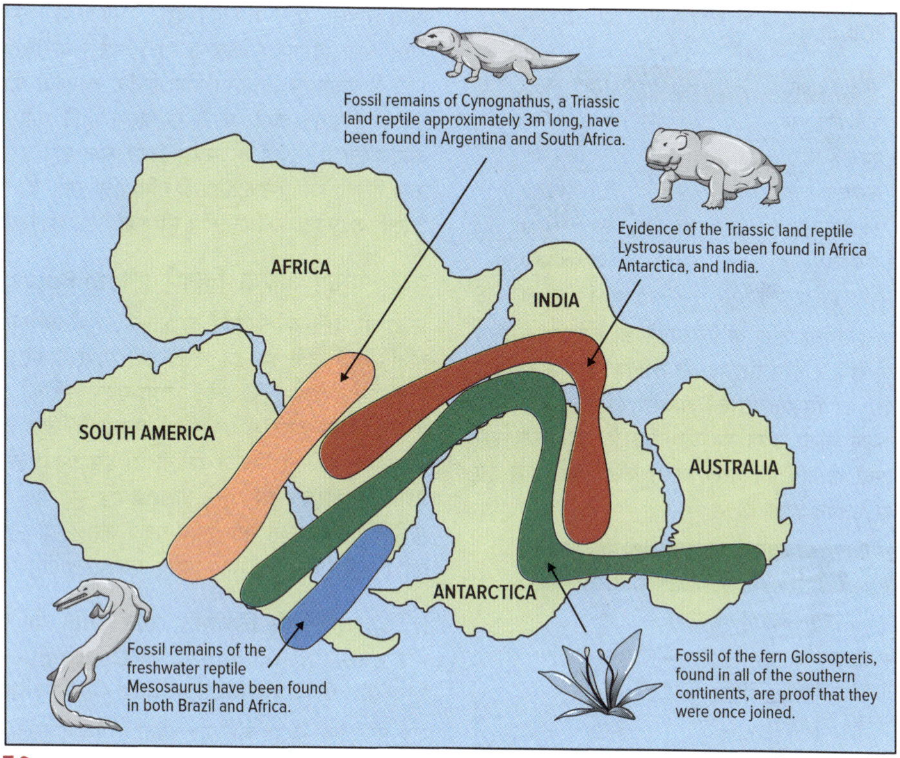

चित्र 2.10

महाद्वीपीय विस्थापन के जीवाश्म विज्ञान संबंधी साक्ष्य (हैम्बलिन, 1995 के बाद)

उनका मानना था कि घूमती हुई पृथ्वी पर केन्द्रापसारक प्रभाव के कारण महाद्वीपभूमध्य रेखा की ओर विस्थापित हुए, जबकि चंद्रमा एवं सूर्य के के कारण उत्पन्न ज्वारीय बल के कारण महाद्वीप पश्चिम की ओर विस्थापित हुए। अधिकांश भूवैज्ञानिकों एवं भूभौतिकीविदों ने इस सिद्धांत को सर्वप्रथम मुख्यत: व्यवहार्य तंत्र के अभाव में खारिज कर दिया था। वेगनर को सनकी बताकर उसे खारिज कर दिया गया। उनके आलोचकों ने कुछ तथ्यों के साथ यह दावा किया कि उन्होंने अपने सिद्धांत में विपरीत साक्ष्यों को नजरअंदाज किया और केवल उन्हीं साक्ष्यों का सावधानीपूर्वक चयन किया, जो उनकी परिकल्पना के पक्ष में थे। उदाहरण के लिए, जब महाद्वीप विस्तापित हुए होंगे, तो पुराने समुद्र तल में उन्होंने पीछे पनरेख या 'चिह्न' छोड़े होंगे, वे कहां हैं? लेकिन कुछ भूवैज्ञानिकों ने वेगेनर का समर्थन किया था। 1950 तथा 1960 के दशक में पुराचुंबकत्व अध्ययन से प्राप्त साक्ष्य के माध्यम से महाद्वीपीय विस्थापन के इस सिद्धांत को और अधिक समर्थन मिला। वर्ष 1967 में इस सिद्धांत को प्लेट विवर्तनिकी (टेक्टोनिक्स) के सिद्धांत में शामिल कर दिया गया।

तालिका 2.3 बड़ी एवं छोटी प्लेटों का विवरण

क्रम संख्या	प्लेट का नाम	आकार (वर्ग किमी. में)
	बड़ीप्लेटें	
1.	प्रशांत प्लेट	103,300,000
2.	उत्तरी अमेरिका प्लेट	75,900,000
3.	यूरेशियन प्लेट	67,800,000
4.	अफ्रीकन प्लेट	61,300,000
5.	अंटार्कटिक प्लेट	60,900,000
6.	भारत-ऑस्ट्रेलियन प्लेट	58,900,000
7.	दक्षिण अमेरिकन प्लेट	43,600,000
	छोटी प्लेटें	
8.	सोमाली प्लेट	16,700,000
9.	नाजका प्लेट	15,600,000
10.	फिलीपीन्स सागर प्लेट	5,500,000
11.	अरेबियन प्लेट	5,000,000

(Continued)

तालिका 2.3 *(Continued)*

क्रम संख्या	प्लेट का नाम	आकार (वर्ग किमी. में)
12.	कैरिबियन प्लेट	3,300,000
13.	कोकोज प्लेट	2,900,000
14.	कैरोलिना प्लेट	1,700,000
15.	स्कॉटिया प्लेट	1,600,000
16.	बर्मा प्लेट	1,100,000
17.	नई हर्बीसाइड प्लेट	1,100,000

स्थल मण्डल संबंधी प्लेटों के विस्थापन की व्याख्या के लिये अर्थर होमल्स के संवहन तरंग सिद्धांत को व्यापक रूप से स्वीकार किया जा रहा है। यह सिद्धांत निचले आवरण (मेंटल) एवं केन्द्र (कोर) से निकलने वाली उष्मा पर आधारित है, जो मुख्य रूप से रेडियोधर्मी तत्वों के क्षय एवं तरल बाहरी केन्द्र (कोर) में हुए ज्वारीय घर्षण से उत्पन्न होती है।

याद रखने की युक्ति (Learning Trick)

बड़ी विवर्तनिक प्लेटें

प्रत्येक महाद्वीप के नाम पर एक विवर्तनिक प्लेट:

- उत्तरी अमेरिका (केंद्रीय अमेरिका सहित)
- दक्षिण अमेरिका
- अफ्रीका
- अंटार्कटिका
- यूरेशिया (भूमि जुड़ी होने के कारण यह तकनीकी रूप से एक ही महाद्वीप है, जिसे केवल सांस्कृतिक कारणों से 2 अलग-अलग महाद्वीप कहा जाता है)
- इंडो-ऑस्ट्रेलिया (इसमें भारत अलग से है!)

विश्व का सबसे बड़ा महासागर प्रशांत महासागर एकमात्र महासागर है, जिसके नाम की प्लेट है → प्रशांत प्लेट।

शेष महासागर केवल किसी एक प्रमुख विवर्तनिक (टेक्टोनिक) प्लेट पर स्थित नहीं हैं (चित्र 2.11 देखें)।

प्लेट विवर्तनिकी सिद्धांत (PLATE TECTONICS)

प्लेट विवर्तनिकी (टेक्टोनिक्स) सिद्धांत के अनुसार, पृथ्वी कास्थलमंडल 7 बड़ी तथा अनेक छोटी एवं सूक्ष्म प्लेटों में विभाजित है, जो इसके दुर्बलता मण्डल (एस्थेनोस्फीयर) पर लगातार विस्थापित हो रही हैं। इन प्लेटों के विस्थापन का कारण पृथ्वी के आंतरिक भाग में संवहन धाराएं हैं। प्लेटों के विस्थापन की दर प्रति वर्ष 2 से 15 सेमी (1 से 6 इंच) है। इन विवर्तनिकी (टेक्टोनिक) प्लेटों की परस्पर क्रिया के कारण अनेक विभिन्न भूवैज्ञानिक संरचनाएं बनती हैं, जैसे एशिया में हिमालय पर्वत शृंखला, पूर्वी अफ्रीकी दरार (रिफ्ट) तथा मध्य-अटलांटिक पर्वत श्रेणी (रिज) (चित्र 2.11)। प्लेटों के विस्थापित होने की गति के प्रकार से निर्धारित होता है कि वे पृथ्वी की संरचना किस प्रकार परिवर्तित होगी। प्लेटों के सबसे पुराने भाग, जिन्हें शील्ड्स कहा जाता है, पृथ्वी के सबसे स्थिर भाग होते हैं तथा यहां बहुत कम विवर्तनिकी (टेक्टोनिक) गतिविधि होती है, क्योंकि ये भाग टेक्टोनिक प्लेट के किनारों (सीमाओं) से दूर स्थित होते हैं।

प्लेट सीमाएँ अथवा किनारे (Plate Boundaries)

प्लेटों के बीच की सीमाएँ वे क्षेत्र हैं, जहाँ अधिकांश विवर्तनिकी गतिविधियाँ होती हैं। इन प्लेटों की सीमाओं पर तीन प्रकार का विस्थापन होता है- (i) प्लेटें परस्पर एक-दूसरे की ओर बढ़ सकती हैं, (ii) एक-दूसरे से अलग हो सकती हैं, तथा (iii) एक-दूसरे को पार कर आगे निकल सकती हैं। इस प्रकार के विस्थापन का पृथ्वी की संरचना पर पड़ने वाला प्रभाव इस बात पर निर्भर करता है कि ये सीमाएँ दो महाद्वीपीय प्लेटों की हैं, दो महासागरीय प्लेटों की हैं, या फिर एक महासागरीय एवं महाद्वीपीय प्लेट की है।

(i) अभिसारी या विध्वंसक प्लेट उपांत या उपसरण एवं टक्कर (Convergent or Destructive Plate Margin Or Subduction and Collission)

जब प्लेटें एक-दूसरे की ओर बढ़ती हैं एवं टकराती हैं या उपसरण करती हैं (चित्र 2.12)। ऐसे उपांतों को अभिसारी (संसृत) या विध्वंसक प्लेट उपांत कहा जाता है। महासागरीय परत महाद्वीपीय परत की तुलना में घनी एवं पतली होती है। यह औसतन 5 किमी (3 मील) मोटी होती है, जबकि महाद्वीपीय परत औसतन 30 से 40 किमी (18 से 24 मील) मोटी होती है। जब समान घनत्व वाली महासागरीय प्लेटें मिलती हैं, तो परतें विकृत हो जाती हैं तथा एक प्लेट दूसरी प्लेट के ऊपर चढ़ जाती है। इससे गहरी समुद्री खाइयाँ बनती हैं और समुद्र तल पर अर्द्ध वृत्ताकार ज्वालामुखीय द्वीप बनते हैं। जब महाद्वीपीय एवं महासागरीय प्लेटें अभिसारित होती हैं, तो महासागरीय प्लेट उपसरण (नीचे की ओर मुड़ना) करती है, क्योंकि महाद्वीपीय प्लेट मोटी एवं कम घनी होती है। इससे महाद्वीपीय सीमा पर खाइयों, ज्वालामुखीय गतिविधियों और वलित पहाड़ों का निर्माण होता है। एंडीज पर्वत महासागरीय एवं महाद्वीपीय प्लेटों के अभिसरण से बने पर्वत का आदर्श नमूना है।

जब महाद्वीप एवं महाद्वीपीय प्लेट अभिसारित होती हैं, तो इसे संघट्टित उपांत कहा जाता है और इसमें उपसरण (सबडक्शन) नहीं होता है। इसका कारण यह है कि दोनों प्लेटें हल्की एवं मोटी होती हैं, जिससे उनका उपसरण कठिन हो जाता है। लगभग 65 मिलियन वर्ष पहले अफ्रीकी प्लेट के यूरेशियन प्लेट से टकराने पर आल्प्स पर्वत का निर्माण हुआ था। इसी प्रकार, हिमालय का निर्माण भारतीय प्लेट के यूरेशियन प्लेट से टकराने के परिणामस्वरूप हुआ है।

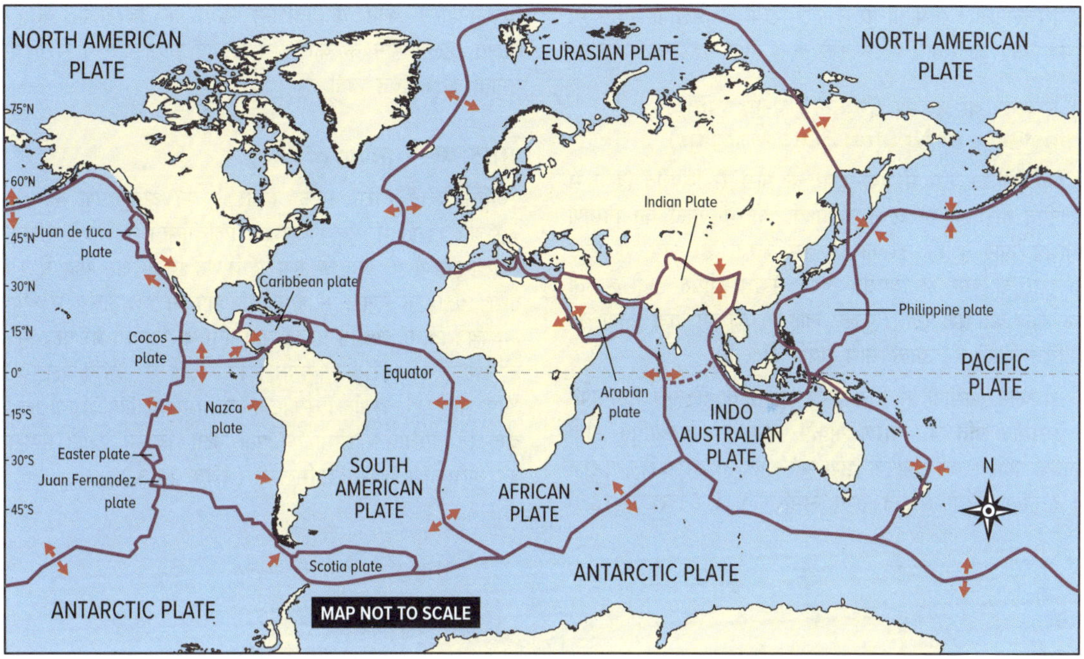

चित्र 2.11
बड़ी एवं छोटी प्लेटें

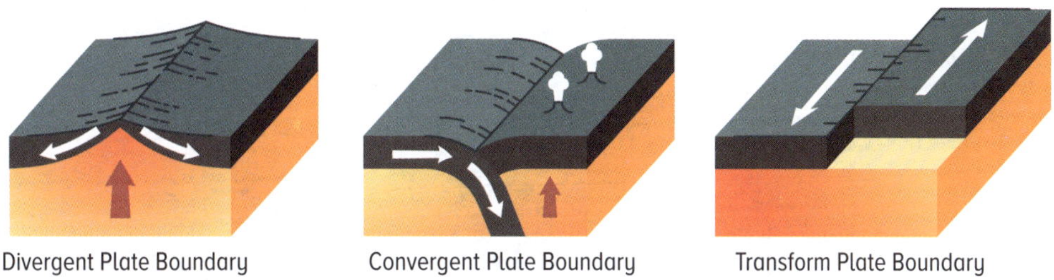

चित्र 2.12
अभिसारी प्लेट सीमाएँ

(ii) विचलनशील या रचनात्मक प्लेट (उपांत) सीमाएँ (Divergent or Constructive Plate Margins)

जब प्लेटें एक-दूसरे से दूर (अलग) होती हैं, तो ऐसे उपांतों को विचलनशील या रचनात्मक उपांत कहा जाता है (चित्र 2.12)। प्लेटों के विचलन से लावा (मैग्मा) को सतह तक पहुँचने का मार्ग मिलता है। प्लेटों के विचलन के कारण महासागरीय रिज का निर्माण होता है।

मध्य-महासागरीय रिज से विशाल मात्रा में ज्वालामुखीय सामग्री बाहर निकलती है, जो 3000 मीटर (लगभग 10,000 फीट) की ऊँचाई तक जाती है।

आइसलैंड में मध्य-अटलांटिक रिज समुद्र तल से ऊपर उठती है, जिससे उष्णोत्स (गीजर) एवं ज्वालामुखी उत्पन्न होते हैं। यह रिज दुनिया की सबसे लंबी पर्वत शृंखला है, जो उत्तर से दक्षिण तक लगभग 16,000 किमी तक फैली हुई है।

आइसलैंड का आइजाफ्जोएल ज्वालामुखी, जिसमें 2010 में विस्फोट हुआ था, अटलांटिक महासागर की विचलनशील प्लेट पर था। वर्तमान में इस महाद्वीपों पर केवल एक प्रमुख विचलनशील उपांत,अर्थात, महान अफ्रीकी रिफ्ट घाटी को देखा जा सकता है। यह रिफ्ट घाटी सोमाली प्लेट के अफ्रीकी प्लेट से विचलन होने के कारण बनी है। यह दक्षिण में मोजाम्बीक से लेकर उत्तर में लेबनान तक फैली हुई है।

विचलनशील सीमाओं पर ज्वालामुखियों के अलावा भूकंप भी अनुभव किए जा सकते हैं, जिनके केन्द्र बहुत गहरे नहीं होते हैं।

(iii) ट्रांस्वर्स या तटस्थ (न्यूट्रल) प्लेट उपांत (Transverse or Neutral Plate Margins)

जब प्लेटें क्षैतिज रूप में एक-दूसरे के पास से विपरीत दिशा में विस्थापित होती हैं, तो वे न तो पृथ्वी की भू-पर्पटी का निर्माण करती हैं और न ही उसका विध्वंस करती हैं। जब दो प्लेटें एक-दूसरे के पास से विपरीत दिशा में विस्थापित होती हैं, तो उनके बीच की भ्रंश रेखा (फॉल्ट लाइन), जो इन दोनों प्लेटों को विभाजित करती है, उनके साथ घर्षण होता है।

ये प्लेटें आसानी से विस्थापित नहीं होती हैं तथा विस्थापन की असमान गति के कारण भूकंप आते हैं। विस्थापित होती प्लेटों के कारण बने व्यापक भ्रंश का एक उदाहरण सैन एंड्रीज भ्रंश (कैलिफोर्निया-संयुक्त राज्य अमेरिका) है (चित्र 2.12)। विचलनशील प्लेट के विभिन्न खंडों के विस्थापन की गति अलग-अलग होने के कारण ये सीमाएँ सामान्य रूप से विचलन उपांतों के लंबवत होती हैं।

अग्नि वलय (Ring of Fire)

"अग्नि वलय (रिंग ऑफ फायर)" की अवधारणा को पहली बार वर्ष 1906 में अलेक्जेंडर पी. लिविंगस्टन ने अपनी पुस्तक में ज्वालामुखियों के क्षेत्र के रूप में वर्णित किया था। बाद में 1940 तथा 1950 के दशक में ह्यूगो बेनिऑफ ने इस संबंध में व्यापक अध्ययन किया। उन्होंने प्रशांत महासागर के किनारों पर गहरे भूकंपों के स्थानों को आरेखित किया। उनके नक्शों से 'अग्नि वलय (रिंग ऑफ फायर)', अर्थात विस्फोटक ज्वालामुखीय गतिविधियों का उस वृत्त की वास्तविक सीमा का पता चला, जिसमें प्रशांत महासागर का अधिकांश हिस्सा शामिल है (चित्र 2.13)।

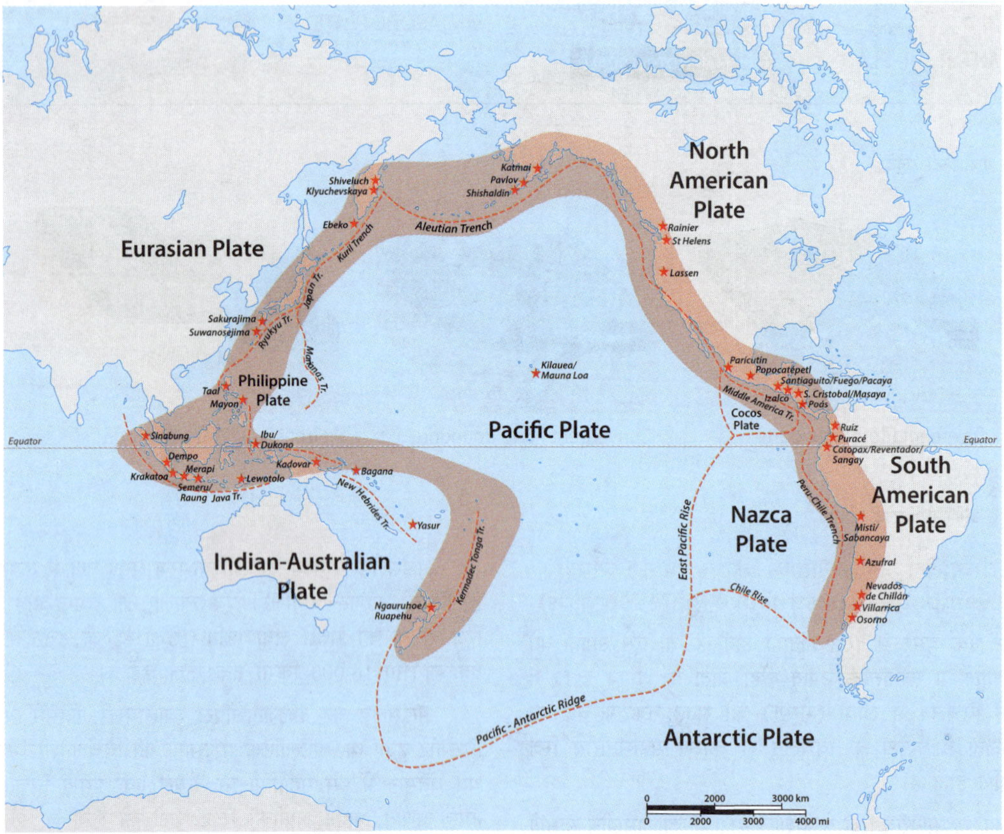

चित्र 2.13
अग्नि वलय (Ring of Fire)

बेनिऑफ जोन (Benioff Zone)

यह महासागरीय भू-पर्पटी में एक ऐसा समतलीय भूकंपीय क्षेत्र है, जिसके किनारे-किनारे स्थलमण्डलीय प्लेटों के उपसरण (सबडक्शन) के कारण बार-बार भूकंप आते हैं। महासागरीय खाइयाँ तथा ज्वालामुखियों की शृंखला इसकी विशेषता है।

समुद्र तल का प्रसार (Seafloor Spreading)

समुद्रतल के प्रसार की अवधारणा का प्रतिपादन वर्ष 1960 में प्रिंसटन विश्वविद्यालय के प्रोफेसर हैरी हेस द्वारा किया गया था। उनका मानना था कि मध्य अटलांटिक पर्वत शृंखला (एवं अन्य नयी खोजी गयी सामुद्रिक पर्वत शृंखलाओं) में नया समुद्र तल बन रहा है तथा इस उत्पत्ति रेखा से आगे इसका विस्तार हो रहा है। अपने सिद्धांत के पक्ष में उन्होंने आर्थर होम्स के संवहन तरंग सिद्धांत का उपयोग किया। दुर्बलता मण्डल (एस्थेनोस्फीयर) में संवहन तरंगों, जो पिघले हुए पदार्थ के धीमी गति से चलने वाले सर्किट हैं, के कारण रिज का निर्माण हुआ। (चित्र 2.13)।

समुद्री तल के प्रसार के सिद्धांत से कई अनसुलझी समस्याओं को हल करने में मदद मिली। इससे मध्य-महासागरीय पर्वत शृंखलाओं पर परत की नवीनतम स्थिति को सुलझाया तथा इस बात से पर्दा उठाया कि इन पर्वत शृंखलाओं के मध्य भागों से पुरानी चट्टानें दूर हो रही हैं। इससे इस बात को भी सुलझाने में सहायता मिली कि सामुद्रिक पर्वत शृंखलाओं के मध्य भागों पर तलछट अपेक्षाकृत

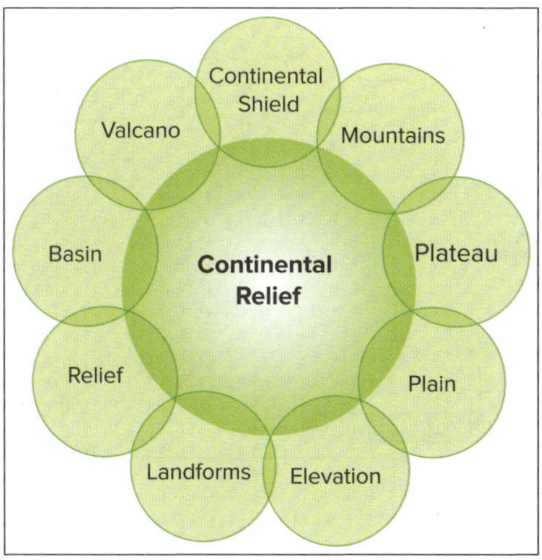

चित्र 2.14
महाद्वीपीय भू-आकृतियाँ (रिलीफ)

पतली क्यों होती है। इससे यह भी पता चला कि सामुद्रिक परत महाद्वीपीय परत से छोटी क्यों है। इसके छोटे होने का कारण यह है कि सामुद्रिक परत का लगातार पुनर्नवीनीकरण हो रहा है, जबकि इसके प्राचीन भाग उपसरण उपांतों (सबडक्टिंग सीमाओं) पर खो जाते हैं तथा सामुद्रिक पर्वत शृंखलाओं पर लगातार नवीन परत बनती रहती हैं।

अंत में, समुद्री तल के प्रसार की अवधारणा ने यह सिद्ध कर दिया कि वेगेनर के कथन के विपरीत, सामुद्रिक परत निष्क्रिय नहीं थी। यह भी महाद्वीपीय परत की तरह गतिशील है तथा विस्थापित हो रही है। महाद्वीप महासागरों के उपर विस्थापित नहीं हो रहे थे, बल्कि स्थल मण्डल दुर्बलता मण्डल पर विस्थापित हो रही थी तथा इससे प्लेट विवर्तनिकी सिद्धांत के विकास में मदद मिली (चित्र 2.15)।

महाद्वीपीय भू-आकृतियाँ (CONTINENTAL RELIEF)

शील्ड, प्लेटफार्म, पर्वत, पठार, मैदान, ज्वालामुखी आदि सभी महाद्वीपों की विशेषताएँ होती हैं।

महाद्वीपीय शील्ड (Continental Shield)

पृथ्वी के महाद्वीपों के केंद्र, जिन्हें शील्ड्स के रूप में जाना जाता है, प्री-कैम्ब्रियन अवधि (570 मिलियन वर्ष से भीपहले) के दौरान स्थापित हुए थे। इनमें से कुछ जैसे कि कैनेडियन शील्ड में तीन अरब वर्ष से अधिक पुरानी चट्टानें शामिल हैं। महाद्वीपीय शील्ड पृथ्वी की भू-पर्पटी का विशाल, स्थिर एवं वह निम्न-स्तरीय क्षेत्र है, जो प्रीकैम्ब्रियन क्रिस्टलीय चट्टानों से बना है। इनशील्ड का निर्माण अशांत परिघटनाओं; प्लेटों की गतिविधियों, भूकंपों तथा ज्वालामुखी विस्फोटों से हुआ है। इनमें बहुत कम विवर्तनिकी गतिविधियाँ होती है और वर्तमान में इनके सपाट, नीची रहने वाली ठोस ज्वालामुखीय चट्टानों के स्लैब के कारण महाद्वीप स्थिर रहते हैं। ये नवीनतम अवसादी चट्टानों की उत्तरोत्तर बेल्टों द्वारा सीमाबद्ध या आच्छादित होते हैं। विश्व की मुख्य महाद्वीपीय शील्ड्स को चित्र 2.16 में दर्शाया गया है।

कुछ महत्वपूर्ण शब्दावलियां (Some Important Terminologies)

पर्वत (Mountain)

पर्वत केवल एक चोटी या किसी पर्वत शृंखला का भाग हो सकता है। माउंट एवरेस्ट की चोटी 8848.86 मीटर है, जो दुनिया

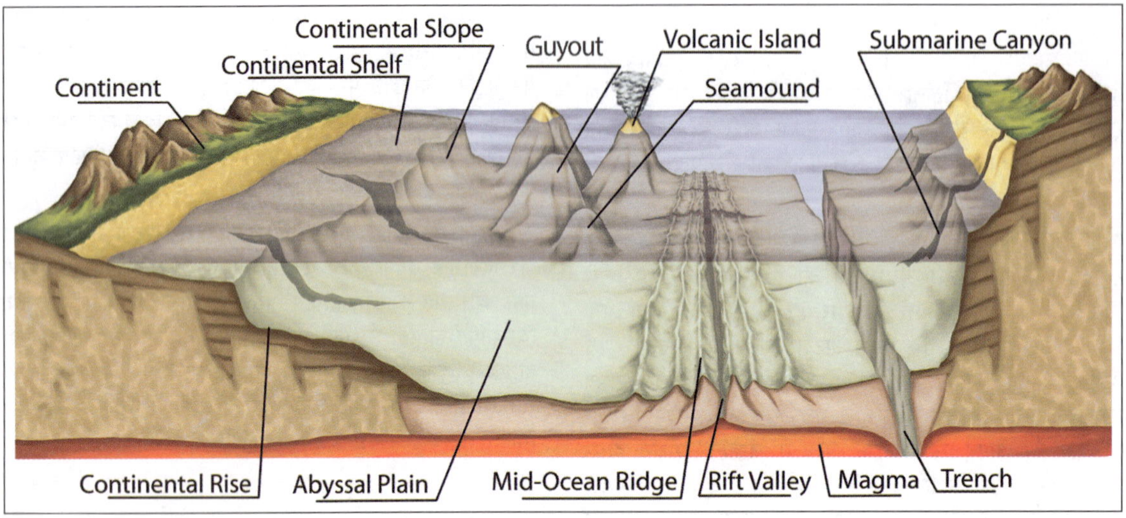

चित्र 2.15
समुद्र तल का प्रसार

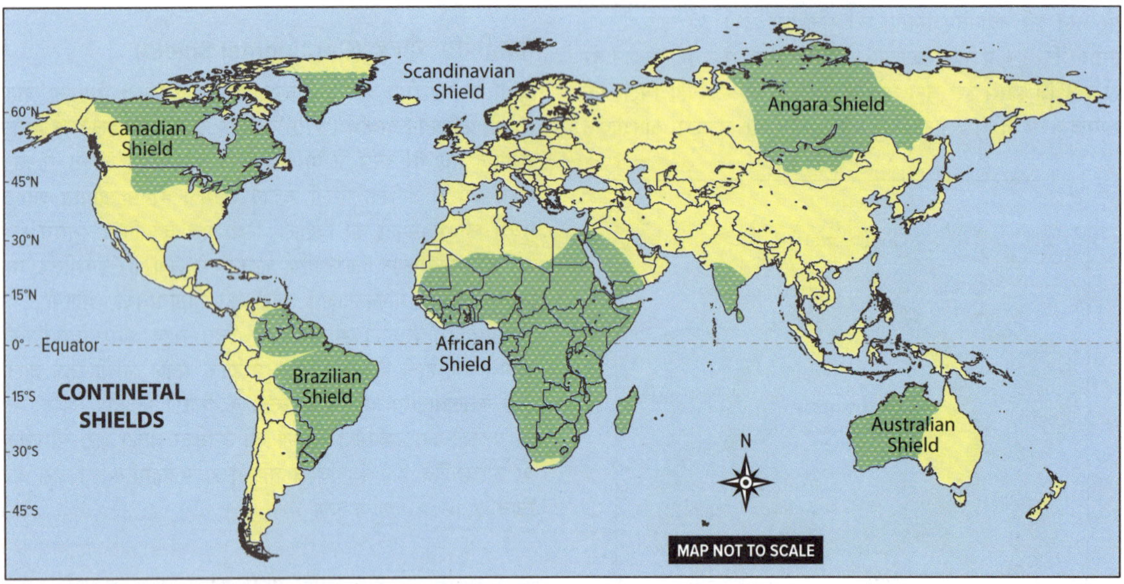

Source: After Richard E. Murphy, 'Landforms of the world' AAAG, 58 No.1 (March 1968)

चित्र 2.16
विश्व के प्रमुख महाद्वीपीय शील्ड्स

की सबसे ऊँची पर्वत शृंखला हिमालय का भाग है। पर्वतों को उत्पत्ति के आधार पर निम्नलिखित प्रकारों में वर्गीकृत किया जा सकता है- (क) वलित (जटिल), (ख) ज्वालामुखीय शृंखला, (ग) भ्रंश खण्ड, तथा (घ) ऊर्ध्वावलित (चित्र 2.17)।

पठार (Plateau)

पठार अधिक ऊँचाई पर स्थित अपेक्षाकृत समतल भूमि के विशाल क्षेत्र होते हैं। चीन में स्थित तिब्बत का पठार विश्व का सबसे ऊँचा पठार है।

मैदान (Plain)

मैदानी क्षेत्र लगभग समतल भूमि के वे विस्तृत भाग होते हैं, जो सामान्य रूप से निम्न ऊँचाई पर पाये जाते हैं। उत्तरी चीन के मैदानी क्षेत्र एवं सिंधु-गंगा के मैदानी क्षेत्र की निचली उपजाऊ भूमि विश्व में सर्वाधिक उत्पादक कृषि भूमि है। चीन का मैदानी क्षेत्र समुद्र तल से 0 से 150 मीटर और सिंधु-गंगा का मैदानी क्षेत्र समुद्र तल से 0 से 300 मीटर की ऊंचाई पर स्थित है।

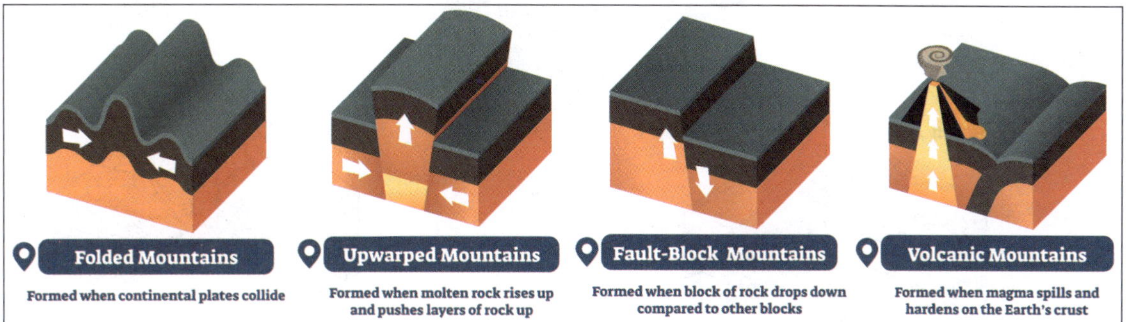

चित्र 2.17
पर्वतों का वर्गीकरण

उँचाई (Elevation)

समुद्र तल से किसी भूमि की ऊँचाई या गहराई का माप है।

भूमि रूप (Landforms)

भूमि रूप भू-परिदृश्य की भौतिक विशेषताएँ हैं। सबसे व्यापक भूमि रूपों में ऊँचाई, गहराईयां बदलती ऊँचाई के पैटर्न होते हैं।

भू-आकृतियाँ (Relief)

भू आकृति किसी भूमि रूप, भू-विशेषता या भू-क्षेत्र की अधिकतम एवं न्यूनतम ऊँचाई के बीच का अंतर है।

घाटी (Basin)

घाटियाँ वे निम्न क्षेत्र हैं, जो ऊँचे स्थानों से घिरे होते हैं।

ज्वालामुखी (VOLCANOES)

ज्वालामुखी किसी नलिका या वाहक नलिका के छोर पर स्थित वह भू-आकृति है, जो भू-पर्पटी से उपर उठती है तथा छेद से होती हुई पृथ्वी की सतह पर आती है। लावा (मैग्मा) ऊपर उठता है तथा नीचे गहराई में मैग्मा कक्ष में संगृहीत होता है, जो ज्वालामुखी विस्फोट के रुप में सामने आता है, जो पर्वत का निर्माण करने वाला असंयत या विस्फोटक होता है। ज्वालामुखी का आदर्श अनुप्रस्थ काट चित्र 2.18 में दिया गया है।

जो मैग्मा वास्तव में ज्वालामुखी से निकलता है, उसे लावा (तरल चट्टान) के रूप में जाना जाता है। लावा, गैसें (जैसे CO_2, नाइट्रोजन ऑक्साइड, सल्फर ऑक्साइड, जल वाष्प, NH_3, आर्गन, आदि) एवं निकलने वाले चट्टानों के टुकड़े (चट्टानों के चूर्णित टुकड़े, ज्वालामुखी विस्फोट के दौरान खतरनाक रूप से बाहर आने वाले पदार्थ) सतह की नलिका से गुजरते हैं और ज्वालामुखीय भू-आकृति का निर्माण करते हैं।

लावा (मैग्मा) के प्रकार (Types of Magma)

1. अम्लीय मैग्मा (Acidic Magma)

अम्लीय मैग्मा (Acidic Magma) हल्के रंग तथा कम घनत्व वाला होता है, जिसमें सिलिका की मात्रा अत्यधिक होती है। इस कारण यह अत्यधिक चिपचिपा होता है और धीमी गति से बहता है। इस कारण यह अधिक फैलता नहीं है। इसके चिपचिपा होने के कारण यह अक्सर ज्वालामुखी के निकास मुख के भीतर ठोस होकर जम जाता है, जिससे विध्वंसक विस्फोट होते हैं तथा ज्वलखण्डाश्म (Pyroclastic) सामग्री बाहर छोड़ते हैं।

2. मूल मैग्मा (Basic Magma)

बेसिक मैग्मा गहरे रंग का होता है। इसका घनत्व अधिक होता है। इसमें सिलिका की मात्रा बहुत कम होती है। यह अत्यधिक तरल होता है, आसानी से बहता है तथा व्यापक क्षेत्रों में फैलता है। इस प्रकार के मैग्मा से लावा पठार तथा धीमी ढलान वाले ज्वालामुखी पर्वत बनाते हैं।

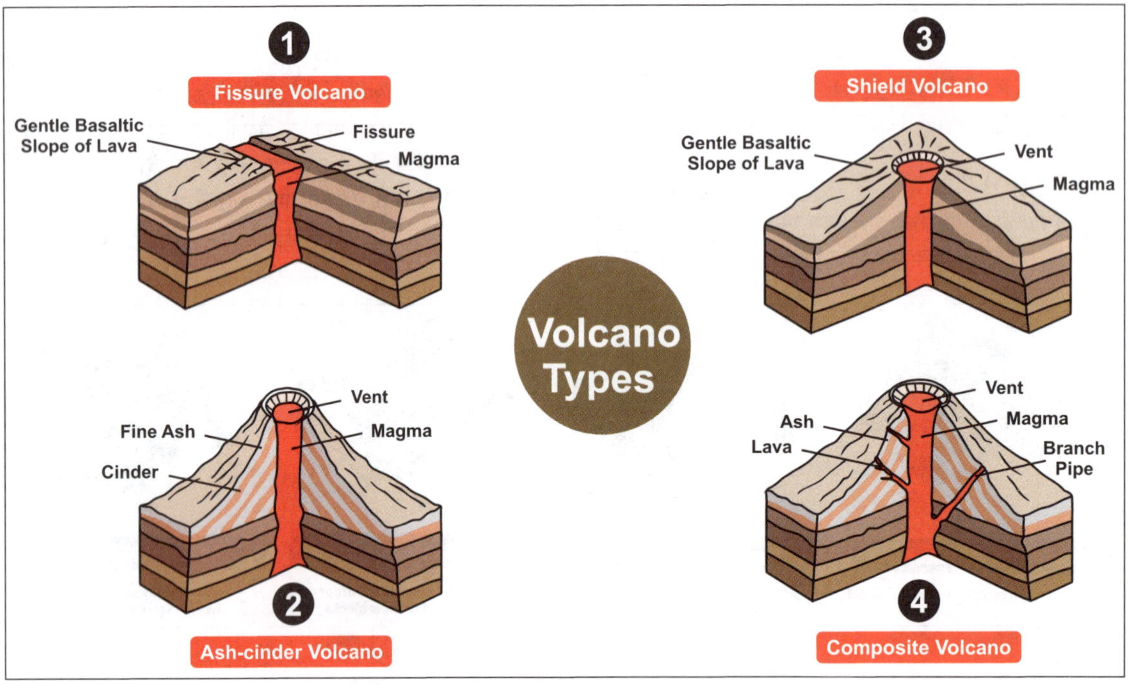

चित्र 2.18
ज्वालामुखी के प्रकार

3. वातिमुख [फ्यूमरोल्स (Fumaroles)]

पृथ्वी की परत में स्थित छिद्र, जिनमें से वाष्प एवं ज्वालामुखीय गैसें, जैसे कि सल्फर डाइऑक्साइड एवं कार्बन डाइऑक्साइड बाहर निकलती हैं, वातिमुख (फ्यूमरोल्स) कहलाते हैं। ज्वालामुखी से निकलने वाली ये गैसें सतह के नीचे चल रही गतिविधियों के संकेत हो सकती हैं। कुछ वातिमुख (फ्यूमरोल्स) से कोई विशिष्ट गैस अधिक मात्रा में बाहर निकलती है, इस कारण उन्हें विशिष्ट नाम दे दिये जाते हैं, जैसे अत्यधिक मात्रा में सल्फर यौगिकों के बाहर निकलने की स्थिति में ऐसे वातिमुख को सोल्फटारास की संज्ञा दी जाती है और अत्यधिक कार्बन डाइऑक्साइड वाले वातिमुख को मोफेट्स कहा जाता है।

ज्वालामुखी उद्गारों के प्रकार (Types of Volcanic Eruptions)

ज्वालामुखियों को उनके उद्गारों के तरीके के आधार पर अनेक वर्गों में विभाजित किया गया है। वर्ष 1908 में लेक्रोइक्स द्वारा किये गये ज्वालामुखीय उद्गारों के वर्गीकरण को सामान्य रूप से सर्वाधिक उपयोग में लाया जाता है। ज्वालामुखीय उद्गार के छह प्रकारों को न्यूनतम विस्फोटक से सर्वाधिक विस्फोटक के क्रम में रखा गया है, जो इस प्रकार है: आयलैंडिक, हवाईयन, स्ट्रोम्बोलियन, वल्केनियन, पेलियन और प्लिनियन (चित्र 2.19)।

1. आयलैंडिक प्रकार (Icelandic Types)

आयलैंडिक, बाढ़, या विदरण उद्गार, ये सभी शब्द ऐसे ज्वालामुखी उद्गारों के लिए प्रयुक्त होते हैं, जो पृथ्वी की सतह को बहुत अधिक मात्रा में अत्यधिक गर्म, पतला, बहता हुआ लावा से भर देते हैं। लावा जमीन से लंबी दरारों, जिन्हें विदरण (फिशर) कहा जाता है, के माध्यम से बाहर आता है। इनमें से कुछ विदरण 15 मील तक लंबे होते हैं। आयलैंडिक उद्गारों से उत्पन्न होने वाला शंकु शील्ड शंकु होता है। शील्ड शंकु बहुत नीचे एवं चौड़े आकार का ज्वालामुखी होता है। परन्तु अधिक सामान्यत: प्रकार के ज्वालामुखी एक ही स्थान पर कई बार उद्गार करते हैं, जिससे विशाल तथा मोटे लावा के पठार बनते हैं। भारत में दक्कन का पठार इसी तरह बना है और यह 422,000 वर्ग किलोमीटर (मोंटाना राज्य से थोड़ा छोटा) क्षेत्र में फैला है। पश्चिमी संयुक्त राज्य अमेरिका में स्थित कोलंबिया का पठार दुनिया का सबसे बड़ा लावा पठार है। यह लगभग 100,000 वर्ग मील में फैला हुआ है तथा कुछ स्थानों पर लगभग एक मील मोटा है।

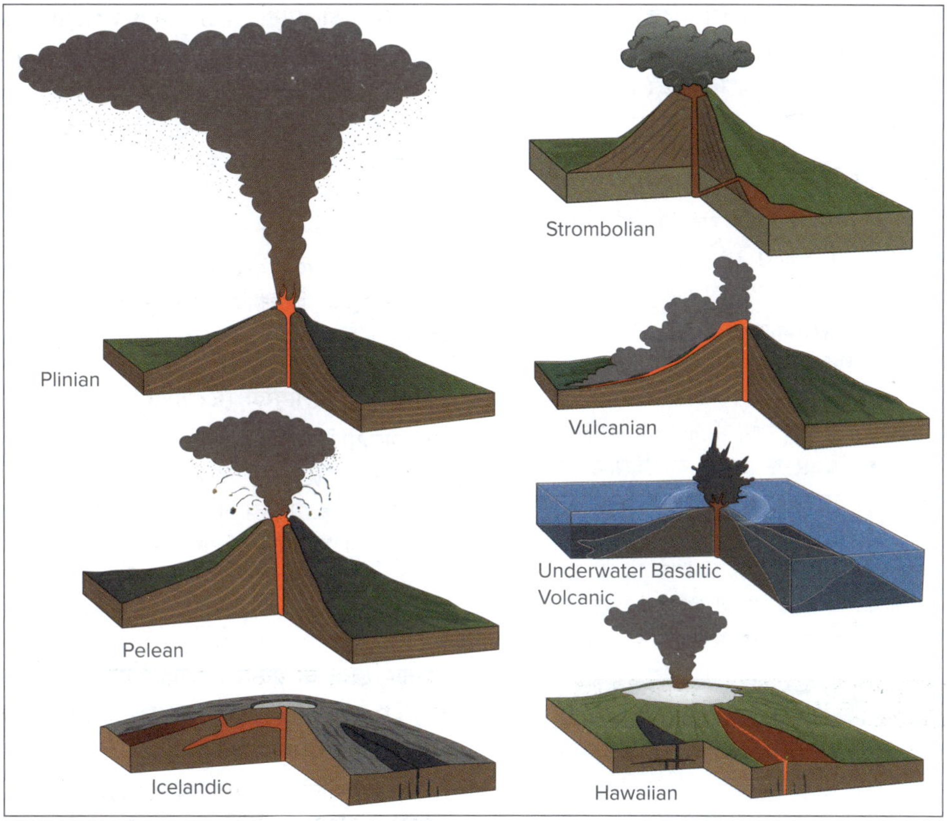

चित्र 2.19
ज्वालामुखी विस्फोट के प्रकार

2. हवाईयन उद्गार (Hawaiian Eruption)

इस प्रकार के उद्गार में तरल मूल लावा अत्यधिक मात्रा में दरार या केंद्रीय छिद्र से बाहर निकलता है तथा एक सौम्य ढलान का विशिष्ट ढाल (शील्ड) ज्वालामुखी बनाता है। इस प्रकार के ज्वालामुखी में विस्फोटक गतिविधि लगभग नहीं के बराबर होती है (चित्र 2.19)।

3. स्ट्रॉम्बोलियन उद्गार (Strombolian Eruption)

इस प्रकार के ज्वालामुखी उद्गार में बेसिक लावा (बेसाल्टिक) हवाईयन प्रकार के उद्गार की तुलना में कम तरल होता है। परिणामस्वरूप, इसमें विस्फोटक गतिविधि होती हैं तथा इनमें से अधिक मात्रा में ज्वलखंडाश्म (Pyroclastic) सामग्री निकलती है। इस प्रकार के उद्गार का नाम उत्तरी सिसिली के पास स्ट्रॉम्बोली द्वीप पर स्थित ज्वालामुखी के नाम पर रखा गया है (चित्र 2.19)।

4. वल्केनियन उद्गार (Vulcanian)

इस प्रकार के उद्गार में लावा की सतह उसके अत्यधिक चिपचिपा होने के कारण तेजी से ठोस हो जाती है। इसके ठोस होने के कारण लावा की परत के नीचे दबाव बढ़ता है तथा लगातार एक के बाद एक विध्वंसक विस्फोट होते हैं। इस दौरान बड़ी मात्रा में ज्वलखंडाश्म (Pyroclastic) सामग्री को ज्वालामुखी छिद्र से विध्वंसक रूप से बाहर निकलती है। ऐसे ज्वालामुखी से निकलने वाली राख को हवा उड़ाकर दूर-दूर तक ले जा सकती है तथा फूलगोभी के समान बादलों का निर्माण हो सकता है। (चित्र 2.19)।

5. पीलियन उद्गार (Pelean Eruption)

पीलियन उद्गार में लावा बहुत चिपचिपा होता है। यह सामान्य रूप से विध्वंसक रूप से फटता है। इसकी एक प्रमुख विशेषता यह है कि इसमें धुँए के साथ आग की लपटे भी उठती हुई नजर

आती हैं, जिसको न्यूई आर्डेंटे (चमकते बादल) कहा जाता है। इस प्रकार के ज्वालामुखी उद्‌गार का नाम माउंट पीली (वेस्ट इंडीज) के नाम पर रखा गया है, जहाँ 1902 (**चित्र 2.19**) के ज्वालामुखी सहित बहुत विध्वंसक उद्‌गार हुए हैं।

6. प्लिनियन उद्‌गार (Plinian Eruption)

प्लिनियन उद्‌गार अत्यधिक विध्वंसक होते हैं। इनमें ज्वालामुखीय विस्फोटक सूचकांक (VEI) 4 से 8 के बीच रहता है तथा इनमें से बड़ी मात्रा में झाँवा (प्यूमिस) एवं राख निकलती हैं, जो सामान्य रूप से ज्वलखंडाश्म (Pyroclastic) घनत्व धाराओं (PDCs) से जुड़े होते हैं। इन ज्वालामुखियों के उद्‌गार स्तंभ 20 से 55 किमी. तक ऊँचे उठते हैं तथा समताप मंडल में प्रवेश कर जाते हैं, जिससे ऊपरी वायुमंडल में बड़ी मात्रा में पानी एवं सल्फर एरोसोल अंत:क्षेप करते हैं। इस प्रकार के उद्‌गार की विशिष्ट विशेषताएं एयरफॉल झांवाबेड एवं राख प्रवाह हैं। कभी-कभी इनमें इग्निम्ब्राइट भी शामिल होते हैं। इन उद्‌गारों में बड़ी मात्रा में एरोसोल के निकलने के कारण अस्थायी वैश्विक शीतलन भी हो सकता है, जो सूर्य के प्रकाश को विक्षेपित तथा/या अवशोषित कर सकते हैं। काल्डेरा पतन भी अक्सर इस प्रकार के उद्‌गार से जुड़ा होता है।

याद रखने की युक्ति (Learning Trick)

उद्‌गारों के आधार पर ज्वालामुखियों के प्रकार

- आइसलैंडिक — इटेंस
- हवाईयन — हॉट
- स्ट्रॉम्बोलियन — स्ट्रीम्स
- वल्केनियन — वेपराइज
- पीपल — पीलियन
- पॉवरफुली — प्लिनियन

कालचक्र के आधार पर, ज्वालामुखियों को निम्नलिखित तीन श्रेणियों में विभाजित किया जा सकता है- (1) सक्रिय ज्वालामुखी, (2) सुसुप्त ज्वालामुखी तथा (3) मृत ज्वालामुखी।

1. सक्रिय ज्वालामुखी (Active Volcanoes)

जिस ज्वालामुखी से लगातार लावा, गैसें, राख, छार, झाँवा आदि निकलते रहते हैं, उसे सक्रिय ज्वालामुखी कहा जाता है। इस समय विश्व में लगभग 600 सक्रिय ज्वालामुखी हैं, जिनमें से 75 प्रतिशत भूमि के ऊपर के ज्वालामुखी प्रशांत महासागर के 'रिंग ऑफ फायर' में स्थित हैं।

2. सुसुप्त ज्वालामुखी (Dormant Volcanoes)

वह ज्वालामुखी जो मृत ज्वालामुखी तो नहीं है, परंतु लम्बे समय से उसमें किसी तरह का विस्फोट भी नहीं हुआ है, उसे सुसुप्त ज्वालामुखी कहते हैं। सुसुप्त ज्वालामुखी का सबसे अच्छा उदाहरण विसुवियस ज्वालामुखी (इटली) है, जिसमें पहली बार 79 ईस्वी में विस्फोट हुआ था। यह 1550 से अधिक वर्षों तक सुसुप्त रहा और फिर 1631 ईस्वी में इसमें अचानक बड़ा विस्फोट हुआ। इस में बाद में वर्ष 1803, 1872, 1906, 1927, 1928, 1929 में विस्फोट हुए। किलिमंजारो (तंजानिया) भी सुसुप्त ज्वालामुखी का एक उदाहरण है।

3. विलुप्त ज्वालामुखी (Extinct Volcanoes)

ऐसे ज्वालामुखी जो कभी अतीत में तो सक्रिय थे और जिनके अवशेष उस क्षेत्र में पाए जाते हैं, परंतु वहाँ अब कोई ज्वालामुखी गतिविधि नहीं है, मृत ज्वालामुखी कहलाते हैं। ऐसे ज्वालामुखी के क्रेटर में पानी भर जाता है और ये झील में बदल जाते हैं। आर्थर की सीट (एडिनबर्ग – स्कॉटलैंड की राजधानी), एकांकागुआ (एंडीज) कुछ मृत ज्वालामुखियों के उदाहरण हैं।

ज्वालामुखियों के प्रकार (आकार एवं संरचना के आधार पर) [Types of Volcanoes (Based on their Shape and Composition)]

1. स्ट्रैटोवोल्कैनो (संयुक्त ज्वालामुखी) [Stratovolcanoes (Composite Volcanoes)]

ये ज्वालामुखी शंकु-आकार के होते हैं और मशहूर होते हैं। ये विशालकाय ज्वालामुखी अनके विस्फोटों से निकले लावा प्रवाह, राख तथा ज्वालामुखीय मलबे की परतों से बने होते हैं। इनमें खड़ी ढलानें और विस्फोटक उद्‌गार होने के कारण ये खतरनाक हो सकते हैं। इनके उदाहरणों में जापान का माउंट फूजी एवं वाशिंगटन का माउंट रेनियर शामिल हैं।

2. शील्ड ज्वालामुखी (Shield Volcanoes)

शील्ड ज्वालामुखी चौड़े एवं धीमी ढलान वाले गुंबद के समान होते हैं। ऐसे ज्वालामुखी तरल बेसाल्टिक लावा के प्रवाह, जो व्यापक क्षेत्रों में फैलता है, से निर्मित होते हैं। ये विशालकाय ज्वालामुखी पृथ्वी पर सबसे बड़े ज्वालामुखी हैं, उदाहरण के लिए हवाई कामौना लोआ ज्वालामुखी।

3. सिंडरकोन (Cinder Cones)

संक्षिप्त विस्फोटक उद्‌गारों से निकले ज्वालामुखीय ज्वलखंडाश्मों से बने छोटे ज्वालामुखी हैं। इन ज्वालामुखियों में सामान्य रूप से

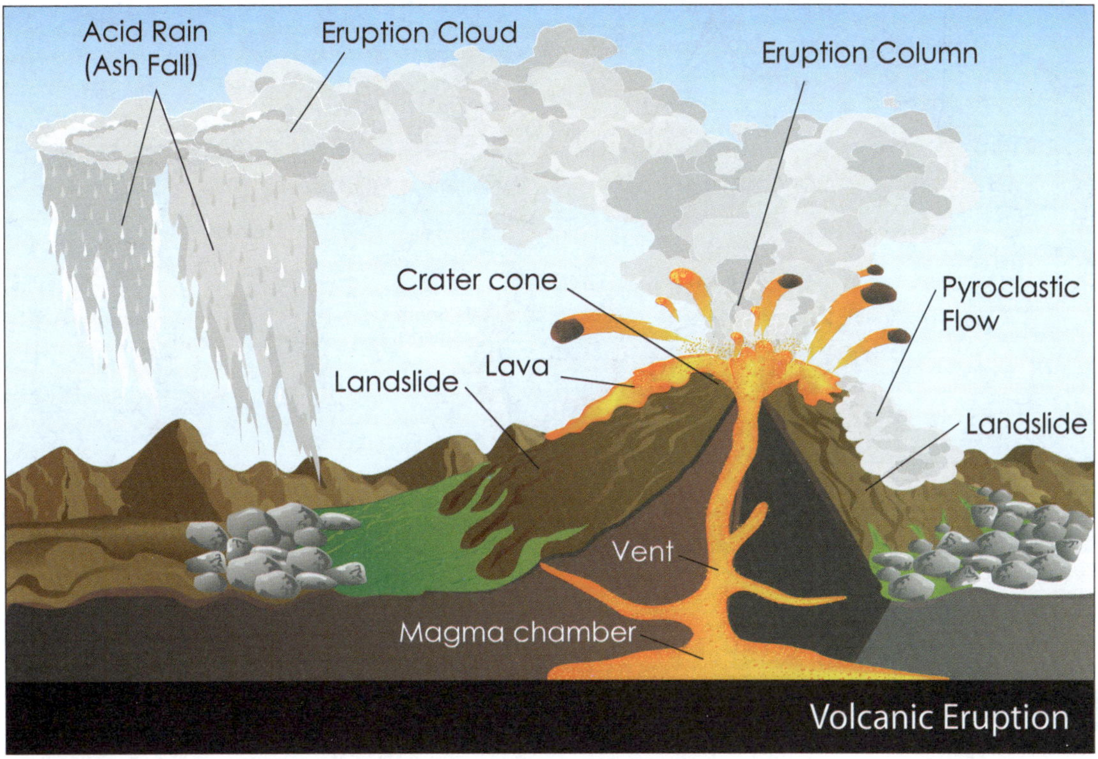

चित्र 2.20
ज्वालामुखीय स्थलाकृतियाँ

एक बार ही ज्वालामुखी विस्फोट हुआ होता है। इनका सममितीय शंकु आकार एवं ढीला सिंडर होने के कारण इनमें खड़े ढलानों का निर्माण होता है। उदाहरण के रूप में दुनिया भर में स्थित ज्वालामुखीय परिदृश्य।

4. लावा गुंबद (Lava Domes)

दूसरे प्रकार के ज्वालामुखियों में होने वाले मुक्त-प्रवाह वाले उद्‌गारों के विपरीत, लावा गुंबद तब बनता है, जब ज्वालामुखी छिद्र से मोटा, चिपचिपा लावा बाहर निकलता हो तथा अपने चारों ओर जम जाता हो। कैलिफोर्निया में स्थित लासेन पीक ज्वालामुखी इसका क्लासिक उदाहरण है। इस संबंध में विस्तृत विवरण तालिका 2.4 में दिया गया है।

विश्व में ज्वालामुखियों का वितरण (Distribution of Volcanoes in the World)

प्लेट्स के उपांतों (किनारे) एवं विश्व में ज्वालामुखियों के वितरण में घनिष्ठ संबंध है। वास्तव में ज्वालामुखी प्लेट्स के उपांतों (किनारे) पर ही विद्यमान होते हैं। ज्वालामुखी मुख्य रूप से निम्नलिखित क्षेत्रों में ही पाये जाते हैं (चित्र 2.21)।

1. महाद्वीपीय प्लेट एवं समुद्री प्लेट का अभिसरण (माउंट सेंट हेलेंस) होने पर अथवा एक समुद्री प्लेट का दूसरी समुद्री प्लेट से अभिसरण (फिलीपींस) होने पर इनके उपसरण उपांतों पर।
2. महासागर तल में समुद्री तल प्रसार केंद्रों पर आइसलैंड और महाद्वीपीय प्लेटों के दरार क्षेत्रों (पूर्वी अफ्रीका में रिफ्ट वैली) पर।
3. हॉटस्पॉट्स पर, जहां मैग्मा के व्यक्तिगत प्लम भू-पर्पटी (क्रस्ट) तक उठते हैं (हवाई द्वीप)।

ज्वालामुखी,परतों के टकराने वाली सीमाओं पर इसलिए नहीं पाए जाते हैं, क्योंकि जहाँ परतें टकराती हैं, वहां कोई उपसरण (सबडक्शन) नहीं होता है तथा इस कारण प्लेट पिघलती नहीं है और मैग्मा नहीं बनता है। मैग्मा के बाहर आने का कोई स्थान भी नहीं होता है। कुछ हाल के ज्वालामुखियों का उल्लेख तालिका 2.5 में किया गया है।

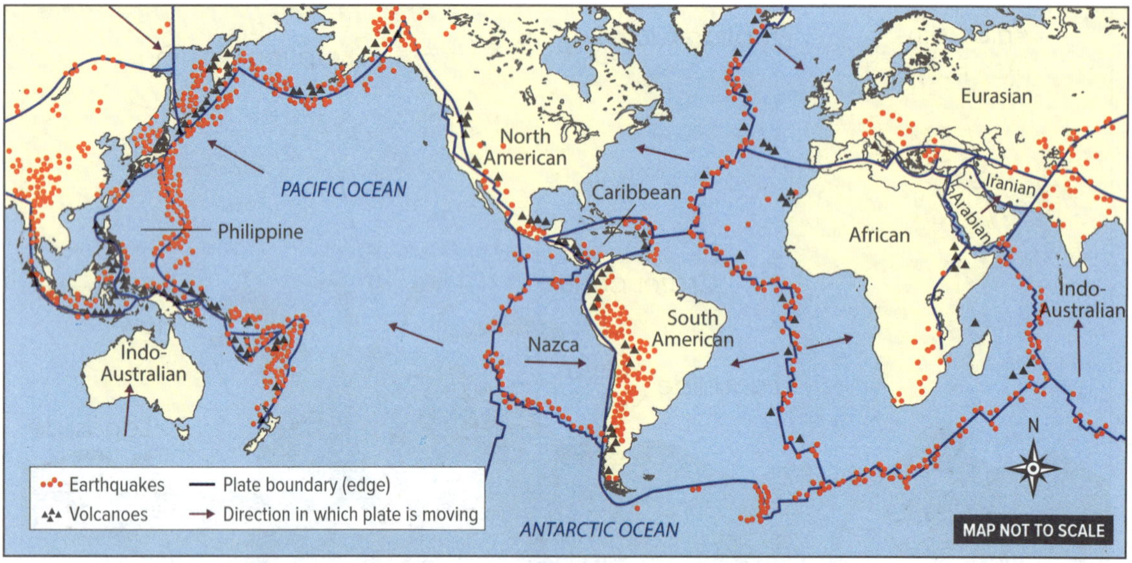

चित्र 2.21
प्लेट सीमाएँ, ज्वालामुखी तथा भूकंप

तालिका 2.4 ज्वालामुखियों के प्रकार

	ज्वालामुखी प्रकार					
विवरण	**शील्ड ज्वालामुखी**	**मिश्रित या स्ट्रेटो ज्वालामुखी**	**गुंबदाकार ज्वालामुखी**	**सिंडर कोन**	**काल्डेरा**	**फिशर कोन**
आकार	हल्का मेहराबदार या शील्ड के आकार का, जिसमें ढलान कम होता है। ये लावा की अनेक परतों से बने होते हैं।	शंकु के आकार का होता है और खड़ी ढलान होती हैं। लावा प्रवाह तथा ज्वलखंडाश्म (पायरोक्लास्टिक) सामग्री की परतों से बना होता है।	लगभग गोलाकार टीले के आकार का उभार होता है, जिसका निर्माण ज्वालामुखी से निकले चिपचिपे लावा के धीमे बहिर्वाह के कारण होता है।	शंकु-आकार की छोटी पहाड़ीनुमा होता है, जो सामान्य रूप से 450 मीटर (1500 फीट) से कम ऊंचाई का होता है। इसका शीर्ष कटा हुआ होता है, जो मध्यम विस्फोट के उद्गारों के दौरान जमा होने वाली राख से बनता है। इसका निर्माण टेफ्रा तथा स्कोरिया से होता है।	बेसिन के आकार का विशाल गड्डानुमा होता है। जब ज्वालामुखी से उद्गार बंद हो जाता है तथा मैग्मा समाप्त हो जाता है तो शिखर सामग्री अंदर की ओर गिर जाती है, जिससे कैल्डेरा बनता है। इसमें बारिश का पानी भर जाता है यह क्रेटर झील जैसा हो जाता है। ये कैल्डेरा कई मील चौड़े हो सकते हैं।	यह रेखानुमा ज्वालामुखीय निकास है, जिसके माध्यम से लावा बाहर आता है। यह ज्वालामुखी छिद्र अक्सर कुछ मीटर चौड़ा होता है तथा कई किलोमीटर लंबा हो सकता है। दरारनुमा ज्वालामुखी निकास से बड़े बाढ़ बेसाल्ट बन सकते हैं। ये पहले लावा चौनलों में तथा बाद में लावा ट्यूबों में बहते हैं। कुछ समय बाद, विस्फोट स्पैटर कोन का निर्माण होता है।

(Continued)

तालिका 2.4 *(Continued)*

	ज्वालामुखी प्रकार					
विवरण	शील्ड ज्वालामुखी	मिश्रित या स्ट्रेटो ज्वालामुखी	गुंबदाकार ज्वालामुखी	सिंडर कोन	काल्डेरा	फिशर कोन
मैग्मा में सिलिका की मात्रा	कम	मध्यवर्ती	अधिक	कम		कम
चिपचिपाहट	कम	मध्यवर्ती	अधिक	अधिक		कम
गैस सामग्री	कम	अधिक	अधिक	कम		
चट्टान का प्रकार	बेसाल्ट	एंडेसाइट	रिओलाइट	बेसाल्ट		
उद्गार का प्रकार	लावा बहता है, टेफ्रा निकलता है।	इसमें लावा प्रवाह और विस्फोटक गतिविधि का संयोजन है।	अत्यधिक विस्फोटक।	टेफ्रा (अधिकतर राख) निकलता है।		इसमें विस्फोट नहीं होता है।
उदाहरण	मौना लोआ, हवाई	माउंट फूजी, जापान	माउंट लासेन, सं.रा.अ.	स्प्रिंगर विले, एरिजोना	ताल झील, फिलीपींस	होलुहरौन आइसलैंड

तालिका 2.5 **विश्व के प्रमुख सक्रिय ज्वालामुखी**

ज्वालामुखी	देश	नवीनतम उद्गार के शुरू होने की तिथि
किलाउआ	संयुक्त राज्य अमेरिका	15 सितम्बर, 2024
करीम्स्की	रूस	20 जून, 2024
वकारी/व्हाइट आइलैंड	न्यूजीलैंड	24 मई, 2024
ताल	फिलिपींस	12 अप्रैल, 2024
लेवोटोबी	इंडोनेशिया	23 दिसम्बर, 2023
मरापी	इंडोनेशिया	3 दिसम्बर, 2023
एटना	इटली	27 नवंबर, 2022
एबेको	रूस	11 जून, 2022
बेजिमयानी	रूस	15 मार्च, 2022
रिनकोन डे ला विएजा	कोस्टा रिका	28 जून, 2021

ज्वालामुखी एवं समाज (Volcanoes and Society)

ज्वालामुखी उद्गार (विस्फोट) सभी भौगोलिक घटनाओं में सर्वाधिक लोकप्रिय तथा दर्शनीय घटना है। सदियों से ज्वालामुखी पट्टियों में रहने वाले लोगों के लिए ये भय एवं आतंक का कारण रहे हैं।

मानव जाति के इतिहास में ज्वालामुखियों के कारण भयानक विनाश होता रहा है। तथापि, इनसे जीवन के लिए आवश्यक मूल्यवान खनिज संसाधन भी मिलते हैं। ज्वालामुखियों से प्राप्त होने वाले संसाधनों में ज्वालामुखीय उपजाउ मृदा, भू-तापीय ऊष्मा, धात्विक अयस्क (जिसमें सोना, चांदी, तांबा, मोलिब्डेनम, बेरिलियम, लोहा, सीसा, जस्ता आदि शामिल हैं) तथा हवा, जिससे हम सांस लेते हैं और पानी, जिसे हम पीते हैं, शामिल हैं। निर्माण पत्थर, गंधक, झाँवा (प्यूमिस), स्लेट, डाइक जैसे औद्योगिक सामग्री ज्वालामुखीय गतिविधियों से प्राप्त होते हैं। हीरे, रत्न जैसे कीमती पत्थर भी ज्वालामुखियों से ही प्राप्त होते हैं। लाकी, एज्जाफजाल्लाजोकुल और कटला (आइसलैंड), किलिमंजारो (तंजानिया), माउंट फूजी (जापान), लेक टिटिकाका (बोलीविया-पेरू सीमा) प्रशांत द्वीपों के दृश्य जैसे कुछ शानदार परिदृश्य भी ज्वालामुखीय गतिविधियों की ही देन है।

ज्वालामुखीय हॉटस्पॉट (Volcanic Hotspot)

विश्व में अधिकतर ज्वालामुखीय गतिविधियाँ प्लेट सीमाओं (उपांतों) से जुड़ी हैं। यद्यपि, ऐसा अनुमान है कि मैग्मा अपवेलिंग या थर्मल प्लम के 50 से लेकर 100 ऐसे सक्रिय स्थल (ज्वालामुखी) हैं, जिनका संबंध प्लेट सीमाओं से नहीं हैं। इन स्थलों को ज्वालामुखीय हॉटस्पॉट कहा जाता है। ये स्थान उन प्लेटों के भीतर स्थित हैं, जहाँ मैग्मा असाधारण रूप से गर्म होता है। इन स्थलों पर पृथ्वी की गहराई से थर्मल प्लम के रूप में गर्मी ऊपर उठती है। स्थलमण्डल (लिथोस्फीयर) (टेक्टोनिक प्लेट) के आधार तल में अत्यधिक ऊष्मा तथा कम दबाव के कारण चट्टानें पिघलती हैं। यह पिघली हुई चट्टानें, जिसे मैग्मा कहा जाता है, दरारों से ऊपर उठती हैं तथा लावा के रूप में बाहर निकलती है और ज्वालामुखी का निर्माण करती है। जैसे ही टेक्टोनिक प्लेट स्थिर हॉटस्पॉट के ऊपर आती है, ज्वालामुखी आगे खिसक जाते हैं और उनकी जगह नए ज्वालामुखी बन जाते हैं। इस प्रकार, ज्वालामुखियों की

एक शृंखला बन जाती हैं। हवाई द्वीप इसका एक उदाहरण है। जैसे ही प्लेट हॉटस्पॉट के उपर आती है, द्वीपों की एक शृंखला बन जाती है, जैसा कि चित्र 2.22 में दर्शाया गया है।

इनसे लावा पठारों का भी निर्माण होता है। उदाहरण के लिए, इंडिया प्लेट के रीयूनियन हॉटस्पॉट के उपर आने से डेक्कन पठार का निर्माण हुआ है।

ज्वालामुखीय विस्फोटक सूचकांक (Volcanic Explosivity Index)

क्रिस न्यूहॉल एवं स्टीफन सेल्फ ने वर्ष 1982 में हवाई विश्वविद्यालय में यह सूचकांक तैयार किया था। ज्वालामुखीय विस्फोटक सूचकांक (वीईआई) ज्वालामुखी विस्फोटों की विस्फोटकता का एक सापेक्ष माप है। अब इसे विध्वंसक विस्फोटों के सापेक्ष आकारों को वर्गीकृत करने के साधन के रूप में सार्वभौमिक रूप से स्वीकार किया जाता है। वीईआई संख्या जितनी अधिक होगी, विस्फोट उतना ही अधिक शक्तिशाली होगा। वीईआई ज्वालामुखीय अन्तःक्षेपण की मात्रा और विभिन्न अन्य भौतिक मानदंडों, जैसे कि उद्गार स्तंभ की ऊँचाई, उद्गार की अवधि, आदि को सह संबंधित करता है। यह पैमाना खुला है तथा इसमें इतिहास के सबसे बड़े ज्वालामुखियों के उद्गारों को परिमाण 8 दिया गया है और गैर-विस्फोटक उद्गारों के लिए 0 का मान दिया गया है, जिनके विस्फोटक उद्गारों को 10,000 मी.^{3} (350,000 घन फीट) से कम टेफ्रा के रूप में परिभाषित किया गया है। 8 का मान एक विशाल विस्फोटक उद्गार को दर्शाता है, जो 1.0×10^{12}मी.^{3} (240 क्यूबिक मील) टेफ्रा को बाहर निकाल सकता है और इसके क्लाउड कॉलम की ऊँचाई 20 किमी (66,000 फीट) से अधिक होती है। यह पैमाना लघुगणकीय है, जिसमें पैमाने पर प्रत्येक अंतराल इजेक्टा मानदंड में 10 गुना वृद्धि का प्रतिनिधित्व करता है। वीईआई – 0 और वीईआई – 2 के बीच के स्केल को अपवाद के साथ बनाया गया है।

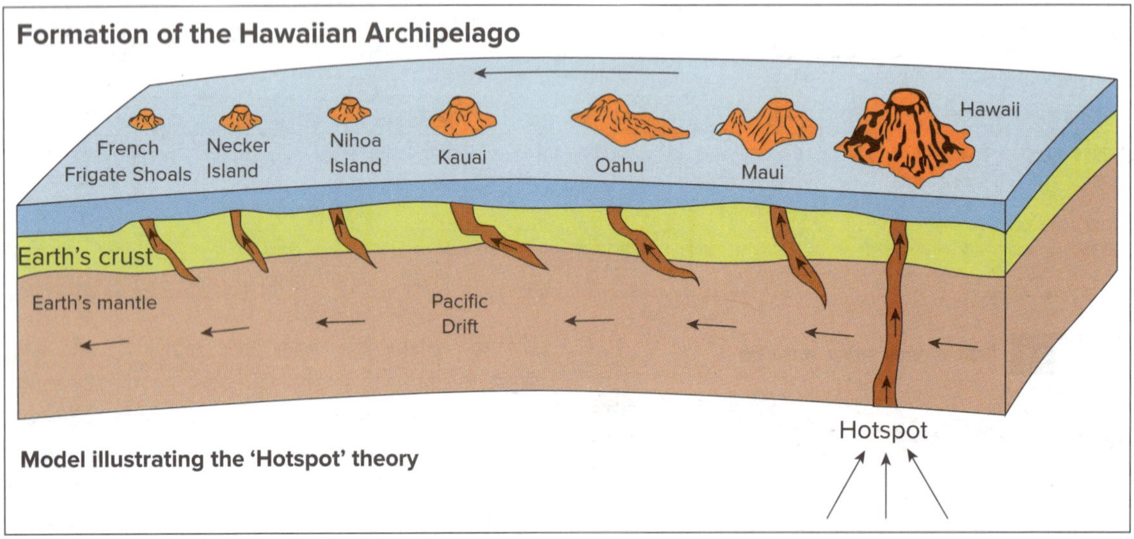

चित्र 2.22
हॉटस्पॉट एवं हवाई द्वीपसमूह का निर्माण

अंतर्वेधी ज्वालामुखीय भू-आकृतियाँ (Intrusive Volcanic Landforms)

बाथोलिथ (Batholith)

यह शब्द आग्नेय चट्टान (लगभग हमेशा ग्रेनाइट) के किसी भी विशाल अंतर्वेधी द्रव्यमान पर लागू होता है, जिसमें संरचना का कोई अवलोकन योग्य तल नहीं होता है। एक बाथोलिथ सामान्य रूप से कम से कम 100 वर्ग किलोमीटर के क्षेत्र में फैला होता है।

लैकोलिथ (Laccolith)

लैकोलिथ आग्नेय चट्टान का अंतर्वेधी, गुंबदाकार द्रव्यमान है, जो ऊपर स्थित तलछट को गुंबदनुमा बनाता है तथा इसका तल कमोबेश समतल होता है।

सिल (Sill)

जुड़ी हुई चट्टानों की परतों के बीच अंतर्वेधी चट्टान का टेबलनुमा रूप है (चित्र 2.20)।

त्वरित पुनरावलोकन (Quick Revision)

महाद्वीपीय विस्थापन का सिद्धांत

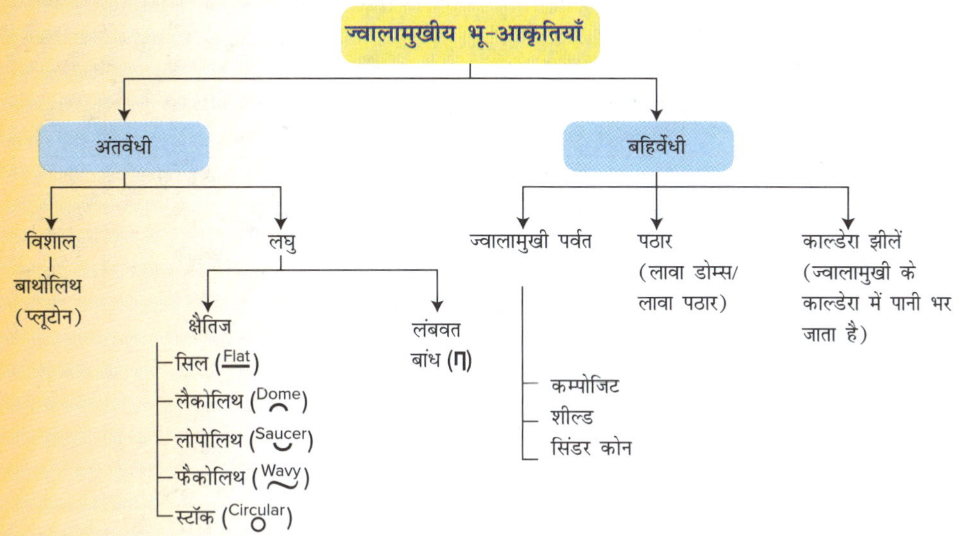

डाइक (Dyke)

डाइक टेबलनुमा चट्टान है, जो आसपास की चट्टान के स्तर या अन्य संरचनात्मक रूपों में होती है (चित्र 2.21)।

फेकोलिथ (Phacolith)

आग्नेय चट्टान का अवतल-उत्तल पिंड, जिसका आकार झुकाव लिये होता है, अर्थात अवतल सतह नीचे की ओर होती है। कभी-कभी, इस रूप में सोने-क्वाट्र्ज की वेन्स होती हैं और उन्हें सैडल रीफ कहा जाता है।

स्टॉक (Stock)

आकार में छोटा, मोटे तौर पर गोलाकार अंतर्वेधी पिंड, जो सामान्य रूप से सतह के संपर्क में 100 वर्ग किलोमीटर से कम होता है।

लोपोलिथ (Lopoliths)

किसी अवतल उथले बेसिन, जिसका केंद्रीय भाग नीचे की ओर झुका हो, उसमें मैग्मा प्रविष्ट होकर जम जाता है, तो ठोस मैग्मा की जो आकृति बनती है, उसे ही लोपोलिथ कहा जाता है। लोपोलिथ की चट्टानें सामान्यत: मैग्मा के ठंडा होने की धीमी प्रक्रिया के कारण मोटे दाने वाली होती हैं।

भूकंप (EARTHQUAKES)

अपनी लोच सीमा से अधिक तन चुकी चट्टानों के टूटने तथा उनके अचानक विस्थापित होने के कारण पृथ्वी में होने वाले कंपन को भूकंप कहते हैं। दूसरे शब्दों में भूकंप सक्रिय भ्रंशों एवं ज्वालामुखीय गतिविधि के क्षेत्रों में दबाव के अचानक रिलीज होने के परिणामस्वरूप आने वाले झटकों एवं कंपनों की एक शृंखला है।

प्रत्येक वर्ष लगभग 507,150 भूकंप दर्ज किए जाते हैं, जिनमें से मानव द्वारा 50,000 भूकंप ही महसूस किए जाते हैं। इनसे जान-माल की अत्यधिक हानि होती है। कुछ महत्वपूर्ण भूकंप तालिका 2.6 में उल्लिखित हैं।

रिक्टर पैमाना (Richter Scale)

भूकंप की तीव्रता का अनुमान रिक्टर पैमाने द्वारा लगाया जाता है। रिक्टर पैमाना खुला होता है तथा लघुगणकीय होता है, अर्थात् इस पैमाने पर प्रत्येक पूर्ण संख्या मापी गई तरंग आयाम में 10 गुना वृद्धि का प्रतिनिधित्व करती है। ऊर्जा में परिवर्तित, प्रत्येक पूर्ण संख्या जारी की गई ऊर्जा की मात्रा में 31.5 गुना वृद्धि को प्रदर्शित करती है।

तालिका 2.6 विश्व के कुछ महत्वपूर्ण भूकंप

वर्ष	तारीख	अवस्थिति	मौतें	भूकंप की तीव्रता
1556	23 जनवरी	शेन्शी, चीन	830,000	-
1737	11 अक्टूबर	कोलकाता, भारत	300,000	-
1923	1 सितंबर	क्वांटो, जापान	143,000	8.2
1939	27 दिसंबर	एर्जिकन, तुर्की	40,000	8.6
1970	31 मई	उत्तरी पेरू	66,000	7.8
1976	28 जुलाई	तांगशान, चीन	250,000	7.6
1978	16 सितंबर	ईरान	25,000	7.7
2004	26 जनवरी	बांदाअके-सुमात्रा, इंडोनेशिया	>200,000	8.5
2011	11मार्च	तोहोकू, जापान	>25,000	9.01976
2011	18 सितंबर	सिक्किम (भारत)	>500	6.8
2011	23 अक्टूबर	वान (तुर्की)	>1000	7.2
2015	25 अप्रैल	गोरखा जिला (नेपाल)	8,800	7.9
2016	16 अप्रैल	इक्वेडोर	1,339	7.8
2017	12 नवंबर	ईरान-इराक सीमा, ईरान	1,232	7.3
2018	28 सितंबर	सुलावेसी, इंडोनेशिया	5,239	7.5
2019	25 सितंबर	एंबोन, इंडोनेशिया	220	6.5
2021	14 अगस्त	हैती	>2,200	7.2
2022	22 जून	अफगानिस्तान	>1,100	6.1
2022	21 नवंबर	जावा, इंडोनेशिया	134	5.6
2023	6 फरवरी	तुर्की-सीरिया सीमा	48,000 से अधिक (संयुक्त)	7.8
2023	8सितम्बर	मोरक्को	8	6.3
2024	26 मई	टोंगा	कोई मौत की सूचना नहीं (5 जून, 2024 तक)	6.67

मरकेली तीव्रता पैमाना (Mercalli Intensity Scale-MIS)

एमएमआई अर्थात संशोधित मरकेली (एमएम) तीव्रता पैमाना 1931 में अमेरिकी भूकंप वैज्ञानिक हैरी वुड एवं फ्रैंक न्यूमैन द्वारा विकसित किया गया था। एमएमआई का उपयोग 12 विभिन्न खाड़ी क्षेत्र भूकंप परिदृश्यों से संभावित झटकों की तीव्रता को दर्शाने के लिए किया जाता है।

यह प्रभावित क्षेत्र के अवलोकन के आधार पर किसी विशेष स्थान पर किसी भूकंप द्वारा किये जाने वाले हानि एवं प्रभावों (भूमि कंपन एवं हानि) की तीव्रता को मापता है। इस पर कम संख्या दर्शाती है कि भूकंप की तीव्रता को लोगों द्वारा महसूस की जा सकती हैं तथा इस पर अधिक संख्या संरचनाओं एवं भवनों को होने वाले नुकसान को दर्शाती हैं।

मोमेंट मैग्निट्यूड स्केल (Moment Magnitude Scale)

मोमेंट मैनिट्यूड स्केल (Mw) छोड़ी गयी ऊर्जा के संबंध में भूकंपों के आकार को मापने के लिए एक आधुनिक एवं व्यापक रूप से उपयोग किया जाने वाला पैमाना है। पुराने रिक्टर स्केल के विपरीत, जो भूकंपीय तरंगों के आयाम पर आधारित है, यह पैमाना भूकंप के भूकंपीय क्षण की गणना करता है। इसमें वास्तविक भ्रंश विस्थापन, विस्थापन वाले भ्रंश का क्षेत्रफल तथा शामिल चट्टानों की कठोरता को मापना शामिल है। यह पैमाना विभिन्न परिमाणों एवं दूरियों में भूकंप के आकार का अधिक सटीक तथा सुसंगत माप प्रदान करता है।

सिस्मोग्राफ (Seismograph)

यह भूकंप, विस्फोट या धरती को कंपा देने वाली अन्य घटना के कारण उत्पन्न होने वाली भूकंपीय तरंगों को रिकॉर्ड करने वाला यंत्र है।

केन्द्र (Focus)

भूकंप की उत्पत्ति के बिंदु को केन्द्र (फोकस) के रूप में जाना जाता है। इसे उद्‌गम केन्द्र (हाइपोसेंटर) के रूप में भी जाना जाता है।

अधिकेन्द्र (Epicentre)

पृथ्वी की सतह का वह बिंदु, जो भूकंप के उद्‌गम केन्द्र (फोकस) के ठीक, धरती के ऊपर, उसके सबसे पास होता है, अधिकेन्द्र या उपरिकेन्द्र (एपिसेंटर) के रूप में जाना जाता है।

भूकंप के कारण (Causes of Earthquakes)

भूकंप के मुख्य कारण इस प्रकार हैं:

1. प्लेट विवर्तनिकी (Plate Tectonics)

पृथ्वी की भू-पर्पटी सात बड़ी तथा अनेक छोटी-छोटी प्लेटों से बनी है, जो एक-दूसरे के साथ सटी हुई हैं। प्लेटों की स्थिति स्थिर नहीं होती है। वे लगातार एक-दूसरे के सापेक्ष गतिशील रहती हैं। प्लेटों के बीच की गति का प्रकार पृथ्वी की संरचना को बदलने के तरीके को प्रभावित करता है। प्लेट के सबसे पुराने हिस्से, जिन्हें शील्ड्स के रूप में जाना जाता है, भूकंप के प्रति सबसे कम संवेदनशील होते हैं। अधिकांश भूकंप बड़ी एवं छोटी प्लेटों की सीमाओं पर आते हैं। 11 मार्च 2011 को जापान में आए विशाल भूकंप का कारण प्रशांत प्लेट का जापान (उत्तरी होन्शू) के नीचे जापान ट्रेंच में उपसरण (सबडक्शन) था तथा यह यूरेशियन प्लेट के नीचे पश्चिम की ओर विस्थापित हुई थी। इटली के भू-भौतिकी एवं ज्वालामुखी संस्थान के अनुसार, भूकंप ने पृथ्वी की धुरी को 10 मी तक स्थानांतरित कर दिया, जिससे 24 घंटे के दिन की अवधि 1.8 माइक्रोसेकंड कम हो गई।

2 . ज्वालामुखी उद्‌गार (Volcanic Eruption)

ज्वालामुखी उद्‌गार भूकंप के मुख्य कारणों में से एक है। ज्वालामुखीय भूकंप प्लेटों की गतिविधियों, गैसीय विस्फोट, ऊपर उठने, चट्टानों के टूटने तथा ज्वालामुखीय संरचनाओं में दरारों के कारण आते हैं। ऐसे भूकंप या तो विस्फोट के साथ ही आते हैं या अधिकतर ज्वालामुखी उद्‌गार से पहले आते हैं।

3. वलन एवं भ्रंश (संपीड़न तथा चट्टानों का टूटना) (Folding and Faulting (Compression and Fracture of Rocks))

संपीड़न बलों के कारण चट्टानों का मुड़ना भूकंपों का कारण बनता है। भ्रंश पृथ्वी की पर्पटी में टूटी हुई वह सतह है, जिसके साथ चट्टानें एक दूसरे के सापेक्ष विस्थापित हुई हैं। इस सतह के साथ टूटी हुई चट्टान का भाग है और वह इसके साथ ही विस्थापित हुआ है। जब पृथ्वी की गति दरार अर्थात भ्रंश के साथ-साथ होती है, तो भूकंप आते हैं। कैलिफोर्निया का सैन एंड्रियास भ्रंश इसका विशिष्ट उदाहरण है, जिसके कारण वर्ष 1906 में लॉस एंजिल्स में भूकंप आया था।

4. मानवजनित कारण (Anthropogenic)

मानव द्वारा प्रकृति के साथ अत्यधिक हस्तक्षेप भी भूकंपों के मुख्य कारणों में से एक है। खनिजों का निष्कर्षण, गहरा भूमिगत खनन, सड़कों, बांधों एवं जलाशयों के निर्माण के लिए डायनामाइट का उपयोग करचट्टानों को तोड़ना, परमाणु विस्फोट आदि के कारण अलग-अलग तीव्रता एवं पैमाने के भूकंप आते हैं। महाराष्ट्र के सतारा जिले में 1967 का कोयना भूकंप मुख्य रूप से 1962 में निर्मित कोयना जलाशय के कारण आया था। हूवर बांध (1935), मंगला बांध (पाकिस्तान), करिबा बांध (जाम्बिया), मैनुइक बांध (कनाडा), कुरोबे बांध (जापान), नौरक बांध (रूस) तथा मैराथन बांध (भूकंप-1931) (ग्रीस) के निर्माण के कारण भी भूकंप आए हैं।

जान-माल की हानि के दृष्टिकोण से कुछ बड़े भूकंपों को चित्र 2.23 में दर्शाया गया है।

भारत के भूकंप क्षेत्र (Earthquake Zones of India)

भारत में अधिकांश भूकंप हिमालयी पट्टी में आते हैं। नवीनतम, वलित हिमालयी पट्टी अस्थिर चिह्नित क्षेत्र है, जिसमें अनेक क्षेप तल(थ्रस्ट प्लेन)हैं। सिंधु-गंगा का जलोढ़ ट्रैक, कच्छ का रण भी भूकंप के लिए अत्यधिक संवेदनशील क्षेत्र हैं, क्योंकि ये क्षेत्र हिमालय के निकट स्थित हैं। प्रायद्वीपीय भाग को अधिक स्थिर ब्लॉक माना जाता है। कभी-कभी, कुछ भूकंप उपांतों पर महसूस किए जाते हैं। 1967 का कोयना भूकंप तथा 1993 का लातूर भूकंप दिखाते हैं कि प्रायद्वीपीय भारत भी देश का भूकंप मुक्त क्षेत्र नहीं है। भारत के भूकंप क्षेत्रों को चित्र 2.24 में दर्शाया गया है।

भूकंप के परिणाम (Consequences of Earthquakes)

मानव इतिहास में भूकंपों के कारण जान-माल की अत्यधिक हानि हुई है। भूकंप के प्रमुख परिणाम निम्नवत हैं- (1) भूमि सतह का विकृत होना, (2) मानव जीवन एवं पशुधन की हानि, (3) मानव निर्मित प्रतिष्ठानों, संरचनाओं, भवनों, रेलवे लाइनों, सड़कों, पुलों, बांधों, गांवों, कस्बों तथा शहरों का नुकसान और विनाश, (4) सुनामी (भूकंपीय समुद्री लहरें), (5) भूमि सतह का ऊपर उठना तथा धंसना, (6) विनाशकारी आग, अचानक बाढ़, भूस्खलन, भूमिगत जल स्तर में परिवर्तन, तथा जापान के फुकुशिमा दाइची संयंत्र जैसे सिविल परमाणु रिएक्टरों में परमाणु दुर्घटना (मार्च 2011, इस भूकंप ने होन्शू द्वीप को 2.4 मीटर विस्थापित कर दिया था)।

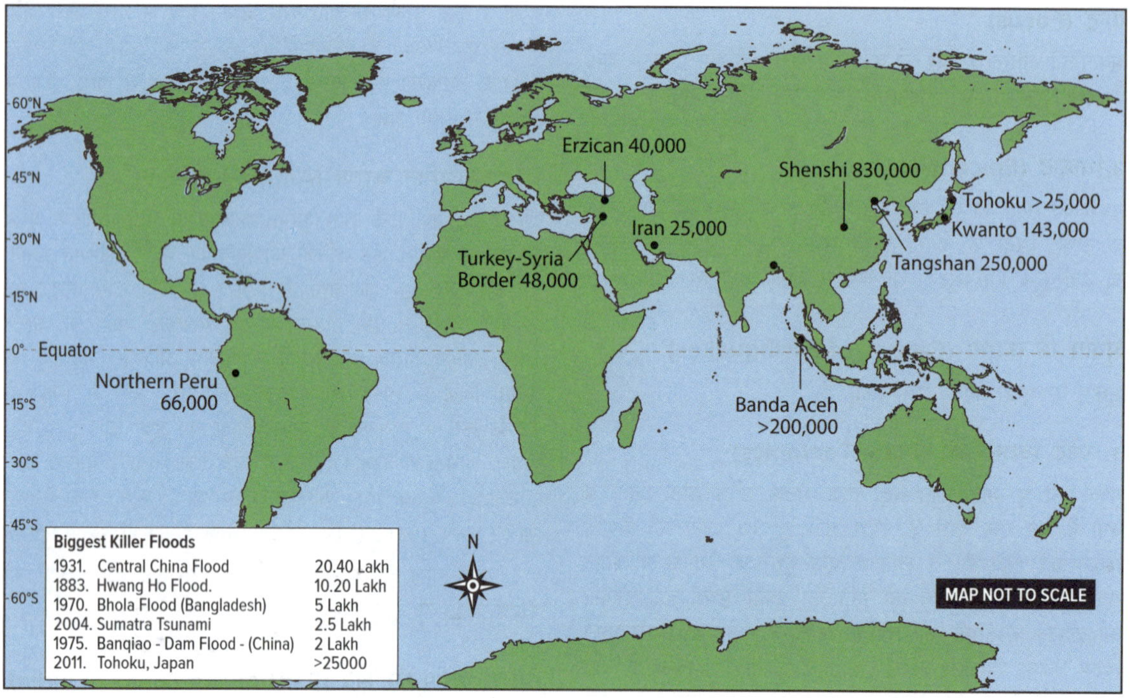

चित्र 2.23

सर्वाधिक जान-माल की हानि करने वाले भूकंप (अधिकेंद्र, वर्ष और मौतें)

भूकंप का पूर्वानुमान (Earthquake Forecasting)

अब तक भूकंपों के बारे में वैज्ञानिक पूर्वानुमान संभव नहीं हो पाया है। इसलिए, भूकंपों से होने वाली जनहानि, चोटों तथा संपत्ति के नुकसान को कम करने के लिए कोई कार्य योजना बनाना बहुत कठिन है। राजनीतिक वातावरण से इसमें और जटिलता आई है; यह दु:ख का विषय है कि सटीक भूकंप पूर्वानुमान के कारण किसी क्षेत्र की अर्थव्यवस्था पर नकारात्मक असर पड़ सकता है। उदाहरण के लिए, यदि कोई भूकंपविज्ञानी किसी शहरी समुदाय के संबंध में भूकंप पूर्वानुमान के संभावित सामाजिक-आर्थिक प्रभाव की जांच करता है, तो यह कल्पना करना कठिन है कि वाणिज्य मंडल, बैंक, रियल-एस्टेट एजेंट, कर निर्धारक या राजनेता निजी तौर पर ऐसे पूर्वानुमानों का स्वागत कर पाएंगे।

चीनी लोगों ने पशु व्यवहार संबंधी भूकंप विज्ञान अध्ययन के आधार पर 1975 में हैचेंग (चीन) भूकंप के बारे में काफी सटीक पूर्वानुमान लगाया था। इस चीनी भूकंपविज्ञानी ने पशु व्यवहार के संकेतकों की एक सूची प्रदान की। हैचेंग के भूकंप से पहले जैसे मवेशी घरों में प्रवेश नहीं कर रहे थे, मूंगे एवं बतखें पानी में नहीं जा रहीं थीं, सांप शीत निद्रा से बाहर आगए और मछलियाँ पानी से बाहर कूदने लगीं। मुर्गियाँ, खच्चर, सुनहरी मछली, चूहे, सभी ने भूकंप से ठीक पहले असामान्य व्यवहार किया। कुओं का पानी एक मीटर से अधिक बढ़ गया, कुत्ते भौंकने लगे तथा घर के अंदर आश्रय के लिए दौड़ने लगे, जबकि मवेशियों में बेचौनी थी। इन संकेतकों के आधार पर विश्वसनीय पूर्वानुमान किया गया और इस प्रकार, हजारों लोगों की जान बचाई गई। अगले ही वर्ष 1976 में, तांगशान भूकंप का पूर्वानुमान नहीं लगाया जा सका, जिसमें 2.5 लाख से अधिक लोगों की जान चली गई। पशुओं के व्यवहार के बावजूद, भूकंपों के बारे में सटीक, वैज्ञानिक पूर्वानुमान करना अभी भी दूर की संभावना है।

अनाच्छादन (DENUDATION)

भू-पर्पटी की भू-आकृतियों में अपक्षय एवं अपरदन की प्रक्रियाओं द्वारा लाये गये परिवर्तन को अनाच्छादन कहते हैं। इन प्रक्रियाओं में अपक्षय, वृहत क्षरण एवं अपरदन के कारक, जैसे बहता हुआ पानी, हवा, हिमनद, समुद्री लहरें, और भूमिगत जल आदि शामिल हैं (चित्र 2.25)।

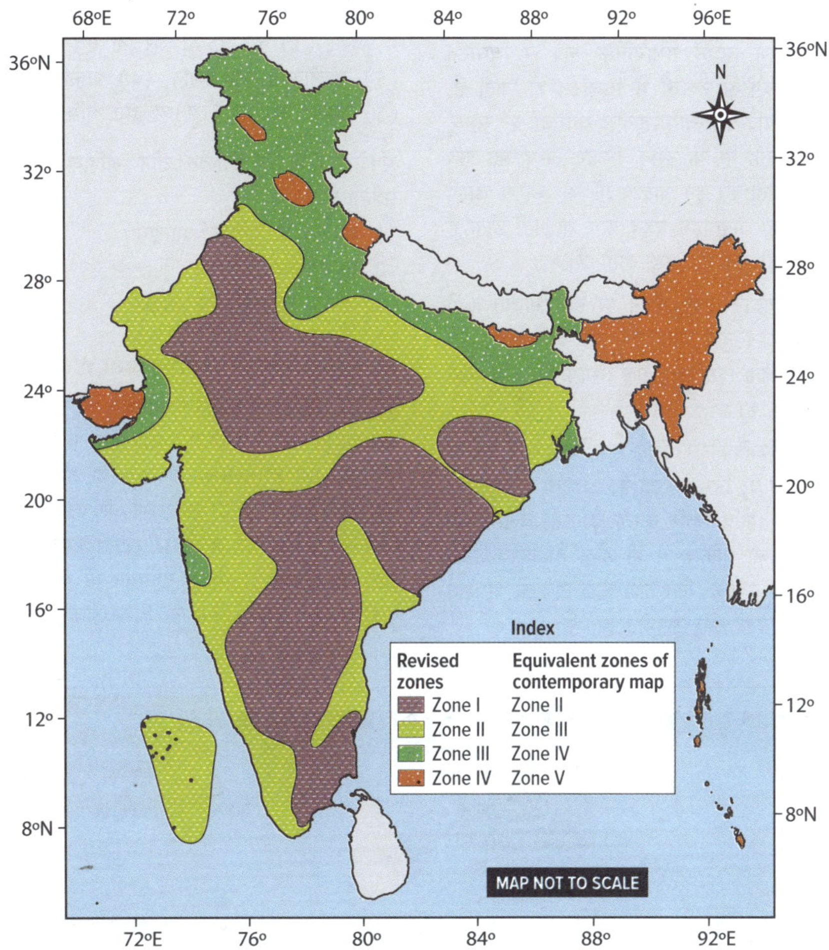

चित्र 2.24
भारत के भूकंपीय क्षेत्र

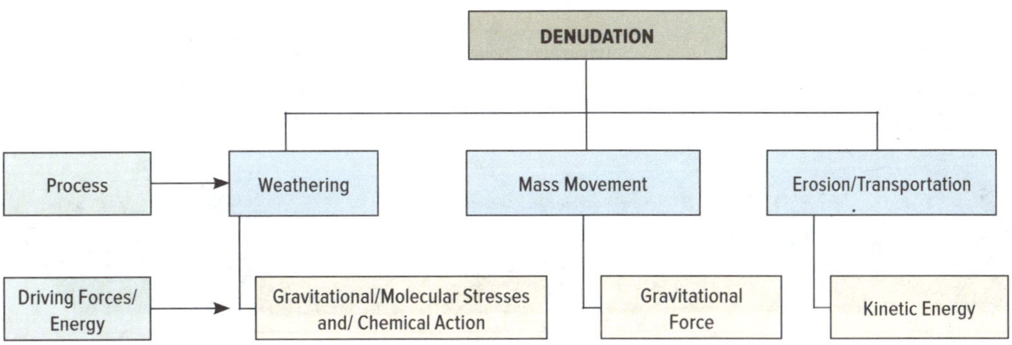

चित्र 2.25
अनाच्छादन प्रक्रियाएँ एवं उनके प्रेरक कारक

अपक्षय (Weathering)

वे प्रक्रियाएं, जिनके कारण चट्टानें रासायनिक रूप से विघटित हो जाती हैं या भौतिक रूप से टुकड़ों में विघटित हो जाती हैं, अपक्षय कहलाता है। ये प्रक्रियाएँ वायुमंडलीय कारकों के संपर्क में आने तथा पृथ्वी की सतह पर या उसके निकट अत्यधिक दाब एवं तापमान के घटित होती हैं। इन प्रक्रियाओं के कारण ढीली अथवा टूटी हुई सामग्री का अपवाहन बहुत कम या नहीं होता है और ये अपने स्थान पर ही कमजोर पड़ जाती हैं।

अपक्षय प्रक्रिया में चट्टानें अपने स्थान पर ही प्रभावित होती है और इसमें कोई अपवहन नहीं होता है। इस प्रकार, अपक्षय अनिवार्यत: चट्टानों का भौतिक (यांत्रिक) एवं रासायनिक प्रक्रियाओं के कारण यथास्थान क्षरण है।

अपक्षय हमारी पारिस्थितिकी के लिए एक महत्वपूर्ण आधार है तथा हमारा अस्तित्व इस पर निर्भर करता है। अपक्षय से मृदा का उत्पादन होता है, जिस पर कृषि निर्भर करती है। रेत, बजरी तथा मिट्टी का जमाव अपक्षय की प्रक्रिया से ही होता है। व्यावहारिक रूप से सभी एल्यूमीनियम अयस्क, टिन तथा कुछ तांबे के अयस्क अपक्षय की क्रिया से ही बनते और संगृहीत होते हैं।

किसी भी चट्टान का अपक्षय अनेक कारकों से प्रभावित होता है, जैसे: (1) चट्टान की संरचना एवं कठोरता, (2) जलवायु, (3) स्थलाकृति एवं ढलान, (4) प्राकृतिक वनस्पति का प्रकार, (5) समय, तथा (6) मनुष्य द्वारा भूमि उपयोग (चित्र 2.26)।

अपक्षय को निम्नलिखित तीन श्रेणियों में वर्गीकृत किया जा सकता है:

1. भौतिक या यांत्रिक अपक्षय
2. रासायनिक अपक्षय
3. जैविक या कार्बनिक अपक्षय

1. भौतिक अपक्षय (Physical Weathering)

भौतिक अपक्षय को यांत्रिक अपक्षय के रूप में भी जाना जाता है। जब चट्टान को बिना किसी रासायनिक परिवर्तन के अपने ही स्थान पर तोड़ा एवं विघटित किया जाता है, तो इस प्रक्रिया को भौतिक अपक्षय कहा जाता है। उदाहरण के लिए, बड़े पैमाने पर चट्टान (बेडरॉक) का छोटे कणों में टूटना। इसके कारणों में अत्यधिक शीत या / तथा अत्यधिक तापमान के कारण चट्टानों का विस्तार एवं संकुचन, नमक क्रिस्टल, क्रिस्टलीकरण, जलयोजन और पौधों

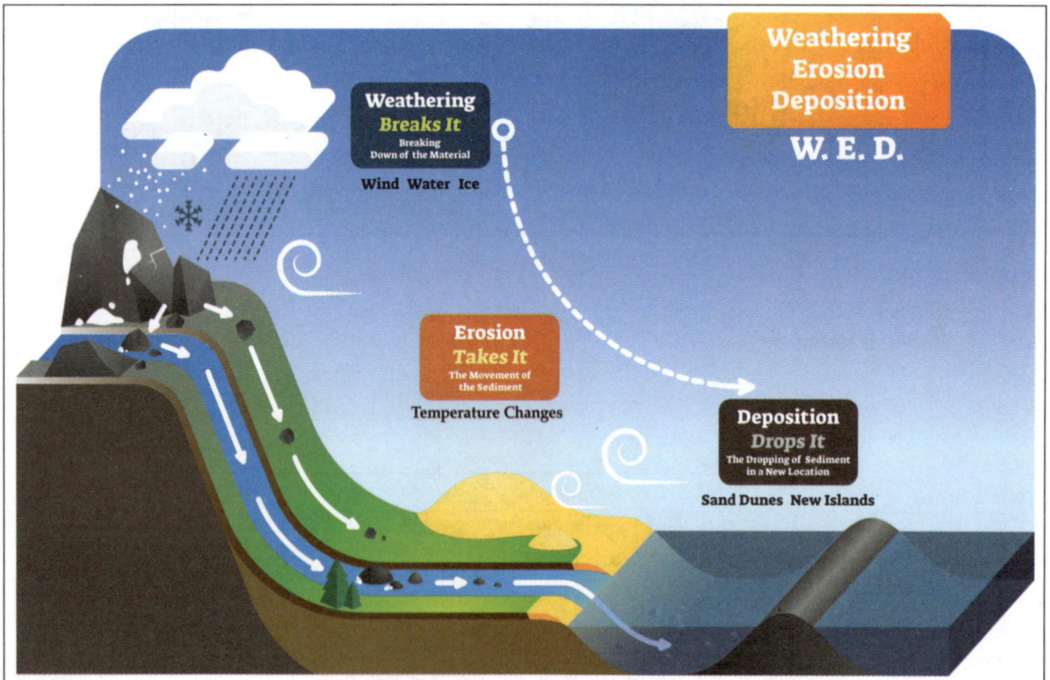

चित्र 2.26
अपक्षय के प्रमुख निर्धारक

की जड़ों का चट्टानों की दरारों में प्रवेश करना शामिल हैं। भौतिक अपक्षय मुख्य रूप से उच्च अक्षांशों तथा अधिक ऊंचाई वाले क्षेत्रों में होता है (चित्र 2.26)।

तुषार क्रिया (Frost Action)

पानी जमने पर अपने आयतन का 9 प्रतिशत तक फैल जाता है। इस विस्तार से शक्तिशाली यांत्रिक बल उत्पन्न होता है, जिसे फ्रॉस्ट एक्शन या फ्रीज-थॉ एक्शन कहा जाता है। आर्द्र सूक्ष्म-तापीय जलवायु तथा उप-आर्कटिक, ध्रुवीय और अधिक ऊंचाई के क्षेत्र वाली जलवायु में फ्रॉस्ट क्रियाएँ महत्वपूर्ण होती हैं।

क्रिस्टलीकरण (Crystallisation)

क्रिस्टलीकरण मरुस्थलीय एवं अर्द्ध-मरुस्थलीय जलवायु में होने वाली घटना है। शुष्क मौसम चट्टानों की सतह पर नमी खींचता है। जैसे-जैसे पानी वाष्पित होता है, वैसे-वैसे घुले हुए खनिजों से क्रिस्टल बनते हैं। यह प्रक्रिया समय के साथ जारी रहती है तथा क्रिस्टल बढ़ते जाते हैं और बड़े होते जाते हैं। ये इतना अधिक बल लगाते हैं कि अलग-अलग खनिज कण फैल जाते हैं और चट्टान को तोड़ना शुरू कर देते हैं।

जलयोजन (Hydration)

जलयोजन एक ऐसी प्रक्रिया है, जिसमें पानी शामिल होता है, यद्यपि इसमें कोई रासायनिक परिवर्तन नहीं होता है; पानी खनिज में मिलता है, जिससे ये चट्टान के भीतर फूल जाते हैं और तनाव शुरू हो जाता है। इस प्रकार, कणों के फैलने पर यांत्रिक रूप से कण अलग हो जाते हैं।

अपदलन (Exfoliation)

अपदलन भौतिक अपक्षय प्रक्रिया है। इसमें संकेंद्रित शैल, स्लैब, शीट या गुच्छे (फ्लेक) क्रमिक रूप से टूट जाते हैं तथा चट्टान के द्रव्यमान से अलग हो जाते हैं। इसे प्याज छीलने के रूप में भी जाना जाता है। अपदलन प्रक्रिया में प्याज के छिलकों की भांति परत-दर-परत उतरकर गुंबदाकार रूप धारण कर लेती है। (चित्र 2.27)।

ब्लॉक विघटन (Block Disintegration)

ब्लॉक विघटन भौतिक अपक्षय प्रक्रिया है। इसमें चट्टानों के बड़े ब्लॉक संधि स्थल से टूट जाते हैं।

दानेदार विघटन (Granular Disintegration)

इस प्रक्रिया में चट्टान अलग-अलग खनिज कणों या छोटे-छोटे कणों में टूट जाती है।

बिखरना (Shattering)

बिखरना उस भौतिक अपक्षय का एक रूप है, जिसमें चट्टानें तीव्र यांत्रिक बलों, जैसे कि तुषार क्रिया, प्रभाव या विस्फोटक ज्वालामुखीय

Rock formations at Ischigualasto in Argentina

Rocks in the Valley of The Whales, Wadi El-Hitan, Western Desert of Egypt

Fossil Rocks in Abu Dhabi Desert, United Arab Emirates

चित्र 2.27
भौतिक अपक्षय

गतिविधियों द्वारा लगाए गए बल के कारण तीखे, कोणीय टुकड़ों में टूट जाती हैं।

2. रासायनिक अपक्षय (Chemical Weathering)

रासायनिक अपक्षय वर्षा जल में घुले पदार्थों की क्रिया द्वारा होता है। ये सामान्य रूप से अम्लीय प्रकृति के होते हैं तथा चट्टानों का काफी सक्रिय रूप से शोधन करते हैं। सामान्य रूप से रासायनिक अपक्षय भौतिक अपक्षय से अधिक महत्वपूर्ण है। यह क्रिया विशेष रूप से भूमध्यरेखीय, मानसून तथा अन्य उपोष्णकटिबंधीय आर्द्र क्षेत्रों की गर्म एवं आर्द्र जलवायु में होती है। कार्स्ट स्थलाकृति तथा चूना पत्थर क्षेत्रों में रासायनिक अपक्षय अधिक स्पष्ट दिखाई पड़ता है। रासायनिक अपक्षय की मुख्य प्रक्रियाएँ हैं: ऑक्सीकरण, कार्बोनेशन, घोल और हाइड्रोलिसिस।

ऑक्सीकरण (Oxidation)

ऑक्सीजन का किसी अन्य पदार्थ के साथ रासायनिक संयोजन ऑक्सीकरण के रूप में जाना जाता है। ऑक्सीकरण का सर्वाधिक सामान्य उदाहरण चट्टानों या मिट्टी में स्थित लौह अयस्क पर 'जंग' लगना है। इसमें ऑक्साइड का लाल-भूरा दाग पैदा होता है। इस प्रकार, ऑक्सीकरण की प्रक्रिया से लौह युक्त चट्टानें कमजोर हो जाती हैं।

कार्बोनीकरण (Carbonation)

यह कमजोर कार्बोनिक एसिड (पानी एवं कार्बन डाइऑक्साइड) द्वारा रासायनिक अपक्षय की एक प्रक्रिया है। यह अनेक खनिजों, विशेष रूप से कैल्शियम, मैग्नीशियम, पोटेशियम तथा सोडियम युक्त चूना पत्थर के साथ प्रतिक्रिया करके उन्हें कार्बोनेट में बदल देताहै।

जल-अपघटन (Hydrolysis)

जब खनिज पानी के साथ रासायनिक रूप से मिलते हैं, तो इस प्रक्रिया को जल-अपघटन या हाइड्रोलिसिस कहा जाता है।

विलयन (Solution)

पानी के साथ मिलकर चट्टानी खनिजों का ठोस अवस्था से तरल अवस्था में बदलना विलयन कहलाता है।

3. जैविक या कार्बनिक अपक्षय (Biological or Organic Weathering)

जीवित प्राणियों या कार्बनिक प्रक्रियाओं द्वारा चट्टान का विघटन या भंजन जैविक अपक्षय है। यह अपक्षय का एक बहुत उपेक्षित कारण है। उदाहरण के लिए, शैवाल, काई, लाइकेन तथा अन्य वनस्पतियाँ चट्टान की सतह पर पानी बनाए रखती हैं और विभिन्न कार्बनिक अम्ल नीचे की चट्टान को सड़ने में मदद करते हैं, जिससे चट्टान में छोटे तथा बढ़ते हुए गड्ढे में काई का गुच्छा पड़ा रह सकता है। वनस्पति की उपस्थिति के कारण मिट्टी के पानी में अम्लीय सामग्री बढ़ती है, जो कैल्केरियस चट्टानों के रासायनिक विघटन में सहायक है। बैक्टीरिया युक्त पानी कुछ चट्टानों, विशेष रूप से चूना पत्थर के संयोजन में मदद कर सकता है। वनस्पति का यांत्रिक विघटन प्रभाव मुख्य रूप से जड़ों के प्रवेश करने और उनके फैलने के कारण होता है।

विभिन्न प्रकार के जीव जैसे कीड़े खरगोश तथा छछून्दर, भी चट्टानों को विघटित करते हैं। कीड़े बड़ी मात्रा में महीन सामग्री को निक्षेप के रूप में सतह पर लाते हैं, जबकि बिल खोदने वाले जीव सतह की सामग्री को ढीला करने में मदद करते हैं।

बड़े पैमाने पर विस्थापन (Mass Movement)

बड़े पैमाने पर विस्थापन, जिसे वृहत क्षरण (मास वेस्टिंग) के रूप में भी जाना जाता है, वह प्रक्रिया है, जिसके द्वारा मिट्टी, चट्टानें तथा मलबा गुरुत्वाकर्षण के प्रभाव में ढलान से नीचे की ओर खिसकता है। यह भू-परिदृश्यों को आकार देने में एक महत्वपूर्ण प्रक्रिया है और अक्सर तब घटित होती है, जब ढलान पर कार्य करने वाला गुरुत्वाकर्षण बल सामंजस्य एवं घर्षण के कारण प्रतिरोध करने वाले बलों से अधिक हो जाता है। सामग्री एवं स्थितियों के आधार पर विस्थापन तेज या धीमा हो सकता है।

बड़े पैमाने पर विस्थापन (मास मूवमेंट) के प्रकार (Types of Mass Movement)

1. गिरना (Falls)

- **चट्टान का गिरना:** चट्टानें खड़ी ढलान या चट्टान से अलग होकर नीचे की ओर गिरती है। चट्टान बहुत तेज गति से गिरती है। इसका कारण अक्सर फ्रीज-थॉ चक्रों द्वारा शुरू हुआ अपक्षय या क्षरण होता है।

2. खिसकना (Slides)

- **अंतरित खिसकन (ट्रांसलेशनल स्लाइड) (चट्टान की खिसकन/रॉक स्लाइड) (Translational Slide (Rock Slide):** सामग्री का ही एक खण्ड सुपरिभाषित सतह, अर्थात उस सामग्री का समतल आधार तल या संधि स्थल पर से ढलान से नीचे की ओर खिसकता है।
- **घूर्णन खिसकन (स्लाइड) (स्लम्प) (Rotational Slide (Slump):** सामग्री का वह हिस्सा अवतल सतह पर खिसकता है, जो अक्सर वलित निशान छोड़ता है। इसमें समामान्य रूप से संतृप्त मिट्टी या चट्टान खिसकती है।

3. प्रवाह (Flows)

- **मृदासर्पण/सोलिफ्लक्शन (Solifluction):** मिट्टी जैसी बारीक सामग्री पानी से संतृप्त हो जाती है तथा ढलान से नीचे की ओर खिसकती है। यह कीचड़ के बहाव (मडफ्लो) की तुलना में धीमा होता है।
- **पंक प्रवाह (Mudflow):** पानी तथा मलबे का तेज गति से बहने वाला मिश्रण, जो सामान्य रूप से भारी वर्षा या ज्वालामुखी गतिविधि के कारण होता है।
- **मलबा प्रवाह (Debris Flow):** यह पंक प्रवाह के समान ही है, लेकिन इसमें महीन तलछट के साथ-साथ चट्टान के बड़े टुकड़े भी होते हैं।
- **विसर्पण (Creep):** मिट्टी या मलबे का बहुत धीमी गति से नीचे की ओर खिसकना। यह खिसकन इतनी धीमी होती है कि इसका आभास केवल लंबी अवधि के बाद ही होता है।

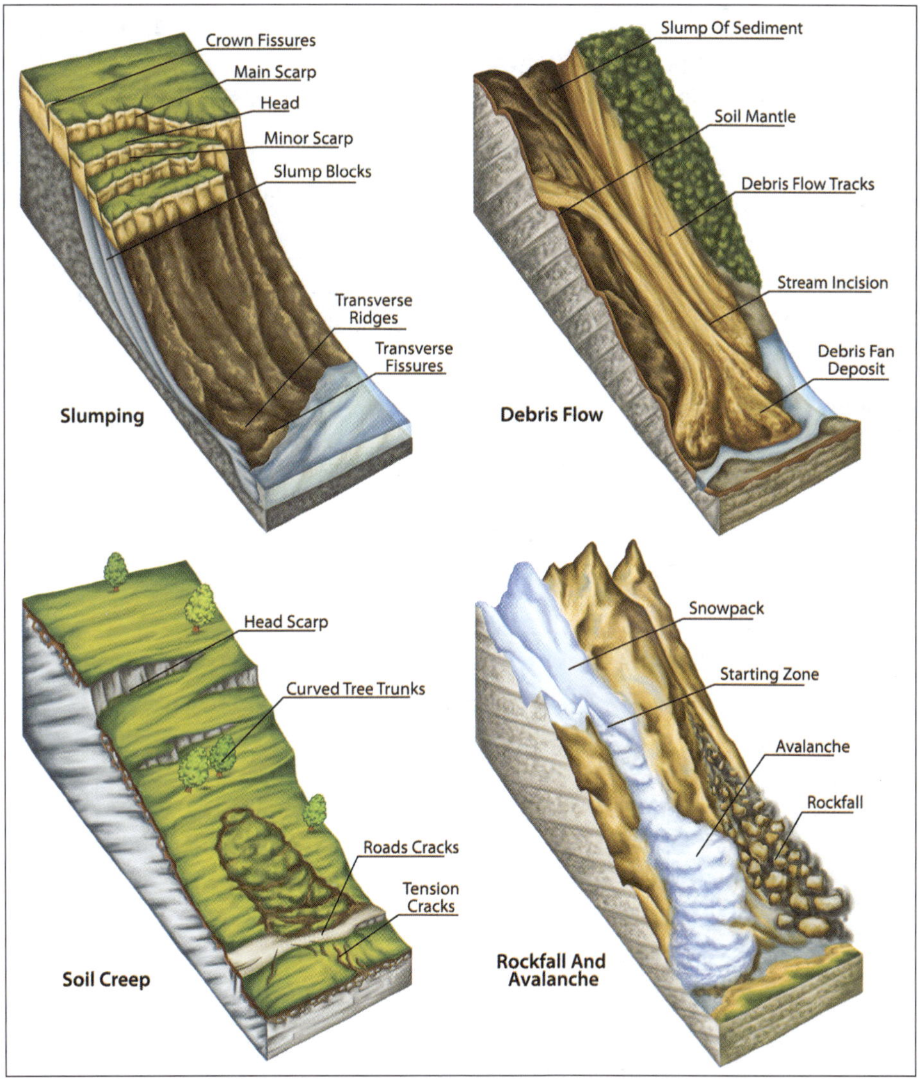

चित्र 2.28
बड़े पैमाने पर विस्थापन

4. टॉपल (Topples)

- अक्सर चट्टान या कोई बड़ा खण्ड आगे की ओर झुकता या घूमता है तथा ढह जाता है।

5. स्खलन (Avalanches)

- **चट्टान का स्खलन (Rock Avalanche):** चट्टान के टुकड़ों का ढलान से नीचे की ओर तेज गति से आना। यह सामान्य रूप से भूकंप के कारण होता है।
- **हिमस्खलन (Snow Avalanche):** बर्फ, हिम तथा मलबे का तेजी से पहाड़ की ढलान से नीचे की ओर आना।

बड़े पैमाने पर विस्थापन को प्रभावित करने वाले कारक (Factors Influencing Mass Movement)

- **ढलान (Slope Angle):** सीधी ढलान होने पर बड़े पैमाने के विस्थापन की संभावनाएं बढ़ जाती है।
- **पानी की मात्रा (Water Content):** पानी एक स्नेहक के रूप में कार्य करता है, घर्षण एवं जुड़ाव को कम करता है, जिससे सामग्री में अस्थिरता बढ़ती है।
- **वनस्पति (Vegetation):** वनस्पति अपनी जड़ों के माध्यम से ढलानों में स्थिरता बढ़ाती है।
- **भूकंप (Earthquakes):** भूकंपीय गतिविधि ढलानों पर स्थित सामग्री को कंपा कर गति प्रदान कर सकती है।
- **अपक्षय (Weathering):** अपक्षय की प्रक्रिया चट्टानों को कमजोर कर देती है, जिससे ये वृहत विस्थापन के प्रति अधिक संवेदनशील हो जाती है।

अपरदन (Erosion)

बहते हुए पानी, बहती हवा, खिसकती बर्फ (ग्लेशियर), बहता भूमिगत जल तथा समुद्री लहरों के कारण होने वाले क्षरण को अपरदन कहते हैं। दूसरे शब्दों में, वे प्रक्रियाएँ, जो तलछट को ढीला करती हैं तथा उसे पृथ्वी की सतह पर एक स्थान से दूसरे स्थान पर ले जाती हैं, अपरदन कहलाती हैं।

नदीय अपरदन (नदियाँ एवं संबंधित भू-आकृति) [Fluvial Processes (Rivers and Related Landform)]

नदियों को अक्सर पृथ्वी का जीवन रुधिर कहा जाता है। ये उन खनिज पोषक तत्वों का पुनर्वितरण करती हैं, जो मिट्टी के निर्माण एवं पौधों की वृद्धि के लिए महत्वपूर्ण हैं। ये कई प्रकार से

त्वरित पुनरावलोकन (Quick Revision)

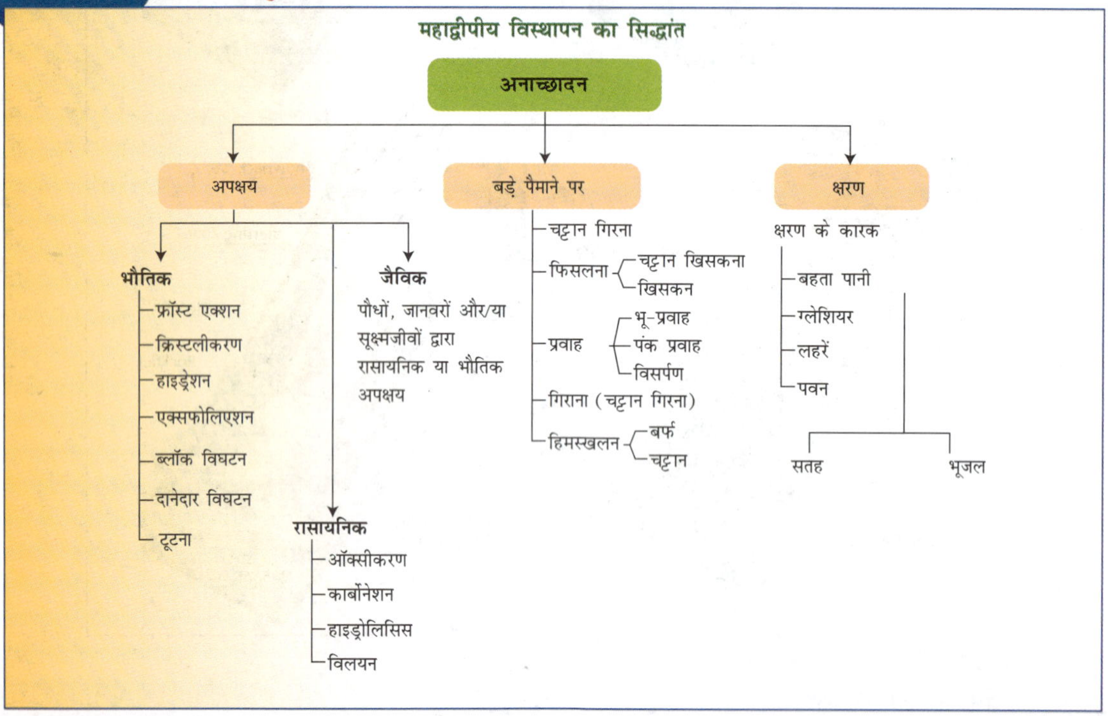

समाज के काम आती हैं। नदियाँ घरेलू, कृषि, औद्योगिक उपयोग तथा परिवहन के लिए आवश्यक जल आपूर्ति प्रदान करती हैं। मानव इतिहास में नदियों का मूलभूत महत्व रहा है। नदी अपरदन तथा उसके परिणामस्वरूप बनने वाली भू-आकृतियों का संक्षिप्त विवरण निम्नानुसार है।

बहता पानी: (नदी) अपरदन का सबसे महत्वपूर्ण कारक है। अपरदन के अन्य कारक, जैसे ग्लेशियर, हवा, भूमिगत जल एवं समुद्री लहरें स्थानीय रूप से प्रमुख हैं, जो पृथ्वी की सतह के सीमित हिस्सों को प्रभावित करते हैं।

नदी प्रणाली (River System)

नदी प्रणाली योजक चौनलों का एक ऐसा नेटवर्क या संजाल है, जिसके माध्यम से वर्षा का पानी संगृहीत होकर समुद्र में जाता है (चित्र 2.29)। नदी प्रणाली को तीन भागों में विभाजित किया जा सकता है: (1) संग्रह प्रणाली, (2) परिवहन प्रणाली, तथा (3) निक्षेपण या फैलाव प्रणाली (चित्र 2.30)।

चित्र 2.29

नदी प्रणाली अत्यधिक जटिल है। 1997 में बांग्लादेश में स्थित गंगा नदी डेल्टा का अंतरिक्ष शटल दृश्य।

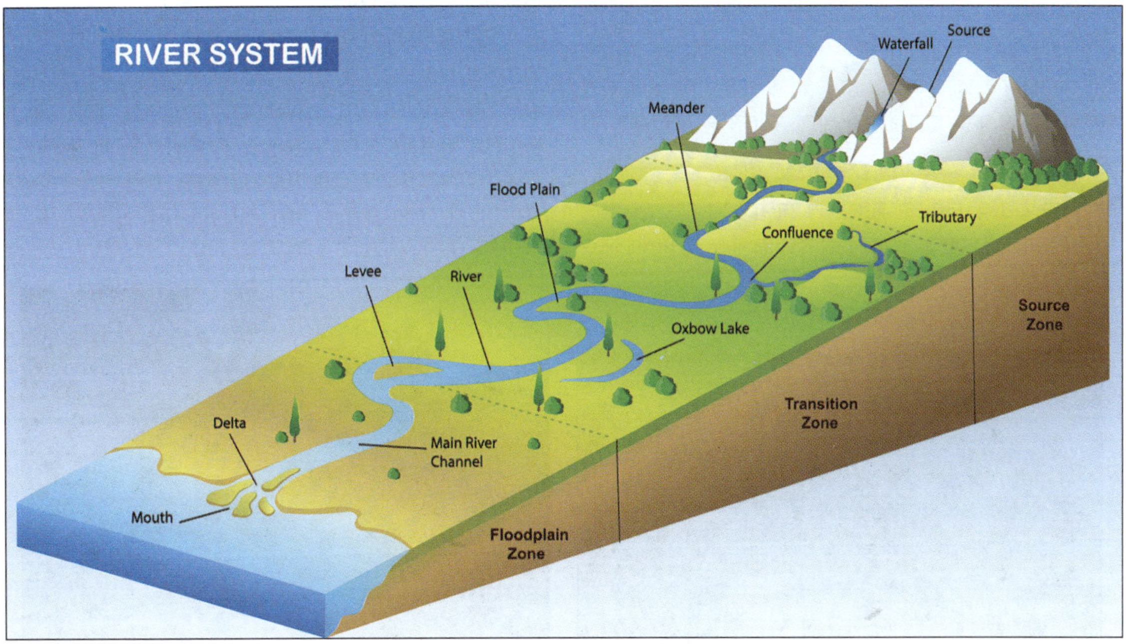

चित्र 2.30

नदी प्रणाली के प्रमुख भाग

स्रोत क्षेत्र (संचयन प्रणाली), संक्रमण क्षेत्र (परिवहन प्रणाली), बाढ़ क्षेत्र (फैलाव प्रणाली)

नदी की अपरदन क्षमता (क) प्रवाह, (ख) वेग, (ग) ढाल प्रवणता, (घ) तलछट भार तथा (ङ) आधार स्तर पर निर्भर करती है। नदी के मुख्य कार्य निम्नवत हैं: (1) रेगोलिथ (अपक्षय सामग्री) को हटाना, (2) नदी तल को काटना (घाटी को गहरा और चौड़ा करना), (3) किनारों को काटना (अपरदन), और (4) निक्षेपण।

बहते पानी से अपरदन (Erosion by Running Water)

बहता पानी रासायनिक या यांत्रिक तरीके से चट्टानों का कटाव करता है। कुछ चट्टानें (चूना पत्थर, जिप्सम, आदि) जिन पर पानी बहता है, पानी में घुल जाती हैं। घुलने की इस प्रक्रिया को रासायनिक कटाव कहते हैं। यांत्रिक कटाव नदी द्वारा बहाकर लाए गए ठोस पदार्थों के कारण होता है, जो इसके तल एवं किनारों से टुकड़ों को घिसकर दूर ले जाते हैं। तल का अपरदन, जिससे नदी तल गहरा हो जाता है, ऊर्ध्वाधर कटाव कहलाता है, जबकि किनारों का अपरदन पार्श्व कटाव कहलाता है **(चित्र 2.31)**। यद्यपि, नदी द्वारा होने वाला अधिकांश अपरदन, उसके किनारों पर बहने वाले कंकड़, बजरी और रेत के कारण होता है। इस प्रकार, नदी प्रक्रिया में रासायनिक कटाव की तुलना में यांत्रिक कटाव अधिक महत्वपूर्ण है। चट्टान के टुकड़े भी एक दूसरे से टकराते हैं तथा इस प्रक्रिया में छोटे, चिकने, गोल चट्टानों के टुकड़ों में विघटित हो जाते हैं और अंततः रेत एवं गाद में बदल जाते हैं। वह प्रक्रिया, जिसके द्वारा सामग्री (लगातार टकराव से नदी के भार) के आकार में क्रमिक रूप से कमी होती है, इसे घर्षण के रूप में जाना जाता है।

नदी का परिवहन (Stream Transportation)

नदी धारा द्वारा बहाकर ले जायी जाने वाली ठोस सामग्री धारा-भार कहलाती है। बहता हुआ पानी तथा सभी नदी धाराएँ कुछ घुली हुई सामग्री बहाकर ले जाती हैं। रेत, बजरी, कंकड़, दाद एवं बोल्डर आदि सामग्री चौनल के तल के पास नदी तल भार के रूप में लुढ़ककर या फिसलकर ले जायी जाती है। मिट्टी तथा गाद को नदी धारा के साथ उपर उठाती है और बहाकर ले जाती है। कुछ नरम चट्टानें पानी में घुल जाती हैं और वे विलयन बनाकर ले जायी जाती है। सामान्य रूप से जिस नदी का वेग जितना अधिक होता है, वह उतना ही अधिक भार वहन कर सकती है।

नदी का निक्षेपण (Stream Deposition)

नदी द्वारा बहाकर ले जाये गये कणों का नदी तल, बाढ़ के मैदानों और झील या समुद्र नदी तल में संचय होने को नदी धारा निक्षेपण कहा जाता है। जैसे-जैसे नदी का वेग कम होता जाता है, यह अपने भार के रूप में चट्टान के टुकड़े, रेत और गाद को जमा करना शुरू कर देती है। बाढ़ के समय, नदी अपने आस-पास के क्षेत्रों को जलमग्न कर देती है तथा चैनल की सीमाओं के बाहर रेत एवं गाद जमा कर देती है। सर्वाधिक निक्षेपण डेल्टा क्षेत्र में होता है, जब नदी समुद्र या झील में प्रवेश करती है।

नदी का देशांतर-रेखाचित्र (नदी की अनुलंब प्रोफाइल) [Longitudinal Profile (Long Profile of a River]

वह रेखा चित्र, जो नदियों की ऊंचाई एवं दूरी के बीच के संबंध को स्पष्ट करता है, उसे नदी का देशांतर रेखाचित्र कहा जाता है। यह रेखाचित्र सामान्य रूप से अवतल ऊर्ध्व होता है, जो स्थानीय या क्षेत्रीय आधार तल को बताता है तथा संभव है कि उन छोटे-छोटे बिन्दुओं से अलग होता है, जहां नदी, पूर्व घाटी भूमितल या नदी तल के जरिये काटती है **(चित्र 2.32)**।

River Bank Eroded by Current

Eroded Bank with Tree Stump and Roots

चित्र 2.31
नदी द्वारा पार्श्विक अपरदन

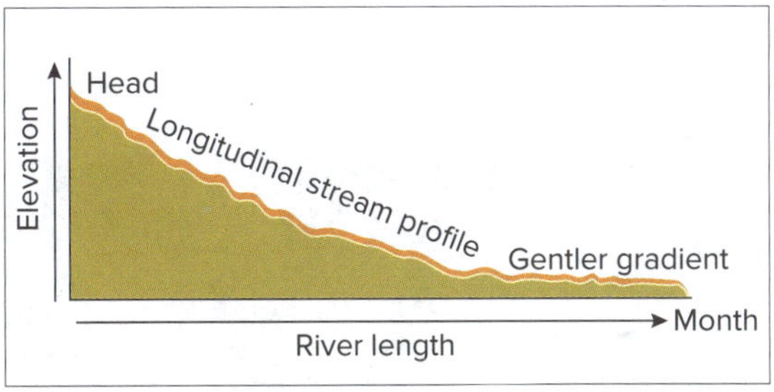

चित्र 2.32

नदी धारा के ढाल को दर्शाती हुई देशांतर-रेखाचित्र की आदर्शित अनुप्रस्थ काट। धारा के प्रतिकूल खंडों में ढाल अधिक तीव्र होता है, जबकि धारा के अनुकूल में ढाल कम होता है।

आधार तल (Base Level)

उप-हवाई क्षरण प्रक्रियाओं के संचालन के लिए निचली सीमा, सामान्य रूप से प्रवाहित होने वाले पानी की भूमिका के संदर्भ में परिभाषित की जाती है। किसी भी संचलन पर समुद्र की सतह का स्तर महाद्वीपों के लिए सामान्य आधारलत के रूप में कार्य करता है, यद्यपि स्थानीय आधारतल की एक विस्तृत श्रृंखला हो सकती है, कुछ ऊपर तथा कुछ समुद्र तल से नीचे हो सकती है। (चित्र 2.33)।

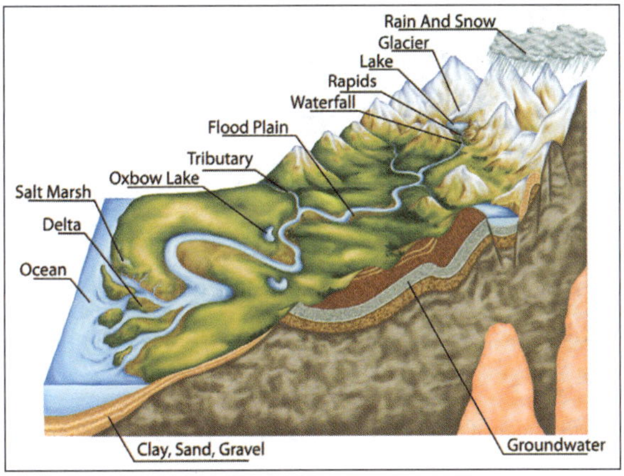

चित्र 2.33

आधार तल (डब्लू.एम. डेविस के बाद)

आधारतलों की कई अलग-अलग पैमानों पर पहचान की जा सकती है। किसी नदी धारा का चैनल उसके आसन्न ढलान पर प्रक्रियाओं के लिए आधारतल के रूप में कार्य करता है। कोई बड़ी नदी धारा अपनी सहायक नदियों के मार्गों के लिए आधार तल होती है। कोई झील या जलाशय या झरना पूरे बेसिन के लिए आधार तल होता है। अतः स्पष्ट है आधार तल समय के साथ बदल सकते हैं और बदलेंगे, जिसका उप-हवाई क्षरण प्रक्रियाओं के संचालन पर प्रभाव पड़ेगा। कुल मिलाकर, आधार तल में गिरावट कुल उठे हुए भाग को बढ़ाकर संभावित ऊर्जा में वृद्धि करती है, और इसके परिणामस्वरूप अपरदन और नीचे की ओर कटाव की दर में तेजी आ सकती है। दूसरी ओर, आधार तल में वृद्धि, वृद्धि द्वारा चिह्नित इसकी आवृत्ति, उठे हुए भाग एवं संभावित ऊर्जा को कम कर देती है।

नदी द्वारा निर्मितभू-आकृतियाँ (Landforms of Streams)

ऊपरी नदी मार्ग में भू-आकृतियाँ (Landforms in the Upper Course)

ऊपरी नदी मार्ग में निर्मित होने वाली भू-आकृतियों में झरने, जल-प्रपात, क्षिप्रिका, निकपॉइंट, गहरी खाई, घाटी, उत्तल एवं अवतल ढलान, नदी वेदिका, जलोढ़-पंखे (जलोढ़ शंकु) शामिल हैं। इस भाग में, जिसे नदी के युवा चरण के रूप में भी जाना जाता है, नदी अत्यधिक ऊर्जावान होती है, जिसके कारण यह मुख्य रूप से आसपास की सामग्री को नष्ट कर देती है। इसलिए, इस चरण में कटाव वाली भू-आकृतियाँ बनी रहती हैं। नदी घाटी के संबंध में इस चरण में घाटी का गहरा होना तथा ऊपर किनारों की ओर कटाव देखा जाता है।

गहरी खाई (Gorge (Canyon)

यह नदी घाटी का एक गहरा और संकरा भाग होती है। गहरी खाई में घाटी की गहराई चौड़ाई से कहीं अधिक होती है। इसे बहुत संकरी, लेकिन बेहद गहरी घाटी कहा जा सकता है (चित्र 2.34)। अमेरिका में कोलोराडो नदी का विशाल दर्रा (ग्रैंड कैनियन) दुनिया का सबसे बड़ा (277 किमी), सबसे चौड़ा (18 किमी) और सबसे (एक किमी से ज्यादा) गहरी खाई है। सिंधु एवं ब्रह्मपुत्र नदियाँ भी हिमालय में क्रमशः नंगा पर्वत तथा नामचे बरवा में गहरी खाइयाँ बनाती हैं।

चित्र 2.34

गहरी खाई (दर्रा)

क्षिप्रिका (Rapids)

नदी चौनल में तात्र ढलान वाली धारा जहां प्रवाह की गति बहुत अधिक हो जाती है तथा चौनल में तीव्र ढलान या बाधाओं के कारण अत्यधिक अशांत जल होता है। (चित्र 2.35)।

चित्र 2.35
क्षिप्रिका एवं झरने

नदी वेदिका (River Terrace)

यह नदी के जल के स्तर पर किनारे पर बना लगभग समतल क्षेत्र है, जो अब नदी के जलस्तर से ऊपर है और अपरदन के कारण बने ढलान से दूर हो गया है। इस तरह की भू-आकृति का अर्थ है कि नदी द्वारा निक्षेपण या पार्श्व कटाव के एक चरण द्वारा घाटी तल या जलोढ़ मैदान का निर्माण करने के बाद नीचे की ओर कटाव काचरण शुरू हुआ था। ये वेदिकाएँ चट्टान-तल वाली या जलोढ़ की हो सकती हैं। सरल जलोढ़ वेदिकाओं में एक चरण से निक्षेपण होता है, लेकिन अक्सर पुराने निक्षेपण के भाग होते हैं: उदाहरण के लिए वेदिका को चट्टान में काटा जा सकता है, इसे किसी भी पिछले निक्षेपण, नदी या अन्यथा में काटा जा सकता है। इस प्रकार, वेदिका की सामग्री की आयु को भू-आकृति की आयु के साथ भ्रमित नहीं किया जाना चाहिए। वेदिकाएँ दोनों किनारों पर साथ-साथ दिखाई दे सकती हैं, या दूसरे किनारे पर दिखाई देने से पहले एक किनारे पर दिखाई दे सकती हैं। पहले वाली भू-आकृति को 'युग्मित वेदिकाएँ' कहा जाता है, और बाद वाली को 'अयुग्मित वेदिकाएँ' कहा जाता है (चित्र 2.36)।

चित्र 2.36
नदी वेदिका (रिवर टेरेस)

जल प्रपात (Waterfall)

यह ऐसी जलधारा होती है, जो ऊंचाई से गिरती है। जल प्रपात सामान्य रूप से ऐसे स्थानों पर बनते हैं, जहां कठोर चट्टान के नीचे स्थित नरम चट्टान में कटाव हो जाता है (चित्र 2.35 और 2.37)।

चित्र 2.37
नियाग्रा जल प्रपात

यद्यपि, वास्तव में जल प्रपातों के रूप इस सरल मॉडल से कहीं अधिक विविध प्रकार के होते हैं। जल प्रपात की परिभाषा का यह सरल मॉडल केवल उन्हीं क्षेत्रों में लागू होता है, जहां भू-स्तर धीरे-धीरे नीचे होता जाता हों। इस तरह के संरचनात्मक नियंत्रण के अलावा, जल प्रपात निर्माण के कारकों में हिमनदों का अधिक गहरा होना (ग्लेशियल ओवर-डीपनिंग) (हिमानी निलंबी घाटी), टेक्टोनिक परिवर्तन और बेस-लेवल परिवर्तन शामिल हैं।

जलोढ़ पंख (Alluvial Fan)

पर्वतीय ढाल से नीचे आती नदी जब अचानक समतल मैदान में प्रवेश करती है, तो उसका वेग अचानक कम हो जाता है तथा इस कारण वह अपने साथ बहाकर लायी तलछट एक पंखे के आकार में फैलकर जम जाती है। जलोढ़ पंखा विशेषकर शुष्क और अर्द्ध-शुष्क जलवायु में पहाड़ी क्षेत्रों में सामान्य है, परंतु यह वहीं तक सीमित नहीं है। ये सामान्य रूप से ढाल (ढलान) में अचानक बदलाव के कारण बनते हैं अर्थात् जब नदियां पहाड़ों से मैदानी क्षेत्रों में प्रवेश करती है, तब इनका निर्माण होता है। (चित्र 2.38)

चित्र 2.38
जलोढ़ पंख

नदी अपहरण (River Capture)

नदी अथवा सरिता अपहरण तब होता है, जब उच्च ढाल वाली नदी तेजी से अपने उद्गम की ओर अपरदन करती हुई किसी दूसरी नदी के जल को अपने जलमार्ग में खींच लाती है (चित्र 2.39)।

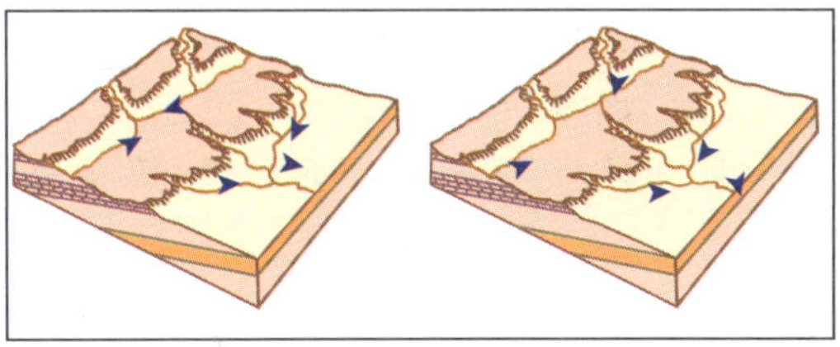

चित्र 2.39
नदी अपहरण

नदी अपहरण निम्नलिखित परिस्थितियों में होता है:

1. नदी मार्ग का तीव्र ढलानयुक्त होना।
2. अपेक्षाकृत संकरी घाटी हो, ताकि पानी चौड़ी एवं सपाट घाटियों में अधिक फैल नहीं सके।
3. पर्याप्त मात्रा में जल के साथ उच्च वेग तथा पानी का तेज बहाव।
4. अपने उद्गम की ओर तेजी से कटाव करने के लिए नरम चट्टानें हो।
5. अन्य पड़ोसी नदियों की घाटियों की तुलना में गहरी घाटी हो।
6. कम तलछट भार हो, ताकि नदी सक्रिय रूप से कटाव कर सके।

उदाहरण (Examples):

1. ओहियो नदी द्वारा अपहृत हीज नदी।
2. रियो ग्रैंड, जो अपहृत होने से पहले एक बंद बेसिन, कैबेजा डे वेका झील में बहती थी, अपहृत होने के बाद मैक्सिको की खाड़ी में बहने लगी।
3. स्टॉर, केंट, नदी कोबड़े पैमाने पर बेउल्ट, टीज और अन्य नदियों द्वारा अपहृत कर ली गई है।
4. दक्षिणी इंग्लैंड की वी नदी बायीं भुजा, जो कि ब्लैकवाटर नदी (रिवर लॉडन) का पुरानाऊपरी जल है।
5. वेल्स में रिडोल नदी, जिसने अन्य नदियों के मुख्य जल स्तोतों को अपने में समाहित कर लिया है और अब अपनी लंबाई के एक हिस्से में गहरी घाटी में बहती है।
6. इंग्लैंड के डेवोन में लिड नदी।
7. चेक गणराज्य में व्लारा मोराविया।
8. भारत में यमुना नदी द्वारा सरस्वती नदी का अपहरण।

नदी के मध्य मार्ग की भू-आकृतियाँ (Landforms of Middle Course)

नदियों के मध्य मार्ग, जिसे नदी की परिपक्व अवस्था भी कहा जाता है, हम अपरदन एवं निक्षेपण दोनों ही विशेषताएँ देखते हैं। यहाँ घाटी का चौड़ीकरण, न कि केवल घाटी का गहरा होना प्रमुख गतिविधि बन जाता है। नदी के मध्य मार्ग में बनने वाली की भू-आकृतियों में विसर्प, गोखुर झीलें (बिल-बोंग, मोर्ट-लेक या बेउ), प्राकृतिक तटबंध, जलोढ़ पंखें या जलोढ़ शंकु, बैक-स्वैम्प, नदी-वेदिकाएं, याजू-नदी शामिल हैं।

बाढ़-मैदान (Flood Plain)

बाढ़-मैदान भू-आकृति विज्ञान का वह शब्द है, जिसका तात्पर्य अपेक्षाकृत समतल जलोढ़ भू-आकृति से है। यह मुख्य रूप से वर्तमान नदी के बहाव और बाढ़ आने पर ही निर्मित होता है। सामान्य रूप से मैदान में सुपरिभाषित नदी मार्ग होता हैं, लेकिन कुछ मैदान नदी मार्ग के बिना घाटियों में होते हैं, जबकि अन्य नदी मार्गों के नीचे की ओर बनते हैं (चित्र 2.40)।

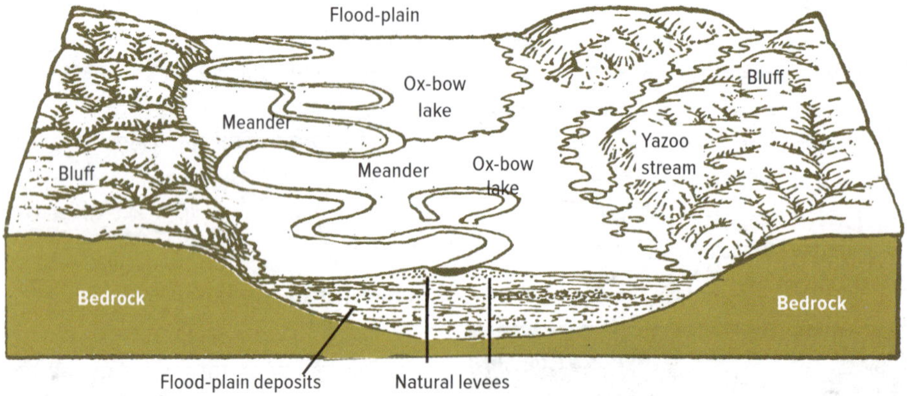

चित्र 2.40

बाढ़ के मैदान की प्रमुख विशेषताएँ - विसर्प, पॉइंट-बार्स, गोखुर झीलें, प्राकृतिक तटबंध, नदी जलमार्ग तथा याजू-स्ट्रीम हैं।

तटबंध (Levee)

बाढ़ के मैदान में जलधारा या अंतरज्वारीय इनलेट के दोनों ओर साथ-साथ चौड़ी, लंबी-शिखर वाली घाटी, जो सामान्य रूप से नदी द्वारा नदी मार्ग के किनारों पर मोटे रेत और गाद ग्रेड की तलछट को जमा करने से बनती है। यह बाढ़ के पानी द्वारा चैनल के किनारों पर जमा की जाती है। तटबंध नदी से धीरे-धीरे और दूर जा सकता है तथा नदी मार्ग (चैनल) से दूरी बढ़ने के साथ-साथ इसमें धीरे-धीरे महीन तलछट होती है। बाढ़ से बचाव के लिए तटबंधों को कृत्रिम रूप से बनाया अथवा ऊंचा किया जा सकता है (चित्र 2.40)।

विसर्प (Meander)

यह नदी का घुमावदार मोड़ है,जैसे कि दक्षिण-पश्चिम तुर्की में मेन्डर्स नदी में है। नदी में स्थितचौड़ा, घुमावदार मोड़। विसर्प नदी के मध्य-निचले भाग में घुमावदार मोड़ होते हैं। विसर्प तब बनता है, जब जलमार्ग बाहरी, अवतल किनारे के तलछट को काटता है तथा आंतरिक, उत्तल किनारे (बिंदु पट्टी) पर तलछट जमा करता है। विसर्पभू-आकृति से ज्यादा नदी के जलमार्ग का प्रकार है। यह कटाव तथा निक्षेपण दोनों से मिलकर बनता है। अवतल नदी मोड़ पर पानी अत्यधिक कटाव करता है, जबकि उत्तल पक्ष की ओर निक्षेपण होता है (चित्र 2.41)।

गोखुर झील (Ox-bow Lake)

यह सामान्य रूप से घुमावदार झील होती है, जहां नदी का जलमार्ग कट जाता है तथा यह उससे अलग हो जाती है। यह शब्द लकड़ी के यू-आकार के टुकड़े से लिया गया है, जिसे बैल की गर्दन के चारों ओर लगाया जाता है। इस प्रकार की झीलें, जहाँ नदी मार्ग से सटी होती हैं, वहाँ तलछट से भर जाती हैं और फिर धीरे-धीरे भर जाती हैं। यही कारण है कि इन्हें अस्थायी झीलों के रूप में वर्गीकृत किया जाता है। (चित्र 2.41)।

याजू नदी (Yazoo Stream)

याजू नदी एक सहायक नदी है, जो काफी दूरी तक मुख्य नदी के समानांतर बहती है, क्योंकि यह प्राकृतिक तटबंधों के कारण

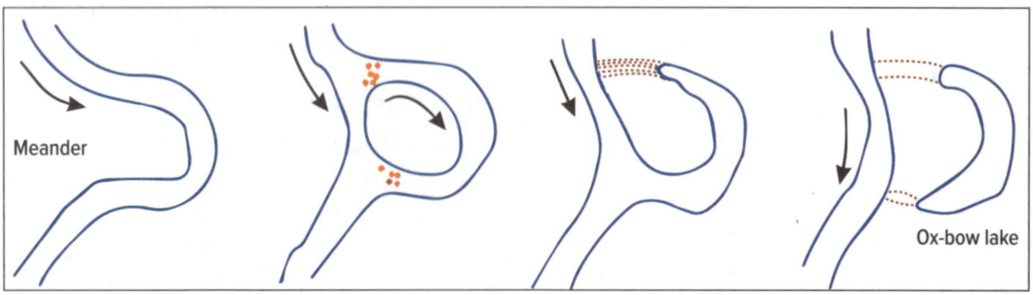

चित्र 2.41

विसर्प का गोखुर (ऑक्स-बो) झील में रूपांतरण।

से उससे मिल नहीं पाती है और अंततः आगे जाकर वह मुख्य नदी में मिल जाती है (चित्र 2.40)।

निचले नदी मार्ग की भू-आकृतियाँ (Landforms of the Lower Valley)

नदी के निचले जलमार्ग की भू-आकृतियों में गुंफित जलमार्ग (ब्रेडेड चौनल), डेल्टा, मुहाना तथा जलोढ़ जमा शामिल हैं। यह नदी जलमार्ग का अंतिम चरण है, जिसे इसका वृद्धावस्था चरण भी कहा जाता है। यहाँ धारा का वेग सबसे कम होता है, इसलिए तलछट ले जाने की इसकी क्षमता कम हो जाती है। यही कारण है कि इस स्तर पर हम मुख्य रूप से निक्षेपण संबंधी भू-आकृतियाँ देखते हैं।

गुंफित जलमार्ग (Braided Channel Or Braided River)

इस भू-आकृति में नदी का प्रवाह कई अंतर्संबंधित धाराओं से होकर गुजरता है, जो विभाजित होकर फिर से जुड़ जाती हैं। इस शब्द का प्रयोग छोटी-छोटी धाराओं के लिए किया जाता है, जहां नदी एक द्वीप के चारों ओर विभाजित होकर पुनः मुख्य धारा में मिल जाती है और घाटी की तलहटी या जलोढ़ मैदानों पर बहुत व्यापक नदी नेटवर्क के लिए भी किया जाता है, जिनमें संपूर्ण जलमार्ग जमा ताजा तलछट के कारण तेजी से बदलते अपना जलमार्ग बदलता है (चित्र 2.42)।

चित्र 2.42
गुंफित जलमार्ग

डेल्टा (Delta)

यह नदी के मुहाने पर जमा तलछट का एक बड़ी, मोटे तौर पर, त्रिकोणीय भू-आकृति है। इतिहास के जनक माने जाने वाले हेरोडोटस, नील नदी के फैले हुए मुहाने के आकार को त्रिकोणीय, डेल्टा आकार के रूप में वर्णित करने वाले पहले लेखक थे। डेल्टा के विभिन्न प्रकार चित्र 2.43 में दर्शाए गए हैं।

डेल्टा के प्रकार (Types of Delta)

डेल्टा को सामान्य रूप से दो प्रमुख कारकों के आधार पर वर्गीकृत किया जाता है।

प्रभावित करने वाले कारक के आधार पर (Based on the Influencing Factor)

1. लहर-प्रधान डेल्टा (नील नदी का डेल्टा)
2. ज्वार-प्रधान डेल्टा (गंगा-ब्रह्मपुत्र डेल्टा)
3. गिल्बर्ट डेल्टा (मीठे पानी की झील का डेल्टा)
4. ज्वार नदमुख डेल्टा (नर्मदा एवं तापी डेल्टा)

आकार के आधार पर (Based on Shape)

1. चापाकार डेल्टा (धनुषाकार, नील डेल्टा)
2. अग्रवर्धी डेल्टा (दंताकार, एब्रो डेल्टा)

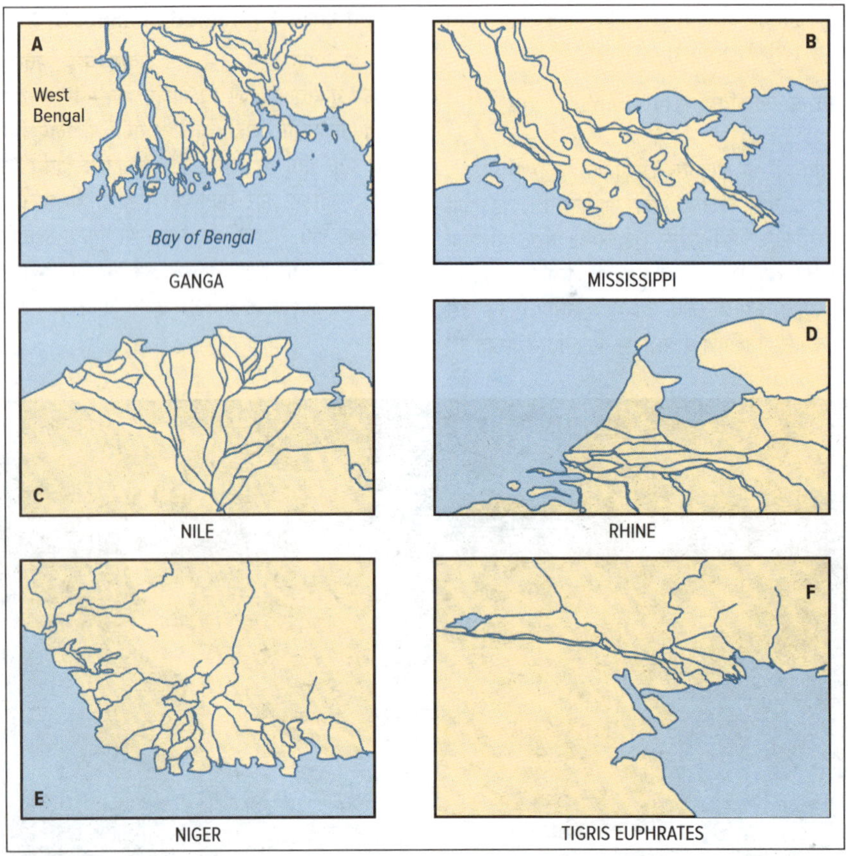

चित्र 2.43
विश्व के कुछ विशाल डेल्टा (जारी)

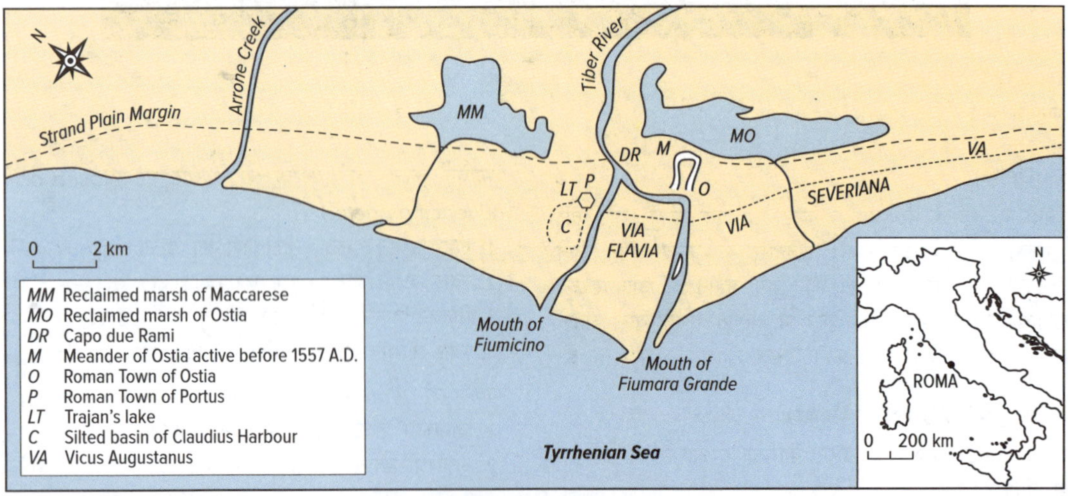

TIBER RIVER, Cuspate delta

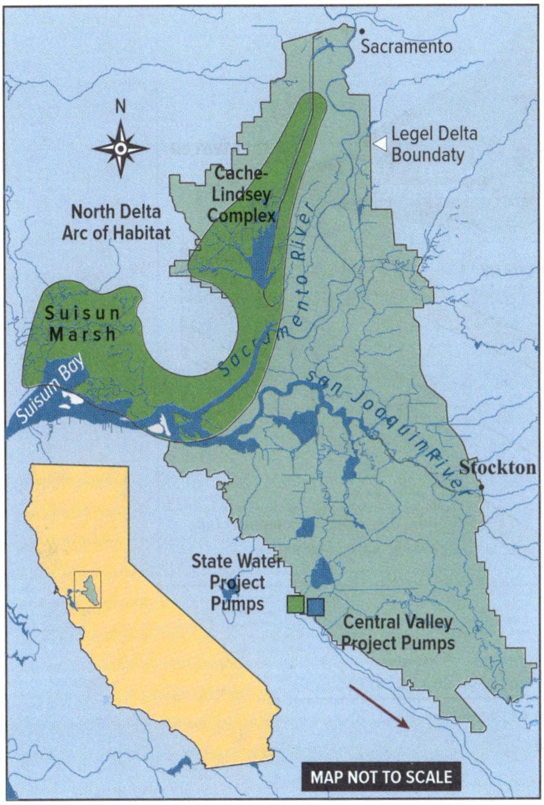

SACRAMENTO RIVER, Inverted delta

चित्र 2.43
विश्व के कुछ विशाल डेल्टा

3. पंजाकार डेल्टा (लगभग अनेक सममित शाखाएँ; मिसिसिपी डेल्टा)
4. उल्टा डेल्टा (विपरीत डेल्टा; सैक्रामेंटो-सैन जोकिन नदी डेल्टा)

अन्य प्रकार के डेल्टा (Other Types of Deltas)

1. अंतर्देशीय डेल्टा (अंतर्देशीय जल निकासी से संबंधित; बोत्सवाना में ओकावांगो डेल्टा)
2. परित्यक्त डेल्टा (पीली नदी डेल्टा, मिसिसिपी डेल्टा)
3. रूण्डित डेल्टा (सैन मिगुएल डेल्टा प्रणाली)
4. अवरुद्ध डेल्टा (सेनेगल नदी डेल्टा)
5. प्रगतिशील डेल्टा (गंगा-ब्रह्मपुत्र डेल्टा)

मुहाना या नदमुख (Estuary)

वह बिंदु, जहाँ नदी का मुहाना समुद्र में प्रवेश करता है तथा समुद्री जल में मिल जाता है (चित्र 2.44)। नर्मदा एवं ताप्ती नदियाँ खंबात की खाड़ी में मुहाना (नदमुख) बनाती हैं।

जलोढ़ निक्षेप (Alluvial Deposits)

नदी के तल में जमा मिट्टी को जलोढ़ निक्षेप कहते हैं। इन्हें 'नदीय निक्षेप' भी कहते हैं। नदी तल में जमा कणों का आकार प्रवाह की गति पर निर्भर करता है। यदि नदी का प्रवाह तेज है, तो केवल बड़े गोलाश्मिका-प्रकार की सामग्री ही जमा हो सकती है। जलोढ़ निक्षेप के विभिन्न प्रकार: जलोढ़ निक्षेप, ऊर्ध्वाधर अभिवृद्धि निक्षेप, पार्श्व अभिवृद्धि निक्षेप, भरे नदी जलमार्ग, जलोढ़ पंखे, आदि (चित्र 2.45) हैं।

समप्राय मैदान (Peneplain)

यह लहरनुमा मैदान होता है। यह तब बनता है, जब नदियाँ आधार स्तर तक अपरदन का कार्य पूरा कर लेती हैं।

याद रखने की युक्ति (Learning Trick)

अपरदन प्रक्रियाओं का जीवनचक्र

डेविस, जिन्होंने अपरदन चक्र का विचार दिया, ने इसकी तुलना मानव जीवन से की।

स्टेजेस	मुख्य गतिविधि	मानव सादृश्य
युवावस्था	अपरदन (विनाश)	बच्चों में ऊर्जा का स्तर बहुत अधिक होता है और मस्तिष्क का विकास कम होता है। इसलिए घर में बहुत - सी चीजें टूट जाती हैं।
परिपक्व	कटाव एवं निक्षेपण	एक परिपक्व वयस्क जानता है कि कब लड़ना है और कब चुप रहना है
पुरान	निक्षेपण (रचनात्मक)	एक बूढ़ा व्यक्ति सब कुछ देख चुका है और लड़ने के बजाय, वह सिर्फ अपना ज्ञान दुनिया के साथ साझा करना चाहता है।

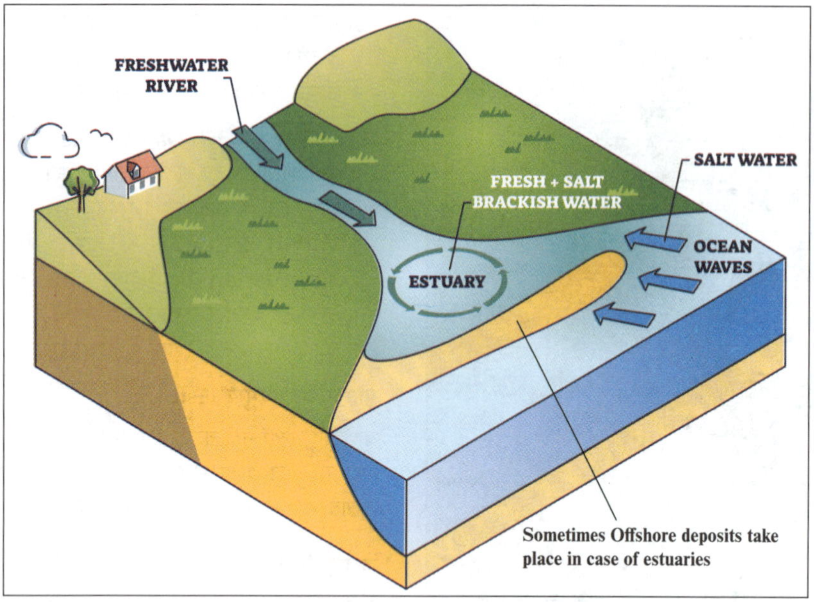

चित्र 2.44
मुहाना (एस्चुरी)

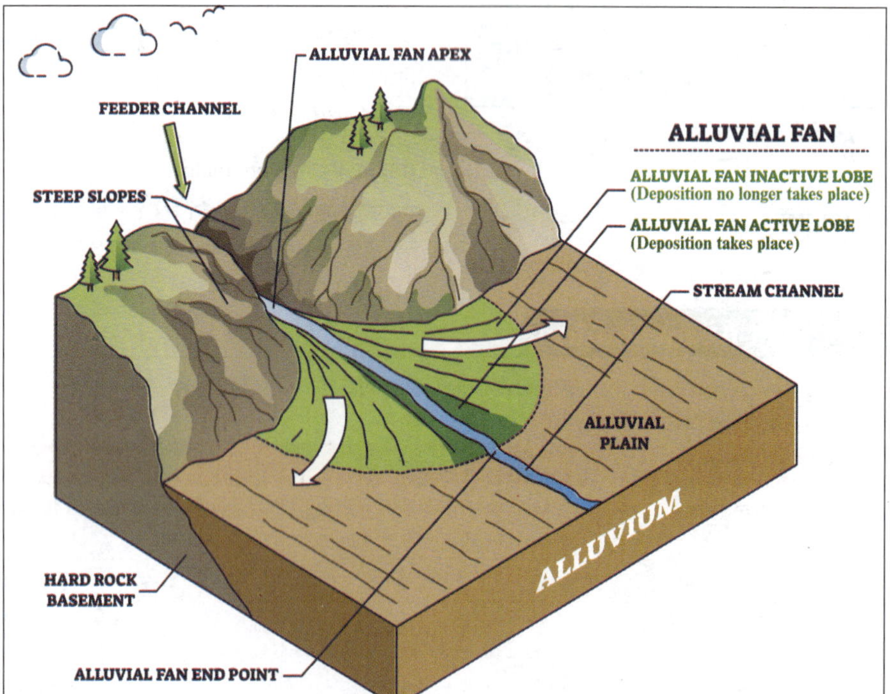

चित्र 2.45
जलोढ़ निक्षेपों के प्रकार

समप्राय मैदान (Monadnocks)

समप्राय मैदान में शेष बचे हुए पहाड़ी पत्थर होते हैं, क्योंकि ये प्रतिरोधी चट्टानों से बने होते हैं और नदियाँ इन्हें पूरी तरह से अपरदित नहीं कर पाती है।

पुनर्युवन अथवा नवीकरण (Rejuvenation)

पुनर्युवन से तात्पर्य विभिन्न कारकों के कारण नदी प्रक्रिया (नदियों) की अपरदनशक्ति का तीव्र या मंद हो जाना है। पुनर्युवन क्रमशः नकारात्मक या सकारात्मक संचलन के आधार पर अपरदन के चक्र की अवधि को लंबा या छोटा करता है। उदाहरण के लिए, यदि अपरदन का चक्र प्रौढ़ावस्था से गुजर रहा है, जिसमें नदी मार्ग का ढाल मद्धम होता है तथा इसमें चौड़ी एवं उथली जलोढ़ घाटी होती है, तो नकारात्मक संचलन के बाद, कटाव का चक्र बाधित हो जाता है और नदी वापस युवा अवस्था में चली जाती है, जिसमें नदी मार्ग अधिक ढलानयुक्त हो जाता है और घाटी में अपरदन की गति बढ़ जाती है। दूसरी ओर, सकारात्मक संचलन में अपरदन का चक्र एक चरण आगे बढ़ जाता है, अर्थात यदि अपरदन चक्र युवावस्था में है, तो वह परिपक्वावस्था में आ जाता है और यदि परिपक्वावस्था में है, तो प्रौढ़ावस्था में आ जाता है।

अपरदनचक्र के पुनर्युवन या नवीकरण के मुख्य कारण: (i) अंतर्जात बल के कारण भू-आकृति का उत्थान या अवतलन, (ii) ज्वालामुखी उद्गार के कारण भूपटल का उत्थान होना, (iii) वैश्विक तापवृद्धि या हिमयुग के कारण समुद्र के जलस्तर में वैश्विक परिवर्तन।

पुनर्युवन के कारण निर्मित होने वाली भू-आकृतियाँ निम्नवत हैं- घाटी में नयी घाटी का उत्पन्न होना, छेदित विसर्पण (घुमावदार मेन्डर्स), समप्राय मैदान में उत्थान होना, छोटे जल-प्रपात (निक-पॉइंट) विकसित होना तथा युग्मित वेदिकाएँ बनना (पेयर्ड टेरेस)।

झारखण्ड के हजारीबाग में छोटानागपुर पठार की दामोदर घाटी में पुनर्युवन स्थलाकृति देखी जा सकती है। संयुक्त राज्य अमेरिका के अप्लेशियन पर्वत तथा कोलोराडो ग्रेटकैन्यन में उत्थानित समप्राय मैदान देखे जा सकते हैं। छोटानागपुर पठार की पृष्ठभूमि भी उत्थानित भू-आकृतियों के उदाहरण हैं।

पुनर्युवन होने के कारण नदी की देशांतरीय रूपरेखा में दरारें निक प्वाइंट बनाती है। इन निक प्वाइंट पर छोटे-छोटे झरने बनते हैं। उत्तरी कोयल नदी की सहायक नदी, बुरहा पर स्थित बूढ़ा घाघ जलप्रपात एवं जबलपुर के पास नर्मदा नदी पर स्थित धुआँधार जलप्रपात निक-जलप्रपात के उदाहरण हैं।

याद रखने की युक्ति (Learning Trick)

पुनर्युवन

जब आपको कोई कार्य करने के लिए कोई प्रोजेक्ट दिया जाता है, तो आपको:

- सकारात्मक लगता है: यदि कार्य का बोझ कम हो जाये।
- नकारात्मक लगता है: यदि कार्य का बोझ बढ़ जाये।

अपरदन के कारकों के साथ भी ऐसा ही होता है।

- समुद्र के जल-स्तर में वृद्धि के माध्यम से सकारात्मक संचलन अपरदन के एजेंटों का कार्य कम करता है। इन्हें भूमि का कम अपरदन करना होता है। वाह!
- भूमि के उत्थान या समुद्र के जलस्तर में कमी के माध्यम से नकारात्मक संचलन, अपरदन के एजेंटों अपरदन के लिये अधिक भूमि प्रस्तुत करता है। इससे कार्य का बोझ बढ़ता है! दुःखद!

(ii) हिमनद एवं हिमनद से निर्मित भू-आकृतियाँ (Glaciers and Glacial Landforms)

ठोस, पुनःक्रिस्टलीकृत बर्फ से बना व्यापक हिम, जिसकी मोटाई इतनी होती है कि वह प्लास्टिक की तरह बह सकता है, हिमनद के रूप में जाना जाता है। इस समय हिमनद लगभग 15 मिलियन वर्ग किमी अथवा पृथ्वी के भू-क्षेत्र के लगभग 10 प्रतिशत क्षेत्र में विस्तृत है। यद्यपि, हिमनद की 96 प्रतिशत से अधिक बर्फ अंटार्कटिका और ग्रीनलैंड में बर्फ की चादर के मोटे पिंडों के रूप में पाई जाती है। अब तक मापी गई बर्फ की सबसे अधिक मोटाई 4270 मीटर (अंटार्कटिका) है।

अल्पाइन हिमनद हिम रेखा के ऊपर बर्फ के जमा होने के कारण बनते हैं। हिम रेखा उस ऊँचाई पर स्थित होती है, जिसके निचले स्तर पर हिम स्थायी रूप से जमा रहता है। हिम रेखा की ऊँचाई विभिन्न अक्षांशों, ऊँचाइयों और महाद्वीपों में भिन्न-भिन्न होती है। चित्र 2.46 में हिमनद प्रणाली दर्शायी गयी है, जबकि चित्र 2.47 में घाटी हिमनद की देशांतरीय रूपरेखा को दर्शाया गया है।

हिमनद के प्रकार (Types of Glaciers)

हिमनद दो प्रकार के होते हैं। महाद्वीपीय हिमनद बर्फ की चादरें हैं तथा पर्वतीय हिमनद अल्पाइन हैं।

महाद्वीपीय हिमनद (Continental Glaciers)

इन्हें बर्फ की चादरें भी कहा जाता है। महाद्वीपीय हिमनद भूमि पर बर्फ की काफी मोटी सतत परत है। अंटार्कटिक बर्फ की चादर की औसत मोटाई लगभग 2000 मीटर है जो 14.2 मिलियन वर्ग किलोमीटर के क्षेत्र फैली हुई है। ग्रीनलैंड महाद्वीपीय हिमनद की

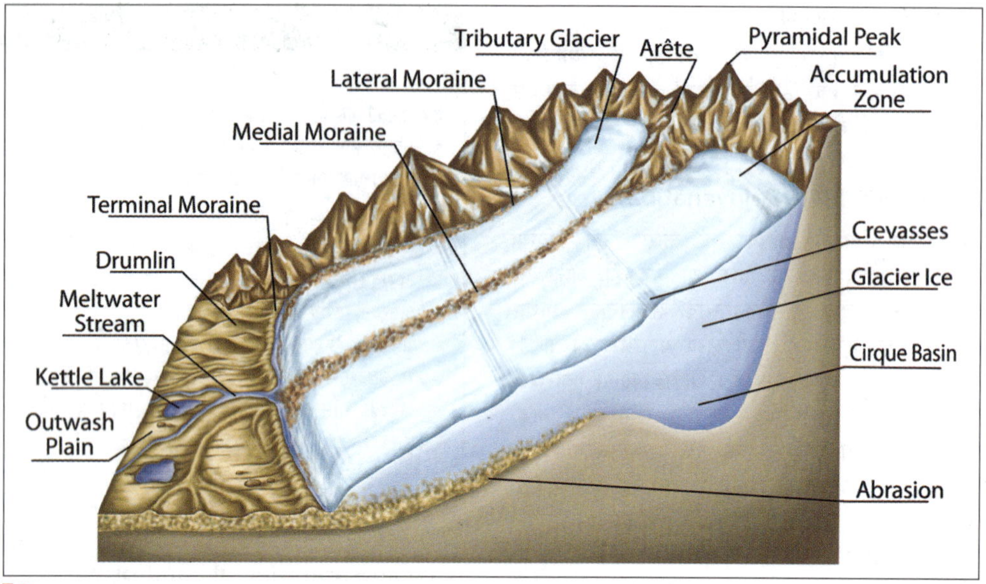

चित्र 2.46
हिमनद प्रणाली

केंद्रीय गुंबद पर मोटाई 2,300 मीटर है तथा यह 1.7 मिलियन वर्ग किलोमीटर के क्षेत्र में फैली हुई है।

घाटी या पर्वतीय हिमनद (Valley or Mountain Glaciers)

घाटी हिमनद विश्व की बड़ी पर्वत श्रृंखलाओं की विशिष्ट विशेषताएँ हैं। घाटी के हिमनद अधिकतर नवीनतम घुमावदार पर्वत श्रृंखलाओं जैसे हिमालय, रॉकीज, एंडीज, आल्प्स आदि में स्थित हैं। विश्व एवं भारत के कुछ महत्वपूर्ण घाटी हिमनद **तालिका 2.7** और 2.8 में दिए गए हैं।

हिमनदों द्वारा अपरदन एवं निक्षेपण की प्रक्रियाओं से निर्मित कुछ महत्वपूर्ण भू-आकृतियाँ निम्नवत हैं:

तालिका 2.7 विश्व के कुछ घाटी हिमनद

क्रम सं.	हिमनद का नाम	देश
1.	लैम्बर्ट हिमनद	अंटार्कटिका
2.	हर्ड आइलैंड हिमनद	ऑस्ट्रेलिया
3.	सियाचिन हिमनद	एशिया
4.	किलिमंजारो का हिमनद	अफ्रीका
5.	वत्नाजोकुल हिमनद	यूरोप
6.	पैरिटो मोरीनो हिमनद	दक्षिणी अमेरिका
7.	हुब्बार्ड हिमनद	उत्तरी अमेरिका

तालिका 2.8 भारत के घाटी हिमनद

क्र.सं.	हिमनद का नाम	तथ्य
1.	सियाचिन हिमनद	• भारत का सबसे बड़ा हिमनद। • दुनिया के ध्रुवीय एवं उप-ध्रुवीय क्षेत्रों में दूसरा सबसे बड़ा हिमनद। • यह 75.6 किमी लंबा और 2.8 किमी चौड़ा है।
2.	गंगोत्री हिमनद	• यह उत्तराखण्ड के उत्तरकाशी जिले में स्थित है। • यह गढ़वाल हिमालय का सबसे बड़ा हिमनद है। • इसकी लंबाई 30.20 किमी और चौड़ाई 0.20-2.35 किमी है। • गौमुख, जो गंगोत्री हिमनद का थूथन है, जहाँ से भागीरथी नदी निकलती है।
3.	पडारी हिमनद	• यह कुमाऊँ हिमालय पर्वत श्रृंखला में 3353 मीटर की ऊँचाई पर स्थित है। • यह बर्फ से ढकी नंदा देवी पहाड़ियों और नंदकोट पर्वतों के बीच स्थित है। • इसकी लंबाई 3 किमी और चौड़ाई 0.25 किमी है। • पिंडारी नदी इसी हिमनद से निकलती है

हिमानी भू-आकृतियाँ (Glacial Landforms)

अपरदनकारी भू-आकृतियाँ (Erosional Landforms)

अल्पाइन एवं महाद्वीपीय दोनों ही ग्लेशियर आधारशिला को नष्ट करते हैं तथा अपरदनकारी भू-आकृतियाँ बनाते हैं। ग्लेशियर घर्षणकारी बर्फ के भारी पिंड होते हैं, जो सतह पर घिसते हैं। ग्लेशियर के आधार पर बर्फ में धंसे हुए चट्टान के टुकड़ों द्वारा लम्बी खांचे बनाई जाती हैं, जो आधारशिला की सतह पर खुरचती हैं, जिन्हें ग्लेशियल स्ट्रिएशन कहा जाता है। इसके अलावा, बर्फ में बारीक ग्रिट के रूप में रॉक आटा एक कठोर ग्रेनाइट या क्वाजाइट आधारशिला को एक चिकनी सतह पर पॉलिश कर सकता है, जिसे ग्लेशियल पॉलिश कहा जाता है।

सर्क, एरेट्स, बर्गश्रुंड, कोल, क्रैग और टेल, फिओर्ड, हैंगिंग वैली, हॉर्न, आइसफॉल, नेव, निचे, नुनाटाक्स, पिनेकल (सेराक), रोचेस माउटोन्नीस, यू-आकार की घाटी (चित्र 2.46)।

- **एरेट्स (Aretes):** एक ऐसी तीखी रिज, जो दो समीपवर्ती हिमनद घाटियों को अलग करती है। फ्रेंच में एरेट का मतलब है 'मछली की हड्डी'। एरेट्स हिमनदी पहाड़ों में दाँतेदार एवं कांटेदार लकीरें बनाते हैं।
- **पर्वतीय दरार (Bergschrund):** एक सर्क ग्लेशियर के शीर्ष के चारों ओर बनी एक गहरी, तनावपूर्ण दरार। यह दरार तब बनती है, जब बर्फ नीचे की ओर गिरती है। अक्सर बर्गश्रंड या पर्वतीय दरार का एक क्रम बनता है।
- **सर्क (सीडबल्यूएम) (Cirque (Cwm)):** हिमनद घाटी के शीर्ष पर एम्फीथिएटर के आकार का गडड्ढा होता है, जो मुख्य रूप से बर्फ के टूटने तथा ठंढ से दरार पड़ने से बनता है (चित्र 2.47)।

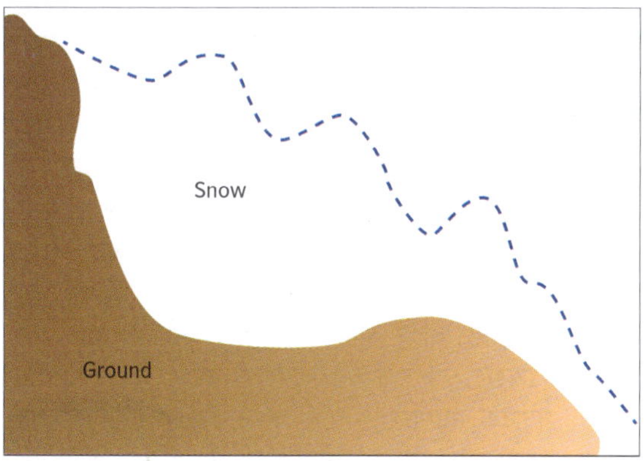

चित्र 2.47
सर्क (कोरी) का अनुदैर्ध्य खंड

- **कॉल (सैडल) (Col (Saddle)):** दो पर्वत चोटियों के बीच का दर्रा या सैडल।
- **क्रैग और टेल (Crag and Tail):** एक छोटी चट्टानी पहाड़ी तथा पतली रिज से बनी भू-आकृति जो बर्फ की चादर के नीचे चयनात्मक कटाव और निक्षेपण द्वारा निर्मित होती है। वे भू-आकृतियाँ दस मीटर से लेकर किलोमीटर तक की लंबाई की होती हैं, जिसमें पूंछ नीचे की ओर बर्फ की दिशा में होती है। पहाड़ी, या क्रैग, सामान्य रूप से मजबूत चट्टान से बनी होती है, जो हिमनद के अपरदन का प्रतिरोध करती है और बर्फ के लिए एक अवरोध का निर्माण करती है, जिससे इसकी छाया (ली) में 'दबाव छाया' (प्रेशन शैडो) बनती है (चित्र 2.48)।
- **फर्न (Firn):** यह शब्द सामान्य रूप से उस बर्फ के लिए लागू होता है, जो गर्मियों के मौसम में पिघलने से बच गई है तथा जो अभी तक हिमनद की बर्फ नहीं बनी है।
- **नेव (Neve):** फर्न के लिए कम व्यापक रूप से इस्तेमाल किया जाने वाला शब्द।
- **यू-आकार की घाटी (U-Shaped Valley):** हिमनदों द्वारा अपरदन के कारण बनी हिमनद घाटी यू आकार की हो जाती है। इसे हिमनद गर्त के रूप में भी जाना जाता है।
- **रूण्डित पर्वत स्कंध (Truncated Spur):** रूण्डित पर्वत स्कंध भूमि का एक रिज या स्कंध होता है, जिसका हिमनद अपरदन की क्रिया से कटाव हो जाता है। यह तब होता है, जब कोई घाटी हिमनद नदी घाटी के माध्यम से आगे बढ़ता है, आपस में जुड़े स्कंधों के किनारों का अपरदन कर खड़ी, चट्टान जैसी सतह बनाता है, जिसे रूण्डित पर्वत स्कंध (Truncated Spur) कहा जाता है। इस प्रक्रिया के परिणामस्वरूप खड़ी दीवारों के साथ एक विशिष्ट यू-आकार की घाटी बनती है, जो हिमनद अपरदन का संकेत देती है।
- **फियोर्ड या फजॉर्ड (Fiord or Fjord):** यह यू-आकार की ग्लेशियल घाटी के श्डूबनेश के परिणामस्वरूप निर्मित समुद्र की एक लंबी, संकरी भुजा है। नॉर्वे की फियोर्ड तटरेखा सहित अधिकांश फियोर्ड महाद्वीपीय भूमि के पश्चिमी तट पर स्थित हैं, और ऐसा माना जाता है कि यह इन स्थानों पर चलने वाली पछुआ पवनों से जुड़े हुए हैं। फियोर्ड अपनी अत्यधिक गहराई तथा अपने मध्य भाग, जो मुहाने की गहराई से भी अधिक गहरा है, के अत्यधिक गहरे होने के कारण विशिष्ट होते हैं।। यही कारण है कि फियोर्ड में अक्सर प्रवाल भित्तियाँ होती हैं, जो फियोर्ड घाटी के तल में विकसित होती हैं (चित्र 2.49)।

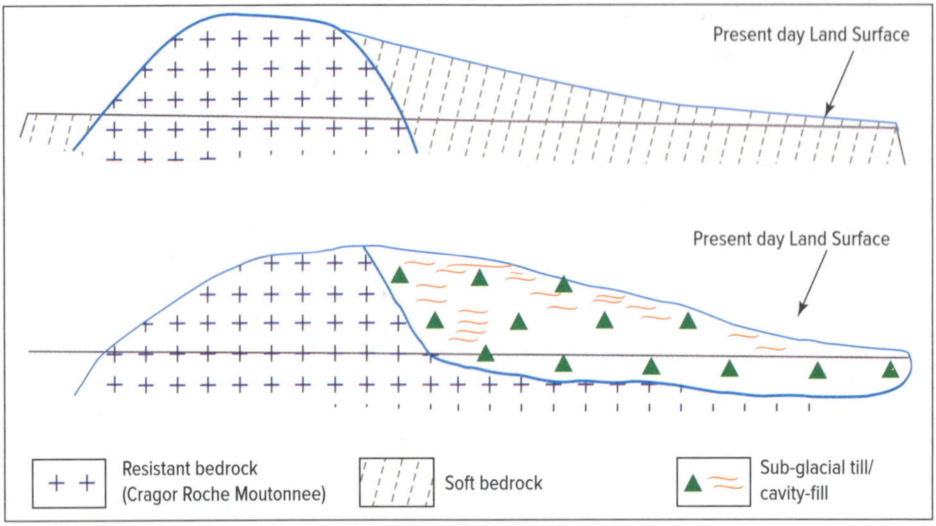

चित्र 2.48
क्रैग एवं टेल (स्रोत: बोर्न एंड इवांस, 1998)

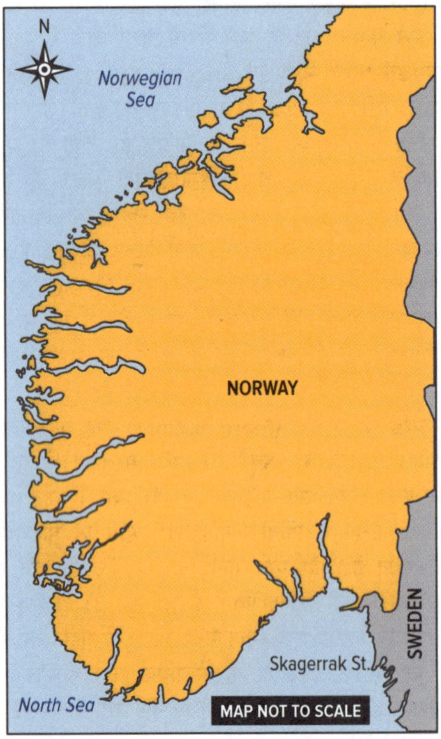

चित्र 2.49
फियोर्ड/फ्जोर्ड

- **लटकती घाटी (Hanging Valley):** एक ऐसी सहायक घाटी, जिसका तल आधारक्षेत्र से मुख्य घाटी से जुड़ा हुआ नहीं होता है। लटकती घाटी पर्वतीय क्षेत्रों में हिमदन अपरदन की पहचान है।
- **श्रृंग (Horn):** यह एक पिरामिडनुमा शिखर है, जिसके तीन ओर से अलग-अलग हिमनद द्वाला अपरदन किये जाने के कारण तीन या अधिक चेहरे बनते हैं। जब कोई सर्क हिमनद चारों तरफ से पहाड़ पर अतिक्रमण कर देता है, तो यह क्लासिक भू-आकृति बनती है।
- **हिम प्रपात (Icefall):** किसी हिमनद का बड़ी दरार वाला क्षेत्र, जो किसी खड़ी ढलान से नीचे की ओर प्रवाह से जुड़ा होता है। यह क्षेत्र विस्तारित प्रवाह में से एक है और इसकी विशेषता इसके चापाकार घूर्णी ढलान हैं।
- **नुनाटक (Nunataks):** यह एक इनुइट-व्युत्पन्न शब्द है, जो पूरी तरह से हिमनद की बर्फ से घिरे किसी पर्वत/शिखर के लिये प्रयुक्त होता है।यह सामान्य रूप से बर्फ की टोपी या बर्फ की चादर होता है। दूसरे शब्दों में, एक ऐसा पर्वत शिखर, जो बर्फ की चादर के ऊपर उठा हुआ होता है। नुनाटक सामान्यत: बर्फ जमने-पिघलने (फ्रीज थॉ) के कारण एवं बर्फ के पीछे हटने के बाद कोणीय तथा दांतेदार होते हैं। जो नीचे **(चित्र 2.50)** में दर्शायी गयी हिमाच्छादित भू-परिदृश्य जो गोलाकार आकृति है उसके विपरीत होती है।

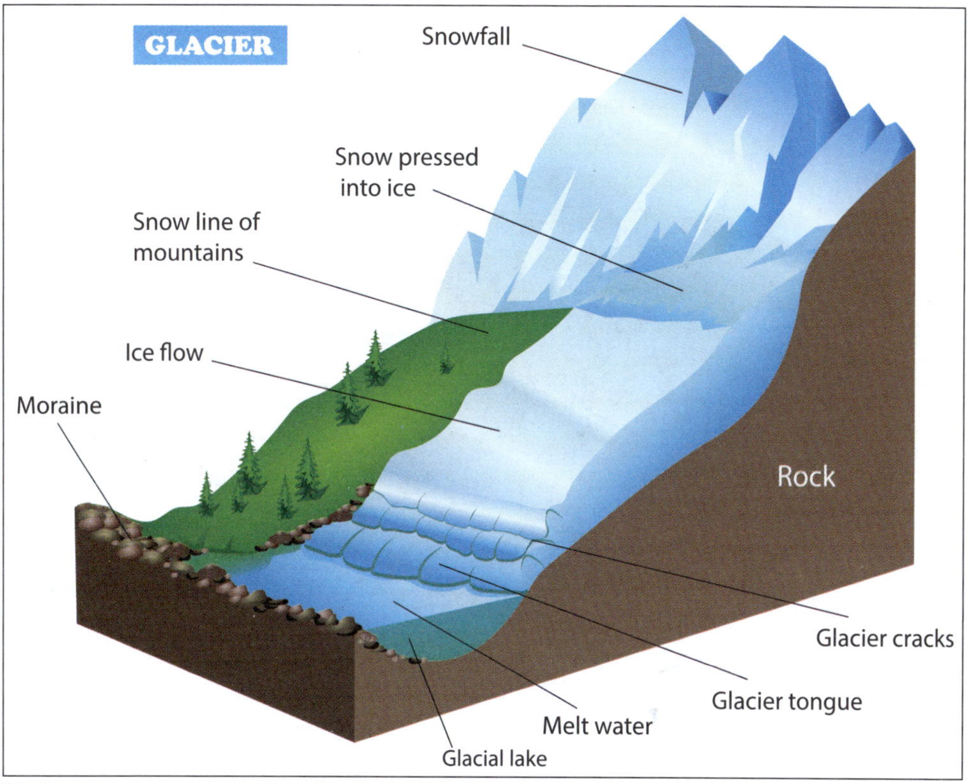

चित्र 2.50
घाटी एवं महाद्वीपीय हिमनदों में हिम विस्थापन

- **रोश मुताने भेड़ की पीठ के आकार की चट्टानें (Roche Moutonnee):** यह असममित चट्टान की गांठ है, जो एक तरफ बर्फ से ढकी हुई होती है तथा दूसरी तरफ खड़ी ढलान, और अक्सर चट्टान होती है। इसे सामान्य रूप से हिमनदी द्वारा किये गये अपरदन की पहचान के रूप में जाना जाता है।
- **स्नाउट याजिह्वा (Snout Or Tung):** हिमनद के अग्रिम भाग को उसकी जिह्वा अथवा स्नाउट कहते हैं।
- **टार्न (Tarn):** हिमनद के अपरदन से बने सर्क के गड्ढे में स्थित छोटी पहाड़ी झील को टार्न कहते हैं।

निक्षेप जनित भू-आकृतियाँ (Depositional Landforms)

अल्पाइन एवं महाद्वीपीय दोनों ही वातावरणों में ग्लेशियर तलछट जमा करते हैं। चूँकि हिम से बड़ी मात्रा में अपरदन होता है, इसलिए हिमनद में बहुत अधिक तलछट होती है। इससे बनने वाली भू-आकृतियों में मोरेन, टर्मिनल मोरेन, लेटरल मोरेन, ग्राउंड मोरेन, मेडियल मोरेन, एंग्लेशियल, ड्रमलिन, एस्कर्स, केम, आउटवाश प्लेन (सैंडर, सैंडूर) शामिल हैं (चित्र 2.51)।

- **ड्रमलिन (Drumlins):** यह अंडाकार टीला होता है, जो बड़े पैमाने पर हिमनद बहाव से बना होता है तथा जो हिमनद या बर्फ की चादर के नीचे निर्मित होता है और हिम के प्रवाह की दिशा में संरेखित होता है। इनके आकार को लेकर कोई निश्चित परिभाषा नहीं दी जा सकती है, लेकिन इनका आकार एक किलोमीटर तक लंबा एवं 50 मीटर तक ऊंचा हो सकता है। ड्रमलिन कनाडा, आयरलैंड, स्वीडन, नॉर्वे तथा फिनलैंड में बड़े पैमाने पर पाए जाते हैं (चित्र 2.50)।
- **एस्कर (Esker):** पिघले हुए हिम की धारा, जो सामान्यत; उप हिमनद के रूप में बहती है, द्वारा निक्षेप की गयी मोटी बजरी की घुमावदार रिज है। एस्कर्स की लंबाई सैकड़ों किलोमीटर एवं ऊंचाई 100 मीटर तक हो सकती है। अधिकांश एस्कर्स पिघले हुए उप हिमनद के पानी के नदी जलमार्ग का निक्षेप हैं तथा इनका अभिविन्यास सामान्य रूप से समग्र हिम प्रवाह के समानांतर होता है (चित्र 2.51)।

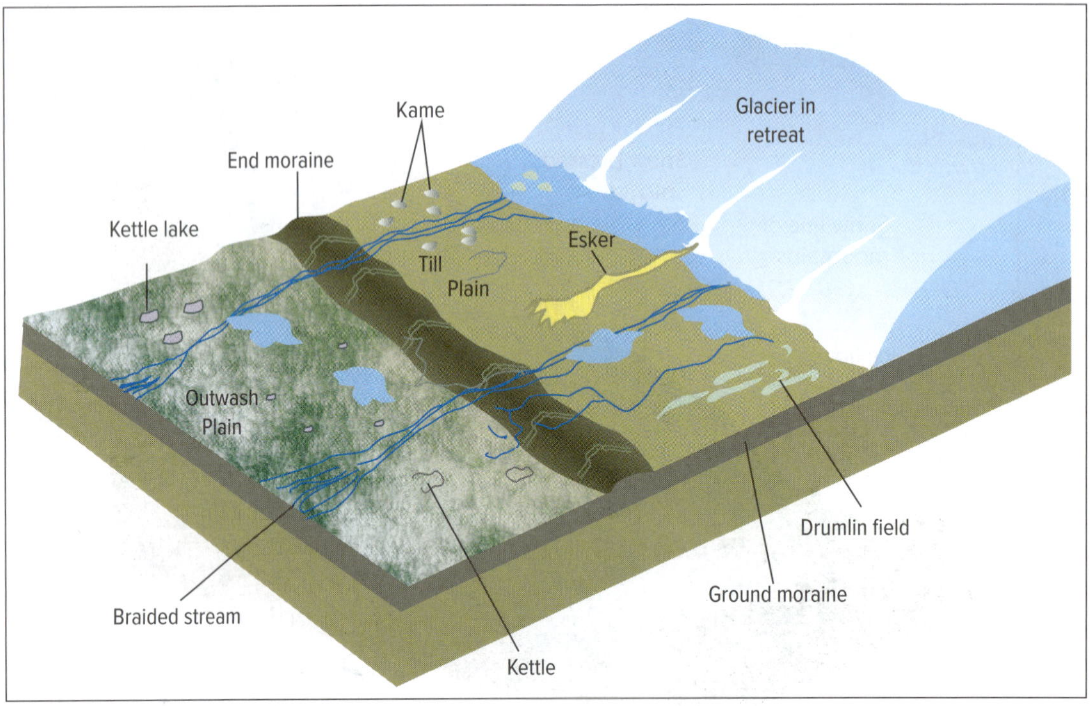

चित्र 2.51
हिमनद निक्षेपजनित भू-आकृतियाँ (क्रिस्टोफरसन, आर.डब्ल्यू., जियोजी सिस्टम्स, 1996, पृष्ठ 435)

- **केम (Kame):** हिमयुग के दौरान हिमीकरण गतिविधि से जुड़े स्तरीकृत तलछट के एक अनियमित टीले को केम कहते हैं। यह स्कॉटिश भाषा का शब्द है, जिसका उपयोग गोल्फ कोर्स में विविधता लाने के लिए बहुत मूल्यवान भू-आकृति के लिए किया जाता है (चित्र 2.51)।
- **हिमोढ़ (Moraines):** हिमनद या बर्फ की चादर द्वारा सीधे निक्षेपित की गयी किसी भी भू-आकृति को मोरेन कहते हैं। जिस सामग्री से मोरेन का निर्माण होता है, अक्सर वह आंशिक रूप से स्तरीकृत होती है, क्योंकि कुछ सामग्री पानी के नीचे बनी रह सकती है। मोरेन एंग्लेशियल हिमोढ़, धरातलीय हिमोढ़ (ग्राउंड-मोरेन), पार्श्विक हिमोढ़, लेटरल मोरेन, मध्यस्थ हिमोढ़ (मेडियल मोरेन) या अंतिम हिमोढ़ (टर्मिनल मोरेन) हो सकते हैं।
- **हिमनद अपक्षेप (Outwash Plain):** हिमनद का अग्रभाग पिघलने पर जल की धाराएँ हिमनद के सामने के क्षेत्र में बहने लगती हैं, जिससे एक विशेष प्रकार का मैदान बन जाता है, उसे हिमनद अपक्षेप कहा जाता है। हिमनद अपक्षेप सामान्य रूप से जलोढ़ पंख, जलोढ़ घाटी तल या जलोढ़ मैदान (सैंडूर) का निर्माण करता है, जिसकी मोटाई अक्सर सैकड़ों मीटर की होती है। यह पिघले हुए हिमनद की गुंफित जलधाराओं से मिलकर बनता है। ये जलधाराएँ आउटवाश सतह पर पार्श्व रूप से बहती रहती हैं (चित्र 2.51)।
- **सैंडूर अथवा सैंडूर (Sandar or Sandur)):** यह हिमनद के पिघलने से निक्षेपित रेत एवं बजरी का एक विस्तृत मैदान है, जो हिमनद के अग्रभाग से निकलने वाली जल धाराओं की प्रणाली द्वारा जमा किया जाता है। ये जलधाराएँ सैंडूर की सतह पर बहती रहती हैं।
- **केटल झील (Kettle Lake):** यह पानी से भरा गड्ढा होता है, जो हिमनद के खिसकने के बाद पीछे छूटे बर्फ के अलग खण्ड के पिघलने से बनता है। विश्व की एक महत्वपूर्ण केटल झील लॉन्ग आइलैंड पर रोंकोंकोमा झील है।
- **टिल (Till):** यह एक स्कॉटिश शब्द, जो मोटे, कंकरयुक्त मिट्टी के लिये बहुप्रचलित है। यह हिमोढ़ है, जो सीधे हिमनद द्वारा निक्षेपित किया जाता है (चित्र 2.51)।
- **टिलाइट (Tillite):** जब हिमोढ़ (टिल) शिलीयन प्रक्रिया (लिथिफिकेशन) से गुजरता है, तो हमें टिलाइट अवसादी चट्टानें प्राप्त होती हैं।

(iii) पवन क्रिया जनित भू-आकृतियाँ (Aeolian Landforms (Wind Action))

एभोलियन शब्द हवा से संबंधित है; इसलिए हवा द्वारा वहन कर, हवा द्वारा उड़ाकर ले जायी गयी तथा जमा की गयी सामग्री से बनने वाली भू-आकृतियों को अक्सर एभोलियन लैंडफॉर्म कहा जाता है। हवा न केवल भू-परिदृश्य को नष्ट करने में प्रभावी कारक है, बल्कि यह रेत एवं धूल के टीले, असंगठित टुकड़ों को भी ले जा सकती है। हवा की शक्ति समय के एक क्षण से दूसरे क्षण तक काफी भिन्न होती है, अत: वे केवल थोड़े से समय के लिए ही चट्टान के मलबे को उठाकर ले जाने में सक्षम होती हैं।

इस प्रकार, हवा अपरदन और निक्षेपण का एक महत्वपूर्ण कारक है। यह अरब, सहारा, ऑस्ट्रेलिया, नामीबिया, एरिजोना, पैटागोनिया, कालाहारी, थार, गोबी, आदि में स्थित विशाल रेगिस्तानों के निर्माण के लिए जिम्मेदार है **(चित्र 2.52)**। एक अनुमान के अनुसार, हवा द्वारा उड़ाकर लायी गयी धूल भूमि की सतह के लगभग दसवें हिस्से में फैली है। यह तथ्य महत्वपूर्ण है, क्योंकि इन जमाओं से बनी मिट्टी पृथ्वी की सबसे समृद्ध मृदाओं में से हैं।

रेगिस्तान पृथ्वी पर सबसे दुर्गम स्थानों में से हैं। कुछ रेगिस्तान बहुत गर्म होते हैं, तो कुछ बहुत ठंडे, लेकिन इनमें एक बात समान है – ये सभी शुष्क हैं। बहुत कम पौधे एवं पशु प्रजातियाँ इन कठोर परिस्थितियों में जीवित रह सकती हैं। दुनिया का सबसे ठंडा तथा शुष्क महाद्वीप, अंटार्कटिका, एक ठंडा रेगिस्तान है।

दुनिया के शुष्क एवं अर्द्ध-शुष्क क्षेत्रों में पवन क्रिया काफी स्पष्ट है, जहाँ वनस्पति आवरण नहीं है तथा व्यापक उजाड़ चट्टानें हैं, जो अपरदन, परिवहन तथा निक्षेपण प्रक्रियाओं में मदद करती है। रेगिस्तानों एवं शुष्क क्षेत्रों के अलावा, रेतीले तटों, हिमनद क्षेत्रों के बाहरी मैदानों पर भी पवन क्रिया काफी महत्वपूर्ण है।

पवन द्वारा अपरदन (Erosion by Wind)

पवन निम्न प्रक्रियाओं के माध्यम से कटाव करता है: (1) सन्निघर्षण, (2) अपवहन, एवं (3) अपघर्षण।

1. सन्निघर्षण (Attrition)

वह तंत्र, जिसके द्वारा किसी भी पदार्थ के कणों का आकार अपरदन के कारकों (बहते पानी, पवन, समुद्री लहरें, आदि) द्वारा परिवहन के दौरान घर्षण से छोटा हो जाता है, सन्निघर्षण के रूप में जाना जाता है।

2. अपवहन (Deflation)

वह प्रक्रिया, जिसके द्वारा पवन समुद्र तट या रेगिस्तान की सतह से महीन सामग्री को हटाती है। यह एक ऐसी प्रक्रिया है, जो लोएस, धूल भरी आंधी तथा कुछ पत्थर के फुटपाथों के विकास में योगदान देती है।

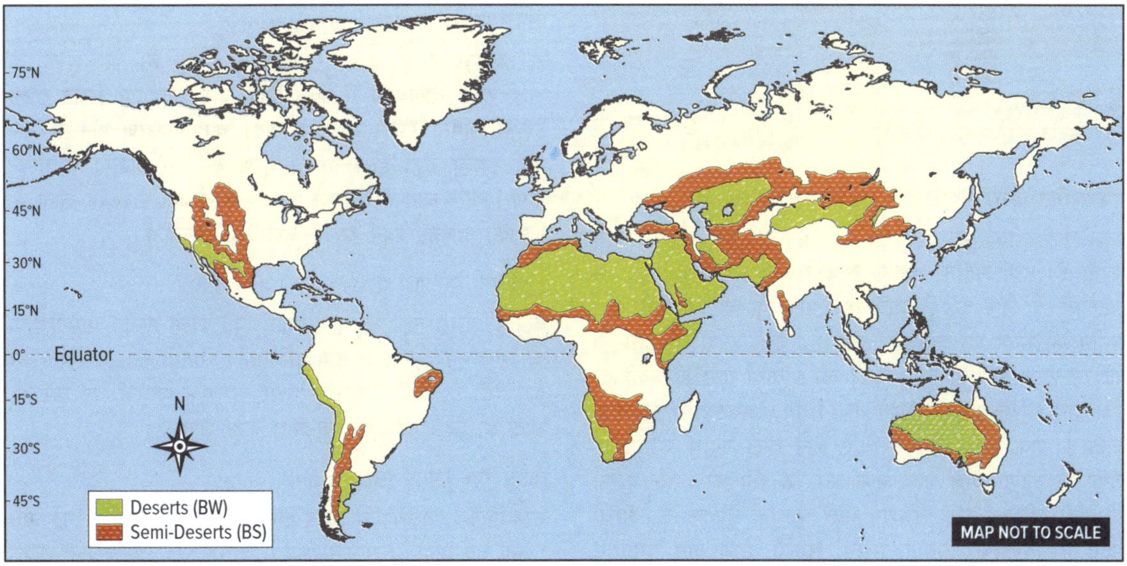

चित्र 2.52

विश्व के रेगिस्तान और अर्द्ध-रेगिस्तानी क्षेत्र

3. अपघर्षण या क्षरण (Abrasion or Corrasion)

हवा द्वारा उड़ाकर ले जाये जा रहे रेत के कणों अथवा हिमनद में जमी हुई सामग्री द्वारा घर्षण के माध्यम से किसी चट्टान को रगड़ने या खरोचनें की प्रक्रिया अपघर्षण या क्षरण कहलाती है।

पवन द्वारा परिवहन (Saltation)

पवन द्वारा परिवहन या सॉल्टेशन (पवन द्वारा परिवहन)एक ऐसी प्रक्रिया है, जिसमें रेत के आकार के कणों को पवन कई छोटी छलांगों या उछालों के माध्यम से ले जाती है। जब पवन कणों को जमीन से उठाती है, तो वे वापस नीचे गिरने से पहले थोड़ी दूरी तय करते हैं, अन्य कणों से टकराते हैं और उन्हें भी उछालते हैं। यह प्रक्रिया रेगिस्तानों एवं तटीय क्षेत्रों में अवसाद के पवन द्वारा परिवहन का महत्वपूर्ण तंत्र है, जो टीलों एवं पवन द्वारा निर्मित भू-आकृतियों के निर्माण में योगदान देता है।

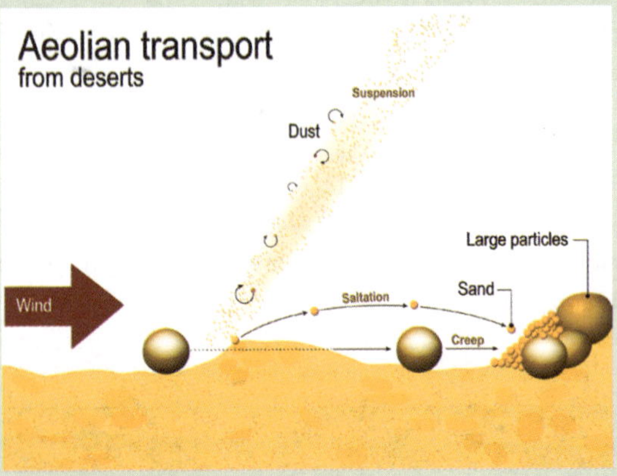

चित्र 2.53
रेगिस्तान से पवनजनित परिवहन

पवनजनित परिवहन (Transportation by Wind)

पवन कई तरीकों से धूल, रेत एवं कंकड़ आदि का परिवहन करता है। हवा महीन, हल्की सामग्री को उठाती है, हवा में लटकाती है और दूर ले जाती है। भारी या बड़े रेत के कण जमीन की सतह पर घसीटकर जाते हैं। दूसरे शब्दों में, हवा रेत को सॉल्टेशन और सतह से बहने की प्रक्रिया द्वारा ले जाती है। हवा द्वारा अधिकांश भार सस्पेंशन (स्प्रिंग) अवस्था में ले जाया जाता है। हवा द्वारा परिवहन किए जाने वाले पदार्थ की मात्रा, कणों के आकार एवं मात्रा तथा हवा के वेग पर निर्भर करती है। लंबी दूरी तक धूल ले जाने वाले धूल के तूफानों को अरबी भाषा में, विशेषकर सूडान, मिस्त्र, सऊदी अरब और यमन में हबूब के नाम से जाना जाता है।

पवन क्रिया द्वारा अपरदित भू-आकृतियाँ (Erosional Landforms by Wind Action)

पवन क्रिया की मुख्य अपरदनकारी विशेषताएँ अपक्षरण बेसिन, कटोरे एवं गुफाएँ, भूस्तंभ तथा रेगिस्तानी फुटपाथ, ड्रेकेंटर, इनसेलबर्ग, वेंटिफैक्ट्स, विंड-ब्रिज, यारडांग, ज्यूजेन और छत्रक शिला का फटना हैं।

भूस्तम्भ डेमोइसेल्स (Demoiselles)

मिट्टी या अन्य असंगठित सामग्री का बना स्तंभ, जो कठोर पत्थर से ढका होता है। यह पत्थर इसे अपरदन से बचाता है (चित्र 2.54)।

चित्र 2.54
भूस्तम्भ (डेमोइसेल्स)

अपक्षरण बेसिन (Deflation Basin)

इसे ब्लोआउट के नाम से भी जाना जाता है। यह शुष्क या अर्द्ध-शुष्क वातावरण में पवन क्रिया द्वारा सतह पर स्थित ढीली हल्की सामग्री (जैसे रेत तथा गाद) का अपक्षरण होने से बना एक उथला गड्डा होता है। अपक्षरण की इस प्रक्रिया में महीन कण निकल जाते हैं, जिससे एक खोखला क्षेत्र पीछे रह जाता है, जिसका आकार बहुत अलग-अलग हो सकता है।

रेगिस्तानी फुटपाथ (Desert Pavements)

कंकड़, बजरी तथा रेत युक्त पहाड़ी की ढीली हल्की सामग्री हवा के संपर्क में आती है। हवा इस महीन सामग्री को अपरदित कर हटा देती है, जिससे कंकड़-पत्थर का एक मोजेक बन कर रह जाता है, जिसे रेगिस्तानी फुटपाथ कहा जाता है।

कटोरे एवं गुफाएँ (Bowls and Caves)

रासायनिक अपक्षय एवं पवन क्रिया के संयुक्त कार्य से गड्ढे एवं गुफाएँ बन जाती हैं। सामान्य रूप से ये बड़े पैमाने पर बलुआ पत्थरों पर बनते हैं, जिनकी सीमेंटिंग सामग्री कैल्शियम कार्बोनेट होती है।

ड्रेकेंटर (Dreikanter)

रेगिस्तानी क्षेत्रों में सतह पर पाये जाने वाले कंकड़ को ड्रेकेंटर कहते हैं; हवा के घर्षण के परिणामस्वरूप इसकी ऊपरी सतह पर तीन अलग-अलग पहलू बन जाते हैं।

इनसेलबर्ग (Inselbergs)

'इनसेलबर्ग' एक जर्मन शब्द है जिसका शाब्दिक अर्थ द्वीप पर्वत होता है। इसका प्रयोग व्यापक रूप से किसी प्रमुख खड़ी पहाड़ी या ठोस चट्टान के लिए किया गया है, जो कम ऊँची भू-आकृतियों वाले मैदान से अचानक उभार लिये होती है। शुष्क क्षेत्रों में इनसेलबर्ग को 'हॉर्नहार्ट' भी कहा जाता है। ऑस्ट्रेलिया के उत्तरी क्षेत्र में उल्लुरू (आयर्स रॉक) दुनिया के सबसे ऊंचे इनसेलबर्ग में से एक है (चित्र 2.55)।

चित्र 2.55
इनसेलबर्ग

वेंटिफैक्ट्स (Ventifacts)

यह विशेषत: शुष्क क्षेत्रों में हवा द्वारा आकार दिया गया एक पत्थर है। यह पत्थर रेत, धूल तथा बर्फ से घर्षण के कारण आकार ले लेता है और इसकी सतह की बनावट पॉलिशयुक्त, गड्ढेदार या नालीदार हो सकती है। अतीत एवं वर्तमान में हवा की दिशाओं का अनुमान लगाने के लिए इनका उपयोग होता है।

वायु पुल (Wind Bridge)

शक्तिशाली हवा का चट्टान के साथ निरंतर घर्षण के कारण चट्टान में छेद हो जाते हैं, जो धीरे-धीरे चौड़े हो जाते हैं। ऐसे छेदों को पवन खिड़कियाँ कहा जाता है। घर्षण एवं अपक्षरण की प्रक्रिया के माध्यम से छेद तथा अधिक चौड़े एवं बड़े हो जाते हैं, जिससे यह छतयुक्त मेहराब जैसी आकृति बन जाती है।

यारडांग (Yardang)

यारडांग हवा के अपरदन से बनी सुव्यवस्थित नालियाँ सी आकृति हैं। जब किसी चट्टान में अलग-अलग कठोरता की चट्टान मौजूद होती हैं, तो हवा के बहाव से कमजोर चट्टान अपरदित हो जाती है, जिससे चट्टान में ऊर्ध्वाधर पट्टियाँ (परतें) बन जाती हैं। अपरदन से नरम परतें अधिक तेजी से अपरदित होती है, जिससे कठोर पट्टियाँ प्रमुख लकीरों के रूप में रह जाती हैं, जिन्हें हम यारडांग के रूप में देख सकते हैं। (चित्र 2.56)

चित्र 2.56
यारडांग्स

जियुजेन (Zeugen)

जियुजेन शुष्क क्षेत्रों में नरम एवं कठोर चट्टानों की क्षैतिज रूप से बंधी परतों के कम-अधिक अपरदित होने के कारण बनने वाली लम्बी लकीरें हैं। नरम चट्टान अधिक तेजी से अपरदित होती है, जबकि कठोर चट्टान अपरदन का प्रतिरोध करती है तथा लकीरों के रूप में खड़ी रह जाती है। (चित्र 2.57)

चित्र 2.57
जियुजेन (छत्रक शिला / रॉक मशरूम)

छत्रक शिला (Mushroom Rocks)

इन चट्टानों का आधार संकरा होता है और इनकी चोटी चौड़ी होती हैं, जो मशरूम के आकार की होती हैं। इनका निर्माण मुख्य रूप से वायु अपरदन के कारण होता है। इनके आधार पर स्थित चट्टान शीर्ष पर स्थित चट्टान की तुलना में अधिक तेजी से अपरदित होती है।

ओएसिस (OASIS)

ओएसिस रेगिस्तान में वह उपजाऊ क्षेत्र है, जहां पानी या तो प्राकृतिक झरने या कृत्रिम कुएं (भूजल) से उपलब्ध होता है। इस पानी से वनस्पति को सहारा मिलता है तथा आसपास के शुष्क वातावरण के बीच यहां जीवन पनप पाता है।

पेडिमेंट (Pediment)

जी. के. गिल्बर्ट (1880) द्वारा यूटाह (यूएसए) में पहाड़ों के किनारे स्थित जलोढ़ पंखों के लिए प्रयुक्त किया गया शब्द है। यह निम्न-कोणीय अपरदन की क्रिया से बना समतल मैदान है, जो विशेष रूप से अर्द्ध-शुष्क क्षेत्रों में पहाड़ की तलहटी में स्थित होता है।

हवा द्वारा निक्षेपण से निर्मित भू-आकृतियाँ (Depositional Landforms by Wind)

रेगिस्तानी वार्निश (Desert Varnish)

यह पत्थरों की सतह पर शुष्क वातावरण में पाई जाने वाली एक पतली, गहरी परत है, जो लंबे समय तक मिट्टी के कणों, मैंगनीज तथा लौह ऑक्साइड के संचय से बनती है। इसका विकास तब होता है, जब हवा द्वारा उड़ाकर लायी गयी धूल पत्थरों की सतह पर चिपक जाती है और सूक्ष्मजीव गतिविधियों के कारण धीरे-धीरे ये खनिज केंद्रित होने लगते हैं, जिससे एक चमकदार, गहरी परत बन जाती है।

बहाड़ा या बजाडा (Bahada/Bajada)

'बहाड़ा' स्पेनिश भाषा का शब्द है। इस शब्द का उपयोग शुष्क क्षेत्रों में पहाड़ के सामने से अंतर्देशीय बेसिन तक जाने वाली कोमल, ढलान वाली सतह के लिए किया जाता है। यह असंयोजित सामग्री, जैसे/रेत, बजरी और कोणीय स्क्रीन से बना होता है। यह सामग्री मिलकर नीचे स्थित चट्टान-कट/पेडिमेंट को ढक देती हैं। भारत के थार रेगिस्तान में बजाड़ा सामान्य रूप से पर्याप्त संख्या में देखे जा सकते हैं। इन्हें स्थानीय रूप से धायस के नाम से जाना जाता है (चित्र 2.58)।

टीला (Dunes)

टीला एक उपवायवीय अवसादन संचय है। टीलों का निर्माण रेगिस्तान तथा अर्द्ध-रेगिस्तान के वातावरण में हवा द्वारा किया जाता है। टीलों का आकार एक मीटर से कम भी हो सकता है और 200 मीटर से भी अधिक ऊँचा हो सकता है। टीलों के प्रकार अनुदैर्ध्य (सेइफ-ड्यून), अनुप्रस्थ, परवलयिक, तारा-आकार और बरखान (चित्र 2.59) हो सकते हैं।

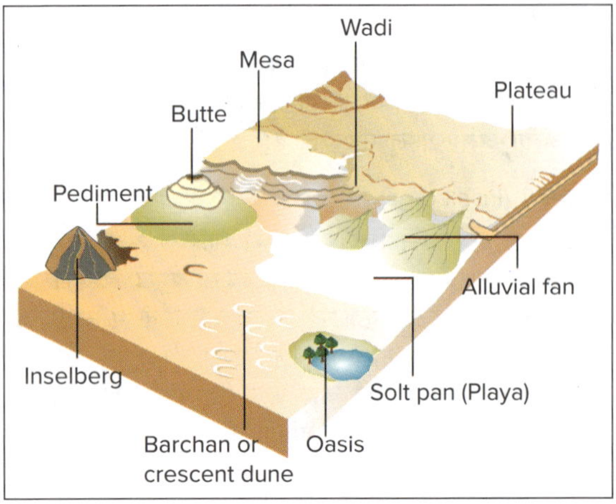

चित्र 2.58
बहादा एवं प्लाया

1. अनुदैर्ध्य टिब्बे/ टीले (Longitudinal Dunes)

अनुदैर्ध्य टिब्बे/ टीले, जिन्हें रैखिक टिब्बे भी कहा जाता है। ये रेत की ऐसी लंबी लकीरें होती हैं, जो हवा की मुख्य दिशा के समानांतर बनती हैं। ये टिब्बे सामान्य रूप से द्विदिशीय हवा की व्यवस्थाओं वाले क्षेत्रों में विकसित होते हैं, जहाँ हवाएँ लगातार दो दिशाओं, जो एक दूसरे के विपरीत नहीं हों, से चलती हैं।

2. अनुप्रस्थ टीले (Transverse Dunes)

अनुप्रस्थ टीले बड़े, लहर जैसी रेत की ऐसी लकीरें हैं, जो प्रचलित हवा की दिशा के लंबवत बनती हैं। ये टीले सामान्य रूप से प्रचुर मात्रा में रेत की आपूर्ति करते हैं तथा एक ही दिशा में चलने वाली हवा वाले क्षेत्रों में बनते हैं। ये हवाएँ विस्तृत क्षेत्र में टीले बनाती हैं, जो निरंतर लकीरों के रूप में दिखाई पड़ते हैं।

3. परवलयिक टीले (Parabolic Dunes)

परवलयिक टीलों को यू-आकार या ब्लोआउट टीले के रूप में भी जाना जाता है। इनका एक विशिष्ट आकार होता है, जिनके सिरे हवा की दिशा में ऊपर की ओर होते हैं तथा एक अवतल स्लिप फेस होता है। वे अक्सर उन तटीय क्षेत्रों में बनते हैं, जहाँ वनस्पति रेत के कुछ हिस्सों को स्थिर कर देती है। इससे टीला किनारों पर स्थिर हो जाता है, जबकि मध्य भाग से हवा रेत को उड़ाकर ले जाती है।

(a) Barchan

(b) Oval-shaped

(c) Star-like

(d) Transverse

(e) Longitudinal (self)

चित्र 2.59
रेत के टीलों के प्रकार

4. तारे के आकार के टीले (Star-shaped Dunes)

तारे के आकार के टीले या स्टार टीले में कई भुजाएँ या लकीरें होती हैं, जो एक केंद्रीय शिखर से बाहर की ओर निकलती हैं, जो एक तारे जैसी दिखती हैं। ये टीले हवा की अत्यधिक परिवर्तनशील दिशाओं वाले क्षेत्रों में बनते हैं, जिससे रेत एक केंद्रीय बिंदु के चारों ओर अलग-अलग दिशाओं में जमा हो जाती है।

5. बरखान (Barchan)

एक अर्द्धचंद्राकार रेत का टीला, जिसका सींगनुमा भाग टीले के बहाव अर्थात हवा की दिशा में नीचे की ओर होते हैं। बरखान एक प्रकार का अनुप्रस्थ टीला है, जो सामान्य रूप से वहाँ बनता है, जहाँ या तो रेत की अपवहन दर अधिक होती है तथा/या रेत की आपूर्ति सीमित होती है। इस प्रकार, वे अक्सर रेगिस्तानों के किनारों पर पाए जाते हैं और गैर-रेतीली सतहों की ओर अपरदित होते हैं (चित्र 2.60)। ये सभी टीले भारत के थार रेगिस्तान में पाए जाते हैं। बरखान को स्थानीय रूप से सीफ टीले के रूप में जाना जाता है, जबकि स्टार टीले को नेटवर्क रेत टीला के रूप में भी जाना जाता है।

थार रेगिस्तान में हम कुछ वनस्पति प्रेरित टीले भी देखते हैं, जैसे कि नेभका एवं श्रुब-काफिज, जो तब बनते हैं, जब रेत वनस्पति के चारों ओर यादृच्छिक पैटर्न में जमा होने लगती है।

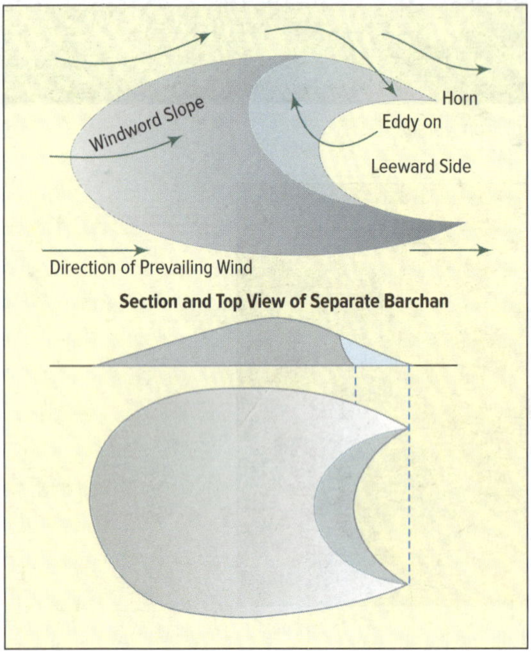

चित्र 2.60
बरखान

लोएस या लॉस (Loess Or Loss)

मूल रूप से इसका संदर्भ राइन घाटी में पायी जाने वाली ढीली, महीन एवं छोटे दानेदार मिट्टी से है। इस शब्द के अर्थ को विस्तारित कर मुख्य रूप से गाद के आकार के कणों से बनी किसी भी असंगठित, गैर-स्तरीकृत मिट्टी के लिए किया गया है। यह बहुत उपजाऊ कृषि मिट्टी है। तकनीकी शब्दों में लोएस हवा से उड़ाकर लाए गए तलछट हैं, जो तलछट के स्तोत से बहुत दूर जमा होते हैं। लोएस जमा ह्वांग-हो बेसिन, मिसिसिपी घाटी, पैटागोनिया, न्यूजीलैंड, ट्यूनीशिया, नेगेव, मध्य यूरोप, मध्य एशिया, चीन और पाकिस्तान में पाए जाते हैं (चित्र 2.61)।

लहरें (Ripple)

लहरें रेत या मिट्टी की सतह पर हवा या पानी के निक्षेप से उत्पन्न होने वाली छोटी लहरें होती हैं। रेगिस्तान में लहरें अधिक स्पष्ट होती हैं तथा जब हवा धीमी गति से चलती है, तब विकसित होती हैं।

रेत के समुद्र (Sand Seas)

कई महाद्वीपों के गर्म रेगिस्तान हवा से उड़ाकर लायी जाने वाली रेत से ढके हुए हैं। इन क्षेत्रों को रेत के समुद्र या एर्ग कहा जाता है। सबसे बड़े रेत के समुद्र सऊदी अरब (रब-अल-खली) में पाए जाते हैं।

(iv) भूजल द्वारा अपरदन प्रक्रियाएँ (Erosional Processes by Ground Water)

पृथ्वी की चट्टानों में छिद्रों, गुहाओं, दरारों तथा अन्य स्थानों पर रहने वाले जल को भूजल, उप-सतही जल या भूमिगत जल के रूप में जाना जाता है। भूजल पृथ्वी की सतह के नीचे हर जगह वितरित है। यह न केवल आर्द्र क्षेत्रों, बल्कि रेगिस्तानी क्षेत्रों के नीचे भी पाया जाता है। कई क्षेत्रों में जमीन में रिसने वाले पानी की मात्रा सतह के अपवाह के बराबर या उससे अधिक होती है। यहाँ, विशेष रूप से कार्स्ट (चूना पत्थर) स्थलाकृति में भूमिगत जल का संक्षिप्त विवरण दिया गया है।

कार्स्ट (Karst)

कार्स्ट एक विशिष्ट स्थलाकृति है, जो रासायनिक रूप से अपक्षयित चूना पत्थर के क्षेत्र में बनती है। यह धरातल पर पानी के बहाव का निश्चित मार्ग नहीं होने के कारण गड्ढेदार तथा ऊबड़-खाबड़ दिखाई देती हैं। मूल रूप से इसका नाम पूर्व यूगोस्लाविया के कार्स्ट पठार (चित्र 2.62) के नाम पर रखा गया है।

कार्स्ट क्षेत्रों को मुख्यत: विलयन के कारण होने वाली अपरदन प्रक्रिया, सतही जल का कम होना तथा धारा सिंक (डोलिन) गुफा प्रणालियों और पुनरुत्थान या झरनों के विकास द्वारा दर्शाया जाता है। कार्स्ट परिदृश्य से जुड़े सभी परिणामी भू-आकृतियाँ जलधारा के भूमिगत होने की घटना पर निर्भर करती हैं। यद्यपि, कार्स्ट स्थलाकृति में एकीकृत जल निकासी प्रणाली का अभाव होता है।

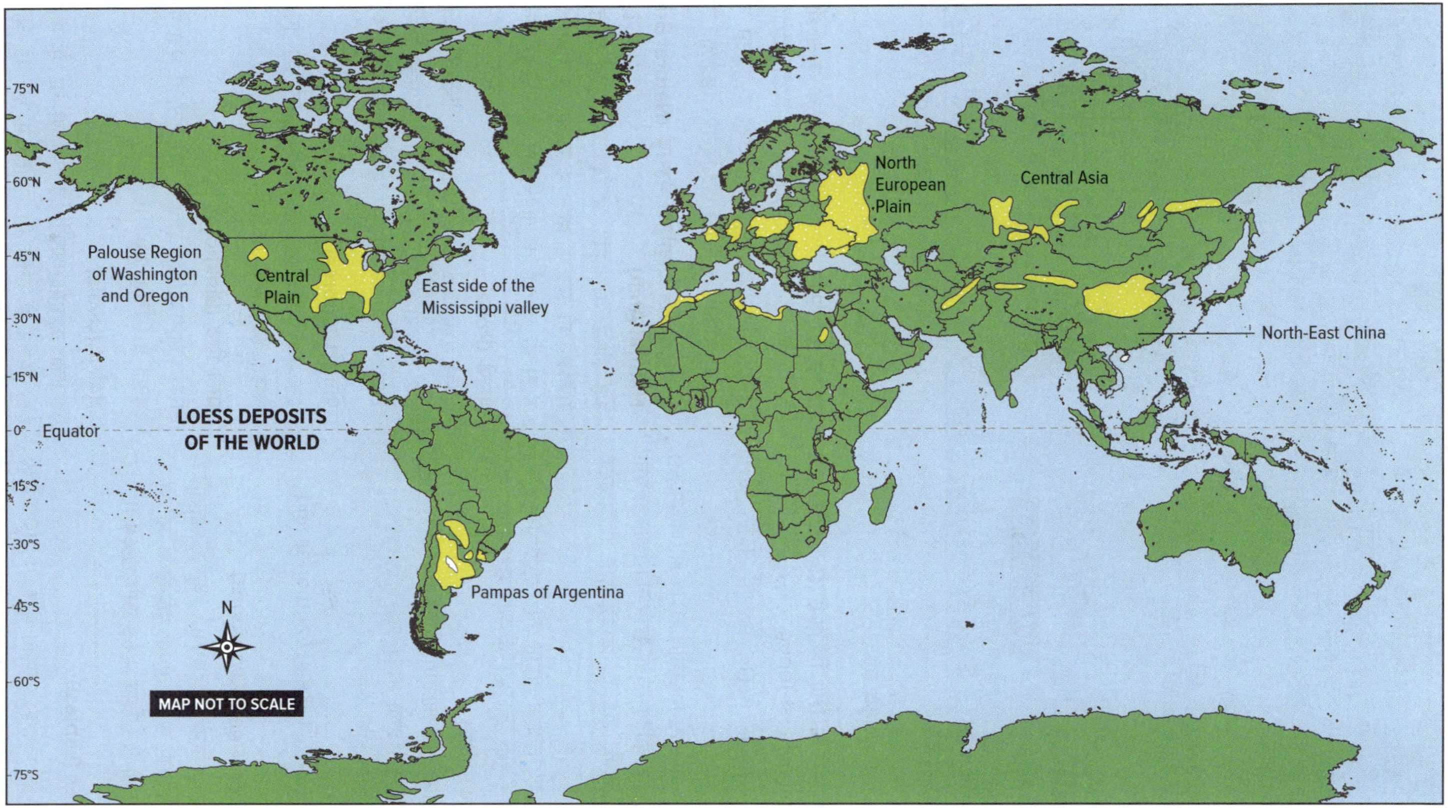

Source: After R.E. Snead, Atlas of World Physical Features 1972, John Wiley & Sons, p. 138.

चित्र 2.61
विश्वव्यापी लोएस निक्षेप

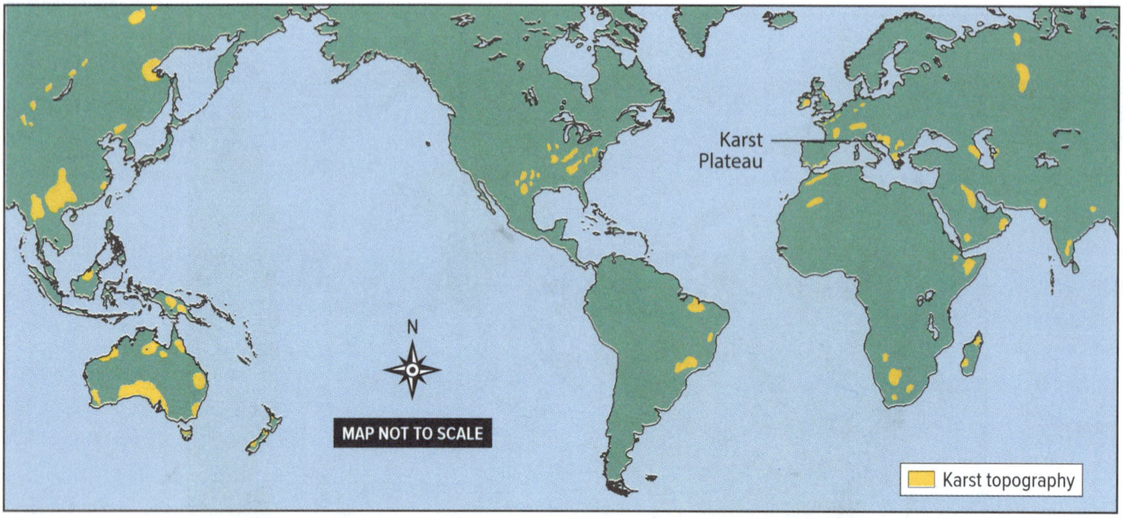

चित्र 2.62
विश्व में कार्स्ट स्थलाकृतियों के प्रमुख क्षेत्र

कार्स्ट स्थलाकृति के विकास के लिए स्थितियाँ (Conditions for the Development of Karst Topography)

कार्स्ट स्थलाकृति के अधिकतम विकास में योगदान देने वाली स्थितियाँ हैं:

1. सतह पर या उसके आस-पास घुलनशील चट्टान हो, अधिमानतः चूना पत्थर मौजूद होना चाहिए। चूना पत्थर की विशाल, घनी परत हो तथा वह कठोर, दृढ़ एवं अच्छी तरह से सीमेंटेड होना चाहिए।
2. घुलनशील या चूने की परतों में नदियों की विस्तृत तथा गहरी घाटियाँ होनी चाहिए तथा चूने की परतदार चट्टानों में जोड़ पर्याप्त मात्रा में होने चाहिए।
3. जलवायु आर्द्र-शीतोष्ण होनी चाहिए। रेगिस्तानी क्षेत्रों में कार्स्ट स्थलाकृति विकसित नहीं होती है।
4. इस क्षेत्र में मध्यम वर्षा होनी चाहिए।

कार्स्ट स्थलाकृति एवं भू-आकृति (Karst Landforms and Topography)

भूमिगत स्थलाकृतियाँ (Erosional Landforms)

सामान्यतः कार्स्ट स्थलाकृतियों में गुफाएँ, कर्रेन, डोलाइन, सिंक-होल्स, पोनोरेस, उवाला, पोल्जे, एवेन, प्राकृतिक सेतु, झरने, ब्लाइंड घाटियाँ, आदि होती हैं (चित्र 2.63 और 2.64)।

कर्रेन (लैपीज) (Karren (Lapies))

कर्रेन एक जर्मन शब्द है, जिसका उपयोग शुरू में भूजल द्वारा कार्स्ट स्थलाकृति में काटे गए छोटे एवं बड़े घोल के खांचे या फनल का वर्णन करने के लिए किया जाता था। अब इस शब्द का प्रयोग चूना पत्थर की लिथोलॉजी की अत्यधिक नालीदार एवं खुरदरी सतह के लिए किया जाता है, जिनमें नीची घाटियाँ एवं शिखर, संकीर्ण दरारें एवं कई विलयन छिद्र होते हैं (चित्र 2.63)।

प्राकृतिक सेतु/प्राकृतिक मेहराब (Natural Bridge/ Natural Arch)

यह कार्स्ट स्थलाकृति अपरदन के कारण बनती है। यह या तो गुफाओं की छत के ढहने के कारण या भूमिगत धाराओं के रूप में सतही धाराओं के गायब होने के कारण बनती है।

पोल्जे (Polje)

पोल्जे कार्स्ट क्षेत्र में गर्त रूपी घाटी, जिसके किनारों का ढाल तीव्र तथा तलहटी सपाट समतल होती है। इसका निर्माण भूस्खलन और अपरदन दोनों के कारण होता है। (चित्र 2.63)।

पोनोर (Ponores)

एक ऊर्ध्वाधर (लंबवत) पाइपनुमा मार्ग, जो गुफाओं को सतह से जोड़ता है (चित्र 2.63)।

घोल छिद्र (Sinkhole)

सिंकहोल एक गड्ढा होता है, जो पानी में चूना पत्थर के घुलने से बनता है (चित्र 2.63)।

युवाला (Uvala)

युवाला गड्ढेनुमा आकृति है, जो दो या दो से अधिक डॉलाइन के मिलने से बनता है। युवाला में गर्त का आकार बहुत मायने नहीं रखता है।

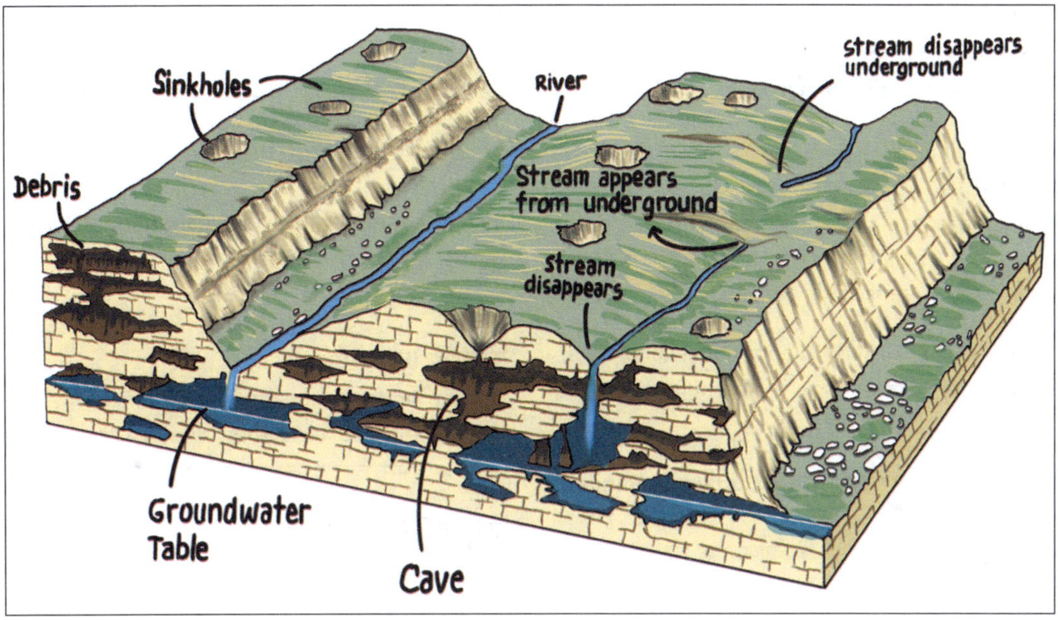

चित्र 2.63
कार्स्ट स्थलाकृति की मुख्य विशेषताएं

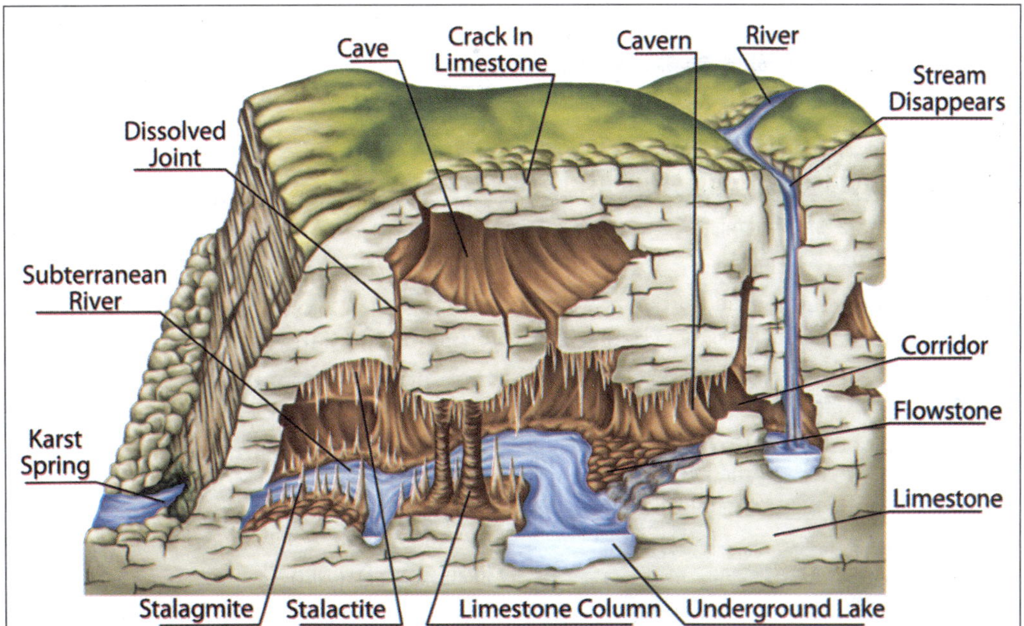

चित्र 2.64
कार्स्ट स्थलाकृति

एवेन (Aven)

यह फ्रेंच भाषा का शब्द है। चूना पत्थर वाले क्षेत्र में शाफ्ट जैसा छिद्र होता है, जो नीचे की ओर व्यापक गुफा प्रणाली की तरफ खुलता है।

गुफा (Cave)

गुफा एक प्राकृतिक रूप से निर्मित भूमिगत खुला क्षेत्र, कक्ष या कक्षों की श्रृंखला है, जो सामान्य रूप से चूना पत्थर में विलयन रासायनिक क्रिया के कारण निर्मित होता है।

निक्षेपण से निर्मित भू-आकृतियाँ (Depositional Landforms)

चूना पत्थर की स्थलाकृति में निक्षेपण से निर्मित मुख्य भू-आकृतियाँ नीचे दी गई हैं:

ड्रिप कर्टेन या बैंडेड ड्रेपरियां) (Drip Curtain Or Banded Draperies)

गुफा की छत से लटके हुए सुई के आकार के अनेक ड्रिपस्टोन को ड्रिप कर्टेन (पर्दा) या ड्रेपर्स कहा जाता है (चित्र 2.63)।

स्टैलेक्टाइट्स (Stalactites)

गुफा की छत से लटकता हुआ शुद्ध चूना पत्थर का एक स्तंभ। ये उस हिमलंम्ब जैसे आकार के होते हैं, जो गुफा की छत से लटकते हैं। वास्तव में ये गुफा की छत से पानी के साथ नीचे उतरने वाली चुना पत्थर की कार्बोनेट सामग्री होती है, जो पतले झुमके के समान लटकती हैं। यह भूजल से कैल्साइट में कार्बोनेट के अवक्षेपण द्वारा निर्मित होते हैं (चित्र 2.63)।

याद रखने की युक्ति (Learning Trick)

स्टैलेक्टाइट और स्टैलेग्माइट

STALACTITE → Hangs from Ceiling! (छत से लटका हुआ!) — C for Ceiling

STALAGMITE → Grows up from the Ground! (छत से लटका हुआ!) — G for Ground

सामूहिक रूप से सभी गुफा निक्षेप (स्टैलेक्टाइट, स्टैलेग्माइट, कार्स्ट पिलर, फ्लोस्टोन, गुफा मोती) को स्पेलियोथेम्स (SPELEOTHEMS) (स्पेलियोथर्म्स (SPELEOTHERMS) नहीं) के नाम से जाना जाता है।

स्टैलेग्माइट (Stalagmite)

ये शुद्ध चूना पत्थर के स्तंभ हैं, जो गुफा के तल पर बनते हैं। जब भूमिगत जल में घुला हुआ कैल्शियम कार्बोनेट गुफा के तल पर गिरता है, तो पानी वाष्पित होकर उड़ जाता है और यह तल पर जमा हो जाता है। (चित्र 2.63)।

गुफा स्तंभ/कार्स्ट स्तंभ (Cave Pillars/Karst Pillars)

जब स्टैलेक्टाइट एवं स्टैलेग्माइट मिल जाते हैं, तो वह स्तंभ का रूप ले लेता है।

फ्लोस्टोन (Flowstone)

फ्लोस्टोन गुफाओं में पाया जाता है, जो दीवारों या फर्श पर बहते पानी द्वारा जमा किए गए कैल्साइट या अन्य खनिजों की परतों से बनता है। इससे चिकनी, चादर जैसी संरचनाएँ बनती हैं।

गुफा मोती (Cave Pearls)

गुफा मोती छोटे, गोल स्पेलियोथेम होते हैं। ये उथले गुफा तालाबों में बनते हैं, जहाँ खनिज युक्त पानी टपकता है तथा रेत के कणों या अन्य नाभिकों में हलचल पैदा करता है, जिससे उन पर कैल्साइट की संकेंद्रित परतें चढ़ जाती हैं।

सामूहिक रूप से स्टैलेक्टाइट्स, स्टैलेग्माइट्स, बैंडेड ड्रेपरियाँ, फ्लो स्टोन तथा गुफा मोती को गुहा गौण निक्षेप (स्पेलियोथेम) कहा जाता है।

टेरा-रोसा (Terra-Rossa)

टेरा-रोसा चूना पत्थर के अपक्षय द्वारा कार्स्ट क्षेत्रों में विकसित एक लाल अंतर-क्षेत्रीय मिट्टी है। मिट्टी के घुलने से आयरन-ऑक्साइड बनता है, जिससे यह लाल रंग की हो जाती है।

(v) समुद्र तटीय प्रक्रियाएँ (समुद्री अपरदन) एवं भू-आकृतियाँ [Coastal Processes (Marine Erosion) and Landforms]

ज्वारों, धाराओं, सुनामियों तथा समुद्री तूफानों सहित तटीय लहरों के कारण होने वाले अपरदन एवं निक्षेपण की प्रक्रियाएँ और उसके परिणामस्वरूप तटों पर बनने वाली भू-आकृतियों का संक्षेप में वर्णन दिया गया है:

अपरदन से निर्मित भू-आकृतियाँ (Erosional Landforms)

क्लिफ (चट्टान) (Cliff)

समुद्री चट्टान: क्लिफ चट्टान से बनी होती है। यह शक्तिशाली लहरों की अपरदनकारी क्रिया से आकार लेती है तथा उसको बनाए रखती

है। सामान्य रूप से बलुआ पत्थर, चूना पत्थर या लावा से बनी सीधी, लगभग खड़ी, परतदार चट्टान की दीवार होती है (चित्र 2.65)।

समुद्री गुफा (Sea-cave)

समुद्री गुफा तट पर स्थित किसी चट्टान में सामने क्षैतिज में लहरों के अपरदन से बना बड़ा प्राकृतिक खोखलापन है। (चित्र 2.65)।

आर्क (समुद्री मेहराब) (Arch (Sea-arch))

तटीय भू-आकृति विज्ञान में मेहराबनुमा आकृति (आर्क) तब बनती है, जब समुद्र में आगे की ओर निकले भूमि के हिस्से (हेडलैंड) के दोनों ओर अपरदन के कारण बनने वाली गुफाओं में तब तक कटाव होता है, जब तक कि वे आपस में मिल न जाएँ। इस मेहराबनुमा आकृति की छत गिरने पर समुद्र की ओर वाला हिस्सा शेष खड़ा रह जाता है, जिसे स्टैक कहा जाता है (चित्र 2.65)।

स्टैक (समुद्री-स्टैक, सुई, स्तंभ, खंभे, स्केरीज) (Stack (Sea-stack, Needles, Columns, Pillars, Skerries))

स्टैक एक अलग-थलग स्तंभनुमा चट्टान का भाग है, जो समुद्री लहरों के अपरदन से पीछे हटती समुद्री भूमि के सामने खड़ा रहता है (चित्र 2.65)।

ब्लो होल (Blow Hole)

- ब्लो होल प्राकृतिक रूप से बना छिद्र या ऊर्ध्वाधर शाफ्टनुमा आकृति है, जो समुद्र तट पर बनती है। जब लहरें समुद्र की गुफाओं में जोर से पानी धकेलती हैं, तो पानी तथा हवा अत्यधिक दबाव के साथ ऊपर उठता है और कटाव करता हुआ ऊपर की ओर निकलता है। इसमें पानी अक्सर फव्वारे की भाँति बाहर निकलता है। ब्लो होल सामान्यतः चट्टान युक्त तटरेखा वाले क्षेत्रों में पाए जाते हैं, जहाँ लहरें लगातार चट्टान का अपरदन करती रहती हैं।

जियोस (Geos)

- जियो एक संकीर्ण, खड़े-किनारे वाली इनलेट या नाली है, जो चट्टानों में दोष रेखाओं या कमजोरी वाले क्षेत्रों के साथ लहरों की क्रिया से चट्टानों का क्षरण होने से बनती है। जियोस सामान्य रूप से तटीय चट्टानों पर पाए जाते हैं तथा लहरों द्वारा लंबे समय तक अपरदित होने के कारण बनती हैं। ये पहले दरारें बनती हैं और फिर धीरे-धीरे चौड़ी एवं गहरी होती जाती हैं। ये अक्सर नरम या खंडित चट्टान वाले क्षेत्रों में बनती हैं।

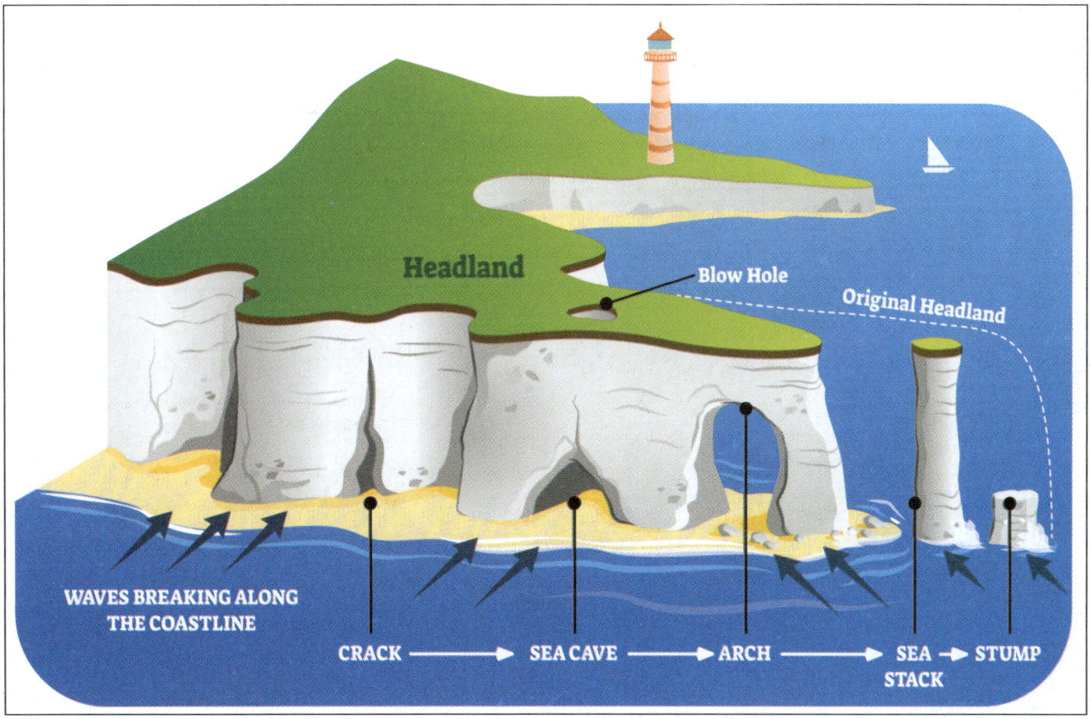

चित्र 2.65
तटीय अपरदन से निर्मित भू-आकृतियाँ

वेव-कट प्लेटफॉर्म (Wave-cut Platform)

यह चट्टान के आधार से समुद्र की ओर फैला बहुत कम ढलान वाला प्लेटफॉर्म है। जैसे-जैसे चट्टान अपरदित होकर पीछे हटती है, वैसे-वैसे ये प्लेटफॉर्म चौड़े होते जाते हैं। इन प्लेटफॉर्म का निर्माण नमक के अपक्षय, बर-बार गीला होने तथा सूखने एवं कटाव, हाइड्रोलिक क्रिया एवं घर्षण जैसी अपरदन प्रक्रियाओं से होता है (चित्र 2.65)।

निक्षेपण से निर्मित भू-आकृतियाँ (Depositional Landforms)

समुद्र तट (Beaches)

समुद्री लहरों द्वारा तटीय स्थानों पर किये जाने वाले रेत, बजरी या पत्थरों के असंगठित जमाव को समुद्र तट कहते हैं।

रोधिका (Bars)

एक खाड़ी के मुहाने पर या तटरेखा के समानांतर उथले पानी में जमा रेत की एक छोटीसी रिज को रोधिका कहते हैं (चित्र 2.66)। अगर ये पानी की सतह के ऊपर आ जाएं, तो इनके निम्नलिखित प्रकार हैं:

स्पिट (सैंड स्पिट) [Spit (Sand-spit)]

रेत का संकीर्ण, उंगली जैसा तटबंध, जो खाड़ी के खुले पानी में तटीय बहाव द्वारा निर्मित होता है (चित्र 2.66)।

टॉम्बोलो (Tombolo)

यह एक रोधिका या स्पिट है, जो किसी द्वीप को मुख्य भूमि से या किसी अन्य द्वीप से जोड़ती है (चित्र 2.65)।

बैरियर बार (Barrier Bar)

यह रेत या तलछट का एक रिज है, जो तटरेखा के समानांतर बनता है, जो अक्सर अपने तथा तट के बीच एक लैगून बनाता है।

तट के प्रकार (Coasts Types)

सागर तट एक ऐसा क्षेत्र है, जिसमें तटीय प्रक्रियाएँ (अपरदन एवं निक्षेपण) होती रहती हैं या उनका मजबूत प्रभाव होता है। तटों के कुछ महत्वपूर्ण प्रकारों को निम्नवत परिभाषित किया गया है:

डाल्मेटियन (प्रशांत/कॉनकॉर्डेंट) तट (Dalmatian (Pacific/ Concordant) Coast)

यह डूबा हुआ समुद्र तट है, जहाँ डूबे हुए पहाड़ की चोटियाँ तटरेखा के साथ कमोबेश समानांतर चलती हैं। इसका नाम एड्रियाटिक तट के नाम पर रखा गया है (चित्र 2.67)।

फियोर्ड (फजॉर्ड) तट (Fiord (Fjord) Coast)

हिमनद गर्त के आंशिक जलमग्न होने से निर्मित गहरी खाड़ी वाला ऊबड़-खाबड़ तट।

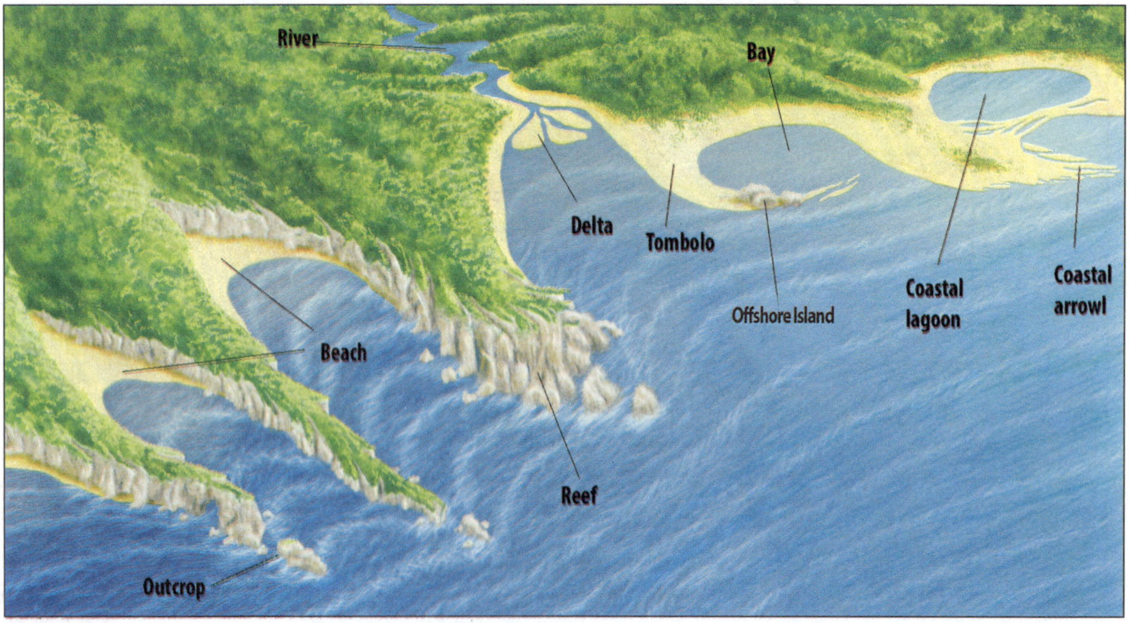

चित्र 2.66
तटीय निक्षेपण से निर्मित भू-आकृतियाँ

त्वरित पुनरावलोकन (Quick Revision)

अपरदनात्मक एवं निक्षेपणात्मक भू-आकृतियाँ

अनाच्छादन

- **नदी (जलीय)**
  - **क्षरणकारी**
    - घाटी
    - जॉर्ज (घाटी)
    - रैपिड्स
    - झरना
    - नदी वेदिका
    - नदी अपहरण
    - पेनेप्लेन
    - मोनाडनॉक
  - **निक्षेपण**
    - जलोढ़ पंखा
    - बाढ़ का मैदान
    - तटबंध
    - विसर्प
    - गोखुर झील
    - गुंफित जलमार्ग
    - डेल्टा
    - मुहाना
- **शुष्क**
  - **क्षरणकारी**
    - अपक्षरण बेसिन
    - डेजर्ट पारमेंट
    - कटोरे और गुफाएँ
    - ड्रेइकैन्टर
    - इन्सेलबर्ग
    - वेंटिफैक्ट्स
    - वायु पुल
    - यार्डांग
    - जुगेन
    - भूस्तम्भ डेमोइसेल्स
    - छत्रक शिला
    - पेडिमेंट
  - **निक्षेपण**
    - रेगिस्तानी वार्निश
    - बजाड़ा
    - टीला
    - लोएस
    - लहर
    - रेतीला समुद्र
- **तटीय**
  - **क्षरणकारी**
    - समुद्री मेहराब
    - चट्टान
    - समुद्री गुफा
    - स्टैक
    - ब्लोहोल
    - जियोस
    - वेव कट प्लेटफॉर्म
  - **निक्षेपण**
    - समुद्र तट
    - रोधिका
- **हिमनद**
  - **क्षरणकारी**
    - एरेट्स
    - पर्वतीय दरार
    - सर्क (कॉम)
    - कॉल
    - क्रेग और टेल
    - फिर्न / नेवे
    - यू-आकार की घाटी
    - फजॉर्ड
    - लटकती घाटी
    - शृंग
    - हिम प्रपात
    - नुनाटक
    - स्नाउट
    - रोश मूनोनी
    - टार्न
  - **निक्षेपण**
    - ड्रमलिन्स
    - एस्कर
    - केम
    - हिमोढ़
    - हिमनद अपक्षेप
    - सैंडूर
    - केटल झील
    - टिल
    - टिलाइट
- **कार्स्ट**
  - **क्षरणकारी**
    - कैरेन
    - प्राकृतिक पुल/मेहराब
    - पोल्जे
    - पोनोर
    - घोल छिद्र
    - युवाला
    - एवेन
    - कार्स्ट गुफा
  - **निक्षेपण**
    - बैंडेड ड्रेपरियाँ
    - स्टैलेक्टाइट
    - स्टैलेग्माइट
    - गुफा स्तंभ
    - फ्लो स्टोन
    - गुफा मोती
    - टेरा - रोसा

चित्र 2.67
डाल्मेटियन तट

रिया तट (Ria Coast)

नदी घाटी का समुद्र की ओर का वह छोर, जो समुद्र के जलस्तर में वृद्धि होने के कारण जलमग्न हो गया हो। यह नाम स्पेनिश भाषा से लिया गया है। आयरलैंड में कॉर्क बंदरगाह रिया तट है (चित्र 2.68)।

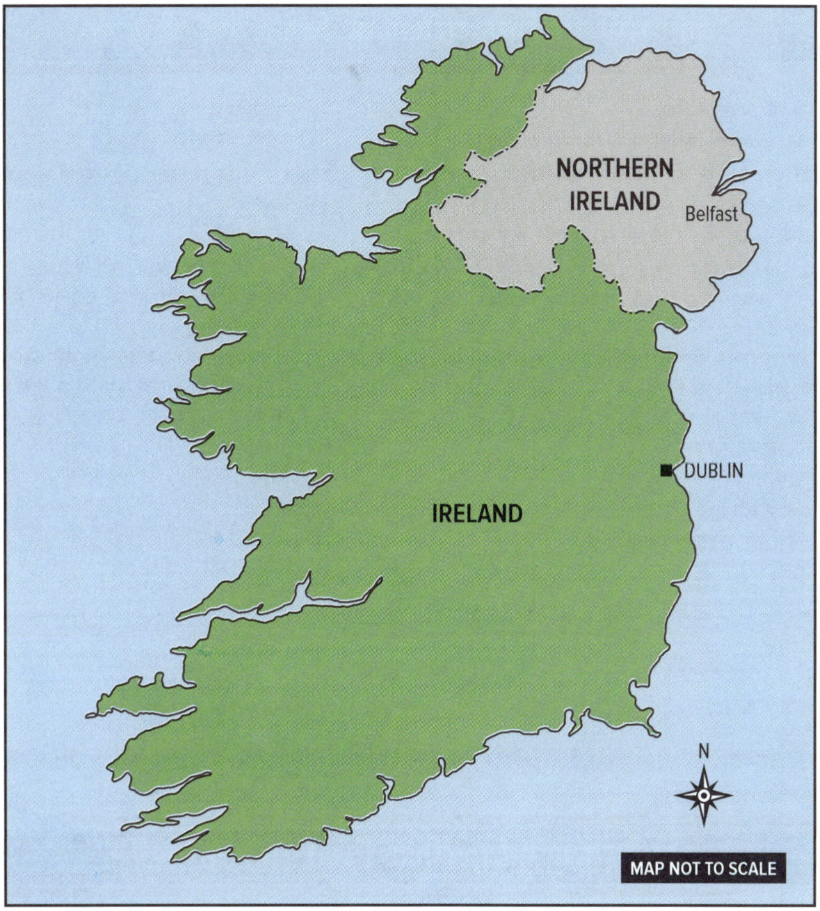

चित्र 2.68
रिया तट

यूपीएससी प्रारंभिक परीक्षा के विगत वर्षों के प्रश्न

1. निम्नलिखित कथनों पर विचार कीजिए: (2024)

   कथन-I: चट्टानों के अपक्षय के कारणों में से एक कारण वर्षा है।

   कथन-II: वर्षा जल में घोल के रूप में कार्बन डाइऑक्साइड विद्यमान होता है।

   कथन-III: वर्षा जल में वायुमंडलीय ऑक्सीजन विद्यमान होता है।

   उपर्युक्त कथनों के संबंध में, निम्नलिखित में से कौन-सा सही है ?

   (a) कथन-II और कथन-III दोनों सही हैं तथा दोनों, कथन-I की व्याख्या करते हैं

   (b) कथन-II और कथन-III दोनों सही हैं, किंतु उनमें से केवल एक, कथन-I की व्याख्या करता है

   (c) कथन-II और कथन-III में से केवल एक सही है और वह कथन-I की व्याख्या करता है

   (d) न तो कथन-II, न ही कथन-III सही ह

2. निम्नलिखित पर विचार कीजिए: (2024)

   1. ज्वलखंडाश्मी (पाइरोक्लास्टी) मलबा
   2. राख और धूल
   3. नाइट्रोजन यौगिक
   4. सल्फर यौगिक

   उपर्युक्त में से कितने ज्वालामुखी उद्गारों के उत्पाद हैं?

   (a) केवल एक (b) केवल दो

   (c) केवल तीन (d) सभी चा

3. निम्नलिखित कथनों पर विचार कीजिए: (2023)

   1. भूकम्प-लेखी (सीस्मोग्राफ) में S तरंगों से पूर्व P तरंगें अभिलिखित की जाती हैं।
   2. P तरंगों में, अलग-अलग कण तरंग प्रसार की दिशा में आगे-पीछे कंपन करते हैं, जबकि S तरंगों में कण तरंग प्रसार की दिशा के समकोणीय ऊपर-नीचे कंपन करते हैं।

   उपर्युक्त कथनों में से कौन-सा/से सही?

   (a) केवल 1

   (b) केवल 2

   (c) 1 और 2 दोनों

   (d) न तो 1 और न ही 2

उत्तर कुंजी

1. (a) 2. (d) 3. (c)

यूपीएससी मुख्य परीक्षा विगत वर्षों के प्रश्न

1. फियॉर्ड कैसे बनते हैं? वे दुनिया के कुछ सबसे सुरम्य क्षेत्रों का निर्माण क्यों करते हैं (2023, 10 अंक)
2. प्राथमिक चट्टानों की विशेषताओं एवं प्रकारों का वर्णन कीजिए। (2021, 10 अंक)
3. 2021 में घटित ज्वालामुखी विस्फोटों की वैश्विक घटनाओं का उल्लेख करते हुए क्षेत्रीय पर्यावरण पर उनके द्वारा पड़े प्रभाव को बताइए। (2021, 10 अंक)
4. विश्व की प्रमुख पर्वत शृंखलाओं के संरेखण का संक्षिप्त उल्लेख कीजिए तथा उनके स्थानीय मौसम पर पड़े प्रभावों का सोदाहरण वर्णन कीजिए। (2021, 15 अंक)
5. प्रशांत महासागरीय क्षेत्र की भूभौतिकीय विशेषताओं पर चर्चा करें। (2020, 10 अंक)

इस अध्याय पर वैचारिक वीडियो देखने के लिए कृपया यहां दिए गए क्यूआर कोड को स्कैन करें

अध्याय

3

जलवायु विज्ञान (CLIMATOLOGY)

अध्याय की रूपरेखा (Chapter Outline)

परिचय (INTRODUCTION)

वायुमंडल (ATMOSPHERE)
- ✧ वायुमंडल की संरचना (Composition of Atmosphere)
- ✧ वायुमंडलीय तापमान (Atmospheric Temperature)
- ✧ वायुमंडल का ताप (Heating of the Atmosphere)
- ✧ तापमान के निर्धारक (Determinants of Temperature)*
- ✧ तापमान का क्षैतिज वितरण (Horizontal Distribution of Temperature)

वायु – दाब (ATMOSPHERIC PRESSURE)✓

वायु दाब का क्षैतिज वितरण (HORIZONTAL DISTRIBUTION OF AIR PRESSURE)
- ✧ दबाव पट्टियों का स्थानांतरण (Shifting of Pressure Belts)
- ✧ औसत वायु दबाव की स्थितियाँ (Average Conditions of Air Pressure)

वायुमंडलीय परिसंचरण (ATMOSPHERIC CIRCULATION)*
- ✧ पवनों की दिशा (Direction of Winds)

पवन (WINDS)
- ✧ (A) स्थायी पवनें (Permanent Winds)✓
- ✧ परिसंचरण (Meridional Circulation)
- ✧ उष्णकटिबंधीय या हैडली सेल या कोष्ठिका (Tropical or Hadley Cell)
- ✧ फेरेल सेल (Ferrel Cell)
- ✧ ध्रुवीय सेल या कोष्ठिका (Polar Cell)
- ✧ भूस्थैतिक पवनें (Geostrophic Winds)
- ✧ (B) आवधिक पवनें – मानसून (Periodic Winds – Monsoon)
- ✧ (C) स्थानीय पवनें (Local Winds)
- ✧ (D) परिवर्तनशील पवनें (Variable Winds)✓*

वायुमंडल में नमी (MOISTURE IN THE ATMOSPHERE)
- ✧ 1. आर्द्रता (Humidity)
- ✧ 2. वाष्पीकरण (Evaporation)
- ✧ 3. वाष्पोत्सर्जन (Transpiration or (Evapotranspiration))
- ✧ 4. संघनन (Condensation)✓
- ✧ 5. वर्षण (Precipitation)*

वैश्विक जलवायु वर्गीकरण (GLOBAL CLIMATIC CLASSIFICATION)
- ✧ 1. कोप्पेन जलवायु वर्गीकरण (The Koppen Climate Classification)
- ✧ 2. जी.टी. ट्रेवार्था जलवायु वर्गीकरण (G.T. Trewartha Climate Classification)

यूपीएससी प्रारंभिक परीक्षा के विगत वर्षों के प्रश्न

यूपीएससी मुख्य परीक्षा के विगत वर्षों के प्रश्न

✓*याद रखने की युक्ति (Learning Trick)*   **त्वरित पुनरावलोकन (Quick Revision)*

परिचय (INTRODUCTION)

जलवायु विज्ञान समय के साथ पृथ्वी की विशाल एवं हमेशा बदलती जलवायु प्रणालियों का वैज्ञानिक अध्ययन है। यह समुद्र विज्ञान, जैवभूगोल तथा भू-आकृति विज्ञान के साथ-साथ भौतिक भूगोल के प्राथमिक उप-विषयों में से एक है। जलवायु विज्ञान के अंतर्गत छह प्रमुख उप-विषय आते हैं:- (1) पूर्व-जलवायु विज्ञान, (2) सूक्ष्म जलवायु विज्ञान, (3) भौतिक जलवायु विज्ञान, (4) समकालीन एवं गतिशील जलवायु विज्ञान, (5) जल-जलवायु विज्ञान, (6) स्वास्थ्य/चिकित्सा जलवायु विज्ञान। पृथ्वी की सतह

पर विभिन्न प्राकृतिक, सांस्कृतिक परिदृश्यों एवं घटनाओं को समझने में जलवायु विज्ञान का अध्ययन बहुत सहायक होता है।

'जलवायु' शब्द का तात्पर्य किसी भी स्थान पर लंबे समय तक अनुभव की जाने वाली मौसम की स्थिति से है। यह सामान्य रूप से 30 वर्षों के रिकॉर्ड के आधार पर एक समयावधि में औसत मौसम की स्थिति का सारांश होता है।

जलवायु, भूमि एवं समुद्र-द्रव्यमान के संबंध में स्थान की स्थिति, वायुमंडल के सामान्य परिसंचरण, अक्षांश, ऊंचाई तथा स्थानीय भौगोलिक विशेषताओं के द्वारा निर्धारित की जाती है। जलवायु विशेषताओं को सामान्यतया तापमान, दबाव, पवन, वर्षा एवं आर्द्रता पर संख्यात्मक आंकड़ों द्वारा दर्शाया जाता है।

मौसम शब्द को किसी विशेष स्थान एवं समय पर तापमान (गर्मी), बादल, सूखापन, धूप, पवन, वर्षा आदि की स्थिति के रूप में परिभाषित किया गया है। तापमान इस बात का माप है कि पृथ्वी की सतह के पास पवन कितनी गर्म या ठंडी है।

वायुमंडल (ATMOSPHERE)

वायुमंडल गैसों का एक ऐसा पतला आवरण है, जो पृथ्वी को घेरता है तथा बाहरी अंतरिक्ष एवं जीवमंडल के बीच एक सुरक्षात्मक सीमा बनाता है। वायुमंडल गैसों का एक ऐसा मिश्रण है, जो गंधहीन, रंगहीन, स्वादहीन एवं आकारहीन होता है, यह इतनी अच्छी तरह से मिश्रित होता है कि यह एक एकल गैस की तरह व्यवहार करता है। पृथ्वी का वायुमंडल इस अर्थ में अद्वितीय है, कि यह जीवन का आधार बनता है।

हमारे वायुमंडल का आधुनिक स्वरूप पूर्व कैंब्रियन काल (लगभग 600 मिलियन वर्ष पहले) में विकसित हुआ था। वर्तमान वायुमंडल की गैसें ग्रह के प्रारंभिक रूप का प्रत्यक्ष अवशेष नहीं हैं, बल्कि वे ज्वालामुखी विस्फोटों, गर्म झरनों, ठोस पदार्थ के रासायनिक विघटन तथा जीवमंडल से वितरण के विकासवादी उत्पाद हैं, जिसमें प्रकाश संश्लेषण एवं मानव गतिविधि शामिल हैं।

वायुमंडल एक क्रमिक विकास से गुजर कर बना है। इसमें बहुत-सी गैसें ज्वालामुखियों, गर्म पानी के स्त्रोतों, जीवमण्डल तथा मानव प्रक्रियाओं के कारण मिश्रित हुई हैं।

वायुमंडल की संरचना (Composition of Atmosphere)

वायुमंडल में मुख्य गैसें एवं उनके अनुपात **चित्र 3.1** में दिखाए गए हैं। हमारे वातावरण में शुष्क वायु के एक इकाई (mass) में 78.084 प्रतिशत नाइट्रोजन (N_2), 20.946 प्रतिशत ऑक्सीजन (O_2), 0.934 प्रतिशत आर्गन (Ar), 0.0407 प्रतिशत कार्बन डाइऑक्साइड (CO_2), और बहुत कम अनुपात में नियॉन, हीलियम, मीथेन, एवं हाइड्रोजन जैसी दुर्लभ गैसें हैं। **(तालिका 3.1)**।

- **नाइट्रोजन (Nitrogen):** इस गैस का मुख्य स्रोत पृथ्वी पर ज्वालामुखी विस्फोट हैं। यह एक निष्क्रिय गैस है, और इसका मुख्य कार्य वायुमंडल में उपस्थित ऑक्सीजन को पतला करना है।
- **ऑक्सीजन (Oxygen):** इस गैस का उपयोग सभी जीवित प्राणियों (अवायवीय सूक्ष्म जीवों को छोड़कर) द्वारा उनके श्वसन के लिए किया जाता है। यह दहन के लिए भी

तालिका 3.1 प्रमुख वायुमंडलीय गैसें

		रासायनिक गुण		
	क्रम संख्या	गैस	% आयतन द्वारा	भौतिक गुण
वायुमंडल	1.	नाइट्रोजन (N_2)	78.084	गंधहीन, रंगहीन, स्वादहीन, निष्क्रिय
	2.	ऑक्सीजन (O_2)	20.9476	रंगहीन, स्वादहीन, गंधहीन
	3.	आर्गन (Ar)	00.934	रंगहीन, स्वादहीन, गंधहीन
	4.	कार्बन डाइऑक्साइड (CO_2)	00.0407	रंगहीन, स्वादहीन, गंधहीनद्य उच्च सांद्रता पर अम्लीय गंध
	5.	नियॉन (Ne)	00.0018	पूरी तरह मिश्रित
	6.	हीलियम (He)	00.0005	रंगहीन, गंधहीन, तथा स्वादहीन तथा निष्क्रिय गैस
	7.	मीथेन (CH_4)	00.0002	रंगहीन, गंधहीन गैस, ग्रीनहाउस गैस
	8.	क्रिप्टन (Kr)	00.00011	रंगहीन, गंधहीन, स्वादहीन गैस
	9.	हाइड्रोजन (H_2)	00.00005	रंगहीन, गंधहीन, स्वादहीन, सबसे कम घनत्व
	10.	जेनॉन (Xe)	00.0000087	रंगहीन, गंधहीन, अक्रिय गैस

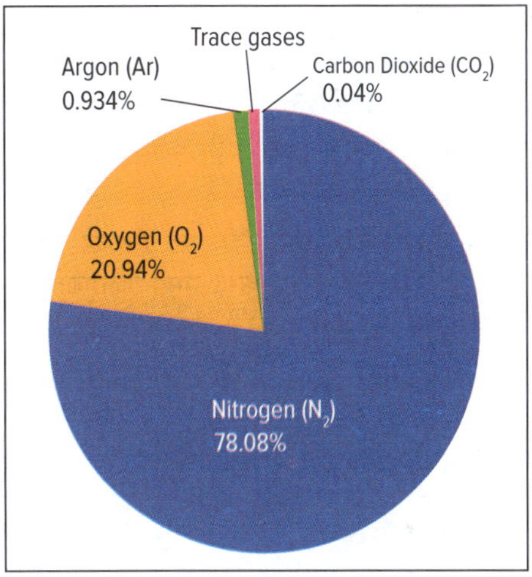

चित्र 3.1
आधुनिक वायुमंडल के स्थिर घटक (आयतन द्वारा प्रतिशत सांद्रता)

आवश्यक है। यह गैस विभिन्न धातुओं के साथ ऑक्साइड बनाती है, जिससे अयस्क बनते हैं। इसका मुख्य स्रोत प्रकाश संश्लेषण की प्रक्रिया है।

- **आर्गन (Argon):** यह वायुमंडल में उपस्थित एक निष्क्रिय गैस है।
- **कार्बन डाइऑक्साइड (Carbon Dioxide):** प्रारंभिक वायुमंडल में यह एक प्रमुख गैस थी। लेकिन, पृथ्वी पर जीवन के विकास के कारण हरे पौधों ने प्रकाश संश्लेषण के लिए इसका उपयोग किया, जिससे इसकी सांद्रता कम हो गई। इस गैस के प्रमुख स्रोतों में श्वसन एवं दहन शामिल हैं।
- **जल वाष्प (Water Vapour):** यह भी वायुमंडल, विशेषकर अपनी सबसे निचली परत में मौजूद है।

कार्बन डाइऑक्साइड एवं जल वाष्प दोनों ही ग्रीनहाउस गैसें हैं, और इनमें से 90 प्रतिशत गैसें क्षोभमंडल में ही पाई जाती हैं।

गैसों की संरचना के आधार पर वायुमंडल को (1) सममण्डल तथा (2) विषमण्डल में विभाजित किया जा सकता है, जिन्हें निम्नलिखित अनुच्छेद (चित्र 3.2) में समझाया गया है।

1. सममण्डल (Homosphere)

यह पृथ्वी की सतह से 80-100 किमी की ऊंचाई तक फैला हुआ है। यद्यपि, वायुमंडल का घनत्व ऊंचाई के साथ तेजी से घटता जाता है, सममण्डल में गैसों का मिश्रण लगभग समान रहता है। केवल अपवाद -समतापमंडल (ओजोन परत) में 15 से 35 किमी की ऊंचाई पर ओजोन (O_3) की सांद्रता, तथा पृथ्वी की

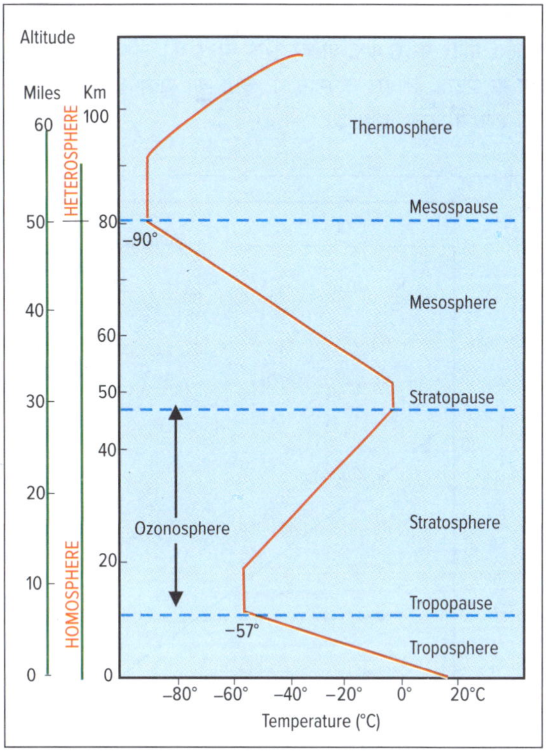

चित्र 3.2
वायुमंडल की ऊर्ध्वाधर संरचना

सतह के पास वायुमंडल के सबसे निचले हिस्से में जल वाष्प एवं कण पदार्थ की भिन्नता हैं। सममण्डल में गैसों का स्थिर मिश्रण धीरे-धीरे विकसित हुआ है। वर्तमान अनुपात, जिसमें ऑक्सीजन भी शामिल है, लगभग 500-600 मिलियन वर्ष पहले (कैंब्रियन काल) प्राप्त किया गया था।

ऊंचाई के साथ तापमान में परिवर्तन के आधार पर सममण्डल को निम्नलिखित भागों में विभाजित किया जा सकता है-

(a) क्षोभमंडल, (b) समतापमंडल, तथा (c) मध्यमंडल।

(a) क्षोभमंडल (Troposphere)

क्षोभमंडल सागर स्तर से क्षोभसीमा तक फैला हुआ है, जो भूमध्य रेखा पर 18 किमी की ऊंचाई पर, मध्य अक्षांशों में 13 किमी एवं ध्रुवों के पास लगभग 8 किमी की ऊंचाई पर होता है। इसमें वायुमंडल के कुल द्रव्यमान का लगभग 90 प्रतिशत और अधिकांश जल वाष्प, बादल, मौसम तथा वायु प्रदूषण शामिल होते हैं। क्षोभमंडल सीमा की ऊंचाई मौसम, अक्षांश, सतह के तापमान एवं दबाव के साथ बदलती रहती है। क्षोभमंडल में तापमान में सामान्य

कमी को चित्र 3.3 में दिखाया गया है। क्षोभमंडल में तापमान 1000 मीटर पर 6-4°C या हर 165 मीटर की ऊंचाई पर 1°C की दर से घटता है। इस तापमान में कमी को सामान्य अवनमन दर के रूप में जाना जाता है।

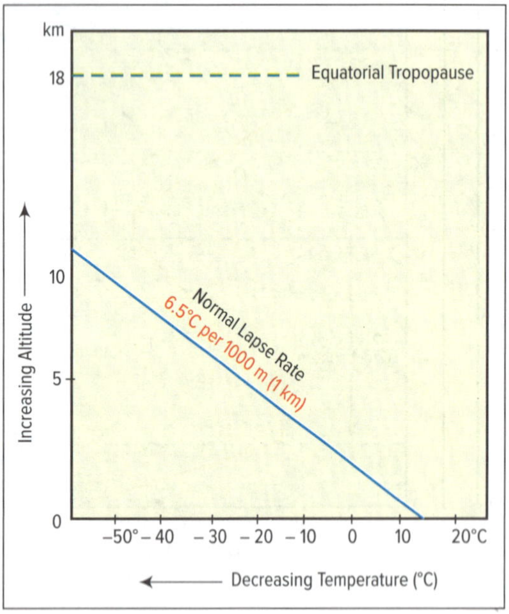

चित्र 3.3
सामान्य अवनमन दर

(b) समतापमंडल (Stratosphere)

क्षोभमंडल के ऊपर समतापमंडल स्थित है। समतापमंडल पृथ्वी की सतह से भूमध्य रेखा पर लगभग 18 से 50 किमी की ऊँचाई तक फैला हुआ है। समतापमंडल में तापमान क्षोभमंडल के शीर्ष पर –51°C से लेकर समतापमंडल के शीर्ष (50 किमी) पर 0°C तक होता है, जो दर्शाता है कि ऊँचाई के साथ तापमान बढ़ता है। इसकी विशेषता ओजोनमंडल या ओजोन परत की उपस्थिति है। ओजोन एक अत्यधिक प्रतिक्रियाशील ऑक्सीजन अणु है, जो तीन ऑक्सीजन परमाणुओं (O_3) से बना होता है। यह अधिकांश ऑक्सीजन गैस का निर्माण करता है। ओजोन पराबैंगनी प्रकाश की तरंग दैर्ध्य को अवशोषित करता है। इस प्रक्रिया के माध्यम से सबसे हानिकारक पराबैंगनी विकिरण को प्रभावी ढंग से आने वाले सौर विकिरण से 'फिल्टर' किया जाता है, जिससे पृथ्वी की सतह की सुरक्षा होती है।

(c) मध्यमंडल (Mesosphere)

मध्यमंडल पृथ्वी की सतह से 50 से 80 किमी ऊपर का क्षेत्र है। इसकी ऊपरी सीमा, मध्य सीमा, वायुमंडल का सबसे ठंडा भाग है, जिसका औसत तापमान –90°C है, यद्यपि यह तापमान ±20° से 30°C तक भिन्न हो सकता है।

यह वायुमंडल की सबसे ठंडी परत है। यह वह परत है, जहाँ अधिकांश उल्कापिंड प्रवेश करते समय जल जाते हैं, क्योंकि यहाँ वे वायु घर्षण का अनुभव करना शुरू करते हैं (चित्र 3.4)।

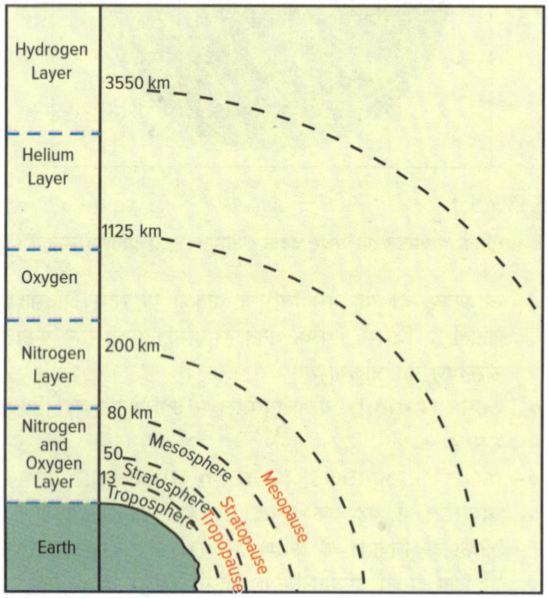

Not to Scale

चित्र 3.4
वायुमंडल की परतें

2. विषममंडल (Heterosphere)

वायुमंडल के इस भाग में गैसें समान रूप से मिश्रित नहीं होती हैं। विषममंडल लगभग 80 किमी (50 मील) की ऊँचाई पर शुरू होता है तथा लगभग 10,000 किमी तक फैला होता है। यद्यपि, सौर स्थिरांक 480 किमी की ऊँचाई पर मापा जाता है। उस बिंदु के ऊपर, वायुमंडल विरल (लगभग निर्वात) होता है तथा इसे बाह्यमंडल कहा जाता है, जिसका अर्थ है "वाह्य अंतरिक्ष"। इसमें हल्की गैसें जैसे हाइड्रोजन एवं हीलियम के परमाणु होते हैं, जो गुरुत्वाकर्षण द्वारा कमजोर रूप से बंधे होते हैं। विषममंडल में एक तापीय क्षेत्र (तापमंडल) और एक कार्यात्मक परत (आयनोस्फीयर) होती है।

ओजोन परत का ह्रास

ओजोन मुख्य रूप से समताप मंडल तक ही सीमित है। ओजोन ऑक्सीजन के तीन परमाणुओं से बना एक अणु है। जब बिजली पवन में गिरती है, तो ओजोन प्राकृतिक रूप से बनती है; समताप मंडल (वायुमंडल की सबसे ऊपरी परत) में बड़ी मात्रा में स्वत: उत्पन्न होती है। अन्य गैसों के साथ मिश्रित ओजोन की एक परत - दुनिया को 15 से 35 किमी की ऊँचाई पर घेरती है।

वायुमंडल में छोड़े गए 'हानिरहित' सिंथेटिक रसायन - मुख्य रूप से क्लोरोफ्लोरोकार्बन (CFC) जिन्हें सफाई एजेंट, रेफ्रिजरेंट, आग बुझाने वाले तरल पदार्थ, स्प्रे-कैन प्रणोदक तथा इन्सुलेटिंग फोम के रूप में उपयोग किया जाता है, सूर्य के प्रकाश की ऊर्जा द्वारा ऐसे यौगिकों में परिवर्तित हो जाते हैं, जो पृथ्वी के वायुमंडलीय ओजोन पर हमला करते हैं और आंशिक रूप से उसे नष्ट कर देते हैं। CFC क्लोरीन, फ्लोरीन एवं कार्बन के जटिल सिंथेटिक अणु हैं। पृथ्वी की सतह की स्थितियों के तहत वे बहुत स्थिर (निष्क्रिय) होते हैं, और उनके पास उल्लेखनीय तापीय गुण होते हैं, जो उन्हें रेफ्रिजरेंट के रूप में तथा एरोसोल स्प्रे में प्रणोदक के रूप में मूल्यवान बनाता है।

समताप मंडल में ओजोन का स्तर संयुक्त राज्य अमेरिका में कम से कम 3 प्रतिशत, ऑस्ट्रेलिया और न्यूजीलैंड में 4 प्रतिशत तथा उत्तरी एवं दक्षिणी ध्रुवों के पास 50 प्रतिशत कम हुआ है। सूर्य के प्रकाश की तीव्रता में भिन्नता के कारण कमी की यह मात्रा अक्षांश (और मौसम के साथ) के साथ बदलती रहती है (चित्र 3.5)।

ओजोन कमी का तंत्र

अंटार्कटिका के ऊपर सर्दियों में बेहद ठंडी, शुष्क पवन का एक बहुत बड़ा द्रव्यमान महाद्वीप के आसपास की अपेक्षाकृत गर्म पवन को बाहर रखता है। यह ठंडी पवन सर्दियों के महीनों में तब और भी ठंडी हो जाती है, जब सूर्य का प्रकाश नहीं होता है। क्लाउड क्रिस्टल सीएफसी एवं ओजोन क्षरण के रसायन विज्ञान में बहुत ही महत्वपूर्ण भूमिका निभाते हैं। नाइट्रोजन ऑक्साइड क्रिस्टल समताप मंडल से बाहर निकल जाते हैं तथा पीछे क्लोरीन एवं ब्रोमीन यौगिक तथा बर्फ के क्रिस्टल छोड़ जाते हैं। रासायनिक प्रक्रियाएँ अधिक तेज होती हैं जहाँ ऐसी सतह होती है जिस पर प्रतिक्रिया हो सकती है। बर्फ के कण अच्छी सतह के होते हैं और पानी की बूंदों की सतह से लगभग दस गुना अधिक कुशल होते हैं। यह आंशिक रूप से अंटार्कटिक ठंड का अंतिम दौर और बसंत में प्रक्रिया के होने की गति को समझाता है। यह बताता है कि निम्न अक्षांशों में यह प्रक्रिया कम प्रभावी क्यों है।

ओजोन में कमी वैज्ञानिकों को चिंतित करती है क्योंकि समताप मंडल का ओजोन सूर्य से आने वाली कुछ उच्च ऊर्जा पराबैंगनी विकिरण को रोकता है। पराबैंगनी विकिरण डीएनए के धागों को तोड़कर और प्रोटीन अणुओं को खोलकर जीवित चीजों को क्षति पहुँचाती है। सामान्य रूप से सूर्य के प्रकाश के संपर्क में आने वाली प्रजातियों ने पराबैंगनी विकिरण की औसत मात्रा के विरुद्ध सुरक्षा विकसित कर ली है, लेकिन बढ़ी हुई मात्रा इन सुरक्षाओं को दबा सकती है। सोयाबीन तथा चावल जैसे भूमि के पौधे सनबर्न के अधीन होंगे जिससे उनकी उपज कम हो जाएगी। यहाँ तक कि समुद्र के सबसे ऊपरी दो मीटर में प्लवक भी प्रतिकूल रूप से प्रभावित होंगे। हाल ही में किए गए शोध से पता चलता है कि अंटार्कटिका के आसपास के तटीय जल में फाइटोप्लांकटन की प्राथमिक उत्पादकता में 6 प्रतिशत से 12 प्रतिशत तक की खतरनाक कमी आई है।

मनुष्य ओजोन क्षरण के प्रतिकूल प्रभावों से बच नहीं पाएगा। वायुमंडलीय ओजोन में लगभग 1 प्रतिशत की कमी के साथ संभवत: मानव त्वचा कैंसर में 3-5 प्रतिशत की वृद्धि होगी। मजबूत पराबैंगनी प्रकाश भी प्रतिरक्षा प्रणाली को दबा सकता है और आंखों में मोतियाबिंद पैदा कर सकता है।

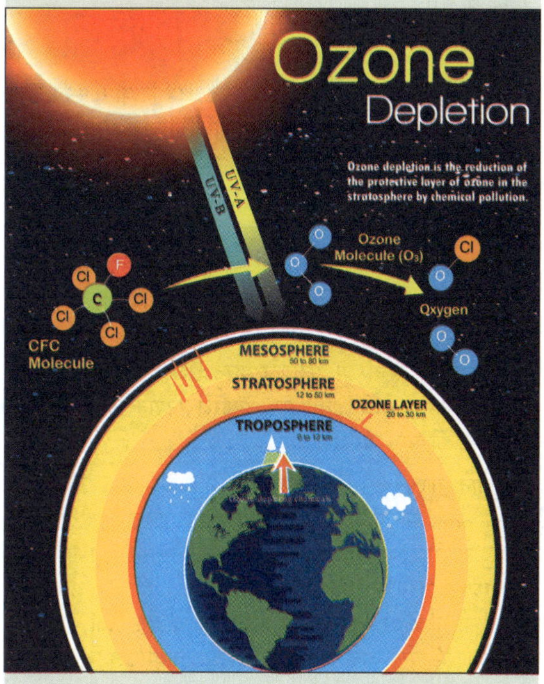

चित्र 3.5
ओजोन परत क्षरण

तापमंडल (Thermosphere (Heatosphere))

यह एक क्षेत्र है जो 85-600 किमी की ऊंचाई तक फैला हुआ है। इसमें कार्यात्मक आयनमंडल परत होती है। तापमंडल में उच्च तापमान उत्पन्न होते हैं क्योंकि इस क्षेत्र में गैस अणु छोटे तरंगदैर्ध्य सौर विकिरण को अवशोषित करते हैं। तापमंडल में तापमान "ऊंचाई के साथ" तेजी से बढ़ता है, 2000°C और उससे अधिक तक।

इतने उच्च तापमान के बावजूद, तापमंडल 'गर्म' नहीं है जैसा आप उम्मीद कर सकते हैं। तापमान और गर्मी दो अलग-अलग चीजें हैं। वायुमंडल के इस हिस्से में तीव्र सौर विकिरण विशिष्ट अणुओं और परमाणुओं (मुख्य रूप से नाइट्रोजन और ऑक्सीजन) को उच्च स्तर की कंपन में उत्तेजित करता है। अणुओं का घनत्व इतना कम होता है कि बहुत कम वास्तविक गर्मी उत्पन्न होती है (गर्मी तापीय ऊर्जा की मात्रा है) क्योंकि अणु एक-दूसरे के साथ संपर्क में नहीं आते हैं। पृथ्वी की सतह के पास निचले वायुमंडल में गर्मी अलग होती है क्योंकि घने वायुमंडल में अधिक अणुओं की संख्या गतिज ऊर्जा को संवेदनशील गर्मी के रूप में संचारित करती है, जिसका अर्थ है कि हम इसे महसूस कर सकते हैं **(चित्र 3.4)**।

आयनमंडल (Ionosphere)

यह ऊपरी वायुमंडल (विषमंडल) का एक क्षेत्र है जो तापमंडल के भीतर स्थित है और इसकी विशेषता सौर विकिरण द्वारा आयनित गैसें हैं। आयनमंडल परमाणुओं से बना होता है जो ब्रह्मांडीय किरणों, गामा किरणों, एक्स-रे और पराबैंगनी विकिरण की छोटी तरंग दैर्ध्य को अवशोषित करने पर विद्युत आवेश प्राप्त करते हैं। इन आवेशित परमाणुओं को आयन कहा जाता है, जो आयनमंडल को स्थिरता प्रदान करते हैं, जिससे इलेक्ट्रॉनों और आवेशित परमाणुओं का एक निरंतर प्रवाह (फ्लक्स) उत्पन्न होता है। ये आवेशित कण हमें रेडियो संचार में सहायता करते हैं। इसी कारण से हमारे अधिकांश उपग्रह और अंतर्राष्ट्रीय अंतरिक्ष स्टेशन की कक्षा इसी वायुमंडल की परत में होती है।

आने वाला सौर विकिरण 480 किमी (300 मील) से अधिक ऊंचाई पर वायुमंडल के साथ संपर्क करना शुरू कर देता है। यह बाहरी क्षेत्र भी वह स्थान है जहां गैसीय कण पृथ्वी के गुरुत्वाकर्षण से बच निकलते हैं। कण दूर-दूर होते हैं और उनमें से कुछ में पृथ्वी से दूर दिशा में पर्याप्त उच्च वेग होता है जिससे वे अंतरिक्ष में चले जाते हैं। इस ऊंचाई पर वायुमंडल बहुत पतला होता है, लेकिन यहीं पर आने वाले अंतरिक्ष यान और उल्काएं घर्षण के कारण गर्म होने लगती हैं।

वायुमंडलीय तापमान (Atmospheric Temperature)

वायुमंडल में तापमान का वितरण समान नहीं है। यह अक्षांश, ऊँचाई, महाद्वीपीयता, और मौसमी परिवर्तनों से प्रभावित होता है। तापमान के वितरण में ये भिन्नताएँ पवन की गति और विभिन्न मौसम की स्थितियों के लिए जिम्मेदार होती हैं। निम्नलिखित अनुच्छेदों में, तापमान के वितरण और संबंधित वायुमंडलीय घटनाओं का विस्तार से अध्ययन किया गया है।

वायुमंडल का ताप (Heating of the Atmosphere)

सूर्य द्वारा उत्सर्जित ऊर्जा अंतरिक्ष से गुजरती है जब तक कि यह किसी वस्तु से टकराती नहीं है। विकिरण की मात्रा लगभग 1.94–1.95 कैलोरी प्रति वर्ग सेंटीमीटर प्रति मिनट (लगभग 2 कैलोरी प्रति वर्ग सेंटीमीटर प्रति मिनट) होती है जिसे सौर स्थिरांक के रूप में जाना जाता है। इस प्रकार, सौर स्थिरांक पृथ्वी के वायुमंडल की बाहरी सीमाओं (पृथ्वी की सतह से 480 किमी या 300 मील ऊपर) पर उपलब्ध ऊर्जा की मूल मात्रा है। कई प्रक्रियाएँ सौर विकिरण को वायुमंडल में प्रवेश करते समय कम कर देती हैं। इन प्रक्रियाओं में परावर्तन, प्रकीर्णन, अवशोषण, दीर्घतरंग विकिरण, और संचरण शामिल हैं।

1. परावर्तन पृथ्वी और उसका वायुमंडल (Reflection)

सौर विकिरण के एक हिस्से को अंतरिक्ष में वापस परावर्तित करते हैं। प्राकृतिक सतहों के परावर्तन में काफी भिन्नता होती है। परावर्तनशीलता या अल्बेडो को पृथ्वी की सतह पर पहुँचने वाली घटना के प्रतिशत के रूप में व्यक्त किया जाता है। बर्फ एवं बादल पृथ्वी के पर्यावरण में सबसे महत्वपूर्ण परावर्तक हैं। उनकी परावर्तनशीलता 40–90 प्रतिशत के बीच होती है।

डॉन (भोर की लाली) एवं ट्वाइलाइट (संध्या की लाली) अवधारणाएँ

सूर्योदय से पहले और सूर्यास्त के बाद फैली हुई रोशनी मनुष्यों के लिए उपयोगी कार्य समय का प्रतिनिधित्व करती है। वायुमंडलीय गैसों के अणुओं द्वारा प्रकाश बिखरता है तथा धूल एवं नमी द्वारा परावर्तित होता है, जिससे वातावरण प्रकाशित होता है। प्रदूषण तथा अन्य निलंबित कणों की उपस्थिति, जैसे कि ज्वालामुखी विस्फोट या जंगल की आग से उत्पन्न कण इन प्रभावों को बढ़ा सकते हैं। डॉन (भोर की लाली) तथा ट्वाइलाइट (संध्या लाली) की अवधि अक्षांश का एक कार्य है, क्योंकि क्षितिज के ऊपर सूर्य के पथ का कोण उस वायुमंडल की मोटाई को निर्धारित करता है, जिसके माध्यम से सूर्य की किरणों को गुजरना पड़ता है। कम सूर्य कोण लंबे डॉन (भोर की लाली) और ट्वाइलाइट (संध्या लाली) अवधियों का निर्माण करते हैं। भूमध्य रेखा पर, जहां सूर्य की किरणें पूरे वर्ष क्षितिज के लगभग लंबवत होती हैं, डॉन (भोर की लाली) और ट्वाइलाइट (संध्या की लाली) प्रत्येक 30-45 मिनट तक सीमित होते हैं। ये समय 40° अक्षांश पर 1-2 घंटे तक बढ़ जाते हैं, और गर्मियों में बहुत कम रात के साथ 60° अक्षांश पर वे लगभग 2.5 घंटे तक होते हैं। ध्रुवों पर लगभग 7 सप्ताह का डॉन (भोर की लाली) और 7 सप्ताह का ट्वाइलाइट (संध्या लाली) होता है, जिससे केवल 2.5 महीने की लगभग अंधकारमय अवधि बचती है जब सूर्य पूरी तरह से क्षितिज के नीचे होता है।

2. अवशोषण (Absorption)

आने वाले सौर विकिरण में ऊर्जा होती है, जिसे वायुमंडल में कणों/गैसों द्वारा अवशोषित किया जा सकता है। ऊर्जा का अवशोषण कणों/गैसों के तापमान को बढ़ा सकता है। उदाहरण के लिए, घर की दीवार पर पड़ने वाली धूप अवशोषित होती है तथा दीवार को गर्म करती है।

3. प्रकीर्णन (Scattering)

प्रकीर्णन एक प्रक्रिया है, जिसके द्वारा छोटे कण और गैसों के अणु विकिरण के एक हिस्से को विभिन्न दिशाओं में फैला देते हैं। यह प्रक्रिया विकिरण की दिशा को अपेक्षाकृत यादृच्छिक तरीके से बदल देती है। वायुमंडल में बिखराव का सबसे स्पष्ट प्रभाव आकाश का रंग है। हमारे आकाश के नीला दिखाई देने का एकमात्र कारण दृश्य प्रकाश की छोटी तरंग दैर्ध्य में विकिरण का बिखराव है। यह बिखराव सुबह एवं सूर्यास्त के समय देखे जाने वाले नारंगी एवं लाल रंगों की भी व्याख्या करता है। इन समयों में विकिरण बहुत कम कोण पर वायुमंडल से गुजरती है। इस प्रकार, यह भूमि के पास पवन के माध्यम से एक लंबी दूरी तय करती है। निचला वायुमंडल न केवल शुष्क गैसों, बल्कि जल वाष्प, ठोस कणों, जैविक सामग्री और नमक को भी समाहित करता है। ये बड़े कण लंबी तरंग दैर्ध्य विकिरण को बिखेरते हैं। वास्तव में, वायुमंडल छोटी तरंग दैर्ध्य (बैंगनी से हरे) में अधिकांश विकिरण को अवशोषित करता है। केवल सबसे लंबी तरंग दैर्ध्य – नारंगी और लाल ही इससे गुजरती हैं।

तापमान के निर्धारक (Determinants of Temperature)

पृथ्वी का औसत तापमान लगभग 15°C है। यद्यपि, इसका वितरण समान नहीं है। तापमान का स्थानिक वितरण निम्नलिखित कारकों द्वारा निर्धारित होता है–

1. **अक्षांश (Latitude):** सूर्य की किरणों की तीव्रता भूमध्य रेखा से ध्रुवों की ओर कम होती जाती है। इसके अलावा, दिन की लंबाई और सूर्य का कोण पूरे वर्ष बदलता रहता है, जो सूर्य की किरणों की दर को प्रभावित करता है। परिणामस्वरूप, निम्न अक्षांशों में उच्च तापमान दर्ज किया जाता है, जबकि उच्च अक्षांशों में तापमान निम्न होता है।
2. **ऊँचाई (Altitude):** क्षोभमंडल के भीतर, पृथ्वी की सतह से ऊँचाई बढ़ने के साथ तापमान कम होता जाता है (सामान्य गिरावट दर 6-5°C प्रति 1000 मीटर है)। इस प्रकार, विश्व भर के पर्वतीय क्षेत्रों में समुद्र तल के निकट क्षेत्रों की तुलना में समान अक्षांशों पर भी तापमान कम होता है। उदाहरण के लिए, लिब्रेविल (गैबॉन) समुद्र तल से 15 मीटर ऊपर है, और क्विटो (इक्वाडोर) समुद्र तल से लगभग 2850 मीटर ऊपर है, दोनों लगभग भूमध्य रेखा पर स्थित हैं। लिब्रेविल का वार्षिक औसत तापमान 26°C है, जबकि क्विटो का केवल 13°C है।
3. **बादल आवरण (Cloud Cover):** बादल छाए रहने से स्थानीय, दैनिक, मौसमी और वार्षिक तापमान और तापमान की सीमा प्रभावित होती है। बादल वाले दिन सामान्यतया ठंडे होते हैं और बादल वाली रातें गर्म होती हैं। ऐसा इसलिए होता है, क्योंकि बादल दिन के समय सौर विकिरण को पृथ्वी की सतह तक पहुंचने से रोकते हैं और रात में स्थलीय विकिरण को सतह से बाहर जाने से रोकते हैं। अधिकतम बादल भूमध्यरेखीय क्षेत्र में होते हैं। परिणामस्वरूप, उच्चतम तापमान भूमध्य रेखा के साथ नहीं पाए जाते हैं। इसके विपरीत, गर्म रेगिस्तानों में न्यूनतम बादल आवरण होता है, जिसके परिणामस्वरूप उच्चतम तापमान कर्क रेखा के साथ दर्ज किए जाते हैं (जैसे, अल-अजीजियाह (लीबिया), डेथ वैली (कैलिफोर्निया), और गंगानगर और जोधपुर (भारत) जैसे स्थानों पर)।
4. **समुद्र/महासागर से दूरी (Distance from the Sea/Ocean):** किसी स्थान का समुद्र और/या महासागरों के संबंध में स्थान भी तापमान के वितरण को प्रभावित करता है। वास्तव में, समान अक्षांश पर भूमि और समुद्र का भिन्न-भिन्न ताप होता है। समुद्री जल की विशिष्ट ऊष्मा भूमि की तुलना में अधिक होती है, जिसका अर्थ है कि पूर्व को अपना तापमान 1°C बढ़ाने के लिए जितनी ऊर्जा अवशोषित करनी पड़ती है, वह बाद की तुलना में बहुत अधिक होती है। इसके अलावा, समुद्री जल अपनी ऊष्मा को नीचे की ओर स्थानांतरित कर सकता है, या वाष्पीकरण और महासागरीय धाराएँ सतह के तापमान को कम कर सकती हैं, लेकिन भूमि अपारदर्शी होती है, और भूमि पर सूर्य की गर्मी केवल एक मीटर की गहराई तक ही प्रवेश कर सकती हैं, जबकि वे पानी (समुद्र/महासागर) में बहुत गहराई तक प्रवेश कर सकती हैं। यही कारण है कि समुद्र का भूमि के तापमान पर एक मध्यम प्रभाव होता है। तटीय क्षेत्रों में भूमि अपनी अतिरिक्त ऊष्मा को समुद्र में स्थानांतरित कर सकती है और ठंडी हो सकती है। समान अक्षांश पर स्थित दो स्थान – एक समुद्र तट के साथ और दूसरा तट से दूर आंतरिक भाग में विभिन्न तापमान दर्ज करेंगे। उदाहरण के लिए, मुंबई और

आदिलाबाद (आंध्र प्रदेश) लगभग समान अक्षांश पर स्थित हैं, लेकिन समुद्र तट और आंतरिक भूमि के भिन्न-भिन्न ताप के कारण, उनके वार्षिक और दैनिक तापमान सीमा में एक स्पष्ट अंतर है। मुंबई में वार्षिक तापमान सीमा केवल लगभग 6°C है, जबकि आदिलाबाद में यह लगभग 20°C है।

5. **पवनें (Winds):** तापमान के वितरण में प्रचलित पवनों की भूमिका भी काफी महत्वपूर्ण होती है। पवनें तापमान के पुनर्वितरण में और महासागरों के मध्यम प्रभावों को समीपवर्ती तटीय क्षेत्रों तक पहुँचाने में सहायता करती हैं। उदाहरण के लिए, निम्न अक्षांशों से उच्च अक्षांशों की ओर बहने वाली पवन क्षेत्र का तापमान बढ़ाती है, जबकि उच्च अक्षांशों से निम्न अक्षांशों की ओर बहने वाली पवनें तापमान को कम करती हैं। यहाँ तक कि तटीय क्षेत्रों में भी साइबेरिया से आने वाली पवनें, चीन के उत्तरी मैदानों में तापमान को काफी हद तक कम कर देती हैं । (दुनिया भर की स्थानीय पवनों के लिए **तालिका 3.2** देखें)।
6. **स्थलाकृति और ढलान (Topography and Slope):** तापमान का वितरण भौगोलिक विशेषताओं से भी प्रभावित होता है। सूर्य की ओर मुख वाली ढलान अधिक सौर विकिरण (तापमान) प्राप्त करती है, जबकि पवन की दिशा से विपरीत ढलान कम विकिरण प्राप्त करती है। उदाहरण के लिए, हिमालय की दक्षिणी ढलानें उत्तरी ढलानों की तुलना में अधिक तापमान दर्ज करती हैं। एक उत्तर की ओर मुख वाली ढलान बर्फ से ढकी हो सकती है, जबकि उसी ऊंचाई पर दक्षिण की ओर मुख वाली ढलान अनावृत हो सकती है। उत्तर की ओर मुख वाली ढलान कम तीव्र विकिरण प्राप्त करती है और जैसे-जैसे सूर्य आकाश में नीचे आता है, वह दक्षिण की ओर मुख वाली ढलान से पहले छाया में आ जाएगा। दक्षिणी गोलार्ध के मामले में यह बिल्कुल विपरीत होता है। पहाड़ों और पहाड़ियों की तटीय पवन की दिशा वाली ढलान का तापमान समुद्री प्रभाव, वर्षा और ऊपर उठने वाली पवन की वजह से पवन की दिशा से विपरीत ढलान की तुलना में अपेक्षाकृत कम होता है (और वर्षा अधिक होती है)। यही कारण है कि मुंबई और पुणे के तापमान में बहुत अंतर होता है। ढलान का पहलू कई प्राकृतिक घटनाओं को प्रभावित करता है। उदाहरण के लिए, एक पहाड़ पर स्थायी बर्फ और बर्फ की ऊंचाई एक ढलान से दूसरे ढलान पर भिन्न होती है, जैसे कि पेड़ की रेखा। इसी प्रकार, उत्तर और दक्षिण की ओर मुख वाली ढलानों पर बर्फ और पाले की गहराई भी भिन्न होती है। ये घटनाएं भी तापमान को प्रभावित करती हैं। स्थलाकृति भी कुछ निचले इलाकों की जलवायु में महत्वपूर्ण भूमिका निभाती है। महाद्वीपीय पैमाने पर उत्तर और दक्षिण की दिशा में चलने वाली पर्वत श्रृंखलाओं का प्रभाव पूर्व-पश्चिम दिशा में चलने वाली पर्वत श्रृंखलाओं से बहुत अलग होता है। हिमालय की उपस्थिति साइबेरियाई ठंडी पवन को भारतीय उपमहाद्वीप में प्रवेश करने से रोकती है। हिमालय की दक्षिणी ढलानों पर भारी वर्षा भारतीय ग्रीष्मकालीन मानसून पवनों के मार्ग में उत्पन्न अवरोध का परिणाम है।
7. **महासागरीय धाराएँ (Ocean Currents):** महासागरीय धाराएँ भी भूमि एवं महासागरों पर तापमान के वितरण को प्रभावित करती हैं। निचले अक्षांशों से उच्च अक्षांशों की ओर बहने वाली गर्म महासागरीय धाराएँ गर्म पानी को ध्रुवीय क्षेत्रों की ओर ले जाती हैं, जबकि ठंडी धाराएँ ठंडे पानी को विषुवतीय क्षेत्रों की ओर लाती हैं। उदाहरण के लिए, गल्फ स्ट्रीम नॉर्वे के तट का औसत तापमान लगभग 5–10°C बढ़ा देती है, जबकि लैब्राडोर धारा कनाडा के तट का तापमान लगभग 8°C कम कर देती है। गल्फ स्ट्रीम के गर्म पानी के कारण उत्तरी यूरोप (60°N) के बंदरगाह पूरे वर्ष खुले रहते हैं, जबकि कनाडा के बंदरगाह, यहाँ तक कि 50°N पर भी, सर्दियों के मौसम में जमे रहते हैं।

तालिका 3.2 विश्व की स्थानीय पवनें

क्र.सं.	नाम	पवन की प्रकृति	स्थान
1.	चिनूक (बर्फ खाने वाले)	गर्म, शुष्क पवन	रॉकीज पर्वत
2.	फोहेन	गर्म, शुष्क पवन	आल्प्स
3.	ख़ामसीन	गरम/ठंडा (मौसम के अनुसार), शुष्क पवन	सहारा रेगिस्तान से मिस्र तक
4.	सिरोको	गर्म, नम पवन	सहारा से भूमध्य सागर तक
5.	सोलानो	गर्म, नम पवन	सहारा से इबेरियन प्रायद्वीप तक
6.	हरमट्टन (गिनी डॉक्टर)	गर्म, शुष्क पवन	सहारा से गिनी की खाड़ी तक
7.	बोरा	ठंडी, शुष्क पवन	डिनारिक आल्प्स से एड्रियाटिक तट तक

(Continued)

तालिका 3.2 *(Continued)*

क्र.सं.	नाम	पवन की प्रकृति	स्थान
8.	मिस्ट्रल	ठंडी पवन	आल्प्स और फ्रांस
9.	पुनास	ठंडी शुष्क पवन	एंडीज पर्वत का पश्चिमी भाग
10.	बर्फीला तूफान	ठंडी पवन	टुंड्रा क्षेत्र
11.	पुर्गा	ठंडी पवन	साइबेरिया, रूस
12.	लेवेंटर	गर्म, नम	स्पेन
13.	नॉरवेस्टर	गर्म शुष्क हवा	न्यूजीलैंड
14.	सांता एना	गर्म पवन	दक्षिणी कैलिफोर्निया
15.	करबुरान (काला तूफान)	शीत धूल भरी पवन	मध्य एशिया
16.	कैलीमा	धूल भरी शुष्क पवन	सहारा रेगिस्तान से लेकर कैनरी द्वीप समूह तक
17.	एलीफेंटा	मानसून में नम पवन	मालाबार तट
18.	गिबली	गर्म, शुष्क पवन	लीबियन हाइलैंड्स
19.	लू	गर्म, शुष्क पवन	उत्तर भारत के सतलुज-गंगा के मैदान

त्वरित पुनरावलोकन (Quick Revision)

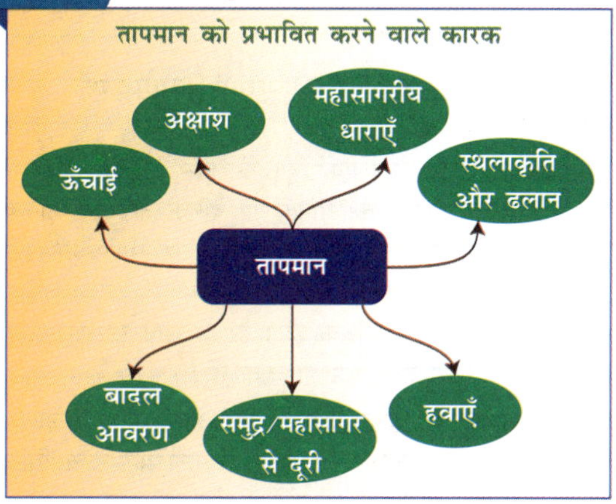

तापमान का क्षैतिज वितरण (Horizontal Distribution of Temperature)

सामान्यत:, तापमान भूमध्य रेखा से ध्रुवों की ओर घटता है। भूमध्य रेखा से ध्रुव की ओर तापमान में कमी की दर को तापमान प्रवणता कहा जाता है। चूंकि उष्णकटिबंधीय क्षेत्र को सबसे अधिक सौर विकिरण प्राप्त होता है, इस क्षेत्र में औसत तापमान पूरे वर्ष उच्च रहता है। यद्यपि, भूमध्य रेखीय पट्टी में बादलों की उपस्थिति सौर विकिरण की दर को बाधित करती है। परिणामस्वरूप, सबसे उच्च तापमान भूमध्य रेखा के साथ नहीं, बल्कि कर्क रेखा और मकर रेखा के क्षेत्रों में दर्ज किए जाते हैं। विश्व में सबसे उच्च तापमान उष्णकटिबंधीय क्षेत्रों, विशेष रूप से पश्चिमी महाद्वीपीय सीमा के गर्म रेगिस्तानों में दर्ज किए जाते हैं।

सामान्यत:, समताप रेखाएँ पूर्व से पश्चिम की ओर चलती हैं तथा अक्षांशों के लगभग समानांतर होती हैं। यह प्रवृत्ति तापमान के क्षैतिज वितरण पर अक्षांशों के मजबूत नियंत्रण को दर्शाती है। यद्यपि, उत्तरी गोलार्ध में समताप रेखाएँ अधिक अनियमित होती हैं, क्योंकि यहाँ भूमि का विस्तार अधिक है। इसके अतिरिक्त, उत्तरी गोलार्ध में समताप रेखाएँ अधिक निकट होती हैं जो तापमान में तेजी से परिवर्तन को दर्शाती हैं। जनवरी एवं जुलाई की समताप रेखाएँ तापमान के क्षैतिज वितरण की प्रतिनिधि होती हैं।

इस प्रकार, पृथ्वी की सतह पर तापमान का क्षैतिज वितरण स्थान (अक्षांश, ऊँचाई, और ढलान) और गतिशील गति (वायुमंडल और महासागरीय धाराओं द्वारा ऊर्जा का स्थानांतरण) दोनों का एक कार्य है।

जनवरी का तापमान (January Temperature)

जनवरी महीने में तापमान का वितरणात्मक पैटर्न चित्र 3.6 में दिखाया गया है। जनवरी में सूर्य की किरणें दक्षिणी गोलार्ध में लंबवत होती हैं। परिणामस्वरूप, दक्षिणी गोलार्ध में उच्च तापमान दर्ज किए जाते हैं। तापीय इक्वेटर (सभी उच्चतम औसत तापमान वाले बिंदुओं को जोड़ने वाली रेखा) दक्षिण अमेरिका, अफ्रीका और ऑस्ट्रेलिया के आंतरिक भागों में दक्षिण की ओर मुड़ता है, जो भूमि क्षेत्रों पर उच्च तापमान को इंगित करता है। इस महीने के दौरान, समताप रेखाएं भूमि पर दक्षिण की ओर तथा समुद्र या महासागरों पर उत्तर की ओर स्थानांतरित होती हैं।

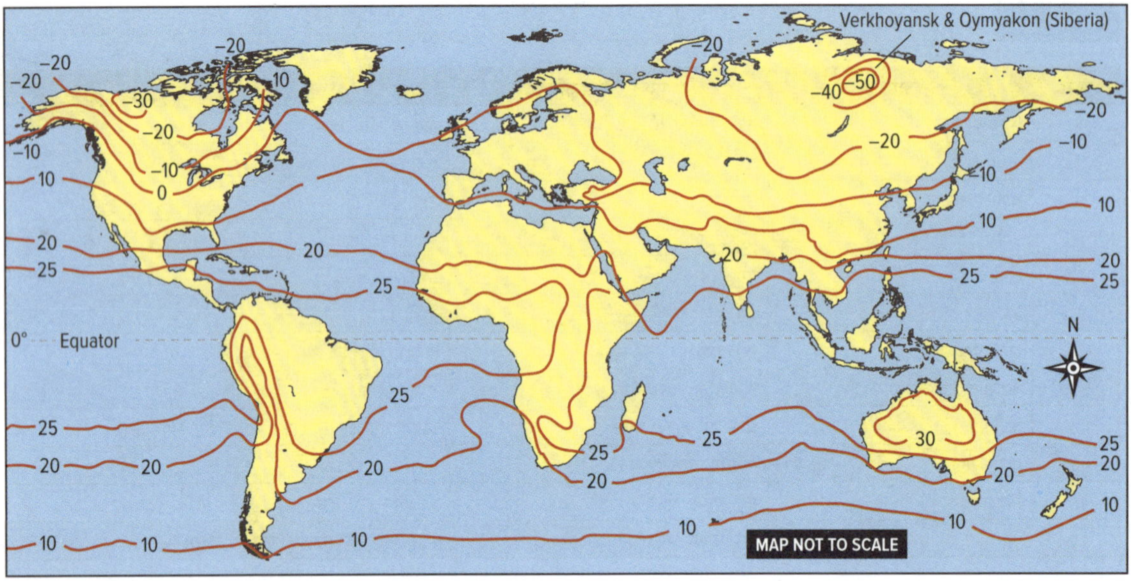

चित्र 3.6
जनवरी के औसत तापमान की समताप रेखाएँ (°C)

जुलाई का तापमान (July Temperature)

जुलाई के औसत तापमान को **चित्र 3.7** में दिखाया गया है। जुलाई में, गर्मियों के लंबे दिन और सूर्य की ऊर्ध्व किरणें उत्तरी गोलार्ध में होती हैं। उच्च ग्रीष्मकालीन सूर्य के साथ तापीय विषुवत रेखा उत्तर की ओर खिसकती है और लीबिया, मिस्र, सऊदी अरब, फारस की खाड़ी, ईरान, पाकिस्तान और मध्य भारत तक पहुँचती है। इस महीने के दौरान, समुद्र या महासागरों पर समताप रेखाएँ दक्षिण की ओर तथा भूमि पर उत्तर की ओर खिसकती हैं।

वार्षिक तापमान का अंतर (Annual Range of Temperature)

जनवरी और जुलाई के औसत मासिक तापमान के अंतर को वार्षिक तापमान का अंतर कहा जाता है। वार्षिक तापमान का सबसे अधिक अंतर सामान्यतया साइबेरिया के उपध्रुवीय क्षेत्र में दर्ज किया जाता है, जहां औसत वार्षिक तापमान का अंतर लगभग 60-65°C होता है **(चित्र 3.8)**। दूसरी ओर, दक्षिणी गोलार्ध में औसत तापमान में वार्षिक अंतर अपेक्षाकृत कम होता है। सामान्यतः, उत्तरी गोलार्ध, जिसमें कुल मिलाकर अधिक भूमि क्षेत्र है, दक्षिणी गोलार्ध (13.3°C) की तुलना में थोड़ा अधिक औसत सतह तापमान (15.2°C) दर्ज करता है।

दैनिक तापमान का अंतर (Diurnal Range of Temperature)

किसी दिए गए बिंदु पर एक दिन में सबसे अधिक और सबसे कम तापमान के अंतर को दैनिक या दैनिक तापमान का अंतर कहा जाता है। दुनिया के गर्म रेगिस्तानों में सबसे अधिक दैनिक तापमान का अंतर दर्ज किया जाता है। भूमध्य रेखा के पास, दैनिक अंतर वार्षिक अंतर से अधिक होता है। दो ध्रुवों के पास, दैनिक अंतर लगभग शून्य तक कम हो जाता है

महासागरों पर दैनिक तापमान का अंतर भी कम होता है। कम अंतर के कई कारण हैं। पहला है पानी की उच्च विशिष्ट ऊष्मा। महासागर धीरे-धीरे गर्म होते हैं और धीरे-धीरे ठंडे होते हैं। दूसरा, सतह के पानी का नीचे के पानी के साथ मिश्रण होता है जो गर्मी और ठंडक को संशोधित करता है। तीसरा, सौर विकिरण भूमि की तुलना में महासागर में गहराई तक प्रवेश करता है। चौथा, महासागरीय धाराएं तापमान को कम करती हैं।

सहारा रेगिस्तान (अल- 'अजीजीयाह) और एरिजोना रेगिस्तान में दैनिक तापमान का अंतर 30-40°C से अधिक है। ज्ञात सबसे बड़ा दर्ज किया गया दैनिक तापमान अंतर लीबिया (उत्तरी अफ्रीका) में हुआ, जहां तापमान दोपहर में 56°C से गिरकर अगले दिन सुबह 0°C हो गया (सितंबर 1922)। महाद्वीपों द्वारा उच्चतम और निम्नतम तापमान के लिए **तालिका 3.2 (A)** देखें।

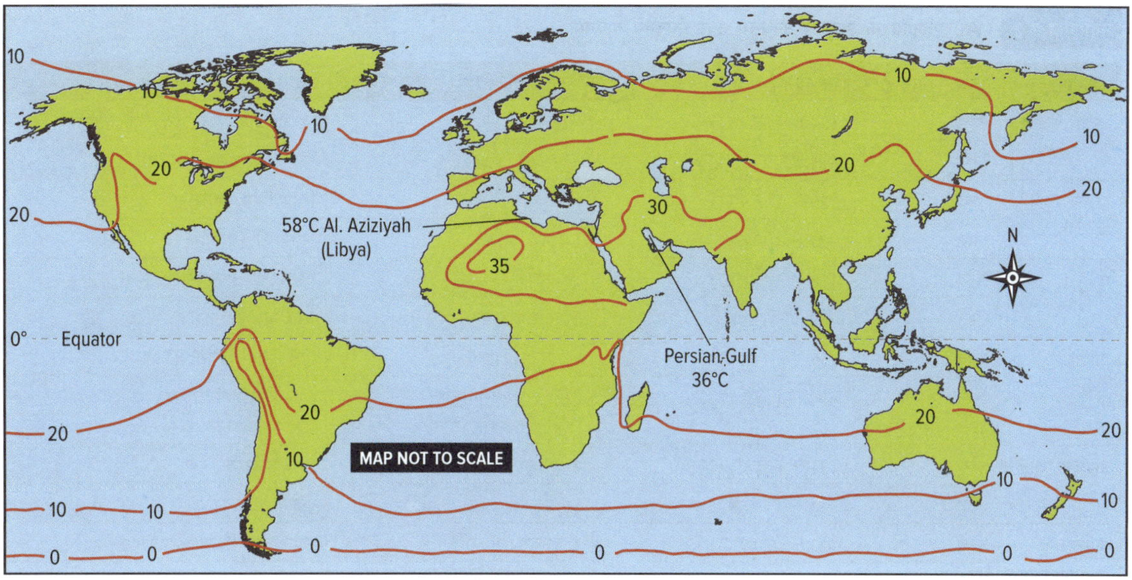

चित्र 3.7
जुलाई की औसत तापमान समताप रेखाएँ (°C)

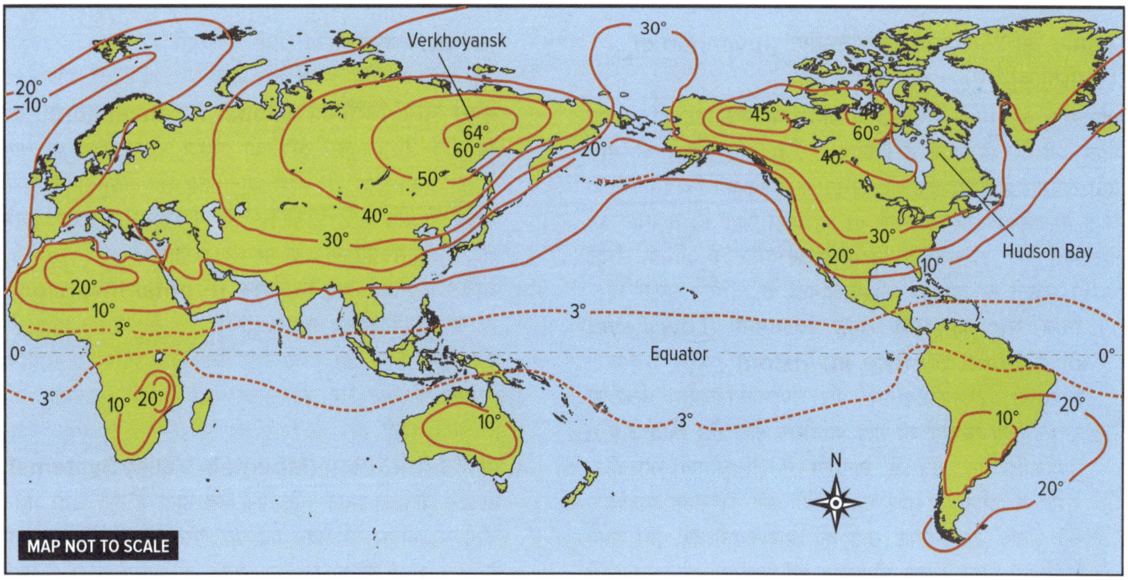

चित्र 3.8
वार्षिक वायु तापमान की सीमा (°C)

तालिका 3.2 (A) महाद्वीप के अनुसार उच्चतम और निम्नतम तापमान

महाद्वीप	उच्च/ निम्न	तापमान	रिकॉर्ड की तिथि	स्थान
उत्तरी अमेरिका	उच्च	134°F (56.7°C)	10 जुलाई, 1913	फर्नेस क्रीक रांच, डेथ वैली, यूएसए
	निम्न	-81.4°F (-63°C)	3 फरवरी, 1947	स्नेग, युकोन क्षेत्र, कनाडा
दक्षिण अमेरिका	उच्च	120°F (48.9°C)	11 दिसंबर, 1905	रिवादाविया, अर्जेंटीना
	निम्न	-27°F (-32.8°C)	1 जून, 1907	सरमिएंटो, अर्जेंटीना
यूरोप	उच्च	118.4°F (48°C)	10 जुलाई, 1977	एथेंस और एलिफसिना, ग्रीस
	निम्न	-72.6°F (-58.1°C)	31 दिसंबर 1978	उस्त शचुगोर, रूस
एशिया	उच्च	129.2°F (54°C)	21 जून 1942	तिराट जवी, इजराइल
	निम्न	-90°F (-67.8°C)	(1) 5 फरवरी 1892 (2) 6 फरवरी 1933	(1) वेरखोयांस्क, रूस (2) ओम्याकोन, रूस
अफ्रीका	उच्च	131°F (55°C)	7 जुलाई, 1931	केबिली, ट्यूनीशिया
	निम्न	-11°F (-23.9°C)	11 फरवरी 1935	इफ्रान, मोरक्को
ऑस्ट्रेलिया	उच्च	123°F (50.7°C)	2 जनवरी, 1960	ऊदनादत्ता, दक्षिण ऑस्ट्रेलिया
	निम्न	-9.4°F (-23°C)	21 जुलाई, 1983	शार्लोट पास, न्यू साउथ वेल्स
अंटार्कटिका	उच्च	67.6°F (19.8°C)	30 जनवरी, 1982	सिग्नी रिसर्च स्टेशन, अंटार्कटिका
	निम्न	-129°F (-89.2°C)	21 जुलाई, 1983	वोस्तोक स्टेशन, अंटार्कटिका

स्रोत: विश्व मौसम विज्ञान संगठन, https://wmo.asu.edu/content/world-meteorological-organization-global-weather-climate-extremes-archive पर उपलब्ध है।

तापमान की विलोमता या व्युत्क्रमण (Inversion of Temperature)

सामान्यत:, क्षोभमंडल में ऊँचाई के साथ तापमान 6.5°C प्रति 1000 मीटर की दर से घटता है **(चित्र 3.9)**। यदि ऊँचाई के साथ वायु तापमान में वृद्धि होती है, तो इसे तापमान की विलोमता कहा जाता है। इसे नकारात्मक लैप्स दर भी कहा जाता है। तापमान की विलोमता पृथ्वी की सतह के निकट या क्षोभमंडल में अधिक ऊँचाई पर हो सकती है। तापमान की विलोमता के विभिन्न प्रकार हैं-

1. **निम्न स्तर या भूमि सतह विलोमता (Low Level or Ground Surface Inversion):** भूमि विलोमता सामान्यत: उष्णकटिबंधीय और उपोष्णकटिबंधीय क्षेत्रों में केवल लंबी सर्दियों की रातों के दौरान होता है **(चित्र 3.9)**। उष्णकटिबंधीय क्षेत्र में तापमान की विलोमता, हालांकि, सूरज के उगने के साथ गायब हो जाता है। सतह विलोमता की अवधि और ऊँचाई ध्रुवों की ओर बढ़ती है। भूमि सतह विलोमता निम्नलिखित भौगोलिक परिस्थितियों के तहत होती है–
   i. लंबी सर्दियों की रातें
   ii. साफ आसमान
   iii. कम सापेक्ष आर्द्रता के साथ शुष्क वायु
   iv. शांत वातावरण या धीमी वायु गति
   v. बर्फ से ढकी सतह
2. **ऊपरी वायु विलोमता (Upper Air Inversion):** यह तब होता है जब गर्म वायु को एडीज के कारण ठंडी वायु में ऊपर की ओर ले जाया जाता है। यह अवरोही वायु के कारण हो सकता है, जैसा कि उपोष्णकटिबंधीय उच्च दबाव पट्टियों (प्रतिचक्रवातों) के मामले में होता है।
3. **अग्रिम व्युत्क्रम या विलोमन (Frontal Inversion):** यह वायु की क्षैतिज या ऊर्ध्वाधर गति के कारण होता है। ऊपर गर्म पवन और नीचे ठंडी पवन की उपस्थिति सामान्य तापमान गिरावट दर को उलट देती है और तापमान की विलोमता होती है।
4. **माउंटेन वैली सिस्टम (Mountain Valley Systems):** माउंटेन वैली तापमान व्युत्क्रमण तब होता है जब ठंडी पवन घाटी के भीतर गर्म पवन की एक परत के नीचे फंस जाती है। यह सामान्यतया रात या सुबह के समय होता है जब भूमि तेजी से ठंडी होती है, जिससे सतह के करीब पवन ठंडी हो जाती है। चूँकि ठंडी पवन सघन होती है, इसलिए यह घाटी में डूब जाती है और जम जाती है, जबकि ऊपर की गर्म पवन एक ढक्कन की तरह काम करती है, जो ठंडी

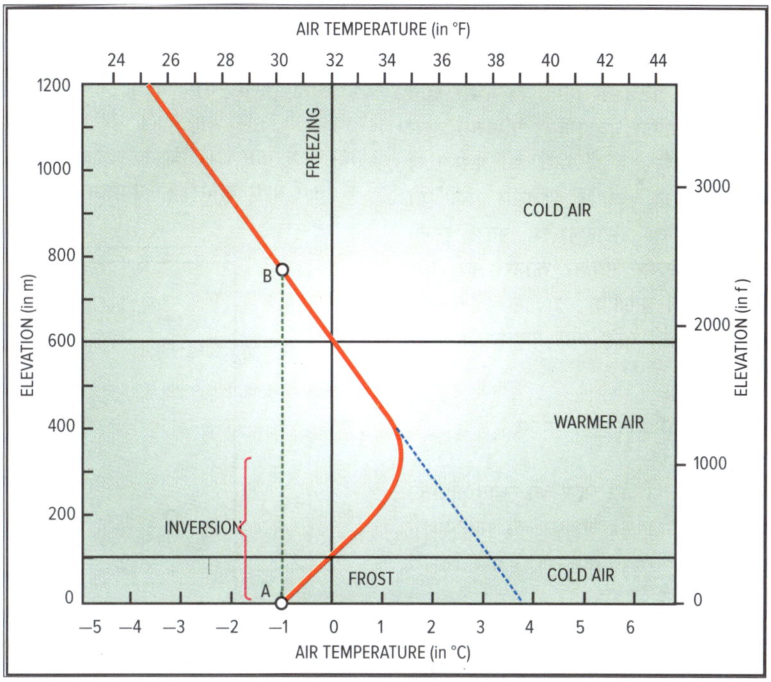

चित्र 3.9
निम्न स्तर - ठंड के साथ तापमान की विलोमता

पवन को ऊपर उठने और फैलने से रोकती है। इससे घाटी में प्रदूषकों का निर्माण हो सकता है, जिसके परिणामस्वरूप खराब वायु गुणवत्ता, कोहरा और ठंड हो सकती है। पर्वतीय घाटियों में तापमान व्युत्क्रमण स्थानीय जलवायु और स्वास्थ्य पर महत्वपूर्ण प्रभाव डाल सकता है।

तापमान व्युत्क्रमण वायुमंडलीय स्थिरता का कारण बनता है जो पवन की ऊपर (चढ़ाई) और नीचे की ओर (अवरोही) गति को रोकता है। वायुमंडलीय स्थिरता वर्षा के लिए कम अनुकूल है।

तापमान के व्युत्क्रमण का प्रभाव (Impact of Inversion of Temperature)

तापमान का व्युत्क्रमण और इसकी अवधि, इसके होने वाले क्षेत्र के समाज और अर्थव्यवस्था पर प्रतिकूल प्रभाव डालती है। व्युत्क्रमण के कुछ महत्वपूर्ण परिणाम नीचे दिए गए हैं:

1. कोहरे का होना (Occurrence of Fog)

कोहरा सतह के बादलों के पास होता है। जब जमीन के पास की पवन संघनित होती है, तो हमें कोहरा मिलता है। चूँकि यह सतह के पास होता है, इसलिए यह दृश्यता में कमी का कारण बनता है। दृश्यता में कमी के कारण सड़क, रेल, हवाई और समुद्री मार्ग दुर्घटनाओं की आवृत्ति बढ़ सकती है।

शहरी क्षेत्रों में, धुएँ के साथ मिलकर कोहरा स्मॉग का रूप ले लेता है। कोहरा जहाँ फसलों के लिए हानिकारक है, वहीं स्मॉग स्वास्थ्य के लिए हानिकारक है। 1952 में लंदन में शहरी स्मॉग के कारण लगभग चार हजार लोगों की मौत हो गई थी। दिल्ली में, विशेषकर सर्दियों के मौसम में, साँस लेने में समस्या, अस्थमा, ब्रोंकाइटिस आदि बीमारियाँ आम हैं।

प्रदूषण गुंबद (POLLUTION DOME)

प्रदूषण गुंबद प्रभाव तब होता है जब तापमान व्युत्क्रमण की घटनाओं के दौरान प्रदूषक गर्म पवन की एक परत के नीचे फंस जाते हैं। तापमान व्युत्क्रमण के दौरान, गर्म पवन ठंडी पवन के ऊपर बैठ जाती है, जिससे ठंडी पवन में मौजूद प्रदूषक फैल नहीं पाते। यह सामान्यतया ठंड के मौसम में होता है जब भूमि अपने आस-पास की पवन को ठंडा कर देती है, जिससे व्युत्क्रमण होता है। इस दौरान, पवन का सामान्य ऊर्ध्वाधर मिश्रण जो प्रदूषकों को फैलाता है, दब जाता है, जिससे सतह के पास प्रदूषकों का निर्माण होता है। इसके परिणामस्वरूप खराब वायु गुणवत्ता होती है, जो श्वसन और हृदय संबंधी स्वास्थ्य समस्याओं का कारण बन सकती है। इससे निपटने के लिए, रणनीतियों में उत्सर्जन को कम करना, वायु गुणवत्ता की निगरानी करना और प्रदूषण को सीमित करने के लिए सार्वजनिक जागरूकता बढ़ाना शामिल है।

2. फसलों पर प्रभाव (Impact on Crops)

सर्दियों की फसलें, जैसे कि गेहूं, जौ, चना, मसूर दाल, सरसों, मटर, सब्जियां, मिर्च, आलू और फलों के बागों को गंभीर क्षति पहुंचती है। भारत के विशाल मैदानों, विशेषकर पश्चिमी उत्तर प्रदेश, उत्तराखंड, पंजाब और हरियाणा में गन्ने की फसल में लाल सड़न की बीमारी विकसित होती है, जिससे गन्ने की मात्रा कम हो जाती है। कैलिफोर्निया, स्विट्जरलैंड, फ्रांस, इटली और स्पेन की घाटी में बाग अक्सर भयंकर कोहरे और पाले के कारण क्षतिग्रस्त हो जाते हैं। हालाँकि, ब्राजील और यमन में कोहरे की घटना को कॉफी की वृद्धि और पैदावार के लिए अनुकूल माना जाता है।

3. मानव बस्तियों पर प्रभाव (Impact on Human Settlements)

भूमध्यसागरीय क्षेत्र में, मानव बस्तियाँ और बागों का स्थान तापमान के व्युत्क्रमण से बहुत प्रभावित होता है। आल्प्स की घाटियों के निचले हिस्से में लगभग कोई बस्तियाँ नहीं हैं, जबकि ऊपरी हिस्से में लोग रहते हैं।

वायु – दाब (ATMOSPHERIC PRESSURE)

हमारा वायुमंडल गैसों से बना हुआ है। सभी गैसों का भार होता है। वायुमंडल में किसी भी दिए गए स्तर पर प्रति इकाई क्षैतिज क्षेत्र पर उस स्तर से ऊपर की पवन के भार द्वारा लगाया गया बल वायु-दाब कहलाता है। वायुमंडलीय दबाव समुद्र तल पर अधिकतम होता है जो लगभग 1 किलोग्राम प्रति वर्ग सेंटीमीटर या 14.7 पाउंड प्रति वर्ग इंच के बराबर होता है। समुद्र तल पर मानक वायु दाब 1013.25 मिलीबार है। समुद्र तल के पास ऊँचाई के साथ वायु दाब अधिक तेजी से घटता है जहाँ पवन सबसे अधिक सघन होती है। यह हर 5.5 किमी की चढ़ाई के लिए लगभग 50 प्रतिशत घटता है। हालाँकि, हम अपने सिर और कंधों पर इतना भारी वजन महसूस नहीं करते हैं क्योंकि मानव शरीर के अंदर मौजूद पवन समान मात्रा में बाहरी दबाव डालती है, जो आंतरिक वायुमंडलीय दबाव को संतुलित करती है। चूँकि वायुमंडलीय दबाव ऊँचाई बढ़ने के साथ घटता है, इसलिए, मानव शरीर की पवन द्वारा लगाए गए बाहरी दबाव और वायुमंडल द्वारा लगाए गए आंतरिक दबाव के बीच संतुलन गड़बड़ा जाता है। परिणामस्वरूप, लोगों को पहाड़ों में अधिक ऊँचाई पर नाक और कान से खून बहने की समस्या होती है (चित्र 3.10)।

जैसे-जैसे वायुमंडलीय दबाव घटता है, पानी का क्वथनांक कम होता जाता है। उदाहरण के लिए, समुद्र तल पर क्वथनांक 100 डिग्री सेल्सियस है, जो 3000 मीटर पर 90 डिग्री सेल्सियस तक कम हो जाता है। 5000 मीटर पर, क्वथनांक 84 डिग्री सेल्सियस है। जैसे-जैसे क्वथनांक घटता है, भोजन को उबालने में लगने वाला समय बढ़ता जाता है। लेह और कारगिल जैसी जगहों पर आलू और दालों को उबालना बहुत धीमी प्रक्रिया है, और यही कारण है कि खाना पकाने की प्रक्रिया को तेज करने के लिए प्रेशर कुकर का उपयोग किया जाता है।

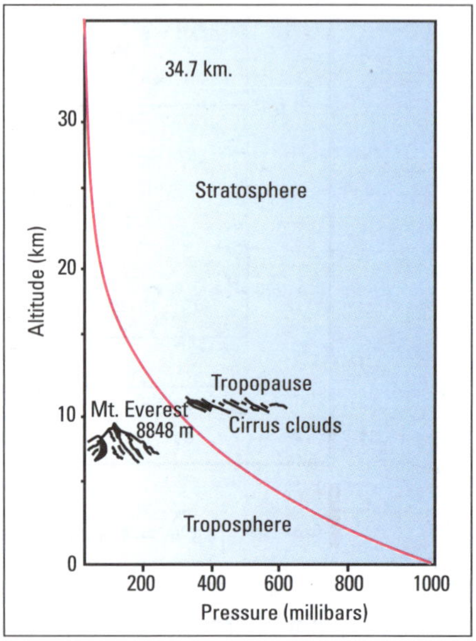

चित्र 3.10
पृथ्वी की सतह से ऊँचाई बढ़ने के साथ वायुमंडलीय दबाव घटता है

दाब प्रवणता (Pressure Gradient)

वायु दाब का वितरण एक समान नहीं होता है। आमतौर पर, दाब प्रवणता को विभिन्न मानों के आइसोबार के बीच दाब में कमी के रूप में परिभाषित किया जाता है, अर्थात उच्च दाब से निम्न दाब तक। यह उल्लेख किया जा सकता है कि उच्च और निम्न दाब हमेशा निरपेक्ष शब्दों के बनिस्पत सापेक्ष शब्दों में उपयोग किए जाते हैं। अधिक सटीक रूप से, वायु दाब प्रवणता दो बिंदुओं के बीच प्रति इकाई क्षैतिज दूरी पर दाब के परिवर्तन की दर को संदर्भित करती है (चित्र 3.11)। दाब प्रवणता को बैरोमीटरिक ढलान भी कहा जाता है। निकट दूरी वाले आइसोबार एक तीव्र दाब प्रवणता को दर्शाते हैं, जबकि व्यापक दूरी वाले आइसोबार एक सौम्य या निम्न दाब प्रवणता के सूचक हैं। यह उल्लेख किया जा सकता है कि वायु वेग दाब प्रवणता पर निर्भर करता है। जितनी अधिक प्रवणता होगी, वायु की गति उतनी ही अधिक होगी।

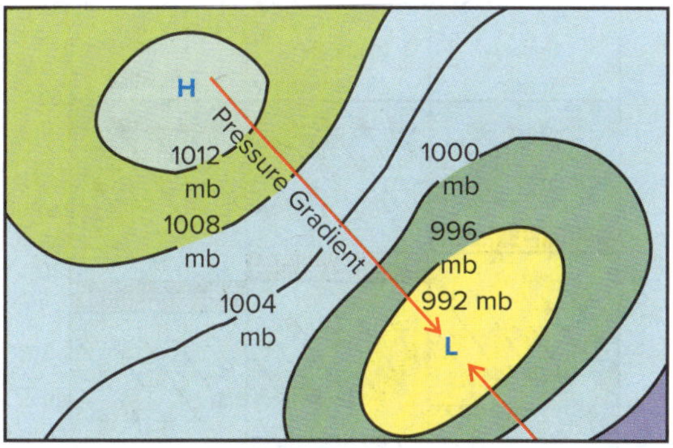

चित्र 3.11
दबाव प्रवणता और पवन की दिशा

वायु दाब का क्षैतिज वितरण (HORIZONTAL DISTRIBUTION OF AIR PRESSURE)

वायु दाब के वितरण में उच्च स्तर का परिवर्तन होता है। कुल मिलाकर, ग्लोब पर सात दाब पट्टियाँ होती हैं। इन्हें दो व्यापक श्रेणियों में विभाजित किया गया है, अर्थात्, (i) निम्न दाब पट्टियाँ, और (ii) उच्च दाब पट्टियाँ (चित्र 3.12)। दाब पट्टियों का संक्षिप्त विवरण नीचे दिया गया है–

1. **भूमध्यरेखीय निम्न दबाव पट्टी (Equatorial Low Pressure Belt):** भूमध्यरेखीय निम्न दबाव पट्टी भौगोलिक भूमध्य रेखा के दोनों ओर स्थित होती है। इस पट्टी को 'डोलड्रम' के नाम से भी जाना जाता है जिसमें पवन ऊपर की ओर उठती है। यह पट्टी 5° उत्तर और 5° दक्षिण अक्षांशों के बीच फैली हुई है। यह पट्टी उच्च मात्रा में सौर विकिरण के कारण तापीय रूप से प्रेरित होती है, जो उच्च तापमान और इस प्रकार निम्न दबाव पैदा करती है। हालांकि, यह निम्न दबाव पट्टी स्थिर नहीं होती है और मौसम के परिवर्तन के साथ उत्तर और दक्षिण की ओर स्थानांतरित होती रहती है (चित्र 3.12)।
2. **उपोष्णकटिबंधीय उच्च दबाव पट्टी (Subtropical High Pressure Belt):** उपोष्णकटिबंधीय उच्च दबाव पट्टियाँ दोनों गोलार्द्धों में 25°–35° अक्षांशों के बीच स्थित होती हैं। ये उच्च दबाव पट्टियाँ गतिशील रूप से प्रेरित होती हैं। इस क्षेत्र के ऊपर उच्च ऊंचाई पर पवनों के अभिसरण के परिणामस्वरूप उच्च ऊंचाई से पवन का अवतरण होता है। इस प्रकार, पवनों के अवतरण से वायु मात्रा का संकुचन, घनत्व में वृद्धि और अंततः उच्च दबाव उत्पन्न होता है (चित्र 3.12)।

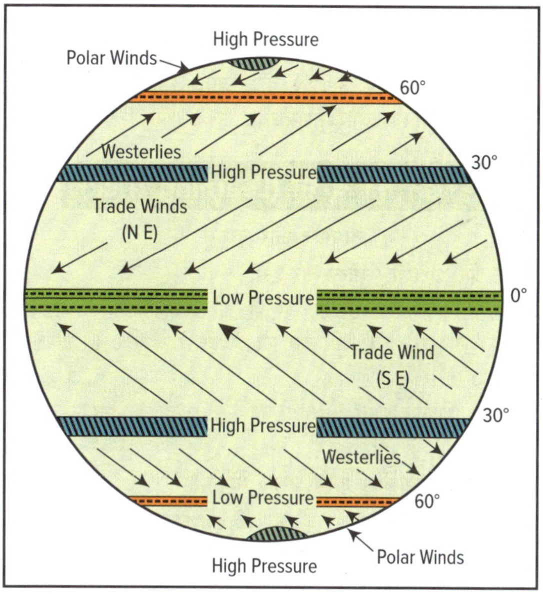

चित्र 3.12
वायु-दाब और पवन पेटी

3. **उप-ध्रुवीय निम्न दाब पेटी (Sub-Polar Low Pressure Belt):** उप-ध्रुवीय निम्न दाब की पेटी दोनों गोलार्धों में 55°–65° अक्षांशों के बीच स्थित है। यह निम्न दाब पेटी गतिशील रूप से प्रेरित है। ध्रुवीय उच्च दाब क्षेत्रों से, पृथ्वी के घूमने के कारण सतह की पवन बाहर की ओर फैलती है, जिसके परिणामस्वरूप निम्न दाब पेटी बनती हैं। उत्तरी गोलार्ध में, ये निम्न दाब पेटी मुख्य रूप से प्रशांत महासागर में अलेउतियन द्वीपों के साथ और अटलांटिक महासागर में ग्रीनलैंड और आइसलैंड के बीच पाई जाती हैं। हालाँकि, यह पेटी दक्षिणी गोलार्ध में सटी हुई और अधिक स्थायी है (चित्र 3.12)।
4. **ध्रुवीय उच्च दाब पेटी (Polar High Pressure Belts):** ध्रुवों पर पूरे वर्ष उच्च दाब पाया जाता है क्योंकि वे बहुत कम तापमान का अनुभव करते हैं। ध्रुवीय क्षेत्रों को इसे गति में लाने के लिए बहुत कम ऊर्जा प्राप्त होती है। ध्रुवीय क्षेत्र से दूर जाने वाली परिवर्तनशील ठंडी शुष्क पवनें प्रतिचक्रवाती (घड़ी की दिशा में) होती हैं, जो उत्तरी गोलार्ध में उतरती और अलग होती हैं (दक्षिणी गोलार्ध में वामावर्त), और कमजोर, परिवर्तनशील पवनें बनाती हैं जिन्हें ध्रुवीय पूर्वी पवनें कहा जाता है। दो ध्रुवीय क्षेत्रों में से, अंटार्कटिक उच्च दाब शक्ति और दृढ़ता के मामले में महत्वपूर्ण है। आर्कटिक

में, एक ध्रुवीय उच्च दाब कम स्पष्ट होता है, और जब यह बनता है, तो यह सर्दियों में अपेक्षाकृत गर्म आर्कटिक महासागर (चित्र 3.12) के बजाय ठंडे उत्तरी महाद्वीपीय क्षेत्रों (कनाडाई और साइबेरियाई उच्च) पर स्थित होता है।

याद रखने की युक्ति (Learning Trick)

तापमान और दबाव

एक बंद प्रणाली (सील जार) में:

यदि तापमान बढ़ता है, तो अणुओं की ऊर्जा बढ़ती है। इसके कारण अणु एक-दूसरे और जार की दीवारों से अधिक बार टकराने लगते हैं।

इसलिए, तापमान बढ़ने के साथ दबाव भी बढ़ता है, और इसके विपरीत भी होता है।

एक खुली प्रणाली (खुला जार) में:

यदि तापमान बढ़ता है, तो अणुओं की ऊर्जा बढ़ती है, और चूंकि किसी को भी टकराव और घर्षण पसंद नहीं है, ये अणु जार को छोड़ने लगते हैं। जैसे-जैसे जार में अणुओं की संख्या कम होती है, उसके अंदर का दबाव भी कम हो जाता है।

पृथ्वी भी एक खुली प्रणाली ही है। इसलिए, पृथ्वी पर, तापमान और दबाव विपरीत रूप से संबंधित होते हैं, उच्च तापमान कम दबाव का कारण बनता है और इसके विपरीत भी होता है।

दबाव पट्टियों का स्थानांतरण (Shifting of Pressure Belts)

ऊपर वर्णित सात दबाव पट्टियाँ शायद ही कभी अपने अक्षांशीय क्षेत्रों में स्थिर रहती हैं। सूर्य के उत्तर और दक्षिण की ओर गति (ग्रीष्म और शीत अयनांत) और भूमि और जल सतहों के गर्म और ठंडे होने की विपरीत प्रकृति के कारण वायु दबाव में दैनिक, मौसमी और वार्षिक परिवर्तन होता है। अधिकतम तापमान के कारण सामान्यतया 2-4 बजे के बीच सबसे कम दबाव विकसित होता है, जबकि न्यूनतम तापमान के कारण 4-6 बजे के बीच सबसे अधिक दबाव दर्ज किया जाता है।

ग्रीष्म अयनांत के दौरान जब सूर्य की किरणें कर्क रेखा पर लंबवत होती हैं, तो सभी दबाव पट्टियाँ सूर्य की उत्तर की ओर गति के साथ उत्तर की ओर बढ़ती हैं। दूसरी ओर, शीत अयनांत के दौरान जब सूर्य मकर रेखा पर लंबवत होता है, तो सभी दबाव पट्टियाँ दक्षिण की ओर बढ़ती हैं। वसंत विषुव (20/21 मार्च) और शरद विषुव (22/23 सितंबर) के समय जब सूर्य भूमध्य रेखा पर लंबवत होता है, तो दबाव पट्टियाँ अपने सामान्य आदर्श स्थानों पर होती हैं। दबाव पट्टियों के मौसमी स्थानांतरण को चित्र 3.13 में दिखाया गया है।

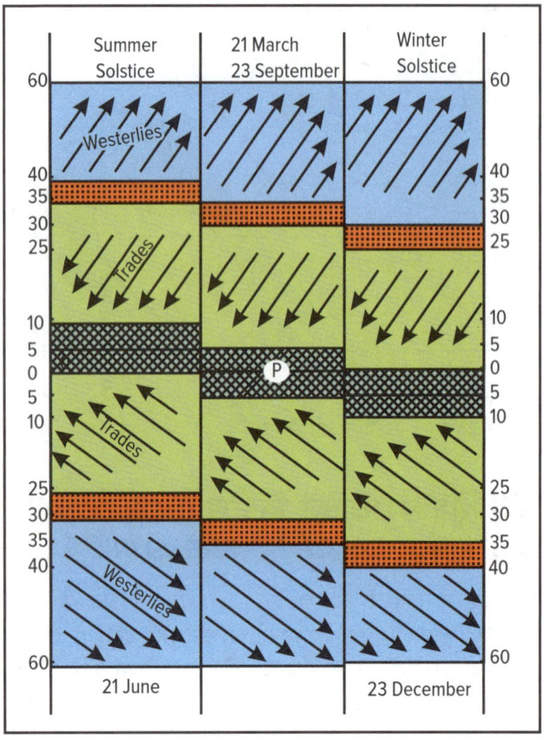

चित्र 3.13
दबाव और पवन पट्टियों का स्थानांतरण

दबाव पट्टियों के स्थान के मौसमी स्थानांतरण का जलवायु और मौसम पर बड़ा महत्व है। दबाव पट्टियों और पवनों के मौसमी स्थानांतरण से संक्रमण क्षेत्रों की मौसम स्थितियों में परिवर्तन होता है और कुछ विशिष्ट जलवायु, जैसे मानसून जलवायु, भूमध्यसागरीय जलवायु, पश्चिमी यूरोपीय जलवायु आदि का जन्म होता है।

औसत वायु दबाव की स्थितियाँ (Average Conditions of Air Pressure)

जनवरी और जुलाई के दौरान वायु दबाव की औसत स्थितियों को चित्र 3.14(A) और 3.14(B) में दिखाया गया है। इन चित्रों में दिखाए गए दबाव 30 वर्षों से अधिक के औसत हैं। इन्हें रिकॉर्डिंग स्टेशन की ऊंचाई के लिए सही किया गया है ताकि दबाव समुद्र तल के लिए दिखाए जा सकें। औसत बैरोमेट्रिक दबाव लगभग 1013 मिलीबार है। इससे अधिक मूल्य 'उच्च' हैं, जबकि इससे कम मूल्य 'निम्न' हैं।

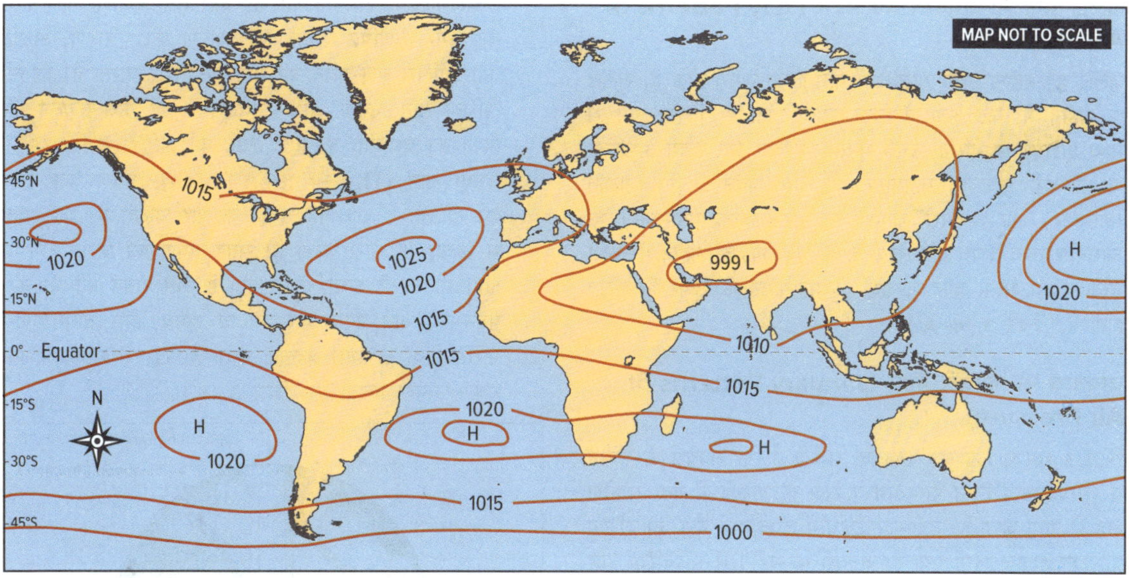

चित्र 3.14(**A**)

जुलाई में वायुदाब का वितरण (मिलीबार में)

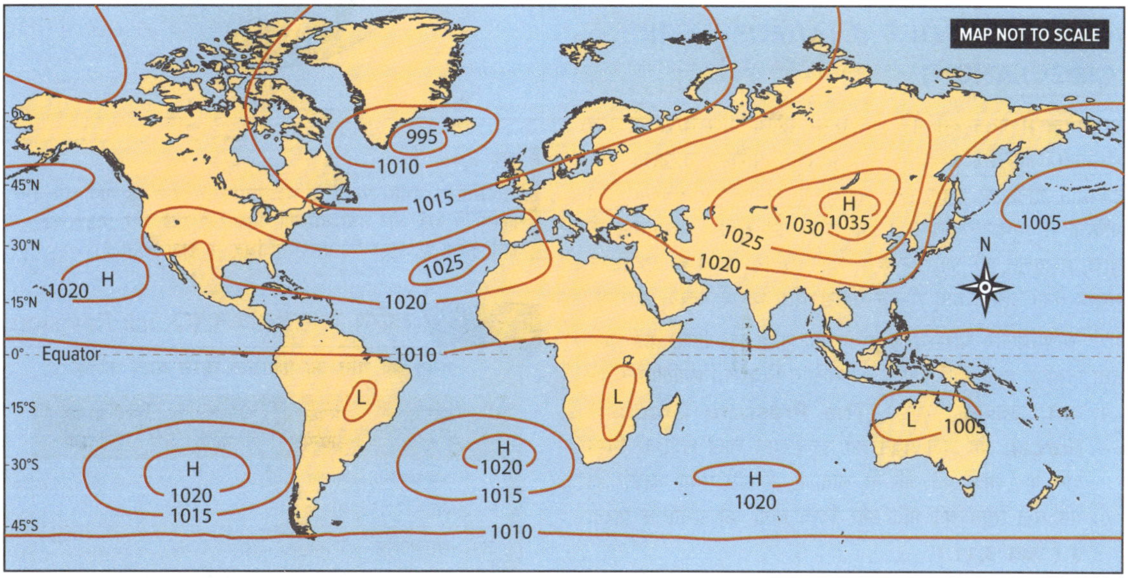

चित्र 3.14(**B**)

जनवरी में वायुदाब का वितरण (मिलीबार में)

जुलाई माह में वायुदाब का पैटर्न (July Patterns of Air Pressure)

जुलाई का महीना उत्तरी गोलार्ध में गर्मियों का समय होता है। जुलाई के महीने में, कई क्षेत्रों में निम्न दबाव होता है, विशेष रूप से मध्य एशिया, साइबेरिया, उत्तरी भारत के मैदान और उत्तरी अमेरिका के पश्चिमी भागों में। महासागरों के ऊपर, पवन ई द्वीप (प्रशांत महासागर) और अजोरेस सागर (उत्तर अटलांटिक महासागर) के आसपास उच्च दबाव दर्ज किया जाता है। जुलाई के महीने में, सभी उच्च दबाव सेल्स दोनों गोलार्धों में महासागर के ऊपर विकसित होती हैं (चित्र 3.14(A))।

वायुदाब के जनवरी पैटर्न (January Patterns of Air Pressure)

चित्र 3.14(B) में यह देखा जा सकता है कि जनवरी के महीने में भूमध्यरेखीय निम्न दाब भूमध्य रेखा के दक्षिण में एक संकीर्ण क्षेत्र में पाया जाता है। उपोष्णकटिबंधीय उच्च दाब पेटी को दक्षिण की ओर धकेल दिया गया है। जनवरी के महीने में साइबेरिया और कनाडा में उच्च दाब दर्ज किया जाता है, और अलेउतियन द्वीप समूह और आइसलैंड के आस-पास निम्न दाब दर्ज किया जाता है। दक्षिणी गोलार्ध के उच्च अक्षांशों में उच्च दाब दर्ज किया जाता है।

वायुमंडलीय परिसंचरण (ATMOSPHERIC CIRCULATION)

वायुमंडल में पवन की गति को वायुमंडलीय परिसंचरण के रूप में जाना जाता है। पृथ्वी का वायुमंडलीय परिसंचरण ऊर्जा और द्रव्यमान दोनों के लिए एक महत्वपूर्ण स्थानांतरण तंत्र है। इस प्रक्रिया में, भूमध्यरेखीय ऊर्जा अधिशेष और ध्रुवीय ऊर्जा घाटे के बीच असंतुलन को आंशिक रूप से हल किया जाता है; पृथ्वी के मौसम पैटर्न उत्पन्न होते हैं और महासागरीय धाराएँ उत्पन्न होती हैं।

वायुमंडलीय परिसंचरण, पवन की गति और दिशा कई बलों द्वारा नियंत्रित होती है। इन बलों का संक्षिप्त विवरण निम्नलिखित है–

1. **दाब प्रवणता बल (The Pressure Gradient Force):** यह बल पवन को उच्च दाब वाले क्षेत्रों से निम्न दाब वाले क्षेत्रों की ओर ले जाता है, जिससे पवन चलती है। यह बल पवन की गति और दिशा दोनों को प्रभावित करता है (चित्र 3.11)।
2. **कोरिओलिस बल (The Coriolis Force):** यह पृथ्वी के घूर्णन के कारण उत्पन्न एक विक्षेपण बल है। यह केवल पृथ्वी पर चलती वस्तुओं को प्रभावित करता है। यह भूमध्य रेखा पर शून्य होता है और ध्रुवों पर अधिकतम होता है। यह उत्तरी गोलार्ध में पवनों को दाईं ओर तथा दक्षिणी गोलार्ध में बाईं ओर विक्षेपित करता है। विक्षेपण का परिमाण, अर्थात् कोरिओलिस बल पवन की गति पर निर्भर करता है। जितनी अधिक गति, उतना अधिक विक्षेपण। यह केवल पवन की दिशा को प्रभावित करता है, गति को नहीं (चित्र 3.15)।
3. **घर्षण बल (The Friction Force):** घर्षण बल पवन को खींचता है जब यह सतहों के पार चलती है; यह सतह से ऊंचाई के साथ घटता है। सतह घर्षण का प्रभाव लगभग 500 मीटर की ऊंचाई तक होता है और सतह की बनावट, पवन की गति, दिन और वर्ष के समय, और वायुमंडलीय परिस्थितियों के साथ बदलता रहता है। खुरदरी सतहें अधिक घर्षण उत्पन्न करती हैं (चित्र 3.16)।

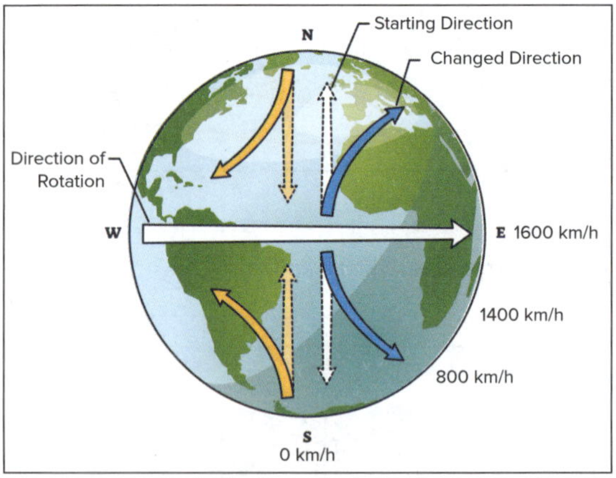

चित्र 3.15

कोरिओलिस प्रभाव पवनों या महासागरीय धाराओं के मार्गों को उत्तरी गोलार्ध में दाईं ओर तथा दक्षिणी गोलार्ध में बाईं ओर मोड़ने का कार्य करता है, जैसा कि प्रारंभिक बिंदु से देखा जाता है।

त्वरित पुनरावलोकन (Quick Revision)

पवन की गति को प्रभावित करने वाले कारक

	कारक/बल	प्रत्यक्ष/अप्रत्यक्ष	गति को प्रभावित करता है	प्रभाव दिशा
1.	दाब प्रवणता बल	प्रत्यक्ष	✓	✓
2.	कोरिओलिस बल	प्रत्यक्ष	×	✓
3.	घर्षण बल	प्रत्यक्ष	✓	✓
4.	गुरुत्वाकर्षण बल	अप्रत्यक्ष	–	–

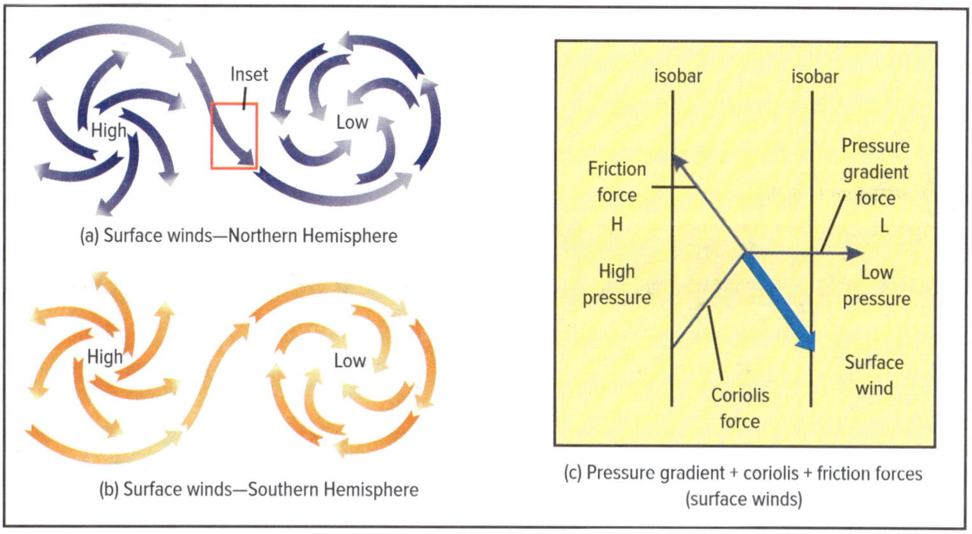

चित्र 3.16
घर्षण बल और कोरिओलिस बल का प्रभाव

4. **गुरुत्वाकर्षण बल (Gravitational Force):** यह दबाव प्रवणता बल को प्रभावित करके पवन की गति को अप्रत्यक्ष रूप से प्रभावित करता है। ठंडी पवन अधिक सघन होती है और गर्म पवन की तुलना में पृथ्वी की सतह की ओर अधिक आकर्षित होती है, क्योंकि गुरुत्वाकर्षण बल वस्तुओं के द्रव्यमान पर निर्भर करता है। यही कारण है कि उच्च तापमान वाले स्थानों में निम्न दबाव होता है और इसके विपरीत (चित्र 3.16) ये सभी चार बल गतिमान पवन और पानी पर कार्य करते हैं और वैश्विक पवन परिसंचरण पैटर्न को प्रभावित करते हैं (चित्र 3.12)।

पवनों की दिशा (Direction of Winds)

पवनों का नाम उस दिशा के आधार पर रखा जाता है जिस दिशा से वे आती हैं। पूर्व से पश्चिम की ओर बहने वाली पवन को पूर्वी पवन कहते हैं, जबकि पश्चिम से पूर्व की ओर बहने वाली पवन को पश्चिमी पवन कहते हैं (चित्र 3.13)।

पवन (WINDS)

- पवन चलती हुई हवा है और वायुमंडल के भीतर हवा के दबाव में अंतर के कारण होती है। उच्च दबाव वाली पवन कम दबाव वाले क्षेत्रों की ओर बढ़ती है। दबाव में जितना अधिक अंतर होता है, पवन उतनी ही तेजी से बहती है।
- पवन को दिशा और गति के साथ वर्णित किया जाता है। पवन की दिशा को बल की दिशा के रूप में व्यक्त किया जाता है, जिस दिशा से पवन बह रही है। उदाहरण के लिए, पूर्वी पवनें पूर्व से पश्चिम की ओर चलती हैं, जबकि पश्चिमी पवनें पश्चिम से पूर्व की ओर चलती हैं (चित्र 3.17)।

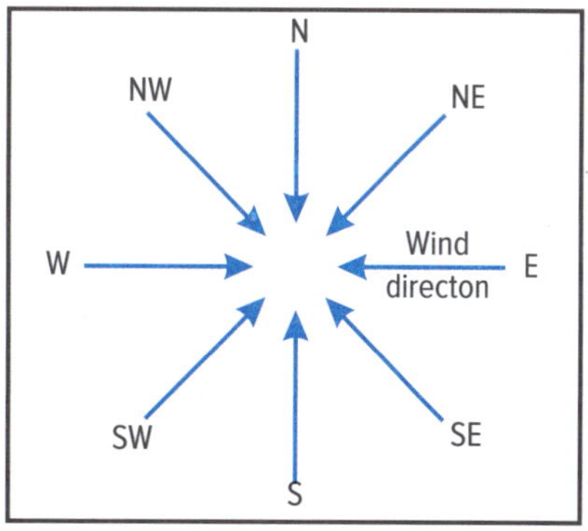

चित्र 3.17
पवनों को उस दिशासूचक बिंदु के अनुसार नामित किया जाता है जहाँ से पवन आती है। पूर्वी पवन पूर्व से आती है, लेकिन पवन पश्चिम की ओर बढ़ रही है।

- पवनों की गति के विभिन्न स्तर होते हैं, जैसे "पवन" और "आंधी", यह इस बात पर निर्भर करता है कि वे कितनी तेजी से चलती हैं। पवन की गति ब्यूफोर्ट स्केल नामक पैमाने पर

पवनों के विवरण पर आधारित होती है, जो पवन की गति को 12 अलग-अलग श्रेणियों में विभाजित करती है, 1 मील प्रति घंटे से कम से लेकर 73 मील प्रति घंटे से अधिक तक **(तालिका 3.3)**।

पवनों को निम्न प्रकार से वर्गीकृत किया जा सकता है: (i) स्थायी पवनें, (ii) आवधिक पवनें, (iii) स्थानीय पवनें, और (iv) परिवर्तनशील पवनें (चक्रवात और प्रतिचक्रवात) **(चित्र 3.18)**।

तालिका 3.3 ब्यूफोर्ट पवन पैमाना

बल	पवन (गाँठ)	WMO वर्गीकरण	वायु प्रभाव का प्रकट होना	
			पानी पर	भूमि पर
0	<1	शांत	समुद्र की सतह चिकनी और दर्पण जैसी	शांत, धुआँ सीधा ऊपर उठता है
1	1–3	हल्की पवन	पपड़ीदार लहरें, कोई झागदार शिखर नहीं	धुएँ का बहाव पवन की दिशा को दर्शाता है, स्थिर पवन वेन्स
2	4–6	हल्की पवन	छोटी तरंगें, शिखर कांच जैसे, टूटते नहीं	चेहरे पर पवन का एहसास, पत्तियाँ सरसराहट करती हैं, पंख हिलने लगते हैं
3	7–10	हल्की पवन	बड़ी तरंगें, शिखर टूटने लगते हैं, बिखरी हुई सफेद टोपियाँ	पत्तियाँ और छोटी टहनियाँ लगातार हिलती रहती हैं, हल्के झंडे फैले रहते हैं
4	11–16	मध्यम पवन	छोटी लहरें (1–4 फीट) लंबी होती जा रही हैं, कई सफेद टोपियाँ	धूल, पत्तियाँ और ढीले कागज उठे हुए हैं, छोटे पेड़ों की शाखाएँ हिल रही हैं
5	17–21	ताजी पवन	मध्यम लहरें (4–8 फीट) लंबा रूप ले रही हैं, कई सफेद टोपियाँ, कुछ स्प्रे	छोटे पेड़ पत्ती हिलने लगती है
6	22–27	तेज पवन	बड़ी लहरें (8–13 फीट), सफेद रंग की लहरें आम, अधिक स्प्रे	बड़े पेड़ों की शाखाएँ हिलती हैं, तारों में सीटी बजती हैं
7	28–33	आंधी के करीब	समुद्र में पानी भर जाता है, लहरें (13–19 फीट), ब्रेकर से सफेद झाग की धारियाँ निकलती हैं	पूरे पेड़ हिलते हैं, पवन के खिलाफ चलने में प्रतिरोध महसूस होता है
8	34–40	आंधी	अधिक लंबाई की मध्यम ऊँची (18–25 फीट) लहरें, शिखरों के किनारे स्पिनड्रिफ्ट में टूटने लगते हैं, झाग की धारियाँ उड़ती हैं	पेड़ों से टहनियाँ टूटती हैं, आमतौर पर प्रगति में बाधा डालती हैं
9	41–47	तेज आंधी	ऊँची लहरें (23–32 फीट), समुद्र हिलने लगता है, झाग की घनी धारियाँ, स्प्रे से दृश्यता कम हो सकती है	थोड़ा संरचनात्मक क्षति होती है, स्लेट छतों से उड़ जाती है
10	48–55	तूफान	बहुत ऊँची लहरें (29–41 फीट) लटकती हुई शिखर, घने झाग के साथ सफेद समुद्र, भारी लहरें, दृश्यता कम हो गई	भूमि पर शायद ही कभी अनुभव किया गया, पेड़ टूटे या उखड़ गए, 'काफी संरचनात्मक क्षति'
11	**56–63**	हिंसक तूफान	असाधारण रूप से ऊंची (37–52 फीट) लहरें, समुद्र पर झाग के धब्बे, दृश्यता और कम हो गई	
12	64+	तूफान	पवन में झाग भरा हुआ, 45 फीट से अधिक ऊंची लहरें, समुद्र पूरी तरह से सफेद हो गया और तेज पवनें चल रही थीं, दृश्यता बहुत कम हो गई	

1805 में सर फ्रांसिस ब्यूफोर्ट, यू.के. रॉयल नेवी द्वारा विकसित

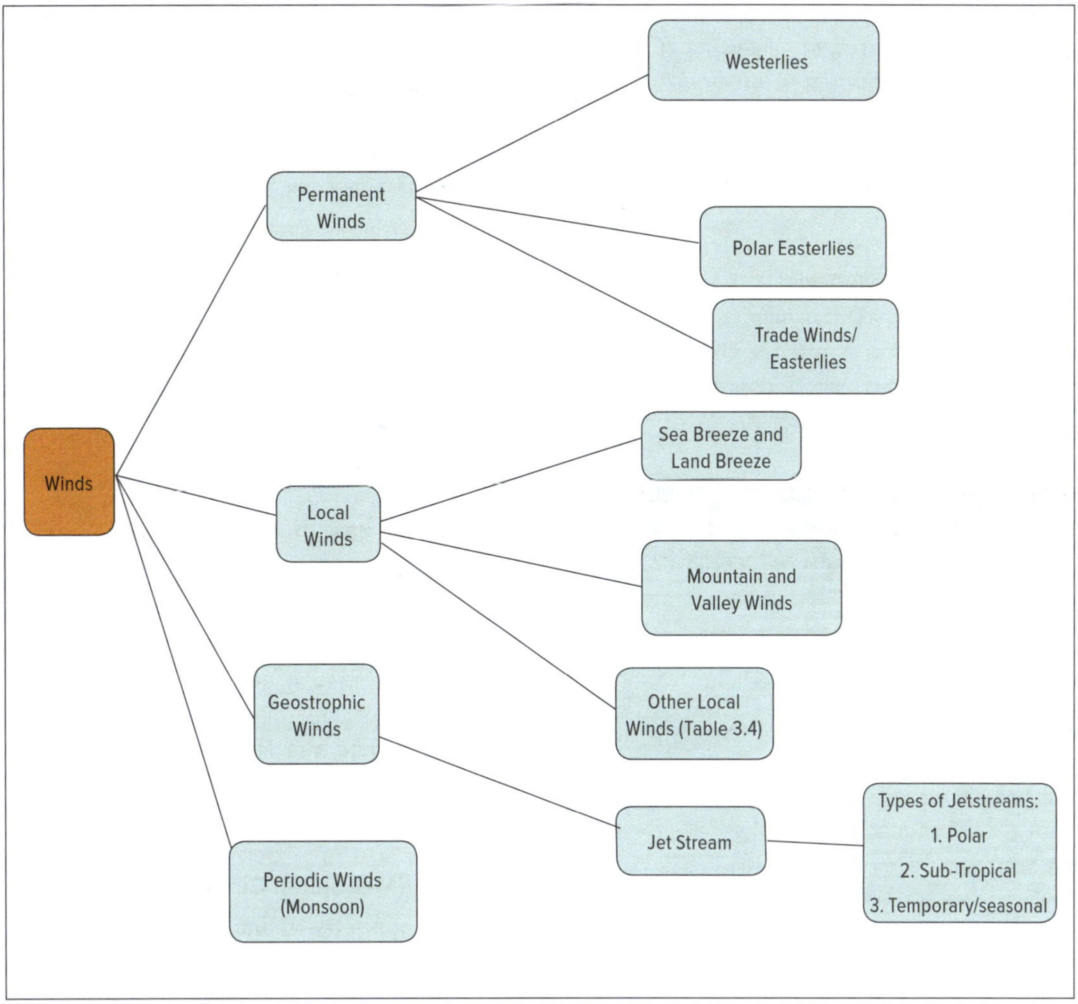

चित्र 3.18
पवनों का वर्गीकरण

(A) स्थायी पवनें (Permanent Winds)

व्यापारिक पवनें, पश्चिमी पवनें और ध्रुवीय पवनें स्थायी पवनें कहलाती हैं। ये पवनें पूरे साल एक निश्चित मार्ग पर चलती हैं।

1. व्यापारिक पवनें पूर्वी पवनें (Trade Winds Easterlies)

ये पूर्वी घटक वाली पवनें हैं जो भूमध्य रेखा की ओर 30 अक्षांश के आसपास उपोष्णकटिबंधीय उच्च दबाव वाले क्षेत्रों से चलती हैं। वे अपना नाम लैटिन शब्द 'ट्रेडो' से लेते हैं, जिसका अर्थ है निरंतर दिशा, और इसने 'ट्रेड ब्लो' वाक्यांश को जन्म दिया है जिसका अर्थ है 'एक नियमित मार्ग के साथ बहना'। हालाँकि केवल सतही पवनें, वे वायुमंडल के सामान्य परिसंचरण में एक प्रमुख घटक हैं क्योंकि वे पृथ्वी पर सबसे सुसंगत पवन प्रणाली हैं। व्यापारिक पवनें पूरे वर्ष महासागरों पर बहुत नियमितता से चलती हैं **(चित्र 3.12)**।

व्यापारिक पवनों का मुख्य कार्य उष्णकटिबंधीय महासागरों से बड़ी मात्रा में गर्मी को वाष्पित करके उपोष्णकटिबंधीय उच्च दबाव पेटी से अधिशेष गर्मी को हटाना है। यह प्रक्रिया वैश्विक

ताप संतुलन को बनाए रखने में सहायता करती है। हालाँकि व्यापारिक पवन वाले क्षेत्र में मौसम सामान्य रूप से ठीक और शांत होता है, लेकिन डोलड्रम क्षेत्र से परे इस पेटी में अक्सर उष्णकटिबंधीय चक्रवातों का अनुभव होता है। सामान्यत: व्यापारिक पवनों की औसत गति 15 से 30 किमी/घंटा के बीच होती है, जबकि शांत पवनें अत्यंत दुर्लभ होती हैं तथा साफ धूप वाली स्थितियाँ सामान्य होती हैं।

अश्व अक्षांश (Horse Latitudes)

उत्तरी प्रशांत और उत्तरी अटलांटिक महासागरों की उपोष्णकटिबंधीय उच्च दाब पट्टी (भूमध्य रेखा के उत्तर और दक्षिण में ~30°) को अश्व अक्षांश के रूप में जाना जाता है। यह कमजोर, परिवर्तनशील पवन और लगातार शांत होने वाली पट्टी है।

याद रखने की युक्ति (Learning Trick)

वे अश्व (Horse) अक्षांश क्यों कहलाते हैं?

माना जाता है कि "अश्व अक्षांश" शब्द की उत्पत्ति शुरुआती समुद्री अन्वेषण के युग के दौरान हुई थी। कुछ लोकप्रिय सिद्धांत हैं:

ऐतिहासिक शिपिंग अभियान: पाल के युग के दौरान, अमेरिका या अन्य क्षेत्रों की यात्रा करने वाले जहाज अक्सर शांत पवनों और आवाजाही की कमी के कारण इन क्षेत्रों में फंस जाते थे। सीमित ताजे पानी और आपूर्ति के साथ, नाविकों ने कथित तौर पर भार हल्का करने और संसाधनों को संरक्षित करने के लिए घोड़ों को पानी में फेंक दिया, जिससे 'अश्व अक्षांश' शब्द का जन्म हुआ।

"मृत अश्व" अनुष्ठान: एक अन्य सिद्धांत बताता है कि यह नाम नाविकों द्वारा किए जाने वाले 'मृत अश्व' अनुष्ठान से आया है। नाविकों को अक्सर अग्रिम भुगतान किया जाता था, जिसे 'मृत अश्व' के पैसे के रूप में जाना जाता था, और यह प्रतीकात्मक रूप से समुद्र में लगभग एक महीने के बाद 'काम किया' जाता था – अक्सर 30 डिग्री के अक्षांश के आसपास, जहां उन्होंने घोड़े के अक्षांशों की शांत स्थितियों का अनुभव किया। इस अवसर को चिह्नित करने के लिए, एक प्रतीकात्मक घोड़े को पानी में फेंक दिया गया था।

2. पछुवा पवनें (Westerlies)

ये स्थायी पवनें हैं जो उपोष्णकटिबंधीय उच्च दबाव पट्टियों से उप-ध्रुवीय निम्न दबाव पट्टियों की ओर बहती हैं। उत्तरी गोलार्ध में पछुवा पवनों की सामान्य दिशा दक्षिण-पश्चिम से उत्तर-पूर्व की ओर होती है, और दक्षिणी गोलार्ध में उत्तर-पश्चिम से दक्षिण-पूर्व की ओर होती है **(चित्र 3.12)**।

पछुवा पवनों के क्षेत्रों में मौसम निरंतर पूर्व की ओर बढ़ने वाले अवसादों (समशीतोष्ण चक्रवात) और प्रतिचक्रवातों की निरंतर गति द्वारा चिह्नित होता है। सर्दियों के मौसम में, उत्तरी अटलांटिक महासागर शायद किसी भी मौसम में दुनिया का सबसे तूफानी क्षेत्र होता है, लेकिन गर्मियों में, दबाव पेटी के स्थानांतरण के कारण पवनें और मौसम बहुत कम हिंसक होते हैं।

40°S और 50°S अक्षांशों के बीच के क्षेत्र में, प्रचलित पछुवा पवनें भूमि द्वारा बिना किसी रुकावट के बहती हैं। इस क्षेत्र में पछुवा पवनें बड़ी नियमितता और शक्ति के साथ बहती हैं। अवसादों की आवृत्ति एक कुख्यात खतरनाक शिपिंग क्षेत्र में तूफानी मौसम, बादल और खुरदरे समुद्र लाती है – । इस पेटी में पछुवा पवनों को अक्सर गर्जन वाले चालीसा (roaring forties), उसके बाद उग्र पचासा (furious fifties) (50–60°S), और चीखते साठा (shrieking sixties) (60–70°S) कहा जाता है।

3. ध्रुवीय पूर्वी पवनें (Polar Easterlies)

ध्रुवीय पूर्वी पवनें ध्रुवीय क्षेत्रों में 60° और 90° अक्षांशों के बीच बहती हैं। ये सामान्यतया अनियमित और कम वेग वाली होती हैं। ठंडी पवन ध्रुवीय क्षेत्रों से भूमध्य रेखा की ओर बढ़ने की प्रवृत्ति रखती है। दक्षिणी गोलार्ध में ध्रुवीय पूर्वी पवनें काफी स्पष्ट होती हैं। उत्तरी गोलार्ध में, दबाव और पवन की स्थितियाँ इतनी जटिल होती हैं कि ये ध्रुवीय पवनें अत्यधिक अनियमित होती हैं। ठंडी और शुष्क होने के कारण, ध्रुवीय पवनें बहुत कम वर्षा देती हैं **(चित्र 3.12)**।

परिसंचरण (Meridional Circulation)

पवन केवल भूमध्य रेखा से ध्रुवों की ओर नहीं बहती है। यह विशाल सेल्स या कोष्ठिकाओं में परिसंचरण करती है जिन्हें हैडली, फेरेल और पोलर सेल्स या कोष्ठिकाओं के रूप में जाना जाता है। जब पवन भूमध्य रेखीय क्षेत्र (डोलड्रम) में गर्म होती है, तो यह फैलती है, कम घनी हो जाती है और ऊपर उठती है। ऊपर उठती पवन ठंडी होती है और संघनित होती है, जिससे भूमध्य रेखीय क्षेत्र में भारी वर्षा होती है। यह ठंडी पवन फिर नीचे गिरती है, उपोष्णकटिबंधीय क्षेत्रों में उच्च दबाव पेटी बनाती है। उष्णकटिबंधीय क्षेत्रों में सतह स्तर पर, ये नीचे गिरने वाली धाराएँ पश्चिमी पवनों के रूप में ध्रुवों की ओर तथा व्यापारिक पवनों (पूर्वी पवनें) के रूप में भूमध्य रेखा की ओर मुड़ जाती हैं। ध्रुवीय क्षेत्रों में, ये ध्रुवीय पूर्वी पवनों में बदल जाती हैं।

वायुमंडल के मेरिडियनल परिसंचरण की अवधारणा को जॉर्ज हैडली ने 1735 में प्रस्तुत किया था। उन्होंने मॉडल को पृथ्वी की सतह के असमान तापमान के कारण उत्पन्न होने वाले मूलभूत

दबाव अंतर पर आधारित किया। हैडली ने यह प्रस्तावित किया कि ठंडी पवन ध्रुवों पर नीचे उतरती है और पृथ्वी की सतह के साथ गर्म भूमध्य रेखा की ओर बहती है। इस प्रवाह का मुकाबला भूमध्य रेखा पर उठती गर्म पवन और ध्रुवों की ओर ऊपरी प्रवाह द्वारा किया जाएगा ताकि प्रत्येक गोलार्ध में दो बड़े हैडली सेल्स या कोष्ठिकाएं मौजूद हों (चित्र 3.19(A))।

वैश्विक पवन पैटर्न का अवलोकन और बाद में सैद्धांतिक कार्य, यह दिखाते हुए कि पृथ्वी का घूर्णन एकल संवहन सेल्स या कोष्ठिकाओं के विकास को रोकता है, एक संशोधित दृष्टिकोण की ओर ले गया। हैडली के मॉडल को 1951 में पाल्मेन द्वारा संशोधित किया गया था ताकि ध्रुवों और भूमध्य रेखा के बीच एक तीन- सेल्स या कोष्ठिकाओं की संरचना शामिल हो सके। पाल्मेन की राय में, प्रत्येक गोलार्ध में निम्नलिखित तीन सेल्स या कोष्ठिकाएं होती हैं (चित्र 3.19(B))।

उष्णकटिबंधीय या हैडली सेल या कोष्ठिका (Tropical or Hadley Cell)

1. प्रत्येक गोलार्द्ध में लगभग 30° उत्तर और दक्षिण अक्षांशों के बीच एक हेडली सेल या कोष्ठिका होता है।
2. इन्हें जॉर्ज हेडली के सम्मान में हेडली सेल कहा जाता है, जो लंदन के वकील और दार्शनिक थे जिन्होंने 1735 में पवन परिसंचरण की एक समग्र योजना तैयार की थी।
3. इंटर-ट्रॉपिकल कन्वर्जेंस जोन (ITCZ) के पास भूमध्य रेखा के पास गर्म पवन उठती है, ध्रुव की ओर ऊंचाई पर बहती है, 30°–35 अक्षांश पर उतरती है, विशेष रूप से इन अक्षांशों पर बहुत तीव्र उपोष्णकटिबंधीय उच्च दबाव क्षेत्रों के पूर्वी आधे हिस्से में, और फिर पृथ्वी की सतह के पास या तो ध्रुव की ओर या भूमध्य रेखा की ओर बहती है।
4. पृथ्वी के घूर्णन के कारण, भूमध्य रेखा की ओर बढ़ने वाली धाराएं दाई ओर मुड़ जाती हैं और उत्तर-पूर्व हवाएं बन जाती हैं।
5. दक्षिणी गोलार्द्ध में वे बाई ओर मुड़ जाती हैं और इसलिए उनकी दिशा दक्षिण-पूर्व से उत्तर-पश्चिम की ओर होती है (चित्र 3.20)।

फेरेल सेल (Ferrel Cell)

1. प्रत्येक गोलार्ध के मध्य-अक्षांश परिसंचरण कोशिकाओं को विलियम फेरेल के नाम पर फेरेल सेल्स कहा जाता है, जिन्होंने उन्नीसवीं सदी के मध्य में उनकी आंतरिक कार्यप्रणाली की खोज की थी।
2. ये 30° और 60° उत्तर और दक्षिण के बीच मध्य अक्षांशों में पाई जाती हैं।
3. इन अक्षांशों में, पवन के परिसंचरण का पैटर्न उष्णकटिबंधीय (हैडली) क्षेत्र के ठीक विपरीत होता है।
4. इस क्षेत्र में, सतही वायु प्रवाह ध्रुव की ओर निर्देशित होता है, और कोरिओलिस बल के कारण, पवनें लगभग पश्चिम से पूर्व की ओर चलती हैं (चित्र 3.12)।

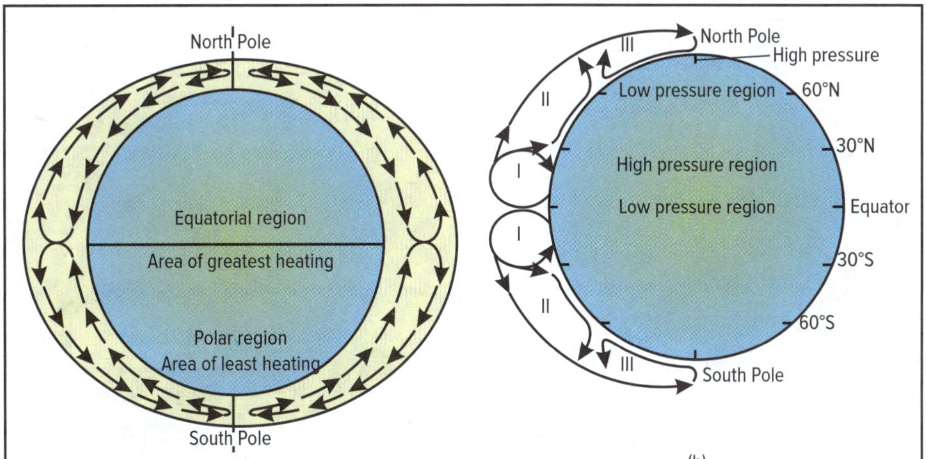

चित्र 3.19

(A) सामान्य परिसंचरण के मूलभूत चालक तंत्र (B) एक तीन-सेल मॉडल जो विभेदक तापन, पृथ्वी के घूर्णन और वायुमंडल की द्रव गतिशीलता से उत्पन्न होता है

ध्रुवीय सेल या कोष्ठिका (Polar Cell)

1. ध्रुवों पर ठंडी हो चुकी पवन सतह पर भूमध्य रेखा की ओर बढ़ने लगती है।
2. प्रत्येक गोलार्ध में 50° और 60° अक्षांश के बीच, इस पवन ने ऊपर चढ़ने के लिए पर्याप्त गर्मी और नमी ले ली है।
3. यह ध्रुवीय पवन, निकटवर्ती फेरेल सेल की पवन से सघन है और इसके साथ आसानी से नहीं मिलती है।
4. उच्च ऊंचाई पर, 50° से 60° अक्षांशों से ऊपर की ओर बढ़ने वाली पवन एक तीसरा चक्कर पूरा करने के लिए ध्रुवों की ओर मुड़ जाती है। इन परिपथों को ध्रुवीय क्षेत्र (चित्र 3.20) के रूप में जाना जाता है।

इस प्रकार, तीन बड़े वायुमंडलीय परिसंचरण क्षेत्र - (i) हैडली सेल, (ii) फेरेल सेल, और (iii) ध्रुवीय सेल - प्रत्येक गोलार्ध में मौजूद हैं। प्रत्येक क्षेत्र के भीतर वायु परिसंचरण असमान सौर ताप द्वारा संचालित होता है और कोरिओलिस प्रभाव से प्रभावित होता है।

भूस्थैतिक पवनें (Geostrophic Winds)

भूस्थैतिक पवनें वे पवनें हैं जो दबाव क्षेत्रों के बीच उन रास्तों के साथ चलती हैं जो आइसोबार्स के समानांतर होते हैं। ऊपरी क्षोभमंडल में, घर्षण बल की अनुपस्थिति के कारण, दबाव प्रवणता बल कोरिओलिस बल के बराबर होता है ताकि विक्षेपण की मात्रा वायु गति के अनुपात में हो (चित्र 3.15)। भूस्थैतिक पवनें ऊपरी क्षोभमंडल परिसंचरण की विशेषताएँ हैं (सामान्यतया 500 मीटर से ऊपर)।

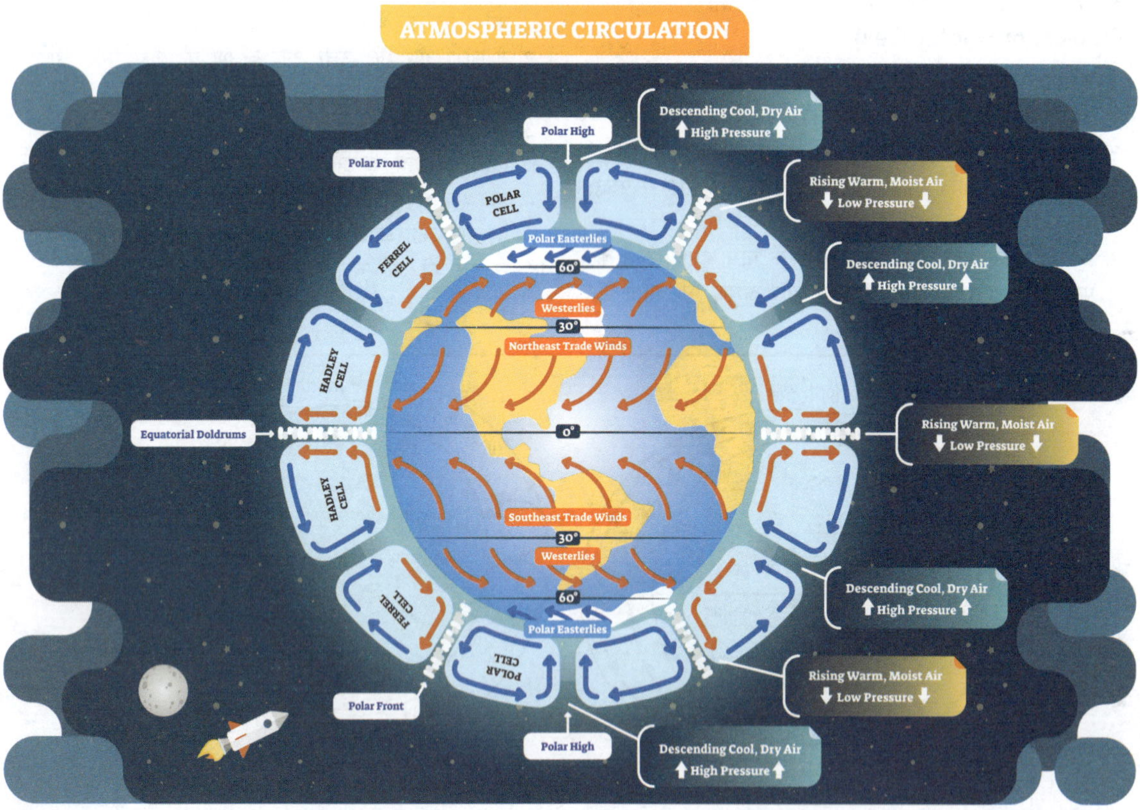

चित्र 3.20

वैश्विक सतही पवनों और दबावों का यह योजनाबद्ध आरेख एक आदर्श पृथ्वी की विशेषताओं को दर्शाता है, बिना व्यवधान, महासागरों और महाद्वीपों के प्रभाव और मौसमों की विविधता के। सतही पवनों को पृथ्वी की डिस्क पर दिखाया गया है, जबकि दाईं ओर का क्रॉस सेक्शन ऊपर की पवनों को दर्शाता है।

जेट स्ट्रीम (Jet Streams)

जेट स्ट्रीम ऊपरी वायुमंडल में तेज गति से चलने वाली, संकरी पट्टी होती हैं, जो सामान्यतया 8 से 15 किलोमीटर की ऊँचाई पर पाई जाती हैं। ये अपनी तेज गति और लहरदार, रिबन जैसी संरचना के लिए जानी जाती हैं। ये धाराएँ वायु द्रव्यमानों के बीच तापमान के अंतर के कारण बनती हैं, जिसमें ध्रुवीय और उपोष्णकटिबंधीय जेट धाराएँ सबसे प्रमुख हैं, जो ध्रुवीय और उष्णकटिबंधीय वायु द्रव्यमानों के बीच की सीमाओं पर स्थित हैं।

लहरदार या घुमावदार जेट धाराओं के बारे में कहा जाता है कि वे 'रॉस्बी वेव' पैटर्न प्रदर्शित करती हैं, जो कोरिओलिस बल और तापमान विरोधाभासों से प्रभावित होती हैं, जो जलवायु परिवर्तन के कमजोर होने और जेट धाराओं के घुमावदार होने को बढ़ाने के साथ और अधिक स्पष्ट होती हैं।

जेट धाराएँ स्थायी या मौसमी हो सकती हैं। स्थायी धाराओं में ध्रुवीय जेट धाराएँ और उपोष्णकटिबंधीय जेट धाराएँ शामिल हैं, जबकि अस्थायी धाराओं में उष्णकटिबंधीय पूर्वी जेट और सोमाली जेट धाराएँ शामिल हैं।

ध्रुवीय जेट स्ट्रीम उच्च अक्षांशों (भूमध्य रेखा के 50 से 60 डिग्री उत्तर और दक्षिण) पर स्थित है, जो वहां बनती है जहां ठंडी ध्रुवीय पवन गर्म उपोष्णकटिबंधीय पवन से मिलती है। यह सर्दियों में अधिक मजबूत और गर्मियों में कमजोर होती है, जो तूफान के रास्तों और मौसम प्रणालियों को प्रभावित करती है।

उपोष्णकटिबंधीय जेट स्ट्रीम, जो निचले अक्षांशों (भूमध्य रेखा के 25 से 35 डिग्री उत्तर और दक्षिण) पर पाई जाती है, गर्म उष्णकटिबंधीय पवन और ठंडी मध्य-अक्षांश पवन के बीच की सीमा पर बनती है। यद्यपि ध्रुवीय जेट स्ट्रीम की तुलना में कमजोर और कम सुसंगत है, फिर भी यह मौसम और वायुमंडलीय परिसंचरण को प्रभावित करती है।

जेट स्ट्रीम मौसम प्रणालियों को निर्देशित करके और तूफानों और वर्षा के विकास में योगदान देकर मौसम को महत्वपूर्ण रूप से प्रभावित करती हैं। दक्षिण एशिया में, जेट स्ट्रीम मानसून को बहुत अधिक प्रभावित करती हैं और पश्चिमी विक्षोभ लाती हैं, जो भूमध्य सागर से आने वाले अतिरिक्त उष्णकटिबंधीय चक्रवात हैं, जो उपोष्णकटिबंधीय पश्चिमी जेट स्ट्रीम के माध्यम से भारत में आते हैं। जलवायु परिवर्तन से जेट स्ट्रीम कमजोर होती है क्योंकि आर्कटिक निचले अक्षांशों की तुलना में तेजी से गर्म होता है, जिससे उन्हें चलाने वाले तापमान के विपरीत में कमी आती है। यह जेट स्ट्रीम को और अधिक अनिश्चित बना सकता है, जिससे गर्मी की लहर, ठंडी लहर, सूखा या भारी वर्षा जैसी लंबे समय तक चलने वाली मौसम की स्थिति पैदा हो सकती है। तापमान प्रवणता में परिवर्तन जेट स्ट्रीम की स्थिति को भी बदल सकता है, जिससे तूफान के रास्ते, वर्षा के पैटर्न और चरम मौसम घटनाओं की आवृत्ति प्रभावित हो सकती है (चित्र 3.22)।

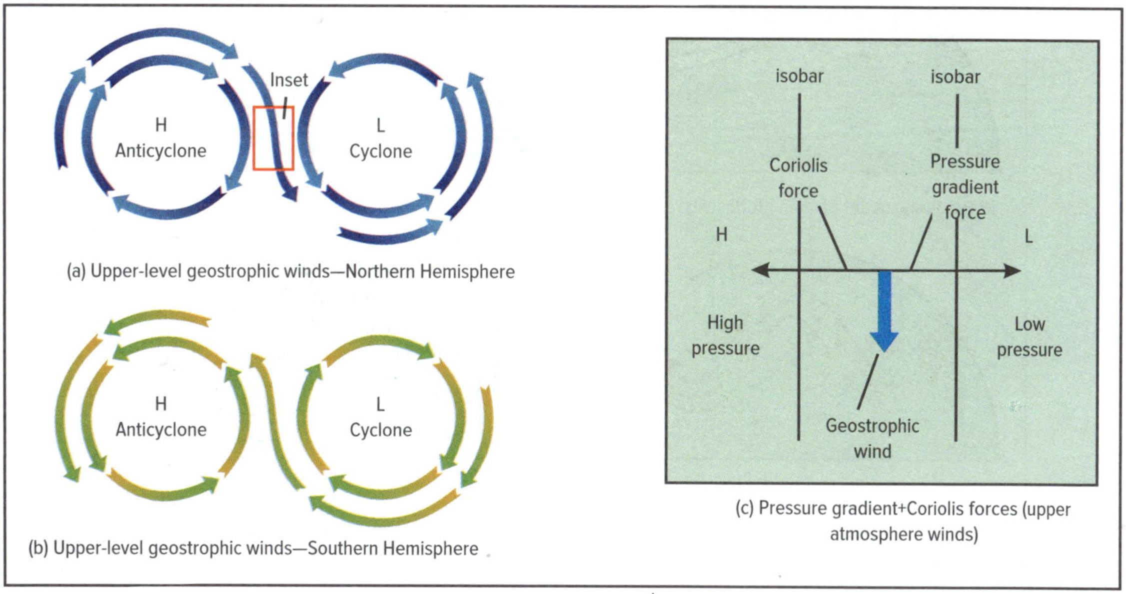

चित्र 3.21

भूस्थैतिक पवन (आर.डब्ल्यू. क्रिस्टोफरसन, 1995 के बाद)

(B) आवधिक पवनें – मानसून (Periodic Winds – Monsoon)

मानसून शब्द अरबी शब्द मौसिम से व्युत्पन्न, जिसका अर्थ है मौसम, यह शब्द मूल रूप से अरब सागर की पवनों को संदर्भित करता है, जो उत्तर-पूर्व से लगभग छह महीने और दक्षिण-पश्चिम से छह महीने तक चलती हैं। इस शब्द का उपयोग अब अन्य मौसमी पवनों के लिए किया जाता है, जैसे कि क्षोभमंडलीय मानसून। मानसून जलवायु में, हर छह महीने के बाद पवन की दिशा पूरी तरह से उलट जाती है, यानी पवन छह महीने समुद्र से भूमि की ओर तथा छह महीने भूमि से समुद्र की ओर चलती है (चित्र 3.21)।

मानसून कई कारकों के एक साथ काम करने का उत्पाद है। उनमें से एक अंतर उष्णकटिबंधीय अभिसरण क्षेत्र (ITCZ) है जो 25° और 30° के बीच स्थानांतरित होता है। और दूसरा यह है कि भूमि द्रव्यमान का आंतरिक भाग दबाव में एक बड़ा परिवर्तन दर्ज करता है जो अंतर उष्णकटिबंधीय अभिसरण क्षेत्र के प्रवास को लागू करता है। यह भी संभावना है कि हिमालय पर्वत और तिब्बती पठार बहुत महत्वपूर्ण स्थलाकृतिक अवरोध हैं, जो एशिया में परिसंचरण को विभाजित करते हैं। इस पर भारत के भौतिक भूगोल के अध्याय 12 में विस्तार से चर्चा की जाएगी, जहाँ हम भारतीय मानसून को प्रभावित करने वाले कारकों का अध्ययन करेंगे (चित्र 3.23)।

(C) स्थानीय पवनें (Local Winds)

दुनिया के कई हिस्सों में वायुमंडलीय दबाव में दैनिक बदलाव होते हैं और विशिष्ट स्थानीय पवन के पैटर्न को जन्म देते हैं। दबाव में ये बदलाव पूरे दिन सतह के तापमान में बदलाव के कारण चलती पवन के कारण होते हैं, और इनके परिणामस्वरूप पवन की दिशा और वेग में दैनिक परिवर्तन होते हैं (चित्र 3.24)। कई स्थानीय रूप से नामित पवनें हैं, और केवल कुछ चयनित उदाहरणों का संक्षेप में वर्णन किया गया है-

1. समुद्री पवन (Sea Breeze)–

सूर्योदय के समय, भूमि का तापमान तेजी से बढ़ता है जबकि पानी का तापमान धीरे-धीरे बढ़ता है क्योंकि पानी की विशिष्ट ऊष्मा भूमि की तुलना में अधिक होती है (इसलिए इसे अपने तापमान को 1°C बढ़ाने के लिए भूमि की तुलना में बहुत अधिक मात्रा में ऊष्मा अवशोषित करने की आवश्यकता होती है)। जब तटरेखा के ऊपर की पवन गर्म होती है, तो यह फैलती है और

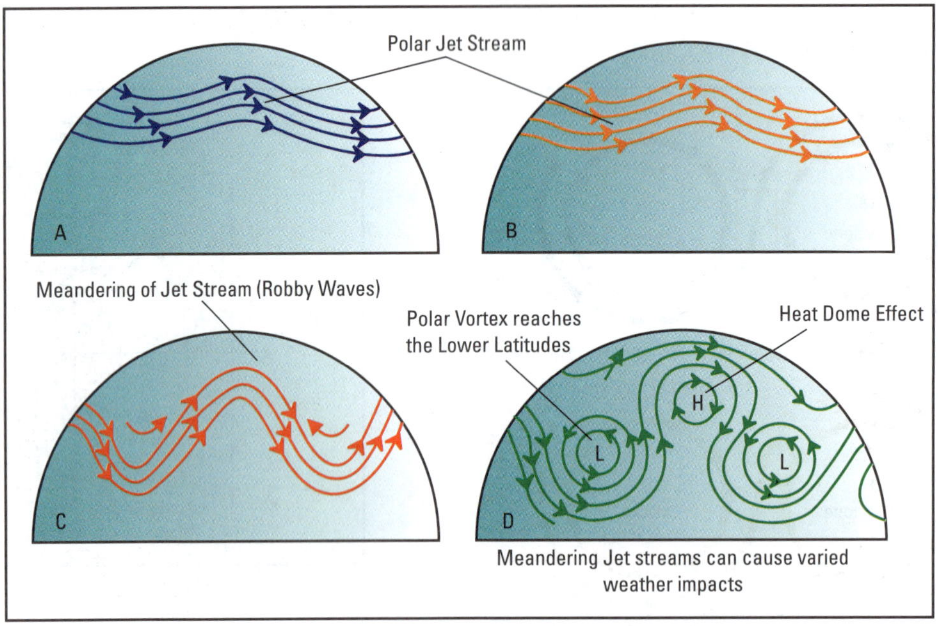

चित्र 3.22
जेट स्ट्रीम चक्र

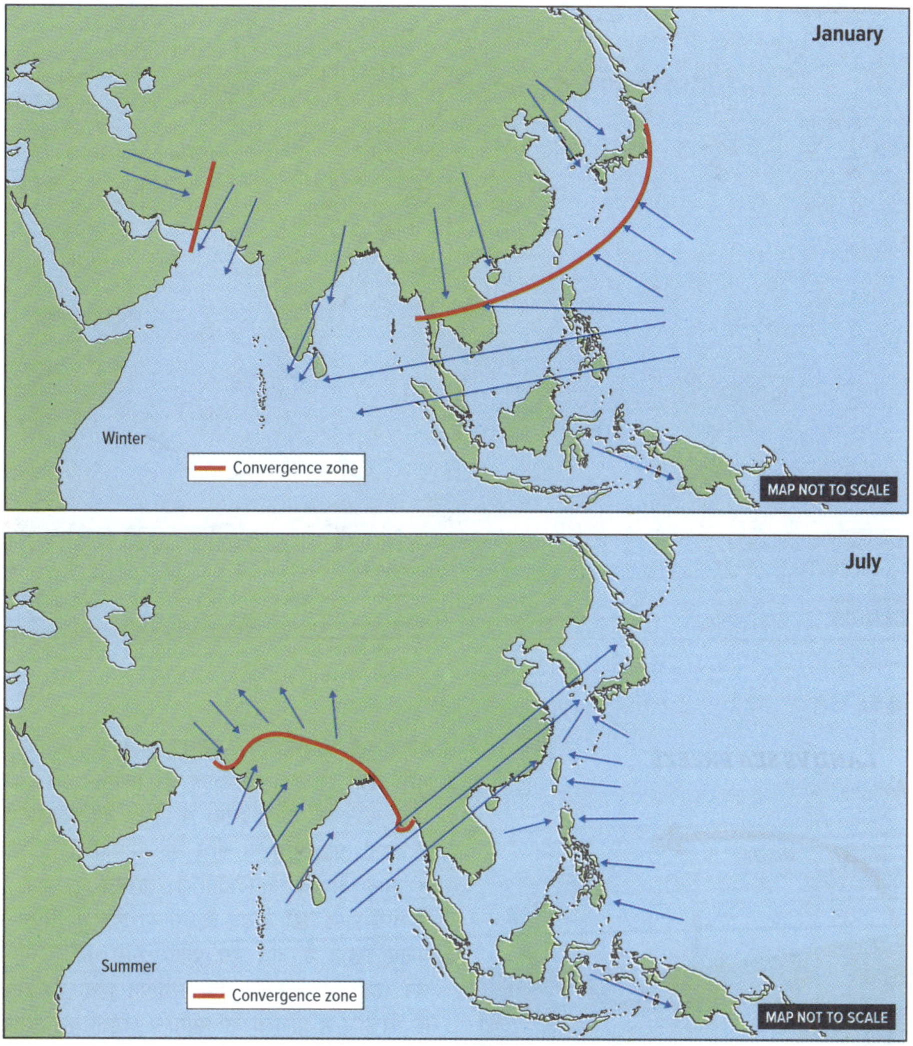

चित्र 3.23
एशिया में शीतकालीन और ग्रीष्मकालीन मानसून

इसका घनत्व कम हो जाता है। पवन भूमि की सतह पर उठती है और ठंडी पवन समुद्र से इसे बदलने के लिए आती है। इस पवन के भूमि की ओर प्रवाह को समुद्री पवन कहा जाता है (चित्र 3.25)। समुद्री पवन सामान्यतया सूर्योदय के कुछ घंटों बाद, लगभग 10–11 बजे शुरू होती है, और दोपहर में चरम पर होती है जब तापमान सबसे अधिक होता है। यह पवन समुद्र तट के साथ 30 किमी या उससे अधिक अंदर तक और झीलों के आसपास कम हद तक प्रवेश कर सकती है। समुद्री पवन झोंकेदार होती है और भूमि पर तापमान में कमी और आर्द्रता में वृद्धि लाती है। यही कारण है कि गर्मी के मौसम में तटीय क्षेत्र महाद्वीपीय क्षेत्रों की तुलना में ठंडे होते हैं।

2. स्थल समीर (Land Breeze)

यह वह पवन है जो भूमि से समुद्र की ओर (एक अपतटीय पवन) चलती है और जो तटीय क्षेत्रों में रात के समय विकसित होती है (चित्र 3.25)। भूमि के ऊपर दबाव समुद्र के ऊपर

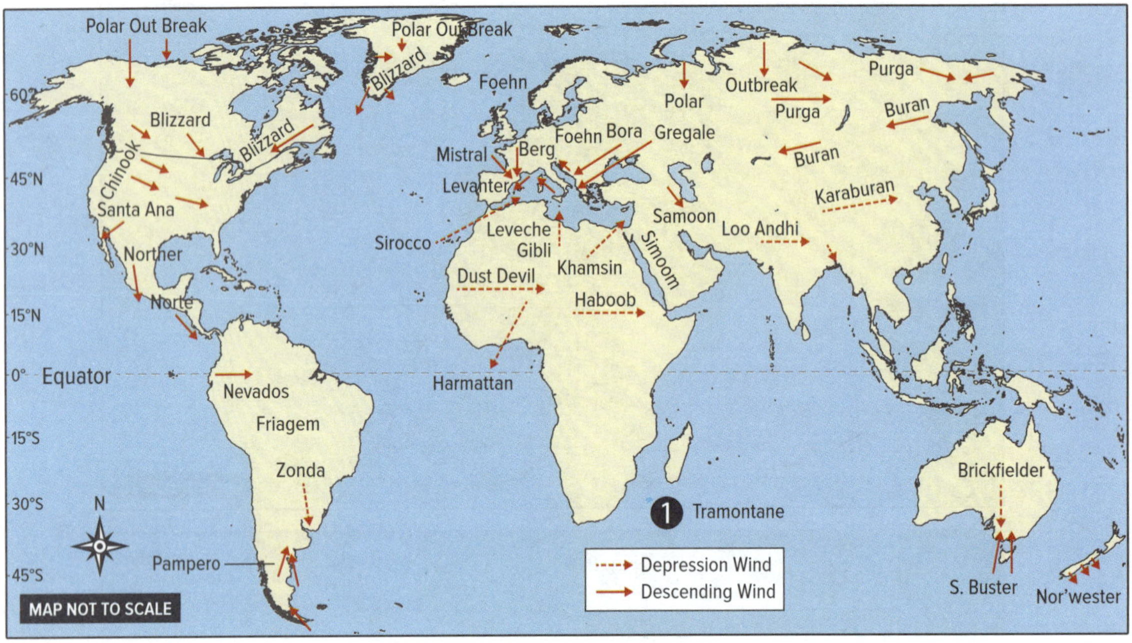

चित्र 3.24
विश्व की स्थानीय पवनें

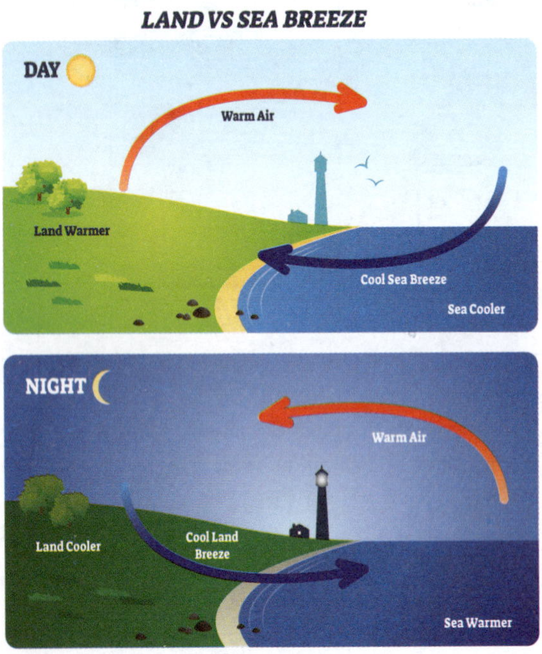

चित्र 3.25
(A) समुद्री पवन और (B) स्थलीय पवन

की तुलना में अपेक्षाकृत अधिक होता है, क्योंकि शाम के समय भूमि तेजी से ठंडी हो जाती है। तापमान और दबाव के संबंध भूमि के ऊपर उच्च दबाव के साथ बदल जाते हैं। यद्यपि, रात में, पानी और भूमि के बीच का अंतर दिन के समय की तुलना में उतना अधिक नहीं होता है। वास्तव में, पानी की सतह रात में गर्मी प्राप्त नहीं करती है, बल्कि दिन के समय प्राप्त गर्मी को बनाए रखती है और इस प्रकार भूमि की तुलना में अपेक्षाकृत गर्म रहती इससे स्थल हवा स्थापित होती है। सामान्यतया पवन के विकास में प्रणाली की सामान्य जड़ता के कारण एक अंतराल होता है। तापमान के अंतर विकसित होने के काफी बाद तक समुद्री समीर नहीं चलती है।

स्थल समीर और समुद्री समीर का मछुआरों और उन लोगों के जीवन पर गहरा प्रभाव पड़ता है जो उष्णकटिबंधीय तटीय क्षेत्रों में घर के अंदर और बाहर काम करते हैं। मछुआरे सुबह के शुरुआती घंटों में मछली पकड़ने के लिए समुद्र में जाते हैं, जब पवन भूमि से समुद्र की ओर चलती है, और दोपहर के आसपास अपने घर लौटते हैं जब समुद्री समीर उनकी वापसी यात्रा का समर्थन करती है। यह देखा गया है कि उष्णकटिबंधीय तटीय क्षेत्रों में श्रमिकों की दक्षता दोपहर में पूर्वाह्न अवधि की तुलना में अधिक होती है। इसका मुख्य कारण यह है कि दोपहर का मौसम सुखद और आनंददायक होता है।

3. पर्वतीय और घाटी की पवनें (Mountain and Valley Winds)

पहाड़ों और उनकी घाटियों में पवनों की दिशा में विलोमता होती है। इन पवनों को पर्वतीय और घाटी की पवनें कहा जाता है (चित्र 3.26)। दिन के समय, घाटियाँ और पहाड़ों की ढलानें सूर्य से गर्मी प्राप्त करती हैं। सतह के पास की पवन गर्म होती है, फैलती है और पहाड़ों की ओर ऊपर उठती है। इस पवन को, उत्पत्ति के स्थान के कारण, घाटी की पवन कहा जाता है, यह एक गर्म पवन है और दिन या देर दोपहर की एक घटना है। दोपहर में पहाड़ियों के ऊपर अक्सर बनने वाले बादल, पवन के ठंडी ऊँचाइयों पर उठने के कारण संघनन के परिणामस्वरूप होते हैं। रात में घाटी की दीवारें ठंडी हो जाती हैं। जैसे ही सतह की पवन ठंडी होती है, यह अधिक घनत्व के कारण ढलान से नीचे बहती है। इसे पर्वतीय पवन, जिसे रात की पवन भी कहा जाता है, कहते हैं। कुछ पर्वतीय क्षेत्रों में जहाँ पाला पड़ता है, घाटी की ढलानें बागों के लिए पसंदीदा स्थान होती हैं। घाटी की ढलानों पर ऊपर और नीचे चलने वाली पवन स्थिर परिस्थितियों को कम करती है जो पाले के निर्माण के अनुकूल होती हैं।

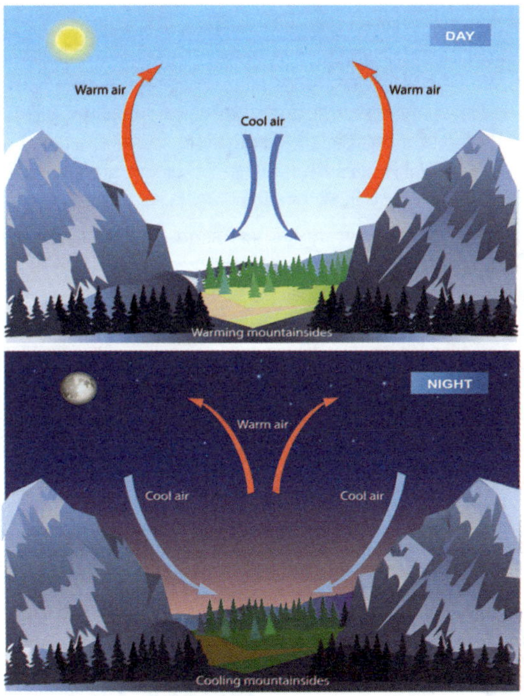

चित्र 3.26
पर्वत और घाटी की पवनें

4. चिनूक पवनें (Chinook Winds)

चिनूक एक स्थानीय पवन है जो रॉकी पर्वतों की ढलानों पर नीचे की ओर बहती है। इसका नाम चिनूक रेड इंडियंस से आया है, जो कोलंबिया नदी के निचले हिस्सों पर रहते हैं। इन हवाओं को आमतौर पर ''बर्फ खाने वाली'' हवा का उपनाम दिया गया है क्योंकि यह बर्फ को तेजी से पिघला देती है। चिनूक अपेक्षाकृत गर्म और शुष्क पवन है। यह अपेक्षाकृत हल्की, स्थिर पवन के पर्वतों की पवनमुखी ढलानों पर चढ़ने के साथ विकसित होती है। यह पवन तापमान में तेज वृद्धि और सापेक्षिक आर्द्रता में गिरावट के साथ काफी तेजी से विकसित होती है। इन पवनों को अधिकतर तापमान में अचानक परिवर्तन के साथ पहचाना जाता है जो इन पवनों द्वारा लाया जाता है (चित्र 3.27)।

चिनूक में गर्मी का प्राथमिक स्रोत संपीड़न की गर्मी है। अवरोही पवन 10°C/किलोमीटर की शुष्क ऐडियाबेटिक दर पर गर्म होती है।

चूंकि ये गर्म और शुष्क होती हैं, सर्दियों में ये बड़ी मात्रा में बर्फ को पिघला सकती हैं और इसलिए यह सिंचाई के लिए पानी प्रदान करती हैं, जिससे क्षेत्र के किसानों को सहायता मिलती है।

दुनिया के अन्य हिस्सों में भी यही पवन चलती है। यह यूरोप के आल्प्स पर्वतों में फोएन पवन है। अर्जेंटीना में, यह पवन जोंडा कहलाती है। कुछ स्थानीय पवनों की मुख्य विशेषताओं को तालिका 3.4 में प्रस्तुत किया गया है।

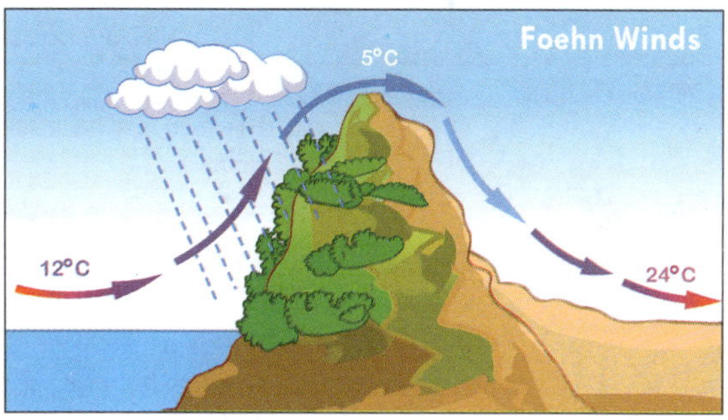

चित्र 3.27
चिनूक या फोहन – पवन

तालिका 3.4 चयनित स्थानीय पवनों की विशेषताएँ

नाम (मूल)	स्थान	विशेषताएँ
बोरा	एड्रियाटिक तट	ठंडी, तेज, उत्तर-पूर्वी पवन। ट्राइस्टे (इटली) में आवृत्ति, एक वर्ष में 36 दिन। सर्दियों में औसत गति 50 किमी प्रति घंटा, गर्मियों में 40 किमी प्रति घंटा। सर्दियों में गति 100 किलोमीटर प्रति घंटा तक पहुँच सकती है।
चिनूक	रॉकीज की पूर्वी ढलान	एक गर्म पवन जो कभी-कभी तापमान में अचानक और भारी वृद्धि का कारण बन सकती है। वसंत में तापमान 10°-20°C तक पहुँच सकता है और सापेक्ष आर्द्रता 10 प्रतिशत होती है। वसंत में प्रबल। रुद्धोष्म रूप से गर्म पवन।
एटेशियन (ग्रीक एटेसिया, वार्षिक)	पूर्वी भूमध्यसागरीय	ठंडी, शुष्क, उत्तर-पूर्वी पवन जो सालाना दोहराई जाती है। गर्मियों और शुरुआती शरद ऋतु। क्षेत्रीय निम्न दबाव प्रणाली से जुड़ी हुई।
फोहेन-बर्ग जर्मन, संभवत: लैटिन शब्द फेवोनियम से, जिसका अर्थ है - अनुकूल पवन)	अलप्स	चिनूक के समान। गर्मी और सूखापन- विशेषता। शुरुआती वसंत में सबसे अधिक बार।
हबूब (अरबी)	सहारा (सूडान) का दक्षिणी किनारा	सहारा रेगिस्तान से उठने वाले विशाल रेत के तूफान
हरमटन	पश्चिम अफ्रीका	धूल भरी, शुष्क पवन, विशेष रूप से धूल भरी। पूरे साल, लेकिन सर्दियों के मौसम में सबसे अधिक उल्लेखनीय। सहारा रेगिस्तान से पवन के प्रवाह से जुड़ा हुआ है। इसे डॉक्टर हवा/ गिनी डॉक्टर के रूप में भी जाना जाता है क्योंकि यह गिनी की खाड़ी के तटीय देशों में सापेक्ष आर्द्रता को कम करता है।
सिरोको	सहारा रेगिस्तान से उत्पन्न होकर विभिन्न क्षेत्रों में प्रवाहित होती हैं।	गर्म हवाएँ। क्षेत्रीय नामों में मिस्र में खामसिन (शुष्क, गर्म), लीबिया में गिबली/किबली (शुष्क, गर्म), दक्षिणी यूरोप में सिरोको (गर्म, आर्द्र; भूमध्य सागर के ऊपर से गुजरते समय नमी सोखने के कारण आर्द्र), और इबेरियन प्रायद्वीप में लेवेचे/सोलानो (गर्म, आर्द्र; सिरोको के समान कारण से आर्द्र) शामिल हैं। खामसिन और किबली हवाओं के साथ अक्सर धूल भरी आंधियाँ आती हैं, क्योंकि ये हवाएँ सहारा रेगिस्तान से उत्पन्न होती हैं। लेवेचे/सोलानो और सिरोको का संबंध रक्त वर्षा से है, जहाँ आर्द्र हवाएँ संघनित होकर सहारा की लाल रेत को जल-अवशोषक केंद्रक के रूप में धारण कर लेती हैं, जिससे वर्षा का रंग लाल दिखाई देता है।
लेवेंटर (लेवेंट से, पूर्वी भूमध्यसागरीय)	पश्चिमी भूमध्यसागरीय	जिब्राल्टर और स्पेन के जलडमरूमध्य में अक्सर तेज पूर्वी पवन महसूस की जाती है। नमी, कभी-कभी शायद दो दिनों के लिए कोहरा मौसम देती है। पतझड़, शुरुआती सर्दी से देर से सर्दी, वसंत। क्षेत्रीय कम दबाव प्रणाली।
मिस्ट्रल (मास्टर विंड)	वैलेंस के नीचे रोन घाटी	रोन घाटी से नीचे की ओर बहने वाली तेज, ठंडी पवन । 100 किमी प्रति घंटे की गति तक पहुँच सकती है। यह तटीय क्षेत्रों में अचानक ठंड पैदा कर सकती है। (नोट- फ्रांस के अन्य भागों में बिसे और समतुल्य ठंडी उत्तरी पवन)। सर्दियों में सबसे अधिक बार। क्षेत्रीय कम दबाव प्रणाली।
उत्तरी	टेक्सास, मैक्सिको की खाड़ी से लेकर पश्चिमी कैरिबियन तक	ठंडी, मजबूत, उत्तरी पवन जिसका तेज आरंभ अचानक तापमान को बहुत कम कर सकता है। सर्दियों में अक्सर। संयुक्त राज्य अमेरिका में परिसंचरण पैटर्न से संबंधित।
पाम्पेरो	दक्षिण अमेरिका का पम्पास	उत्तरी के समतुल्य दक्षिणी गोलार्ध। सर्दियों में अक्सर बड़े पैमाने पर दबाव पैटर्न से संबंधित।
जोंडा	अर्जेंटीना	एंडीज के पीछे एक गर्म, शुष्क पवन। 120 किमी/घंटा तक पहुँच सकती है। चिनूक और फोहेन के बराबर। शुष्क मौसम में, बहुत धूल उड़ाती है। सर्दी।

स्रोत: जॉन, ई. एट अल., 2002, क्लाइमेटोलॉजी-एन एटमॉस्फेरिक साइंस, लो प्राइस, दूसरा संस्करण, दिल्ली, पियर्सन एजुकेशन, पृ. 98-99

(D) परिवर्तनशील पवनें (Variable Winds)

बदलती हुई पवनें, जो हर कुछ घंटों के बाद अपनी दिशा बदलती हैं, उन्हें परिवर्ती पवनें कहा जाता है। परिवर्ती पवनों में शामिल हैं (1) चक्रवात, तथा (2) प्रतिचक्रवात।

1. चक्रवात (Cyclones)

कोई भी घूमने वाला निम्न दबाव चक्रवात के रूप में जाना जाता है। दूसरे शब्दों में, एक तापीय या गतिकी कारण से उत्पन्न निम्न दबाव क्षेत्र, जिसमें अभिसरण एवं आरोही वायु प्रवाह होते हैं,

चक्रवात के रूप में जाना जाता है। चक्रवातों को दो श्रेणियों में वर्गीकृत किया जा सकता है- (a) समशीतोष्ण चक्रवात, एवं (b) उष्णकटिबंधीय चक्रवात।

(a) समशीतोष्ण चक्रवात (Temperate Cyclone)

समशीतोष्ण चक्रवात दोनों गोलार्धों के मध्य अक्षांशों में होते हैं। ये चक्रवात विशेष रूप से उत्तरी गोलार्ध में आइसलैंडिक और एल्युटियन उप-ध्रुवीय निम्न दबाव क्षेत्रों के क्षेत्र में ध्रुवीय वाताग्र के साथ उत्पन्न होते हैं ।

इससे पहले कि हम समझें कि समशीतोष्ण चक्रवात कैसे बनते हैं, आइए वायु द्रव्यमान तथा वाताग्र के बारे में समझें।

वायुमंडल (Air Masses)

जब पवन किसी समरूप क्षेत्र पर लंबे समय तक बनी रहती है, तो यह उस क्षेत्र की विशेषताओं को अपना लेती है, जिससे एक वायु द्रव्यमान बनता है। ये वायु द्रव्यमान, समान तापमान तथा आर्द्रता के साथ अपनी समरूपता के कारण ऊर्ध्वाधर वायु गति की कमी रखते हैं।

वायु द्रव्यमान वैश्विक वायु प्रणाली के महत्वपूर्ण घटक हैं। वे सामान्यतया विशिष्ट वायु पट्टियों से जुड़े होते हैं तथा सतह से लेकर निचले समताप मंडल तक हजारों किलोमीटर तक फैले होते हैं। प्रचलित हवाएँ और जेट स्ट्रीम इन वायु द्रव्यमानों को उनके स्रोत क्षेत्रों से दूर तक ले जा सकती हैं। स्रोत क्षेत्र सामान्यतया उच्च दबाव वाले क्षेत्र होते हैं, जिनमें न्यूनतम वायु गति होती है, जिससे पवन स्थिर रहती है और भूमि की विशेषताओं को समान रूप से प्राप्त करती है। ऐसे क्षेत्र अक्सर विशाल महासागर, मैदान या पठार होते हैं।

प्रमुख स्रोत क्षेत्रों में उपोष्णकटिबंधीय उच्च दबाव पट्टियाँ (जो उष्णकटिबंधीय वायु द्रव्यमान बनाती हैं) तथा ध्रुवों के पास (जो ध्रुवीय वायु द्रव्यमान बनाती हैं) शामिल हैं, जहाँ वायुमंडलीय स्थिरता होती है, जिससे पवन लंबे समय तक भूमि के संपर्क में रहती है और समान विशेषताओं को प्राप्त करती है। इनमें गर्म उष्णकटिबंधीय एवं उपोष्णकटिबंधीय महासागर, गर्म रेगिस्तान, ठंडे उच्च-अक्षांश महासागर, बर्फ से ढके महाद्वीप तथा आर्कटिक और अंटार्कटिका में बर्फ से ढके क्षेत्र शामिल हैं।

उष्णकटिबंधीय वायु द्रव्यमान गर्म होते हैं, जबकि ध्रुवीय वायु द्रव्यमान ठंडे होते हैं; महाद्वीपीय वायु द्रव्यमान शुष्क होते हैं, जबकि समुद्री वायु द्रव्यमान नमी लेकर आते हैं। जब वायु द्रव्यमान अपने स्रोत से आगे बढ़ते हैं, तो उनकी ऊपरी परतें स्थिरता तथा संवहन की अनुपस्थिति के कारण इन विशेषताओं को लंबे समय तक बनाए रखती हैं।

वायुमंडलीय द्रव्यमानों के जलवायु प्रभाव (Climatic Impacts of Air Masses)

- **तापमान विनियमन (Temperature Regulation):** वायुमंडलीय द्रव्यमान पूरे विश्व में गर्मी के पुनर्वितरण में महत्वपूर्ण भूमिका निभाते हैं, जिससे भूमध्य रेखा एवं ध्रुवों के बीच तापमान के अंतर को संतुलित करने में सहायता मिलती है।
- **वर्षा पैटर्न (Precipitation Patterns):** समुद्री वायुमंडलीय द्रव्यमान (mT, mP) नमी को वहन करते हैं, जिससे वर्षा के पैटर्न प्रभावित होते हैं तथा जल उपलब्धता पर प्रभाव पड़ता है।
- **मौसम प्रणालियाँ एवं तूफान (Weather Systems and Storms):** विभिन्न वायुमंडलीय द्रव्यमानों के बीच की परस्पर क्रिया के परिणामस्वरूप मौसम वाताग्र, चक्रवात तथा तूफान बनते हैं, जो मौसम के पैटर्न और चरम सीमाओं को आकार देते हैं।

वाताग्र (Fronts)

दो विपरीत गुणों वाली वायु द्रव्यमानों के बीच त्रि-आयामी सीमा को वाताग्र कहा जाता है। यह विपरीत मौसम की स्थितियों की एक क्षेत्र है। वाताग्र को निम्नलिखित चार श्रेणियों में वर्गीकृत किया जा सकता है-

1. **स्थिर वाताग (Stationary Front):** जब विपरीत प्रकृति के वायु द्रव्यमान बिना किसी के क्षेत्र में प्रवेश किए एक-दूसरे के समीप स्थित होते हैं । इसे फ्रंटोजेनेसिस,अर्थात् वाताग्र जनन का पहला चरण माना जाता है।
2. **ठंडा वाताग्र (Cold Front):** ठंडे वायु द्रव्यमान का अग्रणी किनारा, जिसे मौसम मानचित्र पर त्रिकोणीय स्पाइक्स की एक श्रृंखला के साथ चिह्नित एक रेखा के रूप में पहचाना जाता है, जो वाताग्रल गति की दिशा में इंगित करती है। यह तब बनता है, जब ठंडा वायु द्रव्यमान गतिशील होता है तथा गर्म वायु द्रव्यमान के क्षेत्र में प्रवेश करता है। भारी ठंडा वायु द्रव्यमान हल्के गर्म वायु द्रव्यमान को बलपूर्वक ऊपर धकेलता है। इस बलपूर्वक धकेलने के कारण, ठंडे द्रव्यमान से संबंधित मौसम की स्थितियाँ अशांत होती हैं, जो मुकुटधारी तथा काले बादलों, गरज एवं भारी वर्षा से संबंधित होती हैं। (चित्र 3.28)।
3. **गर्म वाताग्र (Warm Front):** एक अग्रसर गर्म वायु द्रव्यमान का अग्रणी किनारा, जो ठंडी, निष्क्रिय वायु को रास्ते से हटाने में असमर्थ होता है, इसलिए यह धीरे-धीरे ऊपर उठता है। इस धीरे-धीरे उठने के कारण, यह कई बार वर्षा से संबंधित होता है, क्योंकि गर्म वायु द्रव्यमान ऊपर उठता

है। इसे मौसम मानचित्रों पर वाताग्र के साथ गोलाकार घुंडी की एक श्रृंखला के साथ चिह्नित किया जाता है, जो वाताग्र गति की दिशा में होती है (चित्र 3.28)।

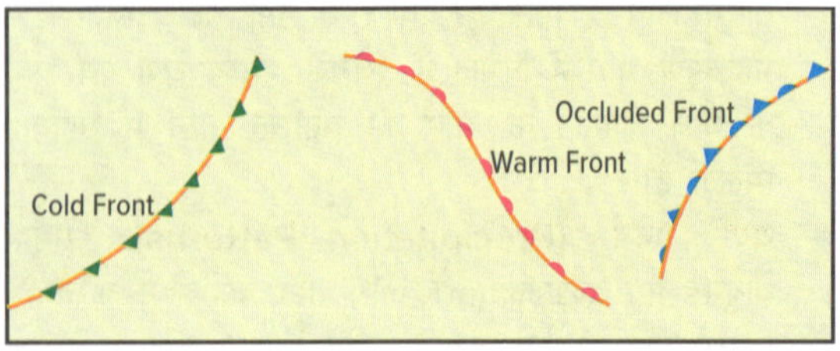

चित्र 3.28
वाताग्र के प्रकार

4. **अवरुद्ध वाताग्र (Occluded Front):** एक ठंडा वाताग्र एक गर्म वाताग्र की तुलना में तेजी से चलता है। कभी-कभी एक तेजी से चलने वाला ठंडा वाताग्र गर्म वाताग्र को पार कर सकता है, जिससे एक अवरुद्ध वाताग्र बनता है (चित्र 3.28)। यदि ठंडे वाताग्र के पीछे की ठंडी पवन का द्रव्यमान गर्म वाताग्र के आगे की ठंडी पवन के द्रव्यमान से ठंडा होता है, तो हमें एक ठंडा अवरोध मिलता है। लेकिन, अगर ठंडे वाताग्र के पीछे की ठंडी पवन का द्रव्यमान गर्म वाताग्र के आगे की ठंडी पवन के द्रव्यमान से गर्म होता है, तो हमें एक गर्म अवरोध मिलता है (चित्र 3.29)। एक चक्रवाती परिसंचरण में एक सतही गर्म वाताग्र का ठंडे वाताग्र द्वारा पार करना और उसके बाद गर्म पवन का भूमि से उठना; प्रारंभिक वर्षा माध्यम से भारी होती है।

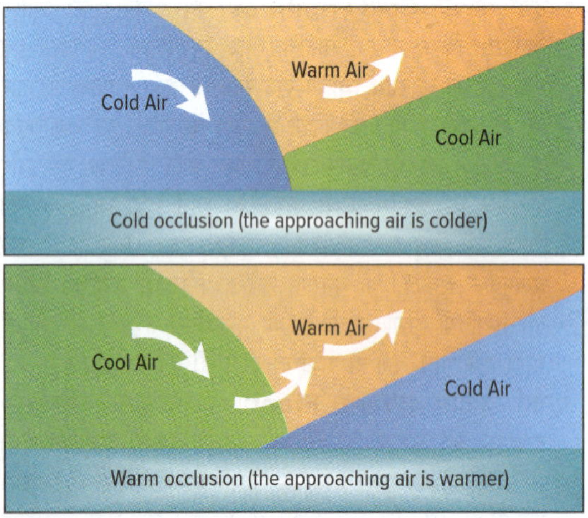

चित्र 3.29
ठंडा एवं गर्म अवरोधन

याद रखने की युक्ति (Learning Trick)

वाताग्र

- जब 2 सेनाएँ लड़ती हैं, तो वह क्षेत्र, जहाँ लड़ाई होती है, सबसे अशांत स्थान होता है! इसे बैटल वाताग्र या सिर्फ वाताग्र के नाम से जाना जाता है!

जलवायु विज्ञान की दृष्टि से भी वाताग्र लड़ाई एवं अशांति का क्षेत्र होते हैं। लड़ाई ठंडी एवं गर्म पवन के द्रव्यमानों के बीच होती है, जहाँ गर्म पवन का द्रव्यमान हमेशा आत्मसमर्पण कर देता है। (जमीन छोड़ देता है)।

- **गर्म वाताग्र:** आत्मसमर्पण सहज और धीरे-धीरे होता है, जिससे मौसम की हल्की परिस्थितियाँ बनती हैं।
- **ठंडा वाताग्र:** आत्मसमर्पण मजबूरी में होता है और इससे अत्यधिक अशांत मौसम बनता है।

चक्रवातजनन (Cyclogenesis)

मध्य अक्षांशीय तरंग चक्रवातों के विकास तथा मजबूती को चक्रवातजनन के रूप में जाना जाता है। औसतन, एक शीतोष्ण चक्रवात को विकास के चरणों से गुजरने में 3-10 दिन लगते हैं। ध्रुवीय वाताग्र के साथ, ठंडी एवं गर्म पवन के द्रव्यमान अभिसरित होते हैं और टकराते हैं। ध्रुवीय वाताग्र तापमान, नमी तथा पवनों का एक असंतुलन बनाता है, जो संभावित रूप से अस्थिर स्थितियों को स्थापित करता है।

ध्रुवीय वाताग्र सिद्धांत (अग्रिम सिद्धांत) (Polar Front Theory (Frontal Theory)

शीतोष्ण चक्रवातों की उत्पत्ति के बारे में ध्रुवीय वाताग्र सिद्धांत वी. बिजर्कनेस तथा जे. बिजर्कनेस द्वारा 1918 में सामने रखा गया था। चक्रवात की शुरुआत (चक्रवाती) से लेकर उसके समापन (ललाटीय या अवरोध) तक की अवधि को 'चक्रवात का जीवन चक्र' कहा जाता है, जो छह क्रमिक चरणों (चित्र 3.30) के माध्यम से पूरा होता है।

चरण I: पहले चरण में विपरीत भौतिक गुणों एवं दिशाओं के दो वायु द्रव्यमानों का अभिसरण शामिल है।

चरण II: इसे 'प्रारंभिक चरण' कहा जाता है, जिसके दौरान गर्म एवं ठंडी पवन के द्रव्यमान एक-दूसरे के क्षेत्रों में प्रवेश करते हैं।

चरण III: यह तब परिपक्व होता है, जब चक्रवात पूरी तरह से विकसित हो जाता है तथा समदाब रेखाएं लगभग गोलाकार हो जाती हैं।

चरण IV: गर्म क्षेत्र की सीमा कम हो जाती है, क्योंकि गर्म क्षेत्र की तुलना में ठंडी पवनें तेजी से आगे बढ़ती हैं तथा ठंडी पवनें गर्म क्षेत्र के करीब आ जाती हैं।

चरण V: यह चरण चक्रवात के अवरोध से शुरू होता है, जब आगे बढ़ने वाला ठंडा वाताग्र अंततः गर्म वाताग्र से आगे निकल जाता है और एक अवरोधित वाताग्र बन जाता है।

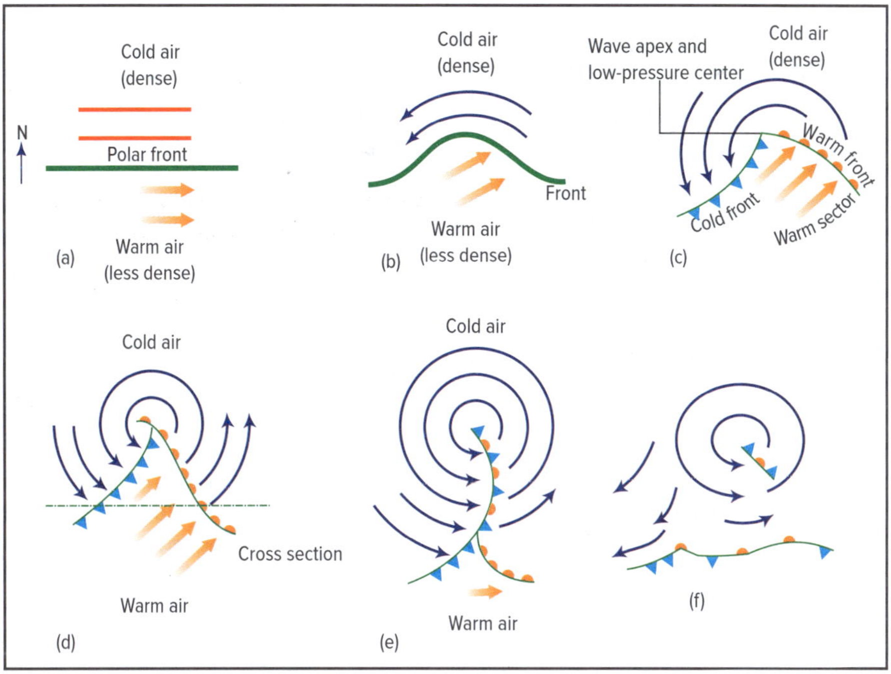

चित्र 3.30

अतिरिक्त उष्णकटिबंधीय चक्रवात की उत्पत्ति (टी. गैरिसन, समुद्र विज्ञान, 1995, पृष्ठ 125 के बाद)

चरण VI: अंतिम चरण (VI) में गर्म क्षेत्र पूरी तरह से गायब हो जाता है, अवरोधित वाताग्र समाप्त हो जाता है और अंततः चक्रवात समाप्त हो जाता है (चित्र 3.30)।

शीतोष्ण चक्रवातों की विशेषताएँ (Characteristics of Temperate Cyclones)

1. मध्य अक्षांश या शीतोष्ण चक्रवात उत्तरी गोलार्ध में वामावर्त दिशा और दक्षिणी गोलार्ध में दक्षिणावर्त दिशा में चलता है।
2. शीतोष्ण चक्रवात 1600 किमी चौड़ा हो सकता है।
3. समदाब रेखाएं अण्डाकार आकार की होती हैं।
4. ठंडी पवन का द्रव्यमान गर्म पवन के द्रव्यमान की तुलना में अधिक तेज चलता है।
5. ये चक्रवात 5 से 25 किमी प्रति घंटे की धीमी गति से चलते हैं।
6. वे हल्की वर्षा करते हैं, जो फसलों, मानव स्वास्थ्य एवं दक्षता के लिए अत्यधिक लाभदायक होती है।
7. अपने अंतिम चरण में चक्रवात गरज तथा बिजली पैदा करता है।
8. प्रत्येक चक्रवात के बाद एक साफ मौसम आता है।

शीतोष्ण चक्रवातों से संबंधित मौसम (Weather Associated with Temperate Cyclones)

चक्रवात के विभिन्न भागों में मौसम की स्थिति काफी भिन्न होती है। शीतोष्ण चक्रवात के आगमन से पहले वायुदाब कम हो जाता है, सूर्य एवं चंद्रमा सामान्यतया एक प्रभामंडल से घिरे होते हैं, और क्षितिज पर सबसे पहले ऊंचे पतले सिरस बादल दिखाई देते हैं। जब चक्रवात अवलोकन बिंदु के बहुत करीब आता है, तो तापमान अचानक बढ़ जाता है, और पवन की दिशा बदल जाती है।

इसके बाद, बादलों का आवरण घना हो जाता है तथा आकाश काले, घने तथा निचले बादलों, मुख्य रूप से निंबोस्ट्रेटस बादलों से ढक जाता है। चक्रवात के गर्म वाताग्र के आगमन के साथ बादल बहुत घने एवं काले हो जाते हैं, तथा निंबोस्ट्रेटस बादलों के साथ भारी वर्षा शुरू हो जाती है। चूँकि, गर्म पवन वाताग्र के साथ धीरे-धीरे ऊपर उठती है, इसलिए वर्षा भी धीरे-धीरे होती है, लेकिन लंबे समय तक होती रहती है। सूर्य कई घंटों तक दिखाई नहीं देता है। गर्म वाताग्र के क्षेत्र में वर्षा की विशेषता धुंधली पवन और खराब दृश्यता है। सर्दियों में जब गर्म पवन से नीचे ठंडी पवन के द्रव्यमान के माध्यम से वर्षा होती है, तो बर्फ के गोले या जमने वाली वर्षा हो सकती है (चित्र 3.31)।

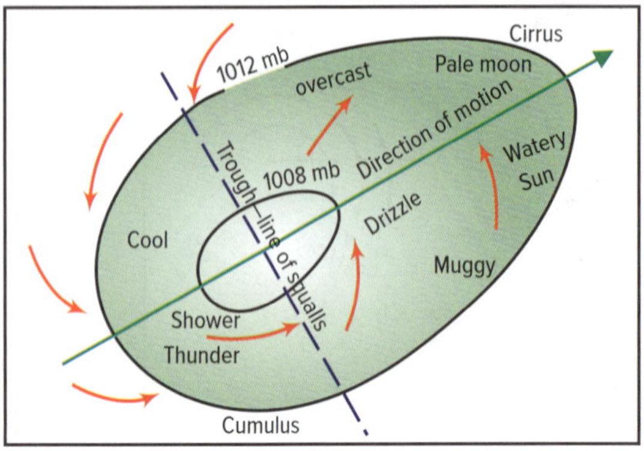

चित्र 3.31
शीतोष्ण चक्रवात में मौसम

शीत वाताग्र के आगमन पर, तापमान में कमी दर्ज की जाती है। ठंडी पवन गर्म पवन को ऊपर की ओर धकेलती है, और पवन की दिशा एक बार फिर से बदल जाती है। आकाश फिर से बादलों से ढक जाता है, जिसके परिणामस्वरूप जल्द ही वर्षा होती है। शीत वाताग्र क्षेत्र में वर्षा बादलों की गड़गड़ाहट और बिजली के साथ भारी बारिश के रूप में होती है, लेकिन, वर्षा अल्पकालिक तथा कम व्यापक होती है। गड़गड़ाहट तथा विद्युत चक्रवात के अंत का संकेत है।

शीतोष्ण चक्रवातों का भौगोलिक वितरण (Geographical Distribution of Temperate Cyclones)

शीतोष्ण चक्रवातों के प्रमुख क्षेत्र एवं मार्ग **चित्र 3.32** में दिखाए गए हैं। सामान्य रूप से शीतोष्ण चक्रवात उच्च मध्य अक्षांशों में होते हैं। दक्षिणी गोलार्ध में 50°–60° S के बीच आवृत्ति में एक तीव्र शिखर होता है। दक्षिणी गोलार्ध में वे अधिक नियमितता के साथ उड़ते हैं, और गर्मियों-सर्दियों के मार्ग के बीच बहुत कम अंतर होता है। उत्तरी गोलार्ध में गर्मियों में 60°N और सर्दियों में 50°N पर शीतोष्ण चक्रवातों की आवृत्ति अधिकतम होती है। लगभग 10 डिग्री अक्षांश का यह बदलाव दबाव पेटी में मौसमी बदलाव के कारण होता है।

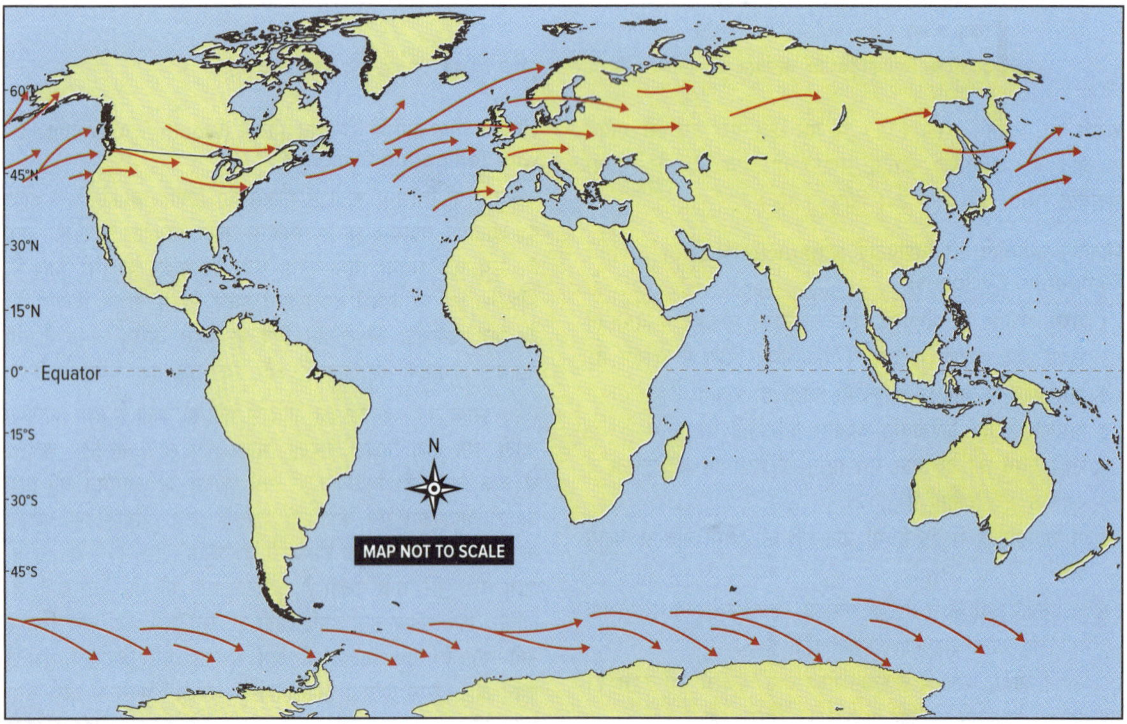

चित्र 3.32
शीतोष्ण चक्रवातों के मुख्य पथ

दक्षिणी गोलार्ध में चक्रवातों की अधिकतम आवृत्ति का पट्टा लगभग पूरी दुनिया में निरंतर है। इसके विपरीत, उत्तरी गोलार्ध में मुख्यत: महाद्वीपों एवं महासागरों के प्रभाव के कारण क्षेत्रीय व्यवस्था बहुत अधिक विक्षुब्ध है (चित्र 3.32)।

(b) उष्णकटिबंधीय चक्रवात (Tropical Cyclones)

यह एक गोलाकार तूफान (या भंवर) है, जो उत्तरी गोलार्ध में वामावर्त एवं दक्षिणी गोलार्ध में दक्षिणावर्त घूमता है। यह उष्णकटिबंधीय अक्षांशों में महाद्वीपों के पूर्वी भागों में ऊर्जा तथा नमी प्रणालियों का एक शक्तिशाली निरुपण है। ये चक्रवात पूरी तरह से उष्णकटिबंधीय वायु द्रव्यमानों के भीतर उत्पन्न होते हैं (5° उत्तर तथा दक्षिण अक्षांशों के बीच को छोड़कर, विशेष रूप से महासागरों के उष्णकटिबंधीय गर्म भागों में क्योंकि उनके उत्पत्ति के लिए कोरिओलिस बल की आवश्यकता होती है), जहां सतह का तापमान 25° और 27°C के बीच होता है (चित्र 3.33)। उष्णकटिबंधीय क्षेत्र कर्क रेखा से 23.5°N से लेकर मकर रेखा तक 23.5°S तक फैला हुआ है। लगभग, 80–90 उष्णकटिबंधीय चक्रवात वार्षिक रूप से विश्वभर में होते हैं।

उष्णकटिबंधीय चक्रवातों की उत्पत्ति (Origin of Tropical Cyclones)

यह समशीतोष्ण चक्रवातों से काफी अलग है। उष्णकटिबंधीय क्षेत्रों की पवन मूल रूप से समरूप होती है, जिसमें कोई वाताग्र या परस्पर विरोधी (गर्म एवं ठंडी) वायु द्रव्यमान नहीं होते। इसके अलावा, गर्म पवन तथा गर्म समुद्र जल वाष्प की प्रचुर आपूर्ति सुनिश्चित करते हैं और इस प्रकार, इन तूफानों को ईंधन देने के लिए आवश्यक गुप्त ऊष्मा प्रदान करते हैं। इस तरह, ये चक्रवात दोनों गोलार्द्धों में 10° और 25° के बीच एक गर्म, आर्द्र वायु द्रव्यमान के भीतर बनते हैं।

एक उष्णकटिबंधीय चक्रवात सामान्यतया एक छोटे उष्णकटिबंधीय अवसाद से विकसित होता है। उष्णकटिबंधीय अवसाद निम्न दबाव वाले क्षेत्रों में बनते हैं। जब लगभग 26°C या उससे अधिक तापमान वाले उष्णकटिबंधीय पानी के निकटता से पवन गर्म होती है, तो पवनें इस निम्न दबाव केंद्र पर एकत्रित होने लगती हैं। यहां पहुंचने पर, पवनें गर्म हो जाती हैं, ऊपर की ओर संवहन करती हैं, और फिर संघनन से गुजरती हैं, जिससे बादल बनते हैं और गुप्त ऊष्मा निकलती है।

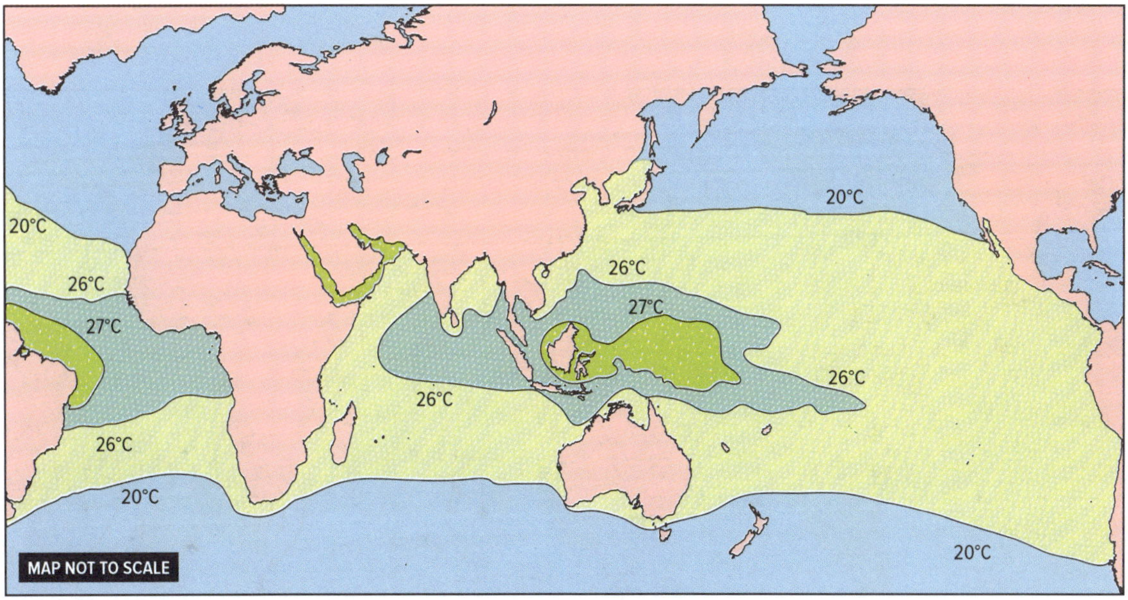

चित्र 3.33

औसत वार्षिक तापमान। पश्चिमी प्रशांत और पश्चिमी अटलांटिक महासागर सभी मौसमों में उच्च तापमान दर्ज करते हैं (R. W. Christopherson, Geosystems, 1995, पृष्ठ 92 के बाद)

यह गुप्त ऊष्मा निम्न-दबाव अवसाद में तापमान को और बढ़ा देती है, जिससे इसका दबाव कम हो जाता है, और यहां पवनों के संगम की गति बढ़ जाती है। इसीलिए, कहा जाता है कि उष्णकटिबंधीय चक्रवात गुप्त ऊष्मा ऊर्जा द्वारा संचालित होते हैं। कोरिओलिस प्रभाव उष्णकटिबंधीय चक्रवातों की गोलाकार गति में सहायता करता है **(चित्र 3.34)**। आरोही वायु में संघनन शुरू हो जाता है, और उष्णकटिबंधीय चक्रवात आकार लेने लगता है। अधिकांश उष्णकटिबंधीय चक्रवातों का केंद्र पश्चिम की ओर तथा ध्रुव की ओर 10 से 40 किमी प्रति घंटे की गति से चलता है। कुछ उष्णकटिबंधीय चक्रवातों के विशिष्ट मार्ग **चित्र 3.35** में दिखाए गए हैं। संक्षेप में, उष्णकटिबंधीय चक्रवातों में संघनन ऊर्जा वायु गति (पवन) उत्पन्न करती है।

उष्णकटिबंधीय चक्रवातों की विशेषताएँ (Characteristics of Tropical Cyclones)

उष्णकटिबंधीय चक्रवातों की मुख्य विशेषताएँ निम्नलिखित हैं-

1. समदाब रेखाएँ गोलाकार होती हैं।
2. उनका व्यास 150 और 300 किलोमीटर के बीच होता है।
3. केंद्रीय क्षेत्र को चक्रवात की 'आंख' के रूप में नामित किया गया है।
4. उनके पास वाताग्र (ठंडा वाताग्र एवं गर्म वाताग्र) नहीं होते हैं।

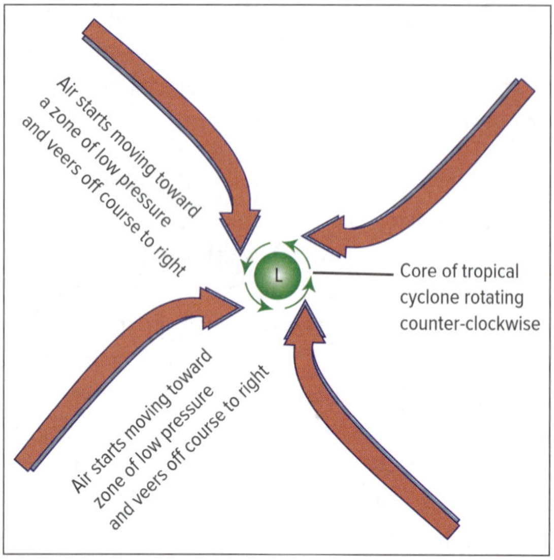

चित्र 3.34

एक उष्णकटिबंधीय चक्रवात की गतिशीलता, जिसमें कोरिओलिस प्रभाव का प्रभाव दिखाया गया है। ध्यान दें कि तूफान उत्तरी गोलार्ध में "गलत" दिशा (अर्थात, वामावर्त) में "सही" कारणों से मुड़ता है।

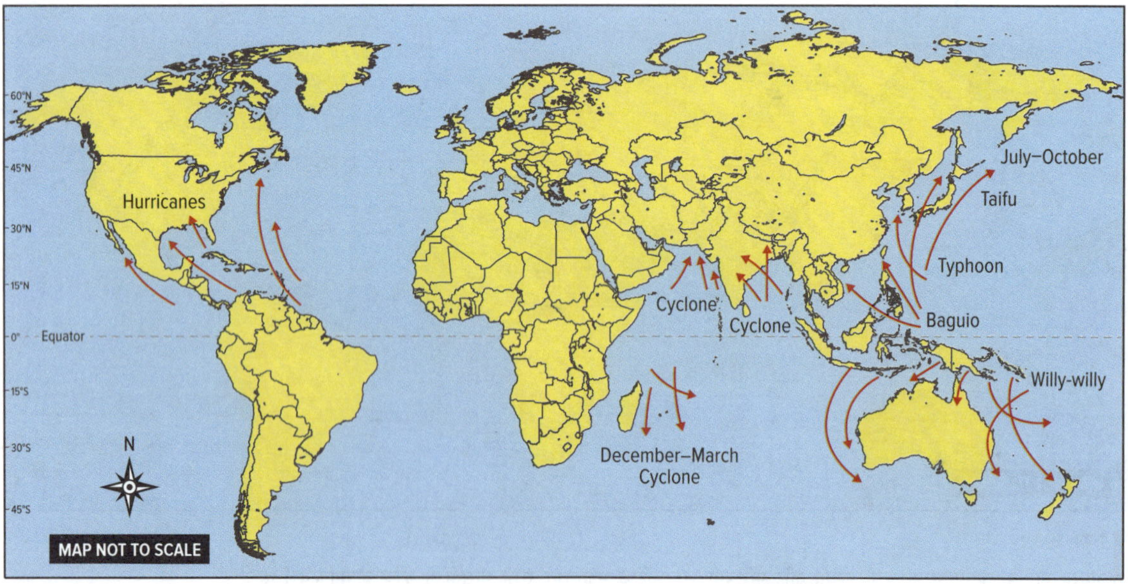

चित्र 3.35

उष्णकटिबंधीय चक्रवात के क्षेत्र

5. वे अपनी ऊर्जा गुप्त ऊष्मा से प्राप्त करते हैं।
6. उनकी गति 50 तथा 300 किमी प्रति घंटे के बीच होती है।
7. उष्णकटिबंधीय चक्रवात में बादल क्यूम्यलोनिम्बस होते हैं, जिनका ऊर्ध्वाधर विस्तार लगभग 12 किमी तक होती है।
8. वे मूसलधार बारिश देते हैं।
9. वे विनाशकारी होते हैं, जीवन और संपत्ति को बहुत क्षति पहुंचाते हैं।

उष्णकटिबंधीय चक्रवातों को उष्णकटिबंधीय महासागरों के विभिन्न भागों में विभिन्न नामों से जाना जाता है-

चीन- टाइफून (Taifun)
जापान- ताइफू
फिलीपींस- बैगियो
कैरेबियन सागर- हरिकेन
ऑस्ट्रेलिया- विली-विलीज
हिंद महासागर- चक्रवात

उष्णकटिबंधीय चक्रवात की संरचना (Structure of a Tropical Cyclone)

उष्णकटिबंधीय चक्रवात का सबसे अंदरूनी भाग 'चक्रवात की आँख' (Eye of the cyclone) के रूप में जाना जाता है (चित्र 3.36)। इसका व्यास 30 से 60 किमी तक होता है। उष्णकटिबंधीय चक्रवात के केंद्रीय भाग (आँख) में पवनें हल्की तथा परिवर्तनशील होती हैं, बादल या तो अनुपस्थित होते हैं या बिखरे होते हैं, तापमान उच्च होता है, और मौसम उमस भरा होता है। इस केंद्रीय शांत क्षेत्र में आकाश नीला होता है, और लगभग 12 किमी ऊँचे सर्पिल बादलों की पृष्ठभूमि के विरुद्ध रुक-रुक कर धूप होती है।

चित्र 3.36 में बादलों के समूह को चक्रवात के क्षेत्र से दूर घूमते हुए गहरे रंग के लंबे धब्बों के रूप में देखा जा सकता है। उष्णकटिबंधीय चक्रवात का केंद्रीय भाग मुकुटधारी या काले बादलों की दीवारों से घिरा होता है। अधिकतम पवन वेग हमेशा उष्णकटिबंधीय चक्रवात के केंद्र के पास दर्ज किए जाते हैं। इसके अलावा, इस क्षेत्र के आस-पास सबसे भारी वर्षा दर्ज की जाती है। पवन की गति नेत्रगोलक (eyewall) से केंद्र की ओर एक समान दर से धीमी हो जाती है, जहां वर्षा व्यावहारिक रूप से बंद हो जाती है।

उष्णकटिबंधीय चक्रवात जीवन और संपत्ति के क्षति का कारण बन सकता है। 150-300 किमी प्रति घंटे की गति से भी तेज चलने वाली पवनों की विनाशकारी शक्ति स्पष्ट है। जब तूफान भूमि पर आता है, तो मूसलधार बारिश गंभीर बाढ़ का कारण बन सकती है। लेकिन, अधिक खतरा तूफान की लहर में निहित है, जो तूफान द्वारा संचालित पानी का एक द्रव्यमान है, जिसे समुद्र का अतिक्रमण कहा जाता है। कभी-कभी समुद्र की लहरें 12 मीटर तक ऊँची हो सकती हैं।

बवंडर (Tornado)

यह एक तीव्र, विनाशकारी हवा का घूमता हुआ स्तंभ है, जो अत्यधिक निम्न दबाव के कारण विकसित होता है, और इसमें गरज भी होती

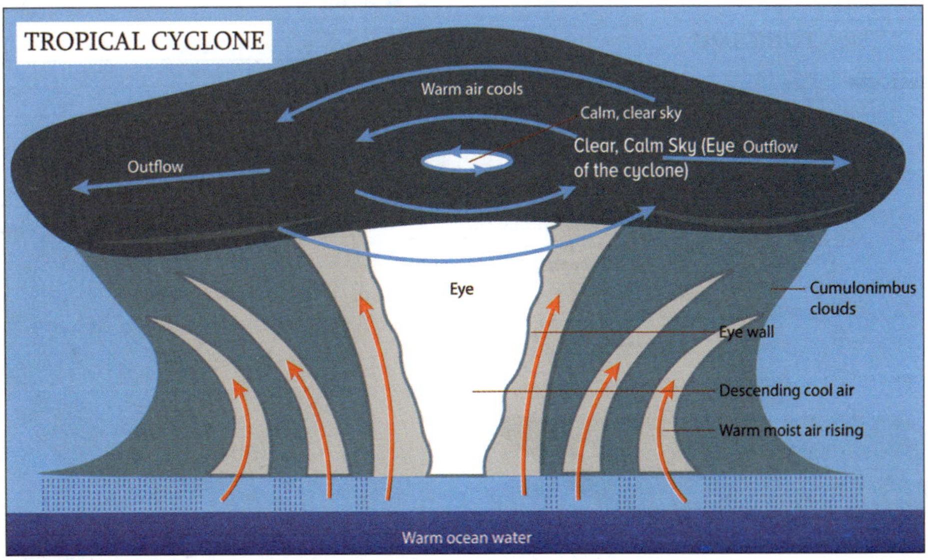

चित्र 3.36
उष्णकटिबंधीय चक्रवात की अनुप्रस्थ काट

है। यह पवन का एक अभिसरण सर्पिल है, जिसकी गति कई सौ किलोमीटर प्रति घंटे अनुमानित की जाती है। यह वायुमंडलीय तूफानों में सबसे हिंसक होता है, लेकिन शायद ही कभी एक किलोमीटर से बड़ा होता है। उत्तरी गोलार्ध में सिवाय दुर्लभ मामलों में घूर्णन की दिशा वामावर्त होती है, (चित्र 3.37)। कोई बवंडर तभी बनता है, जब गर्म, नम पवन तेजी से ऊपर उठती है तथा ठंडी पवन से जा मिलती है, जिससे ऊपर की ओर एक मजबूत प्रवाह बनता है। यह ऊपर की ओर प्रवाह पवन को घूर्णन करने का कारण बनता है, और जैसे-जैसे घूर्णन तीव्र होता है, यह संकीर्ण होता जाता है और नीचे की ओर फैलता जाता है, जिससे फनल बादल बनते हैं। यदि घूर्णन करने वाली पवन का स्तंभ भूमि को छूता है, तो यह बवंडर बन जाता है। तूफान के बादल से लटकते हुए संघनित नमी का फनल बादल बवंडर को आसानी से दिखाई देता है। बादल की मोटाई में व्यापक रूप से भिन्नता हो सकती है तथा कभी-कभी यह नीचे की तुलना में ऊपर बड़ा हो सकता है। अधिकांश समय यह संघनित जल वाष्प के कारण ग्रे रंग का होता है। सर्दियों में एक बवंडर बर्फ के मैदान पर उतर सकता है तथा चमकदार सफेद हो सकता है।

बवंडर की उत्पत्ति (Origin of Tornadoes)

बवंडर प्राय: गरज के साथ होने वाली गतिविधि के साथ आते हैं। बवंडर के निर्माण के लिए आदर्श परिस्थितियाँ वे हैं, जो ठंडे वाताग्र से पहले पाई जाती हैं। बवंडर गर्म, बहुत नम पवन के द्रव्यमान के ध्रुवीय क्षेत्रों से ठंडी, शुष्क पवन के साथ टकराने से बनते हैं। बवंडर बनने के लिए कई शर्तें आवश्यक हैं, जो नीचे दी गई हैं:

1. सतह पर बहुत गर्म, नम पवन का द्रव्यमान मौजूद होना चाहिए।
2. एक अस्थिर ऊर्ध्वाधर तापमान संरचना होनी चाहिए।
3. घूर्णन शुरू करने के लिए एक तंत्र मौजूद होना चाहिए।

वबंडर का पूर्वानुमान (Tornado Forecasting)

उच्च मृत्यु दर का मुख्य कारण पूर्वानुमान एवं चिह्नित नहीं किए जाने की समस्या है। वबंडर इतने स्थानीयकृत तथा वितरण में अनियमित होते हैं कि उनका पूर्वानुमान लगाना बहुत कठिन होता है।

2. प्रतिचक्रवात (Anticyclone)

यह एक उच्च औसत वायुमंडलीय दबाव वाला क्षेत्र है, जिसे सतह पर पवन के सामान्यत: बाहर की ओर प्रवाह द्वारा चिह्नित किया जाता है। उत्तरी गोलार्ध में पवन की दिशा घड़ी की दिशा में होती है तथा दक्षिणी गोलार्ध में पवन की दिशा घड़ी की विपरीत दिशा में होती है (चित्र 3.38)।

पहली बार प्रतिचक्रवात शब्द का उपयोग एफ. गैल्टन द्वारा 1861 में किया गया था। यह एक गतिशील या तापीय रूप से उत्पन्न उच्च वायुमंडलीय दबाव का क्षेत्र है, जिसमें अवरोही एवं विचलित वायु प्रवाह होता है। प्रतिचक्रवात की प्रमुख विशेषताएं निम्नलिखित हैं-

1. प्रतिचक्रवात के आइसोबार या समताप रेखा सामान्यत: गोलाकार होते हैं (चित्र 3.38)।
2. वे आकार में समशीतोष्ण चक्रवातों से बहुत बड़े होते हैं।

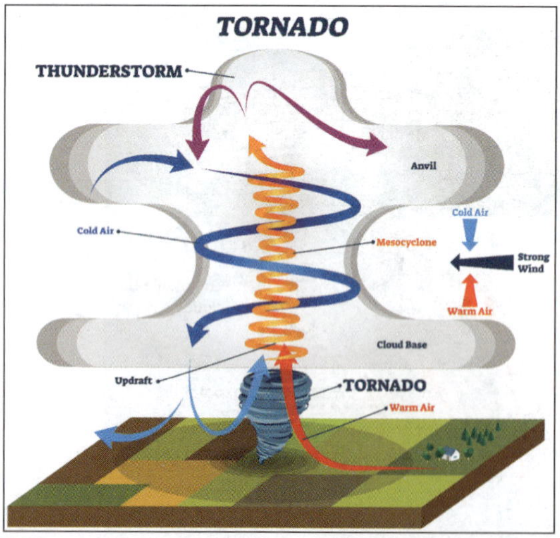

चित्र 3.37

Development of mesocyclones and tornadoes (डोनाल्ड एहरेंस सी., मौसम विज्ञान, वेस्ट पब्लिशिंग कंपनी, 1988)

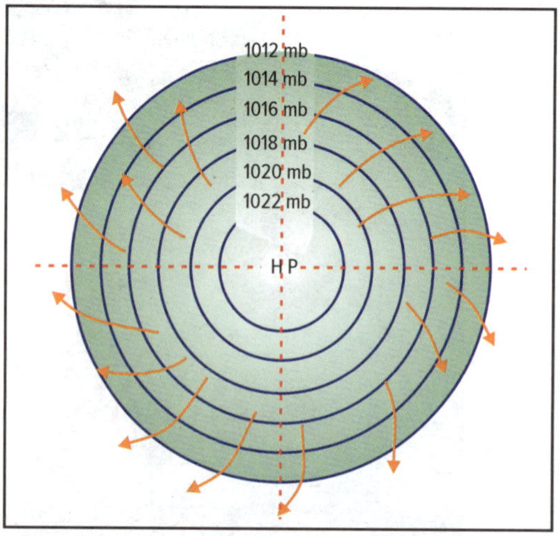

चित्र 3.38

उत्तरी गोलार्ध में प्रतिचक्रवात-पवन का दबाव एवं पवन प्रणाली

3. ये धीमे परंतु लगातार चलते हैं।
4. उच्च दबाव केंद्र में स्थित होता है।
5. पवन केंद्र से बाहर की ओर बहती है। उत्तरी गोलार्ध में पवन की दिशा घड़ी की दिशा में होती है तथा दक्षिणी गोलार्ध में पवन की दिशा घड़ी की विपरीत दिशा में होती है।
6. एक प्रतिचक्रवात में तापमान प्रचलित मौसम, आर्द्रता, और वायु द्रव्यमान की प्रकृति पर निर्भर करता है।
7. प्रतिचक्रवातों में वाताग्र नहीं होते।
8. प्रतिचक्रवात नीले आकाश, साफ मौसम, तथा बिना वर्षा के संकेतक होते हैं।

प्रतिचक्रवात के प्रकार (Types of Anticyclones)

प्रतिचक्रवात को निम्नलिखित प्रकारों में वर्गीकृत किया जा सकता है-

(a) शीत प्रतिचक्रवात (Cold anticyclones)

शीत प्रतिचक्रवात सामान्यतया आर्कटिक एवं अंटार्कटिक क्षेत्रों में उत्पन्न होते हैं तथा भू-मध्यरेखा की दिशाओं में आगे बढ़ते हैं। इनकी मोटाई बहुत कम होती है। ये प्रतिचक्रवात उष्णकटिबंधीय क्षेत्रों में प्रवेश करने पर समाप्त हो जाते हैं।

(b) उष्ण प्रतिचक्रवात (Warm anticyclones)

उष्ण प्रतिचक्रवात उपोष्णकटिबंधीय उच्च दबाव की पट्टी में उत्पन्न होते हैं, जहाँ पवनें हैडली सेल में नीचे की ओर जाती हैं। ये हल्की पवन, कम आर्द्रता, तथा बादल रहित आकाश से जुड़े होते हैं।

(c) अवरोधक प्रतिचक्रवात (Blocking anticyclones)

अवरोधक प्रतिचक्रवात ऊपरी वायुमंडल में वायु परिसंचरण में रुकावट के कारण विकसित होते हैं। इसीलिए इन्हें अवरोधक प्रतिचक्रवात कहा जाता है। ये उत्तर-पश्चिम यूरोप तथा प्रशांत महासागर के 120-160/170 पश्चिमी देशांतरों के बीच विकसित होते हैं। वायु प्रणाली के संदर्भ में ये उष्ण प्रतिचक्रवातों के समान होते हैं, लेकिन ये बहुत धीरे-धीरे चलते हैं। ये ऊष्मा गुंबदों (**चित्र 3.39**) के निर्माण के लिए जिम्मेदार होते हैं।

ऊष्मा गुंबद

ऊष्मा गुंबद तब बनता है, जब गर्म पवन वायुमंडल में उच्च दबाव वाले गुंबद के नीचे फंस जाती है, जिससे लंबे समय तक अत्यधिक गर्मी बनी रहती है। यह तब होता है, जब एक बड़ा, स्थिर उच्च दबाव प्रणाली किसी क्षेत्र पर बस जाती है, जिससे पवन नीचे की ओर जाती है, संकुचित होती है और गर्म होती है, जिससे सतह के पास गर्म पवन का गुंबद बनता है। जेट स्ट्रीम के घुमाव के कारण ये उच्च दबाव प्रणालियाँ किसी विशेष स्थान पर अटक जाती हैं। यह खतरनाक रूप से उच्च तापमान, हीट वेव्स या गर्मी की लहर तथा गर्मी से संबंधित बीमारियों का कारण बन सकता है, साथ ही कृषि, आधारभूत संरचना एवं ऊर्जा की मांग को भी प्रभावित कर सकता है। ऊष्मा गुंबद महाद्वीपीय जलवायु वाले क्षेत्रों, विशेष रूप से मध्य और उच्च अक्षांशों में सामान्य होते हैं, जो जेट स्ट्रीम्स से प्रभावित होते हैं। जलवायु परिवर्तन के कारण ऊष्मा गुंबद की आवृत्ति, तीव्रता तथा अवधि बढ़ने की संभावना है, जिससे गर्मी से संबंधित प्रभावों का जोखिम बढ़ जाएगा।

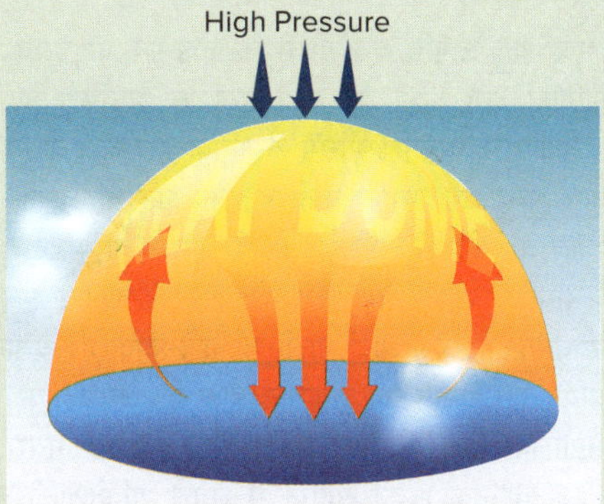

चित्र 3.39
ऊष्मा गुंबद गुंबद

त्वरित पुनरावलोकन (Quick Revision)

चक्रवातों और प्रतिचक्रवातों में पवन की दिशा

	उत्तरी गोलार्ध	दक्षिणी गोलार्ध
चक्रवात	दक्षिणावर्त	वामावर्त
प्रतिचक्रवात	वामावर्त	दक्षिणावर्त

3. ध्रुवीय भंवर (Polar Vortex)

ध्रुवीय भंवर को 'ध्रुवीय चक्रवात', 'ध्रुवीय निम्न', 'ध्रुवीय बवंडर', या 'आर्कटिक तूफान' के रूप में भी जाना जाता है। ध्रुवीय भंवर का पहली बार वर्णन 1853 में किया गया था। यद्यपि, इसे 1952 में रेडियो-सोंडे अवलोकनों के साथ 20 किमी से अधिक की ऊंचाई पर, अर्थात् ट्रोपोपॉज (क्षोभमंडल की ऊपरी सीमा) से परे खोजा गया था। ध्रुवीय भंवर एक बड़े पैमाने का चक्रवात है, जो या तो उत्तरी ध्रुव या दक्षिणी ध्रुव के पास स्थित होता है। पृथ्वी पर ध्रुवीय भंवर मध्य एवं ऊपरी क्षोभमंडल एवं समतापमंडल में स्थित होते हैं। वे ध्रुवीय उच्च दबाव को घेरते हैं तथा ध्रुवीय वाताग्र के पीछे स्थित होते हैं। ध्रुवीय क्षेत्र में वायुमंडल की घूर्णन गति पृथ्वी ग्रह की तुलना में बहुत अधिक होती है। ध्रुवीय भंवर जेट स्ट्रीम द्वारा सीमित होता है, जो जलवायु परिवर्तन के

कारण दक्षिण की ओर भटक जाता है। उत्तरी गोलार्ध में ध्रुवीय जेट स्ट्रीम दक्षिण की ओर भटक जाती है। इस तथ्य को 2006, 2009, 2010, और 2014 के भंवरों में प्रलेखित किया गया था (चित्र 3.40)।

उत्पत्ति (Origin)

ध्रुवीय भंवर की उत्पत्ति एवं पृथ्वी के तापमान पर इसके प्रभावों का वैज्ञानिकों द्वारा अभी तक पूरी तरह से अन्वेषण नहीं किया गया है। यद्यपि, अधिकांश मौसम वैज्ञानिक इस बात से सहमत हैं कि ध्रुवीय भंवर तब उत्पन्न होता है, जब ग्रह के घूर्णन ध्रुव पर निम्न दबाव का क्षेत्र विकसित होता है। इससे वायुमंडल में उच्च ऊंचाई (समताप मंडल यद्यपि ऊपरी क्षोभमंडल) से पवन नीचे की ओर घूमती है, जैसे पानी नाली में नीचे जाता है। ध्रुवीय भंवर एक स्थायी, बड़े पैमाने का चक्रवात होता है, जो ग्रह के एक या दोनों भौगोलिक ध्रुवों के पास स्थित होता है। यह भंवर दक्षिणी गोलार्ध (अंटार्कटिका) की सर्दियों में सबसे शक्तिशाली होता है, जब तापमान का अंतर सबसे तीव्र होता है तथा गर्मियों में यह कम हो सकता है या गायब हो सकता है। आकार में ध्रुवीय भंवर सामान्यतया 1000 किमी तक फैला होता है, जिसमें पवन उत्तरी गोलार्ध में वामावर्त तथा दक्षिणी गोलार्ध में दक्षिणावर्त घूमती है। अन्य चक्रवातों की तरह, ध्रुवीय भंवर का घूर्णन कोरिओलिस प्रभाव के कारण होता है। ध्रुवीय भंवरों को शुक्र, मंगल, बृहस्पति, शनि तथा शनि के चंद्रमा टाइटन पर भी देखा गया है।

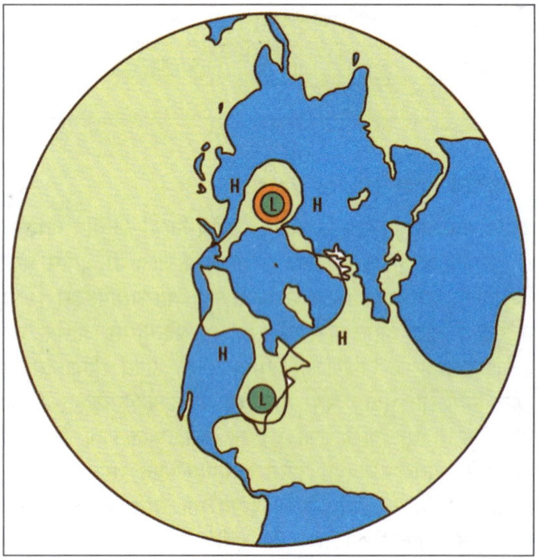

चित्र 3.40
उत्तरी गोलार्ध में ध्रुवीय भंवर के दो केंद्र एवं ध्रुवीय जेट-स्ट्रीम्स

उत्तरी गोलार्ध में ध्रुवीय भंवर के दो केंद्र हैं- (i) एक बैफिन द्वीप (कनाडा) के पास, तथा (ii) दूसरा उत्तर-पूर्व साइबेरिया में बैकाल झील के उत्तर में (चित्र 3.38)। दक्षिणी गोलार्ध में यह रॉस आइस शेल्फ के किनारे के पास, 160°W देशांतर के पास स्थित है। ओजोन क्षय ध्रुवीय भंवर के भीतर, विशेष रूप से दक्षिणी ध्रुवीय क्षेत्र में होता है, जो उत्तरी गोलार्ध के वसंत ऋतु (अगस्त तथा सितंबर) के दौरान अधिकतम तक पहुंचता है।

अंटार्कटिक ध्रुवीय भंवर आर्कटिक की तुलना में अधिक स्थायी एवं स्पष्ट है। इसका मुख्य कारण यह है कि उत्तरी गोलार्ध में उच्च अक्षांशों पर भूमि द्रव्यमानों का वितरण रॉस्बी तरंगों, जिन्हें ग्रह तरंगों के रूप में भी जाना जाता है, को जन्म देता है, जो भंवर के टूटने में योगदान करते हैं, जबकि दक्षिणी गोलार्ध में भंवर कम बाधित रहता है। ध्रुवीय भंवर का टूटना एक चरम घटना है, जिसे अचानक समतापमंडलीय तापन के रूप में जाना जाता है; यहाँ भंवर पूरी तरह से टूट जाता है तथा कुछ दिनों में 30°–50°C की संबंधित तापन हो सकता है।

भंवर के खतरे: वायुमंडलीय घटनाओं में ध्रुवीय भंवर सबसे चरम घटनाओं में से एक जो शीत लहरों और शीतोष्ण चक्रवातों का कारण है, और कनाडा तथा यूएसए में इसके होने पर बड़ी संख्या में लोगों की जान ले लेता है, जब वे निचले अक्षांशों की ओर प्रवास करते हैं, तो जेट स्ट्रीम तरंगों का घुमाव होता है। ध्रुवीय भंवर से संपत्ति की भी बहुत बड़ी क्षति होती है।

वायुमंडल में नमी (MOISTURE IN THE ATMOSPHERE)

1. आर्द्रता (Humidity)

आर्द्रता पवन में जल वाष्प की मात्रा होती है। यह सहजता के स्तर तथा बादल बनने की संभावनाओं को प्रभावित करती है।

(i) सापेक्ष आर्द्रता (Relative Humidity)

यह वायुमंडल में जल वाष्प की मात्रा की गणना करने के लिए व्यापक रूप से उपयोग किया जाने वाला माप है। सापेक्ष आर्द्रता की गणना उस अधिकतम नमी की मात्राख्र संतृप्ति स्तर पर निर्भर करती है, जिसे वायु धारण कर सकती है।

वायु के नमूने की सापेक्ष आर्द्रता को एक विशेष तापमान पर वायु स्तंभ में जल वाष्प की मात्रा तथा वायु स्तंभ द्वारा धारण की जा सकने वाली अधिकतम जल वाष्प की मात्रा के अनुपात के प्रतिशत के रूप में व्यक्त किया जाता है। सापेक्ष आर्द्रता का सूत्र है–

$$\text{सापेक्ष आर्द्रता} = \frac{\text{वायु की वास्तविक जल वाष्प सामग्री}}{\text{पवन की अधिकतम जल वाष्प क्षमता}} \times 100$$

सापेक्ष आर्द्रता सामान्यतया एक दैनिक चक्र प्रदर्शित करती है, जिसका चरण तापमान के विपरीत होता है, जिससे उच्चतम मान प्रात:काल के निकट तथा न्यूनतम दोपहर के दौरान देखे जाते हैं। जैसे-जैसे पवन का तापमान बढ़ता जाता है, उसकी पानी को धारण करने की क्षमता भी बढ़ती जाती है। ऐसा इसलिए होता है, क्योंकि जैसे-जैसे पवन गर्म होती है, यह फैलती जाती है तथा इसमें अधिक पानी वाष्प को अवशोषित और धारण करने के लिए अधिक स्थान होता है। पवन को संतृप्त या पूर्ण कहा जाता है, यदि यह एक दिए गए तापमान पर सभी पानी वाष्प को धारण कर रही है (100 प्रतिशत सापेक्ष आर्द्रता)। संतृप्ति इंगित करती है कि पानी वाष्प की किसी भी और वृद्धि (सामग्री में वृद्धि) या तापमान में किसी भी कमी (क्षमता में कमी) से सक्रिय संघनन, कोहरा, या वर्षा होगी।

(ii) विशिष्ट आर्द्रता (Specific Humidity)

किसी विशिष्ट तापमान पर प्रति इकाई द्रव्यमान वायु (किलोग्राम में) में जल वाष्प का द्रव्यमान (ग्राम में)।

(iii) निरपेक्ष आर्द्रता (Absolute Humidity)

वायु एवं जलवाष्प के मिश्रण में उपस्थित जलवाष्प का घनत्व, अर्थात जलवाष्प के द्रव्यमान का उस मिश्रण द्वारा घिरे हुए आयतन के अनुपात को निरपेक्ष आर्द्रता कहते हैं, जिसे सामान्यतया ग्राम प्रति घन सेंटीमीटर में मापा जाता है। ठंडी पवन उतनी जलवाष्प नहीं रख सकती, जितनी गर्म पवन, इसलिए ठंडी पवन की निरपेक्ष आर्द्रता गर्म पवन की तुलना में कम होती है।

2. वाष्पीकरण (Evaporation)

यह किसी तरल को उसके क्वथनांक से कम तापमान पर वाष्प या गैस में बदलने की प्रक्रिया है। वाष्पीकरण तरल की सतह पर होता है, और तरल से गैस में अणुओं को मुक्त करने के लिए ऊर्जा की आवश्यकता होती है। इस ऊर्जा के उपयोग को गुप्त ऊष्मा के रूप में जाना जाता है, जो तरल के तापमान को गिरा देती है।

3. वाष्पोत्सर्जन और वाष्पीकरण (Evapotranspiration and Transpiration)

यह वाष्पीकरण एवं वाष्पोत्सर्जन द्वारा पृथ्वी की सतह से जल वाष्प का उत्सर्जन है। वाष्पोत्सर्जन एक जैविक प्रक्रिया है, जिसके द्वारा पौधे अपने पत्तों के छिद्रों के माध्यम से जल वाष्प खो देते हैं। यह जल सामान्यतया जड़ों से ऊपर की ओर बढ़ते हुए निरंतर जल प्रवाह द्वारा प्रतिस्थापित किया जाता है। वाष्पोत्सर्जन की दरें वायु के तापमान एवं आर्द्रता, पवन की गति, पौधे के प्रकार और भूमि की सतह की प्रकृति जैसे कारकों के साथ भिन्न होती हैं। चूंकि वाष्पोत्सर्जन बहुत परिवर्तनीय है, इसलिए भौतिक भूगोलवेत्ता संभावित वाष्पोत्सर्जन (PE) की अवधारणा का उपयोग करना पसंद करते हैं। यह जल वाष्प की सबसे बड़ी मात्रा है, जो असीमित जल आपूर्ति मिलने पर वायुमंडल में फैल सकती है।

जल चक्र

जल चक्र पृथ्वी की सतह पर जल के आदान-प्रदान का एक वैचारिक मॉडल है (चित्र 3.41)। यह जल की अवस्था में बड़े पैमाने पर होने वाले परिवर्तनों को दर्शाता है, जो वाष्पीकरण, संघनन तथा वर्षा की प्रक्रियाओं से गुजरता है। वाष्पोत्सर्जन कुछ अर्थों में वाष्पीकरण का एक विशेष रूप है, जिसमें नमी वनस्पति प्रक्रियाओं के माध्यम से वाष्पीकरण के माध्यम से पवन में लौटती है। वनस्पति से वाष्पीकरण को वाष्पोत्सर्जन के रूप में जाना जाता है।

वर्षा की कुछ नमी, जो सतह पर गिरती है, मिट्टी में चली जाती है तथा मिट्टी की नमी बन जाती है, और कुछ गहराई में जाकर भूजल बन जाती है। अन्य वर्षा सतह से बहकर तालाबों, झीलों में एकत्रित हो जाती है या नदियों एवं धाराओं में सतही जल के रूप में बहती है। अंतत:, जल महासागरों में पहुंच जाता है तथा चक्र फिर से शुरू हो जाता है।

पृथ्वी की सतह पर जल का आनुपातिक वितरण चित्र 3.42 में दिखाया गया है। चित्र से देखा जा सकता है कि पृथ्वी के जल का 97 प्रतिशत महासागरों में है। शेष 3 प्रतिशत में से अधिकांश बर्फ के रूप में है, जो दुनिया के बड़े बर्फीले क्षेत्रों (अंटार्कटिका एवं ग्रीनलैंड) में पाई जाती है। शेष लगभग सभी भूजल है। नदियाँ, झीलें तथा मिट्टी की नमी कुल जल का 1 प्रतिशत से भी कम है। वायुमंडल में केवल 0.35 प्रतिशत जल उपलब्ध है। फिर भी यह छोटी मात्रा बादलों तथा वर्षा के लिए नमी प्रदान करती है, जो पृथ्वी की सतह पर होती है।

4. संघनन (Condensation)

वाष्प या गैस का तरल/ठोस रूप में परिवर्तन संघनन के रूप में जाना जाता है। मौसम विज्ञान में संघनन एक निश्चित मात्रा की पवन को ओसांक बिंदु तक ठंडा करने, बिना गर्मी के इनपुट के पवन के एक पैकेट के विस्तार, पवन में अतिरिक्त नमी के वाष्पीकरण, मात्रा तथा तापमान दोनों में परिवर्तन के कारण पवन की नमी धारण करने की क्षमता में गिरावट, तथा ठंडे पदार्थ या वायु द्रव्यमान के संपर्क में आने से हो सकता है। संघनन निम्नलिखित प्रकार का हो सकता है-

चित्र 3.41
जलविज्ञानीय चक्र (A. Strahler, 1997 के बाद)

1. ओस (Dew)

पानी के वाष्प का बिना आर्द्रताग्राही नाभिक के सीधे भूमि पर वनस्पति जैसी वस्तुओं की सतहों पर जमना ओस के रूप में जाना जाता है। ओस तब होती है, जब सापेक्षिक आर्द्रता अधिक होती है, पवन शांत होती है, विकिरण की दर अधिक होती है, तथा आकाश स्वच्छ होता है। यद्यपि, ओस अल्पकालिक होती है, क्योंकि यह सूरज के उगने के बाद गायब हो जाती है।

2. कोहरा (Fog)

कोहरा भूमि पर बादल की एक परत होती है, जिसमें दृश्यता एक किलोमीटर से कम हो जाती है। कोहरे की उपस्थिति इस बात का संकेत है कि वायु तापमान तथा ओसांक तापमान लगभग समान हैं, जिससे संतृप्त परिस्थितियाँ उत्पन्न होती हैं। कोहरा सामान्यतया तब होता है, जब तापमान की विलोमता होती है। कोहरे को निम्नलिखित प्रकारों में वर्गीकृत किया जा सकता है–

(i) संवहन कुहासा (Advection Fog)

सक्रिय संघनन तब बनता है, जब नम पवन ठंडे पानी या भूमि की सतहों पर पार्श्व रूप से चलती है, जिससे ऊपर की पवन की निचली परतें ओस के तापमान तक ठंडी हो जाती हैं।

(ii) विकिरण कुहासा (Radiation Fog)

यह विशेष रूप से शांत वातावरण की साफ रातों में नम भूमि वाले क्षेत्रों में सतह के विकिरणीय शीतलन द्वारा बनता है; यह तब होता है, जब सतह के ठीक ऊपर की वायु परत ओसांक तापमान तक ठंडी हो जाता है, जिससे संतृप्त परिस्थितियाँ उत्पन्न होती हैं।

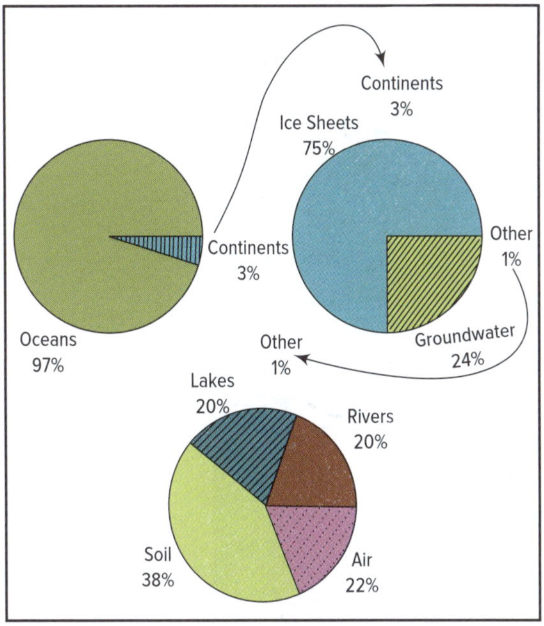

चित्र 3.42

पृथ्वी की सतह पर जल का आनुपातिक वितरण (John E. Oliver, et. al, 2002, Climatology, p. 62 के बाद)

विश्व के कोहरे वाले क्षेत्र (Foggy Regions of the World)

कोहरे की घटना विश्व के कुछ अनुकूल क्षेत्रों में सामान्य है। इसमें निम्नलिखित क्षेत्र शामिल हैं–

1. जहाँ गर्म एवं ठंडी धाराएँ मिलती हैं। जैसे, न्यूफाउंडलैंड, ओखोट्स्क सागर।
2. ठंडी धाराओं के आसपास के क्षेत्र। जैसे, महाद्वीपों की पश्चिमी सीमाएँ।
3. जहाँ वाताग्र बनते हैं। जैसे, 50–70 डिग्री अक्षांश।
4. कुछ समशीतोष्ण महाद्वीपीय आंतरिक क्षेत्र। जैसे, यूरोप, उत्तरी अमेरिका, पूर्वी ऑस्ट्रेलिया, मध्य चीन तथा उत्तरी भारत के आंतरिक भाग।

वे क्षेत्र, जहाँ कोहरे की आवृत्ति अधिक है, चित्र 3.43 में दिखाए गए हैं।

3. तुषार या पाला (Frost)

यह जमी हुई ओस है, जो भूमि के स्तर पर या उसके पास बनती है। 0°C से नीचे की पवन को वायु तुषार या पाला कहते हैं। होर पाला, या राइम, वनस्पति तथा अन्य सतहों पर सफेद बर्फ के क्रिस्टल की मोटी परत होती है। जब भूमि के स्तर पर पवन का तापमान हिमांक बिंदु से नीचे चला जाता है, तो इसे भूमि तुषार या पाला कहते हैं। इसकी आवृत्ति मध्य अक्षांशों एवं पहाड़ी क्षेत्रों में सर्दियों के मौसम के दौरान अधिक होती है।

याद रखने की युक्ति (Learning Trick)

ओसांक

जैसे मनुष्यों की एक वहन क्षमता होती है, वैसे ही पवन की भी एक वहन क्षमता होती है। मनुष्यों में हम जो वजन उठा सकते हैं, वह हमारे शरीर की शक्ति पर निर्भर करता है। पवन के लिए, उसकी नमी वहन क्षमता उसके तापमान पर निर्भर करती है।

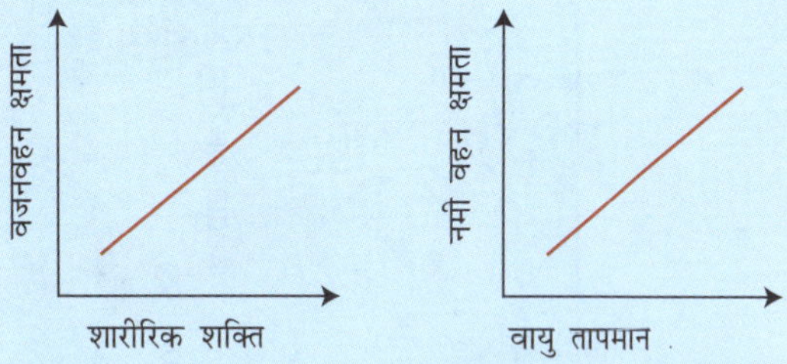

यदि मेरी वहन क्षमता 60 किलोग्राम है, तथा कोई मुझ पर अतिरिक्त 1 किलोग्राम और रख देता है, तो मुझे फ्रैक्चर से बचने के लिए कुछ भार कम करने के लिए मजबूर होना पड़ सकता है! इसी तरह, यदि पवन की वहन क्षमता 20 ग्राम पानी की वाष्प है, और कोई उसमें अतिरिक्त 1 ग्राम और जोड़ देता है, तो पवन अधिक संतृप्त हो जाएगी तथा नमी को छोड़ने और संघनन का कारण बनने के लिए मजबूर हो जाएगी!

अब यह संतृप्ति एवं अति-संतृप्ति दो तरीकों से प्राप्त की जा सकती है–

1. वायु स्तंभ में वास्तविक नमी की मात्रा बढ़ाना।
2. इसके तापमान को कम करना तथा इस प्रकार इसकी नमी वहन क्षमता को कम करना!

वह तापमान, जिस पर एक वायु स्तंभ 100% संतृप्त हो जाता है, ओसांक कहलाता है।

4. धुंध (Mist)

यह पवन में पानी की बूंदों का एक लटकाव है, जो दृश्यता को 1 से 2 किमी के बीच प्रतिबंधित करता है। धुंध एवं कोहरे के बीच का अंतर पानी की बूंदों की घनत्व से संबंधित है। यह कोहरे में अधिक होता है।

5. वर्षण (Precipitation)

मौसम विज्ञान में वर्षण वायुमंडल से पृथ्वी की सतह पर नमी का गिरना है। यह वर्षा, ओले, हिमी वर्षा, या बर्फ के रूप में हो सकता

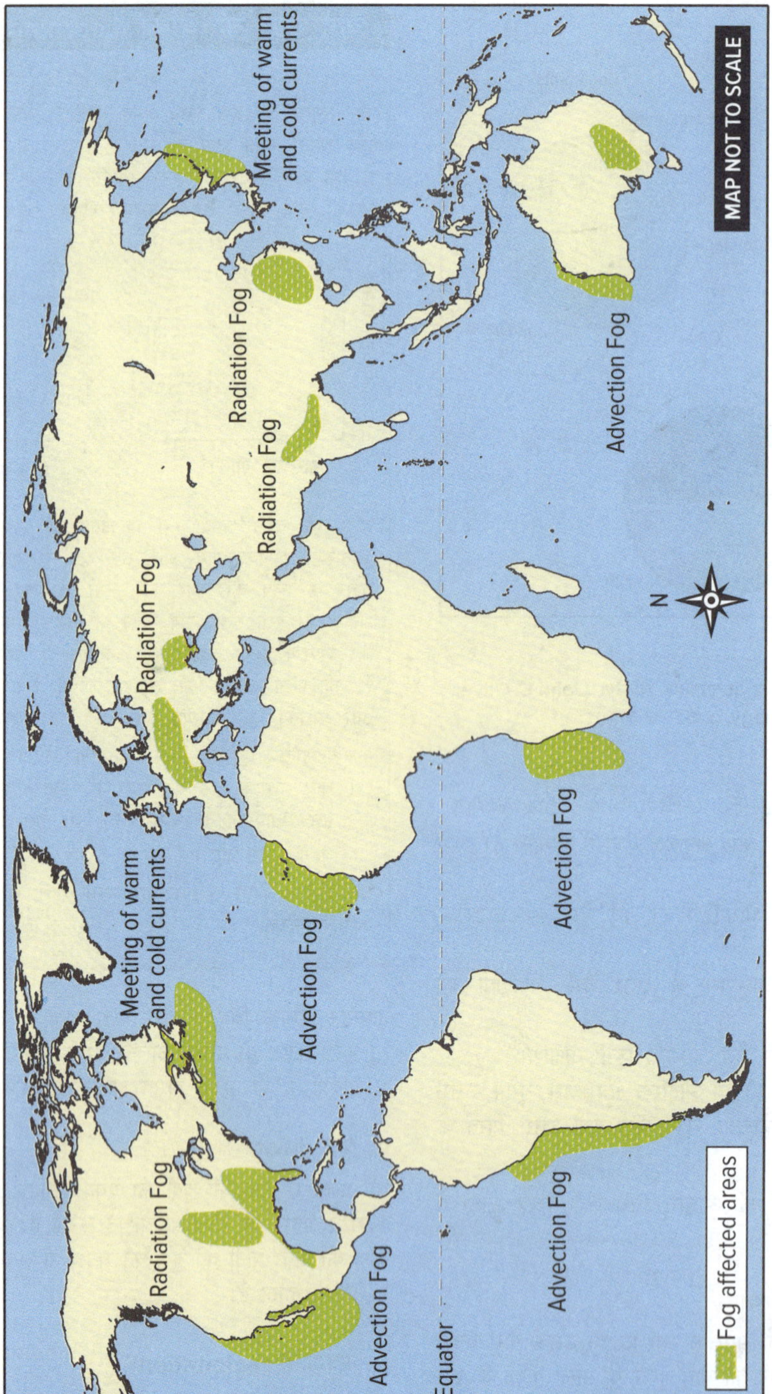

चित्र 3.43
वे मुख्य क्षेत्र, जो कोहरे से प्रभावित होते हैं

है। वर्षण दो चरणों में विकसित होता है। प्रारंभ में बादल की बूंदें संघनन एवं प्रसार के माध्यम से एक आर्द्रताग्राही नाभिक के चारों ओर बढ़ती हैं। -10°C से गर्म बादलों में बड़ी बूंदें फिर समान बूंदों के साथ टकराव तथा सहसंयोजन के माध्यम से बढ़ती हैं।

ठंडे बादलों में, संभवत: बर्फ के क्रिस्टल के वृद्धि के साथ मिलकर बर्गेरोन-फांइडेसेन तंत्र के काम करने की संभावना होती है, क्योंकि अतिशीतन पानी की बूंदें बर्फ के साथ टकराने पर जम जाती हैं, और छोटे बर्फ के क्रिस्टल बड़े क्रिस्टल से चिपक जाते हैं। अधिकांश वर्षण बर्फ के क्रिस्टल के रूप में शुरू होता है, बर्फ के टुकड़ों में विकसित होता है, लेकिन गिरते समय पिघलकर बारिश बन जाता है। औसतन 10 इंच (25.4 सेमी) बर्फ लगभग 1 इंच (2.5 सेमी) वर्षण के बराबर होती है, यद्यपि वास्तविक अनुपात भिन्न होता है। सूखी, पाउडर जैसी बर्फ गीली, भारी बर्फ से कम होती है।

1. वर्षा (Rain)

वर्षा एक प्रकार की वर्षण है, जिसमें पानी की बूंदें 0.5 मिमी से बड़ी होती हैं।

2. बूंदाबांदी (Drizzle)

यह बहुत छोटी बूंदों से बनी वर्षा है, जो 0.5 मिमी तक होती हैं। घनी बूंदाबांदी को हल्की वर्षा से भ्रमित नहीं करना चाहिए, जिसमें कि कम से कम 0.5 मिमी की बूंदें होती हैं।

बर्फीली वर्षा या बर्फीली बूंदाबांदी (Freezing Rain or Freezing Drizzle)

यह वर्षा/बूंदाबांदी है, जो भूमि पर, पृथ्वी की सतह पर, वस्तुओं पर, या उड़ान में विमान के साथ टकराने पर जम जाती है।

3. ओले (Hail)

ओले छोटे गेंदों या बर्फ के टुकड़ों (ओलों) का वर्षण है, जिनका व्यास 5 मिमी से ज्यादा होता है, जो या तो अलग-अलग गिरते हैं या अनियमित गांठों में एकत्रित होते हैं। ओले पारदर्शी एवं अर्धपारदर्शी बर्फ की वैकल्पिक परतों की एक श्रृंखला से बने होते हैं। वे तब बनते हैं, जब एक जमी हुई वर्षा की बूंद गर्म, गीले क्यूम्यलोनिम्बस बादलों में पाए जाने वाले प्रचंड अपड्राफ्ट (उर्ध्व संवहन) में फंस जाती है। जैसे-जैसे वे ऊपर उठते हैं, वे बर्फ को आकर्षित करते हैं, और जैसे-जैसे वे गिरते हैं, बाहरी परत पिघल जाती है, लेकिन जब बूंद को फिर से ऊपर की ओर संवहन द्वारा उठाया जाता है, तो वह फिर से जम जाती है। ओलों की प्याज जैसी संरचना से पता चलता है कि वे कई बार ऊपर तथा नीचे गए होंगे। एक ओला तब नीचे गिरेगा, जब उसकी गिरने की गति बादल में ऊपर की ओर संवहन को पार करने के लिए पर्याप्त होगी।

4. बर्फ (Snow)

बर्फ, बर्फ के क्रिस्टल की वर्षा है, जिनमें से अधिकांश शाखित होते हैं। लगभग 0 से -5°C तापमान पर ये क्रिस्टल सामान्यतया नरम-फ्लेक्स में एकत्रित हो जाते हैं।

5. बर्फ के छर्रे (Snow Pellets)

बर्फ के छर्रे सफेद एवं अपारदर्शी बर्फ के दानों से बने होते हैं। दाने अधिकतर गोलाकार होते हैं तथा उनका व्यास 2-5 मिमी होता है। जब ये कठोर सतह पर गिरते हैं, तो ये भंगुर होते हैं; वे उछलते हैं तथा टूट जाते हैं। बर्फ के छर्रों को नरम ओले या ग्रौपेल के रूप में भी जाना जाता है।

6. बर्फ के कण (Snow Grains)

बर्फ के कण सफेद, अपारदर्शी बर्फ के बहुत छोटे कण होते हैं।

7. बर्फ के गोले (Ice pellets)

ये बर्फ के पारदर्शी या पारभासी टुकड़ों से बने होते हैं, जो गोलाकार या अनियमित होते हैं। वे जमी हुई वर्षा की बूंदों या बड़े पैमाने पर पिघले तथा फिर से जमे हुए बर्फ के टुकड़ों से बने होते हैं।

8. बर्फ प्रिज्म (हीरक धूलि) (Ice Prism (Diamond-Dust))

बर्फ के प्रिज्म छोटे बर्फ के क्रिस्टल होते हैं जो अक्सर पवन में लटके हुए लगते हैं। ऐसे क्रिस्टल बादल या बादल रहित आकाश से गिर सकते हैं। वे ज्यादातर तब दिखाई देते हैं जब वे धूप में चमकते हैं (इसलिए हीरे की धूल), और वे बहुत कम तापमान पर होते हैं।

बादल के रूप एवं वर्गीकरण (Cloud Forms and Classification)

बादल पवन में लटके हुए पानी की बूंदों एवं/या बर्फ के क्रिस्टल का एक दृश्यमान, घना द्रव्यमान है। यह वाष्पीकरण का एक रूप है। बादल सामान्यतया तब बनते हैं, जब पवन को किसी वाताग्र पर, पहाड़ों के ऊपर, या संवहन के कारण ऊपर उठने के लिए मजबूर किया जाता है (तालिका 3.5)।

तालिका 3.5 बादल कावर्गीकरण

वर्गीकरण	बादल का नाम	औसत संरचना	ऊँचाई
उच्च	सिरस सिरोक्यूम्यलस सिरोस्ट्रेटस	जमे हुए पानी की बूंदें या बर्फ के क्रिस्टल	>6000 m
मध्य	अल्टोस्ट्रेटस अल्टोक्यूम्यलस	बर्फ के क्रिस्टल और/या पानी की बूंदें	2000–6000 m
कम	निंबोस्ट्रेट्स फैला हुआ बादल स्ट्रेटोक्यूमलस	पानी की बूंदें (सर्दियों में बर्फ के क्रिस्टल)	<2000m
ऊर्ध्वाधर विकास	क्यूम्यलस क्यूम्यलोनिम्बस	निचले स्तरों पर पानी की बूंदें तथा ऊपरी स्तरों पर बर्फ के क्रिस्टल	निम्न बादल रेंज में

बादलों के प्रकार (Types of Clouds)

बादलों का पहला वर्गीकरण ल्यूक हॉवर्ड (एक अंग्रेज) ने 1803 में दिया था। उन्होंने बादलों के तीन मुख्य रूपों की पहचान की:

1. स्ट्रेटस (लैटिन शब्द स्ट्रेटम, जिसका अर्थ है परत) बादल - एक समतल चादर में पड़ा हुआ।
2. क्यूम्यलस (लैटिन शब्द क्यूम्यलस, जिसका अर्थ है ढेर) बादल - सपाट आधार तथा गोल शीर्ष वाला, और दिखने में गांठदार।
3. सिरस (लैटिन शब्द सिरस, जिसका अर्थ है बाल) बादल - रेशेदार या पंख जैसा दिखने वाला।

इस प्रणाली को कई बार संशोधित किया गया। अंतर्राष्ट्रीय मानक अब विश्व मौसम विज्ञान संगठन (WMO) के तत्वावधान में है, जिसने अंतर्राष्ट्रीय क्लाउड एटलस प्रकाशित किया है।

अंतर्राष्ट्रीय क्लाउड एटलस (चित्र 3.44) में दिए गए अनुसार बादलों के दस मूल प्रकार हैं। बादलों के मुख्य प्रकार इस प्रकार हैं-

उच्च बादल (6000 मीटर से ऊपर)(High Clouds (above 6000 m))

1. साईरस (Ci) (Cirrus (Ci))

सफेद, नाजुक तंतुओं, या सफेद या अधिकतर सफेद धब्बों या संकीर्ण पट्टियों के रूप में अलग-अलग बादल। इन बादलों में रेशेदार (बालों जैसा) रूप या रेशमी चमक या दोनों होते हैं (चित्र 3.44)।

2. सिर्रोकुमलस (Cc)(Cirrocumulus (Cc))

ये पतले, सफेद धब्बे, चादरें या बिना छाया वाले बादलों की परतें हैं, जो अनाज आदि के रूप में बहुत छोटे तत्वों से बनी होती हैं, जो नियमित रूप से व्यवस्थित होती हैं (चित्र 3.44)।

3. सिरोस्ट्राउट (Cs)(Cirrostratus (Cs))

रेशेदार या चिकने रूप का पारदर्शी, सफेद बादल का आवरण, जो पूरी तरह या आंशिक रूप से आकाश को ढकता है, और सामान्यतया प्रभामंडल की घटना उत्पन्न करता है।

मध्य बादल (2000 से 6000 मीटर) (Middle Clouds (2000 to 6000 m))

4. एटोकुमुलस (Ac)(Altocumulus (Ac))

सफेद या ग्रे, या दोनों सफेद एवं ग्रे, बादल का पैच, चादर या परत, सामान्यतया छायांकित, गोल द्रव्यमान, रोल आदि से बना, कभी-कभी आंशिक रूप से रेशेदार या फैला हुआ (चित्र 3.44)।

5. अल्टोस्ट्रेटस (As)(Altostratus (As))

धारीदार, रेशेदार या एकसमान दिखने वाली ग्रे या नीली बादल चादर या परत, पूरी तरह या आंशिक रूप से आकाश को ढंकती है, और इसके कुछ हिस्से इतने पतले होते हैं कि कम-से-कम ग्राउंड ग्लास के माध्यम से अस्पष्ट रूप से सूर्य को देखा जा सकता है। सूर्य धुंधला दिखाई देता है; यद्यपि, आल्टोस्ट्रेटस बादल, प्रभामंडल घटना नहीं दिखाते हैं।

निम्न बादल (2000 मीटर से नीचे) (Low Clouds (Below 2000 m))

6. निंबोस्ट्रेटस (Ns)(Nimbostratus (Ns))

ग्रे बादल की परत, अक्सर गहरे रंग की, जिसकी उपस्थिति कमोबेश लगातार गिरने वाली बारिश या बर्फ से फैलती है, जो अधिकतर मामलों में भूमि तक पहुंचती है। यह सूर्य को ढकने के लिए पर्याप्त रूप से घना होता है। निम्न स्तर के बादल अक्सर

चित्र 3.44
बादल के प्रकार

उस परत के नीचे होते हैं, जिसके साथ वे विलीन हो सकते हैं या नहीं भी हो सकते हैं (चित्र 3.44)।

7. स्ट्रैटोकुमुलस (Sc)(Stratocumulus (Sc))

ग्रे या सफेद, या ग्रे एवं सफेद दोनों, धब्बेदार चादर या बादल की परत, जिसमें लगभग हमेशा काले हिस्से होते हैं, जो टेसेलेशन, गोल द्रव्यमान, रोल आदि से बने होते हैं, जो गैर-रेशेदार होते हैं (चित्र 3.44)।

8. स्ट्रेटस (St)(Stratus (St))

सामान्य रूप से एक समान आधार वाले ग्रे बादल की परत, जो बूंदाबांदी, बर्फ के प्रिज्म या बर्फ के कण दे सकती है। जब बादल के माध्यम से सूर्य दिखाई देता है, तो इसकी रूपरेखा स्पष्ट रूप से देखी जा सकती है। स्ट्रेटस (संभवत: बहुत कम तापमान को छोड़कर) हेलो घटना उत्पन्न नहीं करता है (चित्र 3.44)।

9. कुमुलस (Cumulus)

अलग-अलग बादल, सामान्यतया ये घने एवं तीखे रूपरेखा वाले, बढ़ते हुए टीलों, गुंबदों या मीनारों के रूप में लंबवत विकसित होते हैं, जिनमें से उभरा हुआ ऊपरी हिस्सा अक्सर फूलगोभी जैसा दिखता है। इन बादलों का सूर्यप्रकाशित भाग अधिकतर चमकदार सफेद होता है; उनके आधार अपेक्षाकृत गहरे एवं लगभग क्षैतिज होते हैं। कभी-कभी क्यूम्यलस टेढ़े-मेढ़े होते हैं (चित्र 3.44)।

10. कुमुलोनिम्बस (Cb)(Cumulonimbus (Cb))

भारी तथा घने बादल, काफी ऊर्ध्वाधर विस्तार वाला, विशाल मीनारों के रूप में होता है। इसके ऊपरी हिस्से का एक भाग सामान्य रूप से चिकना, या रेशेदार या धारीदार होता है, और लगभग हमेशा चपटा होता है; यह भाग अक्सर निहाई या पंख के आकार में फैलता है। इस बादल के आधार के नीचे, जो अक्सर बहुत गहरा होता है, अक्सर कम टेढ़े-मेढ़े बादल या तो इसके साथ विलीन हो जाते हैं या नहीं। कुमुलोनिम्बस बादल मूसलाधार वर्षा देते हैं। बिजली तथा गरज भी इन बादलों की सामान्य विशेषताएँ हैं (चित्र 3.44)।

याद रखने की युक्ति (Learning Trick)

बादलों के प्रकार

सभी सिरस बादल (साईरस, सिर्रोकुमलस, सिर्रोस्ट्राउट) → उच्च ऊंचाई वाले बादल होते हैं। सभी अल्टो बादल (एटोकुमुलस, अल्टोस्ट्रेटस) → मध्यम स्तर के बादल होते हैं। सभी निम्बस बादल (निम्बोस्ट्रेटस, कुमुलोनिम्बस) → वर्षा लाने वाले बादल होते हैं।

बिजली तथा गरज या वज्र (Lightning and Thunder)

प्रत्येक दिन पृथ्वी पर अनुमानित 8 मिलियन बिजली की चमकें होती हैं। बिजली का अर्थ है- विशाल विद्युत निर्वहन – दसियों से सैकड़ों मिलियन वोल्ट – जो संक्षेप में पवन को 15,000°C से 30,000°C तक के तापमान पर अति-ऊष्मित कर देते हैं। इस अचानक गर्म हुई पवन का प्रचंड विस्तार वातावरण के माध्यम से झटके की लहरें भेजता है – जिसे गरज के रूप में जाना जाता है। जितनी अधिक दूरी पर बिजली की चमक यात्रा करती है, गरज उतनी ही लंबी गूंजती है। पर्यवेक्षक से बहुत दूर की बिजली की चमक स्ट्रोक के रूप में दिखाई नहीं दे सकती है। यह बस आकाश में प्रकाश की चमक के रूप में दिखाई दे सकती है। अधिक दूरी के कारण, यह गरज के साथ भी नहीं हो सकती है। इसे ऊष्मा-बिजली कहा जाता है। बिजली विमान तथा लोगों, जानवरों, पेड़ों एवं भवनों के लिए खतरा पैदा करती है। बिजली के समय लोगों को घर के अंदर रहना चाहिए।

वृष्टि का अर्थ (Meaning of Rainfall)

वृष्टि जल चक्र का एक महत्वपूर्ण भाग है। यह जल वाष्प के संघनन एवं वर्षण का परिणाम है, जिससे बूंदें बनती हैं, जो गुरुत्वाकर्षण के कारण बादलों से गिरती हैं।

संघनन तब होता है, जब पवन ठंडी हो जाती है तथा संतृप्त हो जाती है। पवन में मौजूद कणों पर जल के संघनन के कारण बादल बनते हैं। पवन को कई तरीकों से ठंडा किया जा सकता है-

- एडियाबेटिक शीतलन उठने एवं फैलने वाली पवन के कारण होता है।
- संवहनात्मक शीतलन तब होता है, जब पवन ठंडी सतह से प्रभावित होती है।
- विकिरणीय शीतलन, अवरक्त विकिरण के कारण होता है।
- वाष्पीकरणीय शीतलन तब होता है, जब वाष्पीकरण के कारण पवन ठंडी हो जाती है।

इन सभी प्रकार के शीतलन पवन की संतृप्ति, संघनन एवं वर्षण का कारण बन सकते हैं। ये प्रक्रियाएं बादलों तथा जल बूंदों के निर्माण का कारण बन सकती हैं, जो वृष्टि के रूप में पवन से बाहर निकलती हैं।

वृष्टि के प्रकार (Types of Rainfall)

मौसम वैज्ञानिक सामान्यतया वृष्टि को निम्नलिखित तीन श्रेणियों में वर्गीकृत करते हैं-

1. **संवहनात्मक या संवहनीय वृष्टि (Convectional or Convective Rainfall):** वह वृष्टि, जो वायुमंडल में संवहन की प्रक्रिया के कारण होती है, संवहनात्मक वृष्टि कहलाती है। जब वायुमंडल की सतही परतें गर्म होती हैं, तो नमी से भरी पवन भी गर्म हो जाती है। नमी से भरी गर्म पवन फैल जाती है, इसका घनत्व कम हो जाता है, और यह संवहनात्मक रूप से ऊपर उठ जाती है। यह आद्याबैटिक रूप से ठंडी हो जाती है और इसका तापमान ओसांक से नीचे गिर जाता है, जिससे बादल बनते हैं। ऐसे बादल सामान्यतया कुमुलोनिम्बस प्रकार के होते हैं, जो भारी वर्षा उत्पन्न करते हैं। इस प्रकार की वर्षा सामान्यतया विषुवतीय क्षेत्र में पूरे वर्ष होती है, जहाँ उच्च तापमान एवं उच्च आर्द्रता संवहनात्मक धाराएँ उत्पन्न करती हैं। इस प्रकार की वर्षा, विशेष रूप से मानसून क्षेत्रों में बादल फटने तथा गरज के साथ भी जुड़ी होती है (चित्र 3.45(A))।
2. **पर्वतीय वर्षा (Orographic Rainfall):** इसे राहत वृष्टि के नाम से भी जाना जाता है। यह तब होती है, जब नमी से भरी वायु द्रव्यमान को ऊँची भूमि (पहाड़ों) के ऊपर उठने के लिए मजबूर किया जाता है। वायु ठंडी हो जाती है, जल वाष्प संघनित हो जाता है, और वर्षा होती है। कुछ विशेषज्ञों का मानना है कि राहत केवल संवहन द्वारा उत्पन्न या मोर्चों पर बनने वाली वर्षा को तीव्र कर देती है। इसलिए, कभी-कभी भौगोलिक तीव्रता शब्द का उपयोग किया जाता है (चित्र 3.45(B))।
3. **चक्रवाती या वाताग्री वर्षा (Cyclonic or Frontal Rainfall):** चक्रवात या अवसाद के गुजरने के साथ जुड़ी वर्षा को चक्रवाती वर्षा के रूप में जाना जाता है। यह मुख्य रूप से समशीतोष्ण अक्षांशों में तब होती है, जब एक गर्म, नम वायु द्रव्यमान ठंडी, भारी पवन के ऊपर उठता है। गर्म अग्रिम से गिरने वाली लंबे समय तक चलने वाली बूंदाबांदी और ठंडे अग्रिम के गुजरने के साथ जुड़ी छोटी, भारी वर्षा के बीच एक अंतर किया जा सकता है। यूरोप तथा उत्तरी अमेरिका में अधिकांश शीतकालीन वर्षा अग्रिम मूल की होती है। भारत के उत्तरी भागों में शीतकालीन वर्षा भी चक्रवाती अवसादों का परिणाम है (चित्र 3.45(C))।

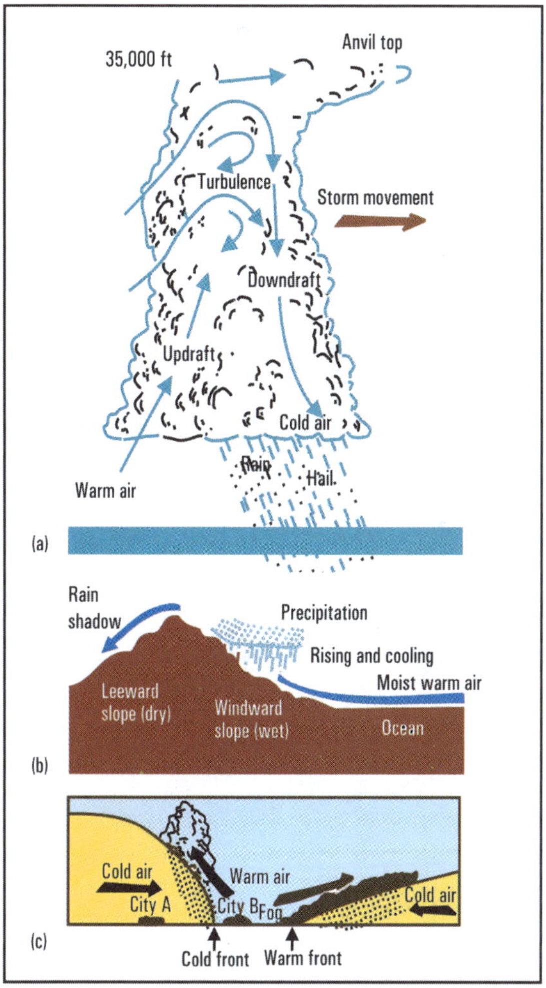

चित्र 3.45
तीन प्रकार की प्रणालियां- (a) **संवहन** (b) **पर्वतीय अवरोध** (c) **वाताग्र**

क्षेत्रीय वर्षा वितरण (Regional Distribution of Precipitation)

पूरी पृथ्वी के लिए औसत वार्षिक वर्षा लगभग 100 सेमी (लगभग 40 इंच) है। महासागरों के लिए वर्षा के आंकड़े अत्यंत सीमित है, तथा पर्वत शृंखलाओं, वन क्षेत्र, तथा पवनों से प्रभावित तटों के लिए आंकड़े मुख्य रूप से अनुमानित हैं। पृथ्वी पर वर्षा का वितरण अत्यधिक असमान है। कई अक्षांश, तापमान, दबाव, सापेक्ष आर्द्रता, वायु द्रव्यमान, विभेदक ताप, और स्थलाकृतिक विशेषताएँ जैसे जलवायु कारक वर्षा के वितरण को प्रभावित करते हैं।

अक्षांशीय वर्षा वितरण को चित्र 3.46 में दिखाया गया है। इस चित्र से देखा जा सकता है कि भूमध्यरेखीय क्षेत्र में सबसे अधिक औसत वार्षिक वर्षा दर्ज की जाती है। ध्रुवों की ओर वर्षा की मात्रा घटती जाती है। मानसून जलवायु में सबसे अधिक वर्षा गर्मी के महीनों में दर्ज की जाती है, जो उत्तरी गोलार्ध में जुलाई से सितंबर और दक्षिणी गोलार्ध में जनवरी से मार्च तक होती है। उपोष्णकटिबंधीय उच्च दबाव पट्टी में औसत वार्षिक वर्षा कम होती है, जिसमें हैडली सेल की पवन ऊपर से नीचे उतरती है। दुनिया के सभी गर्म रेगिस्तान तथा अर्ध-शुष्क क्षेत्र इस पट्टी में सीमित हैं। उपोष्णकटिबंधीय उच्च दबाव पट्टी में औसत वार्षिक वर्षा 25 सेमी से कम होती है। समशीतोष्ण क्षेत्र (पश्चिमी पवनों की पट्टी) में वर्षा की मात्रा 100 से 125 सेमी के बीच होती है, जो पश्चिम से पूर्व की ओर घटती जाती है। ध्रुवीय क्षेत्रों में जो ठंडी वायु द्रव्यमानों द्वारा विशेषता रखते हैं, औसत वर्षा की मात्रा 25 सेमी से कम होती है (चित्र 3.47)।

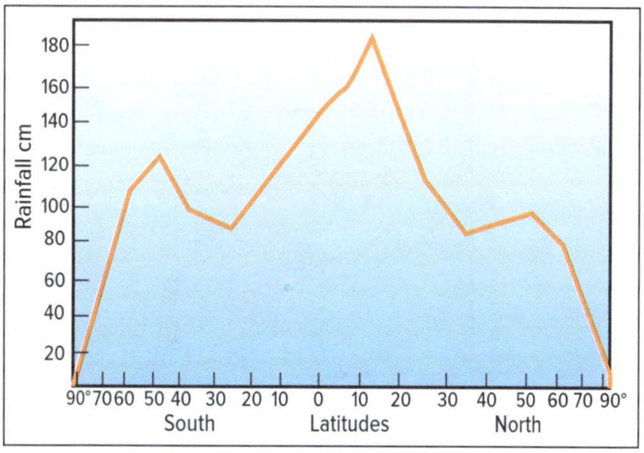

चित्र 3.46
वर्षा का अक्षांशीय वितरण

भूमि एवं जल का वितरण वर्षा के वितरण पर महत्वपूर्ण नियंत्रण रखता है। आंतरिक भूमि तथा पहाड़ों के पवन-पक्षी किनारों पर स्थित क्षेत्रों में तटीय एवं पवन-पक्षी किनारों की तुलना में कम वर्षा होती है। सामान्य रूप से दक्षिणी गोलार्ध (जल गोलार्ध) में उत्तरी गोलार्ध की तुलना में अधिक वर्षा दर्ज की जाती है।

वैश्विक जलवायु वर्गीकरण (GLOBAL CLIMATIC CLASSIFICATION)

वैश्विक जलवायु वर्गीकरण एक ऐसी प्रणाली है, जिसका उपयोग तापमान, वर्षा एवं मौसमी विविधताओं जैसे विभिन्न मानदंडों के आधार पर विश्व की जलवायु को वर्गीकृत करने के लिए किया

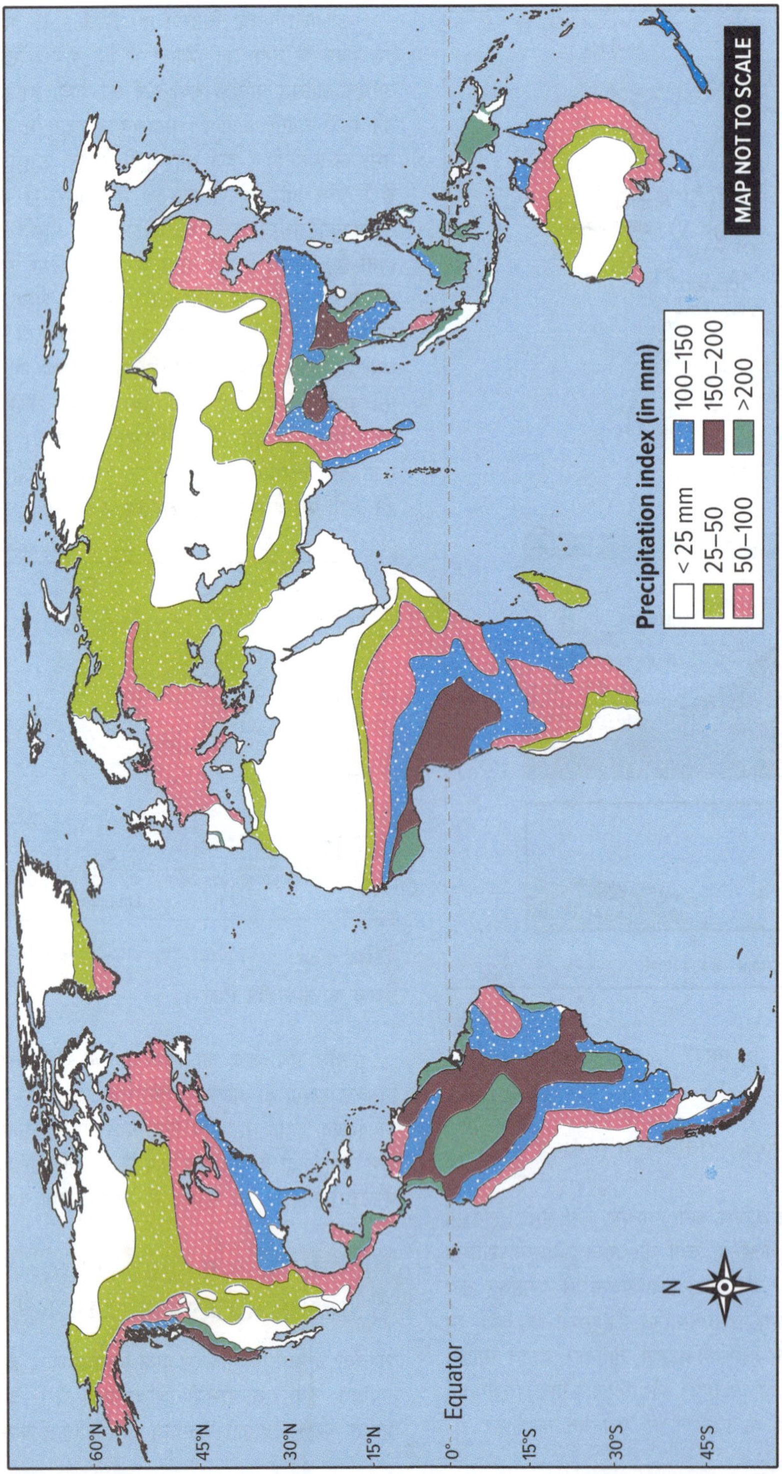

चित्र 3.47
पृथ्वी पर औसत वर्षा

जाता है। वर्गीकरण दुनिया भर में जलवायु के वितरण तथा उनकी विशिष्ट विशेषताओं को समझने में सहायता करता है। सबसे व्यापक रूप से उपयोग की जाने वाली प्रणालियों में से एक कोपेन जलवायु वर्गीकरण है, जो जलवायु को उष्णकटिबंधीय, शुष्क, समशीतोष्ण और ध्रुवीय जैसे प्रमुख प्रकारों में विभाजित करता है, जिनमें से प्रत्येक की अपनी उपश्रेणियाँ होती हैं। यह वर्गीकरण वैश्विक जलवायु पैटर्न एवं पारिस्थितिकी तंत्र, कृषि तथा मानव गतिविधियों पर उनके प्रभाव के बारे में जानकारी प्रदान करता है।

1. कोप्पेन जलवायु वर्गीकरण (The Koppen Climate Classification)

यह पहली बार 1900 में रूसी-जर्मन जलवायु विज्ञानी व्लादिमीर कोप्पेन द्वारा प्रकाशित किया गया था, जिसमें कोप्पेन तथा अन्य, विशेष रूप से रुडोल्फ गीगर द्वारा बाद में कई संशोधन किए गए थे; इसलिए इस प्रणाली को कभी-कभी कोप्पेन-गीगर जलवायु वर्गीकरण प्रणाली भी कहा जाता है **(चित्र 3.48)**।

यह एक व्यापक रूप से उपयोग की जाने वाली वनस्पति-आधारित जलवायु वर्गीकरण प्रणाली है। इस वर्गीकरण प्रणाली का प्रयास है कि वह एक ऐसा सूत्र निकाले, जिससे पूरे विश्व में वनस्पति क्षेत्रों या बायोम्स को उनके जलवायु सीमाओं के अनुसार वर्गीकृत किया जा सके। 1918 में कोप्पेन ने अपनी वर्गीकरण प्रणाली को संशोधित किया तथा इसे पुन: प्रकाशित किया, और 1940 में अपनी मृत्यु तक इस प्रणाली को संशोधित करते रहे।

तालिका 3.6 कोप्पेन के जलवायु वर्गीकरण का विवरण प्रदान करता है।

कोप्पेन के वर्गीकरण के दूसरे एवं तीसरे अक्षरों का विवरण-

- A, C, एवं D प्रकार की जलवायु के लिए, छोटे अक्षर f, s, w, तथा m उप-प्रकारों का वर्णन करते हैं।
    - f: कोई शुष्क मौसम नहीं
    - s: ग्रीष्म शुष्क
    - w: शीत शुष्क
    - m: छोटा शुष्क मौसम
- A, C तथा D प्रकार की जलवायु का तीसरा अक्षर, यानी a, b, c और d, जलवायु की सापेक्षिक गर्माहट या ठंडक (a सबसे गर्म तथा d सबसे ठंडा) बताता है।
    - B प्रकार की जलवायु के लिए:
    - दूसरा अक्षर: W (रेगिस्तान-प्रकार) तथा S (मैदानी-प्रकार)।
    - तीसरा अक्षर: h (गर्म) तथा k (ठंडा)
    - E प्रकार की जलवायु के लिए, केवल दूसरा अक्षर है तथा कोई तीसरा अक्षर नहीं है।
    - T का अर्थ है टुंड्रा
    - F का अर्थ है फ्रिगिड (बर्फ/हिम की जलवायु)।

आइए, हम इन सभी जलवायु प्रकारों में विशेषताओं, वनस्पति एवं मानव अनुकूलन पर एक दृष्टि डालें **(तालिका 3.7)**।

तालिका 3.6 कोप्पेन का जलवायु वर्गीकरण

समूह	प्रकार	विशेषताएँ	उप-प्रकार
A	उष्णकटिबंधीय	सबसे ठंडा महीना औसतन 18°C या उससे अधिक होता है।	Af: उष्णकटिबंधीय आर्द्रता Am: उष्णकटिबंधीय मानसून Aw: सवाना
B	शुष्क	वर्षा संभावित वाष्पीकरण से कम होती है।	BWh: गर्म रेगिस्तान BWk: ठंडा रेगिस्तान BS: स्टेपी
C	गर्म समशीतोष्ण	सबसे ठंडे महीने का औसत तापमान 18°C से कम, लेकिन -3°C से अधिक होता है।	Cs: भूमध्यसागरीय Cfb/Cfc: ब्रिटिश प्रकार Cfa/Cwa: चीन प्रकार
D	ठंडा बर्फीला जंगल	सबसे ठंडे महीनों का औसत तापमान -3°C से कम होता है।	Dw: मंचूरियन/लॉरेंटियन Df: टैगा प्रकार
E	ठंडा	सभी महीनों के लिए, औसत तापमान 10°C से कम होता है।	ET: टुंड्रा प्रकार EF: ठंडा
H	पर्वतीय	लगातार तापमान परिवर्तन तथा, इस प्रकार, ऊंचाई के साथ वनस्पति परिवर्तन।	कोई उप-प्रकार नहीं। ऊंचाई के साथ लगातार बदलता रहता है।

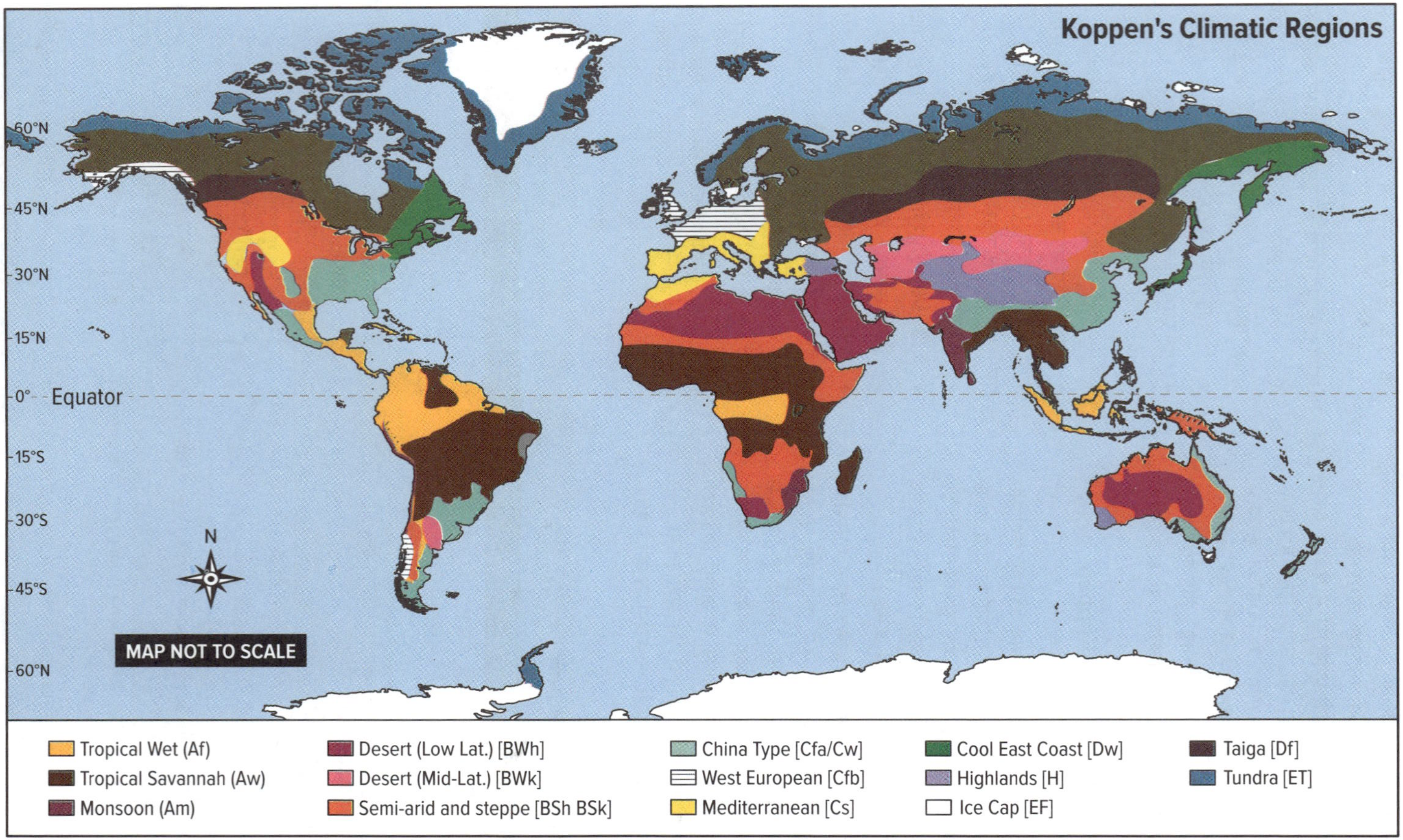

चित्र 3.48
कोप्पेन का जलवायु वर्गीकरण

तालिका 3.7 कोप्पेन का जलवायु वर्गीकरण

जलवायु	कोपेन नाम	तापमान	वर्षा	स्थान	बायोम	मानव अनुकूलन
गर्म, आर्द्र भूमध्यरेखीय	Af	24–27 डिग्री। कम वार्षिक और दैनिक सीमा।	150-1000 सेमी. औसत वार्षिक। दैनिक वर्षा। संवहनीय. कोई भी वर्षा रहित महीना नहीं. विषुव अधिकतम	भूमध्य रेखा से 10 डिग्री उत्तर और दक्षिण, उदाहरणार्थ – अमेजन बेसिन, कांगो बेसिन, इंडोनेशिया	सदाबहार वन। दृढ़ लकड़ी के पेड़। महोगनी, रोजवुड, आबनूस; अंडरग्राउथ लगभग अनुपस्थित। निक्षालित मिट्टी। पत्तियों का कूड़ा तेजी से सड़ता है, लेकिन तेजी से बढ़ने वाले पेड़ पोषक तत्वों को समान तीव्रता से खाते हैं, जिससे मिट्टी निक्षालित हो जाती है। वृक्षीय जानवर, कीड़े।	शिकारी, संग्राहक। लकड़ी काटना और पशुपालन कठिन है। वृक्षारोपण।
उष्णकटिबंधीय आर्द्र शुष्क (सवाना/सूडान प्रकार)	Aw	दिन में 20-32 डिग्री, रात में 10 डिग्री हो सकता है। उच्च दैनिक सीमा। ठंड आम है।	गर्म बरसाती ग्रीष्मकाल, शुष्क ठंडी सर्दियाँ। 100–150 सेमी औसत वार्षिक वर्षा	10-30 डिग्री महाद्वीपीय अंदरूनी भाग, उदाहरणार्थ – दक्षिण सूडान, वेनेजुएला, ब्राजील, उत्तरी ऑस्ट्रेलिया, आदि।	लंबी घास (हाथी घास), छोटे पेड़, आग एक आम विशेषता है। पानी को संग्रहीत करने के लिए चौड़े तने वाले कुछ पेड़ (बाओबाब)। दुनिया की सबसे बड़ी स्थलीय प्रजाति।	मवेशी चरवाहा (मसाई, हौसा); ऑस्ट्रेलिया, ब्राजील में व्यावसायिक स्तर पर। कम वर्षा के कारण सीमित खेती।
उष्णकटिबंधीय मानसून	Am	3 अलग-अलग मौसम। गर्मी, सर्दी, बरसात। तापमान की उच्च वार्षिक सीमा।	कम समय में बहुत अधिक वर्षा। औसत वार्षिक 200-250 सेमी।	10-30 डिग्री; पूर्वी महाद्वीपीय सीमाएँ। उदाहरणार्थ – भारत, वियतनाम, ऑस्ट्रेलिया के कुछ भाग, मध्य अमेरिका।	उष्णकटिबंधीय मानसून वन, अधिकतर पर्णपाती। आर्द्र क्षेत्रों में, उष्णकटिबंधीय सदाबहार। शुष्क क्षेत्रों में, कांटेदार झाड़ियाँ। विस्तृत जीव विविधता।	(गीले) धान के साथ या बिना (सूखे) धान के साथ गहन निर्वाह कृषि। वृक्षारोपण। स्थानान्तरित कृषि।
गर्म रेगिस्तान	BWh	बहुत अधिक तापमान। तापमान की उच्च दैनिक सीमा।	25-50 सेमी से अधिक नहीं	उष्णकटिबंधीय भूभाग के पश्चिमी किनारे। ठंडी धाराओं का प्रभाव जैसे सहारा, कालाहारी, मोजावे, अटाकामा रेगिस्तान।	मरूद्भिदीय वनस्पति। मोमी/कांटेदार पत्तियाँ; गहरी जड़ें; पशुओं का रात्रिचर अनुकूलन; मरूद्यान के पास खजूर के पेड़। अनुकूलित पशु (कूबड़ वाले, रात्रिचर, आदि); सरीसृप, ऊँट, कीट।	शिकारी, संग्राहक, खानाबदोश चरवाहे; खनन बस्तियाँ; (उदाहरण – कालगोर्ली में सोना, मोजावे रेगिस्तान में बहुमूल्य रत्न); यदि पानी उपलब्ध हो, तो कृषि।
ठंडे रेगिस्तान	BWk	वार्षिक तापमान की व्यापक रेंज। वार्षिक औसत <18°C। सर्दियों के दौरान शून्य से नीचे।	गर्म रेगिस्तानों से कम। 0–30 सेमी (गुरबांटुंगगुट रेगिस्तान: 0 वर्षा)।	उप-उष्णकटिबंधीय महाद्वीपीय अंदरूनी भाग। उदाहरण – गोबी रेगिस्तान, साइबेरिया, पैटागोनिया।	बंचग्रास। बबूल जैसे कुछ कांटेदार पेड़; कैक्टस दुर्लभ हैं। छोटे बिल खोदने वाले जानवर। बैक्ट्रियन ऊँट।	शिकारी, संग्राहक, खानाबदोश चरवाहे; खनन बस्तियाँ।

(Continued)

तालिका 3.7 *(Continued)*

जलवायु	कोपेन नाम	तापमान	वर्षा	स्थान	बायोम	मानव अनुकूलन
मैदानी जलवायु	BS	गर्म ग्रीष्मकाल (18–20 डिग्री), ठंडी सर्दियाँ।	25–75 सेमी; महाद्वीपीयता के साथ घटता है। शीतोष्ण चक्रवातों का भी प्रभाव।	45–60 डिग्री मध्य महाद्वीपीय क्षेत्र। पश्चिमी प्रभाव। उदाहरणार्थ –प्रेयरी, स्टेपीज, डाउन्स, आदि।	लगभग वृक्षविहीन, घास ही घास हैं। संक्रमण क्षेत्रों में शंकुधारी पेड़ हैं। जानवरों की भी व्यापक विविधता है (भेड़िये, चील, उल्लू, साँप)।	गेहूँ/मक्का; पशुपालन; मध्य एशिया में खानाबदोश पशुपालन (मंगोल और घोड़े)।
आभ्यंतरिक	Cs	लंबी गर्म ग्रीष्मकाल (>22°C) ठंडी सर्दियाँ (0°).	सर्दियों में बारिश। गर्मियों में सूखा। दबाव पेटी का बदलाव। 50–75 सेमी	30–45 डिग्री; पश्चिमी किनारा; मध्य तटरेखा; मध्य कैलिफोर्निया; मध्य चिली, दक्षिण–पश्चिम दक्षिण अफ्रीका, दक्षिण–पश्चिम ऑस्ट्रेलिया।	छोटे चौड़े पत्ते; मरूद्भिदीय; विश्व के उद्यान एवं अंगूर के बाग। कुछ स्तनधारी (इबेरियन लिंक्स, सरीसृप)।	कुछ स्थानों पर बाग, बागान, अंगूर के बाग, फसल की खेती।
समुद्री पश्चिमी तट (ब्रिटिश प्रकार)	Cfb/Cfc	5-15°C; यूरोप में अधिक गर्म (उत्तरी अटलांटिक बहाव और नॉर्वेजियन धारा); अन्य क्षेत्रों में ठंड।	पूरे वर्ष तट पर पश्चिमी पवनें चलती हैं। 125 सेमी. सबसे आर्द्र शीतोष्ण जलवायु।	45–60 डिग्री पश्चिमी सीमा। उत्तर पश्चिमी यूरोप, दक्षिण पश्चिमी दक्षिण अमेरिका, न्यूजीलैंड के कुछ हिस्से, कनाडा।	शीतोष्ण पर्णपाती वन; छोटे स्तनधारी (भालू); ईगल, पेंगुइन (न्यूजीलैंड) जैसे पक्षी	लकड़ी उद्योग; औद्योगिक क्रांति के कारण द्वितीयक उद्योग (खाद्य प्रसंस्करण; ऑटोमोबाइल आदि); मिश्रित खेती (डेयरी + आलू जैसी फसलें)।
आर्द्र उपोष्णकटिबंधीय (चीन प्रकार)	Cfa/ Cwa	गर्म आर्द्र ग्रीष्मकाल; ठंडी शुष्क शीतकाल।	मानसूनी: ग्रीष्म ऋतु में वर्षा, शीत ऋतु में शुष्क, 60-150 से.मी. संवहनीय वर्षा; टाइफून; ललाटीय।	शीतोष्ण पूर्वी सीमा (30–45 डिग्री)। चीन; मैक्सिको की खाड़ी; नेटाल (दक्षिण अफ्रीका, न्यू साउथ वेल्स, दक्षिण अमेरिका)।	अधिक वर्षा के कारण प्रचुर वनस्पति। सदाबहार चौड़ी पत्ती वाले और पर्णपाती वन। कुछ वृक्षीय और अन्य स्तनधारी और पक्षी।	सर्वाधिक उत्पादक मध्य-अक्षांशीय क्षेत्र। मुख्य व्यवसाय खेती।
टैगा/साइबेरियन जलवायु	Df	असाधारण रूप से ठंडी सर्दियाँ (-30°C से -40°C); ठंडी संक्षिप्त ग्रीष्मकाल। बहुत उच्च तापमान सीमा।	30 सेमी. अधिकतर संवहनीय और ललाटीय।	50/60—70 डिग्री अक्षांश। उत्तरी कनाडा और यूरेशिया। सतत पट्टी।	सदाबहार शंकुधारी वृक्ष। साइबेरिया में शंकुधारी वृक्षों का सबसे बड़ा एकल समूह। प्रवासी वन्यजीव।	पशुपालन (फर फार्म); लकड़हारा।
मंचूरियन / लॉरेंटियन जलवायु	Dw	ठण्डी शुष्क सर्दियाँ; गीली गर्म ग्रीष्मकाल।	100 सेमी तक (एशिया की अपेक्षा उत्तरी अमेरिका में अधिक; ग्रीष्मकाल में समुद्री तट पर; शीतकाल में ध्रुवीय पूर्वी पवनें)।	शीतोष्ण पूर्वी सीमा। केवल उत्तरी गोलार्ध मंचूरिया, NE उत्तरी अमेरिका में।	ठंडे शीतोष्ण वन। 50 डिग्री के उत्तर में शंकुधारी वन; 50 डिग्री के दक्षिण में पर्णपाती वन। मूस, बीवर, रैकून, भालू, बाज आदि।	लकड़ी काटना; मछली पकड़ना (ठंडी गर्म धाराएं मिलती हैं) कृषि (कठोर फसलें)।

(Continued)

तालिका 3.7 *(Continued)*

जलवायु	कोपेन नाम	तापमान	वर्षा	स्थान	बायोम	मानव अनुकूलन
ध्रुवीय	उप-ध्रुवीय (ET); पाले से ओढ़ित (EF)	ग्रीष्म ऋतु का तापमान 10 डिग्री से कम।	अधिकतर बर्फबारी; गर्मियों में वर्षा और ओले; अतिरिक्त उष्णकटिबंधीय चक्रवात।	ग्रीनलैंड, उत्तरी कनाडा और अलास्का; अंटार्कटिका।	ई.टी. में, काई और लाइकेन; आश्रय वाले स्थानों में, बौने बिर्च, विलो आदि। संक्षिप्त ग्रीष्मकाल में, बेरी झाड़ियाँ और आर्कटिक फूल। प्रवासी प्रजातियाँ।	अर्द्ध-खानाबदोश जीवन; (एस्किमो); अधिकतर शिकार; अब खनन भी (सोना, पेट्रोल, शिपिंग)।

2. जी.टी. ट्रेवार्था जलवायु वर्गीकरण (G.T. Trewartha Climate Classification)

जी.टी. ट्रेवर्था, एक अमेरिकी जलवायु विज्ञानी ने कोप्पेन की जलवायु वर्गीकरण योजना में कई संशोधन एवं परिवर्धन किए और अंततः, विश्व जलवायु के जलवायु वर्गीकरण की अपनी सरल योजना प्रस्तुत की। उन्होंने जलवायु वर्गीकरण की अपनी योजना के लिए वर्षा एवं तापमान को आधार बनाया। उन्होंने विश्व स्तर पर प्रथम क्रम के छह प्रमुख जलवायु प्रकारों की पहचान की तथा उन्हें A, B, C, D, E, F जलवायु के रूप में नामित किया, और बाद में इसमें हाइलैंड्स के लिए H जोड़ा गया। जिनमें से B जलवायु को वर्षा मानदंड पर निर्धारित किया गया, जबकि अन्य को तापमान मानदंड के आधार पर निर्धारित किया गया **(चित्र 3.49)**।

1. उष्णकटिबंधीय आर्द्र जलवायु (A जलवायु) (Tropical Humid Climates (A Climates))

उन निम्न अक्षांशों में पाया जाता है, जो भूमध्य रेखा के दोनों ओर होते हैं, जिन्हें पूरे वर्ष उच्च तापमान एवं पर्याप्त वर्षा तथा शीतकालीन मौसम की अनुपस्थिति की विशेषता होती है।

i. Af (उष्णकटिबंधीय आर्द्र जलवायु)

ii. Aw (उष्णकटिबंधीय आर्द्र एवं शुष्क जलवायु)

iii. Am (मानसून जलवायु)

i. **Af:** उष्णकटिबंधीय आर्द्र जलवायु, जो भूमध्य रेखा के दोनों ओर 5° से 10° अक्षांश तक फैली होती है तथा पूरे वर्ष पर्याप्त वर्षा की विशेषता होती है। इसे उष्णकटिबंधीय वर्षावन जलवायु के रूप में भी जाना जाता है। यहाँ कोई शीत ऋतु नहीं होती, क्योंकि यह इसकी विशेषता है

ii. **Aw:** उष्णकटिबंधीय आर्द्र एवं शुष्क जलवायु, जो पूरे वर्ष समान रूप से उच्च तापमान की विशेषता लिए होती है, लेकिन दो से अधिक शुष्क महीने होते हैं। इस जलवायु को सवाना जलवायु के रूप में भी जाना जाता है, जो सर्दियों के मौसम के दौरान शुष्क व्यापारिक पवनों या उपोष्णकटिबंधीय उच्च दबाव क्षेत्रों द्वारा तथा गर्मियों के मौसम के दौरान भूमध्यरेखीय पश्चिमी पवनों एवं अंतः उष्णकटिबंधीय अभिसरण द्वारा प्रभुत्व में होती है।

iii. **Am:** मानसून जलवायु, जो चार ग्रीष्मकालीन मानसून महीनों के दौरान वार्षिक वर्षा का 80 प्रतिशत से अधिक प्राप्त करती है।

2. शुष्क जलवायु (B जलवायु) (Dry Climates (B Climates))

ये "A" जलवायु की बाहरी सीमा से लेकर मध्य अक्षांशों तक फैले हुए हैं। "B" जलवायु की विशेषता उच्च वाष्पीकरण, वाष्पोत्सर्जन के माध्यम से नमी की हानि, जो वर्षा से प्राप्त होने वाले वार्षिक जल लाभ से अधिक होती है, बड़े वार्षिक और दैनिक तापमान रेंज, अत्यधिक मौसमी तापमान, बहुत कम एवं अत्यधिक परिवर्तनीय वार्षिक वर्षा, अत्यधिक कम सापेक्ष आर्द्रता, प्रचुर मात्रा में धूप, तथा स्वच्छ आकाश से होती है।

i. BW: (शुष्क या रेगिस्तानी जलवायु)

ii. BS: (अर्ध-शुष्क या स्टेपी जलवायु)

तापमान भिन्नताओं के आधार पर, शुष्क (BW) एवं अर्ध-शुष्क (BS) जलवायु को चार जलवायु प्रकारों में विभाजित किया गया है-

a. **BWh जलवायु:** उष्णकटिबंधीय-उपोष्णकटिबंधीय गर्म रेगिस्तानी जलवायु।

b. **BWk जलवायु:** मध्य अक्षांश या समशीतोष्ण एवं बोरियल ठंडी शुष्क जलवायु।

c. **BSh जलवायु:** उष्णकटिबंधीय-उपोष्णकटिबंधीय स्टेपी या अर्ध-शुष्क जलवायु।

d. **BSk जलवायु:** मध्य अक्षांश या समशीतोष्ण एवं बोरियल स्टेपी जलवायु।

- गर्म शुष्क एवं ठंडे शुष्क जलवायु के बीच की सीमा को सबसे ठंडे महीने के 32°F (0°C) समताप रेखा के आधार पर निर्धारित किया जाता है। उष्णकटिबंधीय-उपोष्णकटिबंधीय शुष्क (BWh) एवं स्टेपी (BSh) जलवायु शुष्क व्यापारिक पवनों एवं उपोष्णकटिबंधीय प्रतिचक्रवातों द्वारा शासित होती हैं, जिसके परिणामस्वरूप निरंतर शुष्क परिस्थितियाँ होती हैं।
- साल के कम-से-कम आठ महीने औसत तापमान 10°C से ऊपर रिकॉर्ड करते हैं। दूसरी ओर, समशीतोष्ण ठंडा

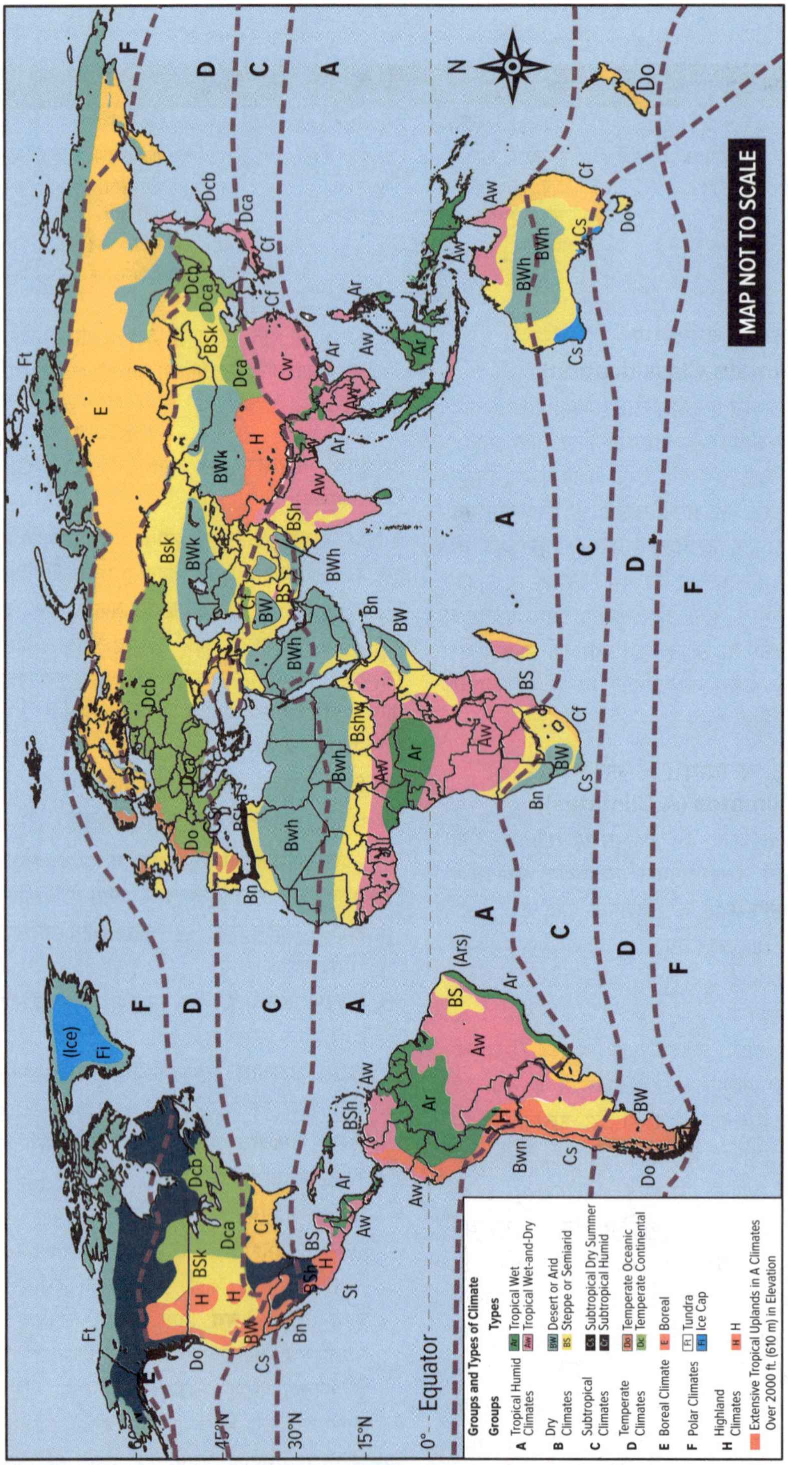

चित्र 3.49
ट्रेवर्था का जलवायु वर्गीकरण

शुष्क (BWk) एवं ठंडा स्टेपी (BSk) जलवायु महाद्वीपों के आंतरिक भाग में पहाड़ों के पवन छाया पक्षों पर स्थित होते हैं और सर्दियों के मौसम के दौरान ठंडे प्रतिचक्रवातों द्वारा शासित होते हैं।

3. मध्य अक्षांशों की आर्द्र जलवायु (C जलवायु) (Middle Latitudes Wet Climates (C Climates))

सबसे ठंडे महीने के 18°C के समताप रेखा C जलवायु की भूमध्यरेखीय सीमा बनाती है। वर्षा के मौसमी वितरण के आधार पर C जलवायु को तीन प्रकारों में विभाजित किया गया है-

i. **Cs जलवायु:** उपोष्णकटिबंधीय उप-आर्द्र जलवायु, जिसमें गर्मी के मौसम में शुष्कता होती है, जिसे भूमध्यसागरीय जलवायु के रूप में भी जाना जाता है

ii. **Cfa जलवायु:** उपोष्णकटिबंधीय आर्द्र जलवायु

iii. **Cfb जलवायु:** (मध्य अक्षांश समुद्री जलवायु)

- Cs जलवायु – महाद्वीपों के पश्चिमी किनारों पर मध्य अक्षांशों के उष्णकटिबंधीय किनारों पर स्थित, गर्मियों में उपोष्णकटिबंधीय प्रतिचक्रवातीय परिस्थितियों तथा सर्दियों में आर्द्र पश्चिमी पवनों से प्रभावित होती है।
- Cfa जलवायु – महाद्वीपों के पूर्वी किनारों पर स्थित सभी मौसमों में वर्षा प्राप्त करता है, लेकिन गर्मी के महीनों में सर्दी के महीनों की तुलना में अधिक वर्षा होती है (इस जलवायु को चीन प्रकार की जलवायु के रूप में भी जाना जाता है)।
- Cfb जलवायु – पूरे वर्ष पश्चिमी पवनों से प्रभावित होती है।

4. सूक्ष्मतापीय या समशीतोष्ण जलवायु (D जलवायु) (Microthermal or Temperate Climates (D Climates))

ये जलवायु उन उच्च मध्य अक्षांशों के क्षेत्रों में पाई जाती हैं, जो गर्मियों में पश्चिमी पवनों एवं सर्दियों में ध्रुवीय पवनों से प्रभावित होती हैं। ध्रुवीय एवं विषुवतीय सीमाएँ औसत तापमान के आधार पर निर्धारित की जाती हैं, जो पहले मामले में चार महीनों के लिए 10°C तथा दूसरे मामले में छह महीनों के लिए 10°C होती हैं। तापमान भिन्नताओं के आधार पर, 'D' जलवायु को चार प्रकारों में विभाजित किया गया है-

i. **Da जलवायु:** महाद्वीपीय आर्द्र जलवायु, जिसमें सबसे गर्म महीने का तापमान 25°C से ऊपर होता है

ii. **Db जलवायु:** महाद्वीपीय आर्द्र जलवायु, जिसमें सबसे गर्म महीने का तापमान 22°C से नीचे होता है

iii. **Dc जलवायु:** उपध्रुवीय जलवायु, छोटा गर्मी का मौसम

iv. **Dd जलवायु:** सबसे ठंडे महीने का तापमान –38°C से कम होता है

5. बोरियल जलवायु (E जलवायु) (Boreal Climate (E Climate))

बोरियल जलवायु उच्च मध्य अक्षांशों में स्थित है तथा इसे एक छोटे एवं ठंडे ग्रीष्मकालीन मौसम, लंबे एवं बहुत ठंडे शीतकालीन मौसम, बहुत छोटे पाले-मुक्त मौसम, एक से तीन महीनों के वर्ष में औसत तापमान 10°C या उससे अधिक आदि इस की विशेषता है।

6. ध्रुवीय जलवायु (F जलवायु) (Polar Climate (F Climate))

गर्मी का मौसम अनुपस्थित होता है। पूरे वर्ष ध्रुवीय पवनें हावी रहती हैं। ये जलवायु केवल उत्तरी गोलार्ध में पाई जाती हैं। वर्ष के किसी भी महीने का औसत तापमान 10°C से ऊपर नहीं होता है। तापमान भिन्नताओं के आधार पर 'F' जलवायु को विभाजित किया गया है-

i. Ft जलवायु (टुंड्रा जलवायु)

ii. Ff जलवायु (आइसकैप जलवायु)

तालिका 3.8 जलवायु विज्ञान के कुछ तकनीकी शब्द

आइसोलिन	रेखाएँ
इसालोबार	किसी निश्चित समय में समान परिवर्तन दिखाने वाली समान दाब प्रवृत्ति
आइसोबार	मानचित्र पर समान वायुमंडलीय दाब वाले बिंदुओं को जोड़ने वाली रेखा
आइसोक्राइम	निर्दिष्ट अवधि के लिए समान न्यूनतम औसत तापमान (उदाहरण के लिए, सबसे ठंडा महीना)
आइसोहेल	समान धूप
आइसोहाइट	समान मात्रा में वर्षा
आइसोकेराउन	समान गरज के साथ होने वाली वृष्टि
आइसोमर	वार्षिक औसत के प्रतिशत के रूप में व्यक्त समान औसत मासिक वर्षा
आइसोनेफ	समान बादल छाए रहने की डिग्री
आइसोनीफ	समान हिमपात
आइसोफीन	समान मौसमी घटनाएँ (उदाहरण के लिए, पौधों का फूलना)
आइसोरीम	समान पाला पड़ना
आइसोटेरप	समान शारीरिक आराम
आइसोथर्म	समान तापमान

स्रोत: जोन ई., एट अल.2003, क्लाइमेटोलॉजी: एन एटमॉस्फेरिक साइंस, पियर्सन एजुकेशन

शब्दावली

- **प्रतिचक्रवाती (Anticyclone):** वायु-प्रवाह में उतार-चढ़ाव के साथ उच्च वायुमंडलीय दबाव का गतिशील या ऊष्मीय रूप से उत्पन्न क्षेत्र।
- **आर्द्र-दिन (A wet-day):** जब कम-से-कम 1 मिमी वर्षा दर्ज की जाती है।
- **संवहन (Convection):** पवन की वास्तविक भौतिक गति के माध्यम से एक स्थान से दूसरे स्थान पर ऊष्मा का ऊर्ध्वाधर स्थानांतरण; इसमें एक मजबूत ऊर्ध्वाधर गति शामिल होती है।
- **संवहन वर्षा (Convectional Rainfall):** वर्षा का एक रूप जब गर्म, नम पवन भूमि की सतह पर गर्म होती है, ऊपर उठती है, ठंडी होती है तथा संघनित होकर पानी की बूंदें बनाती है और अंततः वर्षा होती है।
- **ओसांक तापमान (Dew-point Temperature):** वह तापमान, जिस पर पवन का एक निश्चित द्रव्यमान संतृप्त हो जाता है, जो अपने पास मौजूद सभी पानी को धारण कर लेता है। किसी भी अतिरिक्त शीतलन या जल वाष्प के जुड़ने से सक्रिय संघनन होता है।
- **कुमुलोनिम्बस (Cumulonimbus):** ये गरजने वाले बादल हैं, जो मूसलाधार वर्षा का कारण बनते हैं।
- **अश्व अक्षांश (Horse Latitudes):** महासागरों पर उपोष्णकटिबंधीय उच्च दबाव।
- **कटाबैटिक (Katabatic):** ऊंचे क्षेत्रों से वायु निकासी, गुरुत्वाकर्षण पवनों के रूप में बहती है।
- **सामान्य ताप ह्रास दर (Normal Lapse Rate):** निचले वायुमंडल में ऊंचाई बढ़ने के साथ तापमान में कमी की औसत दर; 6.5°C प्रति किमी या 1000 मीटर का औसत मान।
- **ऑरोग्राफिक लिफ्टिंग (Orographic Lifting):** पहाड़ की भौतिक उपस्थिति, एक स्थलाकृतिक बाधा के कारण प्रवासी वायु द्रव्यमान का उत्थान। लिफ्टिंग पवन ऊपर की ओर बढ़ने पर रुद्धोष्म रूप से ठंडी हो जाती है; बादल बन सकते हैं तथा अधिक वर्षा कर सकते हैं।
- **पर्वतीय वर्षण (Orographic Precipitation):** पर्वत की भौतिक उपस्थिति के कारण होने वाली वर्षा, जो नमी से भरी वायु-राशि को बाधित करती है।
- **गर्जनशील चालीसा (Roaring Forties):** 40°S के आसपास बहने वाली ये तेज पश्चिमी पवनें हैं। उच्च अक्षांशों में, उन्हें उग्र पचासा तथा अपनी प्रचंड गति के कारणइसे चीखती हुई साठा के रूप में जाना जाता है।
- **झंझावात (Squall):** अचानक हिंसक पवन, जो प्रायः तूफान से जुड़ी होती है।
- **तापीय भूमध्य रेखा (Thermal Equator):** उच्चतम औसत तापमान वाले बिंदुओं को जोड़ने वाली एक रेखा।
- **बवंडर (Tornado):** अत्यंत कम दबाव की प्रतिक्रिया में विकसित एक तीव्र, विनाशकारी चक्रवाती घूर्णन, जो मेसोसाइक्लोन गठन से जुड़ा है।
- **टिंडल प्रभाव (Tyndal Effect):** धूल के कणों द्वारा प्रकाश का प्रकीर्णन।
- **टाइफून (Typhoon):** 65 नॉट (74 मील प्रति घंटे) से अधिक की गति वाला एक उष्णकटिबंधीय चक्रवात, जो पश्चिमी प्रशांत क्षेत्र में अधिकतर चीन के तट पर आता है।

यूपीएससी प्रारंभिक परीक्षा के विगत वर्षों के प्रश्न

1. निम्नलिखित कथनों पर विचार कीजिए : **(2024)**

   कथन-I: पार्थिव विकिरण की तुलना में आगमी (इनकमिंग) सौर विकिरण से वायुमंडल अधिक गर्म हो जाता है।

   कथन-II: वायुमंडल में कार्बन डाइऑक्साइड और अन्य ग्रीनहाउस गैसें दीर्घ तरंग विकिरण के अच्छे अवशोषक हैं।

   उपर्युक्त कथनों के संबंध में, निम्नलिखित में से कौन-सा सही है?

   (a) कथन-I और कथन-II दोनों सही हैं तथा कथन-II, कथन-I की व्याख्या करता है।
   (b) कथन-I और कथन-II दोनों सही हैं, किंतु कथन-II, कथन-I की व्याख्या नहीं करता है।
   (c) कथन-I सही है, किंतु कथन-II सही नहीं है।
   (d) कथन-I सही नहीं है, किंतु कथन-II सही है।

2. निम्नलिखित कथनों पर विचार कीजिए: **(2024)**

   कथन-I: भूमध्यरेखा (इक्वेटर) पर क्षोभमंडल की मोटाई, ध्रुवों की तुलना में बहुत अधिक है।

   कथन-II: भूमध्यरेखा (इक्वेटर) पर, प्रबल संवहनी धाराओं द्वारा ऊष्मा को अधिक ऊँचाई तक ले जाया जाता है।

   उपर्युक्त कथनों के संबंध में, निम्नलिखित में से कौन-सा सही है?

   (a) कथन-I और कथन-II दोनों सही हैं तथा कथन-II, कथन-I की व्याख्या करता है।
   (b) कथन-I और कथन-II दोनों सही हैं, किंतु कथन-II, कथन-I की व्याख्या नहीं करता है।
   (c) कथन-I सही है, किंतु कथन-II सही नहीं है।
   (d) कथन-I सही नहीं है, किंतु कथन-II सही है।

3. जनवरी माह में समतापी रेखा-मानचित्रों (आइसोथर्मल मैप) से प्राप्त कौन-सा / कौन-से निष्कर्ष सही है/हैं? **(2024)**

   1. समताप रेखाएँ महासागर के ऊपर उत्तर की ओर और महाद्वीप के ऊपर दक्षिण की ओर विचलित हो जाती हैं।
   2. शीत महासागरीय धाराओं, गल्फ स्ट्रीम और उत्तरी अटलांटिक अपवाह (ड्रिफ्ट) की उपस्थिति उत्तरी अटलांटिक महासागर

को शीतल बनाती हैं और समताप रेखाएँ उत्तर की ओर मुड़ जाती हैं।

नीचे दिए गए कूट का प्रयोग कर उत्तर चुनिए:

(a) केवल 1
(b) केवल 2
(c) 1 और 2 दोनों
(d) न तो 1, न ही 2

4. ''जल वाष्प'' के संदर्भ में, निम्नलिखित में से कौन-सा/कौन-से कथन सही है/हैं? **(2024)**

1. यह एक गैस है, जिसकी मात्रा ऊँचाई के साथ घटती है।
2. ध्रुवों पर इसका प्रतिशत अधिकतम है।

नीचे दिए गए कूट का प्रयोग कर उत्तर चुनिए:

(a) केवल 1
(b) केवल 2
(c) 1 और 2 दोनों
(d) न तो 1, न ही 2

5. निम्नलिखित विवरण पर विचार कीजिए: **(2024)**

1. तापमानों की वार्षिक और दैनिक सीमा (रेंज) निम्न है।
2. वर्ष भर वर्षण होता है।
3. वर्षण में भिन्नता 50cm–250cm के मध्य होती है।

यह किस प्रकार की जलवायु है?

(a) विषुवतीय जलवायु
(b) चीन प्रकार जलवायु
(c) आर्द्र उपोष्णकटिबंधीय जलवायु
(d) समुद्री पश्चिम तटीय जलवायु

6. निम्नलिखित कथनों पर विचार कीजिए: **(2023)**

कथन-I: ग्रीष्म ऋतु में महाद्वीपों और महासागरों के बीच तापमान विपर्यास शीत ऋतु की अपेक्षा अधिक होता है।

कथन-II : जल की विशिष्ट ऊष्मा, भूपृष्ठ की विशिष्ट ऊष्मा की अपेक्षा अधिक होती है।

उपर्युक्त कथनों के बारे में, निम्नलिखित में से कौन-सा एक सही है?

(a) कथन-I और कथन-II दोनों सही है तथा कथन-II, कथन-I की सही व्याख्या है।
(b) कथन-I और कथन-II दोनों सही हैं तथा कथन-II, कथन-I की सही व्याख्या नहीं है।
(c) कथन-I सही है किन्तु कथन-II गलत है।
(d) कथन-I गलत है किन्तु कथन-II सही है।

7. पृथ्वी के वायुमंडल के संदर्भ में, निम्नलिखित कथनों में से कौन-सा एक सही है? **(2023)**

(a) भूमध्यरेखा पर प्राप्त होने वाले सूर्यताप की कुल मात्रा, ध्रुवों पर प्राप्त होने वाले सूर्यताप की कुल मात्रा की लगभग 10 गुनी है।
(b) अवरक्त किरणें सूर्यताप के लगभग दो-तिहाई भाग हैं।
(c) अवरक्त तरंगें निचले वायुमंडल में संकेंद्रित जलवाष्प द्वारा वृहद् रूप से अवशोषित होती हैं।
(d) अवरक्त तरंगें सौर विकिरण की विद्युत चुम्बकीय तरंगों के दृश्यमान स्पेक्ट्रम के भाग हैं।

8. निम्नलिखित कथनों पर विचार कीजिए: **(2023)**

कथन-I: उष्णकटिबंधीय वर्षा वनों की मृदा पोषक तत्त्वों से भरपूर होती है।

कथन-II: उष्णकटिबंधीय वर्षा वनों के उच्च ताप और आर्द्रता के कारण मृदा में विद्यमान मृत जैव पदार्थ का द्रुत अपघटन होता है।

उपर्युक्त कथनों के बारे में, निम्नलिखित में से कौन-सा एक सही है?

(a) कथन-I और कथन-II दोनों सही है तथा कथन-II, कथन-I की सही व्याख्या है।
(b) कथन-I और कथन-II दोनों सही है तथा कथन-II, कथन-I की सही व्याख्या नहीं है।
(c) कथन-I सही है किन्तु कथन-II गलत है।
(d) कथन-I गलत है किन्तु कथन-II सही है।

9. निम्नलिखित कथनों पर विचार कीजिए: **(2022)**

1. उच्च मेघ मुख्यत: सौर विकिरण को परावर्तित कर भूपृष्ठ को ठंडा करते हैं।
2. भूपृष्ठ से उत्सर्जित होने वाली अवरक्त विकिरणों का निम्न मेघ में उच्च अवशोषण होता है, और इससे तापन प्रभाव होता है।

उपर्युक्त कथनों में कौन-सा/से सही है/हैं?

(a) केवल 1
(b) केवल 2
(c) 1 और 2 दोनों
(d) न तो 1, न ही 2

10. सवाना की वनस्पति में बिखरे हुए छोटे वृक्षों के साथ घास के मैदान होते हैं, किन्तु विस्तृत क्षेत्र में कोई वृक्ष नहीं होते हैं। ऐसे क्षेत्रों में वन विकास सामान्यत: एक या एकाधिक या कुछ परिस्थितियों के संयोजन के द्वारा नियंत्रित होता है। ऐसी परिस्थितियाँ निम्नलिखित में से कौन-सी हैं? **(2021)**

1. बिलकारी प्राणी और दीमक
2. अग्नि
3. चरने वाले तृणभक्षी प्राणी (हर्बिवोर्स)
4. मौसमी वर्षा
5. मृदा के गुण

नीचे दिए गए कूट का प्रयोग कर सही उत्तर चुनिए।

(a) 1 और 2
(b) 4 और 5
(c) 2, 3 और 4
(d) 1, 3 और 5

11. 'पत्ती-कूड़ा (लीफ लिटर) किसी अन्य जीवोम (बायोम) की तुलना में तेजी से विघटित होता है और इसके परिणामस्वरूप मिट्टी की सतह प्राय: अनावृत होती है। पेड़ों के अतिरिक्त, वन में विविध प्रकार के पौधे होते हैं जो आरोहण के द्वारा या अधिपादप (एपिफाइट) के रूप में पनपकर पेड़ों के शीर्ष तक पहुँचकर प्रतिस्थ होते हैं और पेड़ों की ऊपरी शाखाओं में जड़ें जमाते हैं।' यह किसका सबसे अधिक सटीक विवरण है? **(2021)**

(a) शंकुधारी वन
(b) शुष्क पर्णपाती वन
(c) गरान (मैंग्रोव) वन
(d) उष्णकटिबंधीय वर्षा वन

12. निम्नलिखित कथनों पर विचार कीजिए: **(2020)**
    1. जेट प्रवाह केवल उत्तरी गोलार्ध में होते हैं।
    2. केवल कुछ चक्रवात ही केंद्र में वाताक्षि उत्पन्न करते हैं।
    3. चक्रवात की वाताक्षि के अन्दर का तापमान आसपास के तापमान से लगभग 10°C कम होता है।

    उपर्युक्त कथनों में से कौन-सा/से सही है/हैं?
    (a) केवल 1
    (b) केवल 2 और 3
    (c) केवल 2
    (d) केवल 1 और 3

उत्तर कुंजी

1. (d) 2. (a) 3. (a) 4. (a) 5. (d) 6. (d) 7. (c) 8. (d) 9. (d) 10. (c) 11. (d) 12. (c)

यूपीएससी मुख्य परीक्षा के विगत वर्षों के प्रश्न

1. ट्विस्टर क्या है? मेक्सिको की खाड़ी के आसपास के क्षेत्रों में अधिकतर ट्विस्टर क्यों देखे जाते हैं? **(2024, 15 अंक)**

इस अध्याय पर वैचारिक वीडियो देखने के लिए कृपया यहां दिए गए क्यूआर कोड को स्कैन करें

अध्याय

4

समुद्र विज्ञान (OCEANOGRAPHY)

अध्याय की रूपरेखा (Chapter Outline)

✓याद रखने की युक्ति (Learning Trick) **त्वरित पुनरावलोकन (Quick Revision)*

परिचय (INTRODUCTION)

समुद्र विज्ञान के अंतर्गत समुद्र की रासायनिक, भूवैज्ञानिक, मौसम विज्ञान, जैविक और अन्य विशेषताओं का वैज्ञानिक अध्ययन है। भूगोल में महासागरों का अध्ययन विशेष रूप से महत्वपूर्ण है क्योंकि जलवायु परिवर्तन, प्रदूषण और अन्य कारक उन्हें और समुद्री जीवन को खतरे में डाल रहे हैं; और समुद्री संसाधनों के उपयोग और विकास, व्यापार और वाणिज्य और राष्ट्रीय सुरक्षा के लिए भी यह अध्ययन महत्वपूर्ण है।

जलमंडल हमारे ग्रह की सतह पर उपस्थित जल का कुल द्रव्यमान है। महासागर और समुद्र पृथ्वी के 361 मिलियन वर्ग किमी. से अधिक क्षेत्र पर स्थित हैं। लगभग 97 प्रतिशत जल महासागरों में है; शेष 3 प्रतिशत जल नदियों, झीलों, भूजल और ग्लेशियरों में स्थित हैं। पृथ्वी का लगभग 70.8 प्रतिशत भाग जल से ढका हुआ है और 29.2 प्रतिशत भूमि क्षेत्र है **(चित्र 4.1)**। ऐसा अनुमान है कि यदि पृथ्वी की सतह की सभी अनियमितताओं को समतल कर एक आदर्श गोला बना दिया जाए, तो महासागर पृथ्वी को 2.25 किमी की गहराई तक ढक देगा। जल के कारण ही पृथ्वी पर जीवन का विकसित होना और पनपना संभव हो सका है।

महासागर (OCEANS)

महासागर पृथ्वी की सतह के लगभग 70.8 प्रतिशत भाग पर फैले हुए हैं। विश्व में केवल एक ही महासागर है, परंतु महाद्वीप इस महासागर को पाँच अलग-अलग भागों, अर्थात् (1) प्रशांत महासागर, (2) अटलांटिक महासागर, (3) हिंद महासागर, (4) आर्कटिक महासागर और (5) दक्षिणी महासागर (अंटार्कटिक महासागर) में विभाजित करते हैं। महासागरों का अधिकांश हिस्सा, महासागर घाटियाँ, अपेक्षाकृत नये हैं और पिछले 80 मिलियन वर्षों के भीतर विकसित हुए हैं जैसा कि हमने भू-आकृति विज्ञान में समुद्र तल प्रसार के सिद्धांत को समझते हुए अध्ययन किया था।

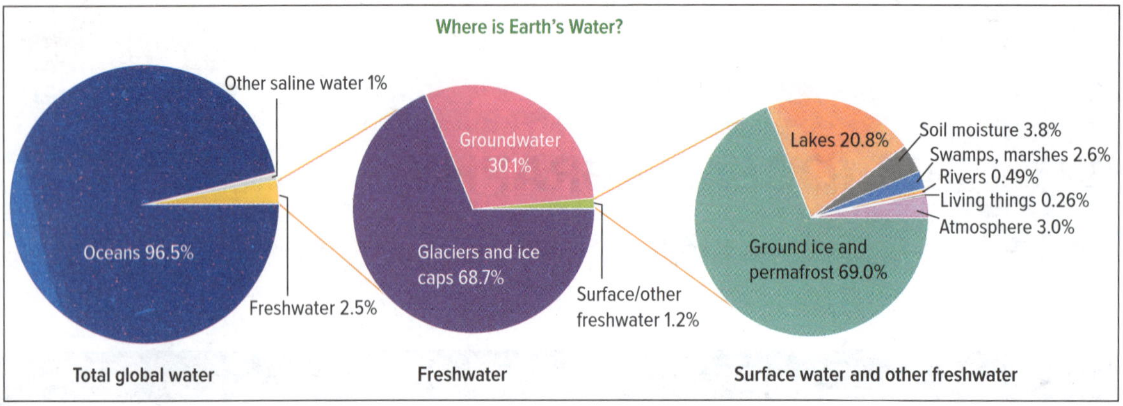

चित्र 4.1

पृथ्वी की ठोस सतह की विशेषताएँ। पृथ्वी की कुल सतह को प्रतिशत के रूप में दर्शाया गया है।

महासागरों की भू-आकृतियाँ अथवा महासागरीय स्थलमंडल की प्रमुख विशेषताएँ (Ocean Relief or Major Features of Oceanic Lithosphere)

महासागरीय नितल अपनी चट्टानों के प्रकार, संरचना, स्थलरूप, आयु और उत्पत्ति के संदर्भ में महाद्वीपीय भू-पर्पटी से काफी भिन्न है। महासागर तल की प्रमुख विशेषताएँ निम्नवत हैं- (1) महाद्वीपीय मग्नतट, (2) महाद्वीपीय ढलान, (3) महाद्वीपीय उठान, (4) एबिसल फ्लोर (अथाह महासागरीय घाटियाँ), (5) महासागरीय कन्दराएँ, (6) महासागरीय कटक, और (7) समुद्री पर्वत।

महाद्वीपीय सीमांत (Continental Margin)

महाद्वीप का जलमग्न क्षेत्र महाद्वीपीय सीमांत के रूप में जाना जाता है। भूवैज्ञानिक रूप से, यह महाद्वीप का हिस्सा है न कि महासागर के घाटी का हिस्सा । महाद्वीपीय सीमांत में, (a) महाद्वीपीय मग्नतट, और (b) महाद्वीपीय ढलान शामिल हैं।

1. महाद्वीपीय मग्नतट (Continental Shelf)

यह महाद्वीपीय क्षेत्र का जलमग्न किनारा है जो तट से लेकर ढलान जहां समाप्त होती है, वहां तक विस्तृत होता है। यह ढलान बहुत ही कम ढालयुक्त होती है, जो लगभग 1° से 2° या उस से कम होती है। कुछ मग्नतट 500 मीटर से अधिक की गहराई तक पहुँचती हैं, परंतु अधिकतर महाद्वीपीय मग्नतट की गहराई की सीमा 200 मीटर तक मानी जाती है। महाद्वीपीय मग्नतट की औसत चौड़ाई लगभग 70 किमी तक होती है, परंतु अलग-अलग तटों पर इनकी चौड़ाई भिन्न-भिन्न होती हैं। सक्रिय तटों (प्रशांत तटों) पर ये बहुत संकीर्ण होती हैं, और निष्क्रिय तटों (अटलांटिक तटों) पर चौड़ी होती हैं। भूमि में पोषक तत्वों की उपलब्धता और प्रवाल भित्तियों की उपस्थिति (कुछ क्षेत्रों में) के कारण, महाद्वीपीय मग्नतट दुनिया में कुछ सबसे अच्छे मछली पकड़ने के मैदान हैं और साथ ही तेल और गैस ड्रिलिंग के महत्वपूर्ण क्षेत्र भी हैं। इन कारणों से, यह क्षेत्र प्रदूषण के प्रति भी बहुत संवेदनशील है। उदाहरण- मैक्सिको की खाड़ी, पश्चिमी भारत के तट से सटा क्षेत्र, आदि।

2. महाद्वीपीय ढलान (Continental Slope)

महाद्वीपीय मग्नतट से गहरे महासागर तक फैली ढलान को महाद्वीपीय ढलान के रूप में जाना जाता है। इसका ढलान तीव्र होता है इस कारण इसे महाद्वीपीय ढलान कहा जाता है। यह ढाल 2° से 5° तक हो सकती हैं, परंतु कुछ मामलों में यह अधिक तीव्र हो सकती है। ये महाद्वीपीय ढाल कुछ छोटी-मोटी महासागरीय विशेषताओं के लिए जाने जाते हैं जैसे पनडुब्बी घाटियाँ, जो गंदली धाराओं के कारण बनती हैं। महाद्वीपीय ढलान का उदाहरण अंटार्कटिक ढलान फ्रंट है।

3. महाद्वीपीय उठान (Continental Rise)

यह कम ढलान वाला समुद्र तल है जो महाद्वीपीय ढलान के तल पर स्थित है और धीरे-धीरे गहरे समुद्र के मैदान में बदल जाता है।

4. अथाह सागर (Abyssal Floor)

इसे गहरे समुद्र में स्थित मैदान के रूप में भी जाना जाता है, यह 3000 से 5500 मीटर की गहराई पर पाया जाने वाला बहुत ही चिकना, सपाट महासागर तल का विशाल विस्तार है। ये पृथ्वी पर स्थित सबसे व्यापक भू-आकृतियाँ हैं। पहले इन विशाल मैदानों को बिना किसी विशेषता वाले मैदान माना जाता था। अब यह सिद्ध हो चुका है कि इनमें अनेक विशेषताएँ हैं जैसे कि समुद्री

कटक, गहरे समुद्र के पंखे, सीमाउंट और उनके पार बिखरे हुए गयोट (चित्र 4.2)।

उत्तर-पूर्वी प्रशांत महासागर में क्लेरियन क्लिपरटन जोन सबसे महत्वपूर्ण रसातल मैदानों में से एक है।

5. महासागरीय गर्त (Oceanic Trench)

समुद्र तल में संकीर्ण, गहरा गड्ढा जो महाद्वीपीय स्थलमण्डल प्लेट के उपांत के नीचे महासागरीय स्थलमण्डल प्लेट के अभिसरित होने को दर्शाता है; यह अक्सर ज्वालामुखी के कारण बनने वाले द्वीप चाप से जुड़ा होता है। महासागरीय कन्दराएँ / गर्त पृथ्वी की सतह पर सबसे निचले क्षेत्र हैं। प्रशांत महासागर में मैरियाना गर्त दुनिया के महासागरों का सबसे गहरा क्षेत्र है - चौलेंजर डीप (10,935 मीटर) यहीं पर स्थित है। महासागरों की कुछ महत्वपूर्ण कन्दरायें चित्र 4.3 में दर्शायी गयी हैं और तालिका 4.1 में सूचीबद्ध हैं।

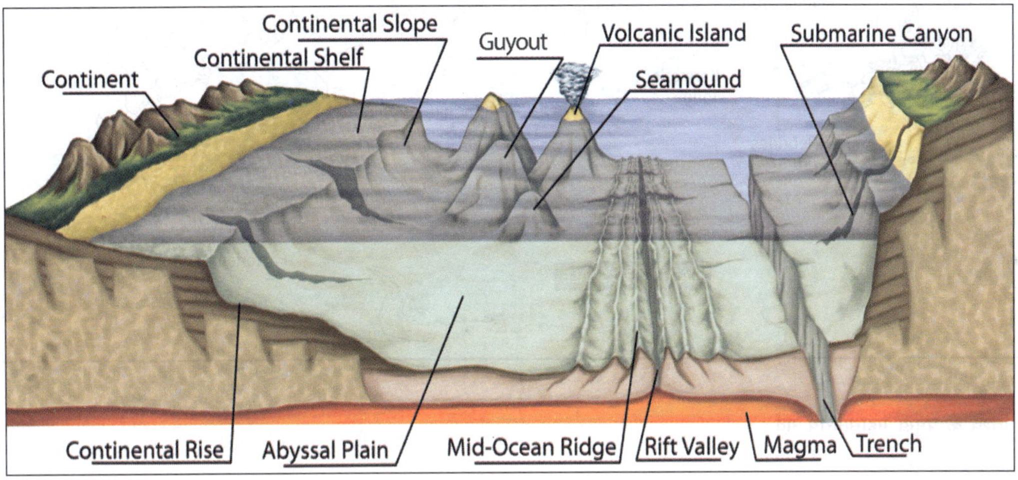

चित्र 4.2
अथाह सागर की विभिन्न विशेषताएँ

तालिका 4.1 महासागरीय गर्त

क्रम संख्या	गर्त का नाम	महासागर का नाम
1.	मेरियाना गर्त	उत्तरी प्रशांत महासागर
2.	रामापो डीप/जापान गर्त	
3.	अल्यूशियन गर्त	
4.	फिलीपीन गर्त (मिंडानाओ ट्रेंच)	
5.	कुरील कमयटका गर्त	
6.	करमडिक-टोंगा गर्त (विश्व की सर्वाधिक तीव्र ढलान वाला गर्त)	दक्षिण प्रशांत महासागर
7.	न्यूहराब्रेडस गर्त	
8.	पेरू-चिली या अटाकामा गर्त	
9.	पोर्टोरिको गर्त	उत्तरी अटलांटिक महासागर
10.	रोमशे गर्त	
11	दक्षिणी सैंडविच गर्त	दक्षिण अटलांटिक महासागर
12.	सुंडा (सुमात्रा)/जावा गर्त	हिंद महासागर
13.	मोलॉय डीप (यह किसी भी गर्त का हिस्सा नहीं है, लेकिन आर्कटिक महासागर का यह सबसे गहरा बिंदु है।)	आर्कटिक महासागर
14.	फैक्टरियन डीप (यह दक्षिणी सैंडविच गर्त का हिस्सा है;)	दक्षिणी महासागर

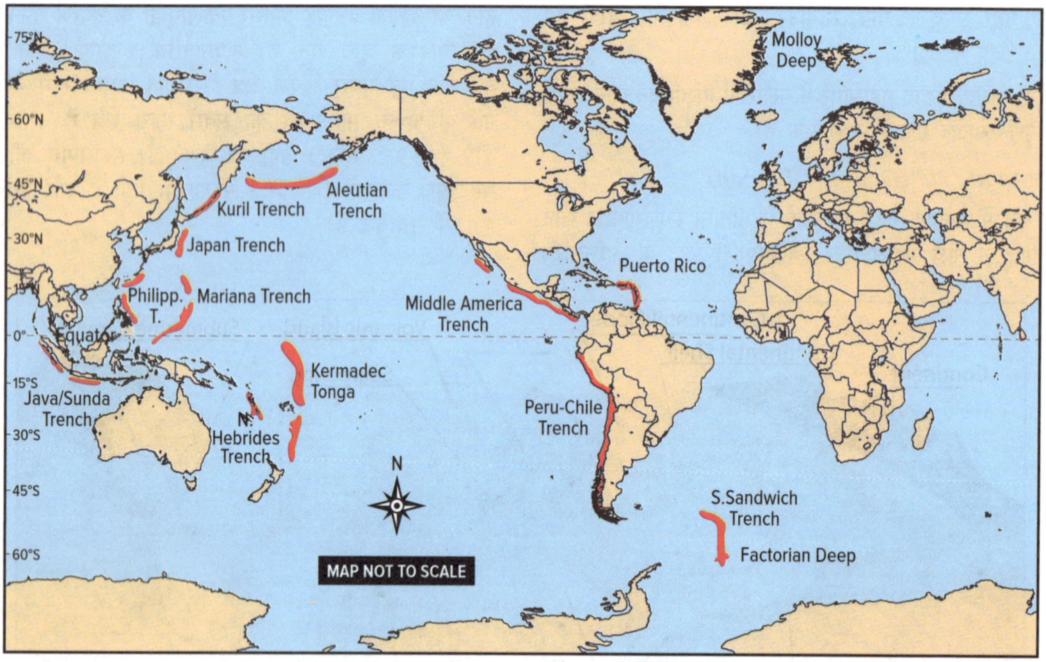

चित्र 4.3
विश्व के प्रमुख महासागरीय गर्त

6. महासागरीय कटक (Oceanic Ridge)

महासागरीय कटक शायद महासागर तल पर सबसे खास और महत्वपूर्ण विशेषता है। महासागरीय कटक अनिवार्य रूप से उस क्षेत्र में एक विस्तृत, खंडित उभार आकृति है जहाँ महासागरीय प्लेट विचलन होता है। मध्य-अटलांटिक कटक, जिसकी लंबाई लगभग 16000 किमी से अधिक है, उत्तर में आइसलैंड से दक्षिण में बौवेट द्वीप तक फैली हुई है। महासागरीय कटक का निर्माण समुद्र के नीचे ज्वालामुखी विस्फोट के कारण निकलने वाले लावा के के ठंडा होकर ठोस चट्टान बनने से होती है। समुद्र तल की चट्टानों की आयु, जैसे-जैसे हम कटक के दोनों ओर आगे बढ़ते हैं, युग्मित समानांतर पट्टियों में बढ़ती जाती है (चित्र 4.4)।

7. समुद्री पर्वत (सीमाउंट) (Seamounts)

यह समुद्र तल से गोलाकार या अण्डाकार प्रक्षेपण है, जिसकी ऊँचाई एक किलोमीटर से अधिक होती है, और इसका ढलान अपेक्षाकृत ज्यादा होता है (चित्र 4.2)। ये सक्रिय या विलुप्त ज्वालामुखी हो सकते हैं और समुद्र की सतह के नीचे रहते हैं। यदि ये समुद्र की सतह से ऊपर दिखाई देते हैं, तो उन्हें द्वीप के रूप में वर्गीकृत किया जाता है, और अंततः ये गयोट बन जाते हैं।

8. गयोट (Guyot)

गयोट सपाट शीर्ष वाला, डूबा हुआ, निष्क्रिय ज्वालामुखी है। ये समुद्री टीले हैं जो समुद्र की सतह पर दिखाई देते हैं। बाह्य बलों द्वारा अपरदन के कारण इनके शीर्ष सपाट हो जाते हैं।

9. द्वीप चाप (Island Arcs)

ये ज्वालामुखीय द्वीपों और समुद्री पर्वतों की घुमावदार शृंखलाएँ हैं, जो हमेशा खाइयों के अवतल किनारे के समानांतर पाई जाती हैं। ये भू-आकृति अभिसरण की विवर्तनिकी गतिविधि के कारण बनती हैं। कुछ महत्वपूर्ण द्वीप चापों में अलेयूशन द्वीप समूह, दी लेसर एंटाइल्स और मारियाना द्वीप समूह शामिल हैं।

10. ब्लैक स्मोकर्स (Black Smokers)

ब्लैक स्मोकर्स को हाइड्रोथर्मलवेंट के रूप में भी जाना जाता है। ये समुद्र तल में स्थित मुंह होते हैं जो समुद्र के नीचे पृथ्वी की पर्पटी में गहराई से गर्म, सल्फर युक्त जल को बाहर निकालते हैं। बहुत गहराई में होने के बावजूद, विभिन्न प्रकार के जीवन-रूपों ने रसायन-समृद्ध पर्यावरण का अनुकूलन किया है जो ब्लैक स्मोकर्स के ईर्द-गिर्द हैं।

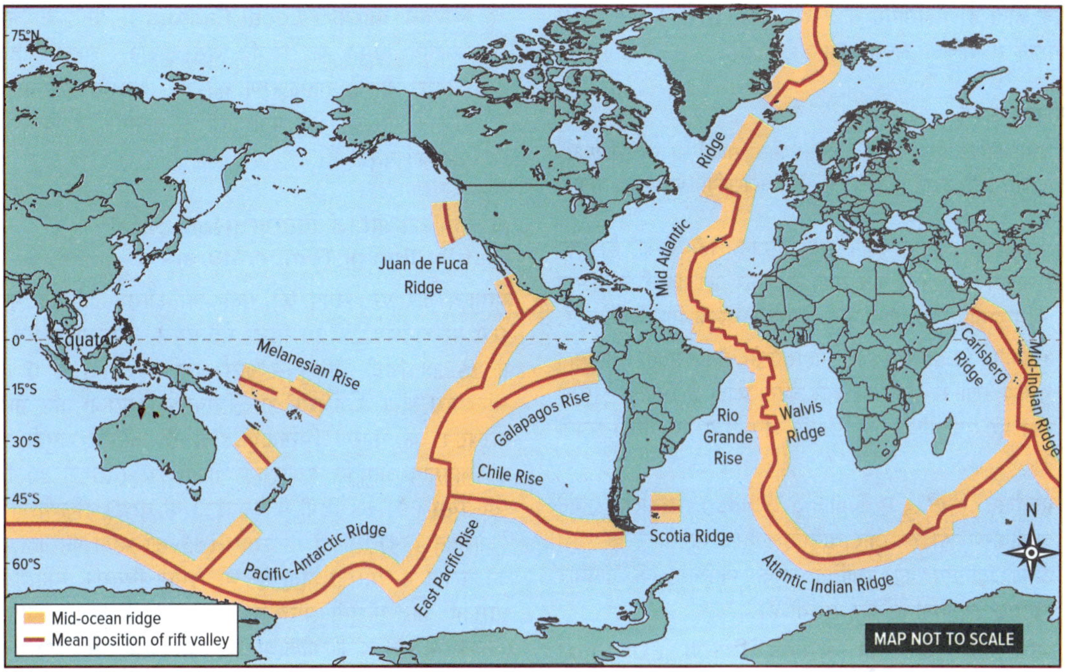

चित्र 4.4
महासागरीय कटक प्रणाली

याद रखने की युक्ति (Learning Trick)

महासागरीय भू-आकृतियों की प्रमुख और गौण विशेषताएँ

प्रमुख विशेषताएँ → सर्वव्यापी। सभी महासागरों में एक विशिष्ट परिभाषित स्थान (महाद्वीपों के पास या महासागर के तल) पर पाई जाती हैं।

- महाद्वीपीय मग्नतट
- महाद्वीपीय ढलान
- अथाह सागर
- कंदराएं/गर्त

गौण विशेषताएँ → कोई निश्चित स्थान नहीं।
मुख्य विशेषताओं की तुलना में इनकी अनियमित उपस्थिति होती है।

- कटक
- महाद्वीपीय उठान
- गयोट
- समुद्री टीले
- द्वीप चाप
- व्लेक स्मोकर्स
- पनडुब्बी घाटी

11. पनडुब्बी घाटियाँ (Submarine Canyons)

ये महाद्वीपीय ढलान में कटी हुई गहरी, खड़ी घाटियाँ हैं और महाद्वीपीय मग्नतट और कभी-कभी अथाह सागर में फैली हुई होती हैं। ये गंदली धाराओं द्वारा की जाने वाली क्षरण प्रक्रियाओं से बनती हैं। ये महाद्वीपीय मग्नतट से गहरे महासागरों तक तलछट परिवहन के लिए नलिका के रूप में कार्य करती हैं।

गंदली धाराएँ

महासागरीय लहरें अपने साथ सामग्री लेकर जाती हैं जो उन्होंने महाद्वीपीय किनारों से अपरदित की होती है। ये अपरदित कण इस गतिमान जल को ऊर्जा प्रदान करते हैं और किनारों के आगे अपरदन में मदद करते हैं, जिससे पनडुब्बी घाटियों (Submarine Canyons) जैसी संरचनाएँ बनती हैं (चित्र 4.2)।

महासागरीय जल के गुण (PROPERTIES OF OCEANIC WATER)

महासागरों का तापमान (Temperature of the Oceans)

पृथ्वी पर पहुँचने वाले सौर विकिरण का 80 प्रतिशत से अधिक महासागर अवशोषित करते हैं। जल में ऊष्मा को अवशोषित करने की उल्लेखनीय क्षमता होती है क्योंकि इसकी विशिष्ट ऊष्मा बहुत

अधिक होती है। महासागरों के सबसे ऊपरी 10 फुट भाग में पूरे वायुमंडल से अधिक ऊष्मा होती है।

विशिष्ट ऊष्मा

यह ऊष्मा की वह मात्रा (जूल में) है जिसे किसी पदार्थ को अपने तापमान को क्रमशः 1°C बढ़ाने या घटाने के लिए अवशोषित या छोड़ना होगा।

महासागरों का तापमान एक समान नहीं होता है। यह अलग-अलग अक्षांशों में और सतह से लेकर तल तक भिन्न-भिन्न होता है। महासागरों के तापमान के प्रमुख निर्धारक निम्नलिखित हैं:

1. **अक्षांश (Latitude):** महासागरों का सतही तापमान भूमध्य रेखा से ध्रुवों की ओर घटता जाता है क्योंकि भूमध्य रेखा पर सूर्य की किरणें लंबवत और ध्रुवों पर तिरछी पड़ती हैं।
2. **प्रचलित पवनें (Prevailing Winds):** प्रचलित पवनें वाष्पीकरण की दर और वायुमंडल और महासागर के बीच ऊष्मा विनिमय को प्रभावित करके महासागर के तापमान वितरण को प्रभावित कर सकती हैं।
3. **भूमि और जल का असमान वितरण (Unequal Distribution of Land and Water):** उत्तरी गोलार्ध में दक्षिणी गोलार्ध की तुलना में अधिक भूमि क्षेत्र है। नतीजतन, उत्तरी गोलार्ध के महासागर दक्षिणी गोलार्ध के महासागरों की तुलना में अधिक गर्म हैं। ऐसा इसलिए है क्योंकि भूमि की विशिष्ट ऊष्मा कम होती है और यह जल्दी गर्म हो जाती है, जिससे चालन, संवहन और विकिरण द्वारा इसके आसपास का जल गर्म हो जाता है।
4. **वाष्पीकरण दर (Evaporation Rate):** वाष्पीकरण के कारण जल में गुप्त ऊष्मा अवशोषित हो जाती है, जो वाष्प में बदल जाती है, जिससे आसपास का वातावरण ठंडा हो जाता है। यद्यपि, वाष्पीकरण की दर अलग-अलग अक्षांशों में अलग-अलग होती है।
5. **महासागरीय धाराएँ (Ocean Currents):** महासागरों का सतही तापमान भी गर्म और ठंडी धाराओं द्वारा नियंत्रित होता है। गर्म जल की धारा की उपस्थिति से तापमान और वाष्पीकरण की दर बढ़ जाती है। नतीजतन, इस क्षेत्र में अधिक वर्षा दर्ज की जाती है, जबकि ठंडे जल की धारा नमी से भरी हवा के तापमान को कम कर देती है। ठंडे जल की धारा के साथ तट पर अधिक कोहरा होता है, परंतु कम वर्षा होती है।
6. **स्थानीय कारक (Local Factors):** पनडुब्बी कटक, स्थानीय मौसम की स्थिति जैसे तूफान, चक्रवात, हवाएँ, कोहरा, बादल, वाष्पीकरण की दर, तापक्रम ह्रासमान दर, संघनन और वर्षा भी महासागरों के तापमान के वितरण को प्रभावित करती हैं।

तापमान का क्षैतिज वितरण (Horizontal Distribution of Temperature)

सामान्य तौर पर, समुद्र की सतह का औसत तापमान भूमध्य रेखा पर लगभग 28-30 डिग्री सेल्सियस, उष्णकटिबंधीय क्षेत्र में 25-28 डिग्री सेल्सियस और ध्रुवों पर -1.8 से 0 डिग्री सेल्सियस होता है, जिसमें सौर विकिरण, धाराओं और मौसमी परिवर्तनों के कारण भिन्नताएं होती हैं। औसत समुद्री सतह का तापमान आमतौर पर उत्तरी गोलार्ध में (15 से 20 डिग्री सेल्सियस (59-68 डिग्री फारेनहाइट) के बीच) दक्षिणी गोलार्ध (औसतन 13-17 डिग्री सेल्सियस (55-63 डिग्री फारेनहाइट)) की तुलना में अधिक होता है, जो भूभाग वितरण, महासागरीय धाराओं और मौसमी परिवर्तनों में अंतर के कारण होता है। **(चित्र 4.5)**। दोनों गोलार्धों में, जैसे-जैसे हम भूमध्य रेखा से ध्रुवों की ओर बढ़ते हैं, महासागरों का औसत तापमान कम होता जाता है, ध्रुवों पर लगभग 0 डिग्री तक पहुँच जाता है।

उत्तरी गोलार्ध में समुद्र के जलका अधिकतम और न्यूनतम औसत वार्षिक तापमान क्रमशः अगस्त और फरवरी के महीनों में होता है। कुछ जगहों पर औसत सालाना तापमान रेंज 12°C हो सकती है। उच्चतम औसत वार्षिक तापमान उत्तरी अटलांटिक महासागर में दर्ज किया गया है। इसके अलावा, खुले महासागरों की तुलना में अंतर्देशीय समुद्रों में औसत वार्षिक तापमान अधिक होता है।

तापमान का ऊर्ध्वाधर वितरण (Vertical Distribution of Temperature)

महासागरों में गहराई के साथ ऊर्जा और सूर्य का प्रकाश दोनों कम होते जाते हैं। समुद्र की सतह पर पड़ने वाली प्रकाश ऊर्जा का केवल 45 प्रतिशत ही लगभग एक मीटर की गहराई तक पहुँच पाता है और केवल 16 प्रतिशत ही 10 मीटर की गहराई तक पहुँच पाता है। तापमान के आधार पर, महासागर की गहराई को निम्नलिखित तीन क्षेत्रों में विभाजित किया जा सकता है **(चित्र 4.6)**:

1. **सतही क्षेत्र या मिश्रित क्षेत्र (Surface Zone or Mixed Zone):** यह महासागर की ऊपरी परत है। इस परत में तापमान और लवणता अपेक्षाकृत स्थिर होती है। साफ जलवाले क्षेत्रों में इसकी गहराई लगभग 200 मीटर है।

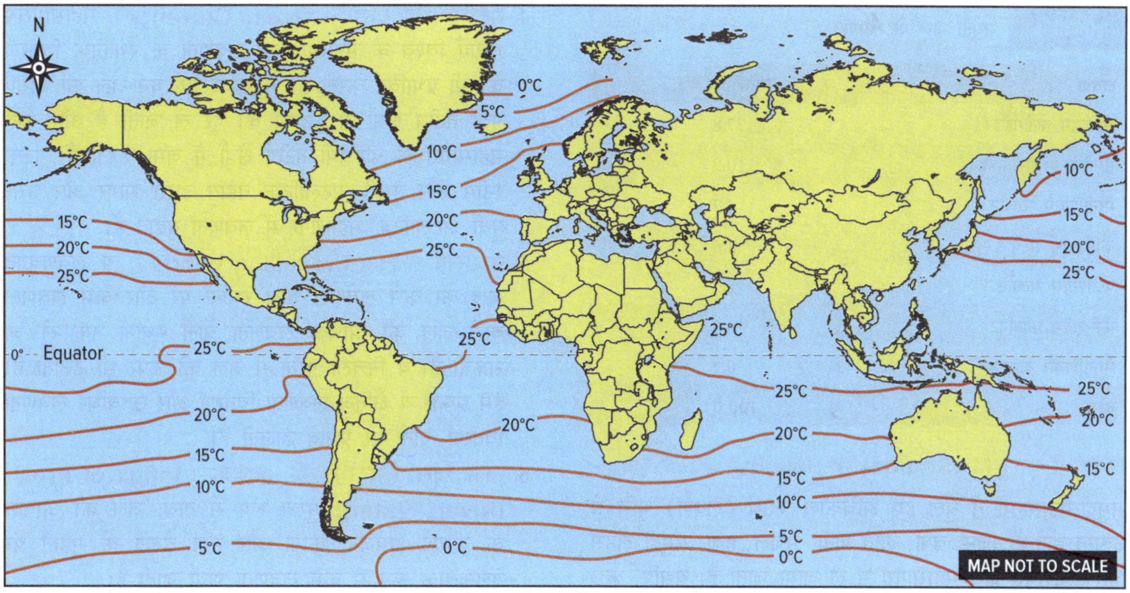

चित्र 4.5
महासागर: तापमान का क्षैतिज वितरण

2. **थर्मोकलाइन (Thermocline):** यह क्षेत्र 200 मीटर से लेकर 1000 मीटर तक गहरा होता है। इस क्षेत्र में तापमान में भारी गिरावट होती है।
3. **गहरी परत (The Deep Zone):** यह क्षेत्र मध्य अक्षांशों में 1000 मीटर से नीचे स्थित है। तल के पास का तापमान हमेशा हिमांक बिंदु (शून्य) से अधिक रहता है – लगभग 0° से 4° से. तक। जलतापीय छिद्र और ज्वालामुखी के क्षेत्र इस मामले में अपवाद हैं, जो छिटपुट रूप से महासागरीय बेसिन में पाये जाते हैं। ये अन्यथा ठण्डे गहरे महासागरीय जल को ऊष्मा का स्रोत प्रदान करते हैं।

लवणता (Salinity)

लवणता समुद्री जल में घुले हुए ठोस पदार्थों का माप है, जिसे आमतौर पर ग्राम प्रति किलोग्राम या वजन के हिसाब से प्रति हजार भागों में व्यक्त किया जाता है। मानक समुद्री जल में 0°C (32°F) पर 3.47 प्रतिशत लवणता होती है। महासागर के जल में, 96.53 प्रतिशत जल है, और 3.47 प्रतिशत घुले हुए लवण हैं।

समुद्री जल में आमतौर पर पाया जाने वाला पदार्थ सोडियम क्लोराइड या लवण है। महासागरों के लवणों की रासायनिक संरचना तालिका 4.2 में दी गई है।

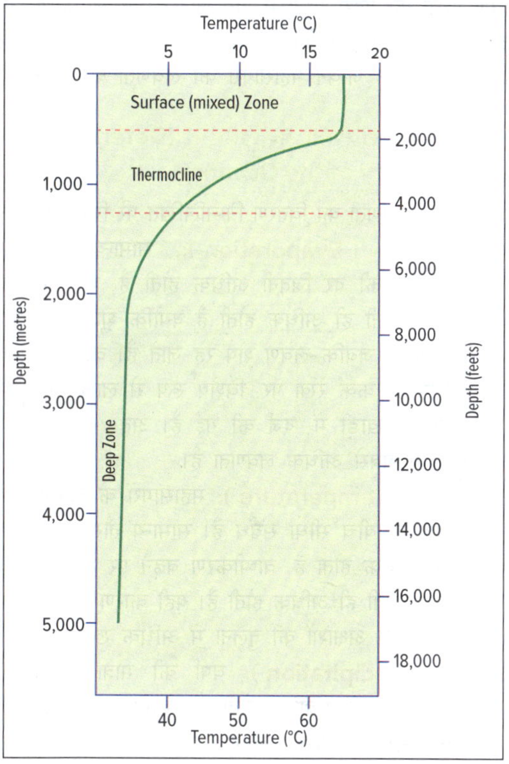

चित्र 4.6
मध्य अक्षांशों पर गहराई के साथ महासागर के तापमान में विशिष्ट परिवर्तन

तालिका 4.2 समुद्री जल के लवण

लवण	प्रतिशत (%)
सोडियम क्लोराइड	77.8
मैग्नीशियम क्लोराइड	10.9
मैग्नीशियम सल्फेट	4.7
कैल्शियम सल्फेट	3.6
पोटेशियम सल्फेट	2.5
कैल्शियम कार्बोनेट	0.3
मैग्नीशियम ब्रोमाइड	0.2
योग	**100.0**

लवणता के स्रोत (Sources of Salinity)

समुद्रों/महासागरों में घुले हुए अधिकांश पदार्थ (लवण) भूमि से उत्पन्न होते हैं, जिन्हें वर्षा, बहते पानी, भूजल, हवा, समुद्री लहरों और ग्लेशियरों द्वारा महासागरों में ले जाया जाता है। यद्यपि, कुछ लवण पृथ्वी की गहरी परतों में पाये जाते हैं। ज्वालामुखीय लावा महासागरों की लवणता को बढ़ाता है। इनके अलावा, मृत और विघटित कार्बनिक जीवन महासागरों की लवणता को बढ़ाता है।

महासागरों की लवणता के निर्धारक (Determinants of the Salinity of the Oceans)

महासागरों में लवणता का वितरण निम्नलिखित पर निर्भर करता है:

1. **वाष्पीकरण (Evaporation):** सामान्य तौर पर, वाष्पीकरण की दर जितनी अधिक होती है, महासागरों की लवणता उतनी ही अधिक होती है क्योंकि शुद्ध जलवाष्पित हो जाता है, जबकि लवण शेष रह जाते हैं। वाष्पीकरण की उच्चतम दर कर्क रेखा पर, विशेष रूप से लाल सागर और फारस की खाड़ी में, दर्ज की गई है। अतः, इन सागरों में दुनिया में सबसे अधिक लवणता है।
2. **तापमान (Temperature):** महासागरों के तापमान और लवणता के बीच सीधा संबंध है। सामान्य तौर पर, तापमान जितना अधिक होता है, वाष्पीकरण बढ़ने पर महासागरों की लवणता उतनी ही अधिक होती है। यही कारण है कि निचले अक्षांश उच्च अक्षांशों की तुलना में अधिक खारे होते हैं।
3. **वर्षा (Precipitation):** वर्षा की मात्रा लवणता से विपरीत रूप से संबंधित होती है। सामान्य तौर पर, वर्षा जितनी अधिक होती है, लवणता का अनुपात उतना ही कम होता है। भूमध्य रेखीय क्षेत्र के महासागर, जहां पूरे वर्ष भारी वर्षा होती हैं, उष्णकटिबंधीय जल की तुलना में अपेक्षाकृत कम लवणता होती है।
4. **महासागरीय धाराएँ (Ocean Currents):** महासागरीय धाराएँ विश्व के महासागरों में लवणता के स्थानिक वितरण को भी प्रभावित करती हैं। भूमध्य रेखीय गर्म जल की धाराएँ पूर्वी तटीय क्षेत्रों से लवणों को दूर ले जाती हैं और उन्हें महासागरों के पश्चिमी तटीय क्षेत्रों में जमा करती हैं। गल्फ स्ट्रीम और उत्तरी अटलांटिक बहाव उत्तरी सागर और उत्तर पूर्वी अटलांटिक महासागर में लवणता बढ़ाते हैं।
5. **प्रचलित पवनें (Prevailing Winds):** ये लवणयुक्त जल को कम लवणता वाले स्थानों पर और कम लवणता वाले जल को अधिक लवणता वाले स्थानों तक ले जा सकती हैं। ये निचली परतों से जल को ऊपर भी उठाती हैं। इस प्रकार ये क्षैतिज लवणता वितरण और ऊर्ध्वाधर लवणता वितरण, दोनों पर प्रभाव डालती हैं।
6. **ताजे जल (नदी) की आवक (Influx of Fresh (River) Water):** मुख्य रूप से ताजा जल की आवक के कारण अमेजन, कांगो और गंगा डेल्टा के मुहाने पर तुलनात्मक रूप से कम लवणता पायी जाती है।
7. **बर्फ का जमना और पिघलना (Ice formation and Melting):** समुद्री बर्फ जमने के दौरान, बर्फ के क्रिस्टल से नमक निकल जाता है, जिससे आस-पास के समुद्री जल की लवणता बढ़ जाती है। दूसरी ओर, जब समुद्री बर्फ पिघलती है, तो यह समुद्र में मीठा जल जोड़ती है, जिससे लवणता कम हो जाती है। ये प्रक्रियाएँ ध्रुवीय क्षेत्रों और मौसमी बर्फ जमने वाले क्षेत्रों में लवणता प्रतिरूप को प्रभावित करती हैं।

लवणता का क्षैतिज वितरण (Horizontal Distribution of Salinity)

उष्णकटिबंधीय क्षेत्रों के दोनों ओर महासागरों की लवणता घटती जाती है। उदाहरण के लिए, भूमध्य रेखा के साथ औसत लवणता लगभग 34-35‰ है, जबकि कर्क रेखा के साथ यह 36‰ से अधिक है।

अंतर्देशीय सागरों और झीलों में नदियों द्वारा नियमित रूप से लवणता बहाकर लाने और वाष्पीकरण के माध्यम से जल के निरंतर कम होने के कारण बहुत अधिक लवणता होती है। उदाहरण के लिए, मृत सागर में प्रति हजार 330 भाग लवणता है।

लवणता का ऊर्ध्वाधर वितरण (Vertical Distribution of Salinity)

जहाँ तक लवणता के ऊर्ध्वाधर वितरण का प्रश्न है, इसमें कोई निश्चित प्रवृत्ति नहीं पायी जाती है और इसलिए, कोई सामान्यीकरण नहीं किया जा सकता है। सामान्य तौर पर, समुद्र के जल की गहराई

बढ़ने के साथ, लवणता में वृद्धि और कमी दोनों प्रवृत्तियाँ पाई जाती हैं। लवणता का ऊर्ध्वाधर वितरण T-S आरेख पर अंकित किया गया है, जिसका समर्थन हेलैंड-हेन्सन (Helland-Hensen) ने किया है। हेलोकलाइन, थर्मोकलाइन और पैक्नोकलाइन में लवणता के विभिन्न पैटर्न चित्र 4.7 में दर्शाये गए हैं।

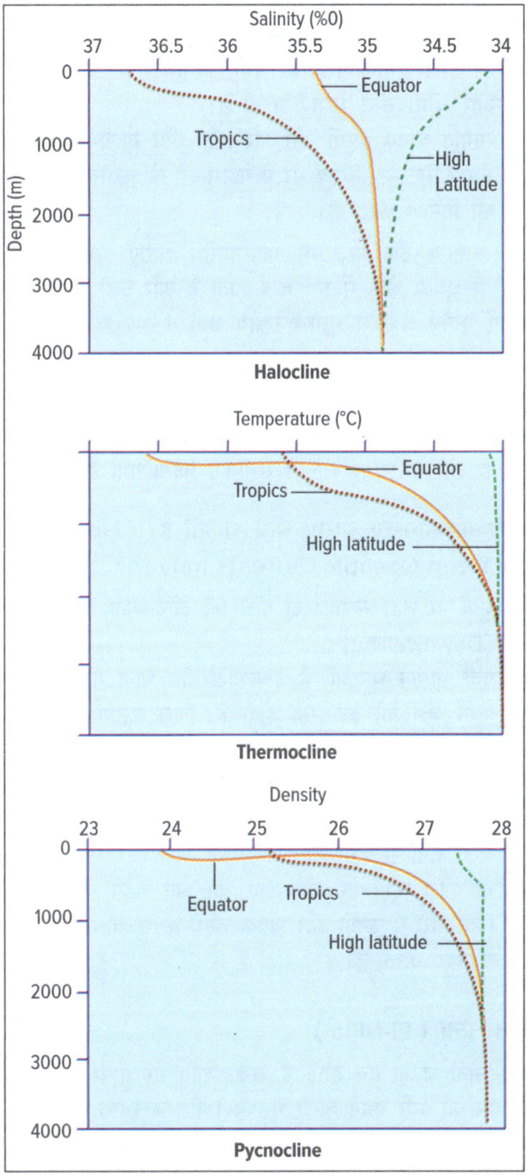

चित्र 4.7

हेलोकलाइन, थर्मोकलाइन और पैक्नोकलाइन

याद रखने की युक्ति (Learning Trick)

तापमान और लवणता को प्रभावित करने वाले कारक

- सबसे पहले इन दोनों गुणों को प्रभावित करने वाले सामान्य कारकों को याद रखें।

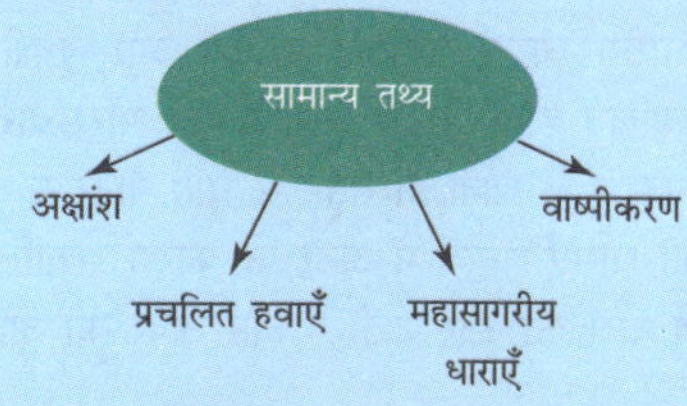

- अब विशिष्ट कारक

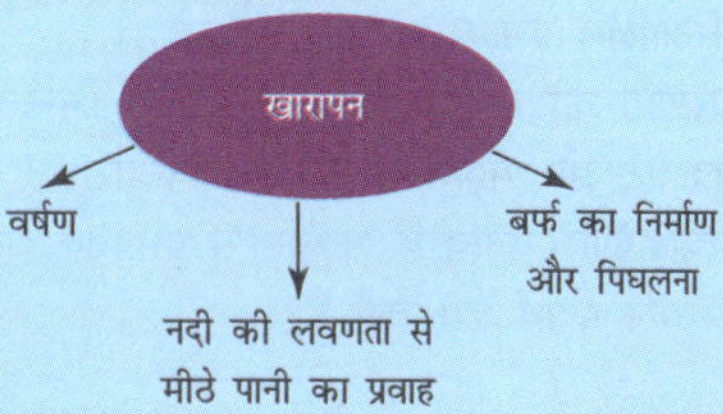

इस तरह, सामान्य कारकों को एक साथ याद करने से, आपको याद रखने के लिए कम बिंदु होंगे!

महासागरों में घनत्व वितरण (Density Distribution in the Oceans)

घनत्व महासागर के जल का एक महत्वपूर्ण गुण है जो महासागर परिसंचरण, स्तरीकरण और मिश्रण सहित विभिन्न भौतिक प्रक्रियाओं को प्रभावित करता है। यह तीन कारकों पर निर्भर करता है:

1. **तापमान (Temperature):** जैसे-जैसे तापमान बढ़ता है, घनत्व घटता है और इसी प्रकार जैसे-जैसे तापमान घटता है, घनत्व बढ़ता है।
2. **लवणता (Salinity):** जैसे-जैसे लवणता बढ़ती है, घनत्व भी बढ़ता है।
3. **दाब (Pressure):** जैसे-जैसे दाब बढ़ता है, घनत्व बढ़ता है। यही कारण है कि गहराई में घनत्व सतह की तुलना में अधिक होता है।

तापमान और लवणता में से तापमान का प्रभाव घनत्व पर अधिक होता है। यही कारण है कि ध्रुवीय क्षेत्र में, भले ही लवणता कम हो, लेकिन तापमान कम होने के कारण घनत्व अधिक होता है।

महासागरीय धाराएँ (Ocean Currents)

सतही महासागरीय धाराएँ प्रचलित हवाओं और पृथ्वी की घूर्णन गति द्वारा संचालित होती हैं। ये धाराओं को परिसंचारी भँवरों या महासागरीय चक्र में ले जाती हैं। सतह से 100 मीटर से अधिक नीचे गहरे समुद्र की धाराएँ घनत्व में अंतर के कारण संचालित होती हैं। इसी कारण ये नीचे की ओर जाती हैं और ऊपर की ओर उठती हैं।

महासागरीय धाराओं के कारण (Causes of Ocean Currents)

महासागरीय धाराओं के मुख्य कारण निम्नवत हैं:

1. भूमध्य रेखीय महासागरों और ध्रुवीय महासागरों का तापमान अलग-अलग होना।
2. व्यापारिक हवाएँ और पश्चिमी हवाएँ।
3. कोरिओलिस प्रभाव।
4. महासागरों की लवणता और तापमान में भिन्नताएँ।
5. समुद्र तट और महासागर तल का विन्यास।
6. गुरुत्वाकर्षण (घनत्व के माध्यम से प्रभावित होता है। अधिक घने तरल पदार्थ डूब जाते हैं)

सतही महासागरीय धाराएँ कैसे चलती हैं? (How do the Surface Oceanic Currents Move?)

- ये सब भूमध्य रेखीय धाराओं से शुरू होती हैं। ये मुख्य रूप से व्यापारिक पवनों द्वारा संचालित होती हैं, जो भूमध्य रेखीय क्षेत्र में पूर्व से पश्चिम की ओर बहती हैं।
- ये धाराएँ, जो गर्म जल ले जाती हैं, तब तक पश्चिम की ओर बढ़ती रहती हैं जब तक कि वे महाद्वीपीय सीमाओं, जो उनके पश्चिम की ओर प्रवाह को बाधित करती हैं, तक नहीं पहुँच जाती।
- ये जल महासागरों की पश्चिमी सीमा पर जमा होना शुरू हो जाता है, और निम्न एवं उच्च अक्षांशों के बीच एक ढाल बन जाता है। भूमध्य रेखीय जल का ऊष्मीय विस्तार और उच्च अक्षांशीय जल का उनके तापमान के कारण ऊष्मीय संपीडन, इस ढाल के निर्माण में और सहायता करते हैं।
- यह गर्म जल फिर ध्रुवों की ओर तेज गति से बहने लगता है, जिससे गर्म, तेज और संकीर्ण पश्चिमी सीमा धाराएँ बनती हैं।
- जैसे-जैसे ये धाराएँ 30 डिग्री अक्षांशों से आगे पश्चिमी हवाओं के प्रभाव का सामना करती हैं, यहाँ से जल महासागरों की पूर्वी सीमाओं की ओर बहना शुरू हो जाता है।
- अब जल महासागरों की पूर्वी सीमाओं के उच्च अक्षांशों पर जमा हो जाता है। महासागरों की पूर्वी सीमाओं के निम्न अक्षांशों पर व्यापारिक हवाएँ जल को हटा रहीं होती हैं। ये दोनों क्रियाएँ एक ढाल बनाती हैं जिससे उच्च अक्षांशों से जल भूमध्य रेखा की ओर बढ़ने लगता है।
- चूँकि यह जल उच्च से निम्न अक्षांशों की ओर बह रहा होता है, इसलिए यह जल ठंडा होता है। साथ ही, यहाँ जो ढाल बनता है, वह पश्चिमी सीमा की तुलना में मद्धम होता है। इससे महासागरों की पूर्वी सीमाओं पर ठंडी, संकरी और धीमी ठंडी धाराएँ बनती हैं।
- सीमांत धाराएँ (पूर्वी और पश्चिमी) और खुली महासागरीय धाराएँ मिलकर, विश्व भर में महासागरों के चक्रीय परिसंचरण का निर्माण करती हैं।

सामान्य तौर पर, गर्म महासागरीय धाराएँ भूमध्य रेखीय क्षेत्रों से ध्रुवीय क्षेत्रों में गर्म जल लाती हैं और ठंडी महासागरीय धाराएँ ध्रुवीय क्षेत्रों से भूमध्य रेखीय क्षेत्रों में ठंडा जल लाती हैं।

महासागरों में उष्मा और पोषक तत्वों के क्षैतिज हस्तांतरण में मदद करने वाली इन सतही धाराओं के अलावा, गहरी समुद्री धाराएँ भी हैं। प्रमुख महासागरीय धाराओं को चित्र 4.8 में दर्शाया गया है और तालिका 4.3 में सूचीबद्ध किया गया है।

गहरी महासागरीय धाराएँ कैसे चलती हैं? (How do the Deep Oceanic Currents move?)

- ध्रुवों पर ठंडा सघन जल नीचे की ओर जाता है: अधोगति (Downwelling)
- पूर्वी सीमांत धाराओं के उष्णकटिबंधीय भागों में, व्यापारिक पवनें जल को हटा रही होती हैं, जिस कारण ये पूर्वी से पश्चिमी महासागरीय सीमा की ओर चलती हैं। जल के इस निरंतर निष्कासन की भरपाई धीमी गति से चलने वाली पूर्वी सीमांत धाराओं और महासागरीय तल से ऊपर उठने वाले जल, दोनों से होती है।
- यह नीचे की ओर और ऊपर की ओर बहने वाली धाराएँ महासागरों में ऊष्मा और पोषक तत्वों के ऊर्ध्वाधर हस्तांतरण में मदद करती हैं।

अल-नीनो (El-Niño)

अल-नीनो घटना तब होती है जब प्रशांत महासागर में पूर्व से पश्चिम की ओर बहने वाली भूमध्य रेखीय जलधारा कमजोर हो जाती है या उलट जाती है, जिससे गर्म जल दक्षिण अमेरिका के पश्चिमी तट पर चला जाता है। अल-नीनो वर्ष में, पेरू के तट पर गर्म जल की धारा दिखाई देती है जो सामान्य रूप

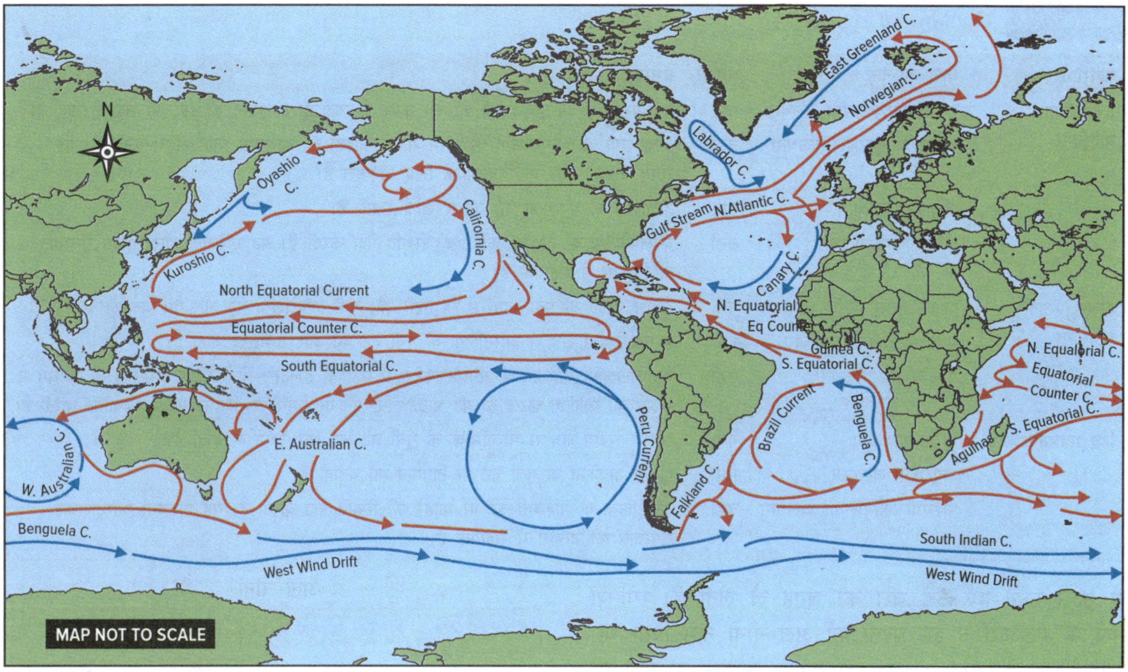

चित्र 4.8

विश्व की प्रमुख सतही महासागरीय धाराएँ

तालिका 4.3 विश्व की प्रमुख महासागरीय धाराएँ

महासागर	धारा का नाम	प्रकृति	प्रभाव
उत्तरी अटलांटिक महासागर	उत्तरी भूमध्य रेखीय जलधारा	गर्म	गिनी की खाड़ी के गर्म जल को दक्षिण अमेरिका की ओर ले जाती है।
	ऐण्टीलिस जलधारा	गर्म	ऐण्टीलिस का तापमान पूरे साल 25°C से ऊपर रखता है।
	खाड़ी की जलधारा (गल्फ स्ट्रीम)	गर्म	लैब्राडोर की धारा के साथ इसका संगम न्यू फाउंडलैंड के तटों पर घना कोहरा पैदा करती है। यह दुनिया के महत्वपूर्ण मछली पकड़ने के मैदानों में से एक है।
	उत्तरी अटलांटिक बहाव	गर्म	यह उच्च अक्षांशों पर स्थित मरमंस्क और सेवेरोडविंस्क (रूस) जैसे नॉर्वे सागर और बैरेंट्स सागर के बंदरगाहों को पूरे साल व्यापार के लिये खुला रखती है।
	लैब्राडोर की जलधारा	ठंडी	लैब्राडोर और खाड़ी की धारा (गल्फ स्ट्रीम) मिलकर न्यू फाउंडलैंड के क्षेत्र में घना कोहरा पैदा करती है जो मछली पकड़ने के लिए अनुकूल परिस्थितियाँ बनाता है। कोहरे के कारण नौवहन में बाधा पड़ती हैं।
	कैकेनरी जलधारा	ठंडी	उत्तरी अफ्रीका के पश्चिमी तट पर कोहरा पैदा करती है। यह सहारा रेगिस्तान की उत्पत्ति में सहायक है।
दक्षिण अटलांटिक महासागर	दक्षिण भूमध्य रेखीय धारा	गर्म	गिनी की खाड़ी से गर्म जल को ब्राजील की ओर ले जाती है।
	ब्राजील जलधारा	गर्म	दक्षिण अमेरिका के पूर्वी तट को गर्म रखती है।
	बेंगुला धारा	ठंडी	नामीबिया के तट पर कोहरे की स्थिति पैदा करती है। नामीबिया और कालाहारी के रेगिस्तान के विकास में सहायक।

(Continued)

तालिका 4.3 *(Continued)*

महासागर	धारा का नाम	प्रकृति	प्रभाव
उत्तरी प्रशांत महासागर	उत्तरी भूमध्य रेखीय जलधारा	गर्म	पूर्वी प्रशांत क्षेत्र से पूर्वी इंडीज की ओर ऊष्मा ले जाती है। अलास्का की ओर गर्म जल ले जाती है।
	ओयाशियो/क्युराइल जलधारा	ठंडी	ओयाशियो और क्युरोशियो के संगम से होक्काइडो के आसपास घना कोहरा बनता है। यह संगम मत्स्य पालन के विकास के लिए अनुकूल है।
	अलास्का जलधारा	गर्म	अलास्का के बंदरगाहों को वर्षभर खुला रखती है।
	कैलिफोर्निया जलधारा	ठंडी	कैलिफोर्निया के तट पर कोहरे की स्थिति पैदा करती है। यह एरिजोना और सोनारा रेगिस्तान के विकास में सहायक है।
दक्षिण प्रशांत महासागर	दक्षिण भूमध्य रेखीय जलधारा	गर्म	दक्षिण प्रशांत के पूर्वी भागों से न्यू गिनी और पूर्वी ऑस्ट्रेलिया की ओर गर्म जल ले जाती है।
	पूर्वी ऑस्ट्रेलियाई जलधारा	गर्म	भूमध्य रेखीय क्षेत्र से ऑस्ट्रेलिया के पूर्वी तट की ओर उष्मा ले जाती है।
	पेरू/हम्बोल्ट जलधारा	ठंडी	यह अटाकामा रेगिस्तान के रेगिस्तानीकरण में सहायक है। अल-नीनो दक्षिण अमेरिका के पश्चिम में मौसम को प्रभावित करता है। यह भारतीय मानसून के समय पर आगमन को भी प्रभावित करती है।
हिंद महासागर	मोजाम्बिक धारा	गर्म	भूमध्य रेखीय क्षेत्र से मोजाम्बिक के पूर्वी तट की ओर उष्मा ले जाती है।
	अगुलहास जलधारा	गर्म	दक्षिण अफ्रीका के पूर्वी तट पर तापमान को बढ़ाती है।
	पश्चिमी ऑस्ट्रेलियाई जलधारा	ठंडी	ऑस्ट्रेलिया के पश्चिमी तट पर कोहरे की स्थिति पैदा करती है। यह पश्चिमी ऑस्ट्रेलियाई रेगिस्तान की उत्पत्ति में सहायक है।

से ऊपर उठते हुए ठंडे जल की जगह ले लेती है। स्पेनिश मूल के मछुआरों ने इस घटना को अल-नीनो नाम दिया था। इसका अर्थ है 'छोटा बच्चा', जो बालक क्राइस्ट के नाम पर है क्योंकि यह घटना अक्सर दिसंबर के अंत में दिखाई देती है। 1541 में पहली बार इसके दिखाई पड़ने के बाद से अल-नीनो अक्सर होता रहा है।

कुछ वर्षों में, अल-नीनो सामान्य से अधिक मजबूत और असाधारण रूप से गर्म हो जाता है। यह चिली और पेरू के तटीय अटाकामा रेगिस्तान में बारिश पैदा करता है। बारिश के कारण वनस्पतियों की वृद्धि होती है। रेगिस्तान भेड़ और बकरियों के झुंडों के लिए प्रचुर मात्रा में चरागाह प्रदान करता है।

प्रशांत महासागर के निम्न अक्षांशों में, महासागर का सतही तापमान औसतन 26°C से 27°C के आसपास रहता है। ये सतही तापमान परिवर्तन ज्यादातर भूमध्य रेखा के 8°C के भीतर होते हैं। अल-नीनो वर्ष में सतह का तापमान 3 डिग्री सेल्सियस से अधिक बढ़ जाता है। अल-नीनो के दौरान, गर्म जल का क्षेत्र पूर्व की ओर फैलता है और अभिसरण एवं वर्षा का क्षेत्र पूर्व की ओर खिसकता है **(चित्र 4.9)**। परिणामस्वरूप, दक्षिण अमेरिका के पश्चिमी तट के साथ पूर्वी प्रशांत महासागर में वर्षा बढ़ जाती है। दाब अंतर कम हो जाता है और व्यापारिक हवाएँ धीमी हो जाती हैं। डार्विन (ऑस्ट्रेलिया) और ताहिती द्वीप के बीच दाब अंतर दक्षिणी दोलन को दर्शाता है। अल-नीनो के दौरान, डार्विन में दाब बढ़ जाता है, परिणामस्वरूप, वर्षा कम हो जाती है जबकि इसके विपरीत, ताहिती में वायु दाब कम हो जाता है और वर्षा बढ़ जाती है।

अल-नीनो

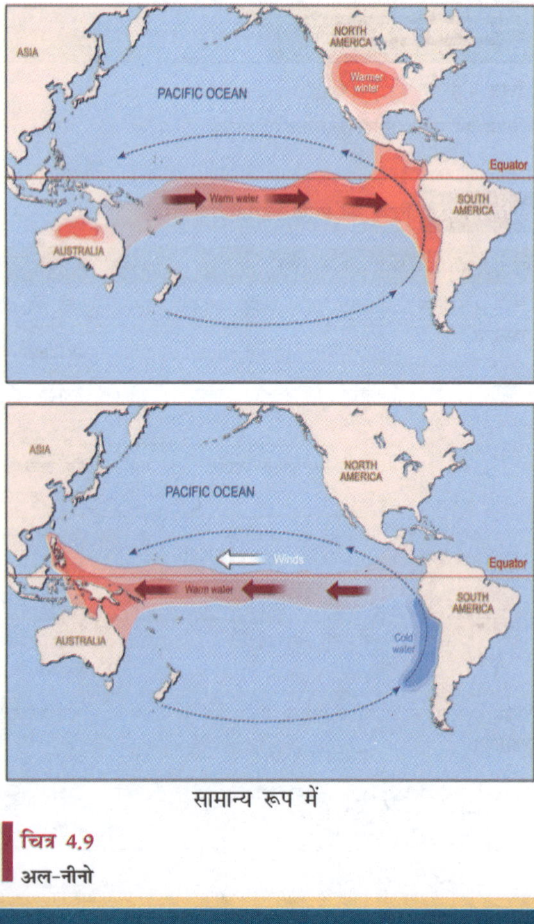

सामान्य रूप में

चित्र 4.9
अल-नीनो

वर्ष 1982-1983 के परिणाम - सबसे गंभीर अल-नीनो वर्ष में निम्नलिखित प्रभाव दर्ज किए गए-

1. दक्षिण एशिया (भारत, बांग्लादेश, श्रीलंका, नेपाल, भूटान और म्यांमार) और दक्षिण-पूर्व एशिया (इंडोनेशिया, वियतनाम, थाईलैंड, मलेशिया, चीन, आदि) में मानसून विफल रहा।
2. दक्षिण पूर्व एशिया और अफ्रीका के साहेल क्षेत्र में सूखा पड़ा।
3. ऑस्ट्रेलिया और न्यूजीलैंड में सूखा पड़ा।
4. पेरू, इक्वाडोर, कोलंबिया और चिली (एंडीज माउंट) में भारी बारिश, बाढ़ और भूस्खलन हुआ।
5. ताहिती में उष्णकटिबंधीय चक्रवातों की आवृत्ति में वृद्धि हुई।
6. अलास्का और उत्तर-पश्चिमी कनाडा में सामान्य से अधिक तापमान रहा।
7. 25 वर्षों में यूएसए में सबसे गर्म सर्दियाँ रही।
8. क्यूबा और लुइसियाना (यूएसए) में बाढ़ आयी।
9. प्रशांत महासागर और कैरेबियन सागर में प्रवालभित्तियों की मृत्यु।
10. पेरू के तट पर मछलियों की कमी।
11. प्रशांत महासागर के द्वीपों में समुद्री पक्षियों की उच्च मृत्यु दर।
12. मलेरिया के मामलों में वृद्धि। दक्षिण और दक्षिण-पूर्व एशियाई और लैटिन अमेरिकी देशों में बुखार का प्रकोप।

अल-नीनो का पूर्वानुमान (Forecasting El-Nino)

अल-नीनो घटनाएँ आवधिक प्रकृति की नहीं होती हैं। इसका तात्पर्य है कि वे पूर्व-निर्धारित आवृत्ति पर नहीं होती हैं। इसके अलावा, जलवायु परिवर्तन के कारण उनकी आवृत्ति, सामान्य रूप से, बढ़ गई है। जब से इनका दस्तावेजीकरण किया गया है, ये औसतन हर सात साल बाद एक बार होती हैं। अल-नीनो के पूर्वानुमान में बहुत कठिनाई होती है क्योंकि इसका कोई निश्चित अंतराल नहीं होता है। प्रत्येक घटना अलग-अलग शुरू होती है और विकसित होती है। वर्तमान में उनकी उत्पत्ति के बारे में कई परिकल्पनाएँ हैं। एक मत यह है कि यह समुद्र तल पर मैग्मा के बाहर निकलने के परिणामस्वरूप समुद्र तल पर बड़ी मात्रा में गर्मी के निकलने का परिणाम है। एक अन्य मत यह है कि ENSO एशिया में पिछली सर्दियों में उच्च हिमपात का परिणाम है, अर्थात, जब किसी दी गयी सर्दियों में यूरेशियन भूमि पर बहुत अधिक बर्फ गिरती है, तो बहुत अधिक बर्फ पिघलती भी है। पिघले हुए जल की उच्च मात्रा भूमि के सामान्य ग्रीष्मकालीन ताप को कम कर देती है। दुर्भाग्य से, किसी भी परिकल्पना को स्थापित करने और उनका परीक्षण करने के लिये शायद अनेक ENSO घटनाओं का अध्ययन करना होगा।

ला-नीना (La Niña)

जब प्रशांत महासागर में भूमध्य रेखा के साथ तापमान लगभग 4°C तक गिर जाता है, तो यह पूर्वी प्रशांत में असामान्य रूप से ठंडा मौसम लाता है। पेरू के मछुआरे इस भूमध्य रेखीय जल के अचानक ठंडा होने को ला-नीना कहते हैं, जो स्पेनिश में 'लड़की' के लिए प्रयुक्त होता है। इस घटना का नाम पहली बार 1986 में रखा गया था। ला-नीना सामान्य दक्षिणी दोलन को बढ़ा देती है। ला-नीना के दौरान, व्यापारिक पवनें मजबूत होती हैं, दक्षिण अमेरिका के तट के पास का जल ठंडा होता है, और भूमध्य रेखा के पास पश्चिमी प्रशांत में जल सामान्य से गर्म होता है (चित्र 4.10)। पश्चिमी प्रशांत में, सतही दाब कम होता है और भारी वर्षा होती है। ला-नीना

ला नीना

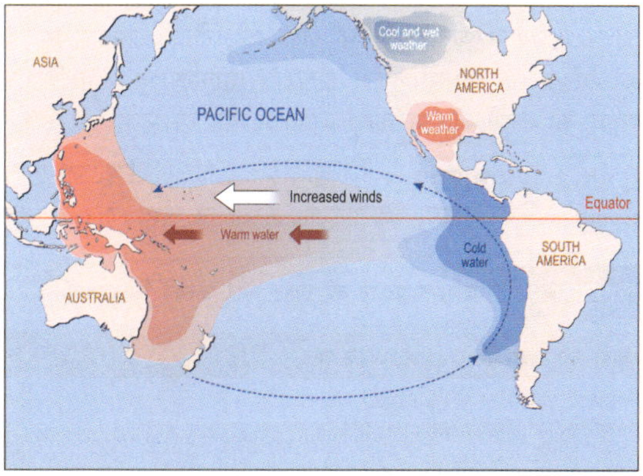

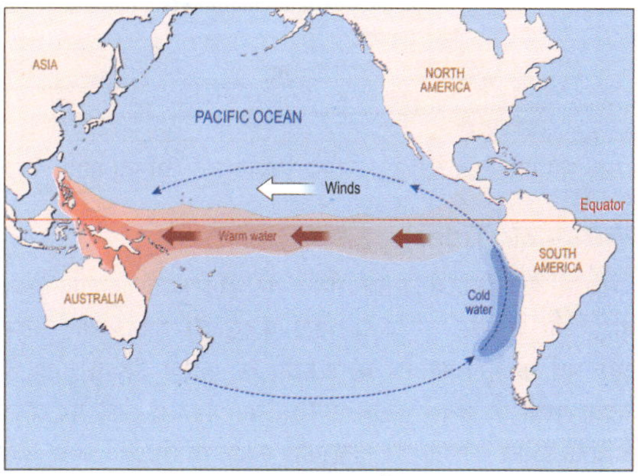

सामान्य रूप में

चित्र 4.10

(क) ला-नीना के दौरान महासागर का तापमान और हवा की दिशा
(ख) थर्मोकलाइन दक्षिण अमेरिका के पश्चिम में सतह तक पहुँचती है। गर्म जल पश्चिमी प्रशांत महासागर तक ही सीमित होता है। इससे बादलों के आवरण और वर्षा को पश्चिमी प्रशांत महासागर के दूरस्थ क्षेत्रों तक सीमित कर दिया जाता है।

के वर्ष में, दक्षिण-पूर्व और दक्षिण एशिया में सामान्य से अधिक ग्रीष्मकालीन वर्षा होती है। ऐसे वर्ष में उष्णकटिबंधीय चक्रवातों की आवृत्ति अधिक होती है, जिसके परिणामस्वरूप बांग्लादेश और भारत के पूर्वी तट (ओडिशा, आंध्र प्रदेश, तमिलनाडु और पश्चिम बंगाल) के साथ हजारों लोग मारे जाते हैं।

लहरें (Waves)

दो गड्ढों के बीच जल की घाटी को लहर कहते हैं। यह जल की नहीं बल्कि ऊर्जा की गति है। लहरों में, ऊर्जा के आगे बढ़ने के साथ जल के कण ऊपर-नीचे चलते हैं। जैसे-जैसे लहरें तट के पास आती हैं, वे एक चाप में मुड़ जाती हैं और टूट जाती हैं। सतही लहरों की ऊर्जा तट के कटाव के लिए जिम्मेदार होती है। लहरें धाराओं को भी शुरू करती हैं जो तट के साथ चलती हैं और लंबे समय तक तट के बहाव में चलती हैं। एक लहर की ऊंचाई आमतौर पर हवा के वेग के वर्ग के समानुपाती होती है। **तालिका 4.4** में विभिन्न प्रकार की लहरों और उनकी विशेषताओं को समझाया गया है।

सुनामी (Tsunamis): ये विशेष प्रकार की लहरें हैं, जो पवनों से नहीं, बल्कि भूकंप, ज्वालामुखी, भूस्खलन जैसी जल के नीचे की घटनाओं के कारण समुद्री बेसिन के ऊर्ध्वाधर बदलाव के कारण उत्पन्न होती हैं। यह उल्का पिंडों या मानवजनित गतिविधियों (जल के नीचे परमाणु परीक्षण) के कारण भी हो सकती है।

इन लहरों की तरंगदैर्ध्य बहुत लंबी होती है और ऊँचाई खुले महासागरों में लगभग नगण्य होती है। यद्यपि, जब तटों के पास जल उथला होने लगता है, तो अपनी ऊर्जा (तरंगदैर्ध्य) को बचाने के लिए ये लहरें बहुत ऊँची हो जाती हैं। जब जल का यह ऊँचा स्तंभ तटों से टकराता है, तो यह मौत और विनाश का कारण बनता है। उदाहरण के लिए 2004 में हिंद महासागर में आई सुनामी; 2011 में जापान में आई सुनामी।

सार्गासो सागर

दुनिया का एकमात्र सागर है जिसकी कोई तटरेखा नहीं है। यह उत्तर अटलांटिक चक्रगति (gyre) के बीच में स्थित है, जो चलती हुई महासागरीय धाराओं से घिरा हुआ है। इसका नाम "सारगासम" (Sargassum) नामक समुद्री शैवाल के नाम पर रखा गया है जो यहाँ उगती है और विविध समुद्री जीवों को पर्यावास प्रदान करती है।

तालिका 4.4 विभिन्न प्रकार की लहरें और उनकी विशेषताएं

लहर का प्रकार	अवरोधक बल	पुनर्स्थापना बल	विशिष्ट तरंगदैर्ध्य
केशिका तरंगें	आमतौर पर पवन	जल के अणुओं का सामंजस्य	1.73 सेमी (0.68 इंच) तक
पवन लहर	समुद्र के ऊपर की पवन	गुरुत्वाकर्षण	60-150 मीटर (200-500 फीट)
सेइचे	वायुमंडलीय दबाव में परिवर्तन, तूफान वृद्धि, सुनामी	गुरुत्वाकर्षण	बड़ा, परिवर्तनशील; महासागरीय घाटी के आकार का परिणाम
भूकंपीय समुद्री लहरें (सुनामी)	समुद्र तल का भ्रंश, ज्वालामुखी विस्फोट, भूस्खलन	गुरुत्वाकर्षण	200 किमी (125 मील)

स्रोत: टॉमगैरिसन (2012)। समुद्र विज्ञान की अनिवार्यताएँ, छठा संस्करण, ब्रुक्स/कोल, सेन्गेज लर्निंग, पृ. 201

ज्वार-भाटा (Tides)

समुद्र के जलस्तर में समय-समय पर होने वाली अल्पकालिक वृद्धि और गिरावट को ज्वार-भाटा कहते हैं। यह पृथ्वी, चंद्रमा और सूर्य के गुरुत्वाकर्षण के टकराने के कारण उत्पन्न होता है। चंद्रमा पृथ्वी के सबसे करीब होने के कारण ज्वार-भाटे पर सबसे अधिक प्रभाव डालता है। जब कोई स्थान चंद्रमा की ओर होता है, तो उसे उच्च ज्वार का अनुभव होता है। उसी समय, पृथ्वी का केन्द्रापसारक बल, चंद्रमा के गुरुत्वाकर्षण के बराबर और विपरीत दिशा में कार्य करते हुए, विपरीत दिशाओं में स्थित जल को भी ऊपर उठाता है। इस बीच, उच्च ज्वार वाले स्थानों से 90 डिग्री पर स्थित स्थानों पर निम्न ज्वार का अनुभव होता है।

दुनिया का एकमात्र ऐसा समुद्र जिसकी कोई तटरेखा नहीं है। यह उत्तरी अटलांटिक चक्रगति (gyre) के मध्य में स्थित है, जो गतिशील समुद्री धाराओं से घिरा हुआ है। इसका नाम "सरगासम" (Sargassum) नामक खरपतवार के नाम पर रखा गया है जो यहाँ उगता है और समुद्री जीवों की एक बड़ी विविध ता को आवास प्रदान करता है।

दीर्घ (वसंत) ज्वार (Spring Tides) और लघु ज्वार (Neap Tides)

पूर्णिमा और अमावस्या पर, चूंकि सूर्य, चंद्रमा और पृथ्वी एक सीधी रेखा में होते हैं, इसलिए पृथ्वी के जल पर सूर्य और चंद्रमा का गुरुत्वाकर्षण खिंचाव जुड़ जाता है। इसलिए इन ज्वारों पर होने वाले ज्वार उच्चतम उच्च और निम्नतम निम्न ज्वार होते हैं, जिन्हें वसंत ज्वार के रूप में जाना जाता है, जबकि महीने की पहली और तीसरी तिमाही (सप्ताह) में ज्वार सामान्य से कम होते हैं, जिन्हें निम्न ज्वार के रूप में जाना जाता है क्योंकि इस स्थिति के

दौरान सूर्य और चंद्रमा के गुरुत्वाकर्षण खिंचाव एक - दूसरे को रद्द कर देते हैं। इस प्रकार, हमें निम्नतम उच्च और उच्चतम निम्न ज्वार मिलते हैं (चित्र 4.11)।

याद रखने की युक्ति (Learning Trick)

दीर्घ ज्वार और लघु ज्वार

वसंत (दीर्घ) → विकास का मौसम होता है।

वसंत ज्वार → ऐसे ज्वार जो अपने समकक्ष ज्वारों की तुलना में अधिक "बढ़े" हुए होते हैं। वसंत ज्वार के दौरान हमें सर्वाधिक ऊंचे उच्च ज्वार और सर्वाधिक कम निम्न ज्वार मिलते हैं।

नीप (लघु) → शब्द "नेप" शब्द से आया है, जिसका अर्थ है प्रारम्भ में ही नष्ट हो जाना। इसलिए नीप ज्वार में उनके समकक्ष ज्वारों की तुलना में सबसे अधिक रुका हुआ विकास होता है। नीप ज्वार के दौरान, हम सबसे कम ऊँचा उच्च ज्वार और सर्वाधिक नीचा निम्न ज्वार देखते हैं।

दुनिया में सबसे ऊंचे ज्वार फ़ुंडी की खाड़ी में आते हैं। भारत में सबसे ऊंचे ज्वार गुजरात के खंभात की खाड़ी में दर्ज किए गये हैं।

अपने अक्ष पर घूम रही पृथ्वी को समान याम्योत्तर को लंबवत रूप से प्रतिदिन चंद्रमा के नीचे लाने में 24 घंटे 52 मिनट लगते हैं। इसलिए, ज्वार 12 घंटे और 26 मिनट के नियमित अंतराल पर आते हैं। सामान्यत: ज्वार दिन में दो बार आता है।

ज्वार-भाटे के गुण (Merits of Tides)

ज्वार आमतौर पर कुछ नदियों को समुद्री जहाजों के लिए नौगम्य बनाने में मदद करते हैं। उदाहरण के लिए, लंदन और कोलकाता क्रमश: **टेम्स और हुगली** के मुहाने की ज्वारीय प्रकृति के कारण महत्वपूर्ण बंदरगाह बन गए हैं। ज्वार नदियों द्वारा लाए गए तलछट को भी धो देते हैं और इस प्रकार, डेल्टा के गठन को धीमा कर देते हैं और तटीय क्षेत्रों को साफ करने में मदद करते हैं। ये तटीय क्षेत्रों से प्रदूषकों को भी दूर कर सकते हैं।

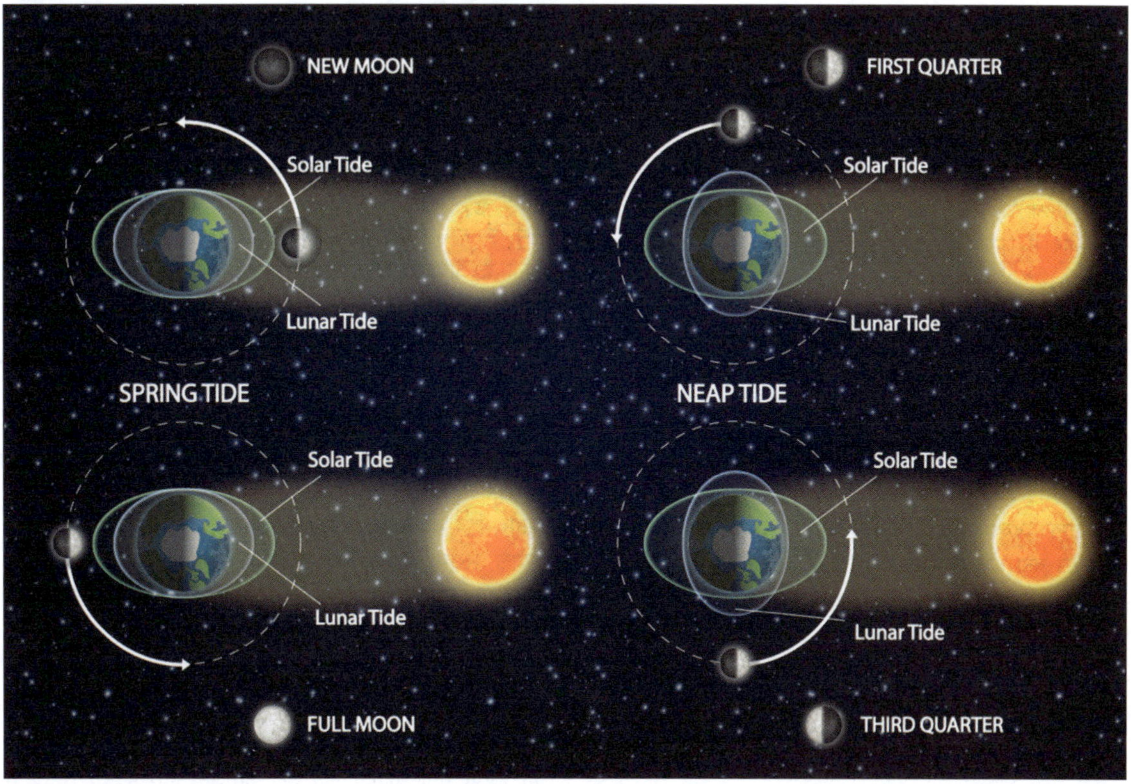

चित्र 4.11

वसंत (दीर्घ) और नीप (लघु) ज्वार के दौरान सूर्य, चंद्रमा और पृथ्वी की सापेक्ष स्थिति

त्वरित पुनरावलोकन (Quick Revision)

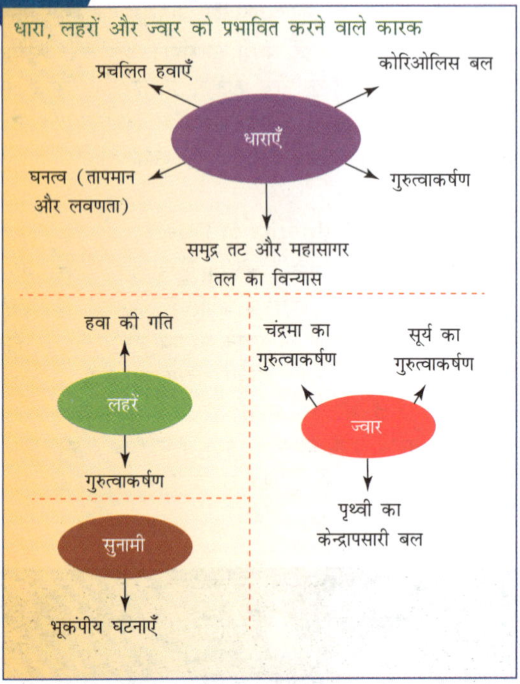

ज्वारीय बल का उपयोग बिजली उत्पादन के स्रोत के रूप में भी किया जा सकता है। ज्वारीय ऊर्जा का उत्पादन पहले फ्रांस और बाद में जापान ने शुरू किया था।

भारत खंबात और कच्छ की खाड़ी में ज्वारीय ऊर्जा का उत्पादन करता है। भारत ने गुजरात और पश्चिम बंगाल में कुछ ज्वारीय संयंत्र बनाने की योजना बनाई थी, लेकिन उच्च लागत के कारण ऐसा नहीं किया जा सका।

प्रवाल भित्तियाँ (Coral Reefs)

प्रवाल भित्ती कैल्शियम कार्बोनेट (एरागोनाइट और कैल्साइट) का एक रैखिक द्रव्यमान है जो प्रवाल जीवों, शैवालों, मोलस्क, कीड़ों आदि से बना होता है। प्रवाल भित्ती सामग्री में आधे से भी कम योगदान दे सकते हैं। अधिकांश भित्ती में, प्रमुख जीव पथरीले कोरल पॉलीप्स होते हैं जो कैल्शियम कार्बोनेट (चूना पत्थर) का स्राव करते हैं। ये प्रवाल पॉलीप्स जूक्सैन्थेला नामक शैवाल के साथ सहजीवी संबंध में रहते हैं। ये शैवाल प्रवाल को रंग और प्रकाश संश्लेषण के माध्यम से भोजन प्रदान करते हैं, जबकि प्रवाल उन्हें एक आवास प्रदान करते हैं।

चूंकि जूक्सैन्थेला प्रकाश संश्लेषण के माध्यम से भोजन बनाते हैं, इसलिए उन्हें सूर्य के प्रकाश की आवश्यकता होती है। यही कारण है कि ये भित्ती बनाने वाले प्रवाल शायद ही कभी 50–70 मीटर की गहराई से नीचे पाए जाते हैं। वे नदी के मुहाने के पास भी नहीं पाए जाते हैं क्योंकि उन्हें सूर्य के प्रकाश के प्रवेश के लिए साफ जल की आवश्यकता होती है। प्रवाल भित्ती को उनकी जबरदस्त जैव विविधता के कारण 'महासागरों के वर्षावन' के रूप में भी जाना जाता है। प्रवाल भित्तियों को मोटे तौर पर निम्नलिखित श्रेणियों में वर्गीकृत किया जा सकता है:

1. **तटीय प्रवाल भित्तियाँ (Fringing Reef):** ये प्रवाल भित्तियाँ तट से सटी होती है या बीच में उथले चौनल या लैगून से इसकी सीमा बनाती है।
2. **प्रवाल रोधिका (Barrier Reef):** ये रीफ मुख्य भूमि या द्वीप के किनारे से गहरे लैगून द्वारा अलग होती है जिसे "बैरियर" कहा जाता है, क्योंकि इसकी उपस्थिति तटीय स्थानों पर जहाजों की मुक्त आवाजाही में बाधा डालती है। क्वींसलैंड के पूर्व में स्थित ग्रेट बैरियर रीफ पृथ्वी पर सबसे बड़ी जीवित संरचना है। यह 2000 किमी से भी अधिक दूरी तक फैली हुई है।
3. **एटॉलरीफ (Atoll Reef):** यह कमोबेश गोलाकार या निरंतर बैरियर रीफ जो बिना किसी केंद्रीय द्वीप के लैगून के चारों ओर फैली होती है।

विश्व में प्रवाल भित्तियों का वितरण (Distribution of Coral Reefs in the World): प्रवालों को अपने विकास के लिए कुछ विशिष्ट परिस्थितियों की आवश्यकता होती है। उन्हें गर्म, साफ, तलछट मुक्त, खारे और उथले जल की आवश्यकता होती है। प्रवालों के बढ़ने के लिए लहर की क्रिया न तो बहुत अधिक होनी चाहिए (प्रवाल को तोड़ सकती है), न ही बहुत कम (इससे तलछट का संचय हो सकता है)। अधिकांश प्रवाल भित्तियाँ 30°N और 30°S के बीच पाई जाती हैं, जहाँ समुद्र की सतह का औसत तापमान लगभग 21°C होता है।

एक अनुमान के अनुसार प्रवाल भित्तियाँ लगभग 284,300 वर्ग किलोमीटर में फैली हुई हैं, जिसमें हिंद-प्रशांत क्षेत्र (लाल सागर, हिंद महासागर, दक्षिण पूर्व एशिया और प्रशांत सहित) कुल प्रवाल संरचनाओं का 92 प्रतिशत हिस्सा है। कैरिबियन प्रवाल भित्तियाँ दुनिया की कुल प्रवाल संरचनाओं का लगभग 7.5 प्रतिशत हिस्सा हैं (चित्र 4.12)।

अमेरिका के पश्चिमी तट और अफ्रीका के पश्चिमी तट पर प्रवाल भित्तियाँ लगभग अनुपस्थित हैं। पाकिस्तान से बांग्लादेश तक दक्षिण एशिया की तटरेखा तक प्रवाल की सीमित उपस्थिति भी हैं। वे गंगा-ब्रह्मपुत्र नदी और अमेजन नदी के डेल्टा क्षेत्र में भी नहीं पायी जाती हैं नरम प्रवाल इन भित्तियों पर रह सकते हैं, लेकिन स्वयं भित्तियों का निर्माण करने में असमर्थ हैं।

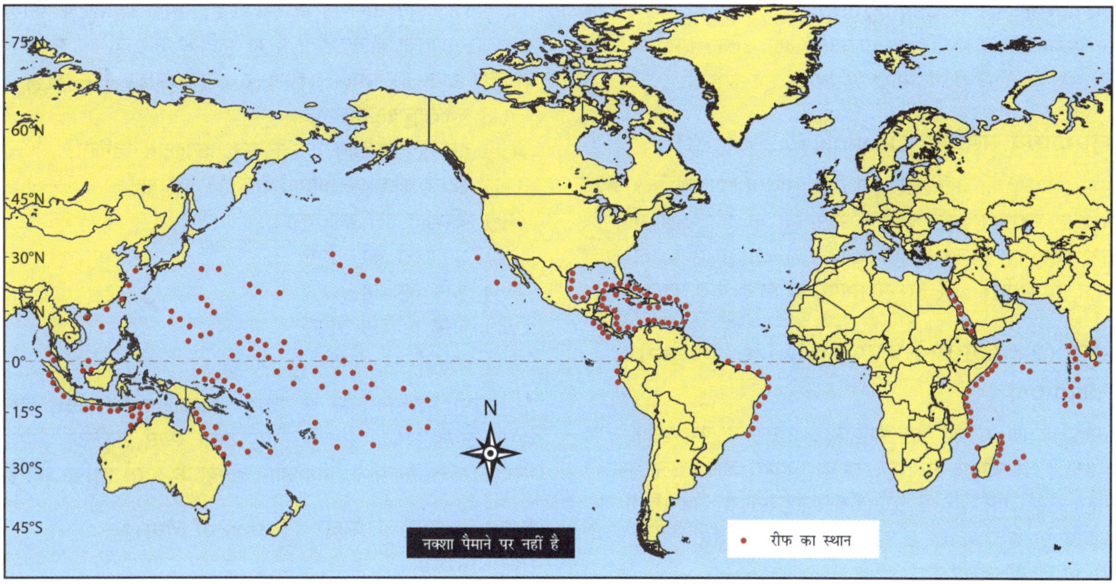

चित्र 4.12
प्रवाल भित्ति का वितरण

इन रंगीन भित्तियों के अलावा, जो केवल उष्णकटिबंधीय क्षेत्रों में मौजूद हैं, हम उच्च अक्षांशों के गहरे ठंडे जल में ठंडे मूंगों द्वारा बनाई गई भित्तियाँ पाते हैं। चूँकि इन ठंडी मूंगे की भित्तियों में जूक्सैन्थेला नहीं होता है, इसलिए ये भित्तियाँ हल्के और सफेद रंग की होती हैं। हमारे पास मौजूद मूंगों का एक और प्रकार काला मूंगा है, जो उष्णकटिबंधीय भित्तियों में और गहरे जल वाले स्थानों (30–300 मीटर गहराई) में भी पाया जा सकता है। मेलेनिन नामक प्रोटीन की उपस्थिति के कारण इनका रंग ऐसा होता है। भारत में, मूंगे दोनों तटों पर, साथ ही अंडमान और निकोबार द्वीप समूह और लक्षद्वीप द्वीप समूह में पाए जाते हैं।

महासागरीय निक्षेप (Oceanic Deposits)

विभिन्न स्रोतों से प्राप्त तलछट, जो महासागरीय तल पर जमा हो जाती हैं, महासागरीय निक्षेप कहलाती हैं। इनके स्रोतों के आधार पर, इन्हें निम्नवत वर्गीकृत किया जा सकता है:

1. **स्थलीय (Terrigenous):** भूमि से प्राप्त सामग्री, जो मुख्य रूप से महाद्वीपीय मार्जिन (सीमाओं) पर जमा होती है। उदाहरण के लिए, लहरों, नदियों, हवाओं आदि द्वारा जमा की गई सामग्री।
2. **जैवजनित (Biogenous):** महासागरीय जीवों के अवशेषों से प्राप्त सामग्री से बनी तलछट है। यह महाद्वीपीय सीमाओं (मार्जिन) और अथाह सागर, दोनों में पाया जाता है। इनमें ऊज निक्षेप भी शामिल हैं, जो समुद्री जीवों के खोल और कंकाल के जलीय (हाइड्रोलिक) टूटन के कारण समुद्र तल पर जमा चिपचिपा निक्षेप है। उदाहरण के लिए, कैल्केरियसऊज (फौरैमिनीफेरा, कोकोलिथोफोरस जैसे जीवों द्वारा निर्मित, जिनके पास कैल्शियम-आधारित खोल और/या कंकाल होते हैं) और सिलिसियसऊज (डायटम और रेडियोलेरियन जैसे जीवों द्वारा निर्मित, जिनमें सिलिका-आधारित संरचनाएं होती हैं)।
3. **हाइड्रोजनस (Hydrogenous):** जल से रासायनिक अवक्षेपण द्वारा निर्मित निक्षेप। ये पूरे महासागर में पाये जाते हैं। उदाहरण के लिए पॉलीमेटेलिकनोड्यूल और फॉस्फोराइट निक्षेप।

याद रखने की युक्ति (Learning Trick)

महासागर निक्षेप

निक्षेप कहाँ से आता है यह जानने के लिए, इसके मूल शब्द को देखें।

टेरा → का अर्थ होता है भूमि; टेरिजेनस का अर्थ है भूमि पर/से पैदा हुआ।

बायो → का अर्थ होता है जीवित प्राणी; बायोजेनस का अर्थ है जीवित प्राणियों से पैदा हुआ

हाइड्रो → का अर्थ होता है जल; हाइड्रोजनस का अर्थ है जल से/में पैदा हुआ।

कॉस्मो → का अर्थ है ब्रह्मांड/बाह्य अंतरिक्ष: कॉस्मोजेनस का अर्थ है बाह्य अंतरिक्ष से/में पैदा हुआ

4. **कॉस्मोजेनस (Cosmogenous):** बहुत ही दुर्लभ और महीन निक्षेप होते हैं। ये उल्काओं और उल्का पिंडों से प्राप्त होते हैं और पूरे महासागर में बिखरे हुए होते हैं।

महासागरीय संसाधन (Oceanic Resources)

हमारे जहाजों की आवाजाही के लिए सुविधा उपलब्ध कराने के अलावा, महासागर कई तरह के संसाधनों के महत्वपूर्ण स्रोत हैं। नीचे दिये गये आरेख (चित्र 4.13) में उन संसाधनों की सूची प्रदान की गयी है, जो हम महासागरों से प्राप्त कर सकते हैं।

समुद्री (महासागरीय) प्रदूषण (Marine (Ocean) Pollution)

समुद्री प्रदूषण मनुष्यों द्वारा समुद्री पर्यावरण में पदार्थ या ऊर्जा छोड़ना है, जो जीवित संसाधनों, मानव स्वास्थ्य और मछली पकड़ने सहित समुद्री गतिविधियों को नुकसान पहुंचाता है। यह समुद्री जल के उपयोग की गुणवत्ता में कमी लाता है और सुविधाओं में कमी का भी कारण बनता है।

जनसंख्या और अंतर्राष्ट्रीय व्यापार के बढ़ते दबाव के कारण समुद्री मार्ग भीड़भाड़ वाले हो गए हैं। समुद्री संसाधनों के अत्यधिक उपयोग के परिणामस्वरूप हानिकारक पदार्थों का आकस्मिक (या अनजाने में) उत्सर्जन हो सकता है। समुद्री प्रदूषण के कारण जल की गुणवत्ता बदल जाती है या भौतिक और जैविक पर्यावरण प्रभावित होता है। समुद्री प्रदूषण के प्रमुख कारण निम्नवत हैं:-

(i) ज्वालामुखी विस्फोट,
(ii) तेल-प्रदूषण-प्राकृतिक रिसाव, अपतटीय ड्रिलिंग,
(iii) तटीय परिशोधन और टैंकरों की दुर्घटनाएँ,
(iv) परिष्कृत तेल का रिसाव,
(v) अपशिष्टों का डंपिंग,
(vi) कृषि अपवाह,
(vii) घोस्ट फिशिंग गियर,
(viii) जहाजों की आवाजाही, आदि।

सभी महासागरों में से, उत्तरी अटलांटिक महासागर, अरब सागर, लाल सागर, भूमध्य सागर, उत्तरी सागर, बाल्टिक सागर, मलक्का जलडमरूमध्य, चीन सागर दुनिया के सबसे प्रदूषित क्षेत्र हैं।

समुद्री प्रदूषण के प्रकार (Types of Marine Pollution)

समुद्री प्रदूषण में कई प्रकार के प्रदूषण शामिल हैं जो समुद्री पारिस्थितिकी तंत्र को बाधित करते हैं, जिसमें रासायनिक, प्रकाश, शोर और प्लास्टिक प्रदूषण शामिल हैं।

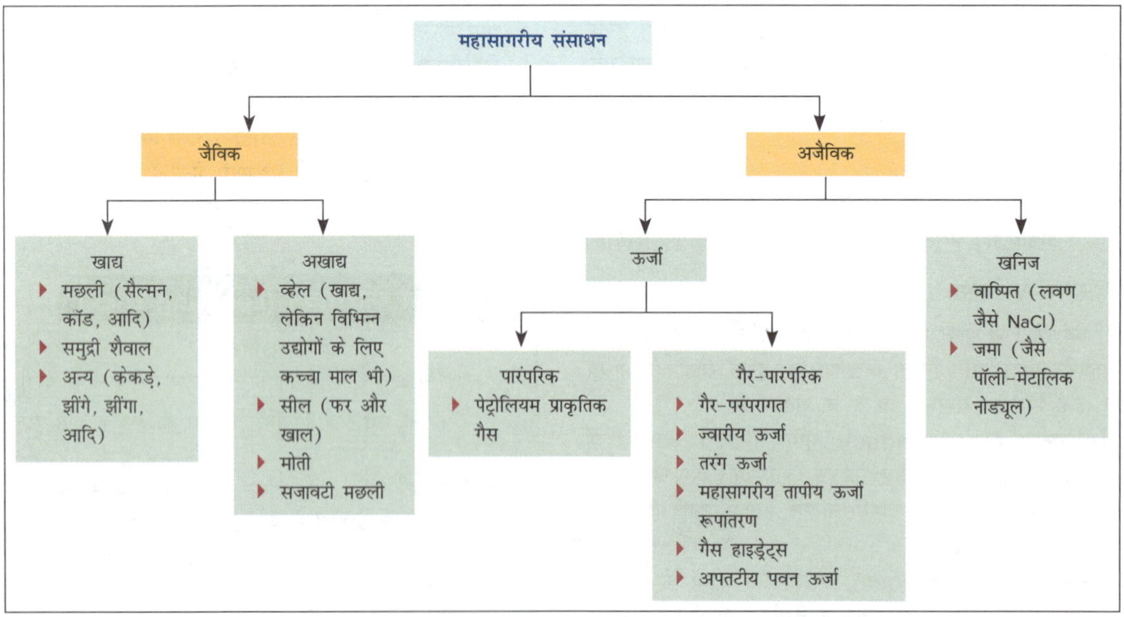

चित्र 4.13
महासागरीय संसाधन

- **रासायनिक प्रदूषण:** जल में तेल, कृषि अपवाह, सीवेज (मलजल) आदि जैसे हानिकारक प्रदूषकों के प्रवेश करने के कारण होता है।
- **प्रकाश प्रदूषण:** प्रकाश के जल में प्रवेश करने से होता है। शहरी वातावरण के पास उथली चट्टानों में रहने वाली मछलियों के लिए बहुत ही अलग दुनिया का निर्माण करता है, उनके प्राकृतिक चक्रों को बाधित करता है और उन्हें शिकारियों के लिए अधिक दृश्यमान बनाता है।
- **ध्वनि प्रदूषण:** जहाजों, सोनार उपकरणों और तेल रिगों से तेज या लगातार आने वाली आवाजों की बढ़ती उपस्थिति के कारण समुद्री पर्यावरण में प्राकृतिक शोर बाधित होता है।
- **प्लास्टिक प्रदूषण:** अपवाह और यहाँ तक कि जानबूझकर की गयी डंपिंग के कारण समुद्र में प्लास्टिक का रिसाव होता है। इसमें सर्वाधिक योगदान एकल-उपयोग प्लास्टिक का है। ये एकल-उपयोग वाली वस्तुएँ कई समुद्री स्तनधारियों द्वारा गलती से खा ली जाती हैं। फेंके गए मछली पकड़ने के जाल सालों तक बहते रहते हैं, जिनमें मछलियाँ और स्तनधारी फँस जाते हैं। अटलांटिक महासागर में प्लास्टिक की मात्रा 1960 के दशक से तीन गुना बढ़ गई है। ग्रेट पैसिफिक गारबेज पैच नॉर्थ पेसिफिक गेयर के भीतर स्थित है और फ्रांस के आकार से तीन गुना बड़ा है।

समुद्री प्रदूषण को रोकने के लिए कदम (Steps to Prevent Marine Pollution)

- पुनर्चक्रण और पुनर्उपयोग को बढ़ावा देने से प्लास्टिक प्रदूषण को कम किया जा सकता है। प्लास्टिक का उपयोग बंद किया जाये और अपशिष्ट फेंकना बंद किया जाये क्योंकि ये न केवल नालियों को जाम करता हैं बल्कि समुद्र में भी चला जाता है।
- यह सुनिश्चित किया जाये कि जल की धाराओं के आस-पास कहीं भी रसायनों का इस्तेमाल न हो और ऐसे रसायनों के उपयोग को कम करने का प्रयास किया जाये।
- किसानों को रासायनिक खाद और कीटनाशकों का इस्तेमाल छोड़कर जैविक खेती के तरीकों का इस्तेमाल करना चाहिए।
- समुद्र में किसी भी तरह के तेल या रसायन के रिसाव को रोका जाये और यदि आस-पास कहीं कोई तेल या रसायन का रिसाव हो रहा हो, तो स्वयंसेवक बनें और समुद्र के जल को साफ करने में मदद करें।
- स्वयंसेवक बनें या समुद्र तट की सफाई की गतिविधियाँ शुरू करें और आस-पास के इलाकों में इस संबंध में जागरूकता फैलाएँ।

जून 2023 में संयुक्त राष्ट्र द्वारा हाई सीज (अंतर्राष्ट्रीय महासागर) संधि को अपनाया गया है। सितंबर 2023 से इस पर हस्ताक्षर प्रारंभ किये गये थे और 2025 में इसे लागू किये जाने की उम्मीद है। इस संधि का उद्देश्य समुद्री जीवन और पारिस्थितिकी तंत्र की रक्षा करना है, जिसमें प्रदूषण का खतरा भी शामिल है। यह अंतर्राष्ट्रीय महासागरों, पृथ्वी के साझा संसाधनों को प्रबंधित करने वाली पहली संधि होगी।

पृथ्वी के साझा संसाधन (ग्लोबल कॉमन्स)

पृथ्वी के साझा संसाधन (ग्लोबल कॉमन्स) वे संसाधन और क्षेत्र हैं जो किसी एक देश के अधिकार क्षेत्र से बाहर हैं और सभी देशों द्वारा साझा किये जाते हैं। इनमें अंतर्राष्ट्रीय महासागर, वायुमंडल, अंटार्कटिका और बाहरी अंतरिक्ष शामिल हैं। इन साझा संसाधनों की रक्षा करने वाली प्रमुख अंतर्राष्ट्रीय संधियाँ निम्नवत हैं:-

- **अंटार्कटिक संधि (1959)** - यह सुनिश्चित करती है कि अंटार्कटिका का उपयोग शांतिपूर्ण उद्देश्यों और वैज्ञानिक अनुसंधान के लिये किया जाए।
- **समुद्री कानून संबंधी संयुक्त राष्ट्र सम्मेलन (UNCLOS, 1982) और अंतर्राष्ट्रीय महासागर (हाई सीज) संधि (राष्ट्रीय अधिकार क्षेत्र से परे जैव विविधता), 2023** - अंतर्राष्ट्रीय महासागर संबंधी अधिकारों को नियंत्रित करती है।
- **बाह्य अंतरिक्ष संधि (1967)** - यह संधि बाह्य अंतरिक्ष के सैन्यीकरण को रोकती है।
- **पेरिस समझौता (2015)** - यह ग्रीनहाउस गैस उत्सर्जन को सीमित करके वैश्विक वायुमंडल की रक्षा करता है।

अंतर्राष्ट्रीय समुद्री क्षेत्र (International Maritime Zones)

समुद्र के कानून संबंधी संयुक्त राष्ट्र सम्मेलन (यूएनसीएलओएस), जिसे समुद्री कानून सम्मेलन या समुद्री कानून संधि भी कहा जाता है। वर्ष 1982 में 60 देशों द्वारा हस्ताक्षरित होने के बाद 16 नवंबर 1994 को लागू हुआ था। अब, इसे 170 पक्षों ने अनुमोदित कर लिया है, जिसमें 166 संयुक्त राष्ट्र संघ के सदस्य देश शामिल हैं। यह सम्मेलन समुद्री कानूनों के सिद्धांतों को स्थापित करता है। इसने समुद्री क्षेत्रों को मान्यता दी है जो समुद्री आधार रेखा से परिभाषित होते हैं। यह सामान्य रूप से निम्न-जल रेखा का अनुसरण करती है, लेकिन जब समुद्र तट गहरा और कटावदार होता है, किनारे पर द्वीप होते हैं या किनारे अत्यधिक अस्थिर होते हैं, तो सीधी आधार रेखाओं का उपयोग किया जा सकता है (**चित्र 4.14** और **तालिका 4.5**। इनमें से कई क्षेत्रों के सीमांकन और संप्रभुता के बारे में कई संघर्ष और विवाद हैं।

तालिका 4.5 अंतर्राष्ट्रीय समुद्री क्षेत्र

क्र.सं.	क्षेत्र	सीमाएँ परिभाषित करना	टिप्पणियाँ
1	आंतरिक जल	आधार रेखा से भू-भाग की ओर विस्तार	संयुक्त राष्ट्र समुद्री कानून सम्मेलन (UNCLOS) के तहत इन जल क्षेत्रों में कुछ शर्तों के तहत निर्दोष मार्ग का अधिकार प्रदान किया गया है।
2	प्रादेशिक सागर	आधार रेखा से समुद्र की ओर 12 समुद्री मील तक फैला हुआ है।	प्रादेशिक समुद्र की बाहरी सीमा वह रेखा है, जिसका प्रत्येक बिंदु आधार रेखा के निकटतम बिंदु से प्रादेशिक समुद्र की चौड़ाई के बराबर दूरी पर है।
3	सन्निहित क्षेत्र	अपनी आधार रेखाओं से समुद्र की ओर 24 समुद्री मील तक फैला हुआ है।	इस क्षेत्र में, कोई भी देश चार विशिष्ट क्षेत्रों (सीमा शुल्क, कराधान, आव्रजन और प्रदूषण) में अपना कानून लागू कर सकता है, यदि उल्लंघन राज्य के क्षेत्र या क्षेत्रीय जल के भीतर शुरू हुआ या होने वाला है।
4	विशिष्ट आर्थिक क्षेत्र (EEZ)	अपनी आधार रेखाओं से समुद्र की ओर 200 समुद्री मील तक फैला हुआ है।	इस क्षेत्र में, तटीय राष्ट्र के पास सभी प्राकृतिक संसाधनों पर एकमात्र दोहन अधिकार हैं।
5	महाद्वीपीय मग्नतट	प्रादेशिक समुद्र से परे 200 समुद्री मील की दूरी तक फैला हुआ है।	तटीय देशों को खनिजों और निर्जीव सामग्री के उपयोग का अधिकार है। इन राज्यों के पास महाद्वीपीय मग्नतट से 'संलग्न' रहने वाले संसाधनों पर विशेष नियंत्रण होता है, लेकिन विशेष आर्थिक क्षेत्र से परे गहरे जल में रहने वाले जीवों पर नहीं।
6	अंतर्राष्ट्रीय समुद्र और महासागरीय तल	ईईजेड से परे सतह और जल स्तंभ वाले क्षेत्र।	अंतर्राष्ट्रीय महासागर सभी देशों के लिए खुले हैं, भले वे तटीय हों या भूमि से घिरे हुए हों। यद्यपि, इस क्षेत्र में किसी भी खनन गतिविधि के लिये अंतर्राष्ट्रीय सीबेड अथॉरिटी (Seabed Authority) से अनुमोदन लेना आवश्यक है।

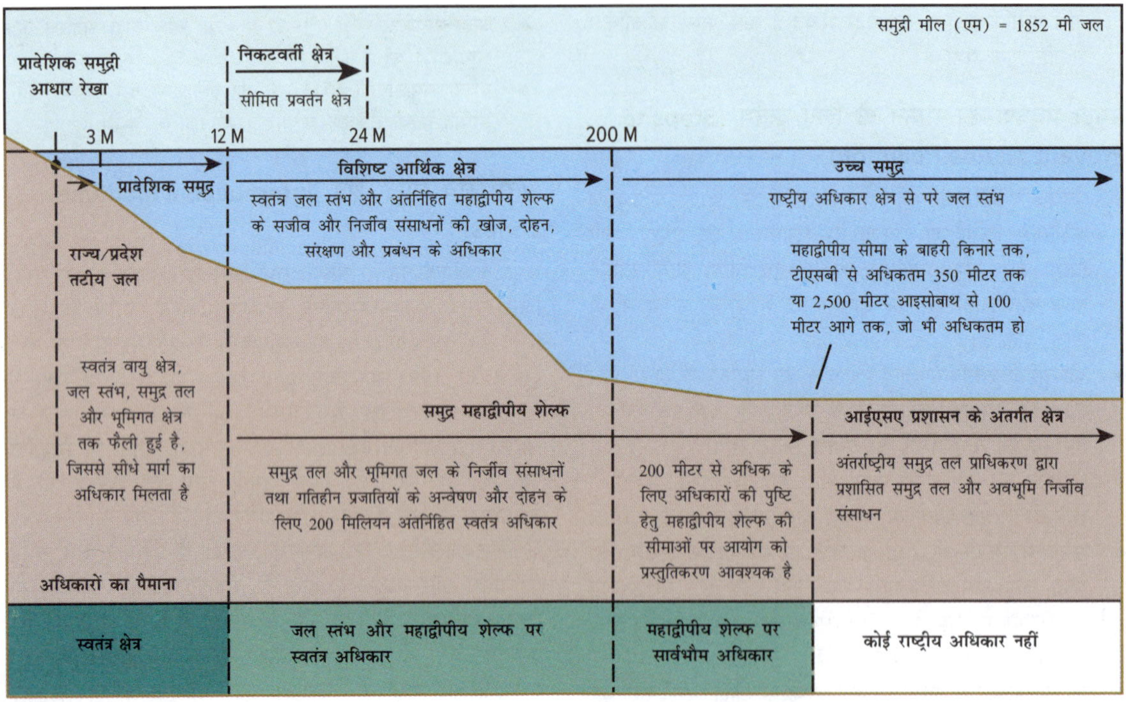

चित्र 4.14
अंतर्राष्ट्रीय समुद्री क्षेत्र

यूपीएससी प्रारंभिक परीक्षा के विगत वर्षों के प्रश्न

1. निम्नलिखित कथनों पर विचार कीजिए: [2021]
   1. उष्णकटिबंधीय क्षेत्र में, व्यापारिक पवन के प्रभाव के कारण पूर्वी खंडों की तुलना में महासागरों के पश्चिमी खंड अधिक उष्ण होते हैं।
   2. शीतोष्ण क्षेत्र में, पश्चिमी पवन पश्चिमी खंडों की तुलना में महासागरों के पूर्वी खंडों को अधिक उष्ण बनाता है।

   उपर्युक्त कथनों में से कौन-सा/कौन-से सही है/है?
   (a) केवल 1
   (b) केवल 2
   (c) 1 और 2 दोनों
   (d) न तो 1 और न ही 2

2. पृथ्वी ग्रह पर जल के संदर्भ में, निम्नलिखित कथनों पर विचार कीजिए: [2021]
   1. नदियों और झीलों में जल की मात्रा, भू-जल की मात्रा से अधिक है।
   2. ध्रुवीय हिमच्छद और हिमनदों में जल की मात्रा, भू-जल की मात्रा से अधिक है।

   उपर्युक्त कथनों में से कौन-सा/कौन-से सही है/हैं?
   (a) केवल 1
   (b) केवल 2
   (c) 1 और 2 दोनों
   (d) न तो 1 और न ही 2

उत्तर कुंजी

1. **(b)** 2. **(c)**

यूपीएससी मुख्य परीक्षा के विगत वर्षों के प्रश्न

1. समुद्री धाराओं को प्रभावित करने वाली शक्तियाँ कौन–सी हैं? विश्व के मत्स्य उद्योग में इनके योगदान का वर्णन करें। (2022, 15 अंक)

इस अध्याय पर वैचारिक वीडियो देखने के लिए कृपया यहां दिए गए क्यूआर कोड को स्कैन करें

अध्याय

5

जलवायु परिवर्तन और इसका जलवायु एवं महासागरों पर प्रभाव (CLIMATE CHANGE AND ITS IMPACT ON CLIMATE & OCEANS)

अध्याय की रूपरेखा (Chapter Outline)

जलवायु परिवर्तन (CLIMATIC CHANGE)

- ✧ ग्रीनहाउस प्रभाव (The Greenhouse Effect)
- ✧ भूमंडलीय तापन (वैश्विक तापवृद्धि) (Global Warming) ✓
- ✧ जलवायु परिवर्तन का जलवायवीय घटनाओं पर प्रभाव (Impact of Climate Change on Climatological Phenomena) *
- ✧ समुद्र विज्ञान संबंधी घटनाओं पर जलवायु परिवर्तन का प्रभाव (Impact of Climate Change on Oceanographic Phenomena) *

हिममंडल (CRYOSPHERE) *

- ✧ हिममंडल का महत्व (Significance of Cryosphere)
- ✧ भूमंडलीय तापन से संबंधित हिममंडल के पिघलने का प्रभाव (Impact of Global Warming Related Thawing of Cryosphere)
- ✧ आर्कटिक और अंटार्कटिका (Arctic and Antarctica)

यूपीएससी मुख्य परीक्षा के विगत वर्षों के प्रश्न

✓ *याद रखने की युक्ति (Learning Trick)* * *त्वरित पुनरावलोकन (Quick Revision)*

जलवायु परिवर्तन (CLIMATIC CHANGE)

मानव गतिविधियों द्वारा प्रेरित जलवायु परिवर्तन, विशेष रूप से वायुमंडलीय और महासागरीय पैटर्न पर इसके प्रभाव के माध्यम से पृथ्वी की प्रणालियों को मौलिक रूप से पुनः आकार दे रहा है। यह अध्याय इस बात का अन्वेषण करता है कि कैसे बढ़ते वैश्विक तापमान जलवायु क्षेत्रों को बदल रहे हैं, मौसम को तीव्रता से प्रभावित कर रहे हैं, और समुद्रीय पारिस्थितिक तंत्र को प्रभावित कर रहे हैं। यह अध्याय हिममंडल–हमारे ग्रह के जमे हुए क्षेत्रों–की भी पड़ताल करता है, जिसमें हिमनद, ध्रुवीय हिमच्छद, और स्थायी तुषार या सालों तक बर्फ से निरंतर जमा हुआ हिस्सा शामिल हैं। जैसे-जैसे ये बर्फीले द्रव्यमान वैश्विक तापमान वृद्धि के कारण पिघलते हैं, ये पहले से फंसी हुई ग्रीनहाउस गैसों को छोड़ते हैं, समुद्र के स्तर को बढ़ाते हैं, और जलवायु स्थिरता के लिए आवश्यक महासागरीय धाराओं को बाधित करते हैं। इन परस्पर जुडी प्रक्रियाओं को समझना पृथ्वी और उसके महासागरों पर जलवायु परिवर्तन के व्यापक प्रभावों को समझने के लिए महत्वपूर्ण है।

इस समय पृथ्वी बर्फ युगों के बीच के एक गर्म चरण में है। गर्म तापमान के परिणामस्वरूप समुद्र का स्तर ऊँचा इसलिए हो जाता है, क्योंकि अधिक ध्रुवीय हिमच्छद पिघलती हैं। दुनिया की अधिकांश जनसंख्या समुद्र तटों के पास रहती है, इसलिए समुद्र के स्तर को बढ़ा सकने वाला कोई भी परिवर्तन संभावित रूप से विनाशकारी प्रभाव डाल सकता है।

ग्रीनहाउस प्रभाव (The Greenhouse Effect)

ग्रीनहाउस प्रभाव एक प्राकृतिक घटना है। कार्बन, मीथेन, नाइट्रस ऑक्साइड आदि जैसी गैसों को 'ग्रीनहाउस गैसें' कहा जाता है, क्योंकि ये पृथ्वी के वायुमंडल में अल्प-तरंग विकिरण को प्रवेश करने तो देती हैं, लेकिन दीर्घ-तरंग विकिरण को बाहर निकलने से रोकने में मदद भी करती हैं। यह गर्मी को रोकता है, जिससे पृथ्वी का तापमान बढ़ता है। इन गैसों की अधिकता, जीवाश्म ईंधनों के जलने से उत्पन्न होती है और अधिक गर्मी को रोकने में मदद करती है और वैश्विक तापन का कारण बन सकती है।

सबसे महत्वपूर्ण ग्रीनहाउस गैसें-जल वाष्प और कार्बन डाइऑक्साइड (CO_2) हैं **(चित्र 5.1)**।

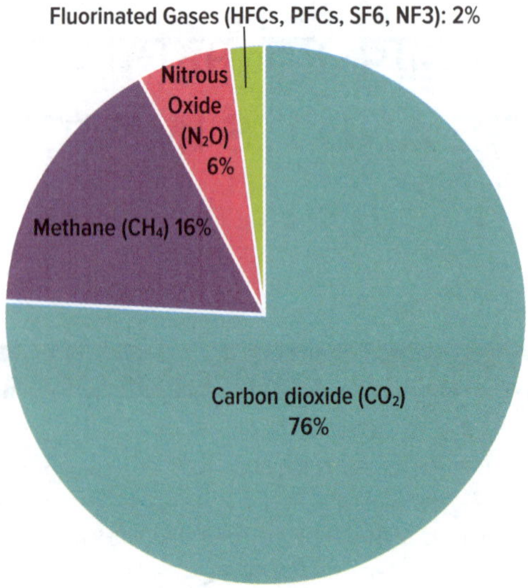

Water Vapor (H_2O) is the most abundant greenhouse gas, but it is not included in this breakdown because its concentration in the atmosphere is not directly affected by human activities in the same way as the other gases.

चित्र 5.1
प्रमुख ग्रीनहाउस गैसें

वायुमंडल में इनकी उपस्थिति पृथ्वी को लगभग 15°C का औसत तापमान बनाए रखने में मदद करती है। इनके बिना ग्रह की सतह का तापमान लगभग -19°C होगा, और पृथ्वी पर जीवन संभव नहीं होगा। परिणामस्वरूप, यह स्पष्ट है कि हम अपने अस्तित्व के लिए ग्रीनहाउस प्रभाव के ऋणी हैं। यद्यपि, औद्योगिक क्रांति की शुरुआत के साथ वायु में CO_2 की मात्रा बढ़ने लगी, और लोग चिंतित होने लगे कि इस घटना का एक ऐसा 'अंधकारमय पक्ष' हो सकता है, जिसकी हमने कल्पना नहीं की थी। कुछ विशेषज्ञ भविष्यवाणी करते हैं कि वायुमंडलीय CO_2 सांद्रता के दोगुना होने से ग्रह के प्राकृतिक ग्रीनहाउस प्रभाव में इतनी वृद्धि होगी कि यह विनाशकारी वैश्विक तापमान वृद्धि का कारण बनेगा, जिससे ध्रुवीय हिमच्छद पिघल जाएंगी, तटीय निम्नभूमियों में बाढ़ आ जाएगी, एक ही साथ बाढ़ और सूखे होंगे, कृषि में तबाही होगी, और सभी प्रकार की आर्थिक, सामाजिक और राजनीतिक अस्थिरता उत्पन्न होगी। इन भयानक संभावित परिणामों के कारण, CO_2 को अक्सर लोकप्रिय मीडिया में एक प्रदूषक घटक के रूप में चित्रित किया जाता है।

वैज्ञानिक यह निर्धारित करने का प्रयास कर रहे हैं कि क्या वायुमंडलीय ग्रीनहाउस गैसों की बढ़ती सांद्रता का वैश्विक तापमान या जलवायु पैटर्न पर कोई प्रभाव पड़ेगा जो वैज्ञानिक इन प्रश्नों का अध्ययन करने के लिए कंप्यूटर मॉडल का उपयोग करते हैं, ये आमतौर पर रिपोर्ट करते हैं कि तापमान की CO_2 सामग्री के दोगुना होने से 2°C से 4°C की तापमान वृद्धि होगी, जिससे पृथ्वी की ध्रुवीय हिमच्छद के पिघलने जैसी विनाशकारी घटनाएं होंगी, जो व्यापक बाढ़ और अकाल का कारण बन सकती हैं। परिणामस्वरूप, ग्रीनहाउस प्रभाव एक वैज्ञानिक और राजनीतिक बहस का विषय बन गया है और संभवत: आने वाले वर्षों तक बना रहेगा।

भूमंडलीय तापन (वैश्विक तापवृद्धि) (Global Warming)

पृथ्वी का औसत तापमान लगभग 15°C है। यद्यपि, पृथ्वी का तापमान समय के साथ धीरे-धीरे बदलता रहता है। पिछले 18,000 वर्षों से, अर्थात् जब से अंतिम हिमयुग समाप्त हुआ है, तब से वैश्विक तापमान का रुझान सामान्यत: ऊपर की ओर रहा है, लेकिन हाल ही में वृद्धि की यह दर तेज हो गई है **(चित्र 5.2)**।

यह तेजी से गर्म होना संभवत: एक बढ़े हुए ग्रीनहाउस प्रभाव का परिणाम हो सकता है, जो वातावरण द्वारा गर्मी को रोकने का कारण बनता है। ग्रीनहाउस में कांच, प्रकाश के लिए पारदर्शी होता है, लेकिन गर्मी के लिए नहीं होता है । ग्रीनहाउस के अंदर का तापमान बढ़ता है, क्योंकि गर्मी बाहर नहीं निकल पाती है। पृथ्वी पर ग्रीनहाउस गैसें – कार्बन डाइऑक्साइड, मीथेन, सीएफसी, और अन्य ख्र कांच की जगह लेती हैं। वह गर्मी, जो अन्यथा ग्रह से दूर विकिरणित हो जाती, इन गैसों द्वारा अवशोषित और रोकी जाती है, जिससे सतह का तापमान बढ़ जाता है **(चित्र 5.2)**।

याद रखने की युक्ति (Learning Trick)

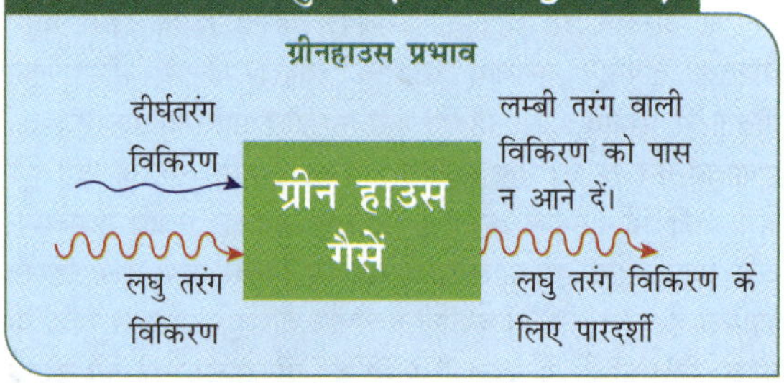

भूमंडलीय तापन के प्रमाण (Evidence of Global warming) – अधिकांश वैज्ञानिकों का मानना है कि पृथ्वी अभूतपूर्व दर से गर्म हो रही है। कई तापमान आधारित घटनाएं यह संकेत देती हैं कि

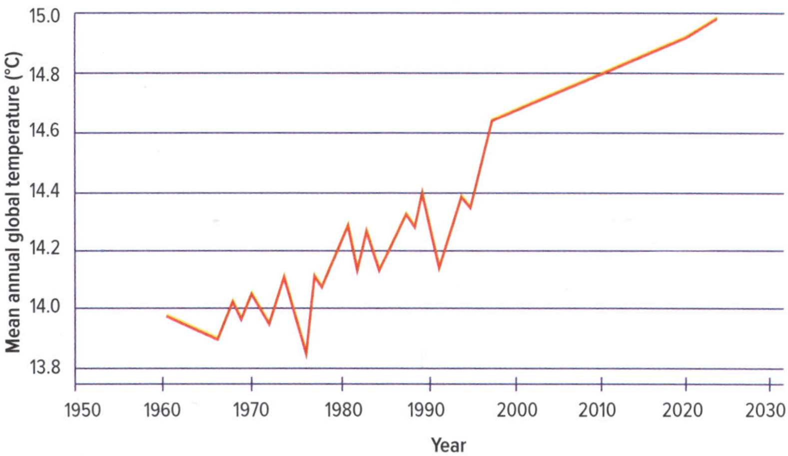

चित्र 5.2
1950-2023 के बीच वैश्विक औसत तापमान की प्रवृत्ति

पृथ्वी गर्म हो रही है। भूमंडलीय ताप के बढ़ने के कुछ महत्वपूर्ण प्रमाण निम्नलिखित हैं-

1. अंटार्कटिका की बर्फ की परतें टूट रही हैं।
2. पृथ्वी के पर्वतीय हिमनद पिघल रहे हैं। यूरोप के आल्प्स पर्वतों के हिमनद 20वीं सदी में लगभग 50 प्रतिशत सिकुड़ गए हैं। अलास्का का बेरिंग हिमनद पीछे हट रहा है। गढ़वाल हिमालय के हिमनद तेजी से पीछे हट रहे हैं।
3. समुद्र का स्तर बढ़ रहा है।
4. वैश्विक महासागर का तापमान बढ़ रहा है।
5. उत्तरी गोलार्ध का स्थायी तुषार तथा हिममंडल पिघल रहे हैं।
6. आर्कटिक पर बर्फ पतली हो रही है और पीछे हट रही है।
7. पर्वतीय शृंखलाओं में वृक्ष रेखा ऊपर की ओर बढ़ रही है।
8. कई उष्णकटिबंधीय बीमारियां ध्रुवों और उष्णकटिबंधीय क्षेत्रों की ऊंचाईयों की ओर फैल रही हैं।
9. 2024 में सऊदी अरब के रेगिस्तान में बर्फबारी दर्ज की गई थी।
10. अंटार्कटिका की ढलानों पर वनस्पति दिखाई दे रही है।
11. एल-नीनो वर्ष की आवृत्ति बढ़ रही है।
12. 2023 रिकॉर्ड किया गया अबतक का सबसे गर्म वर्ष था।
13. शीर्ष 10 सबसे गर्म रिकार्ड किए गए वर्ष 2014 के बाद हुए हैं।
14. 2010 का दशक रिकॉर्ड किया गया सबसे गर्म दशक था (2020 के दशक को छोड़कर, क्योंकि यह अब भी जारी है)।
15. 20वीं सदी सहस्राब्दी की सबसे गर्म सदी थी।
16. प्रवाल अभूतपूर्व दर से मर रहे हैं। प्रवालों की मृत्यु को विरंजन प्रक्रिया के कारण माना जाता है, जो तब होती है, जब तापमान असामान्य रूप से उच्च हो जाता है। विरंजन वास्तव में सूक्ष्म शैवाल की मृत्यु का परिणाम है, जो प्रवाल को रंग और भोजन दोनों प्रदान करते हैं।

जलवायु परिवर्तन का जलवायवीय घटनाओं पर प्रभाव (Impact of Climate Change on Climatological Phenomena)

प्रचलित पवनों पर प्रभाव (Impact on Prevailing Winds)

- IPCC (Intergovernmental Panel on Climate Change) की आकलन रिपोर्ट-6 के अनुसार, जलवायु परिवर्तन के कारण "ग्लोबल स्टिलिंग" नामक एक घटना हो रही है। दुनिया भर में, विशेष रूप से पश्चिमी पवनों की गति कम हो रही है, जिसका यूरेशिया पर अधिक प्रभाव पड़ रहा है। 2100 तक पवन की गति में 10 प्रतिशत की कमी हो सकती है। यह प्रभाव आधारभूत संरचना के विकास में वृद्धि के कारण 'सतह की खुरदरापन' में वृद्धि से और भी बढ़ जाता है, जो पवनों के अनुभव को बढ़ा सकता है, जिससे उनकी गति कम हो जाती है।
- इस स्थिरता के कारण पवन की कमी, एक प्रमुख नवीकरणीय ऊर्जा संसाधन, अर्थात् पवन ऊर्जा को भी प्रभावित करेगी, जिससे जीवाश्म ईंधनों पर निर्भरता कम करने की हमारी चुनौतियाँ और बढ़ जाएंगी।

- ध्रुवों के शेष अक्षांशों की तुलना में अधिक गर्म होने (कम अल्बेडो) के कारण, प्रचलित पवनों का ध्रुवों की ओर स्थानांतरण होगा।
- कुछ क्षेत्रों में जलवायु परिवर्तन से संबंधित गर्मी के कारण स्थानीय पवनें मजबूत हो सकती हैं।

जेट स्ट्रीम्स पर प्रभाव (Impact on Jet Streams)

- मानवजनित जलवायु परिवर्तन, विशेष रूप से तेजी से आर्कटिक वार्मिंग (आर्कटिक एम्प्लीफिकेशन) के कारण ध्रुवों और भूमध्य रेखा के बीच तापमान के अंतर को कम कर रहा है। इससे जेट स्ट्रीम अधिक लहरदार हो सकती है (बढ़ा हुआ रॉस्बी तरंग प्रभाव), जिससे वायुमंडलीय ब्लॉकिंग घटनाओं जैसे कि हीट डोम्स और पोलर वोर्टेक्स की संभावना बढ़ जाती है, जिससे क्रमश: हीट वेव्स और कोल्ड वेव्स होती हैं।
- इसके साथ जलवायु परिवर्तन ध्रुवीय समताप मंडल को ठंडा करता है और उष्णकटिबंधीय ऊपरी क्षोभमंडल को गर्म भी करता है, जिससे जेट स्ट्रीम सुदृढ़ हो सकती है। ये परस्पर विरोधी बल एक 'आपसी खींचतान' पैदा करते हैं, जिससे मध्य अक्षांशों में ऊर्ध्वाधर पवन बढ़ सकती है और ऊंचाई पर विमान में हलचल हो सकती है। इसका प्रमुख प्रभाव और चरम मौसम (extreme weather) घटनाओं पर प्रभाव अनिश्चित रहता है और यह मौसम एवं क्षेत्र के अनुसार भिन्न हो सकता है।
- ध्रुवों और निम्न अक्षांशों के बीच तापमान के अंतर में कमी के कारण जेट स्ट्रीम्स भी ध्रुवों की ओर स्थानांतरित हो रहे हैं। इसका वैश्विक जलवायु पर प्रभाव पड़ेगा।

मानवजनित जलवायु परिवर्तन

जीवाश्म ईंधन जलाने और जंगलों की कटाई करने जैसी मानव गतिविधियाँ पृथ्वी को प्राकृतिक रूप से गर्म होने की तुलना में तेजी से गर्म कर रही हैं। मनुष्यों ने अतिरिक्त ग्रीनहाउस गैसों को छोड़कर पृथ्वी को गर्म करने के प्राकृतिक तापन और शीतलन चक्रों से अधिक गर्म किया है।

चक्रवातों पर प्रभाव (Impact on Cyclones)

- वैश्विक तापवृद्धि के कारण, उष्णकटिबंधीय चक्रवात, अतिरिक्त-उष्णकटिबंधीय चक्रवात, वायुमंडलीय नदियाँ, और गंभीर संवहनीय तूफान वैश्विक स्तर पर उच्च वर्षा दर उत्पन्न कर सकते हैं।
- संभवत: यह मानव प्रभाव चरम उष्णकटिबंधीय चक्रवात वर्षा का कारण है, जिसमें उच्च नमी स्तर, तीव्र चक्रवाती पवनों के कारण वर्षा दर में वृद्धि हो रही है, और प्रति 1°C तापवृद्धि पर 7 प्रतिशत से अधिक की वृद्धि हो रही है।
    - ♦ पिछले चार दशकों में तीव्र श्रेणी 3-5 उष्णकटिबंधीय चक्रवातों का अनुपात संभवत: बढ़ गया है, पश्चिमी उत्तर प्रशांत में समुद्र सतह तापमान में वृद्धि के कारण तूफान अपनी चरम तीव्रता की अधिक ध्रुवीय दिशा प्राप्त कर रहे हैं।
    - ♦ यद्यपि उष्णकटिबंधीय चक्रवातों की आवृत्ति वैश्विक स्तर पर अपरिवर्तित या कम हो सकती है, लेकिन उनकी तीव्रता संभवत: ताप वृद्धि के साथ बढ़ेगी।
- अतिरिक्त-उष्णकटिबंधीय चक्रवातों के लिए भविष्य में पवन की गति में काफी कम परिवर्तन होने की संभावना है, यद्यपि ध्रुवीय बदलाव के कारण कई क्षेत्रीय विविधताएं उत्पन्न हो सकती है।
- विशेष रूप से अमेरिका में संवहनीय तूफान (गर्जन और बवंडर) की आवृत्ति में वृद्धि हो सकती है और यह अपने स्थानिक विस्तार को बढ़ा सकते हैं, लेकिन अन्य क्षेत्रों में इसी तरह के साक्ष्य सीमित हैं।

वायुमंडलीय नदियाँ

वायुमंडलीय नदियाँ वायुमंडल में संकेंद्रित नमी की लम्बी, संकरी पट्टियाँ हैं, जो भारी मात्रा कभी-कभी तो अमेजन नदी से भी ज़्यादा जल वाष्प ले जाने में सक्षम हैं। ये उष्णकटिबंधीय क्षेत्रों से मध्य अक्षांशों तक जल वाष्प ले जाने में महत्वपूर्ण भूमिका निभाती हैं, जिसके परिणामस्वरूप प्राय: प्रचलित पवनें के कारण भारी बारिश और बाढ़ आती है।

वायुमंडलीय नदियों का निर्माण

1. **वाष्पीकरण:** विशेष रूप से उष्णकटिबंधीय क्षेत्रों में गर्म महासागर का पानी, पर्याप्त वाष्पीकरण का कारण बनता है, जिससे वायुमंडल में नमी बढ़ जाती है।
2. **पवन परिवहन:** शक्तिशाली पवनें, विशेष रूप से जेट धाराएँ, इस नमी को लंबी, संकरी पट्टियों में ले जाती हैं, जो हजारों किलोमीटर तक फैल सकती हैं।
3. **अभिसरण और संघनन:** जब ये नम पवनें पहाड़ी क्षेत्रों या ठंडी पवन के द्रव्यमान से टकराती हैं, तो ये ठंडी हो जाती हैं, जिससे नमी संघनित हो जाती है और बादल बन जाते हैं, जिससे भारी वर्षा होती है, जो प्राय: असामान्य मौसम घटनाओं का कारण बनती है।

विशेष रूप से मध्य अक्षांश क्षेत्रों में इस प्रक्रिया के परिणामस्वरूप भारी वर्षा हो सकती है, जिसमें तूफान और बाढ़ भी शामिल है।

अन्य चरम जलवायु घटनाओं पर प्रभाव (Impact on Other Extreme Climatic Events)

चरम तापमान (Temperature Extremes)

- वैश्विक स्तर पर 1950 के बाद से अत्यधिक गर्मी की आवृत्ति और तीव्रता बढ़ी है, जिसमें हीटवेव भी शामिल है, जबकि अत्यधिक ठंड में कमी आई है। वैश्विक तापमान में वृद्धि के साथ ये रुझान जारी रहेंगे, जिसका असर लगभग सभी बसावट क्षेत्रों पर पड़ेगा।
- यदि गर्मी 1.5 डिग्री सेल्सियस तक सीमित भी रहे, तो भी अत्यधिक गर्मी की स्थितियों में वृद्धि होगी और अत्यधिक ठंड की स्थितियों में और कमी आएगी। 2 डिग्री सेल्सियस की गर्मी में 1.5 डिग्री सेल्सियस की तुलना में अत्यधिक गर्मी की स्थितियों की तीव्रता दोगुनी हो जाएगी और 3 डिग्री सेल्सियस पर यह चार गुना बढ़ जाएगी।
- आर्कटिक क्षेत्र में सबसे अधिक गर्मी का अनुभव होगा, जहां सबसे ठंडे दिन वैश्विक दर से तीन गुना अधिक गर्म होंगे।
- वैश्विक तापमान में वृद्धि के साथ अत्यधिक गर्मी की घटनाओं की आवृत्ति में अनियमित वृद्धि होने की संभावना है।

अत्यधिक वर्षा (Extreme Precipitation)

- विश्व स्तर पर, विशेषकर उत्तरी अमेरिका, यूरोप और एशिया में भारी वर्षा की घटनाओं की आवृत्ति और तीव्रता में वृद्धि हुई है। मानवीय गतिविधियाँ, विशेष रूप से ग्रीनहाउस गैस उत्सर्जन इस तीव्रता का मुख्य कारण हैं।

त्वरित पुनरावलोकन (Quick Revision)

धारा, लहरों और ज्वार को प्रभावित करने वाले कारक

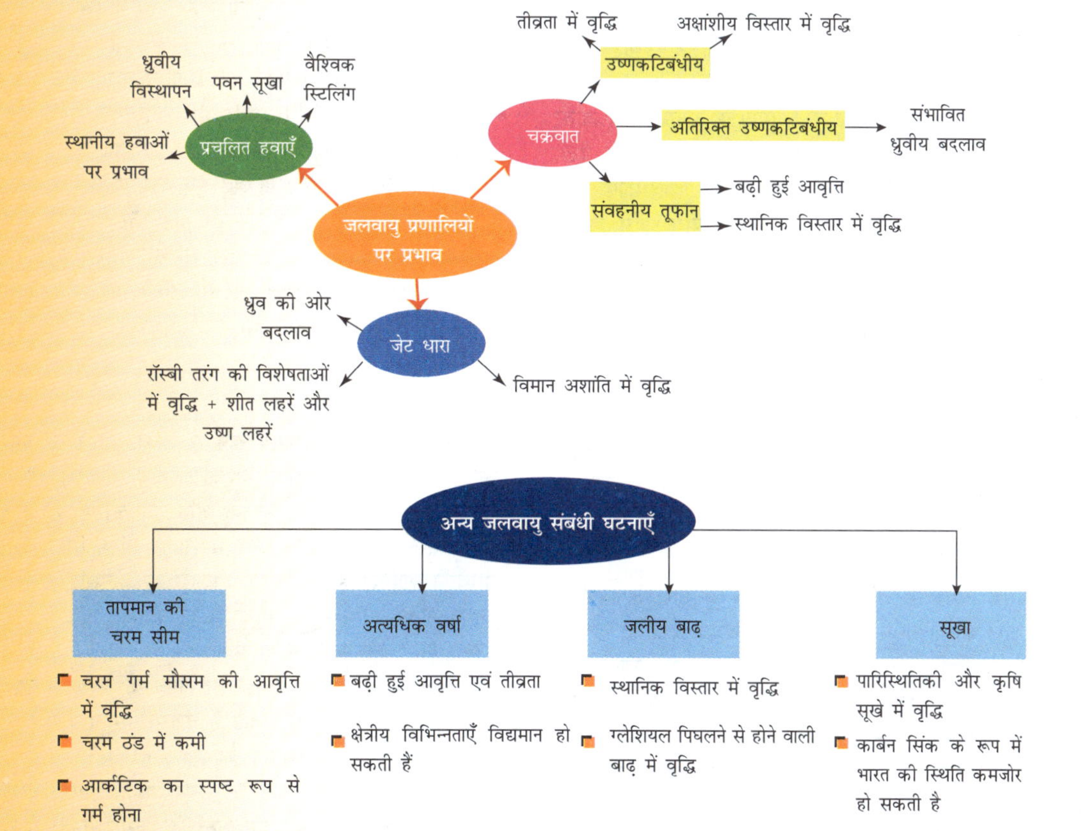

- जैसे-जैसे वैश्विक तापमान बढ़ता जाएगा, भारी वर्षा की घटनाएँ और भी अधिक निरंतर और ज्यादा होती जाएँगी। पूर्व-औद्योगिक स्तरों की तुलना में 4°C तापमान वृद्धि पर दुर्लभ भारी वर्षा की घटनाएँ (जैसे कि हर दस साल में एक बार होने वाली) बहुत अधिक सामान्य और नुकसानदायक होने की संभावना है।
- भारी वर्षा में वृद्धि तापमान बढ़ने पर वायुमंडल की अधिक नमी धारण करने की क्षमता से निकटता से जुड़ी हुई है, जो प्रति 1°C पर लगभग 7 प्रतिशत बढ़ जाती है। इसके परिणामस्वरूप, जल निकासी प्रणालियों के अत्यधिक भर जाने के कारण निरंतर और अत्यधिक सतही और अचानक बाढ़ आने की संभावना है।
- अत्यधिक वर्षा में क्षेत्रीय भिन्नताएँ स्थानीय तापन और वायुमंडलीय स्थितियों जैसे कारकों पर निर्भर करेंगी।

नदी में बाढ़ (Fluvial Flooding)

- कुछ क्षेत्रों, विशेष रूप से बर्फ पिघलने से प्रभावित क्षेत्रों में नदी/धारा के प्रवाह में महत्वपूर्ण रुझान देखे गए हैं, जहाँ अब मौसम शुरु होने से पहले ही धारा का प्रवाह अपने चरम पर होता है।
- वैश्विक जल विज्ञान मॉडल के अनुमान के अनुसार, अधिकतर क्षेत्रों में नदी की बाढ़ में कमी की तुलना में वृद्धि देखी जाएगी, यद्यपि नदी की बाढ़ में क्षेत्रीय विविधताएँ भूमि आवरण में परिवर्तन और मानव जल प्रबंधन जैसे जटिल कारकों के कारण अनिश्चितता बनी हुई हैं।
- हिमनद पिघलने से होने वाली बाढ़ में प्रारंभिक वृद्धि के बाद समय के साथ हिमनदों के लुप्त होने के कारण धारा प्रवाह में कमी आएगी।

सूखा (Droughts)

- मानव-प्रेरित जलवायु परिवर्तन ने उच्च तापमान, कम आर्द्रता और बढ़े हुए शुद्ध विकिरण द्वारा प्रेरित बढ़ते वाष्पोत्सर्जन के कारण कुछ क्षेत्रों में कृषि और पारिस्थितिक सूखे को बढ़ा दिया है।
- सूखे के संबंध में वैश्विक रुझानों के अनुसार यह वर्षा में परिवर्तन की तुलना में वाष्पोत्सर्जन से अधिक प्रभावित होते हैं।
- सभी महाद्वीपों में कृषि और पारिस्थितिक सूखे बढ़ रहे हैं, कुछ क्षेत्रों में वैश्विक तापन जारी रहने के कारण अत्यधिक सूखे का सामना करना पड़ रहा है।
- जल विज्ञान संबंधी सूखे में भी क्षेत्रीय वृद्धि देखी गई है।
- यद्यपि, पौधों की जल-उपयोग दक्षता पर बढ़ी हुई CO_2 के प्रभाव अनिश्चित हैं तथा इससे सूखे की गंभीरता कम होने की संभावना नहीं है। इसके अतिरिक्त, उच्च-उत्सर्जन परिदृश्यों के तहत मृदा की नमी में भूमि कार्बन सिंक कमजोर होने की संभावना है।

समुद्र विज्ञान संबंधी घटनाओं पर जलवायु परिवर्तन का प्रभाव (Impact of Climate Change on Oceanographic Phenomena)

पानी के गुणों पर प्रभाव (Impact on Properties of Water)

- **तापमान (Temperature):** ग्रीनहाउस गैस उत्सर्जन में वृद्धि के कारण महासागर का तापमान बढ़ रहा है। गर्म पानी CO_2 को अवशोषित करने की महासागर की क्षमता को कम कर देता है, जिससे वायुमंडलीय गर्मी में और वृद्धि होती है। गर्म पानी के कारण समुद्रीय हीटवेव के मामले भी बढ़ रहे है।
- **लवणता और घनत्व (Salinity and Density):** वर्षा, वाष्पीकरण और ध्रुवीय बर्फ के पिघलने में परिवर्तन के कारण महासागर की लवणता बदल रही है, जो कि तापमान में परिवर्तन सहित पानी के घनत्व और परिमाणस्वरूप महासागर परिसंचरण पैटर्न को प्रभावित करता है।
- **अम्लीकरण (Acidification):** महासागरों द्वारा वायुमंडल में उत्सर्जित CO_2 के लगभग 25 प्रतिशत को अवशोषित किया जाता है। CO_2 के बढ़े हुए स्तर के कारण महासागर का अम्लीकरण होता है, जिससे pH स्तर कम हो जाता है, जो समुद्रीय जीवों, विशेष रूप से कैल्शियम कार्बोनेट शेल वाले जीवों (जैसे, प्रवाल और मोलस्क) को नकारात्मक रूप से प्रभावित कर सकता है।

समुद्रीय ताप तरंगें

समुद्रीय ताप तरंगें असामान्य रूप से उच्च महासागर तापमान की विस्तारित अवधि होती हैं, जो जलीय पारिस्थितिकी तंत्र को बाधित करती हैं। ये व्यापक क्षति का कारण बन सकती हैं, जिसमें प्रवाल विरंजन और महासागर परिसंचरण पैटर्न में परिवर्तन शामिल हैं। नवीनतम आंकड़ों के अनुसार, 1982 से इन घटनाओं की आवृति दोगुनी हो गई है।

इनके कारण निम्नलिखित हो सकते हैं:

- **जलवायु परिवर्तन:** भूमंडलीय तापन के कारण समुद्र की सतह का तापमान बढ़ जता है, जिससे समुद्रीय ताप तरंगों की आवृत्ति और गंभीरता बढ़ जाती है।
- **वायुमंडलीय परिस्थितियाँ:** उच्च दबाव प्रणाली बादल आवरण तथा पवन को कम करती है, जिससे समुद्र की सतह को गर्म करने के लिए सूर्य की अधिक रोशनी मिलती है।

- **महासागरीय धाराएँ:** महासागर परिसंचरण में धीमी ठंडी धाराओं या तेज गर्म धाराओं द्वारा अवरोध के कारण कुछ क्षेत्रों में मौसम गर्म बना रह सकता है।
- **अल नीनो की घटनाएँ:** ये प्राकृतिक चक्र प्रशांत क्षेत्र में गर्मी पैदा करते हैं, जिससे समुद्रीय ताप तरंगें पैदा होती हैं।
- **फीडबैक लूप:** गर्म पानी, ठंडे पोषक तत्वों से भरपूर पानी के ऊपर उठने में बाधा डालता है, जिससे हीटवेव और अधिक प्रचंड और लंबी हो जाती है।

महासागरीय धाराओं पर प्रभाव (Impact on Ocean Currents)

- **ताप लवणीय परिसंचरण (Thermohaline Circulation):** गर्म होते महासागरों और पिघलती बर्फ से पानी के तापमान और लवणता (ताप लवणीय परिसंचरण) में अंतर से संचालित महासागर धाराएँ बाधित हो सकती हैं। अटलांटिक मेरिडियनल ओवरटर्निंग सर्कुलेशन (AMOC) जैसी धाराओं में कमी के कारण, विशेषकर यूरोप और उत्तरी अमेरिका में कई जलवायु परिवर्तन हो सकते हैं ।
- **क्षेत्रीय धाराएँ (Regional Currents):** ढाल में परिवर्तन के कारण गल्फ स्ट्रीम या कुरोशियो धारा जैसी स्थानीयकृत धारा प्रणालियों से तापमान कमजोर हो सकती हैं या स्थानांतरित हो सकती हैं, जिससे क्षेत्रीय जलवायु, समुद्रीय पारिस्थितिकी तंत्र और मत्स्य पालन प्रभावित हो सकते हैं।

महासागरीय तरंगों और ज्वार पर प्रभाव (Impact on Ocean Waves and Tides)

- **लहर की तीव्रता (Wave Intensity):** जलवायु परिवर्तन के कारण महासागरों के गर्म होने और तूफानी गतिविधियों में वृद्धि से विशेषकर तूफानों और चक्रवातों के दौरान समुद्रीय तरंगों की तीव्रता बढ़ने की संभावना है, जिससे तटीय कटाव और आधारभूत संरचना को हानि पहुँच सकती है।
- **समुद्र-स्तर में वृद्धि (Sea-Level Rise):** पानी के तापीय विस्तार और बर्फ की परतों के पिघलने से समुद्र का बढ़ता स्तर, उच्च ज्वार और तूफानी लहरों में वृद्धि हो जाती है, जिससे तटीय बाढ़ का जोखिम बढ़ जाता है।

प्रवाल भित्ति पर प्रभाव (Impact on Coral Reefs)

- **विरंजन (Bleaching):** गर्म समुद्रीय तापमान प्रवाल विरंजन का कारण बनता है, जहां प्रवाल सहजीवी शैवाल (जूक्सैन्थेला) को बाहर निकाल देते हैं, जो उन्हें भोजन प्रदान करते हैं। लंबे समय तक विरंजन के परिणामस्वरूप

अटलांटिक मेरिडियनल ओवरटर्निंग सर्कुलेशन

अटलांटिक मेरिडियनल ओवरटर्निंग सर्कुलेशन (AMOC) वैश्विक महासागरीय परिसंचरण का एक प्रमुख घटक है, जो अटलांटिक में गर्मी को पुनर्वितरित करने के लिए आवश्यक है। इसमें गर्म, खारे पानी को गल्फ स्ट्रीम जैसी धाराओं द्वारा उत्तर की ओर ले जाया जाता है, जो उत्तरी अटलांटिक में ठंडा हो कर समाप्त हो जाता है, जिससे नॉर्थ अटलांटिक डीप वॉटर (NADW) बनता है। यह ठंडा, सघन पानी गहराई में दक्षिण की ओर बहता है, जिससे चक्र पूरा हो जाता है। AMOC अटलांटिक की सीमा से लगे क्षेत्रों में जलवायु, मौसम और वर्षा के पैटर्न को प्रभावित करता है।

जलवायु परिवर्तन (जैसे, हिमच्छद से मीठे पानी का प्रवेश और बढ़ी हुई वर्षा) द्वारा संचालित AMOC में परिवर्तन, इस प्रक्रिया को बाधित कर सकता है, जिससे क्षेत्रीय जलवायु परिवर्तन हो सकते हैं। एक कमजोर AMOC के परिणामस्वरूप मौसम के पैटर्न में बदलाव, हीटवेव या तूफान जैसी अधिक चरम घटनाएँ और समुद्रीय धाराओं और पारिस्थितिकी तंत्र में बदलाव हो सकते हैं। पश्चिमी यूरोप जैसे क्षेत्रों में गर्मी के परिवहन में कमी के कारण तापमान ठंडा हो सकता है, जबकि उत्तरी अमेरिका के पूर्वी तट पर अधिक तीव्र तूफान देखने को मिल सकते हैं। इसके अतिरिक्त, गल्फ स्ट्रीम जैसी प्रमुख धाराओं में परिवर्तन के कारण समुद्रीय जीवन और मत्स्य पालन प्रभावित हो सकता है, और इसके परिणामस्वरूप समुद्र के स्तर में वृद्धि और वैश्विक जलवायु स्थिरता प्रभावित हो सकती है।

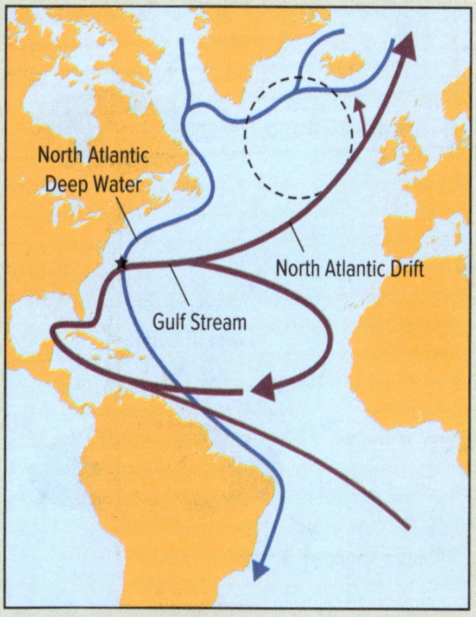

चित्र 5.3
अटलांटिक मेरिडियनल ओवरटर्निंग सर्कुलेशन (AMOC)

प्रवाल की मृत्यु हो सकती है। यह जैव विविधता का संकट उत्पन्न करता है, क्योंकि प्रवाल भित्ति 25 प्रतिशत से अधिक समुद्रीय जीवन का पोषण करते हैं।

- **महासागरीय अम्लीकरण (Ocean Acidification):** अम्लीय जल प्रवाल कंकालों को कमजोर कर देता है, जिससे लहरों, तूफानों और अन्य पर्यावरणीय कारणों से भित्तियों को अधिक नुकसान होने की संभावना होती है।
- **पारिस्थितिकी तंत्र को नुकसान (Ecosystem Loss):** प्रवाल भित्तियाँ तटीय सुरक्षा, पर्यटन और समुद्रीय प्रजातियों के लिए आवास जैसी आवश्यक सेवाएँ प्रदान करती हैं। इनकी कमी से पूरा पारिस्थितिकी तंत्र बाधित होता है।

समुद्रीय पारिस्थितिकी तंत्र और संसाधनों पर प्रभाव (Impact on Marine Ecosystems & Resources)

- **मत्स्य भंडार (Fish Stocks):** गर्म होते पानी और बदलती समुद्रीय धाराओं ने मत्स्य के प्रवास पैटर्न प्रजनन और भोजन की उपलब्धता को प्रभावित किया है। जो प्रजातियाँ अनुकूलन या प्रवास करने में असमर्थ होती हैं, उनकी संख्या में कमी आती है, जिससे वैश्विक मत्स्य पालन और इस पर निर्भर आजीविका के लिए खतरा उत्पन्न हो जाता है।
- **समुद्रीय जैव विविधता (Marine Biodiversity):** आर्कटिक से लेकर उष्णकटिबंधीय महासागरों तक के समुद्रीय पारिस्थितिकी तंत्र जलवायु-प्रेरित परिवर्तनों से प्रभावित हो रहे हैं। इसमें प्रजातियों का नुकसान, आक्रामक प्रजातियों का प्रवेश और खाद्य श्रृंखलाओं का विघटन शामिल है। गर्म पानी और बदली हुई समुद्रीय धाराएँ समुद्रीय प्रजातियों को अपने आवासों को ध्रुव की ओर या गहरे पानी में स्थानांतरित करने के लिए मजबूर कर देती हैं, जिससे पारिस्थितिकी तंत्र संतुलन में परिवर्तन होता है।
- **समुद्रीय कार्बन पृथक्करण (Marine Carbon Sequestration):** मैंग्रोव, समुद्रीय घास और नमक के दलदल (जिन्हें अक्सर "ब्लू कार्बन" पारिस्थितिकी तंत्र कहा जाता है) जैसे तटीय पारिस्थितिकी तंत्र कार्बन सिंक के रूप में कार्य करते हैं। यद्यपि, जलवायु परिवर्तन के कारण उनका क्षरण कार्बन को अलग करने की उनकी क्षमता को कम कर देता है, जिससे जलवायु संकट और भी बदतर हो जाता है।

त्वरित पुनरावलोकन (Quick Revision)

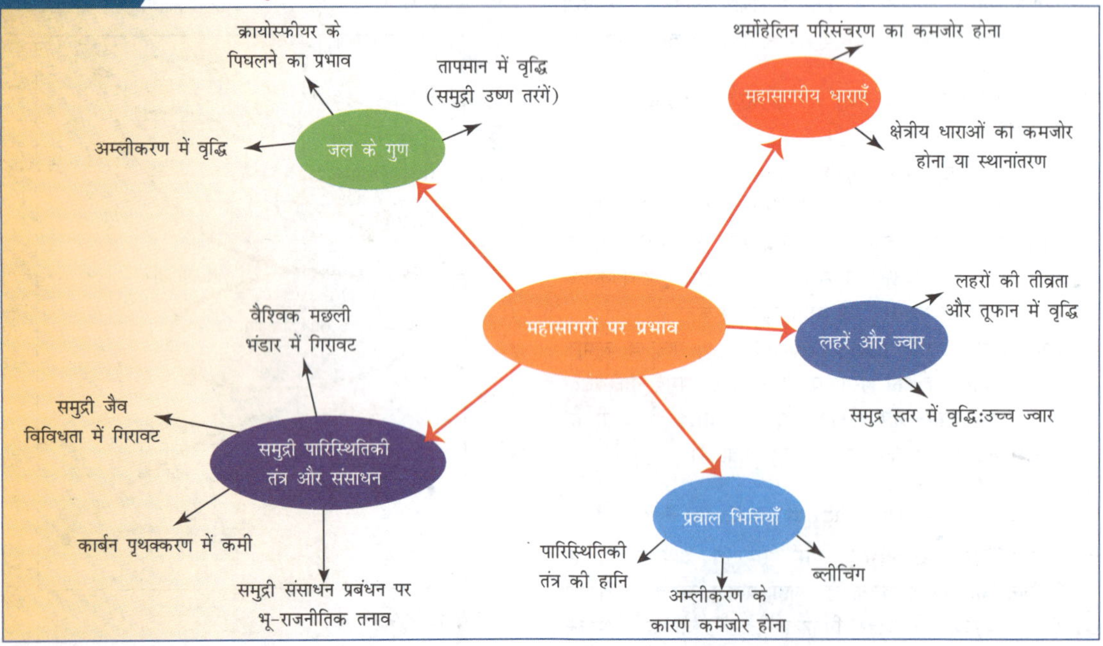

- **मत्स्य पालन में कमी (Depleted Fisheries):** जलवायु परिवर्तन के कारण अत्यधिक मत्स्य पकड़ने की प्रवृत्ति बढ़ सकती है, क्योंकि मछलियाँ अक्सर पारंपरिक मत्स्य पकड़ने वाले क्षेत्रों से बाहर ठंडे पानी की ओर पलायन करती हैं। इससे संसाधन प्रबंधन पर दबाव पैदा हो जाता है और वैश्विक खाद्य सुरक्षा प्रभावित होती है।
- **जैव विविधता को हानि (Loss of Biodiversity):** प्रवाल भित्तियों और अन्य समुद्रीय पारिस्थितिक तंत्रों के क्षरण के साथ कई प्रजातियाँ अपने आवास खो रही हैं, जिससे जैव विविधता की हानि हो रही है, जिसका प्रभाव न केवल समुद्रीय जीवन पर पड़ता है, बल्कि समुद्रीय संसाधनों पर निर्भर मानव अर्थव्यवस्थाओं पर भी इसका असर पड़ता है।

महासागरों का उष्णकटिबंधीयकरण

साउथेम्प्टन विश्वविद्यालय द्वारा 2023 में किए गए एक अध्ययन में जलवायु परिवर्तन के कारण समुद्रीय वातावरण के 'उष्णकटिबंधीयकरण' पर प्रकाश डाला गया है। समुद्र के बढ़ते तापमान के कारण उष्णकटिबंधीय प्रजातियाँ ध्रुव की ओर पलायन कर रही हैं, जबकि समशीतोष्ण प्रजातियाँ गर्म होते पानी, बढ़ती प्रतिस्पर्धा और नए शिकारियों से जूझते हुए पीछे हट रही हैं। यह बदलाव समुद्रीय पारिस्थितिकी तंत्र और जैव विविधता को बदल रहा है, जिसके संभावित सामाजिक-आर्थिक प्रभाव हो सकते हैं।

जलवायु परिवर्तन ने समुद्रीय धाराओं को भी प्रभावित किया है, जिससे गर्म पानी की सीमा धाराएं तेजी से गर्म हो रही हैं और प्रजातियाँ आसानी से ध्रुव की ओर बढ़ रही हैं। भूमध्य सागर एक 'उष्णकटिबंधीयकरण हॉटस्पॉट' के रूप में उभरा है, और इसी तरह के बदलाव वैश्विक स्तर पर मध्य अक्षांशों में भी देखे जा रहे हैं।

हिममंडल (CRYOSPHERE)

हिममंडल पृथ्वी की सतह के सभी जमे हुए घटकों को संदर्भित करता है, जिसमें बर्फ, हिमनद, हिमच्छद, समुद्रीय बर्फ, जमी हुई झीलें और नदियाँ, और स्थायी तुषार (स्थायी रूप से जमी हुई जमीन) शामिल हैं। ये तत्व सूर्य के प्रकाश (अल्बेडो प्रभाव) को परावर्तित करके, मीठे पानी को संग्रहीत करके और समुद्र के स्तर को प्रभावित करके पृथ्वी की जलवायु को विनियमित करने के लिए महत्वपूर्ण हैं।

हिममंडल का महत्व (Significance of Cryosphere)

- हिममंडल में पृथ्वी के लगभग 69 प्रतिशत मीठे पानी का भंडार है, जो इसे वैश्विक जल संसाधनों का एक महत्वपूर्ण घटक बनाता है। गर्म महीनों के दौरान ये बर्फीले भंडार विश्व भर में नदी प्रणालियों में अहम भूमिका निभाते हैं, जिससे मीठे पानी का एक स्थिर प्रवाह सुनिश्चित होता है।
- इसके अलावा, हिममंडल अल्बेडो प्रभाव के माध्यम से पृथ्वी के तापमान को विनियमित करने में भी एक महत्वपूर्ण भूमिका निभाता है, जो सौर विकिरण को दर्शाता है और सूर्यातप को कम करता है।
- इन बर्फ निकायों का मौसम के अनुसार पिघलना और जमना महासागर परिसंचरण पैटर्न को प्रभावित करता है।

भूमंडलीय तापन से संबंधित हिममंडल के पिघलने का प्रभाव (Impact of Global Warming Related Thawing of Cryosphere)

- जैसे-जैसे बर्फ/हिम की सफेद सतहें समाप्त होती जाएंगी, पृथ्वी का समग्र एल्बेडो कम होता जाएगा, जिससे पृथ्वी का ताप संतुलन गड़बड़ा जाएगा। जैसे-जैसे पृथ्वी की सतह पर अधिक सूर्यातप अवशोषित होगा, तापमान और बर्फ पिघलने में और वृद्धि होगी, जिससे अंततः एल्बेडो और भी कम हो जाएगा।
- भूमंडलीय तापन से जुड़ी हिममंडल पिघलने की प्रक्रिया से महासागर की लवणता में बदलाव आने की संभावना है, जिससे इन धाराओं पर और अधिक असर पड़ेगा।
- हिमालय, आल्प्स और एंडीज जैसे पहाड़ी क्षेत्रों में हिममंडल के पिघलने से ग्लेशियल लेक आउटबर्स्ट फ्लड (GLOF) में वृद्धि होती है, जिससे आस-पास के समुदायों और पारिस्थितिकी तंत्रों के लिए महत्वपूर्ण संकट पैदा होता है।
- इसके अलावा, बर्फ की चादरें और स्थायी तुषार में मीथेन और कार्बन डाइऑक्साइड जैसी ग्रीनहाउस गैसें होती हैं, जो उनके निर्माण के दौरान ही इसमें रह गई थीं।
- लाखों वर्षों में बर्फ की परतों ने अपने नीचे कई सूक्ष्म जीवों [ऐसे वायरस को प्राचीन वायरस (जॉम्बी वायरस) के रूप में जाना जाता है] को भी रोका हुआ है, जो कि अब जलवायु परिवर्तन के कारण हिम पिघलने के परिमाणस्वरूप सतह पर आ रहे हैं।

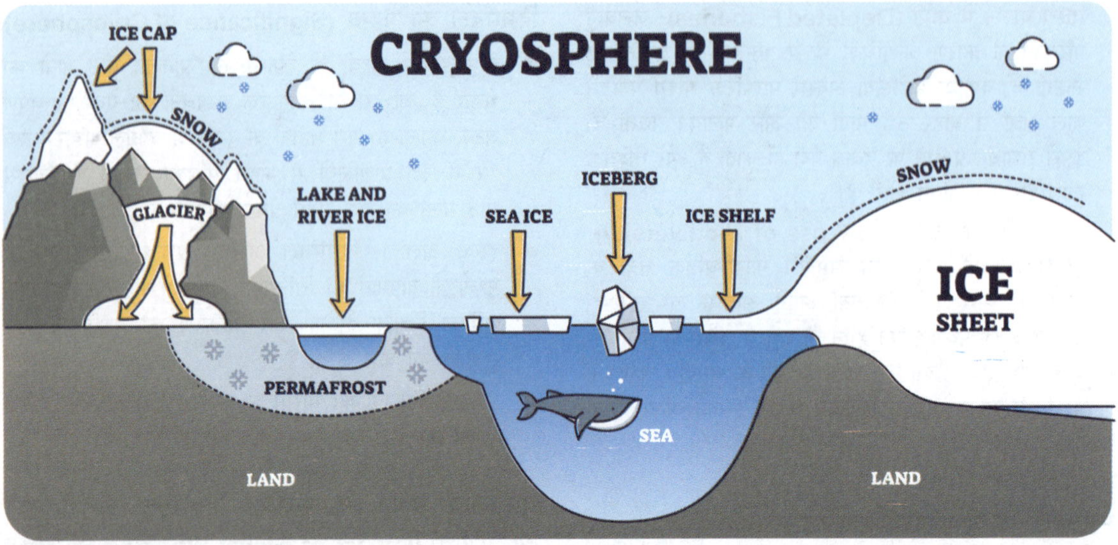

चित्र 5.4
हिममंडल

आर्कटिक और अंटार्कटिका (Arctic and Antarctica)

ये क्षेत्र हिममंडल का एक महत्वपूर्ण भाग हैं। इनके पिघलने से कुछ बहुत ही विनाशकारी परिणाम हो सकते हैं।

सामान्य विषय (Common Issues)

- **न्यून एल्बेडो प्रभाव (Lower Albedo Effect):** जैसे-जैसे बर्फ पिघलती है, अंतरिक्ष में सूर्य की रोशनी कम परावर्तित होती है, जिससे और अधिक गर्मी पैदा होती है।
- जैसे-जैसे बर्फ पिघलने और एल्बेडो कम होने के कारण ध्रुव गर्म होंगे, जेट स्ट्रीम की गतिविधियाँ प्रभावित होंगी।
- **महासागरीय धाराएँ और पवनें (Ocean Currents and Winds):** पिघलती बर्फ महासागर की लवणता को प्रभावित करती है, जिससे महासागरीय धाराओं और इन धाराओं के साथ परस्पर क्रिया करने वाली प्रचलित पवनों में परिवर्तन होता है।
- **समुद्र स्तर में वृद्धि (Sea Level Rise):** बर्फ पिघलने से समुद्र का स्तर बढ़ता है, जिससे तटीय बाढ़ आ सकती है।

आर्कटिक पिघलने के प्रभाव (Impacts of Arctic Melting)

- **जलवायु परिवर्तन (Climatic Changes):** ध्रुवीय जेट स्ट्रीम के बढ़ते घुमाव के कारण ध्रुवीय भंवर के कमजोर होने से उत्तरी अमेरिका और यूरोप में अधिक बार ठंड पड़ सकती है। यह ठंडी पवन के द्रव्यमान के दक्षिण की ओर बढ़ने के कारण होता है, जिसके परिणामस्वरूप निचले अक्षांशों पर गर्म पवन से टकराने पर शीतोष्ण तूफानों में वृद्धि होती है। इससे हीट डोम प्रभाव के मामलों में भी वृद्धि होगी।
- **मानव गतिविधियाँ (Human Activities):**
  - **नए नौवहन मार्ग (New Navigation Routes):** यद्यपि नए नौवहन मार्ग खुल सकते हैं, लेकिन नॉर्थवेस्ट पैसेज में किए गए अध्ययनों से पता चला है कि ग्रीनलैंड से आने वाली मोटी बर्फ इन मार्गों को बाधित कर सकती है, जिससे ये अल्पावधि में खतरनाक हो सकते हैं (टाइटैनिक और हिमखंड याद है? आर्कटिक नौवहन मार्ग पर जाने वाले जहाजों का भी यही हश्र हो सकता है)।
  - **संसाधन अन्वेषण (Resource Exploration):** इन क्षेत्रों में प्राकृतिक संसाधनों तक पहुँच आसान हो सकती है।
  - **वन्यजीव तथा मत्स्य पालन (Wildlife and Fisheries):** मत्स्य एवं वन्यजीवों के पैटर्न, जो इन पारंपरिक आजीविकाओं पर निर्भर हैं, उसमें बदलाव स्थानीय समुदायों को बाधित कर सकता है ।
  - **हिमनद झील विस्फोट बाढ़ (Glacial Lake Outburst Floods-GLOFs):** ऐसी घटनाओं में वृद्धि देखी जाएगी। जलवायु परिवर्तन से प्रेरित गर्मी के

कारण ग्रीनलैंड ने 2008 से सैकड़ों झीलों को फैलते देखा है, जिससे बाढ़ का खतरा बढ़ गया है।

- **पारा संदूषण (Mercury Contamination):** हाल ही में किए गए एक अध्ययन में पाया गया है कि जहरीला पारा, जो पहले आर्कटिक की बर्फ में फंसा हुआ था, अब उसका पर्यावरण में रिसाव हो रहा है।

अंटार्कटिका के पिघलने के प्रभाव (Impacts of Antarctic Melting)

- **जलवायु परिवर्तन (Climate Changes):** जेट स्ट्रीम और ध्रुवीय भंवर के कमजोर होने से दक्षिण अमेरिका, दक्षिणी अफ्रीका और ऑस्ट्रेलिया के मौसम पैटर्न में बदलाव आ सकता है। इसके अतिरिक्त, यह कमजोरी अंटार्कटिका में सर्दियों में गर्मी को बढ़ा सकती है, वर्ष 2024 में जुलाई के मध्य में तापमान -25 से -30 डिग्री सेल्सियस तक बढ़ गया था, जबकि यह सामान्य रूप में -50 से -60 डिग्री सेल्सियस होता है।
- **मानव गतिविधियाँ (Human Activities):**
    - **शोध प्रभाव (Research Impacts):** जलवायु परिस्थितियों में परिवर्तन अंटार्कटिका में वैज्ञानिक अनुसंधान में बाधा डाल सकते हैं।
    - **वन्यजीव प्रभाव (Wildlife Effects):** बदलते पर्यावरण का प्रभाव स्थानीय वन्य जीवों पर पड़ेगा, जिसमें पेंगुइन, सील और सूक्ष्म जीव शामिल हैं।

त्वरित पुनरावलोकन (Quick Revision)

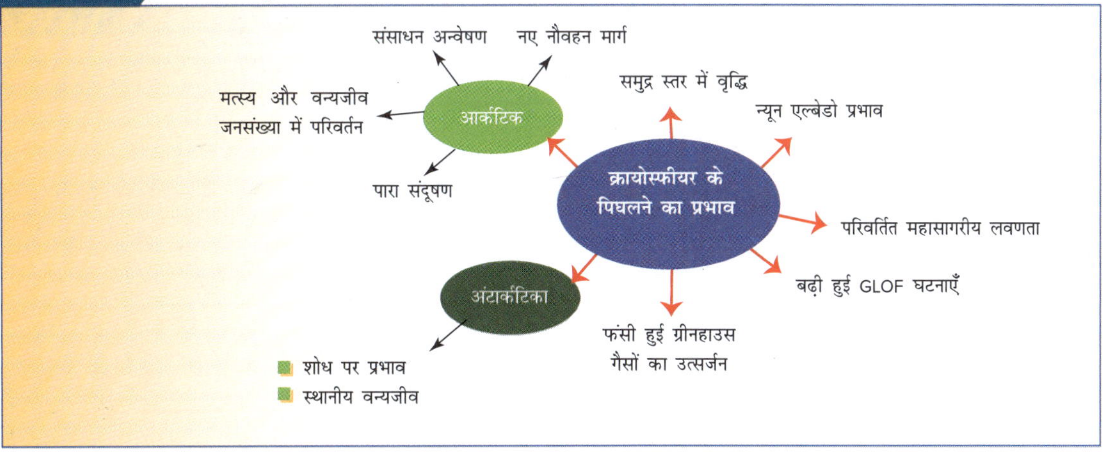

यूपीएससी प्रारंभिक परीक्षा के विगत वर्षों के प्रश्न

1. आर्कटिक की बर्फ और अंटार्कटिक के ग्लेशियरों का पिघलना किस तरह अलग-अलग ढंग से पृथ्वी पर मौसम के स्वरूप और मनुष्य की गतिविधियों पर प्रभाव डालते हैं? स्पष्ट कीजिए। (2021, 15 अंक)

इस अध्याय पर वैचारिक वीडियो देखने के लिए कृपया यहां दिए गए क्यूआर कोड को स्कैन करें

अध्याय

6

जैवभूगोल (BIOGEOGRAPHY)

अध्याय की रूपरेखा (Chapter Outline)

✓याद रखने की युक्ति (Learning Trick) **त्वरित पुनरावलोकन (Quick Revision)*

जैवभूगोल (BIOGEOGRAPHY)

जैवभूगोल विषय "जीवन के भूगोल, पारिस्थितिकी तथा इतिहास के अध्ययन अर्थात, कोई कहाँ रहता है, कैसे रहता है और वह वहाँ कैसे रहने लगा" से संबंधित है। जैवमंडल को पृथ्वी के उस हिस्से के रूप में परिभाषित किया जा सकता है, जहाँ जीवन का अस्तित्व है। इसमें जंगल, घास के मैदान, भूमि के परिचित पशु तथा समुद्र एवं वायुमंडल में रहने वाले कई जीव शामिल हैं। जैवमंडल में लगभग 50 लाख से 3 करोड़ या उससे भी अधिक प्रजातियाँ शामिल हैं, जिनमें से केवल 19 लाख प्रजातियों को ही नाम दिया गया है। प्रत्येक प्रजाति अपने सीमित पर्यावरणीय परिवेश में रहती है। हमने अभी तक कुल प्रजातियों के 1 प्रतिशत से भी कम प्रजातियों की पारिस्थितिकीय भूमिकाओं का अध्ययन किया है।

जैवमंडल या पारिस्थितिक मंडल (BIOSPHERE or ECOSPHERE)

सभी जीवों को उनके भौतिक पर्यावरण से जोड़ने वाला जटिल, परस्पर जुड़ा हुआ संजाल जैवमंडल है। कभी-कभी इसे पारिस्थितिक मंडल भी कहा जाता है। जैवमंडल वह क्षेत्र है, जिसमें भौतिक एवं रासायनिक कारक मिलकर जीवन का आविर्भाव करते हैं। जैवमंडल में जैविक एवं अजैविक दोनों ही क्षेत्र शामिल हैं, जो

समुद्र तल से लगभग 8 किमी (5 मील) तक वायुमंडल में फैला हुआ है। इन प्राकृतिक सीमाओं के भीतर जीवन का अस्तित्व है। इसके बदले में जीवन प्रक्रियाओं ने अपनी विभिन्न परस्पर प्रक्रियाओं के माध्यम से अन्य तीन क्षेत्रों को सुदृढ़ आकार दिया है। सौर मंडल में पृथ्वी का जैवमंडल एकमात्र ज्ञात जैवमंडल है, जिसमें जीवन विद्यमान है।

याद रखने की युक्ति (Learning Trick)

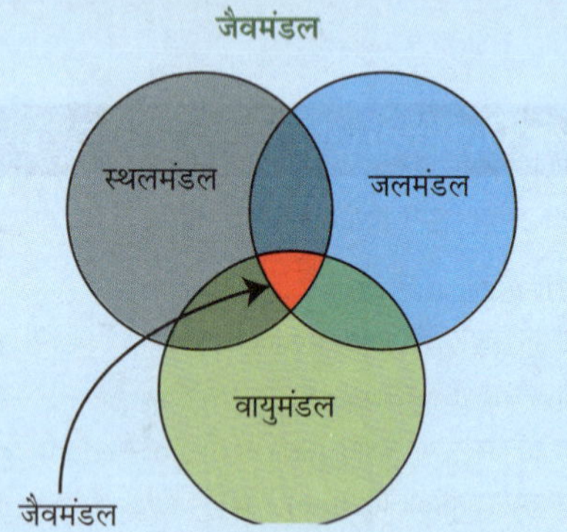

जैवमंडलः पृथ्वी के तीन "गोलों" के परस्पर संपर्क का क्षेत्र, जो जीवन के लिए उपयुक्त है।

जैवमंडल के घटक (Components of Biosphere)

जैवमंडल के अजैविक या अकार्बनिक घटक जैवमंडल में संपूर्ण भौतिक पर्यावरण या उसका कोई भाग शामिल है। जैवमंडल के अजैविक घटक में स्थलमंडल, वायुमंडल एवं जलमंडल शामिल है।

जैवमंडल का जैविक या कार्बनिक घटक पृथ्वी पर विद्यमान सभी जीवित प्राणियों से मिलकर बना होता है, जिनमें पौधे, जानवर, सूक्ष्मजीव, मनुष्य आदि शामिल हैं।

पारिस्थितिकी तथा जीवन का संगठन (Ecology and the Organisation of Life)

पारिस्थितिकी को एक ऐसे विज्ञान के रूप में परिभाषित किया जा सकता है, जिसमें एक ओर तो प्राणियों एवं उनके भौतिक पर्यावरण के बीच परस्पर निर्भरता, प्रतिक्रियाशीलता तथा परस्पर संबंधों का अध्ययन किया जाता है वहीं दूसरी ओर प्राणियों के बीच के परस्पर संबंधों का भी अध्ययन किया जाता है। यह न केवल प्राणियों के उनके पर्यावरण के साथ संबंधों के अध्ययन से संबंधित है, बल्कि जनसंख्या, समुदायों, पारिस्थितिक तंत्र, जैवक्षेत्र और पूरे जैवमंडल के अध्ययन से भी संबंधित है (तालिका 6.1)।

तालिका 6.1 जीवन का संगठन

1.	जीन	ये डीएनए द्वारा बनते हैं तथा आनुवंशिकता की मूल भौतिक एवं कार्यात्मक इकाई हैं।
2.	कोशिकाएँ	जीवन की सबसे छोटी इकाहैं।
3.	अंग	सामान्य रूप से कई प्रकार के ऊतकों से बनी एक ऐसी संरचना, जो एक कार्यात्मक इकाई बनाती है।
4.	प्राणी विशेष	जीव वह जीवित प्राणी विशेष है, जिसमें स्वतंत्र रूप से कार्य करने या कार्य को संपादित करने की क्षमता होती है। यह पादप, जानवर, जीवाणु, कवक आदि कोई भी हो सकता है।
5.	जनसंख्या	यह एक ही प्रजाति के विभिन्न प्राणियों के समूह से बनती है, जो एक निश्चित समय अवधि के दौरान एक निश्चित क्षेत्र में रहती हैं।
6.	जैविक समुदाय	यह साथ-साथ रहने वाले तथा एक ही पर्यावास को साझा करने वाले विभिन्न प्रकार के प्राणियों की जनसंख्या से बनता है।
7.	पारिस्थितिकी तंत्र	यह जैवमंडल की एक ऐसी संरचनात्मक एवं कार्यात्मक इकाई है, जिसमें जीवित प्राणी तथा भौतिक पर्यावरण दोनों शामिल है और परस्पर क्रिया करते हैं तथा पदार्थों का आदान-प्रदान करते हैं।
8.	परिदृश्य	किसी क्षेत्र में पारिस्थितिकी तंत्रों की परस्पर क्रियाओं द्वारा निर्मित स्थानिक रूप से विषम क्षेत्र।
9.	जैवक्षेत्र	यह वह पारिस्थितिक क्षेत्र है, जिसमें रहने वाले प्राणी बड़े भौगोलिक क्षेत्र में पाये जाते हैं तथा उसकी विशेष जलवायु या पर्यावरणीय स्थिति के लिये अनुकूलित हो गये हैं।
10.	जैवमंडल	यह भू-प्रणाली के उस हिस्से से बनता है, जिसमें जीव रहते हैं तथा इसमें पृथ्वी पर सभी विद्यमान सभी पारिस्थितिक तंत्र सामूहिक रूप से शामिल होते हैं। यह जीवन के उस क्षेत्र का प्रतिनिधित्व करता है, जिसमें सजीव एवं निर्जीव दोनों ही घटक शामिल होते हैं।

त्वरित पुनरावलोकन (Quick Revision)

जीवन का संघटन

जैवमंडल
↑
जैव क्षेत्र
↑
परिदृश्य
↑
पारिस्थितिकी तंत्र
↑
समुदाय
↑
जनसंख्या
↑
जीव
↑
अंग
↑
कोशिका
↑
जीन

जैवमंडल के जैविक घटक (Biotic Components of Biosphere)

1. उत्पादक (Producer)

वे समस्त जीव, जो प्रकाश संश्लेषण तथा/या रसायन संश्लेषण जैसी प्रक्रियाओं के माध्यम से अपना भोजन स्वयं बनाने में सक्षम हैं। ऐसे जीव को स्वपोषी भी कहा जाता है।

अपना भोजन स्वयं बनाने वाले इन उत्पादकों से ऊर्जा खाद्य शृंखला नामक परिपथ के साथ सम्बद्ध प्रणाली के माध्यम से प्रवाहित होती है, जो उपभोक्ताओं तक और अंततः अपघटकों तक पहुँचती है।

2. उपभोक्ता (Consumer)

पारिस्थितिकी तंत्र में विद्यमान वे जीव, जो पोषक तत्वों के स्रोत के लिए उत्पादकों (स्वपोषी) पर निर्भर करते हैं। ये निम्नलिखित तीन प्रकार के होते हैं:-

(a) शाकाहारी (Herbivores)

ये खाद्य शृंखला में प्राथमिक उपभोक्ता होते हैं, जो संश्लेषित कार्बनिक अणु वाले उत्पादक द्वारा निर्मित पादप् सामग्री को खाते हैं।

(b) मांसाहारी (Carnivores)

मांसाहारी द्वितीयक उपभोक्ता होता है, जो प्राथमिक एवं द्वितीयक दोनों ही उपभोक्ताओं को खा सकता है।

(c) सर्वाहारी (Omnivores)

यह वह उपभोक्ता है, जो उत्पादकों (पौधों) एवं उपभोक्ताओं (मांस) दोनों ही को खाता है। - इसमें अन्य जानवरों के अलावा मनुष्य भी शामिल हैं।

अपरदाहारी या अपरदभक्षी (Detritivores)

ये ऐसे जीव होते हैं, जो मृत कार्बनिक पदार्थ (डेट्रिटस) जैसे कि पादप एवं जानवरों के अवशेष तथा अन्य कार्बनिक अवशिष्ट खाते हैं। रासायनिक प्रक्रियाओं के माध्यम से आणविक स्तर पर कार्बनिक पदार्थों को विघटित करने वाले अपघटकों (जैसे बैक्टीरिया एवं कवक) के विपरीत, अपरदाहारी (Detritivores) शारीरिक रूप से मृत पदार्थों को निगलते हैं और संसाधित करते हैं, जिससे अपघटन में सहायता मिलती है।

अपरदाहारी को मांसाहारी या सर्वाहारी के रूप में स्पष्टतः वर्गीकृत इसलिए नहीं किया जा सकता है, क्योंकि ये सक्रिय रूप से जीवित प्राणियों का शिकार नहीं करते हैं या सामान्य अर्थों में पादपों एवं जानवरों दोनों को नहीं खाते हैं। इसके बजाय, ये मृत पदार्थों को विघटित करके पारिस्थितिकी तंत्र में एक अनूठी भूमिका निभाते हैं और पोषक चक्रण में योगदान देते हैं। इनके उदाहरणों में केंचुआ, वुडलिस तथा बीटल जैसे कीड़े शामिल हैं।

3. अपघटक (Decomposer)

ऐसे सूक्ष्मजीव, जो अपने पर्यावरण में कार्बनिक मलबे एवं कचरे को पचाते हैं तथा उन्हें पुनर्चक्रित करते हैं। इनमें बैक्टीरिया, कवक, कीड़े तथा कृमि शामिल हैं।

त्वरित पुनरावलोकन (Quick Revision)

पारिस्थितिकी तंत्र के घटक

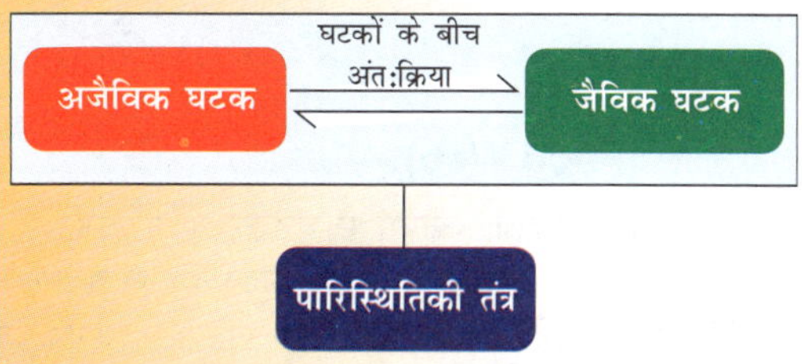

पारिस्थितिकी तंत्र = जैविक घटक + अजैविक घटक + घटकों के बीच परस्पर क्रिया

└──→ *अक्सर भुला दिया गया हिस्सा*

खाद्य श्रृंखला (Food Chain)

यह वह परिपथ है, जिसके माध्यम से ऊर्जा उत्पादकों, अर्थात् अपना भोजन स्वयं बनाने वाले जीव से उपभोक्ताओं तक प्रवाहित होती है; यह रासायनिक ऊर्जा का गैर-दिशात्मक प्रवाह है, जो अपघटक के साथ समाप्त होता है। मूल रूप से सभी जानवर अपने भोजन के लिए पौधों पर निर्भर करते हैं (चित्र 6.1)। हिरण पौधे खाता है तथा भेड़िया हिरण को खाता है। जब भेड़िया मर जाता है, तो उसका शरीर अपघटकों द्वारा विघटित हो जाता है, यह पोषक तत्वों में परिवर्तित होता है। इन पोषक तत्वों को प्राप्त कर पौधे फिर बढ़ने लगते हैं। खाद्य श्रृंखला के प्रत्येक स्तर को पौष्टिकता संबंधी स्तर के रूप में जाना जाता है।

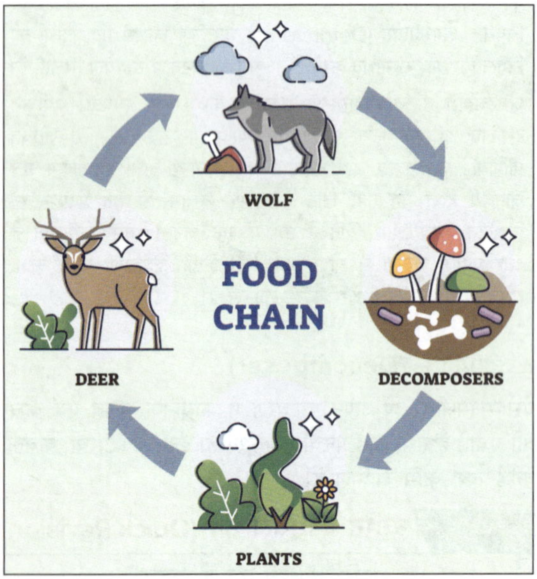

चित्र 6.1
खाद्य श्रृंखला

खाद्य जाल (Food Web)

जब अनेक खाद्य श्रृंखलाएँ आपस में जुड़कर या नेटवर्क बनाकर परस्पर जुड़ती हैं, तो उसे खाद्य जाल कहते हैं। खाद्य जाल में एक ही पोषण संबंधी स्तर पर विभिन्न प्रजातियों के अनेक जीव हो सकते हैं। इन सभी में एक ही बात समान होती है, और वह है- अपनी गतिविधियों को करने के लिए ऊर्जा की आवश्यकता।

खाद्य जाल किसी समुदाय के भीतर प्रजातियों के बीच भोजन का संबंध है। यह प्रजातियों के बीच परस्पर क्रिया तथा समुदाय संरचना को दर्शाता है और एक पारिस्थितिकी तंत्र में ऊर्जा हस्तांतरण की गतिशीलता को समझने में मदद करता है (चित्र 6.2)। तालिका 6.2 में खाद्य श्रृंखला तथा खाद्य जाल के बीच अंतर बताया गया है।

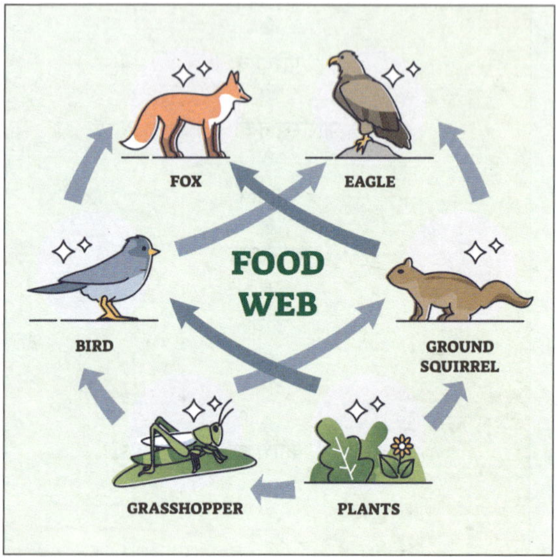

चित्र 6.2
खाद्य जाल

पारिस्थितिकीय पिरामिड (Ecological Pyramid)

पारिस्थितिकीय पिरामिड एक ऐसा चित्रात्मक निरूपण है, जो संख्या, बायोमास या ऊर्जा के संदर्भ में किसी पारिस्थितिकी तंत्र में विभिन्न पोषण संबंधी स्तरों के बीच संबंध को दर्शाता है। पिरामिड सामान्य रूप से (सदैव नहीं) शीर्ष की ओर संकीर्ण होता है, जो उच्च पोषण संबंधी स्तरों से गुजरते समय ऊर्जा या बायोमास की घटती उपलब्धता को दर्शाता है। विभिन्न प्रकार के पारिस्थितिकीय पिरामिडों के बीच तुलना तालिका 6.3 में दी गई है।

पारिस्थितिकीय संबंध (Ecological Relationship)

खाद्य श्रृंखलाएँ और खाद्य जाल हमें यह समझने में मदद करते हैं कि कौन क्या खाता है तथा उन्हें भोजन कहाँ से मिलता है। किसी पारिस्थितिकी तंत्र में जैविक कारक विभिन्न तरीकों से परस्पर क्रिया कर सकते हैं। इन अंत:क्रियाओं को तालिका 6.4 में दर्शाया गया है।

तालिका 6.2 खाद्य शृंखला एवं खाद्य जाल के बीच तुलना

तुलना का आधार	खाद्य शृंखला	खाद्य जाल
अर्थ	निम्न पोषण संबंधी स्तर से उच्च पोषण संबंधी स्तर तक एक ही सीधे मार्ग से ऊर्जा के प्रवाह को खाद्य शृंखला कहा जाता है।	परस्पर जुड़ी हुई, असंख्य खाद्य शृंखलाएँ, जिनके माध्यम से पारिस्थितिकीय तंत्र में ऊर्जा प्रवाहित होती है, खाद्य जाल कहलाती है।
शृंखलाओं की संख्या	इसमें केवल एक सीधी शृंखला होती है।	इसमें परस्पर जुड़ी हुई अनेक खाद्य शृंखलाएँ होती हैं।
स्थिरता	अलग-अलग तथा सीमित खाद्य शृंखलाओं की बढ़ती संख्या के कारण अस्थिरता बढ़ जाती है।	जटिल खाद्य शृंखलाओं की उपस्थिति के कारण स्थिरता बढ़ जाती है।
खाद्य शृंखला में व्यवधान का कारण	यहाँ तक कि यदि किसी जीव का एक समूह भी इधर-उधर होता है, तो पूरी शृंखला प्रभावित हो जाती है।	प्राणियों के एक समूह को हटाने से भी खाद्य जाल में कोई व्यवधान नहीं आता है।
भोजन के आधार पर	उच्च पोषण संबंधी स्तर के सदस्य निम्न पोषण स्तर पर स्थित एक ही प्रकार के प्राणियों पर निर्भर होते हैं या उनसे भोजन प्राप्त करते हैं।	उच्च पोषण संबंधी स्तर के सदस्य निम्न पोषण स्तर पर स्थित अलग-अलग प्रकार के अनेक प्राणियों पर निर्भर होते हैं या उनसे भोजन प्राप्त करते हैं।
पोषण संबंधी स्तर	विभिन्न प्रजातियों के केवल 4-6 पोषण संबंधी स्तरों से मिलकर बनता है।	इसमें प्रजातियों की विभिन्न आबादी के अनेक पोषण स्तर भी शामिल होते हैं।
प्रकार	1. चरागाह खाद्य शृंखला। 2. अपरदाहारी खाद्य शृंखला।	कोई प्रकार नहीं।

तालिका 6.3 पारिस्थितिकीय पिरामिड

पारिस्थितिकीय पिरामिड के प्रकार	परिभाषा	विशेषताएँ	उदाहरण
संख्याओं का पिरामिड	प्रत्येक पोषण स्तर पर प्राणियों की संख्या को दर्शाता है।	• पारिस्थितिकी तंत्र के आधार पर सीधा या उल्टा हो सकता है। • सरल एवं सीधा।	*सीधा:* घास के मैदान का पारिस्थितिकी तंत्र, जिसमें बहुत सारे पौधे, कम शाकाहारी प्राणी और उससे भी कम मांसाहारी प्राणी होते हैं। *उल्टा:* पेड़ जिसमें बहुत सारे कीड़े होते हैं।
बायोमास का पिरामिड	प्रत्येक पोषण स्तर पर कुल बायोमास (जीवित पदार्थ का कुल द्रव्यमान) का प्रतिनिधित्व करता है।	• सामान्य रूप से सीधा, लेकिन जलीय पारिस्थितिक तंत्र में उल्टा हो सकता है। • बायोमास सामान्यतया प्रत्येक उच्च पोषण स्तर पर घटता है।	*सीधा:* पेड़ों के बड़े बायोमास, शाकाहारी प्राणियों के छोटे बायोमास एवं मांसाहारियों के और भी छोटे बायोमास वाला वन पारिस्थितिकी तंत्र। *उल्टा:* फाइटोप्लांक्टन में उन जूप्लांक्टन की तुलना में कम बायोमास होता है, जो उन्हें खाते हैं।
ऊर्जा का पिरामिड	समय के साथ प्रत्येक पोषण स्तर के माध्यम से ऊर्जा के प्रवाह का प्रतिनिधित्व करता है।	• हमेशा सीधा। • चयापचय प्रक्रियाओं में ऊर्जा हानि (जैसे गर्मी, आदि) के कारण प्रत्येक क्रमिक पोषण स्तर पर ऊर्जा कम हो जाती है। • पारिस्थितिकी तंत्र संरचना का सबसे सटीक प्रतिनिधित्व।	घास के मैदान के पारिस्थितिकी तंत्र में, पौधों से शाकाहारी और फिर मांसाहारी प्राणियों तक ऊर्जा घटती जाती है।

तालिका 6.4 पारिस्थितिक संबंध

जैविक संबंध	परिभाषा	उदाहरण
शिकार	ऐसी अंत:क्रिया, जिसमें एक जीव (शिकारी) दूसरे जीव (शिकार) का शिकार करता है, उसे मारता है तथा खाता है।	शेर, जेबरा का शिकार करते हैं।
परजीवीवाद	वह अंत:क्रिया, जिसमें एक जीव (परजीवी) दूसरे जीव (मेजबान), सामान्यतया उसे मारे बिना, पर आश्रित होकर लाभ उठाता है।	टिक्स (चींचड़े), जो कुत्तों पर आश्रित रहते हैं।

(Continued)

तालिका 6.4 *(Continued)*

जैविक संबंध	परिभाषा	उदाहरण
पारस्परिकता	वह अंत:क्रिया, जिसमें दोनों जीव परस्पर संबंध से लाभ उठाते हैं।	मधुमक्खियाँ फूलों का परागण करती हैं।
सहभोजिता	वह अंत:क्रिया, जिसमें एक जीव को तो लाभ होता है, परंतु दूसरे प्राणी को न तो मदद मिलती है और न ही नुकसान होता है।	परिवहन के लिए व्हेल से चिपके हुए बार्नकल।
सहजीविता	वह अंत:क्रिया, जिसमें एक जीव को नुकसान होता है, जबकि दूसरे जीव पर कोई असर नहीं पड़ता है।	काला अखरोट का पेड़ एक ऐसा रसायन स्रावित करता है, जो आस-पास के पौधों की वृद्धि को रोकता है।
प्रतिस्पर्धा	वह अंत:क्रिया, जिसमें जीव एक ही संसाधन (जैसे, भोजन, क्षेत्र) के लिए प्रतिस्पर्द्धा करते हैं, जिसकी आपूर्ति सीमित होती है।	शेर तथा लकड़बग्घे शिकार के लिए प्रतिस्पर्द्धा करते हैं।
तटस्थता	वह अंत:क्रिया, जिसमें जीव एक ही वातावरण में रहते हैं, परंतु कोई भी दूसरे को प्रभावित नहीं करता है।	गाय एवं कुत्ते एक – दूसरे को प्रभावित किए बिना ही एक खेत में सह-अस्तित्व के साथ रहते हैं।
सहजीवन	यह दो अलग-अलग जैविक प्राणियों के बीच घनिष्ठ तथा दीर्घकालिक जैविक अंत:क्रियाओं के लिए सामान्य शब्द है, जहाँ दोनों को लाभ होता है।	इसमें पारस्परिकता, सहभोजिता एवं परजीविता शामिल हैं।
सुविधा	वह संबंध, जहाँ एक जीव दूसरे जीव की उपस्थिति से लाभान्वित होता है। वह अप्रत्यक्ष रूप से उसके अस्तित्व, विकास या प्रजनन में सहायता करता है।	नर्स पादप, जो पादपों को छाया एवं सुरक्षा प्रदान करते हैं। उदाहरण के लिए, कटहल के पेड़ कॉफी की झाड़ियों को छाया प्रदान करते हैं।

अन्य महत्वपूर्ण शब्दावलियाँ (Other Important Terminologies)

पारिस्थितिकीय अनुक्रम या पीढ़ी (Ecological Succession)

वह प्रक्रिया, जिसके द्वारा मूलभूत एवं सरल प्राणी समुदाय अधिक जटिल समुदायों द्वारा प्रतिस्थापित हो जाते हैं। यह अनेक चरणों में होता है। प्रत्येक चरण को सेरे कहा जाता है।

पारिस्थितिक अनुक्रम दो प्रकार का हो सकता है:

1. **प्राथमिक अनुक्रम या पीढ़ी (Primary Succession):** नव निर्मित या नई उजागर हुई चट्टानों पर जब पहली बार कोई जीवित प्राणी अपनी बसावट बसाता है, तो वह प्राथमिक अनुक्रम होता है। (चित्र 6.3)
2. **द्वितीयक अनुक्रम पीढ़ी (Secondary Succession):** जब मूलत: जीवित प्राणी किन्हीं व्यवधानों (प्राकृतिक आपदा,

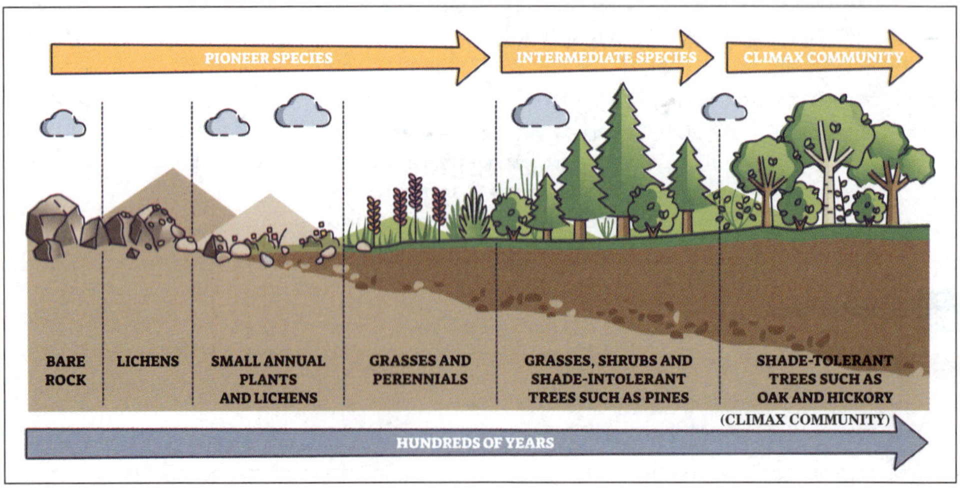

चित्र 6.3
प्राथमिक अनुक्रम या पीढ़ी

दावानल, आदि) के कारण हटा दिए जाते हैं या नष्ट हो जाते हैं तथा उस भूमि पर नए जीव अपनी बसावट बसाना शुरू कर देते हैं। (चित्र 6.4)

इस अनुक्रम की लंबी प्रक्रिया के बाद किसी क्षेत्र में विकसित होने वाला उच्चतम समुदाय चरम समुदाय के रूप में जाना जाता है।

संक्रमिका (Ecotone)

यह आस-पास के पारिस्थितिकी तंत्रों के बीच का वह सीमा संक्रमण क्षेत्र है, जिसकी चौड़ाई भिन्न-भिन्न हो सकती है। यह तनाव का क्षेत्र इसलिए है, क्योंकि पादपों एवं जानवरों की समान प्रजातियाँ यहां संसाधनों के लिए प्रतिस्पर्धा करती हैं। अक्सर, संक्रमिका (Ecotone) में आसपास के पारिस्थितिकी तंत्रों की तुलना में अधिक जैविक विविधता पायी जाती है। उदाहरण के लिए मैंग्रोव स्थलीय एवं समुद्री पारिस्थितिकी तंत्रों के बीच संक्रमिका क्षेत्र (Ecotone) है। यहाँ स्थलीय जानवर भी जीवित रह सकते हैं तथा जलभराव की स्थिति में जलीय जानवर भी प्रजनन के लिए आ सकते हैं। इसके अलावा, मैंग्रोव में अपनी विशेष जैव विविधता (जीवित रहने वाले पेड़, न्यूमेटोपोर, आदि) भी होती है।

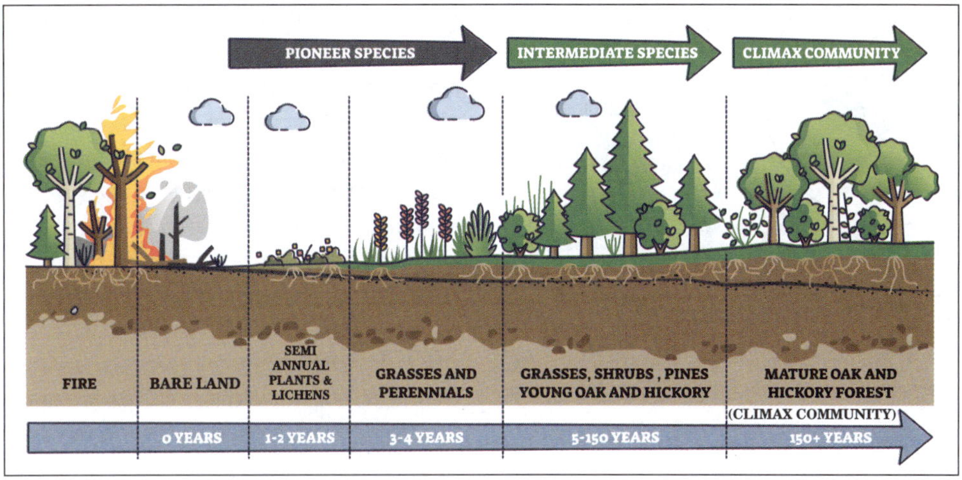

चित्र 6.4
द्वितीयक अनुक्रम

> **जरायुजता एवं न्यूमेटोफोर**
>
> **जरायुजता:** यह प्रजनन अनुकूलन है, जिसमें बीज मूल वृक्ष से जुड़े रहते हुए भी अंकुरित होते हैं, जिससे मिट्टी के वातावरण में गिरने पर अंकुर तुरंत बढ़ने लगते हैं।
>
> **न्यूमेटोफोर:** हवा में निकली हुई वे विशेष जड़ें, जो जलभराव, अवायवीय स्थितियों में ऑक्सीजन के अवशोषण को सुविधाजनक बनाने के लिए मिट्टी के ऊपर निकलती हैं।

आला या ताक (Niche)

Niche (फ्रेंच शब्द निचरं (nicher) से बना है, जिसका अर्थ होता है- 'घोंसला बनाना') यह किसी दिये गये समुदाय के भीतर किसी प्राणी के कार्य या व्यवसाय को संदर्भित करता है। यह वह तरीका है, जिससे कोई प्राणी जीवित रहने के लिए आवश्यक भौतिक, रासायनिक एवं जैविक कारकों को प्राप्त करता है तथा बनाए रखता है। यह किसी दिए गए समुदाय के भीतर प्राणियों का मूल कार्य या इस तरह की गतिविधियां हैं कि किस प्रकार जीव अपना भोजन, हवा और पानी प्राप्त करते हैं। निश (आला) के कार्यों में, (i) पर्यावास (निश) आला, (ii) पोषण (खाद्य) आला और (iii) प्रजनन आला शामिल हैं।

अपने क्षेत्र के आधार पर, आला कार्यात्मक या साकार आला हो सकता है। कार्यात्मक आला पर्यावरणीय परिस्थितियों तथा संसाधनों की पूरी श्रृंखला है, जिसका कोई भी जीव सैद्धांतिक रूप से उपयोग कर सकता है। दूसरी ओर, साकार आला परिस्थितियों एवं संसाधनों का वास्तविक समूह होता है, जिसका उपयोग कोई जीव प्रतिस्पर्धियों तथा अन्य जैविक अंत:क्रियाओं की उपस्थिति के कारण कर सकता है।

उदाहरण के लिए, यदि किसी जंगल में 100 हिरण हैं, तो ये सभी 100 हिरण शेर के लिए भोजन का आला (निच) हो सकते हैं। यद्यपि, जंगल में कई शेर होते हैं। इसके अलावा, बाघ

तथा तेंदुए जैसी अन्य प्रजातियां भी हैं, जो हिरणों को खाते हैं। इसलिए, अन्य शेरों तथा प्रजातियों से प्रतिस्पर्धा के कारण शेर के खाने के लिए सभी 100 हिरण उपलब्ध नहीं होते हैं। इसलिए, 100 हिरण शेर के लिए कार्यात्मक निश (आला) है, जबकि साकार निश (आला) केवल 4 या 5 हिरण ही होंगे।

याद रखने की युक्ति (Learning Trick)

आला (Niche)

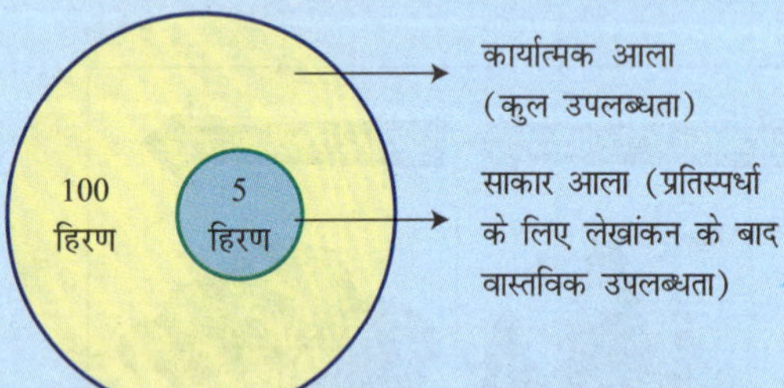

पर्यावास या प्राकृतिक आवास (Habitat)

कोई भी स्थान या क्षेत्र विशेष, जहाँ कोई विशेष प्रजाति रहती हो, उसका पर्यावास कहलाता है। पर्यावास एक हिस्सा है तथा इसे पारिस्थितिकी तंत्र का वास्तविक स्थान माना जाता है। पर्यावास भले वे किसी भी प्रजाति के हों, सभी प्रकार के प्राणियों के लिए पोषक तत्व या ऊर्जा प्रदान करने वाला क्षेत्र है।

तालाब, नदी, महासागर पर्यावास के सबसे अच्छे उदाहरण हैं, क्योंकि कई जीव एक ही स्थान या पर्यावास में पाए जाते हैं। ये पर्यावास वृक्षीय, स्थलीय, हवाई, जलीय आदि हो सकते हैं। (तालिका 6.5)

सुपोषणीयता (Eutrophication)

यह एक ऐसी प्राकृतिक प्रक्रिया है, जिसमें नदियों एवं वर्षा जल के माध्यम से झीलों में पोषक तत्व तथा तलछट आते हैं और ये पोषण से समृद्ध होती हैं; जिससे जल निकाय धीरे-धीरे भर जाते हैं और प्राकृतिक रूप से संतृप्त हो जाते हैं। इस प्रक्रिया को मानवजनित क्रियाओं द्वारा तेज किया जा सकता है, जहाँ उर्वरकों के लगातार उपयोग से उर्वरक बहकर झीलों में प्रवेश कर जाते हैं। इससे शैवाल की तेजी से वृद्धि हो सकती है। इस प्रक्रिया को शैवाल प्रस्फुटन के रूप में भी जाना जाता है। ये शैवाल अक्सर झीलों की पूरी सतह को कवर कर लेती हैं, जिससे जलीय पौधों की मृत्यु हो सकती है, क्योंकि बाद में उन्हें सूर्य का प्रकाश नहीं मिल पाता है। यह पूरे जलीय पारिस्थितिकी तंत्र को बाधित कर सकता है।

जैवपिण्ड (Biomass)

जैवपिण्ड या बायोमास कार्बनिक पदार्थ का कुल सूखा वजन होता है; बायोमास ही खाद्य शृंखला का पोषण करता है।

तालिका 6.5 पर्यावास (Habitat) तथा आला (Niche) के बीच की तुलना

तुलना का आधार	पर्यावास (Habitat)	आला (Niche)
अर्थ	पर्यावास ऐसा क्षेत्र है, जहाँ कोई प्रजाति निवास करती है तथा अन्य कारकों के साथ परस्पर क्रिया करती है।	आला (**Niche**) वह विचार है, जो बताता है कि कोई प्राणी प्रदान की गई पर्यावरणीय परिस्थितियों में कैसे रहते हैं या जीवित रहते हैं।
उदाहरण	रेगिस्तान, महासागर, जंगल, नदियाँ, पहाड़, आदि पर्यावास के उदाहरण हैं।	शेर के लिए, पर्यावास संबंधी निश घास का मैदान होगा और भोजन संबंधी निश हिरण आदि होंगे।
आश्रय	पर्यावास एक समय में अनेक प्रजातियों को आश्रय प्रदान करता है।	किन्हीं भी दो प्रजातियों का एक ही आला (**Niche**) नहीं हो सकता है।
प्रकृति	पर्यावास एक भौतिक स्थान है।	आला (**Niche**) प्राणियों द्वारा की जाने वाली एक गतिविधि है।
विशिष्टता	पर्यावास किसी प्रजाति विशिष्ट के लिये नहीं होता है।	आला (**Niche**) प्रजाति विशिष्ट होता है।

पृथ्वी का पारिस्थितिकी तंत्र (ECOSYSTEMS OF THE EARTH)

पृथ्वी के प्रमुख पारिस्थितिकी तंत्र को सामान्यत: दो भागों में विभाजित किया जाता है- (1) जलीय एवं (2) स्थलीय।

1. **जलीय पारिस्थितिकी तंत्र (Aquatic Ecosystem):** जल में स्थित पादपों एवं जंतुओं तथा उनके अजैविक पर्यावरण का संघटन जलीय पारिस्थितिकी तंत्र के रूप में जाना जाता है। महासागर, झीलें, मुहाने, डेल्टा और मीठे पानी की झीलें जलीय पारिस्थितिकी तंत्र के उदाहरण हैं।
2. **स्थलीय पारिस्थितिकी तंत्र (Terrestrial Ecosystem):** यह एक ऐसा आत्म-नियमन संघटन है, जिसकी विशेषता भूमि पर विशिष्ट पौधों की संरचनाएं होती है; सामान्यतया इसे

प्रमुख वनस्पति के नाम से जाना जाता है तथा जब यह बड़े और स्थिर हो जाते हैं, तो जैवक्षेत्र के रूप में जाने जाते हैं।

प्रमुख स्थलीय जैवक्षेत्र (Major Terrestrial Biomes)

जैवक्षेत्र एक ऐसा विशाल स्थलीय पारिस्थितिकी तंत्र है, इसमें विशिष्ट वनस्पति समुदाय एवं संरचनाएं पायी जाती हैं; सामान्य रूप से इस क्षेत्र में पायी जाने वाली प्रमुख वनस्पति के नाम पर इसका नाम रखा जाता है तथा 'जलवायु' (तापमान एवं वर्षा) का उस क्षेत्र की वनस्पति पर बहुत बड़ा प्रभाव पड़ता है, जो बदले में वहां के वन्य प्राणियों को प्रभावित करता है। इसलिए, 'जैवक्षेत्र' को समझने के लिए इस पुस्तक के अध्याय 3 में दिए गए जलवायु विज्ञान की जलवायु वर्गीकरण तालिका के साथ जैवक्षेत्र के प्रकारों का अध्ययन करना चाहिए। निम्नलिखित प्रमुख स्थलीय जैवक्षेत्र हैं:

1. भूमध्यरेखीय एवं उष्णकटिबंधीय वर्षावन (Equatorial and Tropical Rainforest – ETR)

यह जैवक्षेत्र भूमध्य रेखा के दोनों ओर पाया जाता है। इसकी विशेषता गर्म एवं आर्द्र जलवायु है। भूमध्यरेखीय जैवक्षेत्र की जलवायु की विशेषता दिन की लंबाई (12 घंटे), उच्च सूर्यातप तथा लगभग 25 डिग्री सेल्सियस का औसत वार्षिक तापमान है और यहां औसत वार्षिक वर्षा लगभग 200 सेमी होती है।

अमेजन क्षेत्र भूमध्यरेखीय एवं उष्णकटिबंधीय वर्षा वन का सबसे बड़ा क्षेत्र है, जिसे सेल्वा भी कहा जाता है। वर्षा वन कांगो बेसिन, मेडागास्कर (अफ्रीका), दक्षिण पूर्व एशिया (इंडोनेशिया, मलेशिया, थाईलैंड, आदि), कोलंबिया, इक्वाडोर तथा पश्चिमी वेनेजुएला में भी पाये जाते हैं। वर्षा वन पृथ्वी के शेष वनों का लगभग आधा हिस्सा हैं, जो विश्व के कुल क्षेत्रफल के लगभग 7 प्रतिशत क्षेत्र पर फैले हुए हैं (चित्र 6.5)।

भूमध्यरेखीय वर्षा वनों की विशेषता, वहां पायी जाने वाली लताएँ (लियाना) एवं अधिपादप (एपिफाइट्स) हैं, जो इन वनों को हरा-भरा बनाते हैं; ऑर्किड, ब्रोमेलियाड और फर्न जैसे पौधे यहाँ अक्सर पाए जाते हैं। वर्षा वन की कैनोपी तीन स्तरों पर होती है। ऊपरी स्तर पर ऊँचे पेड़ हैं, जिनके ऊँचे शीर्ष मध्य कैनोपी से ऊपर उठे हुए होते हैं।

मध्य कैनोपी सर्वाधिक घनी है। इसकी चौड़ी पत्तियाँ अधिकांश प्रकाश को रोक देती है तथा वन तल को काला कर देती हैं। इससे यहां मिट्टी भी अत्यधिक अम्लीय एवं पोषक तत्वों से रहित होती है, क्योंकि वनों में स्थित बड़े पेड़ मिट्टी में पोषक तत्वों को बनते ही अवशोषित कर लेते हैं।

वर्षा वनों के अधिकांश पेड़ों की लकड़ी बेहद कठोर, भारी तथा घनी होती है – वास्तव में, कुछ किस्मों की लकडियां तो तैरती भी नहीं हैं। इसमें बाल्सा तथा कुछ अन्य किस्में अपवाद

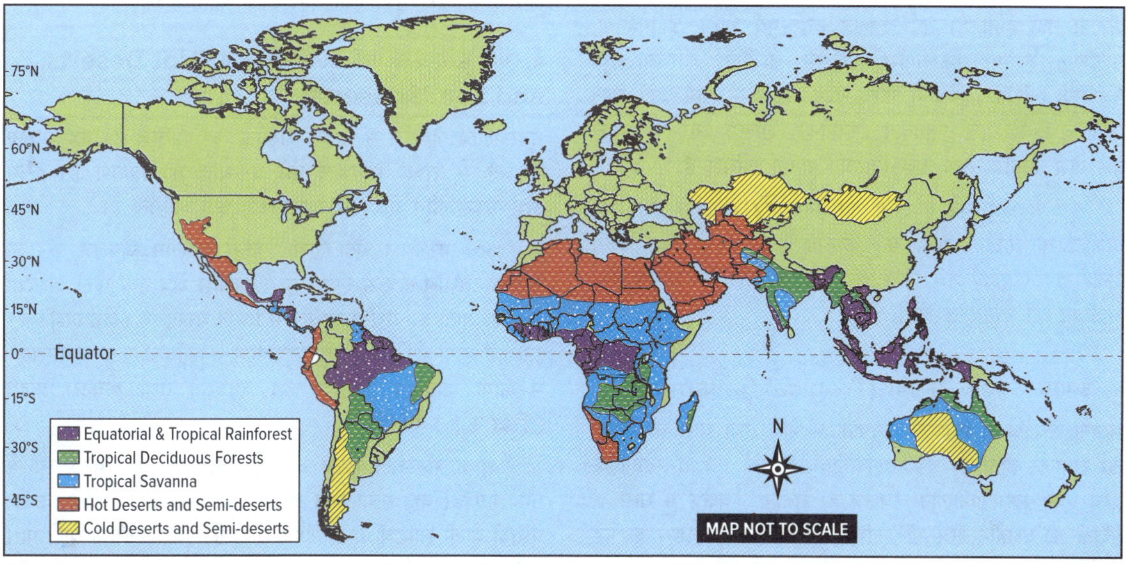

चित्र 6.5

विश्व के प्रमुख स्थलीय बायोम (क्रिस्टोफर्सन आर.डब्ल्यू. जियोसिस्टम्स के बाद, 1999, प्रेंटिस-हॉल)

हैं, जो बहुत हल्की होती हैं। मुख्य किस्मों में महोगनी, आबनूस तथा शीशम शामिल हैं। इनकी कटाई (लॉगिंग) मुश्किल है, क्योंकि अलग-अलग प्रजातियाँ व्यापक रूप से बिखरी हुई हैं; कोई विशेष किस्म का वृक्ष प्रति वर्ग किलोमीटर में केवल एक या दो ही पाया जाता है।

वर्षा वन का कीट एवं पशु जीवन विविधतापूर्ण है। इनमें छोटे अपघटक (बैक्टीरिया) से लेकर पेड़ों की ऊपरी भागों पर रहने वाले अनेक जंतु शामिल हैं। इन पेड़ों पर रहने वाले जंतुओं को आर्बरियल जंतुओं के रूप में जाना जाता है। इनमें बंदर, लीमर, सुस्ती, तोते तथा सांप शामिल हैं। कई रंगों के सुंदर पक्षी, पेड़ों पर रहने वाले मेंढक, छिपकली, चमगादड़ और बहुतायत में पाये जाने वाले कीट वर्षा वनों में पाए जाते हैं।

पृथ्वी पर मूल वर्षा वनों का आधे से अधिक भाग नष्ट हो चुका है। इन्हें लकड़ी, ईंधन, चारागाह तथा कृषि कार्यों के लिए काट दिया गया है।

2. उष्णकटिबंधीय पर्णपाती वन (Tropical Deciduous Forests)

यह जैवक्षेत्र कम तथा अनियमित वर्षा वाले क्षेत्रों में स्थित है। इस क्षेत्र में पाये जाने वाले पेड़ पर्णपाती एवं अर्ध-पर्णपाती होते हैं। अर्ध-पर्णपाती पेड़ों की पत्तियाँ शुष्क मौसम के दौरान झड़ जाती हैं। यह मानसून जलवायु में पाया जाने वाला जैवक्षेत्र है। मानसूनी वन औसतन 15 मीटर ऊँचे होते हैं, जिनमें पत्तियों की कोई घनी कैनोपी नहीं होती है। यह जैवक्षेत्र उत्तर-पूर्व भारत, इंडोनेशिया, मलेशिया, म्यांमार, फिलीपींस, थाईलैंड, ब्राजील, जाम्बिया तथा तंजानिया **(चित्र 6.5)** में फैला हुआ है। इसमें पाये जाने वाले मुख्य वृक्षों में साल, सागवान (सागौन), शीशम और गोंद वाले वृक्ष जैसे कार्नाबा तथा ताड़ (कठोर मोम) शामिल हैं।

इन जैवक्षेत्रों को स्थानीय नाम दिए गए हैं: जैसे उत्तर-पूर्व ब्राजील के बाहिया राज्य का *कैटिंगा* क्षेत्र, पैराग्वे तथा उत्तरी अर्जेंटीना का *चाको क्षेत्र*, ऑस्ट्रेलिया का *ब्रिगलो स्क्रब* तथा दक्षिण अफ्रीका का *डोर्नवेल्ड* क्षेत्र।

3. उष्णकटिबंधीय सवाना (Tropical Savanna)

सवाना जैवक्षेत्र में विभिन्न अनुपातों में पेड़ों तथा घास के मैदानों का संयोजन होता है। यह उष्णकटिबंधीय वनों एवं रेगिस्तानों के बीच एक संक्रमणकालीन जैवक्षेत्र है। सवाना जैवक्षेत्र में घास के मैदानों के वृक्षहीन क्षेत्र भी शामिल हैं। सवाना वुडलैंड्स के पेड़ विशेष रूप से सपाट शीर्ष वाले होते हैं। सवाना क्षेत्र मानव हस्तक्षेप से पहले पृथ्वी के कुल क्षेत्रफल के 40 प्रतिशत भू-भाग पर फैला हुआ था, परंतु विशेष रूप से मानवजनित आग के कारण इसमें बहुत बदलाव आया है। इन क्षेत्रों में पाये जाने वाले दीर्घकालीन शुष्क मौसम के कारण लगभग हर वर्ष पूरे जैवक्षेत्र में स्वाभाविक रूप से आग लगती रहती है। इस जैवक्षेत्र में औसतन 5 मीटर ऊँची हाथी घास पायी जाती है। यह जैवक्षेत्र आर्द्र उष्णकटिबंधीय क्षेत्रों की तुलना में जीवांश (ह्यूमस) के मामले में बहुत समृद्ध है तथा यहां बेहतर जल निकासी भी है। इस कारण यह कृषि के लिए उपयुक्त क्षेत्र है। इस जैवक्षेत्र में उगायी जाने वाली सामान्य फसलों में सोरघम (बाजरा), गेहूं तथा मूंगफली (मूंगफली) शामिल हैं।

सवाना झाड़ियाँ एवं पेड़ प्राय मरुद्भिद अथवा शुष्कता रोधी होते हैं। इनमें स्वयं को शुष्कता से बचाने के लिए विभिन्न प्रकार की अनुकूलनता पायी जाती है। इनकी प्रमुख विशेषताओं में मोटे आकार की छोटी पत्तियाँ, खुरदरी छाल या पत्तियों की मोमयुक्त सतह शामिल हैं। अफ्रीका में इस जैवक्षेत्र का सबसे बड़ा क्षेत्र है, जिसमें प्रसिद्ध सेरेनगेटी मैदान और साहेल क्षेत्र शामिल हैं। यह जैवक्षेत्र ऑस्ट्रेलिया, भारत तथा दक्षिण अमेरिका के कुछ हिस्सों में भी पाया जाता है **(चित्र 6.5)**। इन्हें उष्णकटिबंधीय घास के मैदानों के रूप में भी जाना जाता है, इन भूमियों के कुछ स्थानीय नामों में वेनेजुएला में *लानोस*, ब्राजील तथा गुयाना में *कैम्पो सेराडो* और दक्षिण पश्चिमी ब्राजील का *पैंटानल* शामिल हैं। इस क्षेत्र में पाये जाने वाले विशाल स्थलीय स्तनधारियों की व्यापक विविधता के कारण सवाना को दुनिया के जूलैंड्स या 'दुनिया के गेम कंट्री' के रूप में भी जाना जाता है। सवाना घास के मैदानों में पाये जाने वाले प्रमुख जंतुओं में शेर, चीता, बाघ, जेबरा, ज़िराफ, भैंस, हिरन, जंगली जानवर, मृग, गैंडा और हाथी शामिल हैं।

4. गर्म मरुस्थल एवं अर्ध-मरुस्थल (Hot Deserts and Semi&deserts)

मरुस्थलीय जैवक्षेत्र में अनेक संरचना वर्ग शामिल हैं। यह सवाना जैवक्षेत्र से शुष्क मरुस्थल की वनस्पति में संक्रमण हैं। इसमें अर्ध-मरुस्थलीय एवं गर्म मरुस्थलीय क्षेत्र शामिल हैं।

अर्ध-मरुस्थल एक ऐसा संक्रमणकालीन जैवक्षेत्र है, जो उष्णकटिबंधीय क्षेत्र से लेकर मध्य-अक्षांश क्षेत्र तक फैले अक्षांशों में पाया जाता है। अर्ध-मरुस्थल में विरल मरुद्भिद (जेरोफाइटिक) झाड़ियाँ होती हैं। इसका एक उदाहरण कोलोराडो पठार (यूएसए) में पायी जाने वाली सेज ब्रश वनस्पति तथा कैक्टस पादप **(चित्र 6.5)** है।

शुष्क मरुस्थल मुख्य रूप से दुनिया के गर्म मरुस्थलों में फैले हुए हैं। यहां पायी जाने वाली मुख्य वनस्पति में छोटी, कठोर पत्तियों वाली झाड़ियाँ या काँटेदार झाड़ियाँ, गूदेदार पत्तियों वाले पौधे (जैसे कैक्टस) या कठोर घास शामिल हैं। विशिष्ट मरुस्थलीय वनस्पति में सगुआरो कैक्टस, काँटेदार नाशपाती कैक्टस, ओकोटिलो, क्रेओसोट बुश और स्मोक ट्री शामिल हैं।

5. ठंडे मरुस्थल एवं अर्ध-मरुस्थल (Cold Deserts and Semi-deserts)

ठंडे मरुस्थल एवं अर्ध-मरुस्थल जैवक्षेत्र उच्च अक्षांशों में पाये जाते हैं। यह जैवक्षेत्र सिएरा नेवादा (यूएसए), लद्दाख (भारत) तथा एंडीज (अर्जेंटीना) तक फैले हुए हैं। सर्द मरुस्थलों में सर्दियों में बर्फ गिरती है, लेकिन सामान्य रूप से इसकी मात्रा बहुत कम होती है। यहां गर्मियाँ गर्म होती हैं। शुष्कता, साफ आसमान तथा विरल वनस्पतियों के कारण यहां उच्च विकिरणीय ऊष्मा समाप्त हो जाती है और शामें ठंडी हो जाती हैं। इन मरुस्थलों के कई क्षेत्र सेज-ब्रश तथा झाड़ीदार वनस्पतियों से ढके हुए होते हैं (चित्र 6.5)।

6. समशीतोष्ण वर्षा वन (Temperate Rainforest)

समशीतोष्ण वर्षावन जैवक्षेत्र की पहचान इसके उन हरे-भरे जंगलों से हैं, जो मध्य एवं उच्च अक्षांशों में पाये जाते हैं। यह जैवक्षेत्र मुख्य रूप से उत्तरी अमेरिका के उत्तर-पश्चिम प्रशांत के संकीर्ण किनारों पर पाये जाते हैं (चित्र 6.6)। विश्व के सबसे ऊँचे वृक्ष, अर्थात्, रेडवुड (सेकोइया सेम्परविरेंस), डगलस फिर, स्प्रूस, देवदार तथा हेमलॉक इस जैवक्षेत्र में पाये जाते हैं। इन पेड़ों की आयु 1500 वर्षों से अधिक तक की होती हैं और सामान्य रूप से 60 से 90 मीटर तक ऊँचे होते हैं। कुछ पेड़ 100 मीटर से भी अधिक ऊँचें हो सकते हैं। इस जैवक्षेत्र में उत्तरी अमेरिका, यूरोप तथा एशिया में अनेक विशिष्ट प्रजातियाँ शामिल हैं। इस जैवक्षेत्र के अन्य महत्वपूर्ण वृक्षों में पर्णपाती ओक, बीच, हिकॉरी, मेपल, एल्म, चेस्टनट, पाइन आदि शामिल हैं (चित्र 6.6)।

7. मध्य-अक्षांश चौड़ी पत्ती वाले मिश्रित वन (Mid-latitude Broadleaf Mixed Forests)

यह जैवक्षेत्र उत्तरी अमेरिका, यूरोप तथा एशिया की नम महाद्वीपीय जलवायु में पाया जाता है (चित्र 6.6)। यहां विभिन्न प्रकार के वृक्ष पाये जाते हैं। इस जैवक्षेत्र के मुख्य वृक्षों में पाइन एवं हेमलॉक तथा पर्णपाती प्रकारों में ओक, बीच, हिकॉरी, मेपल, एल्म, चेस्टनट आदि शामिल हैं।

8. भूमध्यसागरीय झाड़ीदार क्षेत्र (Mediterranean Shrubland (MSh))

भूमध्यसागरीय जैवक्षेत्र में गर्म, वर्षाविहीन गर्मियाँ और ठंडी-नम सर्दियाँ होती हैं। इस जैवक्षेत्र की प्रमुख वृक्ष प्रजातियाँ गर्मियों के सूखे को सहन करने में सक्षम, बौनी एवं कठोर होती हैं। इस वनस्पति को *स्क्लेरोफिलस* (स्क्लेरा या 'कठोर' तथा फाइलोस अर्थात 'पत्ती') कहा जाता है। इनकी औसतन ऊँचाई एक या दो मीटर होती हैं और इनकी जड़ें गहरी, सुविकसित होती हैं। इनकी पत्तियाँ चर्म जैसी होती हैं तथा शाखाएँ असमान और नीची होती हैं। कैलिफोर्निया में इस वनस्पति को *चापराल* के नाम से जाना

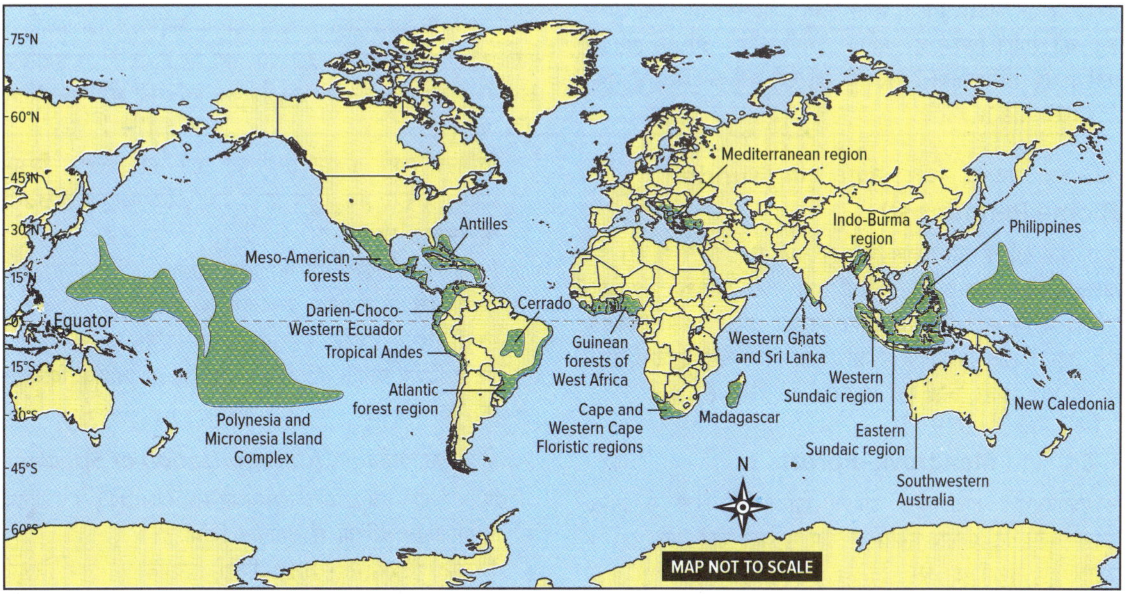

चित्र 6.6

विश्व के प्रमुख स्थलीय जैवक्षेत्र (क्रिस्टोफरसन, आर.डब्ल्यू., जियोसिस्टम्स, 1999, प्रेंटिस-हॉल)

जाता है। यूरोपीय भूमध्यसागरीय क्षेत्र में इसे *माकी* के नाम से जाना जाता है। चिली में ऐसे क्षेत्र को *मटोरल* कहा जाता है; दक्षिण ऑस्ट्रेलिया में इसे *माली स्क्रब* कहा जाता है। कॉर्क-ओक भी इस जैवक्षेत्र की वनस्पति है **(चित्र 6.6)**।

9. मध्य अक्षांशीय घास के मैदान (Mid–latitude Grasslands)

इन्हें समशीतोष्ण घास के मैदान के रूप में भी जाना जाता है। इस जैवक्षेत्र में स्टेपीज (यूरेशिया), प्रेयरी (यूएसए, कनाडा), पम्पास (अर्जेंटीना), वेल्ड्स (दक्षिण अफ्रीका) और डाउन्स (ऑस्ट्रेलिया) शामिल हैं। यह जैवक्षेत्र पौष्टिक घास के लिए जाना जाता है। ये घासें वसंत तथा प्रारंभिक गर्मियों में फलती-फूलती हैं **(चित्र 6.6)**। इसका अधिक विवरण जलवायु विज्ञान अध्याय में पहले ही दे दिया गया है।

10. टैगा वन (Taiga Forest)

इस शंकुधारी पर्ण वाले वन जैवक्षेत्र को बोरियल वन भी कहा जाता है **(चित्र 6.5)**। आर्कटिक तथा उप-आर्कटिक क्षेत्रों में बोरियल वन का एक अधिक खुला रूप टैगा के रूप में जाना जाता है। दक्षिणी गोलार्ध में उच्च अक्षांशों पर भूमि पर बर्फ जमी होने के कारण ये वन नहीं पाये जाते हैं। यद्यपि, कुछ पर्वतीय क्षेत्रों में पर्याप्त ऊंचाई पर ऐसे पेड़ों की वृद्धि के लिए परिस्थितियां उपयुक्त हो जाती हैं। इस जैवक्षेत्र के मुख्य वृक्ष पाइन, स्प्रूस तथा फर हैं। सिएरा नेवादा, रॉकी पर्वत, आल्प्स और हिमालय में वनों की समान किस्म हैं, क्योंकि इनकी ऊंचाई अधिक होने के कारण सर्द परिस्थितियां मिलती है, जो ऐसे वनों के लिए उपयुक्त हैं **(चित्र 6.6)**।

11. टुंड्रा जैवक्षेत्र स्थायी तुषार भूमि (Tundra Biome Permafrost)

टुंड्रा क्षेत्र वर्ष के अधिकांश भाग में बर्फ से ढका रहता है। इस जलवायु में पौधे केवल लंबे दिनों तथा छोटी रातों वाली संक्षिप्त गर्मियों में ही बढ़ते हैं, जब पर्माफ्रॉस्ट का ऊपरी हिस्सा पिघलता है,। टुंड्रा जैवक्षेत्र के पादपों में अधिकतर निम्न जड़ी-बूटियां, सेज, कॉटन घास, घास, काई एवं लाइकेन हैं **(चित्र 6.6)**।

मैंग्रोव वन (Mangrove–Forests)

उष्णकटिबंधीय तथा कुछ उपोष्ण कटिबंधीय क्षेत्रों में निम्न, कीचड़युक्त तट अक्सर मैंग्रोव के रूप में जाने जाने वाले पेड़ों के उलझे हुए समूहों का घर होते हैं। ये बड़े फूल वाले पौधे कभी पूरी तरह से जलमग्न नहीं होते हैं, लेकिन जलभराव की स्थिति में वृद्धि के लिए अनुकूलित होते हैं। ये दक्षिण एशिया, दक्षिण-पूर्व एशिया, उष्णकटिबंधीय अफ्रीका, तथा उष्णकटिबंधीय अमेरिका की नदियों के तलछट-समृद्ध लैगून, खाड़ियों, डेल्टा और मुहानों में पनपते हैं। यह पारिस्थितिक तंत्र काफी नाजुक होता है तथा मानव विकास के कारण खतरे में हैं। कुछ देशों के दलदली क्षेत्रों में बीमारी या महामारी के डर के कारण खारे क्षेत्रों तथा मैंग्रोव क्षेत्र को पुनः प्राप्त कर लिया गया है। यद्यपि, अध्ययनों से पता चला है कि ये वन तटों को तटीय कटाव जैसी घटनाओं से बचाते हैं और चक्रवात, तूफान की लहरों तथा सुनामी जैसी घटनाओं के कारण तटीय आधारभूत संरचनाओं और समुदायों पर पड़ने वाले प्रभाव को कम करते हैं।

जैव-विविधता (Biodiversity)

जैव-विविधता प्राणियों संबंधी विविधता का संक्षिप्त रूप है। 'जैव-विविधता' (Biodiversity) शब्द की खोज वाल्टर जी. रोसेन द्वारा की गयी थी। इसका संदर्भ किसी विशेष क्षेत्र में रहने वाले जीवित प्राणियों की विविधता एवं प्रचुरता से है।

चित्र 6.7 में यह देखा जा सकता है कि एंटिल्स के द्वीप, मेसो-अमेरिकी वन, उष्णकटिबंधीय एंडीज, सेराडो (ब्राजील) तथा अटलांटिक वन क्षेत्र में विशेष जैव-विविधता है। पश्चिम अफ्रीका के गिनी वन, मेडागास्कर, केप और पश्चिमी केप (दक्षिण अफ्रीका), पश्चिमी घाट (भारत), दक्षिण-पूर्व एशिया, विशेष रूप से इंडोनेशिया, मलेशिया, फिलीपींस आदि में अत्यधिक जैव विविधता है।

पृथ्वी पर आज आठ अरब से अधिक मनुष्य, लाखों प्रजातियाँ, जानवर एवं पादप जमीन, जल एवं वायु पर निर्भर हैं। ये प्रजातियाँ लगभग 4 अरब वर्षों की उपज हैं। जैव विविधता के निम्नलिखित पाँच पहलू हैं:

1. विभिन्न प्रकार के पारिस्थितिकी तंत्रों का वितरण, जिसमें पादप, जानवर एवं सूक्ष्म प्राणी तथा आसपास के वातावरण के समुदाय शामिल हैं।
2. किसी क्षेत्र में प्रजातियों की कुल संख्या।
3. किसी क्षेत्र में स्थानिक प्रजातियों की संख्या।
4. किसी विशेष प्रजाति की आनुवंशिक विविधता।
5. किसी विशेष प्रजाति की उप-आबादी, जो आनुवंशिक विविधता को अपनाती है।

प्रजातियों का वर्गीकरण (Categorisation of Species)

अंतर्राष्ट्रीय प्रकृति एवं प्राकृतिक संसाधन संघ (IUCN) ने प्रजातियों को निम्नलिखित श्रेणियों में वर्गीकृत किया है:

- **विलुप्त (Extinct–EX):** किसी प्रजाति को तब विलुप्त माना जाता है, जब इस बात पर कोई उचित संदेह नहीं हो कि उस प्रजाति के अंतिम सदस्य की मृत्यु हो गई है। यह श्रेणी

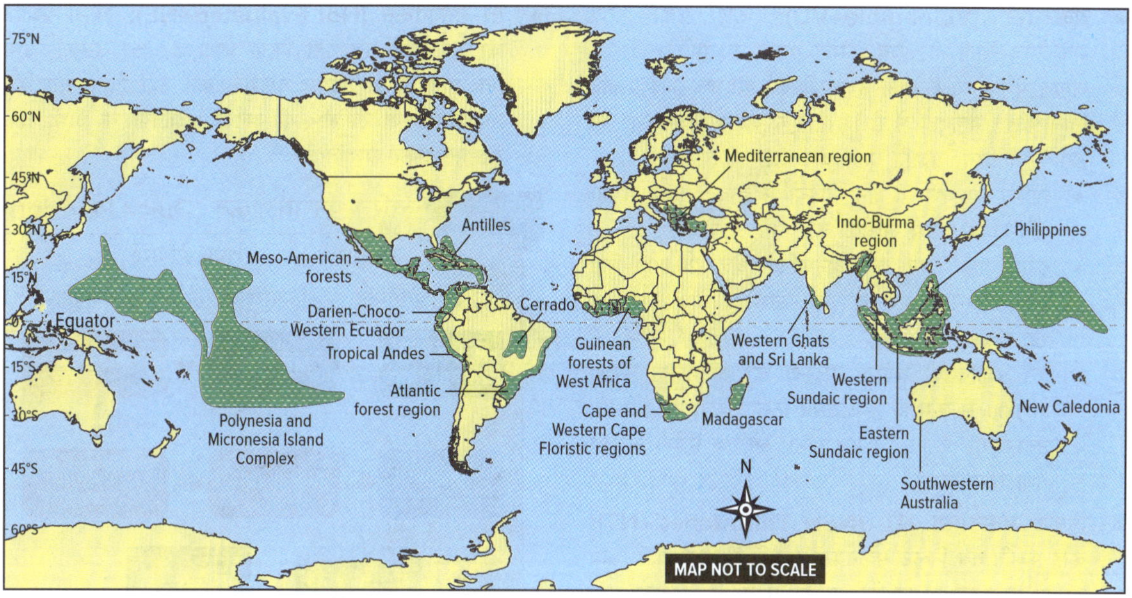

चित्र 6.7

असाधारण रूप से उच्च जैविक समृद्धि वाले क्षेत्रखजैव विविधता हॉट स्पॉट, कंजर्वेशन इंटरनेशनल द्वारा यथा निर्धारित।
***स्रोत:* सी. बैरी कॉक्स एट. अल. 2004, एक पारिस्थितिक एवं विकासवादी दृष्टिकोण, 6वां संस्करण. लंदन ब्लैकवेल साइंस. पृष्ठ 25**

ज्ञात एवं/या अपेक्षित पर्यावासों में समुचित समय पर (दैनिक, मौसमी, वार्षिक), ऐतिहासिक रूप से पाये जाने वाले क्षेत्रों में विस्तृत सर्वेक्षण के बाद किसी भी सदस्य को रिकॉर्ड करने में विफल रहने पर दी जाती है। उदाहरण: संदेशवाहक कबूतर, डोडो, तस्मानियाई बाघ तथा मैमथ।

- **विलुप्तप्राय (Extinct in the Wild–EW):** कोई प्रजाति तब विलुप्तप्राय मानी जाती है, जब वह केवल कृषि कार्य , चिड़ियाघरों, या अपने पिछले पर्यावास स्थल से काफी बाहर किसी स्थान पर जीवित हो। दूसरे शब्दों में, जब प्रजाति का कोई भी सदस्य उसके प्राकृतिक पर्यावास में खोजने पर भी नहीं मिलता है। उदाहरण: हवाईयन कौवा, गुआम किंगफिशर तथा ब्लैक सॉफ्टशेल कछुआ।
- **गंभीर रूप से लुप्तप्राय (Critically Endangered–CR):** कोई प्रजाति गंभीर रूप से लुप्तप्राय तब होती है, जब यह निकट भविष्य में जंगल में विलुप्त होने के अत्यधिक जोखिम का सामना कर रही हो। जब कोई प्रजाति निम्नलिखित मानदंडों में से किसी एक को पूरा करती हो, तो उसे 'गंभीर रूप से संकटग्रस्त' कहा जाता है:
  - पिछले 10 वर्षों में या तीन पीढ़ियों से उस प्रजाति की संख्या में 90 प्रतिशत से अधिक की कमी हो।
  - अनुमानित क्षेत्र 100 वर्ग किलोमीटर से कम हो तथा निरंतर घट रहा हो।
  - वयस्क सदस्यों की अनुमानित जनसंख्या 250 से कम हो तथा निरंतर घट रही हो।
  - **उदाहरण:** जावा का गैंडा, ओरंगुटान, ग्रेट इंडियन बस्टर्ड, बंगाल फ्लोरिकन तथा पिग्मी हॉग।
- **लुप्तप्राय (Endangered–EN):** कोई प्रजाति तब लुप्तप्राय मानी जाती है, जब उस पर जंगल में जल्द ही विलुप्त होने का बहुत बड़ा खतरा हो। जब कोई प्रजाति निम्नलिखित मानदंडों में से किसी एक को पूरा करती हो, तो उसे 'लुप्तप्राय' माना जाता है:
  - पिछले 10 वर्षों या तीन पीढ़ियों से उनकी संख्या में 70 प्रतिशत या उससे अधिक की कमी आयी हो।
  - उनके पाये जाने का दायरा 5,000 वर्ग किलोमीटर से कम होने का अनुमान हो तथा इसमें कमी आ रही हो।
  - इनके वयस्क सदस्यों की संख्या का अनुमान 2,500 से कम हो तथा इसमें कमी आ रही हो।
  - **उदाहरण:** ध्रुवीय भालू, शेर की पूंछ वाला मैकाक, एशियाई शेर तथा ब्लू व्हेल।

- **संकटग्रस्त (Vulnerable–VU):** कोई प्रजाति तब संकटग्रस्त होती है, जब उसके भावी मध्यम अवधि में जंगलों से विलुप्त होने का उच्च जोखिम हो। जब कोई प्रजाति निम्नलिखित मानदंडों में से किसी एक को पूरा करती है, तो उसे 'संकटग्रस्त' प्रजाति कहा जाता है:
    - पिछले 10 वर्षों या तीन पीढ़ियों से इनकी संख्या में 50 प्रतिशत या इससे अधिक की कमी आयी हो।
    - इनके पाये जाने का अनुमानित क्षेत्र 20,000 वर्ग किलोमीटर से कम हो तथा उसमें निरंतर कमी आ रही हो।
    - इस प्रजाति के वयस्क सदस्यों की अनुमानित संख्या 10,000 से कम हो तथा उसमें निरंतर कमी आ रही हो।
    - **उदाहरण:** डुगोंग, विशाल पांडा, ओलिव रिडले कछुआ तथा हिम तेंदुआ।
- **निकट संकटग्रस्त NT (Near Threatened–NT):** कोई प्रजाति तब निकट संकटग्रस्त प्रजाति मानी जाती है, जब उसका मूल्यांकन तो मानदंडों के आधार पर किया जाये, परंतु वह अभी गंभीर रूप से लुप्तप्राय या संकटग्रस्त श्रेणी के लिए पात्र नहीं हो, परंतु निकट भविष्य में संकटग्रस्त श्रेणी की पात्र होने के करीब हो या इसकी संभावना हो। उदाहरण: यूरोपीय ऊदबिलाव, बेलगुला, जगुआर, प्लेन्स बाइसन और अल्बाकोर टूना।
- **खतरे से बाहर (Least Concern–LC):** कोई प्रजाति तब खतरे से बाहर वाली प्रजाति मानी जाती है, जब उसका मूल्यांकन तो मानदंडों के आधार पर किया जाये, परंतु वह गंभीर रूप से लुप्तप्राय संकटग्रस्त या निकट संकटग्रस्त के लिए पात्र नहीं माना जाये। इस श्रेणी में व्यापक एवं प्रचुर मात्रा में पाये जाने वाले प्राणी वर्ग (टैक्सा) शामिल हैं। उदाहरण: हाउस स्पैरो, नरवाल, गाय तथा भूरा भालू।
- **अपर्याप्त आँकड़े (Data Deficient–DD):** कोई प्रजाति अपर्याप्त आँकड़ों वाली प्रजाति तब होती है, जब उसके वितरण एवं/या उसके सदस्यों की संख्या की स्थिति के आधार पर उसके विलुप्त होने के जोखिम का प्रत्यक्ष या अप्रत्यक्ष रूप से आकलन करने के लिए अपर्याप्त जानकारी हो। इस श्रेणी में उस प्रजाति के प्राणी समूहों का अच्छी तरह से अध्ययन किया जा सकता है तथा इसका जीव विज्ञान अच्छी तरह से जाना जाता है, लेकिन प्रचुरता एवं/या वितरण के संबंध में पर्याप्त आँकड़े नहीं होते हैं। उदाहरण: पिग्मी हिप्पो, फ्लैपजैक ऑक्टोपस तथा गहरे समुद्र में रहने वाली अनेक प्रजातियाँ।
- **गैर-मूल्यांकित (Not Evaluated–NE):** किसी प्रजाति का मूल्यांकन तब नहीं किया जाता है, जब उसका अभी तक मानदंडों के आधार पर मूल्यांकन नहीं किया गया हो। उदाहरण: नयी खोजी गयी अनेक प्रजातियाँ या अभी तक गैर-मूल्यांकित प्रजातियाँ।

त्वरित पुनरावलोकन (Quick Revision)

प्रजातियों की संरक्षण श्रेणियाँ

IUCN (अंतर्राष्ट्रीय प्रकृति संरक्षण संघ) द्वारा वर्गीकृत–

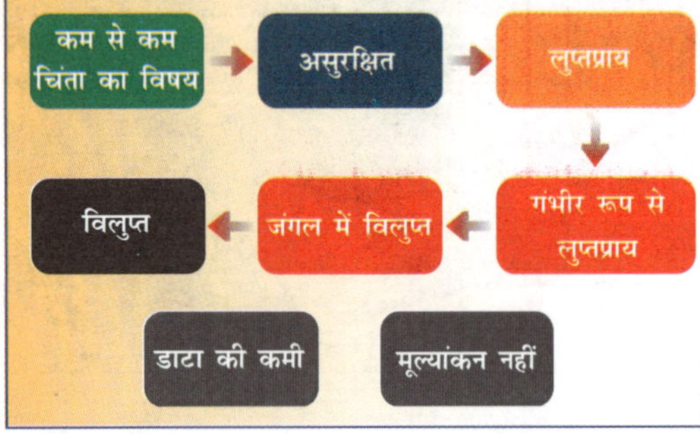

जैव विविधता का मानवता एवं समाज के लिए बहुत महत्व है। जैव विविधता से होने वाले कुछ महत्वपूर्ण प्रत्यक्ष एवं अप्रत्यक्ष लाभ नीचे सूचीबद्ध किये गये हैं:

जैव विविधता से होने वाले आर्थिक लाभ (Economic Benefits from Biodiversity): (i) भोजन का स्रोत, (ii) वस्त्र, (iii) आश्रय (विशेष रूप से आदिवासियों के लिए), (iv) औषधियाँ एवं दवाइयाँ, (v) ईंधन-लकड़ी, लकड़ी से बना कोयला तथा वाणिज्यिक लकड़ी, (vi) खेल के सामान, (vii) औद्योगिक कच्चा माल, (viii) पर्यटन, (ix) आनुवंशिक भंडारगृह, आदि।

अप्रत्यक्ष लाभ (Indirect Benefits): (i) जल का संरक्षण एवं सुरक्षा, (ii) वायु का शुद्धिकरण, (iii) मृदा निर्माण, सुरक्षा एवं संरक्षण, (iv) मौसम तथा जलवायु का संतुलन एवं नियमन, (v) जल विज्ञान चक्र का नियमन, (v) पारिस्थितिकी तंत्र का रखरखाव, (vi) धार्मिक एवं सांस्कृतिक मूल्य, (vii) पर्यावरण संवहनीयता और (vii) सौंदर्य मूल्य।

पारिस्थितिकी तंत्र संबंधी सेवाएँ (Ecosystem Services): पारिस्थितिकी तंत्र संबंधी सेवाएँ वे लाभ हैं, जो मनुष्य पारिस्थितिकी तंत्र से प्राप्त करते हैं, जिनमें आपूर्ति संबंधी सेवाएँ (जैसे- भोजन एवं पानी), विनियमन सेवाएँ (जैसे- जलवायु विनियमन एवं रोग नियंत्रण), सांस्कृतिक सेवाएँ (जैसे- मनोरंजन एवं आध्यात्मिक लाभ) और सहायक सेवाएँ (जैसे- पोषक चक्रण एवं मृदा निर्माण) शामिल हैं। ये सेवाएँ मानव कल्याण एवं अस्तित्व के लिए आवश्यक हैं।

ओजोन छिद्र: मुख्य बिंदु

ओजोन छिद्र क्या है?

ओजोन छिद्र का संदर्भ समताप मंडल में विशेष रूप से अंटार्कटिक क्षेत्र में ओजोन परत के पतला होने से है। इसके कारण पृथ्वी की सतह तक पहुँचने वाली पराबैंगनी (UV) विकिरण में वृद्धि होती है।

ओजोन छिद्र का निर्माण कैसे होता है?

ओजोन छिद्र का निर्माण मुख्य रूप से क्लोरोफ्लोरोकार्बन (सीएफसी) तथा अन्य ओजोन-क्षयकारी पदार्थों (ओडीएस) के कारण होता है। जब ये पदार्थ समताप मंडल में पहुँचते हैं, तो क्लोरीन एवं ब्रोमीन परमाणु छोड़ते हैं, जो विशेष रूप से अंटार्कटिक वसंत (सितंबर से नवंबर) के दौरान ओजोन (O_3) अणुओं को तोड़ते हैं।

अंटार्कटिका में अत्यधिक ठंड के कारण ध्रुवों पर समताप मंडलीय बादल (PSC) बनते हैं, जो रासायनिक प्रतिक्रियाओं के लिए सतह प्रदान करते हैं। इस रासायनिक प्रतिक्रिया से क्लोरीन एवं ब्रोमीन को छोड़ने में मदद मिलती है, जिससे ओजोन में तेजी से गिरावट आती है।

यद्यपि अंटार्कटिका में यह छिद्र ज्यादा स्पष्ट है, परंतु आर्कटिक क्षेत्र में भी ओजोन में कमी देखी जा रही है।

इसके समाधान के लिए उठाये गये कदम:

- **मॉन्ट्रियल प्रोटोकॉल (1987):** यह ऐतिहासिक अंतर्राष्ट्रीय संधि है, जिसका उद्देश्य सीएफसी, हैलोन तथा कार्बन टेट्राक्लोराइड जैसे ओडीएस के उत्पादन एवं उपयोग को चरणबद्ध तरीके से समाप्त करना था।
- **किगाली संशोधन (2016):** मॉन्ट्रियल प्रोटोकॉल में हाइड्रोफ्लोरोकार्बन (एचएफसी) को कम करने का अतिरिक्त प्रावधान किया गया। ये संभावित ग्रीनहाउस गैसें हैं, परंतु इसका उपयोग सीएफसी के विकल्प के रूप में किया जा रहा था।

किये गये उपायों से प्राप्त सफलताएँ

वैज्ञानिक आकलन से पता चलता है कि 21वीं सदी के मध्य तक ओजोन परत ठीक होने की ओर अग्रसर है। अंटार्कटिक ओजोन छिद्र के सिकुड़ने के संकेत मिलने लगे हैं। वर्तमान नियमों के जारी रहने पर वर्ष 2060 तक इसके पूरी तरह से ठीक होने की उम्मीद है।

स्वास्थ्य एवं पर्यावरणीय लाभ: ओजोन क्षरण में कमी से त्वचा कैंसर, मोतियाबिंद तथा पराबैंगनी किरणों के प्रति संवेदनशील समुद्री पारिस्थितिकी तंत्र को होने वाले नुकसान के जोखिम में कमी आई है।

मॉन्ट्रियल प्रोटोकॉल सबसे सफल अंतर्राष्ट्रीय संधियों में से एक है तथा इसे अक्सर वैश्विक पर्यावरणीय चुनौती से निपटने में प्रभावी अंतर्राष्ट्रीय सहयोग के उदाहरण के रूप में उद्धृत किया जाता है।

जैव विविधता ह्रास एवं प्रजातियों का विलुप्त होना (Biodiversity Loss and Extinction of Species)

जैव विविधता परिवर्तनशील अवधारणा है। यह स्थान एवं समय के अनुरूप बदलती रहती है। जैव विविधता का ह्रास एवं प्रजातियों के विलुप्त होने के मुख्य कारण प्राकृतिक या मानवजनित हो सकते हैं, जिन्हें संक्षेप में निम्नवत प्रस्तुत किया गया है:

1. **प्राकृतिक कारण (Natural Causes):**
   (i) ज्वालामुखी उद्गार,
   (ii) महाद्वीपों का विस्थापन
   (iii) जलवायु परिवर्तन,
   (iv) सूखा एवं बाढ़।
2. **मानवजनित कारण (Anthropogenic Causes):**
   (i) **पर्यावास समाप्त होना (Habitat Loss):** कृषि, आधारभूत संरचनाओं के विकास तथा बस्तियों के विस्तार के कारण वनों की कटाई, साथ ही बांधों एवं जलाशयों के कारण वनों का जलमग्न होना, इत्यादि के कारण पर्यावासों को अत्यधिक क्षति पहुंचती है। परिणामस्वरूप, जंगली जानवर भोजन एवं आश्रय की तलाश में ग्रामीण एवं शहरी क्षेत्रों में तेजी से प्रवेश कर रहे हैं।
   (ii) **अति-दोहन (Over–exploitation):** जंगली जानवरों का शिकार एवं पादपों का दोहन उनकी प्रतिकृति बनने के स्तर से अधिक करना अति-दोहन के रूप में जाना जाता है। उदाहरण के लिए, गैंडों, बाघों एवं हाथियों के अवैध शिकार के कारण दुनिया भर में, विशेषकर भारत में इनकी संख्या में उल्लेखनीय कमी आई है। मछली पकड़ने की तकनीक (ईंधन से चलने वाले जहाज तथा बड़े ट्रॉलर) में उन्नति के कारण समुद्री पारिस्थितिकी तंत्र में मत्स्य पालन का अत्यधिक दोहन हुआ है।
   (iii) **आक्रामक प्रजातियों का प्रसार (Diffusion of Invasive Species):** विभिन्न पारिस्थितिकी तंत्रों में पादपों एवं जंतुओं की विदेशी प्रजातियाँ भी जैव विविधता के नुकसान के लिए जिम्मेदार हैं। विभिन्न पर्यावासों में लाये गये विदेशी पादपों को आक्रामक प्रजातियाँ कहा जाता है और ये देशीय पादपों को बहुत नुकसान पहुँचा सकते हैं। अलग-थलग पारिस्थितिकी तंत्र वाले द्वीप विदेशी प्रजातियों के प्रति अधिक संवेदनशील होते हैं। लैंटाना-कॉमरा को बाड़ (हेज) बनाने के उद्देश्य से भारत लाया गया था, लेकिन अब यह देशी पादपों के लिए खतरा बन गयी है। कांग्रेस घास (पार्थेनियम हिस्टेरोफोरस), जिसे लोकप्रिय रूप से 'गाजर घास' के रूप में भी जाना जाता है, के परिणामस्वरूप कई देशी पौधे खत्म हो गए हैं।
   (iv) **स्थानांतरित कृषि (Shifting Cultivation):** दुनिया के आर्द्र उष्णकटिबंधीय एवं उपोष्णकटिबंधीय क्षेत्रों

में स्थानांतरित कृषि (झूमिंग) की जाती है। कृषि कार्य के इस तरीके में वनों को काटा जाता है, जलाया जाता है तथा केवल कुछ फसल चक्र के लिए फसल हेतु उपयोग में लिया जाता है।

(v) **पर्यावरण प्रदूषण (Environmental Pollution):** मृदा प्रदूषण, जल प्रदूषण, वायु प्रदूषण एवं ध्वनि प्रदूषण भी पादपों, जंतुओं तथा सूक्ष्म जीवों की प्रजातियों पर प्रतिकूल प्रभाव डालते हैं। उदाहरण के लिए, गंगा नदी में जल प्रदूषण के कारण गंगा डॉल्फिन की आबादी बहुत प्रभावित हुई है और वे 1996 से आईयूसीएन की लुप्तप्राय श्रेणी में हैं।

(vi) **वैश्विक तापवृद्धि एवं जलवायु परिवर्तन (Global Warming and Climatic Change):** औद्योगिक क्रांति के बाद से हमारे वायुमंडल में ग्रीनहाउस गैसों की सांद्रता में वृद्धि हुई है। इससे जलवायु पैटर्न में बदलाव, बर्फ की परतों का पिघलना तथा समुद्र के जलस्तर में वृद्धि जैसी अनेक समस्याएँ पैदा हो रही हैं। उदाहरण के लिए, समुद्र के जलस्तर में वृद्धि के कारण अमेरिका में की लार्गो ट्री कैक्टस विलुप्त हो गया है।

(vii) **रोग (Diseases):** जीव-जंतुओं एवं वनस्पतियों में रोगों का प्रसार भी विशेष रूप से उष्णकटिबंधीय तथा समशीतोष्ण क्षेत्रों में जैव विविधता में कमी के लिए जिम्मेदार है। 20वीं सदी की शुरुआत में साउथ अमेरिकन ट्री ब्लाइट नामक फंगल बीमारी के कारण दक्षिण अमेरिका में रबर के पेड़ों की संख्या में भारी गिरावट आई।

(viii) **पर्यटन (Tourism):** पर्यटन उद्योग का फलना-फूलना भी पर्यावरण, पारिस्थितिकी तंत्र एवं पारिस्थितिकी के लिए नयी समस्याएं पैदा कर रहा है। समृद्ध पर्यटकों की उपस्थिति के कारण वन्यजीव स्मृति चिह्नों में विनाशकारी बाजारों के विकास को प्रोत्साहन मिलता है, जैसे कि मूंगा ट्रिंकेट तथा पशु उत्पादों की बिक्री। वास्तव में, पर्यटन एवं पर्यावरण में होने वाली अवैध कटाई एवं अवैध शिकार के कारण अनेक पशु प्रजातियां खतरे में पड़ रही हैं और वे लुप्तप्राय प्रजातियों की श्रेणी में आ रही हैं।

(ix) **वन्य प्रजातियों का व्यापार (Trade in Wild Species):** अधिक लाभ कमाने के लिए पक्षी, बिल्ली, कुत्ते, मछली आदि जैसे कई व्यवसायी पालतू जानवरों का व्यापार करते हैं। इस कारण कुछ प्रजातियों का अत्यधिक दोहन हो जाता है।

जैव विविधता का संरक्षण (Conservation Biodiversity)

विकसित एवं विकासशील दोनों ही देशों में वन्यप्राणियों के पर्यावासों का विनाश एवं जैव विविधता के ह्रास ने चिंताजनक रूप ले लिया है। वर्ष 1992 के पृथ्वी सम्मेलन के बाद, विश्व समुदाय पारिस्थितिकी तंत्र एवं पर्यावरण पर विशेष ध्यान दे रहा है। वर्ष 1992 में अपनाये गये जैव विविधता संरक्षण समझौते में निम्नलिखित तीन महत्वपूर्ण कार्यक्रम शामिल थे:

1. जैव विविधता का संरक्षण सुनिश्चित करना,
2. जैव विविधता का संवहनीय उपयोग, तथा
3. आनुवंशिक संसाधनों के उपयोग से होने वाले लाभ का तर्कसंगत एवं न्यायसंगत विभाजन।

जैव विविधता के संरक्षण के लिए दो महत्वपूर्ण रणनीतियाँ, अर्थात् स्वस्थाने संरक्षण और बाह्य स्थान संरक्षण हैं।

यथास्थान संरक्षण (In-situ Conservation)

यथास्थान संरक्षण के तहत, प्रजातियों को उनके पर्यावासों के भीतर संरक्षित किया जाता है। इसके लिए सरकार जैवमंडल रिजर्व, राष्ट्रीय उद्यान, वन्यजीव अभ्यारण्य आदि जैसे विभिन्न संरक्षित क्षेत्रों का सीमांकन करती है।

जैवमंडल रिजर्व (Biosphere Reserves)

जैवमंडल रिजर्व एक ऐसा विनिर्दिष्ट क्षेत्र होता है, जिसका उद्देश्य जैव विविधता को संरक्षित करना, संवहनीय विकास को बढ़ावा देना तथा अनुसंधान एवं शिक्षा को सहायता प्रदान करना है। इन रिजर्व में सामान्य रूप से मुख्य क्षेत्र शामिल होता है, जिसे सख्ती से संरक्षित किया जाता है। एक बफर जोन होता है, जहाँ कुछ गतिविधियों की अनुमति होती है। एक संक्रमण क्षेत्र होता है, जहाँ स्थानीय समुदायों की आवश्यकता के साथ संरक्षण को एकीकृत करते हुए संधारणीय कार्यप्रणालियों को प्रोत्साहित किया जाता है। जैवमंडल रिजर्व का कार्यक्रम यूनेस्को के मानव और जैवमंडल कार्यक्रम (एमएबी - 1968) के दायरे में है। यूनेस्को ने विकास एवं संरक्षण के बीच संघर्ष को कम करने के लिए प्राकृतिक क्षेत्रों के लिए 'जैवमंडल रिजर्व' (बीआर) का प्रस्ताव किया है। जैवमंडल रिजर्व (बीआर) राष्ट्रीय सरकार निर्धारित करती है। ये रिजर्व यूनेस्को के मानव एवं जैवमंडल रिजर्व कार्यक्रम के तहत जैवमंडल रिजर्व के विश्व नेटवर्क में शामिल होने के लिए निर्धारित न्यूनतम मानदंडों को पूरा करते हैं तथा न्यूनतम शर्तों का पालन करते हैं। इस समय 134 देशों में 738 जैवमंडल रिजर्व हैं, जिनमें 22 ट्रांसबाउंड्री स्थल शामिल हैं, जो कि जैवमंडल रिजर्व के विश्व नेटवर्क से जुड़े हुए हैं। **(तालिका 6.6)**

नवंबर 2023 तक भारत में 12 अंतर्राष्ट्रीय स्तर पर मान्यता प्राप्त जैवमंडल रिजर्व थे। ये इस प्रकार हैं:

1. नीलगिरि, 2000 (तमिलनाडु-केरल)
2. मन्नार की खाड़ी, 2001 (तमिलनाडु)
3. सुंदरबन, 2001 (पश्चिम बंगाल)
4. नंदा देवी, 2004 (उत्तराखंड)
5. नोकरेक, 2009 (मेघालय)
6. पचमढ़ी, 2009 (मध्य प्रदेश)
7. सिमिलिपाल, 2009 (ओडिशा)
8. अचानकमार-अमरकंटक, 2012 (एमपी-छत्तीसगढ़)
9. ग्रेट निकोबार, 2013 (अंडमान एवं निकोबार द्वीप)
10. अगस्त्यमाला, 2016 (कर्नाटक-तमिलनाडु-केरल)
11. कंचनजंगा, 2018 (सिक्किम)
12. पन्ना जैवमंडल रिजर्व, 2020 (एमपी)

राष्ट्रीय उद्यान (National Park)

राष्ट्रीय उद्यान एक या अनेक पारिस्थितिकी तंत्रों का अपेक्षाकृत बड़ा क्षेत्र होता है, जिसमें मानव द्वारा दोहन तथा कब्जे के माध्यम से भौतिक बदलाव नहीं किया जा सकता है। राष्ट्रीय उद्यान में अनुमत गतिविधियों के प्रकारों के संबंध में सख्त प्रतिबंध हैं। नवंबर, 2023 में भारत में राष्ट्रीय उद्यानों की कुल संख्या 106 थी।

भारत में वन्यजीव संरक्षण अधिनियम, 1972 के तहत राष्ट्रीय उद्यानों के निर्माण का प्रावधान है। राष्ट्रीय उद्यानों में निम्नलिखित गतिविधियाँ करना वर्जित हैं:

(i) जानवरों का शिकार करना, मारना, अवैध शिकार करना तथा उन्हें पकड़ना, (ii) किसी भी जंगली जानवर को उसके पर्यावास से वंचित करना, (iii) पौधों को समाप्त करना और उनका संग्रह करना, (iv) हथियारों का उपयोग करना, (v) राष्ट्रीय उद्यानों में पाये जाने वाले जंगली जानवरों के अलावा किसी अन्य पशुधन को चराना तथा (vi) राष्ट्रीय उद्यानों की सीमाओं में परिवर्तन करना।

भारत में जैवमंडल रिजर्व: देश में 18 जैवमंडल रिजर्व हैं।

तालिका 6.6 मानव और जैवमंडल कार्यक्रम के अंतर्गत स्थलों की सूची

क्र.सं.	एमएबी स्थल	स्थान (राज्य)	स्थान शामिल हैं
1.	नीलगिरि*	वायनाड, नागरहोल, बांदीपुर और मुदुमलाई, नीलांबुर, साइलेंट वैली और सिरुवानी पहाड़ियों का हिस्सा (तमिलनाडु, केरल तथा कर्नाटक)	*राष्ट्रीय उद्यान:* बांदीपुर मुदुमलाई, मुकुर्थी, नागरहोल एवं साइलेंट वैली राष्ट्रीय उद्यान *वन्यजीव अभयारण्य:* साथ ही अरलम, वायनाड एवं सत्यमंगलम
2.	नंदा देवी*	चमोली, पिथौरागढ़ तथा बागेश्वर जिलों का हिस्सा (उत्तराखंड)	*राष्ट्रीय उद्यान:* नंदा देवी, फूलों की घाटी
3.	नोक्रेक*	गारो पहाड़ियों का हिस्सा (मेघालय)	*राष्ट्रीय उद्यान:* नोकरेक रिज राष्ट्रीय उद्यान
4.	ग्रेट निकोबार*	अंडमान एवं निकोबार के सबसे दक्षिणी द्वीप (एएंडएन द्वीप)	*राष्ट्रीय उद्यान:* कैंपबेल बे, गैलाथिया
5.	मन्नार की खाड़ी*	भारत एवं श्रीलंका (तमिलनाडु) के बीच मन्नार की खाड़ी का भारतीय भाग	*राष्ट्रीय उद्यान:* मन्नार की खाड़ी समुद्री राष्ट्रीय उद्यान
6.	मानस	कोकराझार, बोंगाईगांव, बारपेटा, नलबाड़ी, कामरूप तथा दरांग जिलों का भाग (असम)	*राष्ट्रीय उद्यान:* मानस राष्ट्रीय उद्यान *वन्यजीव अभयारण्य:* मानस वन्यजीव अभ्यारण्य
7.	सुंदरबन*	गंगा एवं ब्रह्मपुत्र नदी प्रणाली के डेल्टा का भाग (पश्चिम बंगाल)	*राष्ट्रीय उद्यान:* सुंदरबन *वन्यजीव अभयारण्य:* सजनेखाली, लोथियन, हैलिडे
8.	सिमलिपाल*	मयूरभंज जिले का भाग (ओडिशा)	*राष्ट्रीय उद्यान:* मयूरभंज हाथी रिजर्व, सिमलीपाल टाइगर रिजर्व *वन्यजीव अभयारण्य:* हदगढ़, कुलडीहा
9.	डिब्रू-सैखोवा	डिब्रूगढ़ और तिनसुकिया जिलों का भाग (असम)	*राष्ट्रीय उद्यान:* डिब्रू-सैखोवा राष्ट्रीय उद्यान
10.	देहांग-दिबांग	अरुणाचल प्रदेश में सियांग और दिबांग घाटी का भाग	*राष्ट्रीय उद्यान:* मौलिंग राष्ट्रीय उद्यान *वन्यजीव अभयारण्य:* दिबांग वन्यजीव अभ्यारण्य
11.	पचमढ़ी*	मध्य प्रदेश के बैतूल, होशंगाबाद और छिंदवाड़ा जिलों के भाग	*राष्ट्रीय उद्यान:* सतपुड़ा राष्ट्रीय उद्यान *वन्यजीव अभयारण्य:* बोरी, पचमढ़ी

(Continued)

तालिका 6.6 (Continued)

क्र.सं.	एमएबी स्थल	स्थान (राज्य)	स्थान शामिल हैं
12.	खांगचेंदजोंगा*	खांगचेंदजोंगा पहाड़ियों तथा सिक्किम के भाग	*राष्ट्रीय उद्यान:* खांगचेंदजोंगा राष्ट्रीय उद्यान
13.	अगस्त्यमाला*	तमिलनाडु में तिरुनेलवेली तथा कन्याकुमारी जिलों का भाग और केरल में तिरुवनंतपुरम, कोल्लम और पथनमथिट्टा जिले	*वन्यजीव अभयारण्य:* शेंदुर्नी, पेप्पारा, नेय्यर *टाइगर रिजर्व:* कलाकड़ मुंडनथुराई
14.	अचानकमार-अमरकंटक*	मध्य प्रदेश के अनूपपुर और डिंडोरी जिलों के कुछ भाग तथा छत्तीसगढ़ के बिलासपुर जिलों के कुछ भाग शामिल हैं।	–
15.	कच्छ	गुजरात के कच्छ, राजकोट, सुरेंद्र नगर और पाटन सिविल जिलों का भाग	*वन्यजीव अभयारण्य:* कच्छ मरुस्थल अभयारण्य, जंगली गधा अभयारण्य, नारायण सरोवर अभयारण्य, कच्छ बस्टर्ड अभयारण्य, बन्नी घास के मैदान रिजर्व
16.	सर्द मरुस्थल	पिन वैली नेशनल पार्क तथा आसपास का क्षेत्र; हिमाचल प्रदेश में चंद्रताल एवं सरचू और किब्बर वन्यजीव अभ्यारण्य	*राष्ट्रीय उद्यान:* पिन वैली राष्ट्रीय उद्यान *वन्यजीव अभयारण्य:* चंद्रताल, सरचू, किब्बर
17.	शेषचलम पहाड़ियाँ	शेषचलम पर्वत शृंखलाएँ आंध्र प्रदेश के चित्तूर तथा कडप्पा जिलों के कुछ भाग शामिल हैं	*राष्ट्रीय उद्यान:* श्री वेंकटेश्वर राष्ट्रीय उद्यान
18.	पन्ना*	मध्य प्रदेश में पन्ना तथा छतरपुर जिलों का भाग शामिल है।	*टाइगर रिजर्व:* पन्ना टाइगर रिजर्व।

*ये एमएबी स्थल यूनेस्को द्वारा मान्यता प्राप्त हैं।

अभ्यारण्य (Sanctuaries)

भारत में अभ्यारण्य राज्य सरकार द्वारा निर्धारित किये जाते हैं। राज्य सरकारें अधिसूचना जारी कर प्रादेशिक जल के किसी भी आरक्षित वन के भीतर शामिल क्षेत्र को छोड़कर किसी भी क्षेत्र को अभ्यारण्य के रूप में घोषित कर सकती हैं। राज्य सरकारों के विचार में ऐसे क्षेत्र वन्यजीवों या उनके पर्यावरण की रक्षा, प्रचार या विकास के लिए पर्याप्त पारिस्थितिकी, जीव-जंतु, वनस्पति, भू-आकृति विज्ञान, प्राकृतिक और प्राणी विज्ञान संबंधी महत्व के हैं। किसी क्षेत्र को अभ्यारण्य घोषित करने का मुख्य उद्देश्य वन एवं वन्यजीवों की रक्षा करना है। नवंबर, 2023 तक भारत में वन्यजीव अभ्यारण्यों की कुल संख्या 573 थी।

बाह्य स्थान संरक्षण (Ex-situ Conservation)

यदि प्राकृतिक पर्यावास पर्याप्त सीमा तक क्षरित हो गया है तथा अनेक प्रजातियाँ लुप्तप्राय प्रजातियों की श्रेणी में हैं और यथास्थान (इन-सीटू) संरक्षण संभव नहीं है, तो ऐसे मामलों में प्राकृतिक पर्यावास से दूर, प्राणी उद्यान (चिड़ियाघर), वनस्पति उद्यान तथा बीज बैंकों जैसे स्थानों पर पूर्ण मानवीय देखरेख में संरक्षण करने की आवश्यकता होती है। ऐसे प्रयासों को वाह्य स्थान (एक्स-सीटू) संरक्षण के रूप में जाना जाता है। जंगली जानवरों की लुप्तप्राय प्रजातियों के वाह्य स्थान (एक्स-सीटू) संरक्षण के उद्देश्य से भारत में सरकार द्वारा प्रायोजित राष्ट्रीय वन्यजीव कार्य योजना, 1983 के तहत कुछ पुनर्वास केंद्र स्थापित किए गए हैं। ऐसे पुनर्वास केंद्रों के मुख्य कार्य निम्नवत हैं:-

1. संरक्षित की जाने वाली प्रजातियों की पहचान। जिन प्रजातियों के विलुप्त होने का सबसे अधिक खतरा है, उन्हें सामान्य रूप से संरक्षण के लिए चुना जाता है।
2. संबंधित अत्यधिक संकटग्रस्त जानवरों की प्रजातियों में से कुछ को उनके प्राकृतिक पर्यावास से पकड़कर इन केंद्रों पर बंदी के रूप में रखा जाता है।
3. उनके आहार, प्रजनन एवं अन्य आदतों के साथ-साथ उनके रोग विज्ञान (प्रकृति) के पैटर्न का गहन अध्ययन करना।
4. ऐसे सभी जानवरों के कृत्रिम पर्यावास में प्रजनन के साथ-साथ उनकी संख्या में स्वस्थ वृद्धि के लिए सभी सुविधाएँ प्रदान करना।
5. इन जानवरों के बच्चों को इस प्रयोजनार्थ सुरक्षित आयु प्राप्त करने के बाद उनके प्राकृतिक पर्यावास में छोड़ना।
6. कृत्रिम गर्भाधान, भ्रूण स्थानांतरण एवं युग्मकों, भ्रूणों के संरक्षण का उपयोग करके बाह्य स्थान एक्स-सीटू संरक्षण में आनुवंशिक विविधता को बनाए रखना।
7. प्राणी उद्यान, वनस्पति उद्यान, बीज बैंक तथा पुनर्वास केंद्रों का निर्माण।

भारत में आर्द्रभूमि (Wetlands in India)

आर्द्रभूमि उन क्षेत्रों को कहा जाता है, जहाँ मृदा पानी से आच्छादित रहती है, या मृदा की सतह पर या उसके पास वर्षभर या वर्ष की विभिन्न अवधियों, जिसमें वर्धन काल भी शामिल हैं, में पानी भरा रहता है। ये पर्यावरणीय स्थिरता एवं स्थानीय लोगों की आजीविका के लिए बहुत महत्वपूर्ण हैं। भारत वर्ष 1982 से रामसर कन्वेंशन का हस्ताक्षरकर्ता सदस्य देश है तथा अगस्त, 2024 तक हमारे देश में 85 रामसर स्थल हैं। रामसर स्थल अंतर्राष्ट्रीय महत्व की आर्द्रभूमियाँ हैं, जिन्हें सदस्य देशों द्वारा मान्यता प्रदान की जाती हैं तथा उनकी देखभाल की जाती है।

मृदा प्रणाली (SOIL SYSTEM)

मृदा परिवर्तनशील प्राकृतिक सामग्री है, जो पृथ्वी की सतह को ढकने वाले महीन पदार्थों से बनी होती है, जिसमें पौधे उगते हैं; यह खनिज एवं जैविक पदार्थ दोनों से मिलकर बनी होती है (क्रिस्टोफरसन)।

मृदा के घटक (Components of Soil)

मृदा चार तत्वों से मिलकर बनी होती है: (i) मूल सामग्री - अकार्बनिक या खनिज अंश (मूल सामग्री से प्राप्त), (ii) कार्बनिक पदार्थ (ह्यूमस), (iii) वायु, एवं (iv) जल।

मूल सामग्री (Parent Material)

यह उस क्षेत्र की आधार चट्टान है, जो अपक्षय के कारण मृदा बनती है। कभी-कभी इसके ऊपर, हवा, पानी, ग्लेशियर आदि जैसे घटकों की अपरदन क्रिया द्वारा दूर के स्थानों से चट्टान के कण जमा हो सकते हैं।

ह्यूमस (Humus)

ह्यूमस मृत कार्बनिक पदार्थों का टूटा हुआ अंतिम उत्पाद है। यह मृदा की सतह के नीचे पाया जाने वाला संरचनाहीन, गहरे भूरे या काले रंग की जेली है। साधारण मृदा का ह्यूमस काले रंग का होता है तथा इस प्रकार, यह मृदा को उप-मृदा की तुलना में अधिक गहरे रंग का बनाता है। यह मृदा की उर्वरता बनाए रखने में महत्वपूर्ण भूमिका निभाता है।

मृदा संस्तर (Soil Horizon)

इसका संदर्भ किसी पेडॉन में पायी जाने वाली विभिन्न परतों से है; सतह के लगभग समानांतर होती है तथा इन्हें O, A, E, B और C के रूप में पहचाना जाता है।

मृदा प्रोफाइल या पेडॉन (Soil Profile or Pedon)

मृदा का ऊर्ध्वाधर भाग, जिसमें मृदा के सभी संस्तर दर्शाए जाते हैं, मृदा प्रोफाइल के रूप में जाना जाता है। अधिकांश मृदा प्रोफाइल में तीन प्रमुख संस्तर शामिल होते हैं। मृदा प्रोफाइल सतह से लेकर पौधों की जड़ों की सबसे गहरी सीमा तक या जहाँ रेगोलिथ या बेड-रॉक या आधार शैल आ जाती है, तक फैली होती है (चित्र 6.8)।

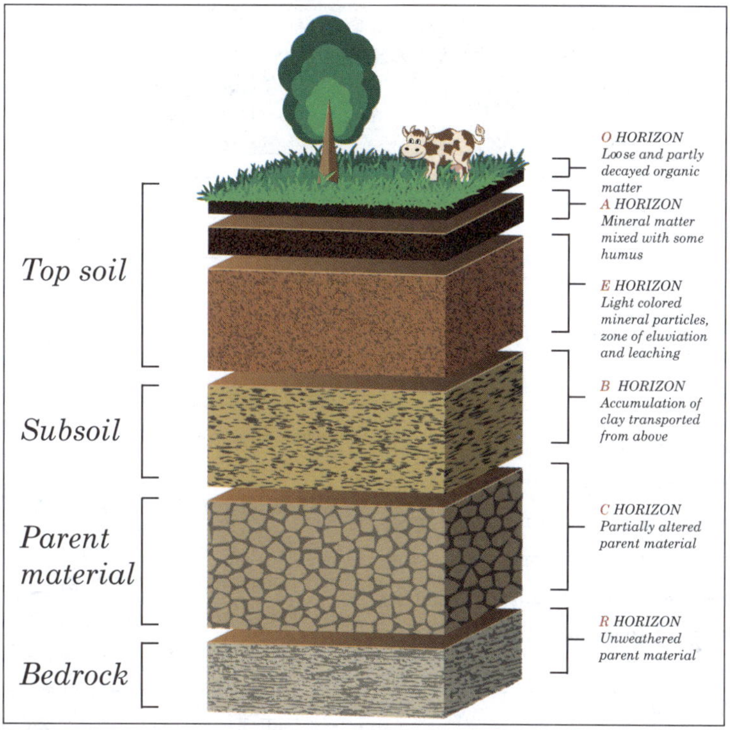

चित्र 6.8
मृदा की परतें

मृदा संघटन (Soil Texture)

किसी भी मृदा को सामान्य रूप से उसके कणों के आकार से पहचाना जाता है। इस प्रकार, चिकनी मृदा के कण महीन एवं रेतीली मृदा के कण मोटे होते हैं, जबकि गाद वाली मृदा के कण मध्यवर्ती आकार के होते हैं (चित्र 6.9)। यदि कोई व्यक्ति इनमें से प्रत्येक मृदा का नम नमूना हाथ में लेता है, तो उसे रेतीली, चिपचिपी तथा रेशमी महसूस होगी। ब मृदा कणों के माप की मानक ईकाई मिलीमीटर है, परंतु इसकी न्यूनतम ईकाई माइक्रोन है। (1 माइक्रोन = 0.001 मिलीमीटर)

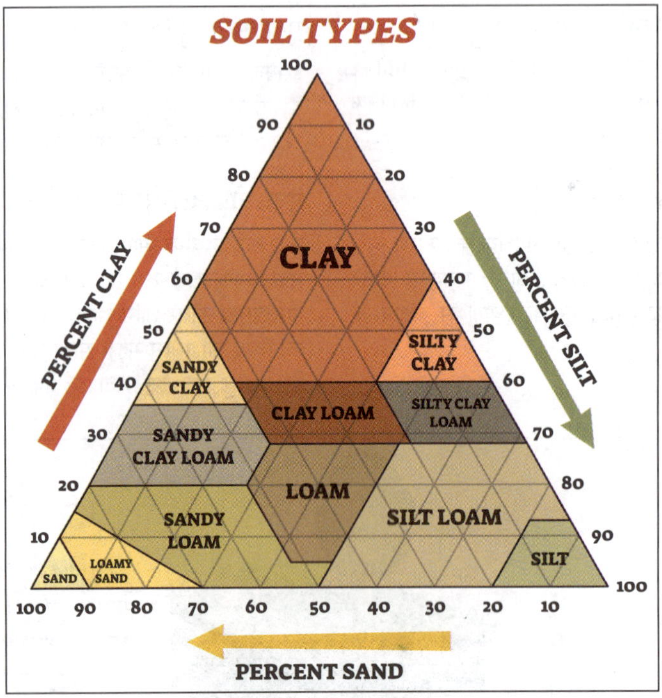

चित्र 6.9
मृदा की बनावट (त्रिभुजाकार)

मृदा संरचना (Soil Structure)

मृदा संरचना का संदर्भ मृदा कणों के प्रबंध से है। जिस तरह से रेत, गाद, मृदा तथा ह्यूमस आपस में मिलकर पेड (ped) बनाते हैं, उसे मृदा संरचना कहते हैं। मृदा की संरचना मृदा संघटन **(Soil Texture)** के प्रभावों को आंशिक रूप से संशोधित कर सकती है। पेड शब्द मृदा कणों की एक व्यक्तिगत इकाई को बताता है; यह एक साथ रखे गए कणों का छोटा प्राकृतिक ढेर या समूह है।

मृदा उर्वरता (Soil Fertility)

मृदा की पौधों की उत्पादकता में सहायता करने की क्षमता को मृदा उर्वरता कहा जाता है। इसमें कार्बनिक पदार्थ तथा मृदा के खनिज होते हैं, जो पानी एवं पौधों के लिये आवश्यक कुछ मौलिक आयनों को अवशोषित कर लेते हैं।

मृदा के प्रमुख प्रकार (Major Soil Types)

मृदा को (1) क्षेत्रीय, (2) अंत:क्षेत्रीय तथा (3) अक्षेत्रीय श्रेणियों में विभाजित किया जा सकता है।

1. **क्षेत्रीय मृदा (Zonal Soil):** वह मृदा, जिसकी विशेषताओं पर जलवायु एवं वनस्पति का प्रभाव हावी होता है, क्षेत्रीय मृदा कहलाती है। ये मृदा हल्की-सी लहरदार भूमि पर पायी जाती है, जहाँ जल निकासी आसान होती है तथा जहाँ मूल सामग्री न तो अत्यधिक बनावट वाली और न ही रासायनिक संरचना वाली होती है।

2. **अंत:क्षेत्रीय मृदा (Intrazonal Soil):** वह मृदा, जो अपने विकास में जलवायु एवं वनस्पति की तुलना में प्रभावी जल निकासी, अत्यधिक वाष्पीकरण या मूल सामग्री (जैसे चूना पत्थर), भूभाग या आयु जैसे अन्य स्थानीय कारकों से अधिक प्रभावित हुई है, अंत:क्षेत्रीय मृदा कहलाती है।
3. **अक्षेत्रीय मृदा (Azonal Soil):** वह मृदा, जो परिपक्व मृदा के निर्माण के लिए पर्याप्त रूप से मृदा बनाने की प्रक्रियाओं से होकर नहीं गुजरी है तथा इस प्रकार, वह अपनी मूल चट्टान सामग्री से बहुत कम परिवर्तित हुई है, अक्षेत्रीय मृदा कहलाती है। अक्षेत्रीय मृदा में B संस्तर नहीं होता है, क्योंकि यह बहुत अपरिपक्व मृदा होती है। इस प्रकार, A संस्तर C संस्तर के ठीक ऊपर स्थित होता है। उदाहरणार्थ, रेत के टीले, नवीनतम जमा जलोढ़, स्क्री, ग्लेशियल मोरेन, समुद्री कीचड़-भूमि और ज्वालामुखी से बनने वाली मृदा हैं।

मृदा वर्गीकरण - मृदा के ग्यारह क्रम (Soil Taxonomy – Eleven Soil Orders)

अमेरिकी वैज्ञानिकों द्वारा किये गये मृदा वर्गीकरण को तालिका 6.7 में दिया गया है।

तालिका 6.7 मृदा वर्गीकरण मृदा क्रम

क्र. सं.	क्रम	विशेषताएँ	क्षेत्रफल (वर्ग किमी में)	प्रतिशत
1	इनसेप्टिसोल्स	यह बहुत कम विकसित तथा अनुपजाउ होती है। इसमें अधिकतर आर्कटिक टुंड्रा तथा आउटवाश मोरेन शामिल हैं।	130,372.90	39.74
2	एंटिसोल्स	यह युवा या अल्प विकसित होती है। इसके संस्तरों का ऊर्ध्वाधर विकास नहीं हुआ होता है। यह कम उपजाऊ होती है तथा टुंड्रा क्षेत्र एवं ज्वारीय मृदा के मैदान में पायी जाती है।	92,131.71	28.08
3	अल्फिसोल्स	यह भूमध्य रेखा के पास से उच्च अक्षांशों तक विस्तारित होती है। यह उपजाऊ, भूरे से लाल रंग की, मध्यम रूप से अपक्षयित वन मृदा है।	44,448.68	13.55
4	वर्टिसोल्स	यह मृण्मय होती है। यह गीली होने पर काले रंग की और सूखने पर लाल रंग की हो जाती है और इसमें दरारें पड़ जाती हैं। रेगुर मृदा वर्टिसोल्स है।	27,960.0	8.52
5	एरिडिसोल्स	यह मरुस्थलीय मृदा है। इसमें नमी की कमी, कार्बनिक पदार्थों की कमी होती है। इसमें लवणता मौजूद होती है।	14,069.0	4.28
6	अल्टीसोल	यह समशीतोष्ण जलवायु की अत्यधिक अपक्षयित मृदा होती है। इसमें अवशिष्ट लोहा एवं एल्युमीनियम मौजूद होता है। यह कम उपजाऊ होती है। इस प्रकार की मृदा के प्रबंधन की आवश्यकता होती है।	8,250.0	2.51
7	मोलिसोल	यह सबसे अधिक उत्पादक होती है। यह ह्यूमस से भरपूर, गहरे रंग की सतह वाली, बनावट में नरम होती है। मोलिसोल में कैल्सीनेशन की प्रक्रिया बहुत कठिन होती है।	1,320.0	0.40
8		अन्य	9,503.0	2.92
			कुल	100.00

स्रोत: भारत की मृदाएँ, राष्ट्रीय मृदा सर्वेक्षण एवं भूमि उपयोग नियोजन ब्यूरो, प्रकाशन संख्या 94।

मृदा अपरदन (Soil Erosion)

मृदा मानवता के लिए सबसे मूल्यवान संपत्ति है। इसके उपयोग एवं दुरुपयोग के परिणामस्वरूप मृदा अपरदन की गंभीर समस्याएँ उत्पन्न हुई हैं। इस समय मृदा अपरदन एक विश्वव्यापी घटना है।

पृथ्वी की लगभग 40 प्रतिशत मृदा मानव द्वारा दुरुपयोग एवं दुर्व्यवहार किये जाने से होने वाले अपरदन के कारण कुछ हद तक इसकी गुणवत्ता में गिरावट आयी है। गंभीर चिंता वाले क्षेत्र एशिया, अफ्रीका, यूरोप, ऑस्ट्रेलिया, उत्तरी अमेरिका तथा दक्षिण अमेरिका में स्थित हैं। भारत में मृदा अपरदन की समस्या काफी गंभीर है, क्योंकि हमारी 30 प्रतिशत मृदा अलग-अलग डिग्री तक तथा 3 प्रतिशत मृदा विनाशकारी स्तर तक क्षरित हो चुकी है।

मृदा अपरदन न केवल उन क्षेत्रों को प्रभावित करता है, जहाँ से मृदा अपरदित होती है, बल्कि उस पर्यावरण को भी प्रभावित करता है, जहाँ इसका निक्षेप होता है। यदि यह निक्षेप झीलों एवं तालाबों में होता है, तो ये अति पोषक तत्वों, विशेष रूप से नाइट्रोजन एवं फॉस्फोरस को जोड़कर जलीय पारिस्थितिकी तंत्र को नष्ट कर देते हैं। इसलिए, मृदा अपरदन से निपटने तथा इसके आस-पास के पारिस्थितिकी तंत्र की रक्षा करने के लिए उपचारात्मक उपायों

को अपनाना अनिवार्य है। मृदा के महत्व को देखते हुए मृदा का विवेकपूर्ण उपयोग तथा संरक्षण बहुत आवश्यक है। मृदा के संरक्षण में सहायक कुछ महत्वपूर्ण कदम नीचे सूचीबद्ध हैं:

1. वनरोपण: वृक्षारोपण से मृदा के कटाव को कम करने में मदद मिलती है।
2. पेड़ों की कटाई पर प्रतिबंध।
3. समोच्च जुताई, पट्टी कृषि।
4. बाढ़ पर नियंत्रण।
5. खड्डों, बंजर भूमि एवं जलभराव वाले क्षेत्रों का पुन: पूर्व स्थिति में लाना।
6. झूम कृषि पर प्रतिबंध।
7. लंबे समय से परती पड़ी भूमि को पुन: बहाल करना।
8. लवणयुक्त एवं क्षारीय (ऊसर) मृदा में सुधार करना।
9. पानी के रिसाव को कम करने के लिए नहरों में अस्तर लगाना (लाइनिंग)।
10. पवन-रोधक तथा आश्रय बेल्ट का निर्माण करना।
11. फसलों में गोबर एवं हरी खाद का प्रयोग करना।
12. फसलों का वैज्ञानिक चक्रण।
13. संवहनीय कृषि के लिए तकनीकों को अपनाना।
14. मृदा के कटाव के प्रतिकूल प्रभावों के बारे में लोगों को शिक्षित करना।
15. अपवाह जल प्रबंधन।
16. नमी संरक्षण प्रथाओं को अपनाना।

अम्लीय वर्षा

अम्लीय वर्षा, वर्षा (बारिश, हिमपात, ओले या कोहरा) का एक रूप है, जो वातावरण में सल्फर डाइऑक्साइड (SO_2) तथा नाइट्रोजन ऑक्साइड (NO_2) की उपस्थिति के कारण अम्लीय हो जाती है।

निर्माण

ये गैसें मुख्य रूप से बिजली संयंत्रों, वाहनों और औद्योगिक प्रक्रियाओं में जीवाश्म ईंधन (कोयला, तेल, गैस) के दहन से उत्सर्जित होती हैं। ये वायुमंडल में जल वाष्प, ऑक्सीजन और अन्य रसायनों के साथ प्रतिक्रिया करके सल्फ्यूरिक और नाइट्रिक अम्ल (एसिड) बनाती हैं। ये अम्ल फिर बारिश के पानी के साथ मिल जाते हैं, जिससे वर्षा जल सामान्य से अधिक अम्लीय हो जाता है।

सामान्य बारिश में घुले हुए कार्बन डाइऑक्साइड के कारण pH लगभग 5.6 होता है, लेकिन अम्लीय वर्षा का pH 4.0 या उससे भी कम हो सकता है, जो इसे हानिकारक बनाता है।

प्रभाव

- **पर्यावरण को हानि:** अम्लीय वर्षा जलीय पारिस्थितिकी तंत्र, विशेष रूप से झीलों एवं नदियों को हानि पहुँचाती है, जिससे पानी कई मछलियों तथा अन्य जलीय जीवन के लिए अनुपयुक्त हो जाता है।
- **मृदा क्षरण:** यह मृदा से कैल्शियम एवं मैग्नीशियम जैसे पोषक तत्वों को सोख लेता है तथा विषाक्त धातुओं को छोड़ सकता है, जो पौधों के स्वास्थ्य को प्रभावित करते हैं।
- **भवनों को हानि:** यह भवनों, स्मारकों तथा आधारभूत संरचना, विशेषकर चूना पत्थर एवं संगमरमर से बने भवनों को नष्ट कर देता है।
- **जंगल:** अम्लीय वर्षा पेड़ों, विशेषकर ऊंचाई पर स्थित पेड़ों को कमजोर करती है, जिससे वे रोग, ठंड एवं अन्य तनाव कारकों के प्रति अधिक संवेदनशील हो जाते हैं।

यूपीएससी प्रारंभिक परीक्षा के विगत वर्षों के प्रश्न

1. निम्नलिखित में से कौन-से जीव अपरदाहारी (डेट्राइटिवोर) है? **(2021)**
   1. केचुआ
   2. जेलीफिश
   3. सहस्रपादी (मिलीपीड)
   4. समुद्री घोड़ा (सीहॉर्स)
   5. काष्ठ मूका (बुडलाइस)

   नीचे दिए गए कूट का प्रयोग कर सही उत्तर चुनिए।
   (a) केवल 1, 2 और 4
   (b) केवल 2, 3, 4 और 5
   (c) केवल 1, 3 और 5
   (d) 1, 2, 3, 4 और

उत्तर कुंजी

1. (c)

अध्याय

7

इस अध्याय पर वैचारिक वीडियो देखने के लिए कृपया यहां दिए गए क्यूआर कोड को स्कैन करें

विश्व/महाद्वीपों/देशों से जुड़े तथ्य (FACTS ABOUT THE WORLD/CONTINENTS/COUNTRIES)

अध्याय की रूपरेखा (Chapter Outline)

पृथ्वी का संक्षिप्त विवरण (OVERVIEW OF THE EARTH)

1. अफ्रीका (AFRICA)
   - ✧ भू-स्थलाकृतिक एवं जलवायवीय चरम परिघटनाएँ (Topographic and Climatic Extremes)
   - ✧ अन्य प्रमुख भौतिक विशेषताएँ (Other Key Physical Features)
   - ✧ सांस्कृतिक विशेषताएँ (Cultural Features)
2. अंटार्कटिका (ANTARCTICA)
   - ✧ भू-स्थलाकृतिक एवं जलवायवीय चरम परिघटनाएँ (Topographic and Climatic Extremes)
3. एशिया (ASIA)
   - ✧ भू-स्थलाकृतिक एवं जलवायवीय चरम परिघटनाएँ (Topographic and Climatic Extremes)
   - ✧ अन्य प्रमुख भौतिक विशेषताएँ (Other Key Physical Features)
   - ✧ सांस्कृतिक विशेषताएँ (Cultural Features)
4. ऑस्ट्रेलिया एवं ओशिनिया (AUSTRALIA AND OCEANIA)
   - ✧ भू-स्थलाकृतिक एवं जलवायवीय चरम परिघटनाएँ (Topographic and Climatic Extremes)
   - ✧ अन्य प्रमुख भौतिक विशेषताएँ (Other Key Physical Features)
   - ✧ सांस्कृतिक विशेषताएँ (Cultural Features)
5. यूरोप (EUROPE)
   - ✧ भू-स्थलाकृतिक एवं जलवायवीय चरम परिघटनाएँ (Topographic and Climatic Extremes)
   - ✧ अन्य प्रमुख भौतिक विशेषताएँ (Other Key Physical Features)
   - ✧ सांस्कृतिक विशेषताएँ (Cultural Features)
6. उत्तरी अमेरिका (NORTH AMERICA)
   - ✧ भू-स्थलाकृतिक एवं जलवायवीय चरम परिघटनाएँ (Topographic and Climatic Extremes)
   - ✧ अन्य प्रमुख भौतिक विशेषताएँ (Other Key Physical Features)
   - ✧ सांस्कृतिक विशेषताएँ (Cultural Features)
7. दक्षिण अमेरिका (SOUTH AMERICA)
   - ✧ भू-स्थलाकृतिक एवं जलवायवीय चरम परिघटनाएँ (Topographic and Climatic Eñtremes)
   - ✧ अन्य प्रमुख भौतिक विशेषताएँ (Other Key Physical Features)

विश्व: एक नजर में (WORLD AT A GLANCE)
- ✧ भूमि से घिरे देश (Landlocked Countries)

विश्व के सबसे बड़े द्वीप (LARGEST ISLANDS OF THE WORLD)

महासागरीय गर्त (OCEAN TRENCHES)

विश्व के बड़े शहर (MEGA CITIES OF THE WORLD)

यूपीएससी प्रारंभिक परीक्षा के विगत वर्षों के प्रश्न

पृथ्वी का संक्षिप्त विवरण (OVERVIEW OF THE EARTH)

पृथ्वी सूर्य का तीसरा ग्रह है। यह सूर्य के चारों ओर अपनी कक्षा में अपने अक्ष पर परिक्रमा करता है। सूर्य पृथ्वी पर सभी प्रकार के जीवों के लिए ऊर्जा का मुख्य स्रोत है। रेडियोधर्मी डेटिंग तकनीक के आधार पर पृथ्वी की आयु 4.54 बिलियन वर्ष निर्धारित की गई है। तब से इसकी संरचना, सतह, वायुमंडल, जलवायु तथा जीवन रूप विकसित हुए हैं और बहुत जटिल हो गए हैं। पृथ्वी का स्थलीय भाग विशाल भू-खंडों में विभाजित है, जिन्हें महाद्वीप कहा जाता है। ये भूमि के विशाल खंड हैं। विश्व में सामान्य रूप से सात महाद्वीपों को मान्यता दी गई है। इस अध्याय में निम्नलिखित तालिकाओं में महाद्वीपों एवं उनकी महत्वपूर्ण विशेषताओं को सूचीबद्ध किया गया है।

तालिका 7.1 पृथ्वी के बारे में तथ्य

क्र.सं.	विवरण	तथ्य
1.	अनुमानित वजन (द्रव्यमान)	6.6 सेक्सटिलियन (6 किमी.)
2.	अनुमानित आयु	4.54 बिलियन वर्ष
3.	वर्तमान जनसंख्या	8.1 बिलियन से अधिक
4.	पानी का प्रकार	97 प्रतिशत खारा (3 प्रतिशत मीठा पानी)
5.	भूमध्य रेखा पर परिधि	40,075 किमी (24,874 मील)
6.	ध्रुवों पर परिधि	40,008 किमी (24,860 मील)
7.	भूमध्य रेखा पर व्यास	12,756 किमी (7,926 मील)
8.	ध्रुवों पर व्यास	12,714 किमी (7,898 मील)
9.	औसत त्रिज्या	6,371 किमी (3,959 मील)
10.	सूर्य की परिक्रमा	पृथ्वी 365 दिन 5 घंटे 48 मिनट और 46 सेकंड में सूर्य की परिक्रमा करती है।

स्रोत: worldatlas.com

तालिका 7.2 पृथ्वी और चंद्रमा की संरचना

घटक	पृथ्वी (प्रतिशत में)	चंद्रमा (प्रतिशत में)
लौह	34.6	9.3
ऑक्सीजन	29.5	42.0
सिलिकॉन	15.2	19.6
मैग्नीशियम	12.7	18.7
कार्बन	1.1	4.3
एल्युमीनियम	1.1	4.2
निकल	2.4	0.6
सोडियम	0.6	0.07
सल्फर	1.9	0.3

स्रोत: worldatlas.com

तालिका 7.3 महासागर: क्षेत्र, अधिकतम एवं औसत गहराई

क्रम संख्या	महासागर	क्षेत्रफल (वर्ग किलोमीटर में)	अधिकतम गहराई (मीटर में)	औसत गहराई (मीटर में)
1.	प्रशांत महासागर	161,760,000	11,034	4,280
2.	अटलांटिक महासागर	106,460,000	8,380	3,646
3.	हिंद महासागर	70,560,000	7,450	3,741
4.	दक्षिणी महासागर*	21,960,000	7,432	3,270
5.	आर्कटिक महासागर	14,090,000	5,502	987

स्रोत: worldatlas.com

*दक्षिणी महासागर (जिसे कभी-कभी अंटार्कटिक महासागर भी कहा जाता है) को वर्ष 2000 में अंतर्राष्ट्रीय हाइड्रोग्राफिक संगठन द्वारा महासागर के रूप में स्वीकृत किया गया था। यह अब चौथा सबसे बड़ा महासागर है।

चित्र 7.1
विश्व अक्षांश और देशांतर मानचित्र

1. अफ्रीका (AFRICA)

अफ्रीका मुख्य रूप से उष्णकटिबंधीय क्षेत्र में स्थित है, यह क्षेत्रफल की दृष्टि से एशिया के बाद दूसरा सबसे बड़ा महाद्वीप है। महान खोजकर्ता डेविड लिविंगस्टोन एवं एच. एम. स्टेनली अफ्रीका के अंदरूनी हिस्से की खोज करने वाले पहले व्यक्ति थे। उन्होंने इसे 'अंध महाद्वीप' (The Dark Continent) कहा था। इसमें 54 देश हैं। अफ्रीका में अनेक संस्कृतियाँ व्याप्त हैं तथा सैकड़ों जातीय समूह यहां रहते है। अफ्रीका के लोग 3,000 से अधिक भाषाएँ बोलते हैं।

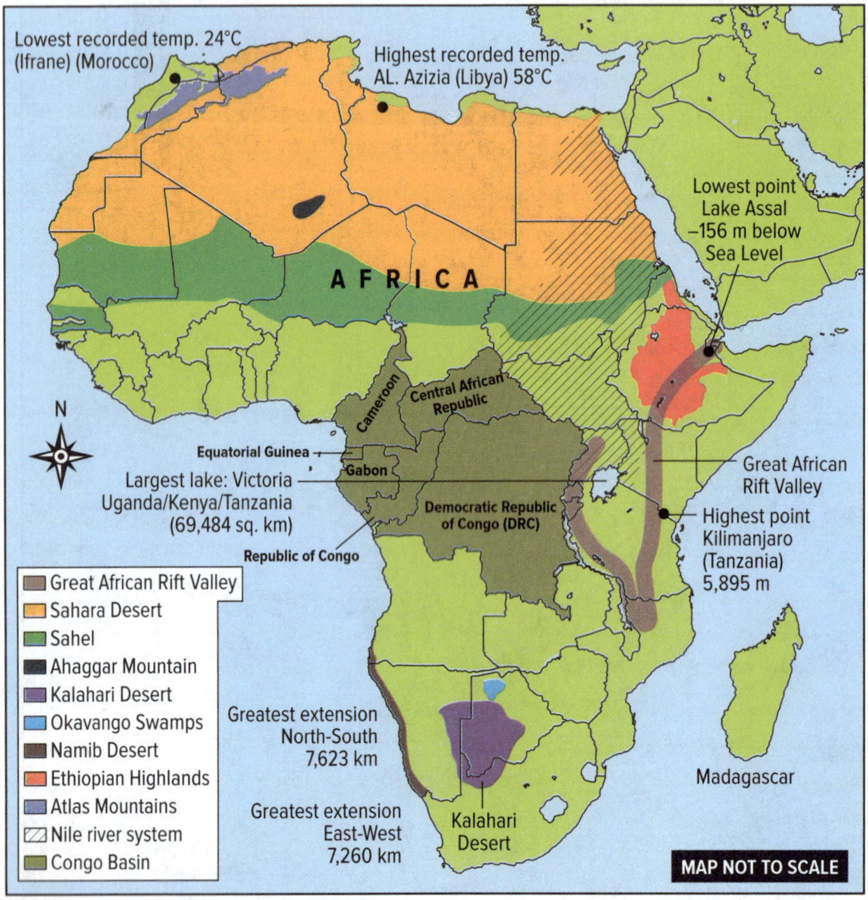

चित्र 7.2
अफ्रीका

भू-स्थलाकृतिक एवं जलवायवीय चरम परिघटनाएँ (Topographic and Climatic Extremes)

तालिका 7.4 अफ्रीका की भू-स्थलाकृतिक एवं जलवायवीय चरम परिघटनाएँ

क्र.सं.	विवरण	तथ्य
1.	महाद्वीप का आकार	30,365,000 वर्ग किमी
2.	उच्चतम बिन्दु	माउंट किलिमंजारो, तंजानिया, 19,341 फीट (5,895 मीटर) (मानचित्र देखें)
3.	निम्नतम बिंदु	झील असाल, जिबूती (–509 फीट) (–155 मीटर) (मानचित्र देखें)

(Continued)

तालिका 7.4 *(Continued)*

क्र.सं.	विवरण	तथ्य
4.	क्षैतिज चौड़ाई	केप ग्वारदाफुय (गार्डाफुई), सोमालिया से केप वर्डे प्रायद्वीप, सेनेगल तक 7,400 किमी
5.	ऊर्ध्वाधर लंबाई	रस बेन सक्का (ट्यूनीशिया) से केप अगुलहास (दक्षिण अफ्रीका) तक 8,000 किमी
6.	सबसे लंबी पर्वत श्रृंखला	एटलस पर्वत श्रेणी 1,600 किमी (1,600 मील)
7.	सबसे बड़ा द्वीप	मेडागास्कर - 587,041 वर्ग किमी
8.	सबसे बड़ी झील	लेक विक्टोरिया - 69,484 वर्ग किमी (मानचित्र देखें)
9.	सबसे लंबी नदी	नील - 6,650 किमी (4,132 मील)
10.	समुद्र तट	30,539 किमी
11.	सुदूर दक्षिण बिंदु	अगुलहास

अन्य प्रमुख भौतिक विशेषताएँ (Other Key Physical Features)

अफ्रीका के मानचित्र में इन भौतिक विशेषताओं का पता लगाने के लिए **चित्र 7.2** देखें।

तालिका 7.5 **अफ्रीका की भौतिक विशेषताएँ**

1.	ग्रेट रिफ्ट वैली	यह एक भूगर्भीय दरार है, जहाँ सोमालियाई उप-प्लेट अफ्रीकी प्लेट के बाकी हिस्सों से अलग हो रही है। इसका एक पूर्वी तथा एक पश्चिमी भाग है। किनारे: यह एशिया में लेबनान से शुरू होकर लाल सागर होते हुए दक्षिण में मोजाम्बिक तक है। इस दरार के कारण इसमें किलिमिन्जारो जैसे लगभग 78 ज्वालामुखी हैं। इसके पश्चिमी भाग में मलावी झील (न्यासा), तांगानिका, एडवर्ड, आदि अनेक झीलें हैं।
2.	सहारा रेगिस्तान	यह विश्व का सबसे बड़ा रेगिस्तान है। देश: अल्जीरिया, चाड, मिस्र, लीबिया, माली, मॉरिटानिया, मोरक्को, नाइजीरिया, सूडान, ट्यूनीशिया, पश्चिमी सहारा। इसमें लीबिया, न्युबियन और मिस्र का पश्चिमी रेगिस्तान शामिल है। पर्वत श्रृंखलाएँ: अहागर और तिबेस्ती। यह लगभग वर्षा रहित है। एटलस पर्वत से बहने वाली भूमिगत धाराओं से ओएसिस की सिंचाई होती है।
3.	सहेल	अफ्रीका का अर्ध/शुष्क क्षेत्र यह सहारा रेगिस्तान के दक्षिणी किनारे पर स्थित है। देश: सेनेगल, मॉरिटानिया, माली, बुर्किनाफासो, नाइजर, नाइजीरिया, चाड, सूडान, इरिट्रिया और अल्जीरिया (दक्षिणी)।
4.	अहागर पर्वत / होगर	स्थान: कर्क रेखा पर मध्य सहारा रेगिस्तान में। देश: अल्जीरिया सबसे ऊँची चोटी: माउंट ताहत
5.	कालाहारी रेगिस्तान	स्थान: दक्षिणी अफ्रीका में देश: दक्षिण अफ्रीका, बोत्सवाना और नामीबिया। उप-उष्णकटिबंधीय पश्चिमी सीमा रेगिस्तान (उप-उष्णकटिबंधीय महाद्वीपीय सीमा पर ठंडी धाराओं की उपस्थिति के कारण निर्मित)।
6.	ओकावांगो दलदल (ओकावांगो डेल्टा)	स्थान: कालाहारी रेगिस्तान, बोत्सवाना में। गठन: ओकावांगो नदी द्वारा निर्मित अंतर्देशीय डेल्टा। यह यूनेस्को की विश्व धरोहर स्थल की सूची में है। यह विश्व के सबसे बड़े अंतर्देशीय डेल्टाओं में से एक है।
7.	नामीब रेगिस्तान	स्थान: दक्षिणी अफ्रीका देश: मुख्यत: नामीबिया; दक्षिण अफ्रीका और अंगोला में इसका विस्तार है। चीन के बदैन जारन रेगिस्तान के बाद यह विश्व का दूसरा सबसे लंबा रेत का टीला है।

(Continued)

तालिका 7.5 *(Continued)*

8.	इथियोपियाई हाइलैंड्स	अन्य नाम: एबिसिनियन हाइलैंड्स, अफ्रीका की छत; इरिट्रिया हाइलैंड्स। स्थान: उत्तर पूर्वी अफ्रीका। देश: इथियोपिया, सोमालिया, सूडान, दक्षिण सूडान, केन्या और इरिट्रिया, जिबूती।
9.	एटलस पर्वत	यह वलित पर्वत शृंखला है। इसका निर्माण अफ्रीकी प्लेट के उत्तर की ओर खिसकने के कारण हुआ है। स्थान: उत्तरी अफ्रीका का पश्चिमी छोर देश: मोरक्को, अल्जीरिया और ट्यूनीशिया। सबसे ऊँची चोटी: माउंट टूबकल, मोरक्को।
10.	नील नदी प्रणाली	विश्व की सबसे लंबी नदी (उत्तर की ओर बहती है)। उत्पत्ति: दक्षिण पूर्वी अफ्रीका के हाइलैंड्स से होती है। मुहाना: भूमध्य सागर में। प्रमुख सहायक नदियाँ: अल्बर्ट नाइल, ब्लू नाइल, विक्टोरिया नाइल और व्हाइट नाइल। देश: बुरुंडी, मिस्र, इथियोपिया, केन्या, रवांडा, दक्षिण सूडान, सूडान, तंजानिया और युगांडा।
11.	कांगो नदी बेसिन	विश्व की सबसे बड़ी पीटलैंड है। स्थान: पश्चिम अफ्रीका में देश: कैमरून, मध्य अफ्रीकी गणराज्य, कांगो लोकतांत्रिक गणराज्य, कांगो गणराज्य, इक्वेटोरियल गिनी और गैबॉन। इसमें विश्व के 20 प्रतिशत वर्षा वन पाये जाते हैं।

सांस्कृतिक विशेषताएँ (Cultural Features)

जनसंख्या (Population)

तालिका 7.6 अफ्रीका की जनसांख्यिकीय विशेषताएँ, 2024

क्र.सं.	विवरण	तथ्य
1.	जनसंख्या	1,528,022,700 (नवंबर, 2024 तक)
2.	जनसंख्या की दृष्टि से सबसे बड़ा देश	नाइजीरिया
3.	जनसंख्या घनत्व	51 व्यक्ति प्रति वर्ग किमी

स्रोत: www.worldometer.info

अफ्रीका के बारे में कुछ और तथ्य (Some more Facts about Africa)

विश्व का लौंग का कटोरा: जांजीबार एवं पेम्बा (तंजानिया) देश।

अफ्रीका के वे देश, जो कभी उपनिवेश नहीं बने: इथियोपिया एवं लाइबेरिया।

अफ्रीका का सबसे बड़ा जल प्रपात : जाम्बेजी नदी पर स्थित विक्टोरिया जल प्रपात अफ्रीका का सबसे बड़ा जलप्रपात है और विश्व के सबसे बड़े जलप्रपातों में से एक है।

तालिका 7.7 अफ्रीकी देशों/शहरों के पुराने एवं नए नाम

पुराना नाम (शहर/देश)	नया नाम (शहर/देश)
बेचुआनालैंड	बोत्सवाना
एलिजाबेथविले	लुंबशाशी
डाहोमी गणराज्य	बेनिन गणराज्य
गोल्ड कोस्ट	घाना
कटंगा	शाबा
लियोपोल्डविल	किंशासा
उत्तर रोडेशिया	जाम्बिया
न्यासालैंड	मलावी
ऊपरी वोल्टा गणराज्य	बुर्किनाफासो
स्टेनलीविल	किसांगनी
दक्षिण रोडेशिया	जिम्बाब्वे
दक्षिण-पश्चिम अफ्रीका	नामीबिया
स्वाजीलैंड	ईस्वातिनि
जायरे	कांगो लोकतांत्रिक गणराज्य

2. अंटार्कटिका (ANTARCTICA)

अंटार्कटिका एकमात्र ऐसा महाद्वीप है, जो अंटार्कटिक सर्कल के पूरी तरह दक्षिण में स्थित है। अंटार्कटिका का मतलब है- 'आर्कटिक के विपरीत'। बर्फ की अत्यधिक मोटाई के कारण यह पृथ्वी पर पाँचवाँ सबसे बड़ा तथा सबसे ऊँचा महाद्वीप है। कुछ स्थानों पर बर्फ की गहराई 4,800 मीटर तक है। यह विश्व का सबसे ठंडा महाद्वीप है। यहाँ कोई तटीय मैदान नहीं है। अंटार्कटिका में कई ज्वालामुखी हैं, उनमें से कुछ अब भी अंटार्कटिक प्रायद्वीप में सक्रिय हैं। बर्फ एवं हिम अंटार्कटिका के 98 प्रतिशत भूमि क्षेत्र पर व्याप्त हैं, जो कि विश्व के मीठे पानी का 70 प्रतिशत है। अंटार्कटिका तांबा, सोना, निकल, पेट्रोलियम और प्लैटिनम से समृद्ध है।

भू-स्थलाकृतिक एवं जलवायवीय चरम परिघटनाएँ (Topographic and Climatic Extremes)

तालिका 7.8 अंटार्कटिका में भू-स्थलाकृतिक एवं जलवायवीय चरम परिघटनाएँ

क्र.सं.	विवरण	तथ्य
1.	महाद्वीप का आकार	14.2 मिलियन वर्ग किमी
2.	उच्चतम बिंदु	माउंट विंसन, समुद्र तल से 4,892 मीटर ऊपर
3.	निम्नतम बिंदु	डेनमैन ग्लेशियर समुद्र तल से 11,500 फीट (3.5 किमी) नीचे पहुँचता है
4.	सबसे लंबी पर्वत शृंखला	ट्रांस-अंटार्कटिक पर्वत शृंखला (3,500 किमी)
5.	सबसे अधिक दर्ज तापमान	एस्पेरांजा बेस (अंटार्कटिक प्रायद्वीप) पर 6 फरवरी 2020 को तापमान 18.3°C था।
6.	सबसे कम दर्ज तापमान	21 जुलाई, 1983 को वोस्तोक (रूसी क्षेत्र) में -89 डिग्री सेल्सियस तापमान दर्ज किया गया था।
7.	सबसे बड़ी हिम चट्टानें	अमेरी शेल्फ, रोने शेल्फ, और रॉस शेल्फ
8.	कुल तटरेखा	17,968 किमी (बर्फ की अलमारियों सहित)
9.	बर्फ की चादर की अधिकतम मोटाई	5,000 मीटर
10.	बर्फ की चादर की औसत मोटाई	पश्चिम में 1,300 मीटर और पूर्व में 2,200 मीटर
11.	वार्षिक वर्षा	2-5 सेमी से कम
12.	सबसे बड़ा ग्लेशियर	लैम्बर्ट ग्लेशियर - 50 मील (85 किमी) चौड़ा, 250 मील (400 किमी) से अधिक लंबा और लगभग 2,500 मीटर गहरा

तालिका 7.9 अंटार्कटिका का भूविज्ञान

1.	पश्चिमी अंटार्कटिक कॉर्डिलेरा	इसमें ज्वालामुखी और भूकंप आते रहते हैं, जिनकी उत्पत्ति की तुलना एंडीज में देखी गई उत्पत्ति से की जा सकती है।
2.	ट्रांस अंटार्कटिक पर्वत	इसकी उत्पत्ति महाद्वीप में 3,000 किलोमीटर से अधिक की दरार (लिथोस्फियर के फटने) से हुई थी और यह ज्वालामुखियों से भरा हुआ है। इनमें से सबसे प्रसिद्ध ज्वालामुखी माउंट एरेबस है जो अभी भी सक्रिय है और लगातार क्लोरीन उत्सर्जित कर रहा है।

स्रोत: National geographic channel

तालिका 7.10 अंटार्कटिका के प्राकृतिक संसाधन

यह जानना मुश्किल है कि अंटार्कटिका में कौन-कौन से खनिज संसाधन विद्यमान हैं। ये खनिज संसाधन चट्टानों में दबे हुए हैं जो बर्फ की मोटी चादर से ढकी हुई हैं। ऐसा माना जाता है कि बर्फ के नीचे विशाल एवं मूल्यवान खनिज भंडार हैं। इस मान्यता का आधार यह है कि वहां स्थित चट्टान के छोटे क्षेत्रों से लिए गए नमूने दक्षिण अफ्रीका और दक्षिण अमेरिका में पायी गयी चट्टान के स्तर के समान है। अंटार्कटिका लाखों वर्ष पहले, एक समय इनसे जुड़ा हुआ था।		
1.	खनिज	लौह अयस्क, क्रोमियम, तांबा, सोना, निकल, प्लैटिनम और अन्य खनिज तथा कोयला और हाइड्रोकार्बन छोटी गैर-वाणिज्यिक मात्रा में पाये जाते हैं। वैज्ञानिक अनुसंधान को छोड़कर खनिज दोहन, अंटार्कटिक संधि के पर्यावरण प्रोटोकॉल द्वारा प्रतिबंधित है।

- सबसे बड़ा अनुसंधान स्टेशन: मैकमुर्डो (यू.एस.) अस्थायी जनसंख्या: 250 लोग (सर्दियों में), 1,000 लोग (गर्मियों में)।
- अंटार्कटिका में भारतीय सक्रिय स्टेशन: मैत्री, भारती (दक्षिण गंगोत्री हमारा पहला स्टेशन था, जो 1990-91 में बर्फ के नीचे दब गया था और अब उसका उपयोग केवल आपूर्ति और पारगमन शिविर के रूप में किया जाता है।)(चित्र 7.3)।

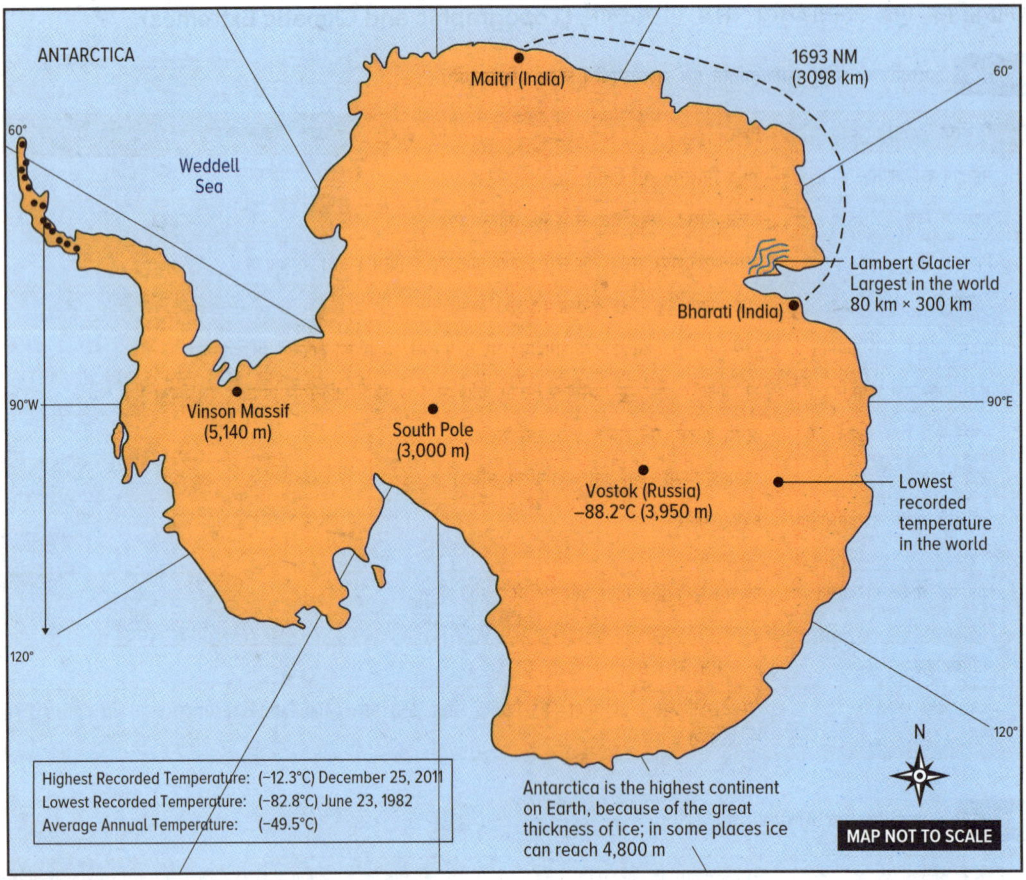

चित्र 7.3
अंटार्कटिका

3. एशिया (ASIA)

एशिया, जो यूरोप के साथ भूमि साझा करता है, सबसे बड़ा तथा सबसे अधिक आबादी वाला महाद्वीप है। इसमें विश्व की आधी से अधिक आबादी निवास करती है। यह पृथ्वी के लगभग 30 प्रतिशत भू क्षेत्र पर विस्तारित है।

यूराल पर्वत, यूराल नदी, कैस्पियन सागर, काकेशस पर्वत एवं काला सागर इसे यूरोप से अलग करते हैं, जबकि लाल सागर एवं स्वेज नहर इसे अफ्रीका से अलग करते हैं। पूर्व में बेरिंग जलडमरूमध्य इसे उत्तरी अमेरिका से अलग करता है।

भू-स्थलाकृतिक एवं जलवायवीय चरम परिघटनाएँ (Topographic and Climatic Extremes)

तालिका 7.11 एशिया की भू-स्थलाकृतिक एवं जलवायवीय चरम परिघटनाएँ

क्र.सं.	विवरण	तथ्य
1.	महाद्वीप का आकार	44.61 मिलियन वर्ग किमी
2.	उच्चतम बिंदु	माउंट एवरेस्ट – 8848 मीटर (चित्र 7.4)

(Continued)

तालिका 7.11 *(Continued)*

क्र.सं.	विवरण	तथ्य
3.	निम्नतम बिंदु	423 मीटर – मृत सागर, इजराइल
4.	क्षैतिज चौड़ाई	अंकारा, तुर्की से पूर्व में टोक्यो, जापान तक: 5,515 मील (8,876 किमी)
5.	ऊर्ध्वाधर लंबाई	वोरकुटा, रूस से दक्षिण में जकार्ता, इंडोनेशिया तक: 5,465 मील (8,795 किमी)
6.	सबसे लंबी पर्वत श्रंखला	हिमालय (2,400 किमी)
7.	सबसे अधिक दर्ज तापमान	54.0°C – मित्रीबा, कुबैत
8.	सबसे कम दर्ज तापमान	–68°C वेरखोयस्क में मापा गया (चित्र 7.4)
9.	सबसे बड़ा द्वीप	बोर्नियो (743,330 वर्ग किमी)
10.	सबसे बड़ी झील	कैस्पियन सागर (371,000 वर्ग किमी) (चित्र 7.4)
11.	सबसे गहरी झील	बैकाल झील: 1642 मीटर (31,722 वर्ग किमी)
12.	सबसे लंबी नदी	चांगजियांग (यांग्त्जीकियांग) (6,300 किमी)
13.	दूसरी सबसे लंबी नदी	येलो (ह्वांग हे) नदी (5464 किमी)
14.	सबसे अधिक बारिश वाला स्थान	मावसिनराम - एक वर्ष में 1,080 सेमी बारिश (मेघालय, भारत)
15.	एशियाई मुख्य भूमि का सबसे उत्तर में स्थित बिंदु	केप चेल्युस्किन, 77°44′0″N 104°15′0″E. उत्तरी ध्रुव से 1,370 किमी दूर
16.	सबसे दक्षिण में स्थित बिंदु	पामाना द्वीप, 11°00′36″S 122°52′37″E (इंडोनेशिया)
17.	सबसे पश्चिम में स्थित बिंदु	केप बाबा, 39°28′47″N 26°03′50″E (अनातोलियन, तुर्की)
18.	सबसे पूर्व में स्थित बिंदु	बिगडायोमीड, 65°46′52″N 169°03′25″W, (डायोमीड द्वीप, रूस)
19.	सबसे बड़ा डेल्टा	सुंदरबन-डेल्टा (भारत और बांग्लादेश में)
20.	सबसे ऊँचा पठार	तिब्बत (विश्व का सबसे ऊँचा पठार, जिसे अक्सर 'दुनिया की छत' कहा जाता है)

स्रोत: World Geography by Majid Husain

एशिया यहूदी धर्म, ईसाई धर्म, इस्लाम, कन्फ्यूशियसवाद, हिंदू धर्म, बौद्ध धर्म, जैन धर्म तथा सिख धर्म का जन्मस्थान है।

जापान एशिया का सबसे विकसित देश है।

मंगोलिया एशिया का सबसे विरल आबादी वाला देश है।

एशिया में सबसे अधिक जनसंख्या घनत्व वाला देश सिंगापुर (8405 व्यक्ति/वर्ग किमी) है। सबसे अधिक जनसंख्या घनत्व वाला क्षेत्र चीन में मकाऊ (>20000 व्यक्ति/वर्ग किमी) है।

सांस्कृतिक रूप से एशिया को निम्न भागों में विभाजित किया गया है–

1. *दक्षिण पश्चिम एशिया:* इसमें अफगानिस्तान, अरब प्रायद्वीप, ईरान, इराक, इजरायल, जॉर्डन, लेबनान, सीरिया एवं तुर्की शामिल हैं।
2. *दक्षिण एशिया:* इस क्षेत्र में बांग्लादेश, भूटान, भारत, मालदीव, नेपाल, पाकिस्तान तथा श्रीलंका शामिल हैं।
3. *दक्षिण पूर्व एशिया:* इस क्षेत्र में ब्रुनेई, इंडोनेशिया, लाओस, कंपूचिया (कंबोडिया), मलेशिया, म्यांमार, फिलीपींस तथा वियतनाम शामिल हैं।
4. *पूर्वी एशिया:* इसमें चीन, जापान, उत्तर कोरिया तथा दक्षिण कोरिया शामिल हैं।
5. *मध्य एशिया:* इसमें कजाकिस्तान, किर्गिस्तान, ताजिकिस्तान, तुर्कमेनिस्तान तथा उजबेकिस्तान गणराज्य शामिल हैं।
6. *उत्तर एशिया (साइबेरिया):* रूस का एशियाई भाग, जिसका ढलान आर्कटिक महासागर की ओर है।

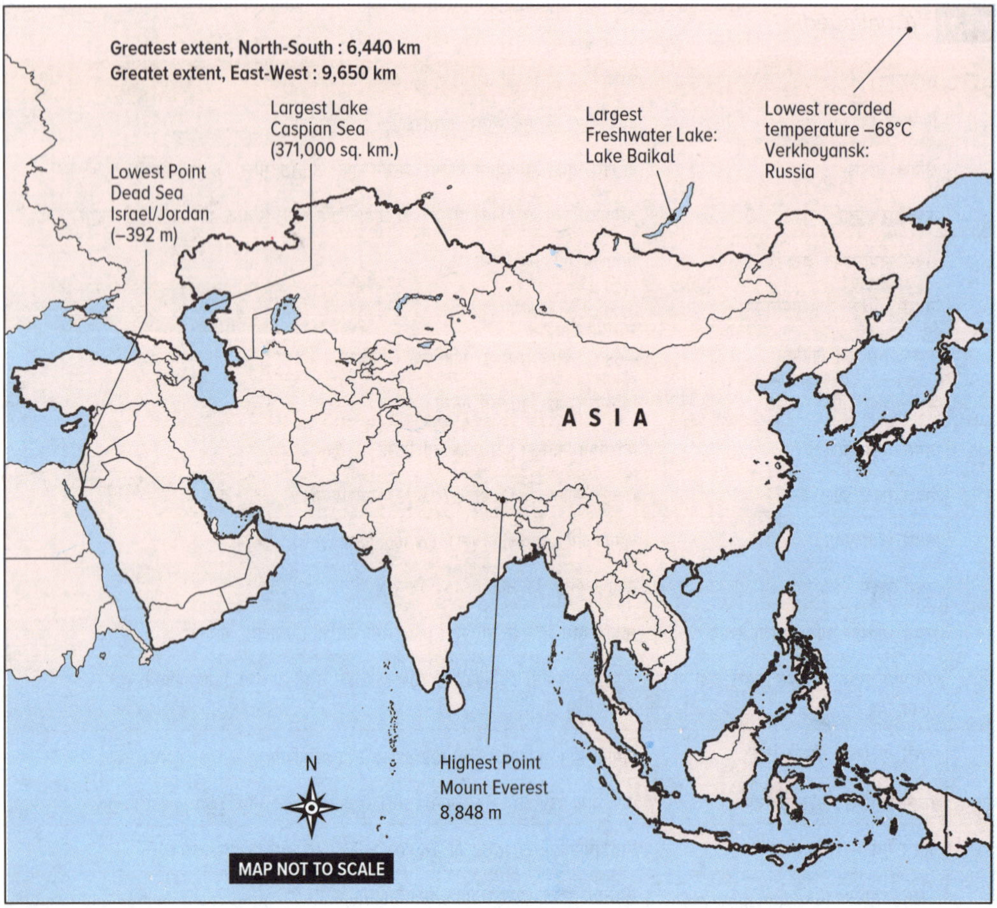

चित्र 7.4
एशिया

अन्य प्रमुख भौतिक विशेषताएँ (Other Key Physical Features)

तालिका 7.12 मुख्य भौतिक विशेषताएँ

एशिया की महत्वपूर्ण भू-आकृति विशेषताओं में विश्व का सबसे ऊंचा पर्वत, विश्व का सबसे निचला बिंदु, विश्व की सबसे गहरी झील, विश्व की सबसे लंबी तटरेखा तथा पृथ्वी की कुछ सबसे महत्वपूर्ण नदियां शामिल हैं।		
1.	रेगिस्तान	**अरब रेगिस्तान:** 2,330,000 वर्ग किमी – सऊदी अरब, ओमान, यमन, जॉर्डन, इराक, कुवैत, कतर तथा संयुक्त अरब अमीरात में स्थित है। **गोबी रेगिस्तान:** 1,295,000 वर्ग किमी – चीन एवं मंगोलिया में स्थित है। **कारा कुम रेगिस्तान:** 350,000 वर्ग किमी – तुर्कमेनिस्तान में स्थित है। **काइजिलकुम रेगिस्तान:** 298,000 वर्ग किमी – उज्बेकिस्तान, कजाकिस्तान तथा तुर्कमेनिस्तान में स्थित है। **तकला माकन रेगिस्तान:** 330,000 वर्ग किमी – चीन में स्थित है। **थार-चोलिस्तान रेगिस्तान:** 200,000 वर्ग किमी – भारत एवं पाकिस्तान में स्थित है। **दश्त-ए काविर रेगिस्तान:** 77,000 वर्ग किमी – ईरान में स्थित है।

(Continued)

तालिका 7.12 *(Continued)*

		दश्त-ए-लूट रेगिस्तान: 51,800 वर्ग कि.मी. - ईरान में स्थित है। **ऑर्डोस रेगिस्तान:** 90,000 वर्ग किमी - चीन में स्थित है। **रेगिस्तान मरूस्थल:** 41,500 वर्ग किमी - अफगानिस्तान, ईरान तथा पाकिस्तान में स्थित है। **रुब अल खली रेगिस्तान:** 650,000 वर्ग किमी - सऊदी अरब, ओमान, यूएई तथा यमन में स्थित है।
2.	पर्वत श्रृंखलाएँ	**हिमालय:** विश्व की सबसे ऊँची पर्वत श्रृंखला तथा विश्व की सबसे ऊँची चोटियाँ इसी में स्थित हैं। माउंट एवरेस्ट 8,848 मीटर (29,029 फीट) तथा K2 समुद्र तल से 8,611 मीटर (28,251 फीट) ऊंची हैं। देश: भारत, पाकिस्तान, चीन, नेपाल और भूटान। **यूराल:** इस पर्वत श्रृंखला की सबसे ऊँची चोटी माउंट नारोदनाया है, जो 1,895 मीटर (6,217 फीट) ऊँची है। देश: रूस और कजाकिस्तान। **तिएन (या तियान) शान:** सबसे ऊंची चोटी विजय शिखर है, जिसकी ऊंचाई 7,439 मीटर (24,406 फीट) है। देश: चीन, कजाकिस्तान, किर्गिस्तान, उज्बेकिस्तान और ताजिकिस्तान। **कुनलुन:** सबसे ऊंचा पर्वत कुनलुन देवी है, जिसकी ऊंचाई 7,167 मीटर (23,514 फीट) है। देश: चीन और ताजिकिस्तान। **अल्ताय (या अल्ताई):** बेलुखा पर्वत सबसे ऊंची चोटी है, जिसकी ऊंचाई 4,506 मीटर (14,784 फीट) है। देश: चीन, कजाकिस्तान, मंगोलिया और रूस।
3.	नदियाँ	**गंगा:** 1,560 मील (2,525 किमी) बेसिन देश: भारत, चीन, नेपाल तथा बांग्लादेश मुहाना: बंगाल की खाड़ी **लीना:** 2,734 मील (4,400 किमी) देश: रूस मुहाना: आर्कटिक महासागर **सिंधु:** 1,800 मील (2,900 किमी) बेसिन देश: भारत, पाकिस्तान तथा चीन मुहाना: अरब सागर **मेकांग:** 3,050 मील (4,909 किमी) देश: चीन, म्यांमार, थाईलैंड, लाओस, कंबोडिया और वियतनाम। मुहाना: दक्षिण चीन सागर **ओब:** 2,268 मील (3,650 किमी) बेसिन देश: रूस, चीन, कजाकिस्तान और मंगोलिया मुहाना: कारा सागर **यांग्त्जी:** 3915 मील (6,301 किमी) देश: चीन मुहाना: पूर्वी चीन सागर **पीली नदी:** 3,395 मील (5,464 किमी) देश: चीन मुहाना: बोहाई सागर
4.	झील	कैस्पियन सागर (371,000 वर्ग किमी) सीमावर्ती देश: अजरबैजान, ईरान, कजाकिस्तान, रूस तथा तुर्कमेनिस्तान (TARIK) बैकाल झील (31,500 वर्ग कि.मी.) रूस में स्थित है। कजाकिस्तान में बल्खश झील (16,400 वर्ग कि.मी.)। तैमिर झील (6,990 वर्ग कि.मी.) रूस में स्थित है। उर्मिया झील (6,001 वर्ग कि.मी.) अजरबैजान में स्थित है। किंगहाई झील (4,489 वर्ग कि.मी.) चीन की सबसे बड़ी झील है। खानका झील (4,190 वर्ग किमी) चीन और रूस सीमा पर स्थित है।

(Continued)

तालिका 7.12 *(Continued)*

5.	पठार	तिब्बती/किंगजैंग पठार (0.97 मिलियन वर्ग मील) देश: चीन (अधिकतम क्षेत्र), भारत, पाकिस्तान, नेपाल तथा भूटान आर्मेनियाई पठार (0.154 मिलियन वर्ग मील) देश: आर्मेनिया, अजरबैजान, जॉर्जिया, ईरान और तुर्की ईरानी/फारसी पठार (1.4 मिलियन वर्ग मील) देश: ईरान, पाकिस्तान, अफगानिस्तान, तुर्कमेनिस्तान और अजरबैजान दक्कन का पठार (735,000 वर्ग मील) देश: भारत
6.	द्वीप	बोर्नियो, इंडोनेशिया-मलेशिया-ब्रुनेई (280,100 वर्ग मील) सुमात्रा, इंडोनेशिया (164,000 वर्ग मील) होन्शू, जापान (87,805 वर्ग मील) सेलेब्स, इंडोनेशिया (67,400 वर्ग मील) जावा, इंडोनेशिया (48,900 वर्ग मील) लूज़ॉन, फिलीपींस (40,419 वर्ग मील) सखालिन, रूस (29,500 वर्ग मील) (जापान के साथ विवादित) श्रीलंका (25,200 वर्ग मील)

सांस्कृतिक विशेषताएँ (Cultural Features)

तालिका 7.13 एशिया की जनसांख्यिकीय विशेषताएँ

क्र.सं.	विवरण	तथ्य
1.	जनसंख्या	4,817,457,041 व्यक्ति
2.	जनसंख्या की दृष्टि से सबसे बड़ा देश	भारत
3.	जनसंख्या घनत्व	155 व्यक्ति प्रति वर्ग किमी

स्रोत: United Nations World Population Prospects; Worldometer.info, Worldpopulationreview.com

4. ऑस्ट्रेलिया एवं ओशिनिया (AUSTRALIA AND OCEANIA)

ओशिनिया वह क्षेत्र है, जिसमें मध्य एवं दक्षिण प्रशांत महासागर में स्थित हजारों द्वीप शामिल हैं। इसमें ऑस्ट्रेलिया भी शामिल है।

ओशिनिया में ऑस्ट्रेलिया सबसे बड़ा देश है। ओशिनिया के अन्य दो प्रमुख भू-भाग जीलैंडिया का सूक्ष्म महाद्वीप हैं, जिसमें न्यूजीलैंड देश शामिल है तथा न्यू गिनी द्वीप का पूर्वी आधा भाग, जो पापुआ न्यू गिनी देश है, से बना है। ओशिनिया में तीन द्वीप क्षेत्र भी शामिल हैं: मेलानेशिया, माइक्रोनेशिया तथा पोलिनेशिया (जिसमें यू.एस. का हवाई राज्य भी शामिल है)।

भू-स्थलाकृतिक एवं जलवायवीय चरम परिघटनाएँ (Topographic and Climatic Extremes)

तालिका 7.14 ओशिनिया/ऑस्ट्रेलिया की भू-स्थलाकृतिक एवं जलवायवीय चरम परिघटनाएँ

क्र.सं.	विवरण	तथ्य
1.	महाद्वीप का आकार	8.9 मिलियन वर्ग किमी
2.	उच्चतम बिंदु	माउंट विल्हेम, पापुआ न्यू गिनी, 14,793 फीट (4,509 मीटर)
3.	निम्नतम बिंदु	लेक आइरे, ऑस्ट्रेलिया (−52 फीट) (−16 मीटर)
4.	कुल तटरेखा	25,760 किमी (16,007 मील)
5.	क्षैतिज चौड़ाई	पर्थ, ऑस्ट्रेलिया से पूर्व में पपीते, ताहिती तक 5,889 मील (9,478 किमी)
6.	ऊर्ध्वाधर लंबाई	ऑकलैंड, न्यूजीलैंड से उत्तर-पश्चिम में गुआम तक 3,910 मील (6.292 किमी)
7.	सबसे लंबी सीमा	ग्रेट डिवाइडिंग रेंज, 3,500 किमी (2,175 मील), ऑस्ट्रेलिया
8.	दर्ज सर्वाधिक तापमान	50.7°C ऊदनदत्ता हवाई अड्डा (दक्षिण ऑस्ट्रेलिया) 2 जनवरी, 1960 और ओन्सलो एयरपोर्ट (पश्चिमी ऑस्ट्रेलिया) 13 जनवरी 2022
9.	दर्ज न्यूनतम तापमान	−23.0°से., चार्लोट पास (न्यू साउथ वेल्स) 29 जून, 1994

(Continued)

तालिका 7.14 *(Continued)*

क्र.सं.	विवरण	तथ्य
10.	सबसे बड़ा द्वीप	तस्मानिया (65,022 वर्ग किमी)
11.	सबसे बड़ी झील	लेक आइरे (9,500 वर्ग किमी)
12.	सबसे गहरी झील	हौरोको झील (न्यूजीलैंड ~ 462 मीटर
13.	सबसे लंबी नदी	मरे नदी (2,508 किमी)
14.	सुदूर उत्तर में स्थित बिंदु	क्यूरएटोल (28°25′N) - ओशिनिया
15.	सुदूर दक्षिण में स्थित बिंदु	जैकमार्ट द्वीप, न्यूजीलैंड (52°37′S) ओशिनिया
16.	सुदूर पश्चिम में स्थित बिंदु	डर्कहार्टोग द्वीप, ऑस्ट्रेलिया (112°55′E) ओशिनिया
17.	सुदूर पूर्व में स्थित बिंदु	ईस्टर द्वीप, चिली (109°13′W) ओशिनिया

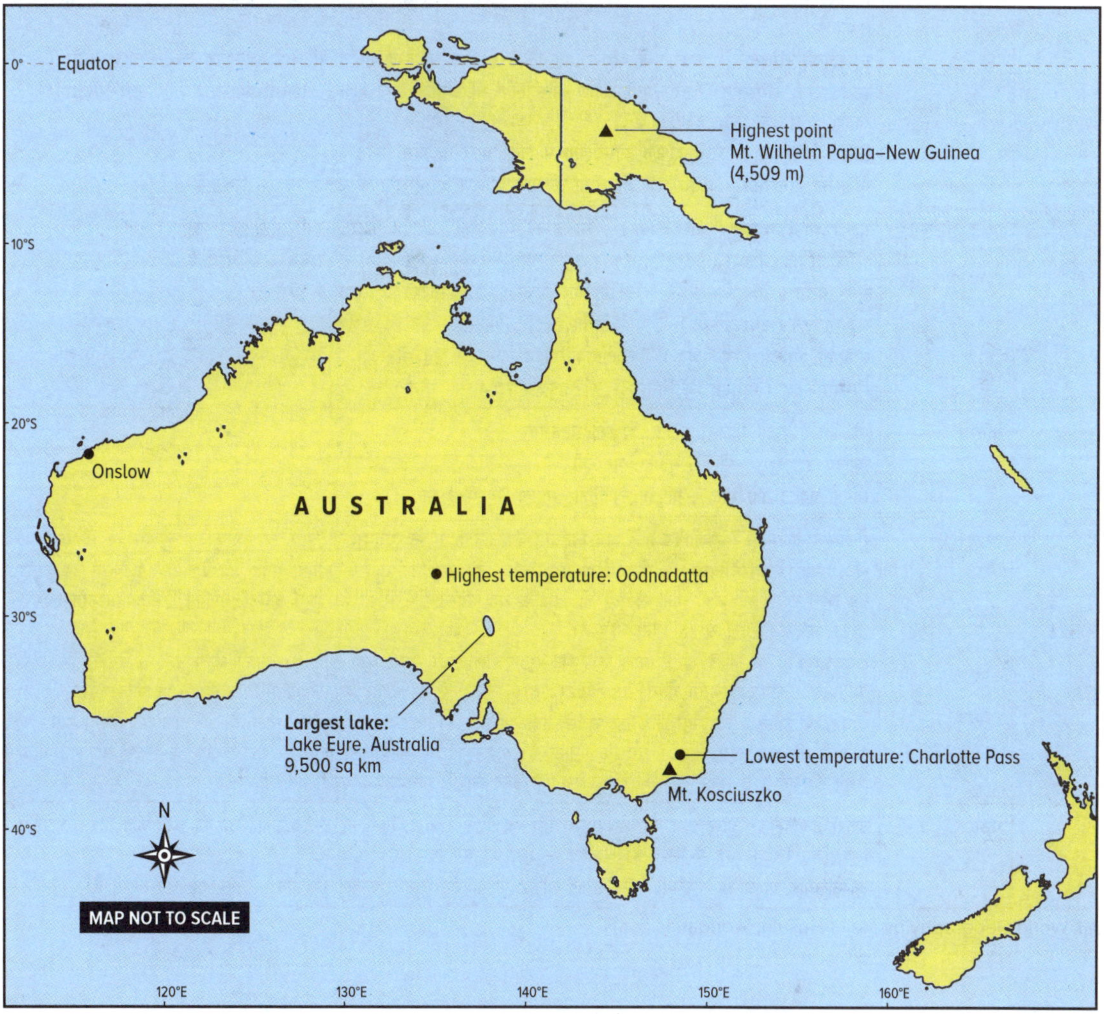

चित्र 7.5
ऑस्ट्रेलिया

अन्य प्रमुख भौतिक विशेषताएँ (Other Key Physical Features)

तालिका 7.15 ओशिनिया/ऑस्ट्रेलिया की मुख्य भौतिक विशेषताएं

1. ऑस्ट्रेलिया का उत्तरी भाग उष्णकटिबंधीय क्षेत्र में स्थित है तथा दक्षिणी भाग समशीतोष्ण क्षेत्र में स्थित है। 2. मकर रेखा इस महाद्वीप के बीच से होकर गुजरती है।		
1.	रेगिस्तान	**ग्रेट विक्टोरिया** - यह ऑस्ट्रेलिया का सबसे बड़ा रेगिस्तान है। **ग्रेट सैंडी रेगिस्तान** - यह पश्चिमी ऑस्ट्रेलिया के उत्तर-पश्चिम में स्थित है। **तनामी रेगिस्तान** - यह उत्तरी क्षेत्र और पश्चिमी ऑस्ट्रेलिया में स्थित है। **सिम्पसन रेगिस्तान** - यह चौथा सबसे बड़ा ऑस्ट्रेलियाई रेगिस्तान है। यह उत्तरी क्षेत्र, दक्षिण ऑस्ट्रेलिया और मध्य ऑस्ट्रेलिया में क्वींसलैंड में स्थित है। **गिब्सन रेगिस्तान** - यह पश्चिमी ऑस्ट्रेलिया में स्थित है। **लिटिल सैंडी रेगिस्तान** - यह पश्चिमी ऑस्ट्रेलिया में, ग्रेट सैंडी रेगिस्तान के दक्षिण में तथा गिब्सन रेगिस्तान के पश्चिम में स्थित है। **स्ट्रेजेलेकी रेगिस्तान** - उत्तर-पूर्वी दक्षिण ऑस्ट्रेलिया में स्थित है तथा दक्षिण-पश्चिमी क्वींसलैंड तक फैला हुआ है। **स्टर्ट स्टोनी रेगिस्तान** - उत्तर-पूर्वी दक्षिण ऑस्ट्रेलिया में स्थित है तथा दक्षिण-पश्चिमी क्वींसलैंड और उत्तर-पश्चिमी न्यू साउथ वेल्स तक फैला हुआ है। **तिरारी रेगिस्तान** - उत्तरी-दक्षिण ऑस्ट्रेलिया में लेक आइरे के पास स्थित है। **पेडिरका रेगिस्तान** - उत्तरी क्षेत्र की सीमा के पास, दक्षिण ऑस्ट्रेलिया के उत्तरी भाग में स्थित है।
2.	पर्वत शृंखला	**ग्रेट डिवाइडिंग रेंज (ऑस्ट्रेलिया)** - माउंट कोसियसजको (2,228 मीटर) सबसे ऊँची चोटी है। **ऑस्ट्रेलियाई आल्प्स (ऑस्ट्रेलिया)** - माउंट कोसियसजको (2,228 मीटर) सबसे ऊँची चोटी है। **स्नोई पर्वत (ऑस्ट्रेलिया)** - माउंट कोसियसजको (2,228 मीटर) सबसे ऊँची चोटी है। **ब्लू माउंटेन (ऑस्ट्रेलिया)** - माउंट वेरोंग (1,215 मीटर) **दक्षिणी आल्प्स (न्यूजीलैंड)** - आओराकी/माउंट कुक (3,724 मीटर) **बिस्मार्क रेंज (पापुआ न्यू गिनी)** - माउंट विल्हेम (4,509 मीटर)
3.	नदियाँ	मरे नदी (1,558 मील); मुहाना: दक्षिणी महासागर डार्लिंग नदी (915 मील); मुहाना: मरे नदी सेपिक नदी (700 मील); पापुआ न्यू गिनी; मुहाना: बिस्मार्क सागर
4.	झीलें	**रोटोमाहाना झील (न्यूजीलैंड)** - अब निष्क्रिय ज्वालामुखी माउंट तारावेरा के साथ, यह ओकाटेना कैल्डेरा में स्थित है। **लेक आइरे (ऑस्ट्रेलिया)** - ऑस्ट्रेलिया की सबसे बड़ी झील, जिसका अनुमानित सतह क्षेत्र 9,500 वर्ग किमी है। यद्यपि, यह झील शायद ही कभी पानी से भरी हो, क्योंकि यह रेगिस्तान में स्थित है। इसमें ऑस्ट्रेलिया का निम्नतम प्राकृतिक बिंदु भी है, जो समुद्र तल से 15 मीटर नीचे है। **लेक तौपो** - यह सतह के क्षेत्रफल की दृष्टि से न्यूजीलैंड की सबसे बड़ी झील है। इसका क्षेत्रफल 616 वर्ग किमी (238 वर्ग मील) और अधिकतम गहराई 186 मीटर (610 फीट) है। इसके तट की लंबाई 193 किमी (120 मील) है। **वाकाटिपु झील** - यह न्यूजीलैंड की सबसे लंबी झील है, जिसकी लंबाई 80 किलोमीटर है। यह देश की तीसरी सबसे बड़ी झील है, जिसका क्षेत्रफल 291 वर्ग किलोमीटर है। यह न्यूजीलैंड के दक्षिणी द्वीप में, ओटागो क्षेत्र के दक्षिण-पश्चिमी भाग में स्थित है। यह 310 मीटर की ऊँचाई पर स्थित है और इसकी अधिकतम गहराई 380 मीटर है।
5.	पठार	**उत्तरी टेबललैंड:** ऑस्ट्रेलिया का यह सबसे बड़ा हाइलैंड्स क्षेत्र है, जिसे न्यू इंग्लैंड टेबललैंड भी कहा जाता है। यह ग्रेट डिवाइडिंग रेंज के क्षेत्र में स्थित है। क्षेत्रफल - 18,197 वर्ग किमी है। ऑस्ट्रेलियाई शील्ड या पश्चिमी ऑस्ट्रेलियाई शील्ड या पश्चिमी पठार। इसका क्षेत्रफल - 700,000 वर्ग किमी है।

स्रोत: World Geography by Majid Husain; Worldatlas.com

सांस्कृतिक विशेषताएँ (Cultural Features)

तालिका 7.16 ओशिनिया/ऑस्ट्रेलिया की जनसांख्यिकीय विशेषताएँ

क्र.सं.	विवरण	तथ्य
1.	जनसंख्या	46,135,183
2.	जनसंख्या की दृष्टि से सबसे बड़ा देश	ऑस्ट्रेलिया
3.	जनसंख्या घनत्व	5 व्यक्ति प्रति वर्ग किमी

स्रोत: United Nations World Population Prospects; Worldometer.com, Worldpopulationreview.com

5. यूरोप (EUROPE)

एशिया के साथ भूमि से जुड़ा हुआ यूरोप दूसरा सबसे घनी आबादी वाला महाद्वीप है। यह ओशिनिया तथा ऑस्ट्रेलिया के बाद विश्व का दूसरा सबसे छोटा महाद्वीप है।

भू-स्थलाकृतिक एवं जलवायवीय चरम परिघटनाएँ (Topographic and Climatic Extremes)

तालिका 7.17 भू-स्थलाकृतिक एवं जलवायवीय चरम परिघटनाएँ

क्र.सं.	विवरण	तथ्य
1.	महाद्वीप का आकार	3,930,000 वर्ग मील
2.	उच्चतम बिंदु	रूस में माउंट एल्ब्रुस 8,506 फीट (5,642 मीटर)
3.	निम्नतम बिंदु	कैस्पियन सागर, (–92 फीट) (–28 मीटर)
4.	भौगोलिक केंद्र	54°54′ N 25°19′ E, लिथुआनिया के विनियस शहर में।*
5.	चौड़ाई	लंदन, इंग्लैंड से 1,339 मील (2,154 किमी), पूर्व में कीव, यूक्रेन तक
6.	लंबाई	इराक्लियो, क्रेते से 2,076 मील (3,341 किमी), उत्तर में लुलिया, स्वीडन तक
7.	सबसे लंबी पर्वत शृंखला	यूराल पर्वत
8.	दर्ज सर्वाधिक तापमान	48.8° सेल्सियस (सिसिली, इटली, 2021)
9.	दर्ज न्यूनतम तापमान	-55°C (-67°F) उस्त'शुगोर, रूस में
10.	सबसे बड़ा द्वीप	सिसिली (9,908 वर्ग मील) (25,662 वर्ग किमी)
11.	सबसे बड़ी झील	लेक लाडोगा (17,600 वर्ग किमी), रूस
12.	सबसे गहरी झील	हॉर्निंडलस्वाटनेट 514 मीटर (1,686 फीट), नॉर्वे
13.	सबसे लंबी नदी	वोल्गा (3,692 किमी)
14.	सबसे अधिक आर्द्र स्थान	क्रकवाइस (मोंटेनेग्रो)
15.	सुदूर उत्तर में स्थित बिंदु	नॉर्वे के स्वालबार्ड में रोसोया द्वीप
16.	सुदूर दक्षिण में स्थित बिंदु	गैवडोस द्वीप, ग्रीस
17.	सुदूर पश्चिम में स्थित बिंदु	मोन्चिक आइलेट, अजोरेस, पुर्तगाल
18.	सुदूर पूर्व में स्थित बिंदु	वैगाच द्वीप, यूराल पर्वत, रूस
19.	कुल समुद्र तट	24,000 मील (38,000 किमी)

*महाद्वीप की अस्पष्ट सीमाओं के कारण यूरोप का भौगोलिक केंद्र निर्धारित करना कठिन है। यद्यपि, ऊपर उल्लिखित तथ्य सर्वाधिक स्वीकार्य हैं।

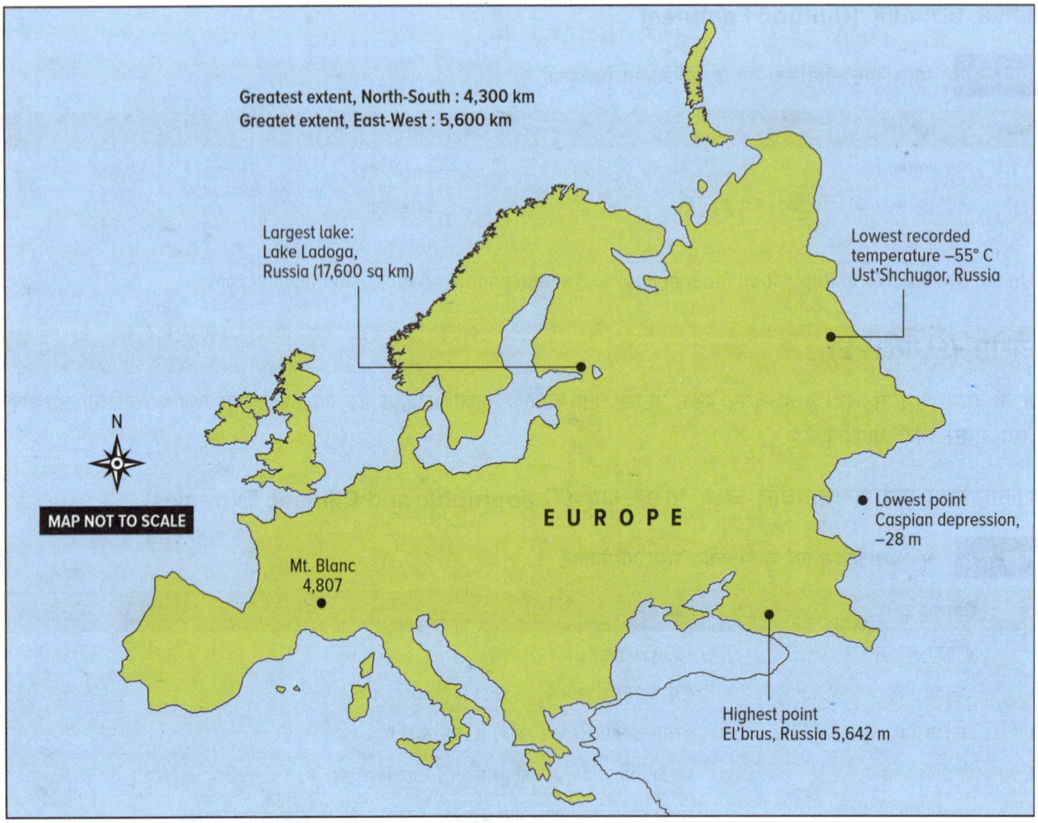

चित्र 7.6
यूरोप

अन्य प्रमुख भौतिक विशेषताएँ (Other Key Physical Features)

तालिका 7.18 प्रमुख भौतिक विशेषताएँ

1.	**रेगिस्तान**	एकोना रेगिस्तान, इटली ओल्टेनियन सहारा रेगिस्तान, रोमानिया डेलीब्लाटो सैंडे, सर्बिया टेबरनास रेगिस्तान, स्पेन
2.	**पर्वत शृंखला**	**आल्प्स:** इसकी सबसे ऊँची चोटी 15,771 फीट (4,807 मीटर) ऊँची मोंटब्लांक है। **देश:** यह पर्वत शृंखला फ्रांस, स्विट्जरलैंड, मोनाको, इटली, लिकटेंस्टीन, ऑस्ट्रिया, जर्मनी और स्लोवेनिया में फैली हुई है। **एपेनिनेस:** इसकी सबसे ऊँची चोटी माउंट कॉर्नो है, जिसकी ऊँचाई 9,560 फीट (2,914 मीटर) है। **देश:** यह इटली और सैनमैरिनो में स्थित है। **बाल्कन पर्वत:** 9,568 फीट (2,918 मीटर) **देश:** बुल्गारिया और सर्बिया में स्थित है। **कार्पेथियन पर्वत:** इसकी सबसे ऊँची चोटी उत्तरी स्लोवाकिया में माउंट गेरलाचोवकेन है, जिसकी ऊँचाई 8,711 फीट (2,655 मीटर) है। **देश:** यह ऑस्ट्रिया, चेक गणराज्य, हंगरी, पोलैंड, रोमानिया, सर्बिया, स्लोवाकिया, यूक्रेन में फैली हुई है। **काकेशस पर्वत:** इसकी सबसे ऊंची चोटी माउंट एल्ब्रुस है, जिसकी ऊंचाई 18,506 फीट (5,642 मीटर) है। **देश:** यह रूस, जॉर्जिया, अजरबैजान और आर्मेनिया में फैली हुई है।

(Continued)

तालिका 7.18 *(Continued)*

		कोलेन पर्वत शृंखला: इसकी सबसे ऊंची चोटी माउंट केबनेकाइस है, जिसकी ऊंचाई 6,965 फीट (2,123 मीटर) है। **देश:** यह नॉर्वे और स्वीडन में स्थित है। **पाइरेनीस:** इसकी सबसे ऊंची चोटी पिकोडीएनेटो है, जिसकी ऊंचाई 11,168 फीट (3,404 मीटर) है। **देश:** यह फ्रांस और स्पेन में स्थित है। **यूराल पर्वत:** लंबाई में 1,640 मील (2,640 किमी) **देश:** यह रूस तथा कजाकिस्तान में स्थित है। पूर्वोत्तर फ्रांस में वोसगेस पर्वत (ब्लॉक पर्वत)
3.	**नदियाँ**	**वोल्गा:** 3,690 किमी (2,290 मील) लंबी। **बेसिन देश:** रूस **मुहाना:** कैस्पियन सागर **डेन्यूब:** 2,860 किमी (1,780 मील) लंबी। **बेसिन देश:** जर्मनी, ऑस्ट्रिया, स्लोवाकिया, हंगरी, क्रोएशिया, सर्बिया, बुल्गारिया, रोमानिया, यूक्रेन तथा मोल्दोवा **मुहाना:** काला सागर **यूराल:** 2,428 किमी (1,509 मील) लंबी। **बेसिन देश:** रूस एवं कजाकिस्तान **मुहाना:** कैस्पियन सागर **नीपर:** 2,290 किमी (1,420 मील) लंबी। **बेसिन देश:** रूस, बेलारूस तथा यूक्रेन **मुहाना:** काला सागर **डॉन:** 1,950 किमी (1,210 मील) लंबी। **बेसिन देश:** रूस एवं यूक्रेन **मुहाना:** आजोव सागर **राइन:** 1,233 किमी लंबी। **बेसिन देश:** स्विटजरलैंड, लिकटेंस्टीन, ऑस्ट्रिया, जर्मनी, फ्रांस तथा नीदरलैंड **मुहाना:** उत्तरी सागर **रोन:** 814 किमी लंबी। **बेसिन देश:** फ्रांस एवं स्विटजरलैंड **मुहाना:** भूमध्य सागर **थेम्स:** 346 किमी लंबी। **बेसिन देश:** यूनाइटेड किंगडम **मुहाना:** उत्तरी सागर
4.	**झीलें**	**लेक लाडोगा** (17,700 वर्ग किमी क्षेत्रफल वाली यूरोप की सबसे बड़ी झील): यह मीठे पानी की झील है जो 83 किमी चौड़ी, 51 मीटर गहरी है और इसका आयतन 837 घन किमी है। इसकी समुद्र तल से ऊँचाई 5 मीटर है। इसमें 660 द्वीप हैं **लेक ओनेगा/ओनेगो** (9,894 वर्ग किमी क्षेत्रफल वाली यूरोप की दूसरी सबसे बड़ी झील): यह 90 किमी चौड़ी, 245 किमी लंबी है एवं इसका आयतन 280 घन किमी है। इसमें 1,650 द्वीप हैं। **लेक वेनर्न:** यह झील 5,655 वर्ग किमी बड़ी, 27 मीटर गहरी एवं समुद्र तल से 44 मीटर ऊँची है। **साइमा:** फिनलैंड में स्थित 4377 वर्ग किमी क्षेत्र में है।
5.	**पठार**	**मैसिफ सेंट्रल:** आकार में लगभग 32,189 वर्ग मील (85,001 वर्ग किमी) है तथा सबसे ऊँचा स्थान 6,186 फीट (1,885 मीटर) पर पुएडेसैन्सी है। **देश:** फ्रांस
6.	**द्वीप**	**ग्रेट ब्रिटेन** (209,331 वर्ग किमी): अटलांटिक महासागर **आइसलैंड** (103,000 वर्ग किमी): उत्तरी अटलांटिक महासागर **आयरलैंड** (84,421 वर्ग किमी): उत्तरी अटलांटिक महासागर **सेवर्नी द्वीप** (48,904 वर्ग किमी): आर्कटिक महासागर **स्पिट्सबर्गेन** (37,673 वर्ग किमी): आर्कटिक महासागर **युजनी द्वीप** (33,275 वर्ग किमी): आर्कटिक महासागर

स्रोत: Britannica Encyclopaedia

सांस्कृतिक विशेषताएँ (Cultural Features)

तालिका 7.19 यूरोप की जनसांख्यिकीय विशेषताएँ

क्रमांक	विवरण	तथ्य
1.	जनसंख्या	21 जुलाई, 2024 में 741,615,876
2.	जनसंख्या की दृष्टि से सबसे बड़ा देश	रूस (143,964,709)
3.	जनसंख्या घनत्व	वर्ष 2022 में यूरोपीय संघ में प्रति वर्ग किमी 109 व्यक्ति

स्रोत: United Nations World Population Prospects; Worldometer.info, Worldpopulationreview.com

6. उत्तरी अमेरिका (NORTH AMERICA)

उत्तरी अमेरिका तीसरा सबसे बड़ा महाद्वीप है, जिसका कुल क्षेत्रफल 24,238,000 वर्ग किलोमीटर है। इसमें ग्रीनलैंड तथा कैरिबियन द्वीप भी शामिल हैं। इसमें विश्व के दो सबसे बड़े देश, अर्थात कनाडा एवं संयुक्त राज्य अमेरिका महाद्वीप में स्थित हैं।

भू-स्थलाकृतिक एवं जलवायवीय चरम परिघटनाएँ (Topographic and Climatic Extremes)

तालिका 7.20 उत्तरी अमेरिका की भू-स्थलाकृतिक एवं जलवायवीय चरम परिघटनाएँ

क्र.सं.	विवरण	तथ्य
1.	महाद्वीप का आकार	24.7 मिलियन वर्ग किमी
2.	उच्चतम बिंदु	माउंट मैकिन्ले (अलास्का) 20,320 फीट (6,194 मीटर)
3.	निम्नतम बिंदु	डेथ वैली (कैलिफोर्निया) (-282 फीट) (-86 मीटर)
4.	चौड़ाई	2,680 मील
5.	लंबाई	1,582 मील
6.	सबसे लंबी पर्वत शृंखला	रॉकी पर्वतमाला - कनाडा में उत्तरी ब्रिटिश कोलंबिया से दक्षिण में संयुक्त राज्य अमेरिका में न्यू मैक्सिको तक 4,800 किमी (3,000 मील) लंबी।
7.	दर्ज सर्वाधिक तापमान	कैलिफोर्निया के डेथ वैली (फर्नेस क्रीक) में 16 अगस्त 2020 को तापमान 54.4°C था।
8.	दर्ज न्यूनतम तापमान	63.0°C, स्नैग (युकोन, कनाडा), 1947
9.	सबसे बड़ा द्वीप	ग्रीनलैंड
10.	सबसे बड़ी झील	लेक सुपीरियर (82,100 वर्ग किमी)
11.	सबसे गहरी झील	क्रेटर झील (ओरेगन, संयुक्त राज्य अमेरिका) ~594 मीटर
12.	सबसे लंबी नदी	मिसौरी नदी (3,766 किमी)
13.	सबसे अधिक बारिश वाला स्थान	वैंकूवर द्वीप (वर्ष में 07 मीटर - या 22 फीट - वर्षा)
14.	उत्तरी अमेरिका का सुदूर उत्तर में स्थित बिंदु	कैफेक्लबबेन द्वीप, ग्रीनलैंड (83°40'N 29°50'W)
15.	सुदूर दक्षिण में स्थित बिंदु	कोकोस द्वीप, कोस्टारिका (5°31'8'N 87°4'18'W)
16.	सुदूर पश्चिम में स्थित बिंदु	अमतिग्नक द्वीप (51°17'N 179°9'W)
17.	सुदूर पूर्व में स्थित बिंदु	नॉर्डोस्ट्रुंडिंगन, ग्रीनलैंड (81°26'25''N 11°29'22''W.)

चित्र 7.7
उत्तर अमेरिका

अन्य प्रमुख भौतिक विशेषताएँ (Other Key Physical Features)

तालिका 7.21 उत्तरी अमेरिका की प्रमुख भौतिक विशेषताएँ

प्रमुख भौतिक विशेषताएं		
1.	रेगिस्तान	**ग्रेट बेसिन रेगिस्तान:** यह लगभग 190,000 वर्ग मील के क्षेत्र में फैला हुआ है। यह उत्तरी अमेरिका का सबसे बड़ा रेगिस्तान है। अनुमान है कि इस क्षेत्र के कुछ पेड़ 5,000 साल से भी अधिक पुराने हैं। **चिहुआहुआन रेगिस्तान:** यह अमेरिका तथा मैक्सिको के बीच फैला हुआ है और इसका क्षेत्रफल 139,769 वर्ग मील है। इस रेगिस्तान का अधिकतर भाग मैक्सिको में स्थित है। रियो ग्रांडे नदी चिहुआहुआन रेगिस्तान से होकर गुजरती है। **कारक्रॉस रेगिस्तान:** इसे प्रायः विश्व का सबसे छोटा रेगिस्तान माना जाता है। इसका क्षेत्रफल लगभग 1 वर्ग मील या 2.6 वर्ग किलोमीटर या 640 एकड़ है। यह कोई वास्तविक रेगिस्तान नहीं है, बल्कि रेत की विशाल परत है। इसका निर्माण पिछले हिमयुग के दौरान हुआ था, जब विशाल हिम झीलें बनीं थी और गाद जमा हुई थी। झीलों के सूखने पर रेत के टीले पीछे रह गए। **मोजावे रेगिस्तान:** यह नेवादा, एरिजोना तथा कैलिफोर्निया में फैला हुआ है और 47,877 वर्ग मील में फैला हुआ है। यह उत्तरी अमेरिका का सबसे शुष्क रेगिस्तान है, क्योंकि यहाँ वार्षिक वर्षा 2 इंच से भी कम होती है। डेथ वैली यहीं स्थित है।
2.	पर्वत श्रृंखलाएँ	**अलास्का पर्वतमाला:** यह अलास्का (अमेरिका) तथा कनाडा में स्थित है। इसकी सबसे ऊँची चोटी माउंट मैकिन्ले, 20,320 फीट (6,194 मीटर) ऊँची है। **एप्पलेशियन पर्वत:** यह अमेरिका और कनाडा में स्थित है; ये पुराने तहदार पहाड़ है। इसकी सबसे ऊँची चोटी उत्तरी कैरोलिना में माउंट मिशेल है, जो 6,684 फीट (2,037 मीटर) ऊँची है। **कैस्केड्स:** यह उत्तर-पूर्वी कैलिफोर्निया से ओरेगन और वाशिंगटन तक फैला हुआ है। प्रमुख चोटियों में माउंट हूड, माउंट रानियर और माउंट सेंट हेलेंस शामिल हैं। **तटीय पर्वतमाला:** यह कैलिफोर्निया, ओरेगन, वाशिंगटन के प्रशांत महासागर के तट के साथ-साथ विस्तृत है। यह ब्रिटिश कोलंबिया, कनाडा की पश्चिमी सीमा और अलास्का के दक्षिणी किनारे तक भी विस्तृत हैं। **रॉकी पर्वत:** यह लगभग 3,000 मील लंबी है। यह यू.एस. के न्यू मैक्सिको राज्य से शुरू होकर पश्चिमी संयुक्त राज्य अमेरिका से होते हुए कनाडा के ब्रिटिश कोलंबिया के सुदूर उत्तरी छोर तक विस्तृत है। इसकी सबसे ऊँची चोटी माउंट एल्बर्टिस है, जिसकी उँचाई 14,433 फीट (4,399 मीटर) है। **सिएरा नेवादा:** पूर्वी कैलिफोर्निया की यह पर्वत श्रृंखला लगभग 400 मील लंबी है। इसकी सबसे ऊँची चोटी माउंट व्हिटनी है, जो 14,494 फीट (4,418 मीटर) ऊँची है।
3.	नदियाँ	**मिसिसिपी नदी** - यह उत्तरी अमेरिका की सबसे लंबी नदी है। लंबाई: 3,766 किमी; बेसिन देश: यूएसए एवं कनाडा मुहाना: मैक्सिको की खाड़ी **कोलोराडो नदी** - लंबाई: 2,334 किमी; बेसिन देश: यूएसए एवं मैक्सिको मुहाना: कैलिफोर्निया की खाड़ी यह अनेक घाटियों का निर्माण करती है, विशेष रूप से ग्रैंड कैन्यन घाटी। **सेंट लॉरेंस नदी** - लंबाई: 1,225 किमी; बेसिन देश: यूएसए और कनाडा मुहाना: सेंट लॉरेंस की खाड़ी उत्तरी अमेरिका की ग्रेट लेक्स अंतर्देशीय परिवहन प्रणाली को सुगम बनाती है, जो कनाडा और यूएसए के आंतरिक भागों को अटलांटिक महासागर मार्ग से जोड़ती है। **हडसन नदी** - लंबाई: 507 किमी; बेसिन देश: यूएसए एवं कनाडा मुहाना: अटलांटिक महासागर **मिसौरी नदी** - लंबाई: 3,767 किमी; बेसिन देश: यूएसए एवं कनाडा मुहाना: मैक्सिको की खाड़ी **मैकेंजी नदी** - यह कनाडा की सबसे लंबी नदी है। लंबाई: 1,800 किमी; बेसिन देश: कनाडा मुहाना: ब्यूफोर्ट सागर **रियो ग्रांडे:** लंबाई: 3,034 किमी; बेसिन देश: यूएसए एवं मेक्सिको मुहाना: मेक्सिको की खाड़ी

(Continued)

तालिका 7.21 (Continued)

प्रमुख भौतिक विशेषताएं		
4.	झीलें	**लेक सुपीरियर** (क्षेत्रफल: 82,100 वर्ग किमी) **लेक हूरोन** (क्षेत्रफल: 59,600 वर्ग किमी) **लेक मिशिगन** (क्षेत्रफल: 58,000 वर्ग किमी) **ग्रेट बियर झील** (क्षेत्रफल: 31,000 वर्ग किमी) **ग्रेट स्लेव झील** (क्षेत्रफल : 27000 वर्ग किमी) **ग्रेट ऐरी:** (क्षेत्रफल : 25,700 वर्ग किमी) **विनिपैग झील:** (क्षेत्रफल : 25,714 वर्ग किमी) **ओंटेरियो झील:** (क्षेत्रफल : 18960 वर्ग किमी) **निकारागुआ झील:** (क्षेत्रफल : 8264 वर्ग किमी) **अथाबास्का झील:** (क्षेत्रफल : 7850 वर्ग किमी)
5.	पठार	**स्नेक पठार (कोलंबिया)** - यह पठार ज्वालामुखी उद्गारों के परिणामस्वरूप निकलने वाले बेसाल्ट लावा (फ्लडबेसाल्ट पठार) की परत जमने के कारण हुआ है। यह कैस्केड और रॉकी पर्वतमालाओं से घिरा हुआ है तथा यह इनसे 300 से 1,200 फीट (90 से 370 मीटर) की ऊँचाई वाली पहाड़ियों से अलग होता है। **कोलोराडो पठार (यूएसए)** - यह अनेक उच्च समभूमियों (टेबललैंड), नदी घाटियों, विशाल घाटियों से मिलकर बना हैं। इसमें सबसे शानदार - ग्रैंड कैन्यन शामिल है। **लॉरेंटियन पठार (कनाडा)** - इसे कनाडाई शील्ड (ढाल) भी कहा जाता है।
6.	द्वीप	ग्रीनलैंड, बाफिन द्वीप, विक्टोरिया द्वीप, एलेस्मेरे द्वीप, न्यूफाउंडलैंड, क्यूबा, हिस्पानियोला, बैंक्स द्वीप और डेवोन द्वीप (विश्व का सबसे बड़ा निर्जन द्वीप)।

स्रोत: World Geography by Majid Husain; Worldatlas.com

सांस्कृतिक विशेषताएँ (Cultural Features)

तालिका 7.22 उत्तरी अमेरिका की जनसांख्यिकीय विशेषताएँ

क्रमांक	विवरण	तथ्य
1.	जनसंख्या	381,159,108
2.	जनसंख्या की दृष्टि से सबसे बड़ा देश	अमेरिका
3.	जनसंख्या घनत्व	21 व्यक्ति प्रति वर्ग किमी

स्रोत: United Nations World Population Prospects; worldometer.info, worldpopulationreview.com

7. दक्षिण अमेरिका (SOUTH AMERICA)

दक्षिण अमेरिका एशिया, अफ्रीका तथा उत्तरी अमेरिका के बाद विश्व का चौथा सबसे बड़ा महाद्वीप है।

दक्षिण अमेरिका अपने जीवंत और विविध शहरों, ऊंचे एंडीज पर्वत एवं विश्व का सबसे बड़ा वर्षा वन अमेजॅन वर्षा वन (सेलवास) के लिए जाना जाता है।

भू-स्थलाकृतिक एवं जलवायवीय चरम परिघटनाएँ (Topographic and Climatic Extremes)

तालिका 7.23 दक्षिण अमेरिका की भू-स्थलाकृतिक एवं जलवायवीय चरम परिघटनाएँ

क्रम संख्या	विवरण	तथ्य
1.	महाद्वीप का आकार	17.8 मिलियन वर्ग किमी
2.	उच्चतम बिंदु	अकोंकागुआ, अर्जेंटीना (6,961 मीटर)
3.	निम्नतम बिंदु	लागुना डेल कार्बन, समुद्र तल से 105 मीटर नीचे
4.	चौड़ाई	लीमा (पेरू) से फोर्टालेजा (ब्राजील) तक: 2,705 मील (4353 किमी)
5.	लंबाई	कार्टाजेना, कोलंबिया, दक्षिण से उशुआइया, अर्जेंटीना तक: 4,443 मील (7,149 किमी)
6.	सबसे लंबी पर्वत श्रृंखला	एंडीज, लगभग 7,000 किमी (4,300 मील) लंबी।
7.	दर्ज सर्वाधिक तापमान	48.9°से. (120°फॉ.), रिवादाविया, अर्जेंटीना 11 दिसंबर, 1905 को
8.	दर्ज न्यूनतम तापमान	−32.8°से. (−27°फॉ.) 1 जून, 1907 को सर्मिएन्टो, अर्जेंटीना में।

(Continued)

तालिका 7.23 *(Continued)*

क्रम संख्या	विवरण	तथ्य
9.	सबसे बड़ा द्वीप	इस्लाग्रांडे
10.	सबसे बड़ी झील	टिटिकाका झील (8372 वर्ग किमी) - बोलीविया, पेरू
11.	सबसे गहरी झील	सैन मार्टिन (अधिकतम गहराई 836 मीटर)
12.	सबसे लंबी नदी	अमेजॅन नदी: लंबाई - 6,400 किमी, देश-ब्राजील, कोलंबिया, पेरू
13.	सुदूर उत्तर में स्थित बिंदु	सांता कैटालिना द्वीप, कोलंबिया, 13°23′18″ N, 81°22′25″ W
14.	सुदूर दक्षिण में स्थित बिंदु	एगुइलाआइलेट, 56°32′16′S 68°43′10″W
15.	सुदूर पश्चिम में स्थित बिंदु	डार्विन द्वीप, 1.678°N 92.003°W
16.	सुदूर पूर्व मे. स्थित बिंदु	इल्हाडोसुल, 20°29′50″S 28°50′51″W

स्रोत: World Geography by Majid Husain; Worldatlas.com

अन्य प्रमुख भौतिक विशेषताएँ (Other Key Physical Features)

तालिका 7.24 दक्षिण अमेरिका की प्रमुख भौतिक विशेषताएँ

प्रमुख भौतिक विशेषताएँ		
1.	रेगिस्तान	**पैटागोनियन रेगिस्तान (अर्जेंटीना):** क्षेत्रफल - 673,000 वर्ग किमी **अटाकामा रेगिस्तान (पेरू एवं चिली):** क्षेत्रफल - 105,000 वर्ग किमी। चिली और पेरू के तटीय क्षेत्रों में फैला है। यह विश्व का सबसे सूखा रेगिस्तान है, जिसमें पिछले 400 वर्षों से बारिश दर्ज नहीं की गई है। यह नाइट्रेट (कैलीच या चिली साल्टपीटर), आयोडीन और बोरेक्स से भरपूर है। नाइट्रेट का इस्तेमाल मुख्य रूप से गन-पाउडर, दवाइयों और उर्वरकों के निर्माण में किया जाता है। **सेचुरा रेगिस्तान (पेरू, प्रशांत महासागर के तट पर):** क्षेत्रफल - 188,735 वर्ग किमी। **मोंटे रेगिस्तान (अर्जेंटीना):** क्षेत्रफल - 408,959 वर्ग किमी।
2.	पर्वत शृंखलाएँ	**एंडियन पर्वत या एंडीज:** यह लगभग 4,500 मील (7,242 किमी) लंबा है। इसकी सबसे ऊँची चोटी एकॉन्कागुआ है (अर्जेंटीना), जिसकी ऊँचाई 6,960.8 मीटर है। **देश:** अर्जेंटीना, चिली, बोलीविया, पेरू, इक्वाडोर, कोलंबिया तथा वेनेजुएला में स्थित है। **कॉर्डिलेरा ब्लैंका पर्वतमाला:** पेरू में स्थित (200 किमी लंबी और 21 किमी चौड़ी) है; इसकी सबसे ऊँची चोटी हुआस्करन है, जो 6,768 मीटर ऊँची है। **कॉर्डिलेरा ऑक्सिडेंटल पर्वतमाला:** कोलंबिया में स्थित है; इसकी सबसे ऊँची चोटी सेरोटाटामा है, जिसकी ऊँचाई (4,100 मीटर/ 13,451 फीट) है। इसका क्षेत्रफल 86,239 वर्ग किमी/ 33,297 वर्ग मील है। **मंटिक्वीरा पर्वतमाला:** यह दक्षिण-पूर्व ब्राजील में स्थित हैं; इसकी सबसे ऊँची चोटी पेड्रा दा मीना (2,798 मीटर) है।
3.	नदियाँ	**अमेजॅन नदी:** लंबाई - 6,400 किमी, देश - ब्राजील, कोलंबिया, पेरू **रियो पराना:** लंबाई - 4,880 किमी, देश - अर्जेंटीना, ब्राजील, पैराग्वे **मदीरा:** लंबाई - 3,250 किमी, देश - बोलीविया, ब्राजील **रियो पुरुस:** लंबाई - 3,211 किमी, देश - ब्राजील, पेरू। **रियो साओ फ्रांसिस्को:** लंबाई - 2,830 किमी, देश - ब्राजील **रियो टोकांटिस:** लंबाई - 2,640 किमी, देश - ब्राजील **रियो अरागुआया:** लंबाई - 2,627, देश - ब्राजील **रियो पैराग्वे:** लंबाई - 2,621 किमी, देश - पैराग्वे, ब्राजील, पेरू, बोलीविया **रियो पिलकोमायो:** लंबाई - 2,500 किमी, देश - अर्जेंटीना, बोलीविया, पैराग्वे **रियो जुरुआ:** लंबाई - 2,414 किमी, देश - ब्राजील, पेरू

प्रमुख भौतिक विशेषताएँ		
4.	**झीलें**	**टिटिकाका झील** (8,372 वर्ग किमी) - बोलीविया एवं पेरू **मार चिक्विटा झील** (6,000 वर्ग किमी) - अर्जेंटीना **जनरल कैरेरा झील/ ब्यूनस आयर्स झील** (1,850 वर्ग किमी) - चिली एवं अर्जेंटीना **लेगो अर्जेंटीनो झील** (1,415 वर्ग किमी) - अर्जेंटीना **विदमा झील** (1,088 वर्ग किमी) - अर्जेंटीना और चिली
5.	**पठार**	**अटाकामा पठार:** यह लगभग 200 मील (320 किमी) लंबा (उत्तर से दक्षिण) तथा 150 मील (240 किमी) चौड़ा है और इसकी औसत ऊंचाई 11,000 से 13,000 फीट (3,300 से 4,000 मीटर) है। **अल्टीप्लानो पठार:** इसकी ऊंचाई 3,700 मीटर से अधिक है तथा इसका विस्तार 800 किमी से अधिक है। यह बोलीविया में स्थित है।
6.	**द्वीप**	गैलापागोस द्वीप, इक्वाडोर ईस्टर द्वीप, चिली चिलो द्वीप, चिली इल्हा ग्रांडे, ब्राजील इस्ला सुआसी, पेरू तिन्हारे द्वीप, ब्राजील सैन एंड्रेस, कोलंबिया
7.	**कैंपोस**	पूर्वी ब्राजील के सवाना घास के मैदान हैं।
8.	**ग्रानचाको**	सेलवास के दक्षिण में स्थित है, ये दक्षिण-पश्चिम ब्राजील और उत्तर-पश्चिम अर्जेंटीना में समशीतोष्ण वन और झाड़ियाँ हैं।
9.	**लानोस**	ये वेनेजुएला के सवाना घास के मैदान हैं।
10.	**पम्पास**	पम्पास अर्जेंटीना और उरुग्वे के समशीतोष्ण घास के मैदान हैं।
11.	**सेलवास**	ये अमेजन बेसिन (ब्राजील) के भूमध्यरेखीय वर्षा वन हैं।
12.	**सूखा बहुभुज (ड्रॉट पॉलिगन)**	यह ब्राजील के उत्तर-पूर्व में एक क्षेत्र है, जो प्राय: सूखे की स्थिति से प्रभावित रहता है।
13.	**एस्टैंसियास**	अर्जेंटीना के खेत (विशाल कृषि फार्म) एस्टैंसियास कहलाते हैं।
14.	**फैजेंडास**	ब्राजील में कॉफी बागानों को फैजेंडा कहा जाता है।
15.	**गुआनो**	गुआनो पक्षियों की बीट मूल्यवान उर्वरक है। ये पक्षी चिली एवं पेरू के चट्टानी तटों पर हजारों की संख्या में पाए जाते हैं।

तालिका 7.25 दक्षिण अमेरिका की जनसांख्यिकीय विशेषताएँ

क्रमांक	विवरण	तथ्य
1.	जनसंख्या	443,021,225
2.	जनसंख्या की दृष्टि से सबसे बड़ा देश	ब्राजील
3.	जनसंख्या घनत्व	25 व्यक्ति प्रति वर्ग किमी

स्रोत: United Nations World Population Prospects;worldometer.com, worldpopulationreview.com

चित्र 7.8
दक्षिण अमेरिका

विश्वः एक नजर में (WORLD AT A GLANCE)

तालिका 7.26 विश्व के सबसे बड़े देश (क्षेत्रफल के अनुसार)

रैंक	देश	महाद्वीप	क्षेत्रफल (वर्ग किमी)
1.	रूस	एशिया	17,098,242
2.	कनाडा	उत्तरी अमेरिका	9,984,670
3.	संयुक्त राज्य अमेरिका (राज्यक्षेत्रों सहित)	उत्तरी अमेरिका	9,833,517
4.	चीन	एशिया	9,596,961
5.	ब्राजील	दक्षिणी अमेरिका	8,515,767
6.	ऑस्ट्रेलिया	ऑस्ट्रेलिया/ओशिनिया	7,692,024
7.	भारत	एशिया	3,287,263
8.	अर्जेंटीना	दक्षिणी अमेरिका	2,780,400
9.	कजाकिस्तान	एशिया	2,724,900
10.	अल्जीरिया	अफ्रीका	2,381,741

स्रोत: एनसाइक्लोपीडिया ब्रिटेनिका

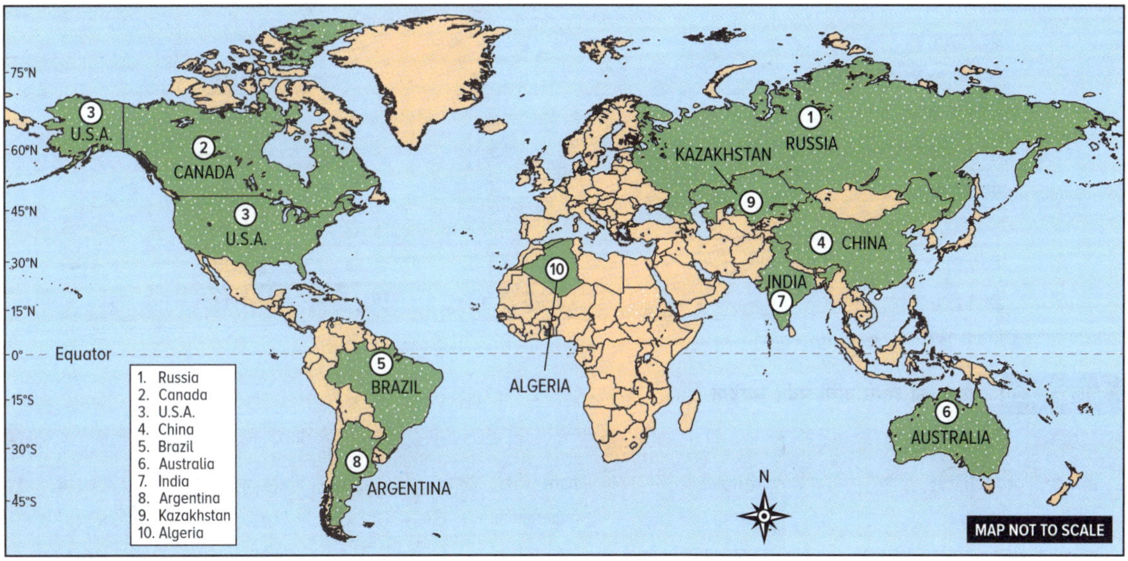

चित्र 7.9
क्षेत्रफल की दृष्टि से विश्व के सबसे बड़े देश

तालिका 7.27 विश्व के सबसे छोटे देश (क्षेत्रफल-वार)

रैंक	देश	महाद्वीप	क्षेत्रफल (वर्ग किमी)
1.	वेटिकन सिटी	यूरोप	0.44
2.	मोनाको	यूरोप	2.02

(Continued)

तालिका 7.27 *(Continued)*

रैंक	देश	महाद्वीप	क्षेत्रफल (वर्ग किमी)
3.	नौरू	ओशिनिया	21
4.	तुवालु	ओशिनिया	26
5.	सैनमैरिनो	यूरोप	61
6.	लिकटेंस्टीन	यूरोप	160
7.	मार्शल द्वीप	ओशिनिया	181
8.	सेंट किट्स और नेविस	उत्तरी अमेरिका	261
9.	मालदीव	एशिया	298
10.	माल्टा	यूरोप	316

स्रोत: एनसाइक्लोपीडिया ब्रिटैनिका

तालिका 7.28 **विश्व की सबसे लंबी पर्वत शृंखलाएँ**

रैंक	पर्वत शृंखला	लंबाई (किमी)
1.	एंडीज	7,000
2.	रॉकीज	4,830
3.	ग्रेट डिवाइडिंग रेंज	3,500
4.	ट्रांस अंटार्कटिक पर्वतमाला	3,500
5.	कुनलुन पर्वतमाला	3,000
6.	यूराल पर्वतमाला	2,500
7.	एटलस पर्वतमाला	2,500
8.	अप्पलेशियन पर्वतमाला	2,414
9.	हिमालय	2,400
10.	अल्ताई पर्वतमाला	2,000

स्रोत: एनसाइक्लोपीडिया ब्रिटेनिका, geology.com

तालिका 7.29 **विश्व की सबसे ऊंची पर्वत चोटियां**

क्रमांक	पर्वत शिखर	पर्वतमाला	स्थान	ऊंचाई	
				फीट में	मीटर में
1.	एवरेस्ट	हिमालय	नेपाल/तिब्बत	29,029	8,848
2.	K2 (गॉडविन ऑस्टिन)	काराकोरम	भारत	28,250	8,611
3.	कंचनजंगा	हिमालय	भारत/नेपाल	28,169	8,586
4.	लोत्से I	हिमालय	नेपाल/तिब्बत	27,940	8,516
5.	मकालू I	हिमालय	नेपाल/तिब्बत	27,766	8,485
6.	चो ओयू	हिमालय	नेपाल/तिब्बत	26,906	8,188
7.	धौलागिरी	हिमालय	नेपाल	26,795	8,167
8.	मनास्लु I	हिमालय	नेपाल	26,781	8,163
9.	नंगा पर्वत	हिमालय	पाकिस्तान	26,660	8,125
10.	अन्नपूर्णा	हिमालय	नेपाल	26,545	8,091

स्रोत: एनसाइक्लोपीडिया ब्रिटानिका, geology.com

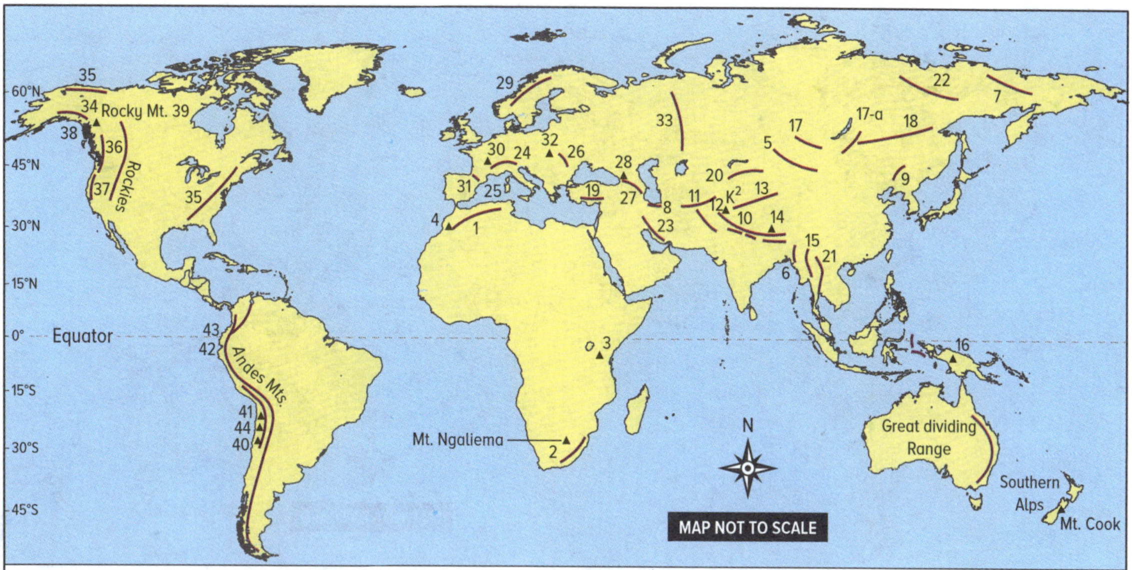

AFRICA
1. Atlas
2. Drakensberg
3. Mt. Kilimanjaro
4. Mt. Toubkal

ASIA
5. Atlai
6. Arakanyoma
7. Chukot Range
8. Elburz
9. Great Khingan
10. Himalayas
11. Hindukush
12. K2
13. Kunlun Shah
14. Mt. Everest
15. Pegu-Yoma
16. Puncak-Jaya
17. Sayan
17a. Yablonovy
18. Stanovoy
19. Taurus
20. Tien-shan
21. Tnasarum-Yoma
22. Verkhoyansk
23. Zagros

AUSTRALIA
GREAT DIVIDING RANGE

EUROPE
24. Alps
25. Apennine
26. Carpathian
27. Caucasus
28. Elbrus
29. Kjolen Mt.
30. Mt. Blanc
31. Pyrenees
32. Tatry
33. Urals

NORTH AMERICA
34. Alaska Range
35. Appalachian
36. Brook Range
37. Coastal Range
38. Mt. McKinley
39. Rockies

SOUTH AMERICA
40. Aconcagua
41. Cerro Ojos del Saldo
42. Chimborazo
43. Cotopaxi
44. Toro

चित्र 7.10
विश्व के प्रमुख पर्वत और चोटियाँ

तालिका 7.30 विश्व की प्रमुख नदियाँ

रैंक	नदी	लंबाई (किमी में)	लंबाई (मील में)	अपवाह क्षेत्र (वर्ग किमी)	औसत निर्वहन (मि. घन/सेकंड)	गिरती है।
1.	नील	6,650	4,132	3,254,555	2,800	भूमध्य सागर में
2.	अमेजॅन	6,400	3,976	7,050,000	209,000	अटलांटिक महासागर में
3.	याग्त्जी	6,300	3,917	1,800,000	31,900	पूर्वी चीन सागर में
4.	मिसिसिपी–मिसौरी	6,275	3,902	2,980,000	16,200	मेक्सिको की खाड़ी में
5.	येनिसे	5,539	3,445	2,580,000	19,600	कारा सागर में
6.	पीली नदी	5,464	3,395	745,000	2,110	बोहाई सागर में
7.	ओब	5,410	3,364	2,990,000	12,800	ओब की खाड़ी में
8.	पराना - रियो डी ला प्लाटा	4,880	3,030	2,582,672	18,000	रियो डी ला प्लाटा में
9.	कांगो	4,700	2,922	3,680,000	41,800	अटलांटिक महासागर में
10.	अमूर	4,444	2,763	1,855,000	11,400	ओखोटस्क सागर में

नोट: ब्राजील और पेरू के अध्ययनों के अनुसार, अमेजन नदी नील नदी से लंबी है।

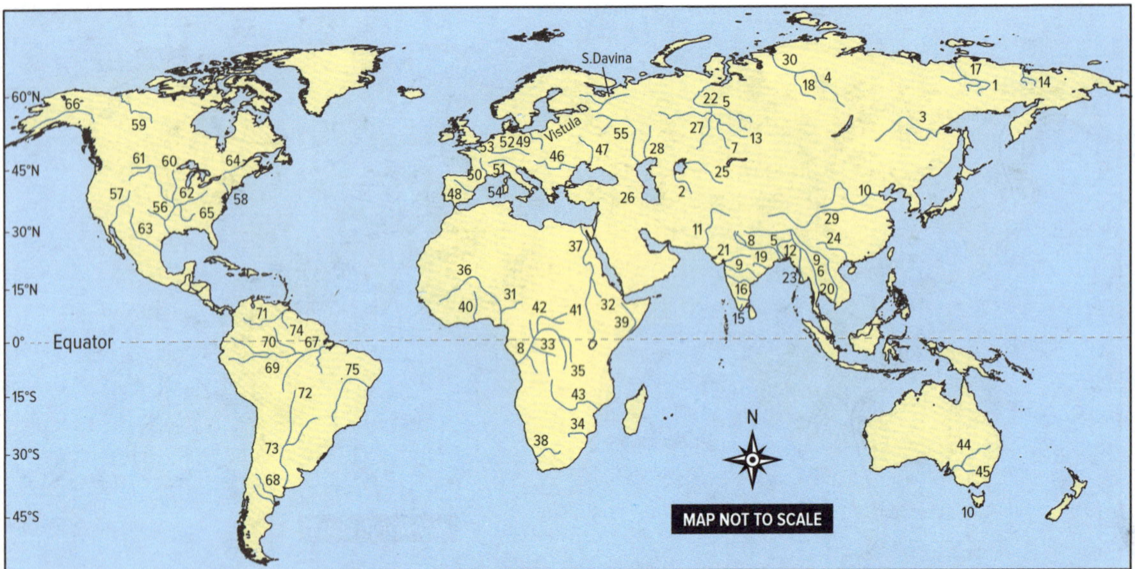

ASIA
1. Aldan
2. Amu-Darya
3. Amur
4. Angara
5. Brahmaputra
6. Chao-Phraya
7. Euphrates
8. Ganga
9. Godavari
10. Hwang-Ho
11. Indus
12. Irrawaddy
13. Irtysh
14. Kolyma
15. Kaveri
16. Krishna
17. Lena
18. Lower Tungus
19. Mahanadi
20. Mekong
21. Narmada
22. Ob
23. Salween
24. Sikiang
25. Syr-Darya
26. Tigris
27. Tobol
28. Ural
29. Yangtze Kiang
30. Yenisei

AFRICA
31. Benue
32. Blue Nile
33. Kasai
34. Limpopo
35. Lualaba
36. Niger
37. Nile
38. Orange
39. Shebeli
40. Volta
41. White Nile
42. Zaire (Congo)
43. Zambezi

AUSTRALIA
44. Darling
45. Murray

EUROPE
46. Danube
47. Dnieper
48. Ebro
49. Elbe
50. Lorraine
51. Po
52. Rhine
53. Seine
54. Tiber
55. Volga

NORTH AMERICA
56. Arkansas
57. Colorado
58. Hudson
59. Mackenzie
60. Mississippi
61. Missouri
62. Ohio
63. Rio-Grande
64. St. Lawrence
65. Tennessee
66. Yukon

SOUTH AMERICA
67. Amazon
68. Colorado
69. Madeira
70. Negro
71. Orinoco
72. Paraguay
73. Parana
74. Rio-Caroni
75. Sao Francisco

चित्र 7.11
विश्व की प्रमुख नदियाँ

भूमि से घिरे देश (Landlocked Countries)

जिस देश की समुद्र तक सीधी पहुँच नहीं होती है, उसे भूमि से घिरा देश कहते हैं। विश्व में 44 देश भूमि से घिरे हुए हैं, जिनका आकार छोटे से देश वेटिकन सिटी से लेकर मंगोलिया तक है। भूमि से घिरे देशों की एक महत्वपूर्ण प्राथमिकता समुद्र तक पहुँच होती है। यह डेन्यूब जैसी नदी के किनारे, गलियारे के निर्माण के द्वारा या समुद्री सीमा रखने वाले पड़ोसी देश के माध्यम से मार्ग के अधिकार पर बातचीत करके प्राप्त किया जा सकता है। विश्व के भूमि से घिरे देशों को तालिका 7.31 में दिया गया है तथा चित्र 7.12 में दर्शाया गया है।

तालिका 7.31 विश्व के स्थलरुद्ध देश

क्र.सं.	महाद्वीप	देशों की संख्या	देशों का नाम
1.	एशिया	12	उज्बेकिस्तान, आर्मेनिया, तुर्कमेनिस्तान, किर्गिस्तान, अफगानिस्तान, ताजिकिस्तान, लाओस, मंगोलिया, कजाकिस्तान, नेपाल, भूटान तथा अजरबैजान।
2.	अफ्रीकी	16	बोत्सवाना, बुर्किनाफासो, बुरुंडी, मध्य अफ्रीकी गणराज्य, चाड, इथियोपिया, लेसोथो, मलावी, माली, नाइजर, रवांडा, दक्षिण सूडान, स्वाजीलैंड, युगांडा, जाम्बिया और जिम्बाब्वे
3.	यूरोप	14	अंडोरा, ऑस्ट्रिया, बेलारूस, चेक गणराज्य, हंगरी, लिकटेंस्टीन, लक्जमबर्ग, मैसेडोनिया, मोल्दोवा, सैनमैरिनो, सर्बिया, स्लोवाकिया, स्विट्जरलैंड तथा वेटिकन सिटी।

(Continued)

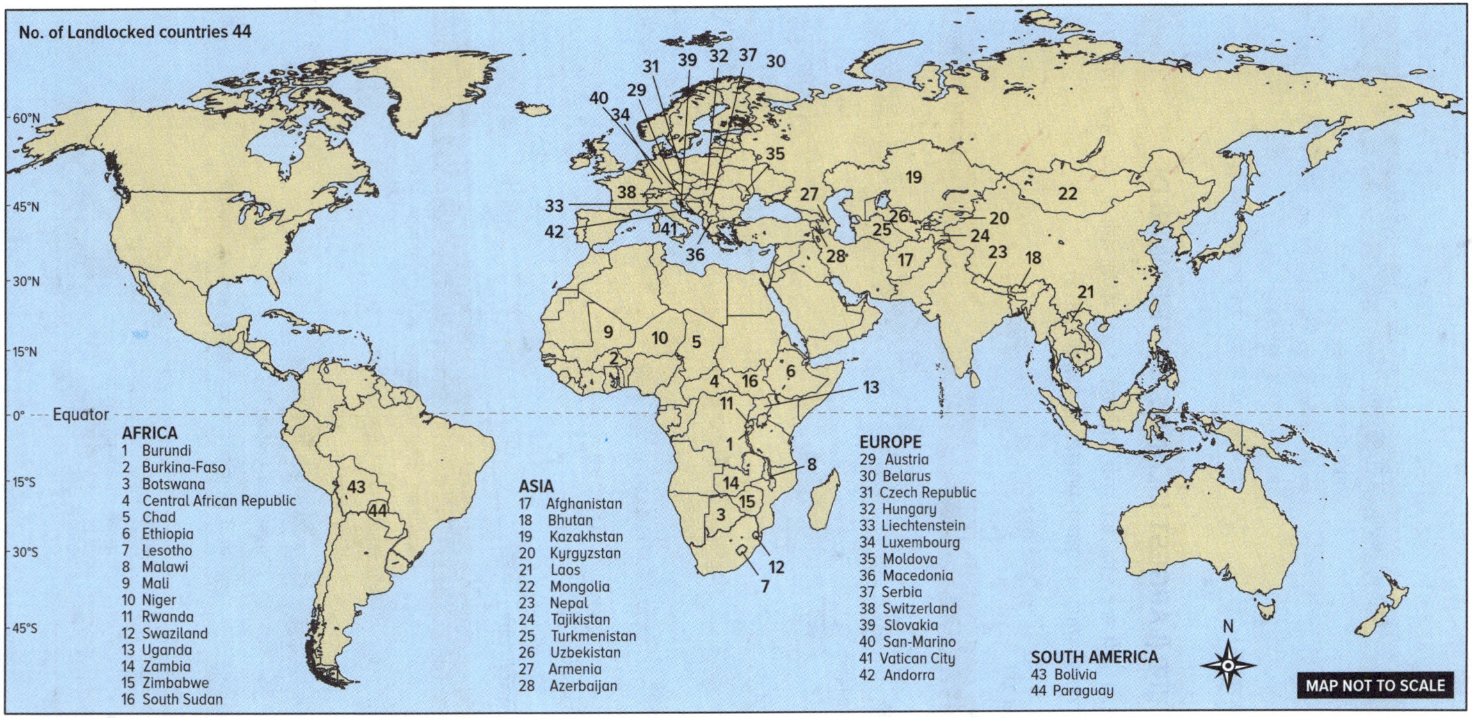

चित्र 7.12
विश्व के स्थलरुद्ध देश

तालिका 7.31 *(Continued)*

क्र.सं.	महाद्वीप	देशों की संख्या	देशों का नाम
4.	दक्षिण अमेरिका	2	पराग्वे एवं बोलीविया।
5.	उत्तरी अमेरिका	–	उत्तरी अमेरिका के हर देश की समुद्र तक पहुँच है और इस प्रकार, उत्तरी अमेरिका में कोई भी देश स्थलरूद्ध नहीं है।
6.	ऑस्ट्रेलिया और ओशिनिया	–	इस महाद्वीप में भी कोई देश स्थलरूद्ध नहीं है।

विश्व के सबसे बड़े द्वीप (LARGEST ISLANDS OF THE WORLD)

क्षेत्रफल की दृष्टि से शीर्ष दस सबसे बड़े द्वीपों की सूची **तालिका 7.32** में दी गयी है तथा उन्हें **चित्र 7.13** में दर्शाया गया है, जबकि **चित्र 7.14** में उनके सापेक्ष स्थानों को विश्व मानचित्र में दर्शाया गया है।

तालिका 7.32 **विश्व के प्रमुख द्वीप**

क्रमांक	द्वीप	क्षेत्रफल (वर्ग किमी)
1.	ग्रीनलैंड	2,175,600
2.	न्यू गिनी	805,510
3.	कालीमंतन (बोर्नियो)	745,561
4.	मेडागास्कर	587,040
5.	बाफिन	507,451
6.	सुमात्रा	473,606
7.	होन्शू	227,414
8.	विक्टोरिया	217,291
9.	ग्रेट ब्रिटेन	209,331
10.	एल्समेरे	196,236

तालिका 7.33 **विश्व की सबसे बड़ी झीलें**

रैंक	झील	स्थान	क्षेत्रफल (वर्ग किमी)
1.	कैस्पियन सागर	अजरबैजान, ईरान, कजाकिस्तान, रूस, तुर्कमेनिस्तान	3,71,000
2.	सुपीरियर	कनाडा, संयुक्त राज्य अमेरिका	82,414
3.	विक्टोरिया	केन्या, तंजानिया, युगांडा	69,485
4.	ह्यूरन	कनाडा, संयुक्त राज्य अमेरिका	59,596
5.	मिशिगन	संयुक्त राज्य अमेरिका	58,016
6.	तांगानिका	बुरुंडी, कांगो लोकतांत्रिक गणराज्य, तंजानिया, जाम्बिया	32,893
7.	बाइकाल	रूस	31,500
8.	ग्रेट बियर लेक	कनाडा	31,080
9.	मलावी	मलावी, मोजाम्बिक, तंजानिया	30,044
10.	ग्रेट स्लेव लेक	कनाडा	28,930

स्रोत: worldatlas.com

चित्र 7.13
विश्व के प्रमुख द्वीप

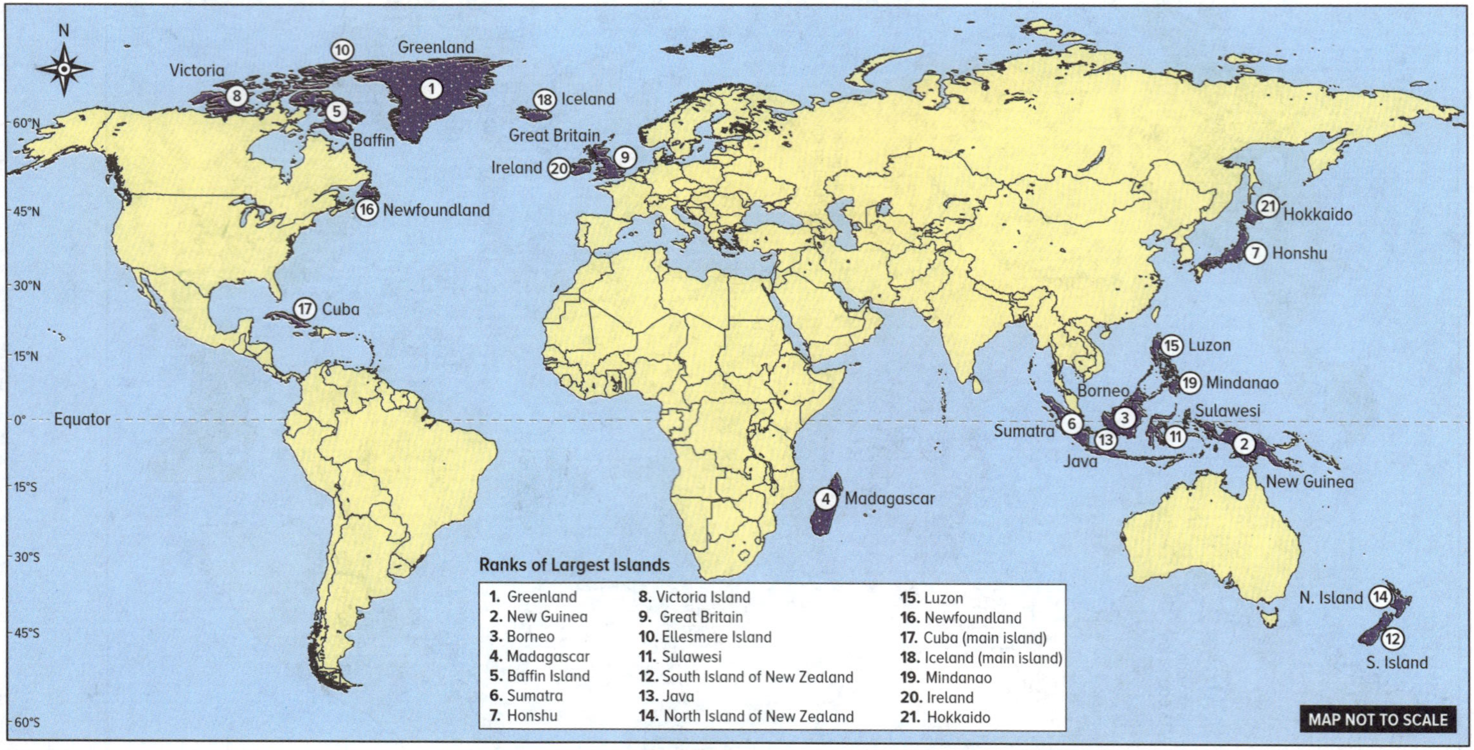

चित्र 7.14
विश्व के सबसे बड़े द्वीपों की अवस्थिति

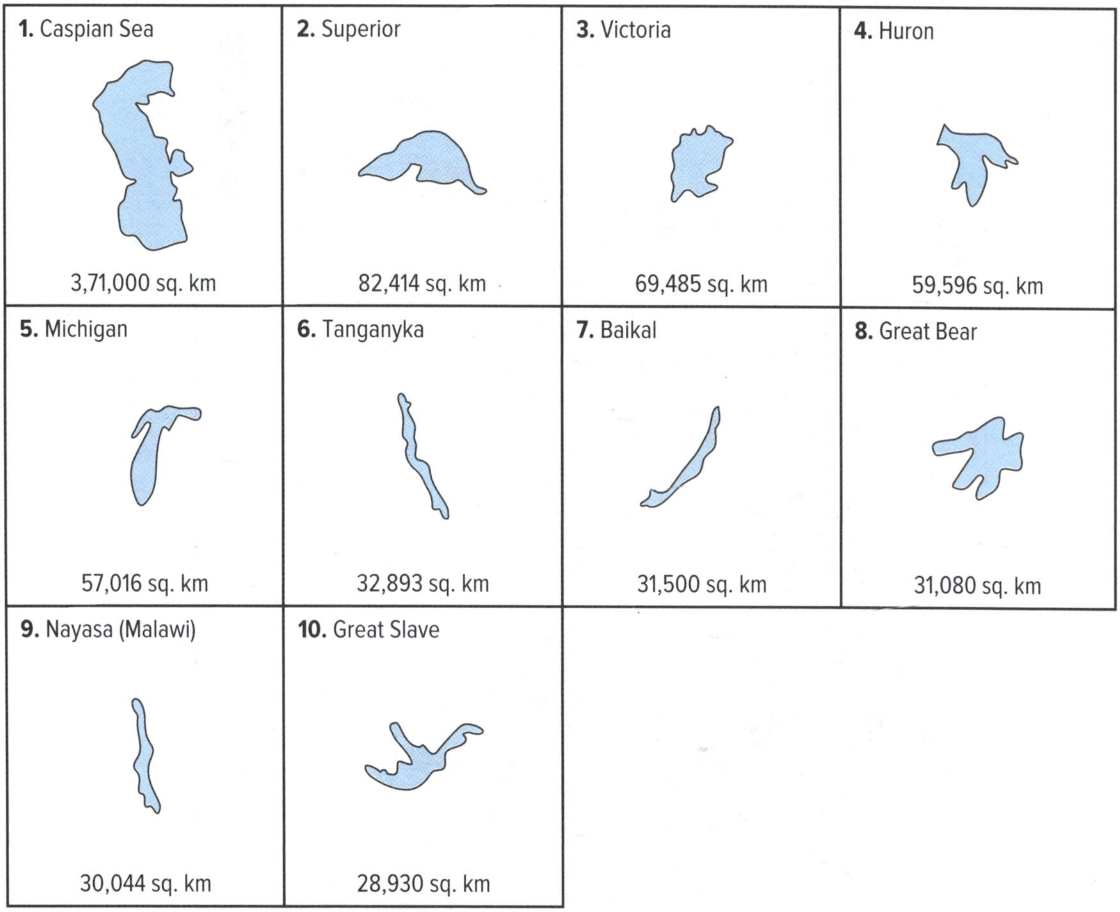

चित्र 7.15
विश्व की सबसे बड़ी झीलें

महासागरीय गर्त (OCEAN TRENCHES)

महासागरीय गर्त क्षेपण (Subduction) वह क्षेत्र है, जहाँ दो प्लेटें मिलती हैं तथा स्थलमण्डल (Lithosphere) की एक परत मेंटल में नीचे चली जाती है। महासागरीय गर्त, जिनमें से कुछ समुद्र तल से 11,000 मीटर से भी अधिक नीचे तक हैं, महासागरों के सबसे गहरे क्षेत्र हैं। महाद्वीपीय गर्त के महाद्वीपीय भूभाग की ओर हवा के विपरीत दिशा में अपेक्षाकृत खड़ी ढलान होती है और महासागर के बेसिन की ओर कम ढलान होती है। कुछ महत्वपूर्ण महासागरीय गर्त का वर्णन नीचे किया गया है। इन्हें **चित्र 7.16** में दर्शाया गया हैं तथा इनकी सूची **तालिका 7.34** में दी गयी हैं।

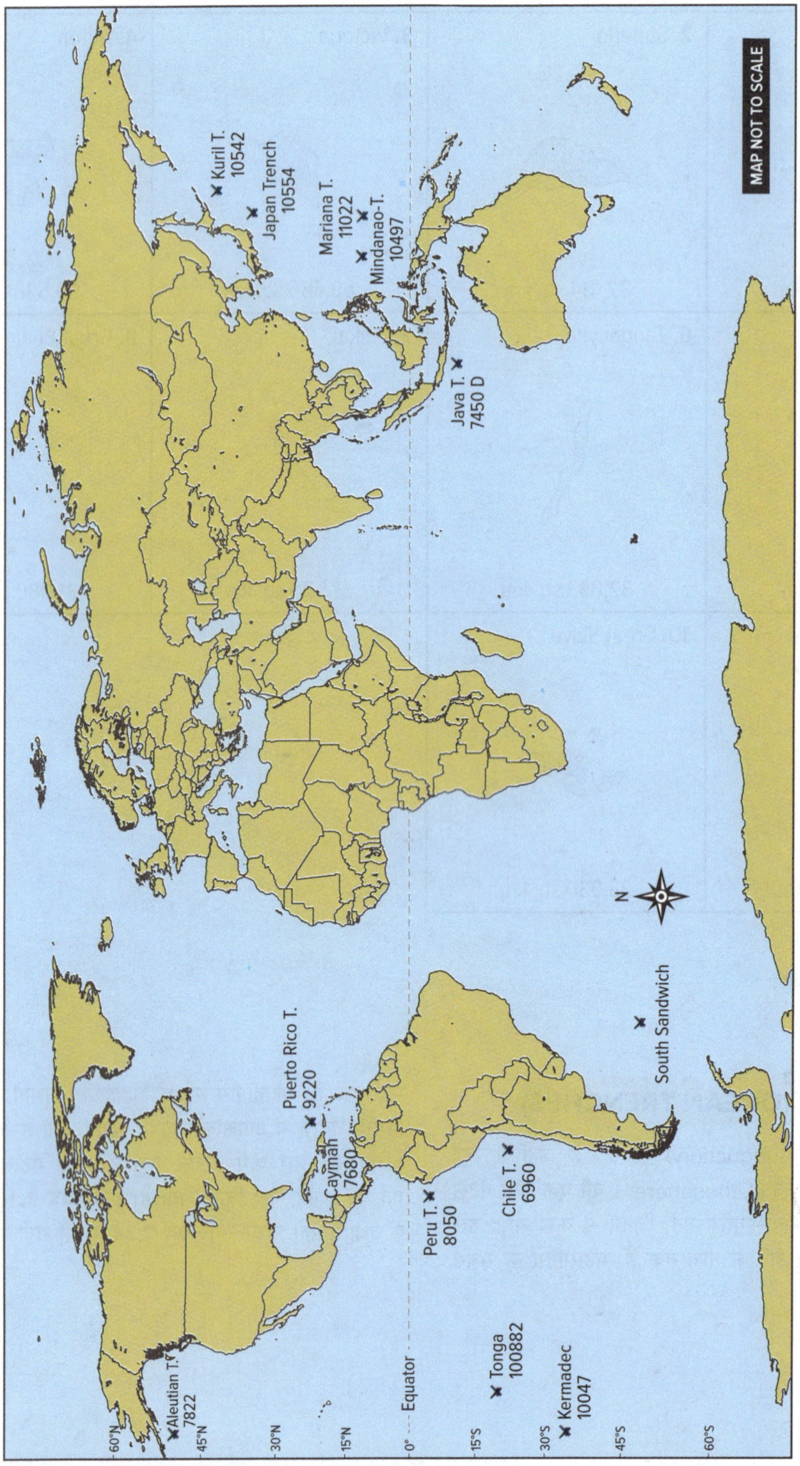

चित्र 7.16
विश्व के प्रमुख गर्त

तालिका 7.34 विश्व की सबसे गहरे गर्त

विश्व के सबसे गहरे महासागरीय गर्त			
रैंक	नाम	स्थान	गहराई (फीट)
1.	चौलेंजर डीप	इजु-बोनिन-मारियाना आर्क, मारियाना ट्रेंच, प्रशांत महासागर	36,197
2.	टोंगा ट्रेंच	प्रशांत महासागर	35,702
3.	गैलाथिया गर्त	फिलीपीन ट्रेंच, प्रशांत महासागर	34,580
4.	कुरील-कामचटका ट्रेंच	प्रशांत महासागर	34,449
5.	केरमाडेक ट्रेंच	प्रशांत महासागर	32,963
6.	इजु-ओगासावारा ट्रेंच	प्रशांत महासागर	32,087
7.	जापान ट्रेंच	प्रशांत महासागर	29,527
8.	प्यूर्टोरिको ट्रेंच	अटलांटिक महासागर	28,232
9.	याप ट्रेंच	प्रशांत महासागर	27,976
10.	साउथ सैंडविच ट्रेंच	अटलांटिक महासागर	27,651

स्रोत: worldatlas.com

तालिका 7.35 विश्व की मुख्य खाड़ियाँ

खाड़ी	जिन सागर/महासागर से जुड़ी हुई है	देश
अदन की खाड़ी	अरब सागर (हिंद महासागर)	यमन
अलास्का की खाड़ी	प्रशांत महासागर	कनाडा एवं यूएसए
अमुंडसेन की खाड़ी	ब्यूफोर्ट सागर (आर्कटिक महासागर)	कनाडा
अकबा की खाड़ी (अकबा)	लाल सागर	मिस्र एवं इजरायल
बो हाई की खाड़ी	पीला सागर (प्रशांत महासागर)	चीन
बोथनिया की खाड़ी	बाल्टिक सागर	स्वीडन एवं फिनलैंड
कैलिफोर्निया की खाड़ी	प्रशांत महासागर	मेक्सिको
कारपेंटेरिया की खाड़ी	अराफुरा सागर, (हिंद महासागर)	ऑस्ट्रेलिया
डेरियन की खाड़ी	कैरेबियन सागर (अटलांटिक महासागर)	पनामा एवं वेनेजुएला
गेब्स की खाड़ी	भूमध्य सागर	लीबिया एवं ट्यूनीशिया
ग्वायाकिल की खाड़ी	प्रशांत महासागर	इक्वाडोर एवं पेरू
जोसेफ बोनापार्ट की खाड़ी	हिंद महासागर	पश्चिमी ऑस्ट्रेलिया
कच्छ की खाड़ी (कच्छ)	अरब सागर (हिंद महासागर)	भारत
खंबात की खाड़ी (कैम्बे)	अरब सागर (हिंद महासागर)	भारत
होंडुरास की खाड़ी	कैरिबियन सागर (अटलांटिक महासागर)	मेक्सिको

(Continued)

तालिका 7.35 *(Continued)*

खाड़ी	जिन सागर/महासागर से जुड़ी हुई है	देश
ल्योन की खाड़ी	भूमध्य सागर	फ्रांस और स्पेन
मन्नार की खाड़ी	हिंद महासागर	भारत और श्रीलंका
मर्तबान की खाड़ी	बंगाल की खाड़ी (हिंद महासागर)	म्यांमार
मेक्सिको की खाड़ी	अटलांटिक महासागर	मेक्सिको एवं यू.एस.ए.
ओमान की खाड़ी	अरब सागर	ओमान एवं ईरान
पनामा की खाड़ी	प्रशांत महासागर	पनामा
पापुआ की खाड़ी	कोरल सागर	दक्षिण अटलांटिक महासागर
फारस की खाड़ी	अरब सागर (हिंद महासागर) कतर, सऊदी अरब,	ईरान, कुवैत, ओमान, यू.ए.ई.
रीगा की खाड़ी	बाल्टिक सागर	एस्टोनिया एवं लातविया
सैन जॉर्ज की खाड़ी	दक्षिण अटलांटिक महासागर	अर्जेंटीना
सैनमटियास की खाड़ी	दक्षिण अटलांटिक महासागर	अर्जेंटीना
सिर्ते की खाड़ी	भूमध्य सागर	लीबिया
सेंट लॉरेंस की खाड़ी	उत्तरी अटलांटिक महासागर	कनाडा
टारटरी की खाड़ी	जापान सागर (प्रशांत महासागर)	रूस
थाईलैंड की खाड़ी	प्रशांत महासागर	थाईलैंड एवं कंबोडिया
खाड़ी टोंकिन	दक्षिण चीन सागर (प्रशांत महासागर)	चीन एवं वियतनाम

तालिका 7.36 **विश्व के प्रमुख अंतरीप**

अंतरीप	देश	महत्वपूर्ण शहर	महासागर/सागर	स्थान
अगुलहास अंतरीप	दक्षिण अफ्रीका	अगुलहास	हिंद महासागर	हिंद महासागर
ब्लैंको अंतरीप	अमेरिका	पोर्ट ऑरफोर्ड	प्रशांत महासागर	ओरेगन राज्य, प्रशांत महासागर
कैनवेरल अंतरीप	अमेरिका	केप कैनवेरल	अटलांटिक महासागर	अटलांटिक महासागर
कैनकन अंतरीप	मेक्सिको	कैनकन	मेक्सिको की खाड़ी	उत्तरी अटलांटिक महासागर
चाइडले अंतरीप	कनाडा	चाइडली शहर	लैब्राडोर सागर	लैब्राडोर प्रायद्वीप का उत्तर-पूर्वी सिरा, उत्तरी अटलांटिक महासागर
कॉड अंतरीप	मैसाचुसेट्स की खाड़ी, उत्तर-पूर्व अमेरिका	बोर्न	फनडे की खाड़ी	उत्तरी अटलांटिक महासागर
ईस्ट अंतरीप	न्यूजीलैंड	नॉर्थ आयलैण्ड	न्यूजीलैंड	प्रशांत महासागर
फेयरवेल अंतरीप	ग्रीनलैंड	लैब्राडोर सागर	उत्तरी अटलांटिक महासागर	अटलांटिक महासागर

(Continued)

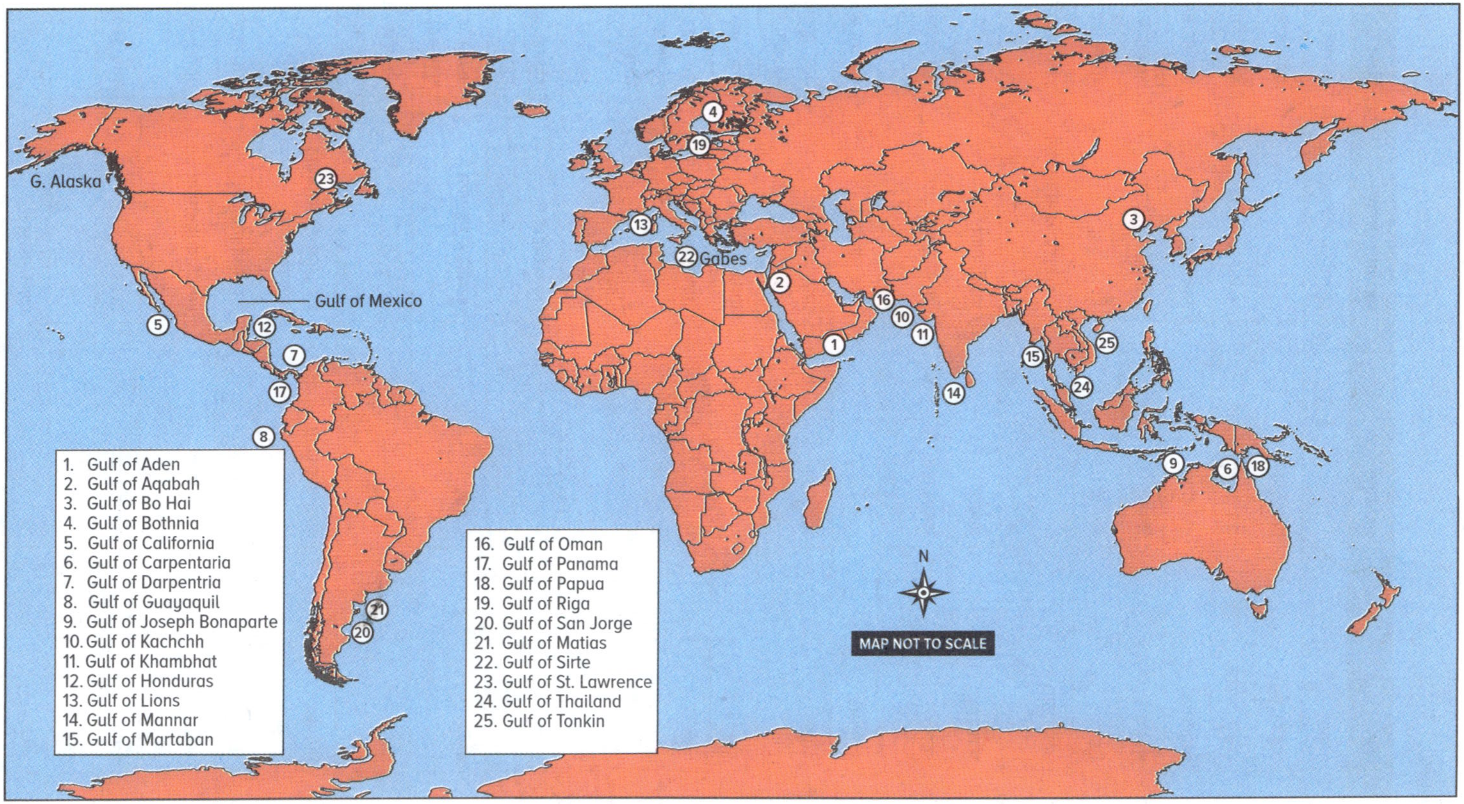

चित्र 7.17
विश्व की मुख्य खाड़ियाँ

तालिका 7.36 *(Continued)*

अंतरीप	देश	महत्वपूर्ण शहर	महासागर/सागर	स्थान
फारिया अंतरीप	अंगोला		अटलांटिक महासागर	अटलांटिक महासागर
फ्रिओ अंतरीप	ब्राजील	फ्रिओ प्रायद्वीप		एस. अटलांटिक महासागर
गुड होप अंतरीप	दक्षिण अफ्रीका	केप ऑफ गुड होप	अटलांटिक महासागर	अटलांटिक महासागर
गार्डाफुई अंतरीप	सोमालिया	गुआर्डाफुई	अरब सागर	हिंद महासागर
हैटरस अंतरीप	यूएसए	फ्रिस्को	अटलांटिक महासागर	अटलांटिक महासागर
हॉर्न अंतरीप	चिली	केप हॉर्न	–	दक्षिण अटलांटिक महासागर
होवे अंतरीप	ऑस्ट्रेलिया		न्यू साउथ वेल्स, तस्मान सागर	दक्षिण प्रशांत महासागर
आइसी अंतरीप	यूएसए	वेनराइट	चुक्ची सागर	
कन्याकुमारी (कैमोरिन अंतरीप)	भारत	कन्याकुमारी	हिंद महासागर	हिंद महासागर
लीउविन अंतरीप	ऑस्ट्रेलिया		हिंद महासागर	पश्चिमी ऑस्ट्रेलिया
सैन लुकास अंतरीप	मेक्सिको	सैनलुकास	प्रशांत महासागर	बाजा प्रायद्वीप, प्रशांत महासागर
मातापन, अंतरीप	ग्रीस	–	भूमध्य सागर	ग्रीस, भूमध्य सागर
नॉर्थ अंतरीप	न्यूजीलैंड	–	दक्षिणी प्रशांत महासागर	उत्तरी द्वीप का उत्तरी सिरा, न्यूजीलैंड, दक्षिण प्रशांत महासागर
नॉर्थ अंतरीप	नॉर्वे	–	नॉर्वेयन सागर	आर्कटिक महासागर
नॉर्थ-वेस्ट, अंतरीप	ऑस्ट्रेलिया	–	हिंद महासागर	पश्चिमी ऑस्ट्रेलिया, हिंद महासागर
ऑरेंज अंतरीप	ब्राजील	प्राकुबा	अटलांटिक महासागर	ब्राजील के राज्य अमापा के सुदूर उत्तर में।
सैंडी अंतरीप	ऑस्ट्रेलिया			क्वींसलैंड, ऑस्ट्रेलिया, दक्षिण प्रशांत महासागर
सैनलुकास	मैक्सिको	काबो सैनलुकास	सैनलुकास खाड़ी, प्रशांत महासागर	
सेंट फ्रांसिस अंतरीप	दक्षिण अफ्रीका		हिंद महासागर	हिंद महासागर
साओ रोके अंतरीप	ब्राजील	सियरा-मिरिम	अटलांटिक महासागर	ब्राजील के अमापा राज्य का सुदूर उत्तरी बिंदु
वर्डे अंतरीप	सेनेगल	केप वर्डे	डाकर	उत्तरी अटलांटिक महासागर
विसेंट अंतरीप	पुर्तगाल			
यॉर्क अंतरीप	ऑस्ट्रेलिया		प्रशांत महासागर	

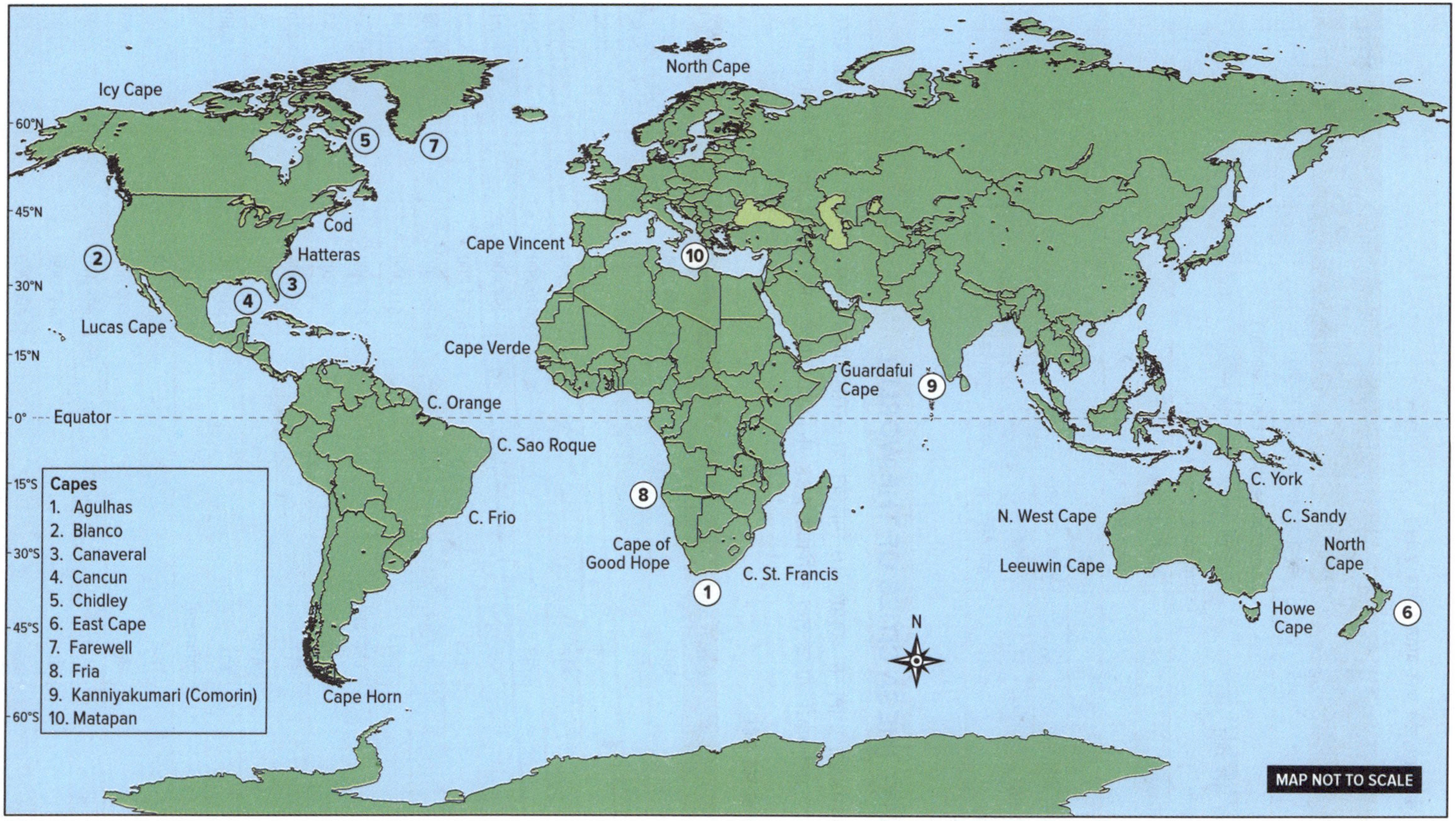

चित्र 7.18

विश्व के मुख्य अंतरीप

तालिका 7.37 विश्व के सबसे ऊंचे जल-प्रपात (चित्र 7.19)

रैंक	जल-प्रपात	स्थान	ऊंचाई	
			फीट	मीटर
1.	एंजेल	कैनेमा नेशनल पार्क (वेनेजुएला)	3,212	979
2.	तुगेला	नताल नेशनल पार्क (दक्षिण अफ्रीका)	3,110	947
3.	ट्रेस हरमनस जल प्रपात	ओटिशी नेशनल पार्क (पेरू)	3,000	914
4.	ओलूपेना प्रपात	मोलोकाई, हवाई (यूएसए)	2,953	900
5.	कैटाराटा युम्बिला	अमेजोनस (पेरू)	2,940	896
6.	विन्नुफोसेन	सुन्नडालसोरा गांव (नॉर्वे)	2,821	860
7.	बालाफोसन	नॉर्वे	2,788	850
8.	पु'उका'ओकू प्रपात	हवाई (यूएसए)	2,755	840
9.	जेम्स ब्रूस प्रपात	कनाडा	2,755	840
10.	ब्राउन प्रपात	फजॉर्डलैंड नेशनल पार्क (न्यूजीलैंड)	2,742	836

स्रोत: worldatlas.com

विश्व के बड़े शहर (MEGA CITIES OF THE WORLD)

संयुक्त राष्ट्र संघ के जनसंख्या प्रभाग के अनुसार, 10 मिलियन या उससे अधिक जनसंख्या वाले शहर को मेगा शहर कहा जाता है। विश्व के 20 सबसे बड़े मेगा शहरों का उल्लेख **तालिका 7.38** में किया गया है और **चित्र 7.20** में दर्शाया गया।

तालिका 7.38 विश्व के बड़े शहर

रैंक	मेगा शहर	देश	शहर का आधिकारिक क्षेत्र	शहरी जनसंख्या
1	चोंगकिंग	चीन	32,054,200	22,251,500
2	शंघाई	चीन	24,870,900	24,073,000
3	बीजिंग	चीन	21,893,100	18,522,000
4	चेंगदू	चीन	20,937,800	20,937,800
5	गुआंगजौ	चीन	18,676,600	26,940,000
6	शेन्जेन	चीन	17,494,400	17,619,000
7	दिल्ली	भारत	16,753,200	32,226,000
8	लागोस	नाइजीरिया	16,437,400	16,637,000
9	इस्तांबुल	तुर्की	15,519,300	14,441,000
10	कराची	पाकिस्तान	14,884,400	15,738,000
11	किंशासा	कांगो लोकतांत्रिक गणराज्य	14,565,700	12,836,000
12	तियानजिन	चीन	13,866,000	10,368,000
13	टोक्यो	जापान	13,515,300	37,732,000
14	मास्को	रूस	13,010,100	18,800,000
15	लाहौर	पाकिस्तान	13,004,100	12,306,000
16	सूजौ	चीन	12,748,300	6,715,600
17	चेंगचो	चीन	12,600,600	6,650,500
18	मुंबई	भारत	12,478,400	24,973,000
19	वुहान	चीन	12,447,700	12,447,700
20	साओपाउलो	ब्राजील	12,400,200	22,001,300

स्रोत: https://www.worlddata.info/megacities.php (अंतिम बार नवंबर 2024 में एक्सेस किया गया)

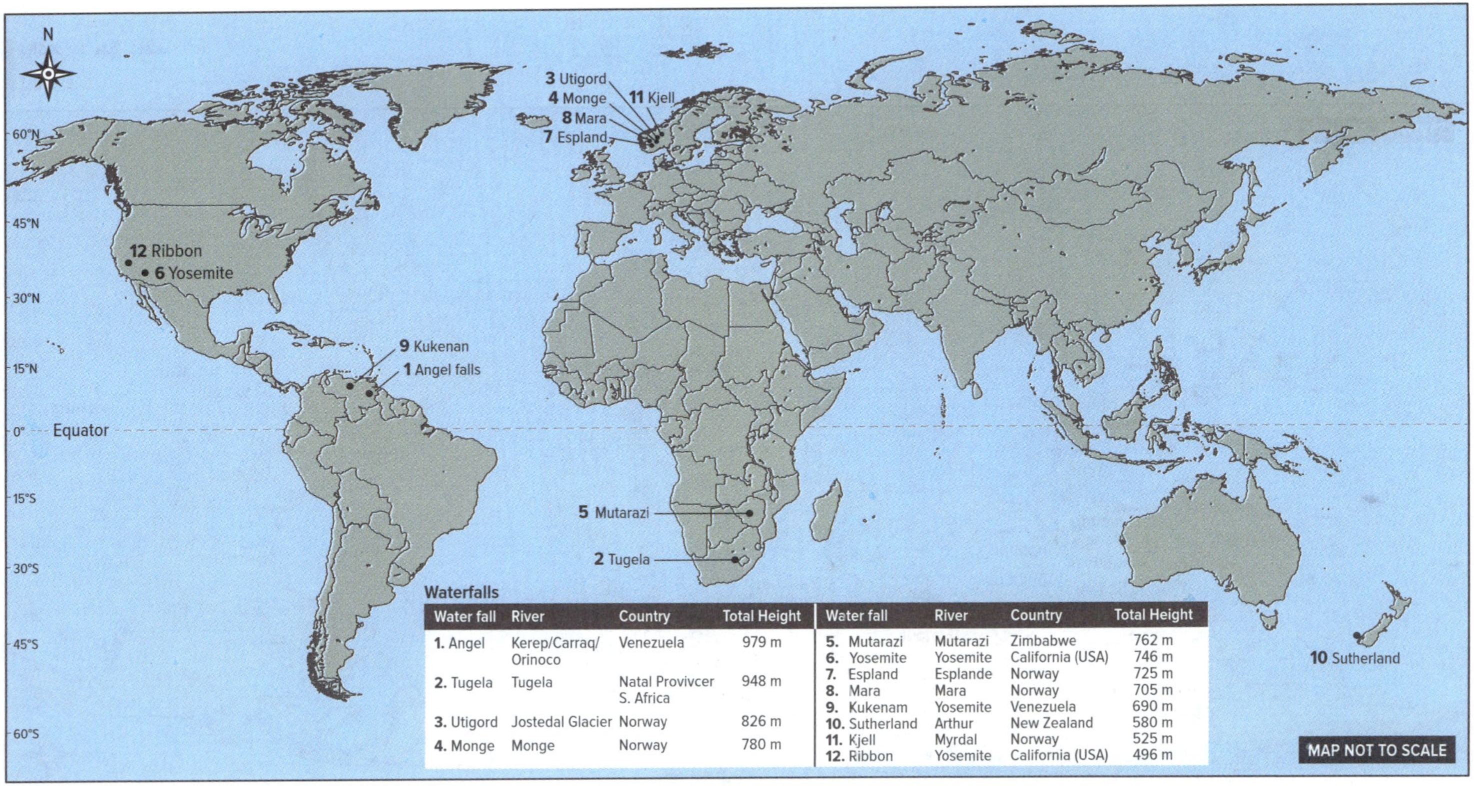

Waterfalls

Water fall	River	Country	Total Height
1. Angel	Kerep/Carraq/ Orinoco	Venezuela	979 m
2. Tugela	Tugela	Natal Provivcer S. Africa	948 m
3. Utigord	Jostedal Glacier	Norway	826 m
4. Monge	Monge	Norway	780 m
5. Mutarazi	Mutarazi	Zimbabwe	762 m
6. Yosemite	Yosemite	California (USA)	746 m
7. Espland	Esplande	Norway	725 m
8. Mara	Mara	Norway	705 m
9. Kukenam	Yosemite	Venezuela	690 m
10. Sutherland	Arthur	New Zealand	580 m
11. Kjell	Myrdal	Norway	525 m
12. Ribbon	Yosemite	California (USA)	496 m

चित्र 7.19
विश्व के सबसे ऊंचे जल प्रपात

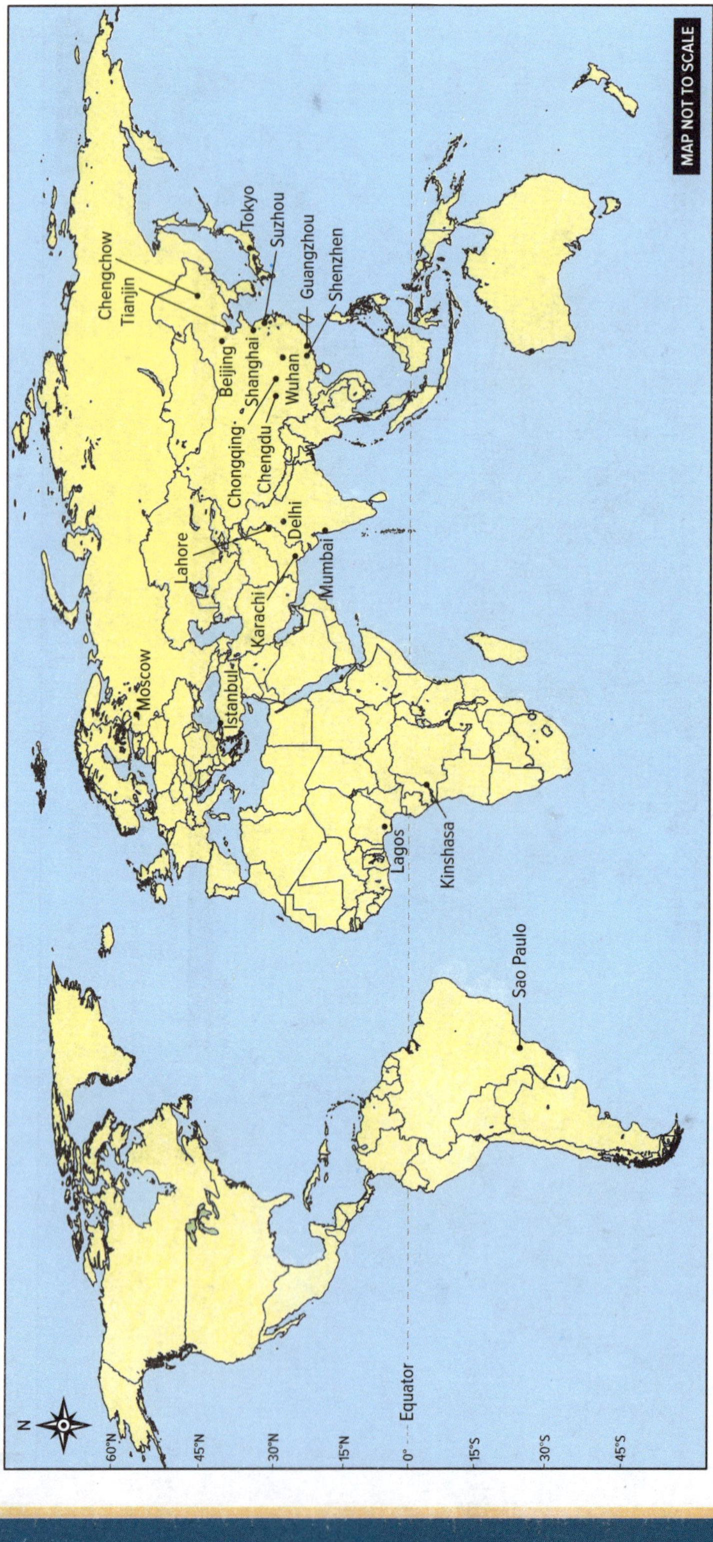

चित्र 7.20
विश्व के बड़े शहर

तालिका 7.39 विश्व के सबसे बड़े रेगिस्तान

रैंक	रेगिस्तान	क्षेत्रफल (वर्ग किमी)	क्षेत्रफल (वर्ग मील)
1.	अंटार्कटिका	14,000,000	5,500,000
2.	आर्कटिक	13,985,000	5,400,000
3.	सहारा	9,000,000	3,300,000
4.	अरब रेगिस्तान	2,330,000	900,000
5.	गोबी रेगिस्तान	1,295,000	500,000
6.	कालाहारी रेगिस्तान	900,000	360,000
7.	पैटागोनियन रेगिस्तान	673,000	260,000
8.	ग्रेट विक्टोरिया रेगिस्तान	422,466	163,115
9.	सीरियाई रेगिस्तान	520,000	200,000
10.	ग्रेट बेसिन रेगिस्तान	492,000	190,000

तालिका 7.40 नदी के किनारे पर स्थित शहर

क्रमांक	शहर	देश	नदी
1.	अलेक्जेंड्रिया	मिस्र	नील
2.	एम्स्टर्डम	नीदरलैंड	एम्स्टेल
3.	एंटवर्प	बेल्जियम	स्केल्ड्ट
4.	अंकारा	तुर्की	किजिल
5.	बगदाद	इराक	टाइग्रिस
6.	बैंकॉक	थाईलैंड	चाओफ्राया
7.	बेलग्रेड	यूगोस्लाविया	डेन्यूब, सावा
8.	बर्लिन	जर्मनी	स्प्री, हेवेल
9.	बोगोटा	कोलंबिया	बोगोटा
10.	बॉन	जर्मनी	राइन
11.	ब्रिस्टल	इंगलैंड	एवन
12.	ब्रसेल्स	बेल्जियम	सेने
13.	बुडापेस्ट	हंगरी	डेन्यूब
14.	ब्यूनस आयर्स	अर्जेंटीना	रियो डी ला प्लाटा

(Continued)

तालिका 7.40 *(Continued)*

क्रमांक	शहर	देश	नदी
15.	काहिरा	मिस्र	नील
16.	कैंटन	चीन	कैंटन
17.	कोलोन	जर्मनी	राइन
18.	कलकत्ता	भारत	हुगली
19.	दमिश्क	सीरिया	बरदा
20.	दिल्ली	भारत	यमुना
21.	ढाका	बांग्लादेश	पद्मा
22.	डब्लिन	आयरलैंड	लिफे
23.	ग्लासगो	स्कॉटलैंड (यू.के.)	क्लाइड
24.	हैम्बर्ग	जर्मनी	एल्बे
25.	हल	इंग्लैंड	हंबर
26.	हो ची मिन्ह सिटी	वियतनाम	साइगॉन
27.	हांगकांग	चीन	पर्ल
28.	जकार्ता	इंडोनेशिया	लिवुंग
29.	कराची	पाकिस्तान	सिन्धु
30.	खार्तूम	सूडान	नील
31.	कीव	यूक्रेन	नीपर
32.	लाहौर	पाकिस्तान	रावी
33.	लिस्बन	पुर्तगाल	टैगस
34.	लीमा	पेरू	रिमाक
35.	लिवरपूल	इंगलैंड	मर्सी
36.	लंदन	इंगलैंड	थेम्स
37.	मैड्रिड	स्पेन	मंजानारेस
38.	मेलबर्न	ऑस्ट्रेलिया	यारा
39.	मॉन्ट्रियल	कनाडा	सेंट लॉरेंस
40.	मॉस्को	रूस	मोस्कवा
41.	न्यू ऑरलियन्स	अमेरिका	मिसिसिपी

(Continued)

तालिका 7.40 *(Continued)*

क्रमांक	शहर	देश	नदी
42.	न्यूयॉर्क	अमेरिका	हडसन
43.	पेरिस	फ्रांस	सीन
44.	फिलाडेल्फिया	अमेरिका	डेलावेयर
45.	प्राग	चेक गणराज्य	मोल्दौ
46.	रंगून	म्यांमार	इरावाडी
47.	रोम	इटली	टिबर
48.	सेंट पीटर्सबर्ग	रूस	नेवा
49.	सैंटियागो	चिली	मापोचो
50.	साओपाउलो	ब्राजील	टिएटे
51.	सियोल	दक्षिण कोरिया	हान
52.	शंघाई	चीन	हुआंग पु
53.	टोक्यो	जापान	सुमिदा
54.	वियना	ऑस्ट्रिया	डेन्यूब
55.	वोल्गोग्राद	रूस	वोल्गा
56.	वार्सा	पोलैंड	विस्तुला
57.	वाशिंगटन डीसी	यूएसए	पोटामैक
58.	वुहान	चीन	यांग्त्जीकिआंग
59.	जगरेब	क्रोएशिया	सावा
60.	ज्यूरिक	स्विट्जरलैंड	लिमत, सिहल

यूपीएससी प्रारंभिक परीक्षा के विगत वर्षों के प्रश्न

1. निम्नलिखित देशों पर विचार कीजिए:
   1. फिनलैंड
   2. जर्मनी
   3. नॉर्वे
   4. रूस

   उपर्युक्त में से कितने देशों की सीमा उत्तरी समुद्र के साथ लगती है? (2024)

   (a) केवल एक
   (b) केवल दो
   (c) केवल तीन
   (d) सभी चार

2. निम्नलिखित देशों पर विचार कीजिए:
   1. अजरबैजान
   2. किरगिजस्तान
   3. ताजिकिस्तान
   4. तुर्कमेनिस्तान
   5. उज्बेकिस्तान

   उपर्युक्त में से किनकी सीमाएँ अफगानिस्तान के साथ लगती हैं? (2022)

   (a) केवल 1, 2 और 5
   (b) केवल 1, 2, 3 और 4
   (c) केवल 3,4 और 5
   (d) 1, 2, 3, 4 और 5

3. निम्नलिखित युग्मों पर विचार कीजिए:

	नदी		*में जाकर मिलती है*
1.	मेकोंग	–	अण्डमान सागर
2.	थेम्स	–	आयरिश सागर
3.	वोल्गा	–	कैस्पियन सागर
4.	जम्बेजी	–	हिन्द महासागर

   उपर्युक्त युग्मों में से कौन-सा/से सही सुमेलित है/हैं? (2020)

   (a) केवल 1 और 2
   (b) केवल 3
   (c) केवल 3 और 4
   (d) केवल 1,2 और 4

उत्तर कुंजी

1. (b) 2. (c) 3. (c)

इस अध्याय पर वैचारिक वीडियो देखने के लिए कृपया यहां दिए गए क्यूआर कोड को स्कैन करें

अध्याय

8

विश्व के संसाधन (WORLD RESOURCES)

अध्याय की रूपरेखा (Chapter Outline)

✓ *याद रखने की युक्ति (Learning Trick)*   * *त्वरित पुनरावलोकन (Quick Revision)*

संसाधन: अवधारणा एवं प्रकार (RESOURCE: CONCEPT AND TYPES)

संसाधन वह भौतिक सामग्री है, जो सुलभ हो तथा लोगों की आवश्यकताओं को पूरा करते हों। उदाहरण के लिए, चट्टान संसाधन है, यदि इसका उपयोग निर्माण कार्य या धातुओं के निष्कर्षण जैसे किसी उद्देश्य के लिए किया जाता है। यदि यह हमारे लिए किसी काम की नहीं है, तो इसे संसाधन नहीं कहा जा सकता है।

संसाधनों को निम्नवत वर्गीकृत किया जा सकता है:

1. **उत्पत्ति के आधार पर (On the basis of Origin):**
   a. **प्राकृतिक संसाधन (Natural Resources):** वे संसाधन, जो हमें सीधे प्रकृति से मिलते हैं, प्राकृतिक संसाधन कहलाते हैं। ये जैविक (जीवित चीजों से प्राप्त किये गये, जैसे कि फल, मांस, आदि) या अजैविक (निर्जीव चीजों से प्राप्त किये गये, जैसे कि पानी, हवा, मिट्टी, धातु, आदि) हो सकते हैं।

b. **मानव निर्मित संसाधन (Man-made resources):** ऐसे संसाधन, जो मनुष्य ने प्राकृतिक संसाधनों से सृजित किये हों। उदाहरण के लिए, भवन, पुल, सड़कें, आदि।

2. **क्षय होने के आधार पर (On the basis of Exhaustibility):**

a. **क्षयशील (अनवीकरणीय संसाधन) (Exhaustible (Non-Renewable Resources)):** ये संसाधन सीमित होते हैं, जिनकी भरपाई नहीं की जा सकती है या जिन्हें फिर से पूर्व की तरह प्राप्त करने में लाखों वर्ष लग जाते हैं। उदाहरण के लिए, जीवाश्म ईंधन, धातु, आदि।

b. **अक्षय (नवीकरणीय) संसाधन (Inexhaustible Or Renewable Resources):** वे संसाधन, जो मानव जीवन काल में प्राकृतिक रूप से पुनः प्राप्त किये जा सकते हैं या 'नवीनीकृत' किये जा सकते हैं। उदाहरण के लिए, सौर ऊर्जा, पौधे, आदि।

3. **स्वामित्व के आधार पर (On the basis of Ownership):**

a. **निजी संसाधन (Private Resources):** ऐसे संसाधन, जो किसी व्यक्ति या निजी संस्था के स्वामित्व में हो। उदाहरण के लिए, भूमि, घर, वाहन।

b. **सामुदायिक संसाधन (Community Resources):** ऐसे संसाधन, जो समुदाय के सभी सदस्यों के स्वामित्व में हों तथा उन तक उनकी पहुँच हो। उदाहरण के लिए, सामुदायिक चारागाह।

c. **राष्ट्रीय संसाधन (National Resources):** ऐसे संसाधन, जो किसी देश के स्वामित्व में हों तथा उस देश की सरकार द्वारा प्रबंधित हों। उदाहरण के लिए, कोयला, राष्ट्रीय राजमार्ग, आदि।

d. **अंतर्राष्ट्रीय संसाधन (International Resources Or Global Commons):** ऐसे संसाधन, जो पूरी मानवता के हैं तथा अंतर्राष्ट्रीय प्राधिकरणों द्वारा विनियमित हैं। उदाहरण के लिए, बाह्य अंतरिक्ष, अन्तर्राष्ट्रीय महासागर, अंटार्कटिका एवं वायुमंडल।

ऊर्जा संसाधन (ENERGY RESOURCES)

आधुनिक समाज की तकनीकी प्रगति एवं जीवन स्तर का ऊर्जा खपत से गहरा संबंध है। सामाजिक वैज्ञानिकों के अनुसार, प्रति व्यक्ति ऊर्जा खपत जितनी अधिक होगी, लोगों का जीवन स्तर उतना ही बेहतर होगा। यद्यपि, विश्वभर में लोग ऊर्जा की अत्यधिक कमी का सामना कर रहे हैं तथा भविष्य में यह स्थिति और भी गंभीर हो सकती है। ऐसे में ऊर्जा के स्रोतों का विविधीकरण हमारी प्राथमिकता बन जाती है। आइए, आगे के भाग में हम उन विभिन्न नवीकरणीय ऊर्जा संसाधनों के बारे में जानेंगे, जो वैश्विक ऊर्जा सुरक्षा बढ़ाने में हमारी मदद कर सकते हैं।

नवीकरणीय ऊर्जा संसाधन (Renewable Energy Resources)

इन्हें वैकल्पिक स्रोत या ऊर्जा के अपारंपरिक स्रोत के रूप में जाना जाता है। नवीकरणीय ऊर्जा संसाधनों में सौर ऊर्जा, जल विद्युत, बायोमास, ज्वारीय ऊर्जा, पवन ऊर्जा, भूतापीय ऊर्जा आदि शामिल हैं। (चित्र 8.1) नवीकरणीय ऊर्जा में हमारे पास जल विद्युत भी है, जिसका पारंपरिक रूप से लंबे समय से उपयोग किया जा रहा है। ऊर्जा के अपरंपरागत स्रोतों में हमारे पास परमाणु ऊर्जा है,

त्वरित पुनरावलोकन (Quick Revision)

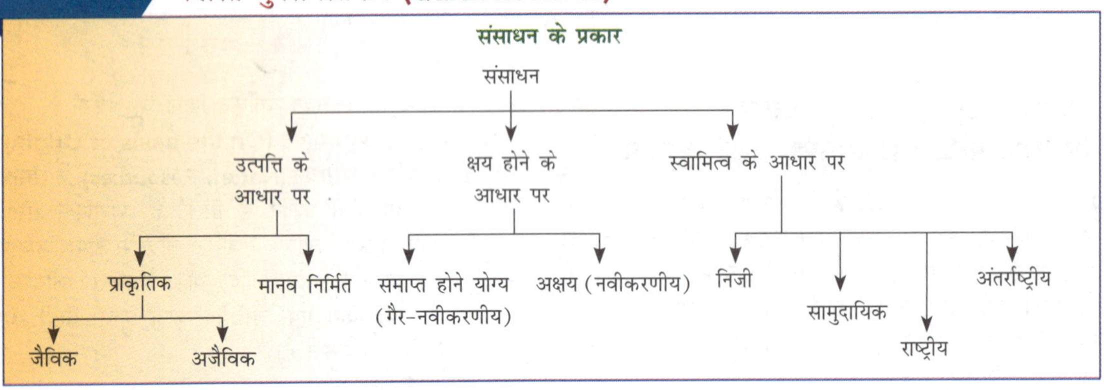

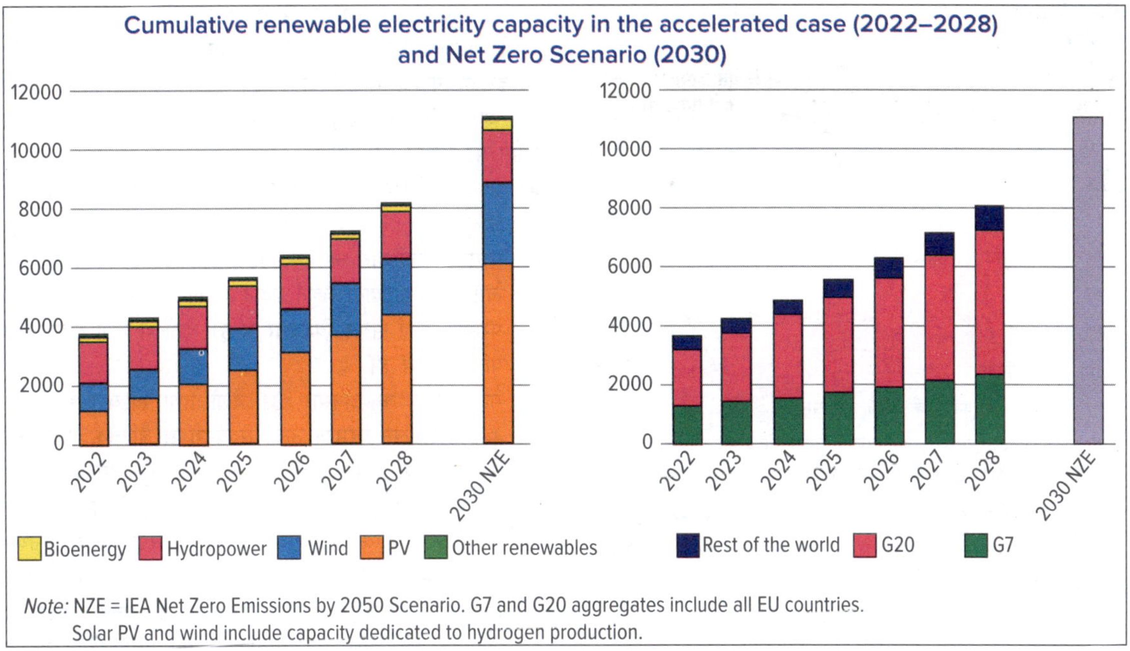

चित्र 8.1
विश्वभर में नवीकरणीय ऊर्जा संसाधनों का उत्पादन
स्रोत: नेट जीरो परिदृश्य के लिए, IEA (2023), विश्व ऊर्जा दृष्टिकोण 2023

जिसका ईंधन (रेडियोधर्मी पदार्थ) बहुत ऊर्जा सघन होता है, जो इसे न्यून कार्बन ऊर्जा का एक महत्वपूर्ण स्रोत बनाता है।

जल विद्युत (Hydropower)

पूरे इतिहास में पानी ने विश्व के कृषि, औद्योगिक तथा व्यापारिक विकास में महत्वपूर्ण भूमिका निभाई है। पानी का उपयोग सिंचाई, उद्योग, घरेलू उद्देश्य, पोषण, नौवहन तथा जल विद्युत उत्पादन के लिए किया जाता है। वर्ष 1882 में जल-विद्युत-उत्पान के आविष्कार के बाद पानी ऊर्जा का प्रमुख स्रोत बन गया। इसमें अपने आप में ऊर्जा उत्पन्न करने की कोई क्षमता नहीं है। पानी अपनी गति से प्राय ऊपर से नीचे की ओर गिरकर विद्युत उत्पन्न करता है। ऊपर से नीचे गिरने की दूरी जितनी अधिक होगी, विद्युत उत्पन्न करने की क्षमता उतनी ही अधिक होगी। सामान्यत: यह क्षमता ऊंचे क्षेत्रों या मानव निर्मित बांधों वाले पहाड़ी क्षेत्रों में होती है।

जल विद्युत ऊर्जा प्राथमिक नवीकरणीय ऊर्जा स्रोतों में से एक के रूप में उभरी है, जो कार्बन उत्सर्जन एवं जीवाश्म ईंधन पर निर्भरता को कम करने में मदद कर सकती है। आज जल विद्युत विश्वभर में सबसे व्यापक रूप से उपयोग किए जाने वाले नवीकरणीय ऊर्जा स्रोतों में से एक है। चीन, ब्राजील, कनाडा, अमेरिका तथा रूस जल विद्युत के सबसे बड़े उत्पादक हैं **(तालिका 8.1)**। अंतर्राष्ट्रीय अक्षय ऊर्जा एजेंसी (आईआरईएनए) द्वारा जारी एक रिपोर्ट के अनुसार, विश्व की जल विद्युत क्षमता वर्ष 2012 में 984.7 गीगावाट से बढ़कर वर्ष 2023 में 1412 गीगावाट हो गयी है।

तालिका 8.1 वर्ष 2023 में शीर्ष जल विद्युत उत्पादक देश

क्र.सं.	क्षेत्र/देश	विद्युत उत्पादन क्षमता (मेगावाट में)
1.	विश्व	~1412000
2.	अफ्रीका	40278
3.	एशिया	630243
4.	चीन	421540
5.	यूरोप	225729
6.	उत्तरी अमेरिका	200280
7.	दक्षिणी अमेरिका	180844
8.	यूरोपीय संघ (EU 27)	15291
9.	ब्राजील	109903

(Continued)

तालिका 8.1 *(Continued)*

क्र.सं.	क्षेत्र/देश	विद्युत उत्पादन क्षमता (मेगावाट में)
10.	संयुक्त राज्य अमेरिका (USA)	103404
11.	यूरेशिया	89812
12.	कनाडा	83481
13.	रूसी संघ	51927
14.	भारत	52117
15.	मध्य पूर्व	16598
16.	ओशिनिया	15548
17.	मध्य अमेरिका + कैरेबियन द्वीप समूह	8422

स्रोत: आईआरईएनए (2024), नवीकरणीय क्षमता सांख्यिकी, 2024 अंतर्राष्ट्रीय नवीकरणीय ऊर्जा एजेंसी, अबू धाबी

जल विद्युत स्थिति रिपोर्ट, 2021 (Hydropower Status Report 2021): अंतर्राष्ट्रीय जल विद्युत संघ का क्षेत्र रूझान एवं अंतर्दृष्टि।

इस रिपोर्ट के अनुसार, जल विद्युत क्षेत्र ने वर्ष 2022 में 4321.5 टेरावाट प्रति घंटे बिजली पैदा की थी। वर्ष 2020 में 4369 टेरावाट घंटे के रिकॉर्ड उच्च स्तर के बाद से मामूली गिरावट देखी गई। सूखे, अत्यधिक गर्मी तथा अनियमित वर्षा पैटर्न जैसे अनेक कारकों के कारण वर्ष 2023 में भी यह गिरावट जारी रही है। इसे यदि तुलनात्मक दृष्टि से देखें, तो यह संयुक्त राज्य अमेरिका की संपूर्ण वार्षिक बिजली खपत के लगभग बराबर है। विश्व के कुछ क्षेत्रों की जल विद्युत उत्पादन क्षमता का उल्लेख **तालिका 8.1** में किया गया है।

जल विद्युत में पंपकृत भंडारण जल विद्युत की एक ऐसी उप-श्रेणी है, जो विद्युत की कम मांग की अवधि के दौरान निचले जलाशय से ऊपर स्थित जलाशय में पानी पंप करके ऊर्जा संग्रहीत की जाती है तथा विद्युत की अत्यधिक मांग के समय विद्युत उत्पन्न करने के लिए इस संग्रहीत पानी को छोड़ा जाता है।

परमाणु ऊर्जा (Nuclear Energy)

परमाणु ऊर्जा दो प्रकार की हो सकती है:

1. संलयन ऊर्जा, जहाँ छोटे-छोटे परमाणु मिलकर अत्यधिक मात्रा में ऊर्जा छोड़ते हैं, जैसा कि तारों पर देखा जाता है।
2. विखंडन ऊर्जा, जहाँ यूरेनियम जैसे भारी रेडियोधर्मी तत्व पर न्यूट्रॉन की बौछार की जाती है, जिससे यूरेनियम छोटे-छोटे तत्वों में विभाजित हो जाता है। इस विखंडन से ऊर्जा निकलती है, जिसका उपयोग विद्युत उत्पादन के लिए किया जाता है।

ऊपर्युक्त दो प्रकारों में से मनुष्य केवल विखंडन ऊर्जा का ही वाणिज्यिक विद्युत उत्पादन के लिए उपयोग करने में सक्षम है। इसका पहली बार विकास वर्ष 1940 के दशक में किया गया था। द्वितीय विश्व युद्ध के दौरान शुरू में यह अनुसंधान बम बनाने पर केंद्रित था।

- पहला वाणिज्यिक परमाणु ऊर्जा स्टेशन 1950 के दशक में चालू हुआ।
- परमाणु ऊर्जा अब लगभग 440 विद्युत रिएक्टरों से विश्व की लगभग 9 प्रतिशत विद्युत प्रदान करती है।
- परमाणु ऊर्जा संयंत्र विश्वभर में 31 देशों में तथा ताइवान में परिचालन में हैं।
- मई, 2024 के अनुसार, 31 देशों तथा ताइवान में स्थित 440 परिचालन परमाणु ऊर्जा रिएक्टरों से वैश्विक परिचालन परमाणु ऊर्जा क्षमता 413 गीगावाट थी। कुल मिलाकर, वर्ष 2011 से परमाणु ऊर्जा क्षमता धीरे-धीरे बढ़ी है, जिसमें ग्रिड में नई इकाइयों के कनेक्शन तथा मौजूदा रिएक्टरों के उन्नयन के माध्यम से जोड़ी गई 23.7 गीगावाट (ई) क्षमता शामिल है। यद्यपि, विश्व के कुल ऊर्जा मिश्रण में इसका हिस्सा वर्ष 2000 से धीरे-धीरे कम हो रहा है। सकारात्मक बात यह है कि वर्ष 2023 में एक छोटी – सी उछाल आयी और जापान एवं फ्रांस में कई पुराने रिएक्टर फिर से चालू हो गए और चीन में नए रिएक्टर जोड़े गए।

वर्ष 2023 तक परमाणु ऊर्जा के महत्वपूर्ण उत्पादकों में यूएसए (96 रिएक्टर), चीन (56), फ्रांस (56), रूस (36) एवं जापान (33) शामिल हैं **(चित्र 8.2)**।

ऊर्जा का पर्यावरण-अनुकूल स्रोत होने के बावजूद, परमाणु ऊर्जा के साथ कुछ खतरे भी जुड़े हुए हैं, जैसा कि चेरनोबिल (1986) तथा फुकुशिमा (2011) आपदाओं से स्पष्ट है। परमाणु ईंधन का उपयोग परमाणु हथियार तथा अस्वच्छ बम बनाने के लिए भी किया जा सकता है।

इसलिए, अंतर्राष्ट्रीय परमाणु ऊर्जा एजेंसी (आईएईए) ने परमाणु संयंत्रों की सुरक्षा, परमाणु कचरे के निपटान तथा परमाणु ईंधन के उपयोग के संबंध में सख्त प्रोटोकॉल स्थापित किए हैं।

सौर ऊर्जा (Solar Energy)

सौर ऊर्जा का उपयोग ताप (थर्मल ऊर्जा) के साथ-साथ विद्युत के उत्पादन के लिए भी किया जा सकता है। यदि हम पृथ्वी पर आने वाली कुल सौर ऊर्जा की मात्रा की गणना करें, तो यह हमारी आवश्यकता से 10,000 गुना अधिक है। इसलिए, यदि इसका सही तरीके से उपयोग किया जाए, तो यह हमारी सभी ऊर्जा समस्याओं का रामबाण उपाय हो सकती है।

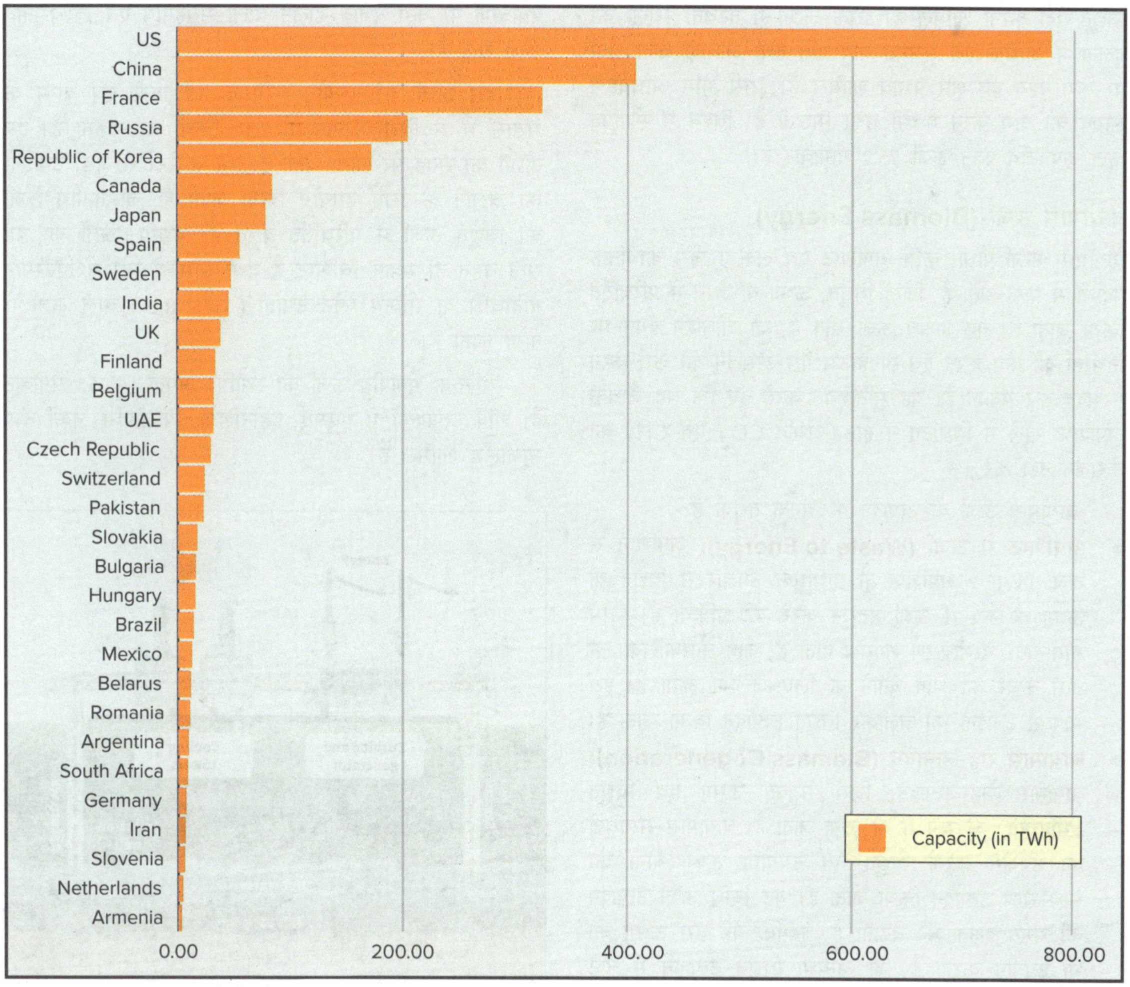

चित्र 8.2

वर्ष 2023 में विद्युत उत्पादन में परमाणु ऊर्जा की हिस्सेदारी

स्रोत: www-pris-iaea-org

विश्व में सौर ऊर्जा की कुल स्थापित क्षमता 407-446 गीगावॉट है। वैश्विक स्तर पर शीर्ष उत्पादकों में चीन, अमेरिका, जापान, जर्मनी तथा भारत शामिल हैं।

पवन ऊर्जा (Wind Energy)

यह ऊर्जा का एक और महत्वपूर्ण नवीकरणीय स्रोत है। सौर ऊर्जा के साथ पवन ऊर्जा वर्ष 2023 में विश्व में स्थापित अतिरिक्त नवीकरणीय क्षमता का 96 प्रतिशत हिस्सा थी। इसका कारण अधिकांश देशों द्वारा सुदृढ़ नीति समर्थन एवं किसी भी अन्य नवीकरणीय ऊर्जा संसाधनों की तुलना में इसकी उत्पादन की लागत का कम होना है।

पवन ऊर्जा की कुल वैश्विक स्थापित क्षमता 906 गीगावॉट है। इसके सबसे बड़े उत्पादकों में चीन, अमेरिका, जर्मनी, ब्राजील तथा यूनाइटेड किंगडम शामिल हैं।

तटवर्ती (onshore) के साथ-साथ अपतटीय (offshore) पवन ऊर्जा भी हाल ही में काफी लोकप्रिय हुई है। अपतटीय पवन ऊर्जा में जल निकायों, सामान्यत: समुद्र में स्थित पवन टर्बाइनों से

विद्युत पैदा करना शामिल है। इसके लाभों में तटवर्ती स्थलों की तुलना में अधिक एवं सुसंगत वायु गति तथा आबादी वाले क्षेत्रों पर कम दृश्य एवं शोर प्रभाव शामिल हैं। इससे भूमि अधिग्रहण लागत को कम करने में भी मदद मिलती है। विश्व में स्थापित कुल अपतटीय पवन ऊर्जा 75.2 गीगावॉट है।

बायोमास ऊर्जा (Biomass Energy)

बायोमास ऊर्जा पौधों, कृषि अपशिष्ट एवं लकड़ी जैसे कार्बनिक पदार्थों से प्राप्त होती है, जिन्हें विद्युत, ऊष्मा या ईंधन में परिवर्तित किया जाता है। यह अक्षय ऊर्जा स्रोत है, जो जीवाश्म ईंधन पर निर्भरता को कम करने एवं ग्रीनहाउस गैस उत्सर्जन को कम करने में मदद कर सकता है। यह सुनिश्चित करते हुए कि यह जैविक अपशिष्ट खुले में विघटित न हो। (अर्थात CO_2 एवं CH_4 का उत्सर्जन नहीं करे)।

बायोमास ऊर्जा के उत्पादन के अनेक तरीके हैं:

- **अपशिष्ट से ऊर्जा (Waste to Energy):** अपशिष्ट से ऊर्जा (WtE) अपशिष्ट के प्राथमिक उपचार से विद्युत या ऊष्मा के रूप में ऊर्जा उत्पन्न करने की प्रक्रिया है। इसमें सामान्यत: भस्मीकरण शामिल होता है, जहां नगरपालिका के ठोस कचरे को भाप बनाने के लिए जलाया जाता है। इस भाप से टर्बाइनों को चलाकर विद्युत उत्पादन किया जाता है।
- **बायोमास सह-उत्पादन (Biomass Cogeneration):** बायोमास सह-उत्पादन, जिसे संयुक्त ऊष्मा एवं विद्युत (सीएचपी) के रूप में भी जाना जाता है। बायोमास संसाधनों का उपयोग करके विद्युत एवं उपयोगी ऊष्मा दोनों का साथ-साथ उत्पादन किया जाता है। यह विधि ऊर्जा उत्पादन की समग्र दक्षता को बढ़ाती है, क्योंकि यह उस ऊष्मा का भी उपयोग करती है, जो अन्यथा विद्युत उत्पादन में नष्ट हो जाती।
- **बायोगैस (Biogas):** बायोगैस का उत्पादन कृषि अपशिष्ट, खाद एवं कचरा हो चुके खाद्य जैसे कार्बनिक पदार्थों के अवायवीय पाचन के माध्यम से किया जाता है। इस प्रक्रिया के परिणामस्वरूप मीथेन एवं कार्बन डाइऑक्साइड का मिश्रण बनता है, जिसका उपयोग हीटिंग, विद्युत तथा वाहन ईंधन के लिए अक्षय ऊर्जा स्रोत के रूप में किया जा सकता है।

वर्ष 2023 में वैश्विक बायोमास ऊर्जा उत्पादन लगभग 150.3 गीगावॉट था, जिसके प्रमुख उत्पादक चीन, ब्राजील और यूएसए हैं।

भूतापीय ऊर्जा (Geothermal Energy)

भूतापीय ऊर्जा विद्युत का उत्पादन करने एवं ऊष्मा प्रदान करने के लिए पृथ्वी की प्राकृतिक ऊष्मा का उपयोग करती है। यह पर्यावरण पर कम प्रभाव डालने वाली संवहनीय एवं विश्वसनीय ऊर्जा स्रोत है।

इस ऊर्जा का उपयोग भूमिगत गर्म पानी एवं वाष्प के भंडारों में से विद्युत बनाने के लिए किया जा सकता है। इस ऊष्मा को सतह पर लाया जाता है तथा जनरेटर से जुड़ी टर्बाइनों को चलाने के लिए उपयोग किया जाता है, जो तापीय ऊर्जा को विद्युत ऊर्जा में परिवर्तित करते हैं। यद्यपि, ऊर्जा का यह स्रोत बहुत ही स्थान-विशिष्ट है तथा सामान्य रूप से हॉटस्पॉट गतिविधि या सक्रिय प्लेट उपांतों (चित्र 8.3) वाले क्षेत्रों में पाया जाता है।

वैश्विक भूतापीय ऊर्जा की स्थापित क्षमता 16,355 मेगावाट है। शीर्ष उत्पादकों में यूएसए, इंडोनेशिया, फिलीपींस, तुर्की तथा न्यूजीलैंड शामिल हैं।

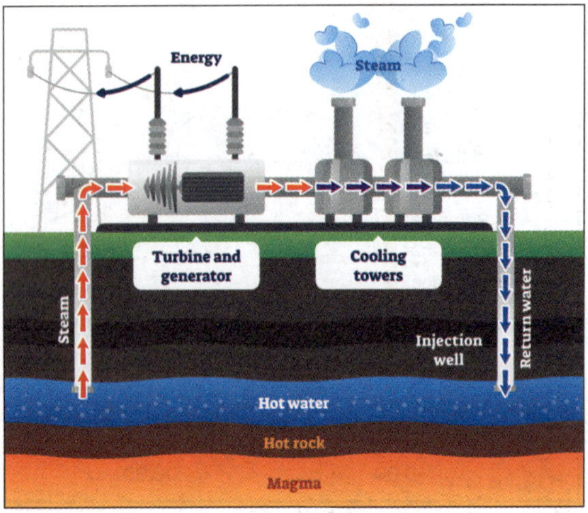

चित्र 8.3
भूतापीय ऊर्जा

ज्वारीय ऊर्जा (Tidal Energy)

ज्वारीय ऊर्जा विद्युत उत्पन्न करने के लिए समुद्री ज्वार की गति का उपयोग करती है। पानी के नीचे टर्बाइनों या बैराजों के माध्यम से उठते एवं गिरते ज्वार की गतिज ऊर्जा का उपयोग करके इस नवीकरणीय स्रोत से जनरेटर चलाकर विद्युत उत्पन्न की जाती है (चित्र 8.4)। यद्यपि, ज्वारीय संयंत्रों की स्थापना अपेक्षाकृत नया उद्यम है, लेकिन यह बहुत महंगा भी है। यद्यपि, दक्षिण कोरिया, फ्रांस, कनाडा, चीन, रूस और अमेरिका में प्रायोगिक परियोजनाएँ स्थापित की गई हैं।

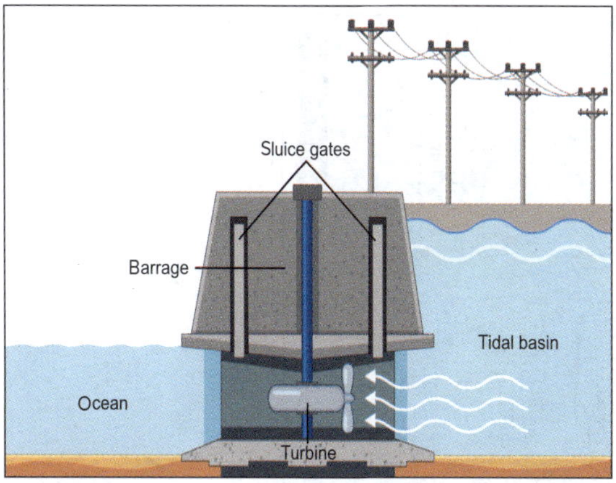

चित्र 8.4
ज्वारीय विद्युत स्टेशन

महासागरीय तापीय ऊर्जा रूपांतरण (Ocean Thermal Energy Conversion)

महासागरीय तापीय ऊर्जा रूपांतरण (ओटीईसी) में विद्युत उत्पन्न करने के लिए गर्म सतही पानी एवं गहरे समुद्र के ठंडे पानी के बीच तापमान के अंतर का उपयोग किया जाता है। यह तापमान प्रवणता ऊष्मा इंजन को चलाती है। यह प्राय कम क्वथनांक (जैसे अमोनिया) वाले कार्यशील तरल पदार्थ का उपयोग करके वाष्प उत्पन्न करती है तथा जिससे टर्बाइनों को चलाया जाता है। यह ऊर्जा का अक्षय एवं संवहनीय स्रोत है (चित्र 8.5)।

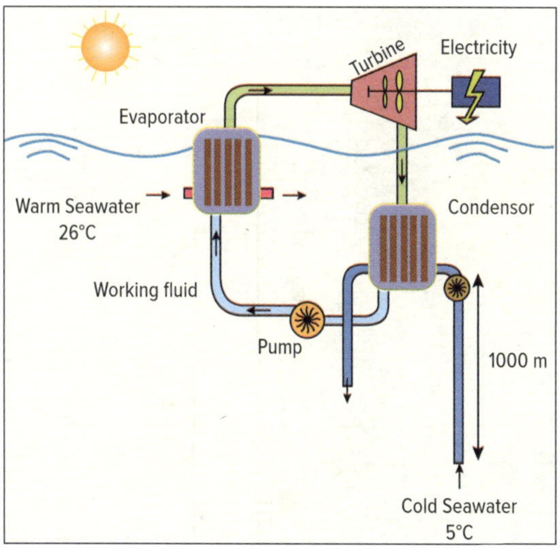

चित्र 8.5
महासागरीय तापीय ऊर्जा रूपांतरण

यद्यपि, यह तकनीक अब भी अपनी प्रारंभिक अवस्था में है तथा विश्वभर में इसका उपयोग छिटपुट रूप से ही होता है। विश्व का सबसे बड़ा ओटीईसी प्लांट हवाई के मकाई में है, जो प्रति वर्ष लगभग 100 किलोवाट विद्युत का उत्पादन करता है।

गैर-नवीकरणीय ऊर्जा संसाधन (Non-renewable Energy Resources)

तेल (पेट्रोलियम), प्राकृतिक गैस, कोयला, लकड़ी, सूर्य, जल और यूरेनियम विश्व की अधिकांश ऊर्जा आवश्यकताओं को पूरा करते हैं। इनमें से जीवाश्म ईंधन - कोयला, पेट्रोलियम और प्राकृतिक गैस ऊर्जा के गैर-नवीकरणीय स्रोत हैं।

कोयला (Coal)

कोयला प्रचुर मात्रा में मिलता है एवं सस्ता होता है, लेकिन यह क्षयशील है। कोयला दहन ऊर्जा का एक महत्वपूर्ण स्रोत है।

ताप विद्युत संयंत्र अक्सर अपने संचालन के लिए कोयले एवं अन्य जीवाश्म ईंधन का उपयोग करते हैं। यद्यपि, विद्युत क्षेत्र से होने वाले CO_2 उत्सर्जन का 55 प्रतिशत इसी कोयले के जलने से आता है। यह कोयले को एक 'अस्वच्छ ईंधन' बनाता है।

कोयला चार प्रकार का होता है:

1. एन्थ्रेसाइट
2. बिटुमिनस
3. सब-बिटुमिनस
4. लिग्नाइट

कोयले के भौतिक एवं रासायनिक गुण संपीडन की डिग्री या जमीन के अंदर कितनी गहराई में दबे हैं, इस बात पर निर्भर करता है। कोयले का पूर्ववर्ती रूप पीट है, जो आंशिक रूप से पादपों की विघटित सामग्री है। संपीडित पीट से लिग्नाइट प्राप्त होता है, जो निम्न श्रेणी का कोयला है। इसे अक्सर भूरा कोयला कहा जाता है। जब कोयला गहराई में दबा दिया जाता है, तो इसकी नमी बाहर निकल जाती है तथा यह सामग्री बढ़े हुए तापमान का सामना करती है, जिससे मजबूत उप-बिटुमिनस एवं बिटुमिनस कोयले का उत्पादन होता है। बिटुमिनस कोयला धातु विज्ञान में सबसे लोकप्रिय है और इसे नरम कोयला भी कहा जाता है। इसका और संपीड़न होने पर एन्थ्रेसाइट कोयला प्राप्त होता है, जो उच्चतम गुणवत्ता वाला कठोर कोयला होता है। इस्पात उद्योग में उपयोग किए जाने वाले उच्च श्रेणी के कोयले को अक्सर कोकिंग कोल कहा जाता है। यह ऑक्सीजन की अनुपस्थिति में कोयले को गर्म करने से उत्पन्न होता है, जो वाष्पशील गैसों को जला देता है। चित्र 8.6 वैश्विक स्तर पर कोयले के वितरण को दर्शाता है।

चित्र 8.6
विश्व में कोयले का वितरण

प्रमुख कोयला उत्पादक देशों एवं उनकी महत्वपूर्ण खदानों की सूची **तालिका 8.2 और 8.3** में दी गयी है।

तालिका 8.2 विश्व के अग्रणी कोयला उत्पादक/उपभोक्ता देश, 2023

क्र.सं.	देश	उत्पादन (मीट्रिक टन में)
1.	चीन	4705
2.	भारत	1045
3.	इंडोनेशिया	752
4.	संयुक्त राज्य अमेरिका	528
5.	ऑस्ट्रेलिया	439

स्रोत: विश्व ऊर्जा एवं जलवायु सांख्यिकी - ईयरबुक 2024

तालिका 8.3 विश्व के प्रमुख कोयला क्षेत्र

क्र.सं.	देश	कोयला खदानें
1.	चीन	शानक्सी (शांसी), शांक्सी (शेंसी), सिचुआन, फुषुन, शेनयांग, सिंकियांग
2.	भारत	बोकारो, झरिया, करणपुरा, नेवेली, कोरबा, रानीगंज, सिंगरेनी, सिंगरौली, तालचेर
3.	इंडोनेशिया	संगट्टा खदान, एफटीबी परियोजना, टुटुपन खदान, बोर्नियोइंडोबारा खदान, पसिर खदान
4.	यूएसए	अर्कांसस, कोलोराडो, इलिनोइस, इंडियाना, आयोवा, केंटकी, मिशिगन, मोंटाना, न्यू मैक्सिको, नॉर्थ डकोटा, ओहियो, ओक्लाहोमा, पेंसिल्वेनिया, पिट्सबर्ग, वेस्ट वर्जीनिया (अप्पलेशियन), यूटा, व्योमिंग (चित्र 8.6)
5.	ऑस्ट्रेलिया	बोवेन बेसिन, ब्रिस्बेन, कैनबरा, सिडनी-न्यू-कैसल (न्यू साउथ वेल्स), फिंगल (तस्मानिया), इप्सविच (क्वींसलैंड), गिप्सलैंड (विक्टोरिया)

तेल-पेट्रोलियम (Oil-Petroleum)

तेल आज विश्व में ऊर्जा का सबसे दक्ष स्रोत है। पेट्रोलियम एवं प्राकृतिक गैस तथा इनके उत्पाद आज अंतर्राष्ट्रीय व्यापार में सबसे महत्वपूर्ण वस्तुएँ हैं। वर्तमान में 50 प्रतिशत से अधिक तेल दक्षिण-पश्चिम एशिया के देशों में पाया जाता है। प्रमुख तेल उत्पादक देशों को **तालिका 8.4** और **चित्र 8.7** में दर्शाया गया है।

तालिका 8.4 विश्व के अग्रणी तेल उत्पादक देश, 2023

क्र.सं.	देश	उत्पादन (मिलियन बैरल प्रतिदिन)
1.	संयुक्त राज्य अमेरिका	21.91
2.	सऊदी अरब	11.13
3.	रूस	10.75
4.	कनाडा	5.76
5.	चीन	5.26

स्रोत: अमेरिकी ऊर्जा सूचना प्रशासन (ईआईए) एवं अंतर्राष्ट्रीय ऊर्जा सांख्यिकी

याद रखने की युक्ति (Learning Trick)

क्या सभी पारंपरिक ऊर्जा संसाधन गैर-नवीकरणीय हैं?

सरल उत्तर → नहीं!

विस्तृत उत्तर –

- पारंपरिक संसाधन वे चीजें हैं, जिनका उपयोग लंबे समय से किया जा रहा है तथा हमने इनके ईर्द गिर्द बहुत सारी तकनीकें विकसित की हैं।
- गैर-नवीकरणीय संसाधन: ये वे संसाधन हैं, जो सीमित मात्रा में उपलब्ध हैं तथा अंतत: समाप्त हो जाएंगें।

अब, कोयला तथा पेट्रोलियम दोनों पारंपरिक एवं गैर-नवीकरणीय ऊर्जा संसाधन हैं!

यद्यपि, जल विद्युत ऊर्जा पारंपरिक ऊर्जा का स्रोत है, लेकिन नवीकरणीय भी है!

प्राकृतिक गैस: प्राकृतिक गैस ऊर्जा के महत्वपूर्ण स्रोतों में से एक है। यह स्वच्छ ईंधन है तथा इसका उपयोग करना आसान है और इसे खरीदना अपेक्षाकृत सस्ता है। यह या तो अलग से या कच्चे तेल के साथ मिलती है। प्रमुख प्राकृतिक गैस उत्पादक देशों को **तालिका 8.5, 8.7** और **चित्र 8.8** में दर्शाया गया है।

तालिका 8.5 विश्व के अग्रणी प्राकृतिक गैस उत्पादक/उपभोक्ता देश

क्र.सं.	देश	2023 में उत्पादन (घन मीटर में)
1.	संयुक्त राज्य अमेरिका	1.35 ट्रिलियन
2.	रूस	586.4 बिलियन
3.	ईरान	251.7 बिलियन
4.	चीन	234.3 बिलियन
5.	कनाडा	190.3 बिलियन

स्रोत: अमेरिकी ऊर्जा सूचना प्रशासन

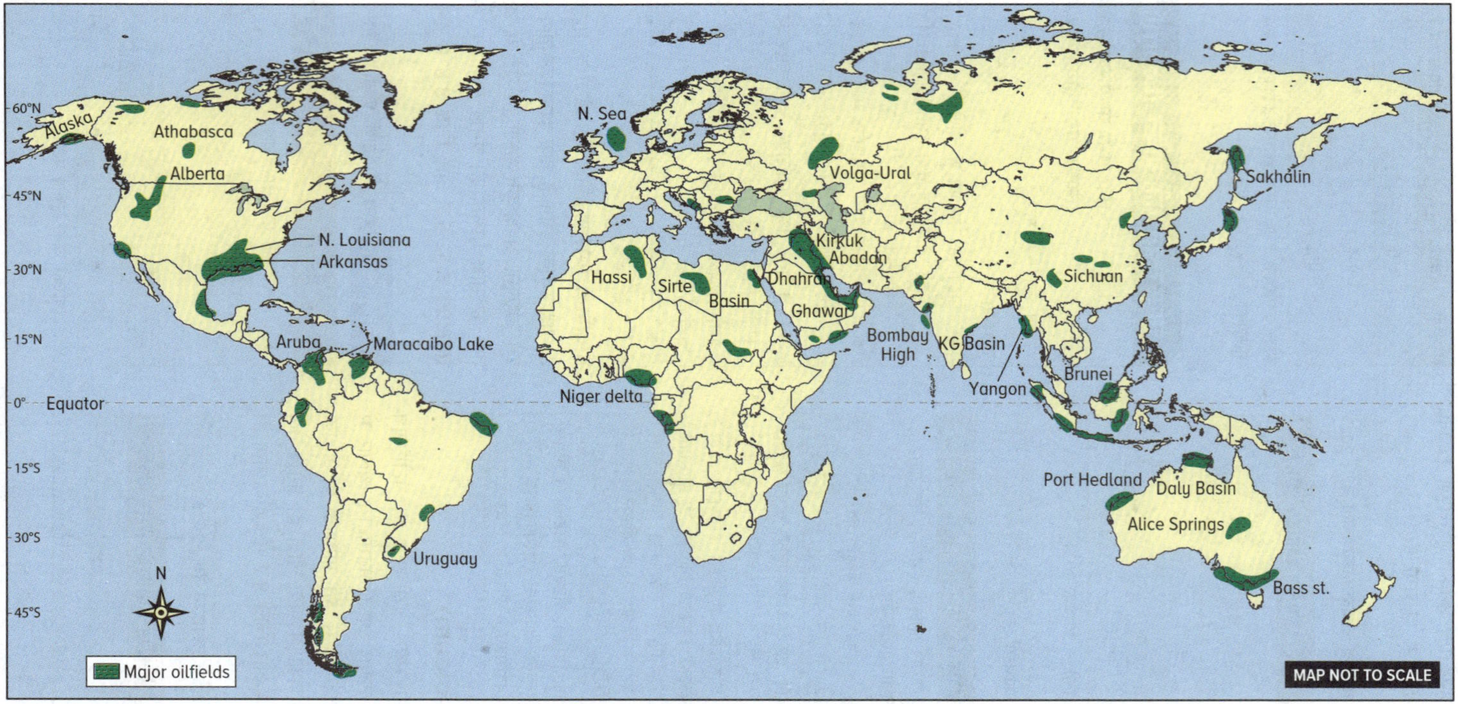

चित्र 8.7
विश्व के प्रमुख तेल क्षेत्र

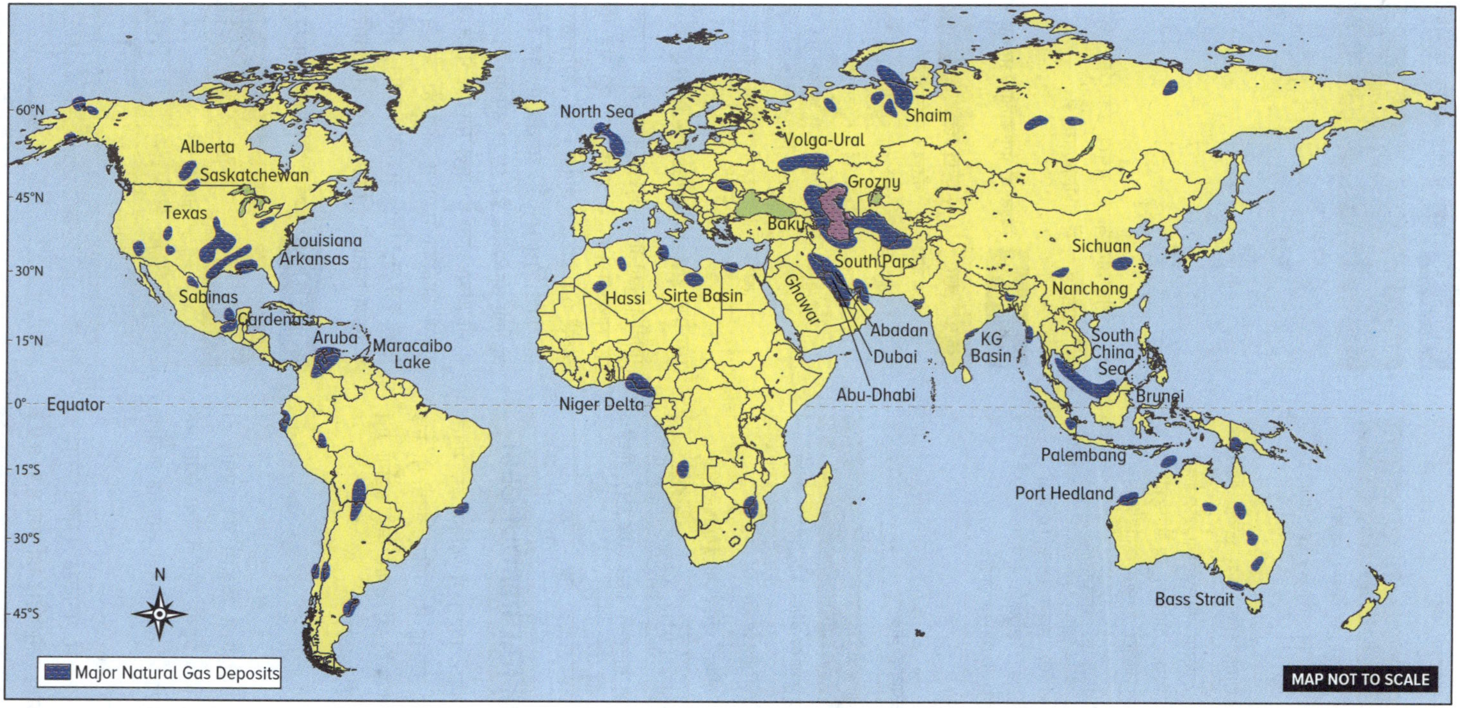

चित्र 8.8
विश्व के प्रमुख प्राकृतिक गैस भंडार

तालिका 8.6 प्रमुख पेट्रोलियम उत्पादक केंद्र

क्र.सं.	देश	उत्पादन केंद्र
1.	रूस	बश्किरिया, ग्रोजनी, कुयबीशेव, माईकोप, निजनेवार्टोव्स्क, पर्म, सखालिन द्वीप, तातारिया, टॉम्स्क
2.	सऊदी अरब	अबकैक, ऐनडार, धरान, घावर, जुबैल, सफानिया
3.	यूएसए	अलास्का, अर्कांसस, कैलिफोर्निया, इलिनोइस, केंटकी, लूसियाना, मिशिगन, न्यू मैक्सिको, ओहियो, सैनजोकिन, टेक्सास, व्योमिंग
4.	कनाडा	अल्बर्टा, अथाबास्का, सस्केचेवान
5.	चीन	दकिंग (ताचिंग), डाकांग (ताकांग), शेडोंग (शांतुंग), युमेन, झिंजियांग में करमाय (सिंकियांग), काशी (काशगर)

तालिका 8.7 प्राकृतिक गैस उत्पादक केंद्र

क्र.सं.	देश	निकर्षण केंद्र
1.	चीन	सिचुआन बेसिन, तारिम बेसिन और ऑर्डोस बेसिन
2.	रूस	यमल प्रायद्वीप, उरेंगॉय फील्ड और सखालिन
3.	यूएसए	मार्सेलस शेल, पर्मियन बेसिन और हेनेसविले शेल
4.	ईरान	साउथ पारस/नॉर्थ डोम फील्ड, असलुयेह और खुजेस्तान
5.	कनाडा	वेस्टर्न कैनेडियन सेडिमेंटरी बेसिन (WCSB), मोंटनी फॉर्मेशन और हॉर्न रिवर बेसिन

खनिज संसाधन (MINERAL RESOURCES)

राष्ट्रों के आर्थिक एवं औद्योगिक विकास में खनिजों के महत्व को कम करके नहीं आंका जा सकता है। आइए, इनमें से कुछ महत्वपूर्ण खनिजों पर दृष्टिपात करें, जो हमारे कई उद्योगों एवं दिन-प्रतिदिन की गतिविधियों के आधार हैं।

लौह अयस्क (Iron Ore)

लौह अयस्क विश्व के सभी औद्योगिक विकास का आधार है। इसका उपयोग स्टील बनाने के लिए किया जाता है तथा स्टील का उपयोग सुई से लेकर भारी मशीनरी तक अनेक तरह के उत्पादों के निर्माण में किया जाता है।

लोहे के महत्वपूर्ण अयस्कों में मैग्नेटाइट (सबसे समृद्ध), हेमेटाइट, साइडराइट, टैकोनाइट आदि शामिल हैं। **(तालिका 8.8, 8.9)**

तालिका 8.8 विश्व में लौह अयस्क के अग्रणी उत्पादक देश

क्र.सं.	देश	लौह अयस्क का उत्पादन (मिलियन मीट्रिक टन में) 2023
1.	ऑस्ट्रेलिया	960
2.	ब्राजील	440
3.	चीन	280
4.	भारत	270
5.	रूस	88

स्रोत: यूएसजीएस, 2024

लौह अयस्क के प्रमुख उत्पादकों एवं महत्वपूर्ण खनन केन्द्रों को **चित्र 8.9** में दर्शाया गया है।

तालिका 8.9 विश्व के प्रमुख लौह-अयस्क खनन केंद्र

क्र.सं.	देश	खनन केंद्र
1.	ब्राजील	कैराजस माइंस, मिनास गेरियास
2.	ऑस्ट्रेलिया	पश्चिमी ऑस्ट्रेलिया में पिलबारा
3.	चीन	हेइबेई प्रांत, अनशन
4.	भारत	ओडिशा में क्योंझर और सुंदरगढ़, छत्तीसगढ़ में बैलाडीला, कर्नाटक में बेल्लारी
5.	रूस	कुर्स्क मैग्नेटिक एनोमली (केएमके), मैग्नीटोगोर्स्क

मैंगनीज (Manganese – Mn)

मैंगनीज मुक्त तत्व के रूप में या लौह अयस्क या कुछ अन्य खनिजों के साथ संयोजन में पाया जाता है। यह पृथ्वी की भू-पर्पटी का केवल 0.1 प्रतिशत भाग है। यह विशेष रूप से स्टेनलेस स्टील में महत्वपूर्ण मिश्र धातु है। वास्तव में, यह लोहा एवं इस्पात उत्पादन के लिए आवश्यक है। इसका उपयोग डिस्पोजेबल बैटरी के निर्माण में भी किया जाता है। कुल मैंगनीज भंडार का लगभग 80 प्रतिशत दक्षिण अफ्रीका में पाया जाता है। इस समय मैंगनीज का खनन मुख्य रूप से दक्षिण अफ्रीका, गैबॉन, ऑस्ट्रेलिया, घाना एवं चीन में किया जाता है **(चित्र 8.10 और तालिका 8.10, 8.11)**।

तालिका 8.10 विश्व में मैंगनीज के अग्रणी उत्पादक देश

क्र.सं.	देश	वर्ष 2023 में खदान उत्पादन (मीट्रिक टन में)
1.	दक्षिण अफ्रीका	7.2 मिलियन
2.	गैबॉन	4.6 मिलियन
3.	ऑस्ट्रेलिया	3 मिलियन
4.	घाना	840,000
5.	चीन	740,000

चित्र 8.9
विश्व के प्रमुख लौह अयस्क भंडार

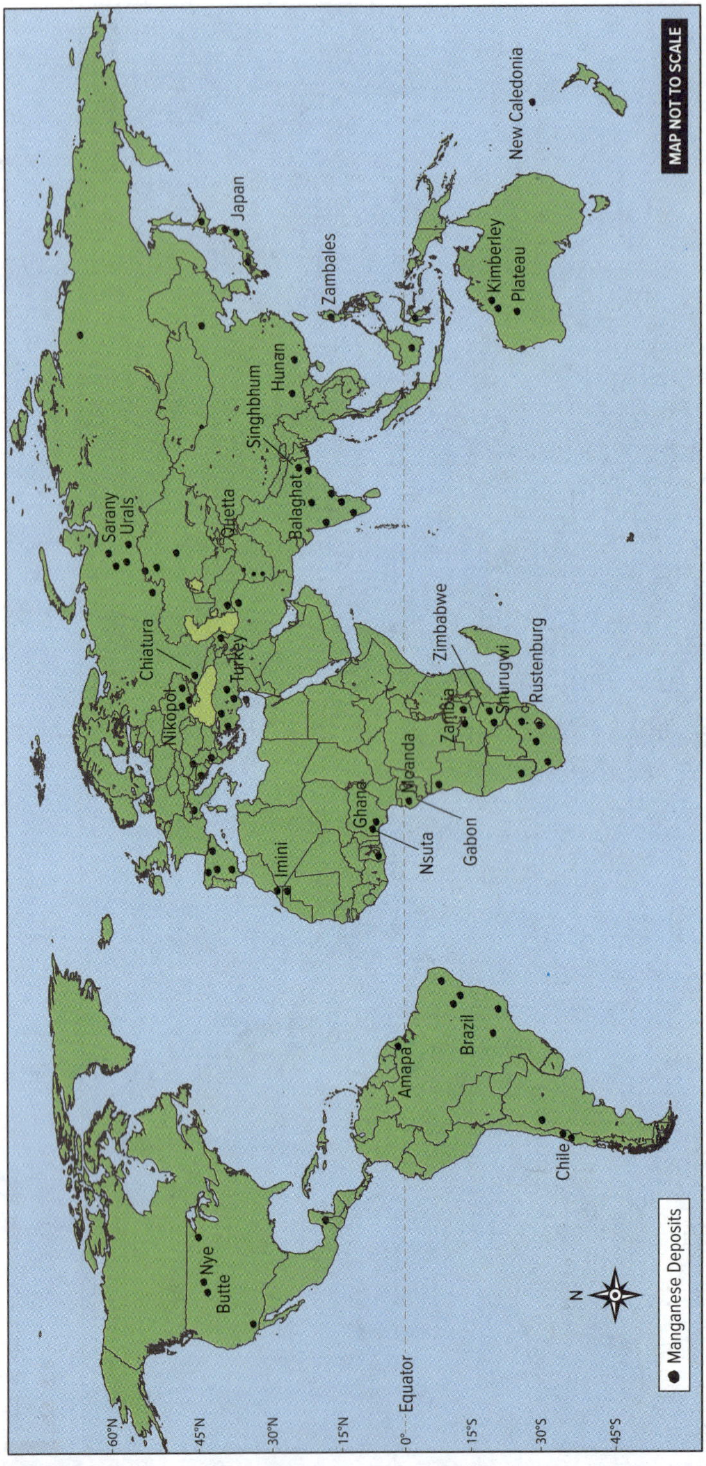

चित्र 8.10
विश्व के मैंगनीज भंडार

तालिका 8.11 मैंगनीज भंडार

क्र.सं.	देश	मैंगनीज भंडार
1.	ऑस्ट्रेलिया	किम्बरली पठार
2.	ब्राजील	अमापा
3.	चिली	मध्य चिली
4.	चीन	हुनान, गुइझोउ
5.	घाना	न्सुता

तांबा (Copper – Cu)

तुर्की के लोगों ने प्रागैतिहासिक काल में तांबे का उपयोग करना शुरू किया था। इसका उपयोग विद्युत के तार, खाना पकाने के बर्तन एवं सैन्य उत्पाद के निर्माण में किया जाता है। विश्व में तांबे के मुख्य उत्पादकों को **चित्र 8.11** में दर्शाया गया है। चिली, पेरू, कांगो लोकतांत्रिक गणराज्य, चीन एवं अमेरिका तांबे के प्रमुख उत्पादक हैं। **(तालिका 8.12 और 8.13)**

तालिका 8.12 विश्व में तांबे के अग्रणी उत्पादक देश

क्र.सं.	देश	2023 में तांबे का उत्पादन (मीट्रिक टन में)
1.	चिली	5 मिलियन
2.	पेरू	2.6 मिलियन
3.	कांगो लोकतांत्रिक गणराज्य	2.5 मिलियन
4.	चीन	1.7 मिलियन
5.	यूएसए	1.1 मिलियन

तालिका 8.13 तांबे के मुख्य खनन केंद्र

क्र.सं.	देश	खनन केंद्र
1.	चिली	ब्रैडेन, चुक्विका माटा, अल-टेनिएंटे, पोट्रेरिलोस
2.	यूएसए	अजो, बिस्बी, मोरेन्सी (एरिजोना), बिंगहैम (यूटा), ब्यूट (मोंटाना), न्यू मैक्सिको, अलास्का
3.	पेरू	मोरकोचा
4.	चीन	जियांगशी में डेक्सिंग, तिब्बत में यूलोंग, हेइलोंगजियांग में हेइलोंगजियांग डुओबाओशान, फुजियान में जिजिनशान गोल्ड एंड कॉपर माइन
5.	डेमोक्रेटिक रिपब्लिक ऑफ कांगो	तांबे की खदानें कॉपरबेल्ट क्षेत्र में केंद्रित हैं, जो हौट-कटंगा और लुआलाबा प्रांतों में फैली हुई हैं

बॉक्साइट (Bauxite)

बॉक्साइट एल्युमिनियम उद्योग के लिए कच्चा पदार्थ है। यह एक महत्वपूर्ण धातु है। इसमें लोहे जैसी धातुओं की शक्ति, अत्यधिक हल्कापन तथा अत्यधिक चालकता एवं लचीलापन होता है। वर्ष 2009 में विश्व के लगभग एक-तिहाई उत्पादन करने वाला ऑस्ट्रेलिया विश्व में बॉक्साइट का अग्रणी उत्पादक देश बन गया है और यह अब भी अग्रणी उत्पादक देश बना हुआ है। वर्तमान में ऑस्ट्रेलिया के बाद चीन, गिनी, ब्राजील एवं भारत का स्थान है। **(तालिका 8.14)**

विश्व के लगभग 95 प्रतिशत बॉक्साइट उत्पादन को पहले एल्युमिना में और फिर इलेक्ट्रोलिसिस द्वारा एल्युमिनियम में संसाधित किया जाता है। इसको गलाने के लिए सस्ती जल विद्युत की आवश्यकता होती है।

तालिका 8.14 विश्व में बॉक्साइट के अग्रणी उत्पादक देश

क्र.सं.	देश	वर्ष 2023 में बॉक्साइट का उत्पादन (मीट्रिक टन में)
1.	ऑस्ट्रेलिया	11,000
2.	गिनी	8,200
3.	चीन	6,000
4.	ब्राजील	3,500
5.	इंडोनेशिया	2,300
6.	भारत	660

टिन (Tin)

टिन का उपयोग कई मिश्र धातुओं के साथ किया जाता है। यह तन्य, लचीली एवं चांदी जैसी सफेद रंग की धातु है। यह आरंभिक सुपरकंडक्टर में से एक है। इसका उपयोग अन्य धातुओं को चमकाने के लिए किया जाता है, लेकिन यह पानी से होने वाले क्षरण का प्रतिरोध करता है। इसका महत्वपूर्ण स्रोत कैसिटेराइट अयस्क है तथा इसे स्टैनाइट, फ्रैंकाइट, कैनफील्डाइट एवं टीलाइट अयस्कों के प्रसंस्करण के माध्यम से भी कम मात्रा में प्राप्त किया जाता है।

टिन के प्रमुख उत्पादक देश एवं महत्वपूर्ण खनन केंद्र **चित्र 8.12** में दर्शाये गये हैं और क्रमशः **तालिका 8.15** और **8.16** में भी दिये गये हैं।

सोना (Gold – Au)

सोना मूल्यवान तथा सबसे अधिक मांग वाली धातु है। यह सर्वाधिक तन्य एवं लचीली धातु है।

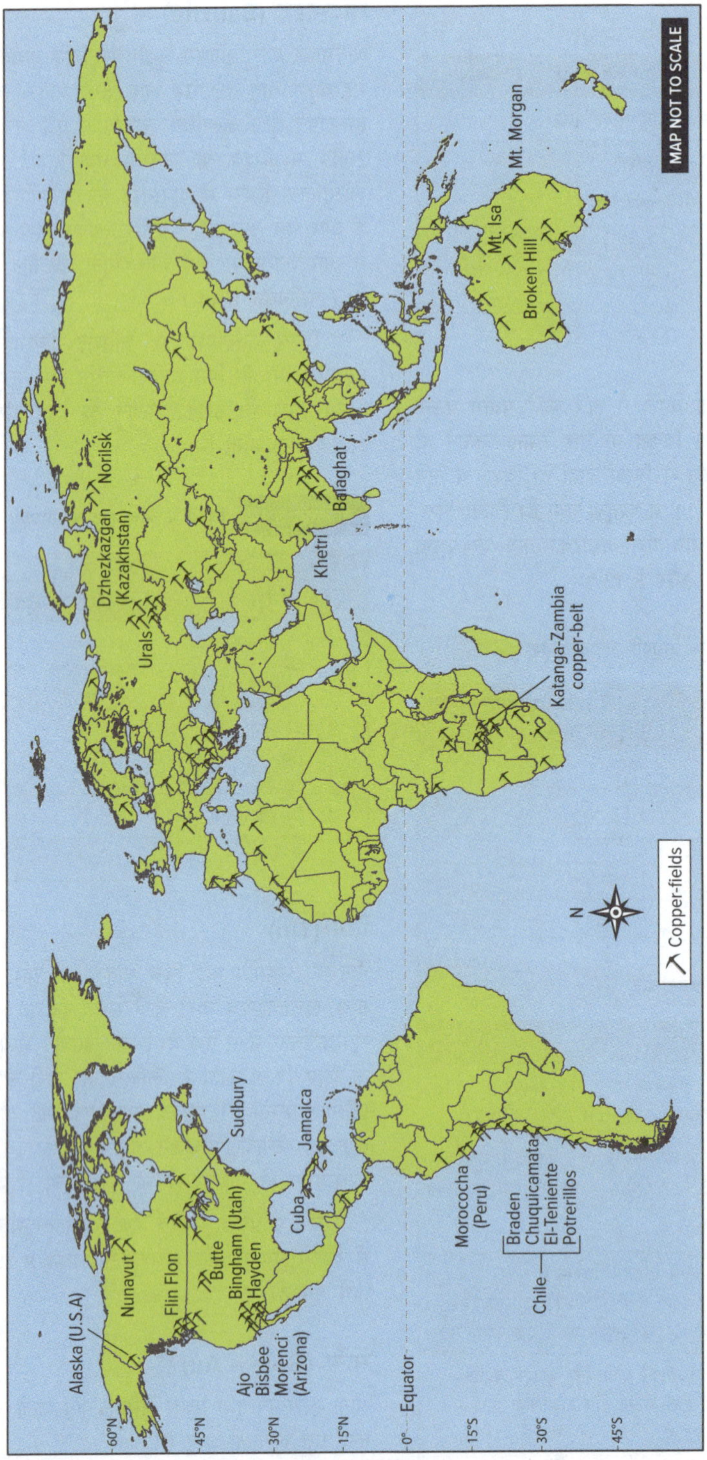

चित्र 8.11
विश्व में तांबे के भंडार

चित्र 8.12
विश्व में टिन के भंडारों का वितरण

एक ग्राम सोने को फैलाकर एक वर्ग मीटर की शीट में बदला जा सकता है। लगभग 50 प्रतिशत सोने का उपयोग आभूषणों के लिए, 40 प्रतिशत का निवेश में और 10 प्रतिशत सोने का उपयोग उद्योग में किया जाता है। आज, अंतर्राष्ट्रीय मौद्रिक प्रणाली सोने द्वारा समर्थित है। सोने का वितरण एवं इसके प्रमुख उत्पादक देश **चित्र 8.13** में दर्शाये गये हैं। वर्ष 2023 में सोने के प्रमुख उत्पादक देशों में चीन, ऑस्ट्रेलिया, रूस, कनाडा और यूएसए थे (**तालिका 8.17**)। दक्षिण अफ्रीका की सवुका खदानें 3777 मीटर की गहराई के साथ विश्व की सबसे गहरी सोने की खदानें हैं।

तालिका 8.15 विश्व में टिन के अग्रणी उत्पादक देश

क्र.सं.	देश	2023 में टिन का उत्पादन (मीट्रिक टन में)
1.	चीन	68,000
2.	म्यांमार	54,000
3.	इंडोनेशिया	52,000
4.	पेरू	19,000
5.	बोलीविया	17,000

तालिका 8.16 मुख्य टिन खनन केंद्र

क्र.सं.	देश	खनन केंद्र
1.	पेरू	पुनो क्षेत्र में सैन राफेल खदान
2.	बोलीविया	पोटोसी (एंडीज)
3.	ब्राजील	माटोग्रोसो, रोंडोनिया
4.	चीन	हुबेई, हे जियान (होन्सेन), जियांगसा, नानलिंग शान
5.	इंडोनेशिया	बंगकाबेलितुंग और सिंगकेप (सुमात्रा)

तालिका 8.17 विश्व में सोने के अग्रणी उत्पादक देश

क्र.सं.	देश	2023 में सोने का उत्पादन (मीट्रिक टन में)
1.	चीन	370
2.	ऑस्ट्रेलिया	310
3.	रूस	310
4.	कनाडा	200
5.	अमेरिका	170

चांदी (Silver – Ag)

चांदी एक कीमती धातु है एवं इसका उपयोग आभूषण, उच्च मूल्य वाले टेबलवेयर, बर्तन (सिल्वरवेयर), सजावटी वस्तुएं, दर्पण तथा मुद्रा के सिक्के बनाने में किया जाता है। इसका उपयोग दवाओं, भोजन, ऑप्टिक्स, फोटोग्राफी, उच्च गुणवत्ता वाले संगीत वाद्ययंत्रों, बांसुरी आदि के निर्माण में भी किया जाता है। यह प्राकृतिक रूप में सोने, सल्फर, आर्सेनिक, एंटीमनी या क्लोरीन के साथ मिश्र धातु के रूप में पाया जाता है। चांदी के प्रमुख उत्पादक देश- मैक्सिको, चीन, पेरू, चिली और पोलैंड हैं (**तालिका 8.18** और **चित्र 8.14**)।

प्रसिद्ध चांदी उत्पादक खदानें हैं- प्रोआनो/फ्रेस्निलो (मैक्सिको), कैनिंगटन (क्वींसलैंड-ऑस्ट्रेलिया), डुकाट (रूस), उचुक्चाकुआ (पेरू) और ग्रीन्स क्रीक माइन (अलास्का)।

तालिका 8.18 विश्व में चांदी के अग्रणी उत्पादक देश

क्र.सं.	देश	2023 में चांदी का उत्पादन (मीट्रिक टन में)
1.	मैक्सिको	6,400
2.	चीन	3,400
3.	पेरू	3,100
4.	चिली	1,400
5.	पोलैंड	1,300

यूरेनियम (Uranium – U)

यूरेनियम दुनिया के भारी खनिजों में से एक है, जो रेडियोधर्मी खनिज है। यूरेनियम अयस्कों की उपस्थिति बहुत दुर्लभ एवं स्थानीयकृत होती है। इसकी सांद्रता सामान्य रूप से कम होती है, इसलिए इसका निष्कर्षण करना बहुत ही कठिन एवं महंगा होता है।

परमाणु ऊर्जा संयंत्र इस ऊर्जा स्रोत का उपयोग विद्युत उत्पन्न करने के लिए करते हैं। यूरेनियम परिष्कृत किये जाने पर चांदी जैसा सफेद होता है। इसका उपयोग सैन्य एवं नागरिक उद्देश्यों के लिए किया जाता है।

यूरेनियम मस्तिष्क, हृदय, गुर्दे तथा शरीर की अन्य प्रणालियों के लिए इसलिए हानिकारक है, क्योंकि यह रेडियोधर्मी प्रकृति का होता है। यूरेनियम के भंडार, प्रमुख उत्पादक देश और प्रमुख उपभोक्ताओं को **चित्र 8.15** में दर्शाया गया है तथा **तालिका 8.19** में सूचीबद्ध किया गया है। यूरेनियम का सबसे बड़ा भंडार दक्षिण ऑस्ट्रेलिया के ओलंपिक डैम खदान में स्थित है (**चित्र 8.15**)।

कजाकिस्तान खानों से यूरेनियम का सर्वाधिक उत्पादन करता है, इसके बाद कनाडा, नामीबिया, ऑस्ट्रेलिया तथा उज्बेकिस्तान का स्थान आता है।

तालिका 8.19 विश्व में यूरेनियम के अग्रणी उत्पादक देश

क्र.सं.	देश	2022 में यूरेनियम का उत्पादन (मीट्रिक टन में)
1.	कजाकिस्तान	21,227
2.	कनाडा	7,351
3.	नामीबिया	5,613
4.	ऑस्ट्रेलिया	4,087
5.	उज्बेकिस्तान	3,300

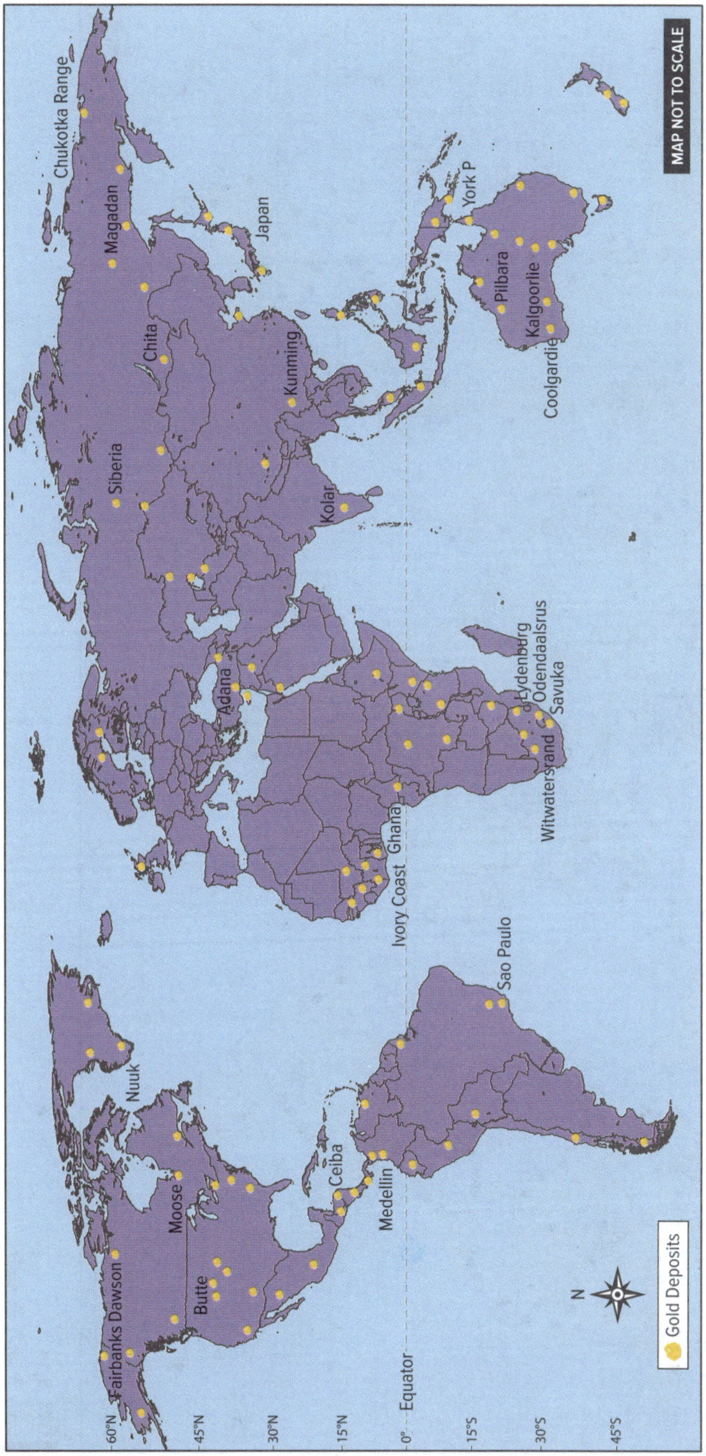

चित्र 8.13
विश्व में स्वर्ण भंडार

चित्र 8.14
विश्व में चांदी के भंडार

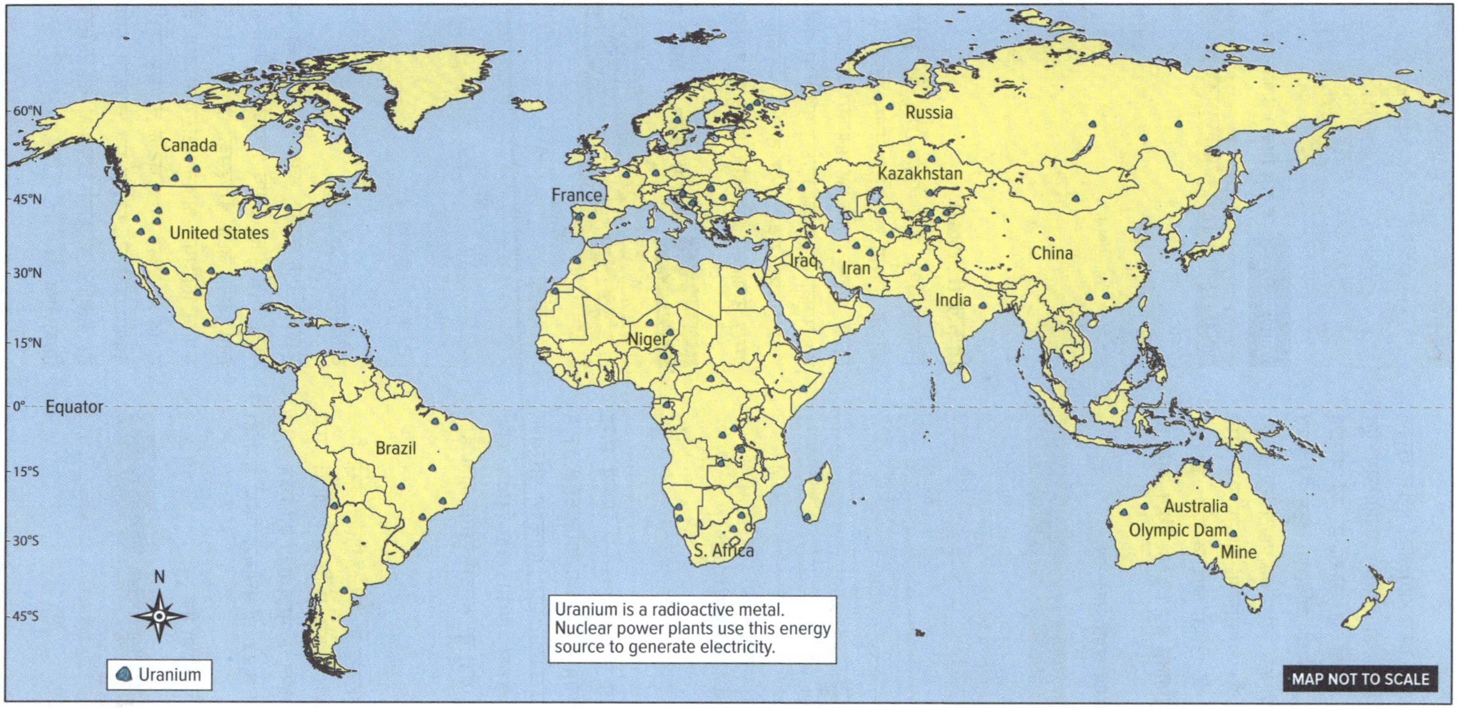

चित्र 8.15
विश्व में यूरेनियम के भंडार

थोरियम (Thorium – Th)

थोरियम मोनाजाइट रेत से निष्कर्षण किये जाने वाले दुर्लभ खनिज तत्वों का उप-उत्पाद है। थोरियम का उपयोग प्लूटोनियम एवं यूरेनियम के उत्पादन के लिए किया जा सकता है, जो परमाणु ईंधन हैं। थोरियम एक बहुत ही प्रभावी विकिरण रक्षक है। भारत का काकरापारा-1 (परीक्षण) रिएक्टर विश्व का पहला रिएक्टर है, जो थोरियम का उपयोग करता है। ऑस्ट्रेलिया, यूएसए एवं भारत में थोरियम के विशाल भंडार हैं, इसके बाद कनाडा, ब्राजील, दक्षिण अफ्रीका और तुर्की (तालिका 8.20) का स्थान आता है।

तालिका 8.20 सबसे बड़े थोरियम भंडार वाले देश

रैंक	देश	भंडार (टन में)
1.	भारत	846.5K
2.	ब्राजील	632K
3.	यूएसए	595K
4.	मिस्र	380K
5.	तुर्की	374K
6.	वेनेजुएला	300K
7.	सीआईएस देश (स्वतंत्र राज्यों का राष्ट्रमंडल: उज्बेकिस्तान, कजाकिस्तान, अजरबैजान, बेलारूस, किर्गिस्तान, मोल्दोवा, आर्मेनिया)	1.5M

सीसा (Lead)

सीसा सबसे भारी खनिजों में से एक है। विश्व के प्रमुख सीसा उत्पादक केंद्र चित्र 8.16 में दर्शाये गये हैं तथा तालिका 8.21 में सूचीबद्ध किये गये हैं। सीसा का उपयोग बैटरी, विकिरण परिरक्षण, विद्युत तारों के बाह्य आवरण (केबल शीथिंग) और निर्माण कार्यों एवं विनिर्माण के क्षेत्र में मिश्र धातु के रूप में किया जाता है।

जस्ता (जिंक) (Zinc)

जस्ता का उपयोग स्टील को गैल्वनाइज करने, पीतल जैसी मिश्र धातुओं, बैटरी में और पूरक आहार के रूप में किया जाता है। प्रमुख जस्ता उत्पादक देश एवं इसके खनन के मुख्य केंद्रों को चित्र 8.17 में दर्शाया गया है एवं तालिका 8.22 में सूचीबद्ध किया गया है।

तालिका 8.21 सीसा उत्पादन में अग्रणी देश

क्र.सं.	देश	2023 में सीसा उत्पादन (मीट्रिक टन में)
1.	चीन	2 मिलियन
2.	ऑस्ट्रेलिया	440,000
3.	अमेरिका	280,000
4.	मैक्सिको	270,000
5.	पेरू	250,000

तालिका 8.22 जस्ता (जिंक) उत्पादन में अग्रणी देश

क्र.सं.	देश	2023 में जिंक का उत्पादन (मीट्रिक टन में)
1.	चीन	4.2 मिलियन
2.	पेरू	1.4 मिलियन
3.	ऑस्ट्रेलिया	1.3 मिलियन
4.	भारत	830,000
5.	यूएसए	770,000

निकेल (Nickel)

निकेल चांदी जैसी सफेद धातु है। इसका उपयोग प्रायः मिश्र धातुओं, विशेष रूप से स्टेनलेस स्टील को सुदृढ़ बनाने के लिए किया जाता है, ताकि यह क्षयकारी वातावरण एवं अत्यधिक तापमान का सामना कर सके। निकेल पृथ्वी पर पाये जाने वाले प्रचूर तत्वों में से पाँचवाँ सबसे प्रचुर तत्व है। निकेल का वितरण एवं इसके प्रमुख उत्पादकों को चित्र 8.18 में दर्शाया गया है।

तालिका 8.23 विश्व में निकेल के अग्रणी उत्पादक देश

क्र.सं.	देश	2023 में निकेल का उत्पादन (मीट्रिक टन में)
1.	इंडोनेशिया	1.8 मिलियन
2.	फिलीपींस	400,000
3.	न्यू कैलेडोनिया	230,000
4.	रूस	220,000
5.	कनाडा	180,000

कोबाल्ट (Cobalt)

कोबाल्ट एक कठोर, रजत-धूसर रंग की धातु है, जो उच्च शक्ति वाली मिश्र धातुओं एवं रिचार्जेबल बैटरियों में अपने उपयोग के लिए जानी जाती है। इसका उपयोग रिचार्जेबल बैटरियों, विशेष रूप से लिथियम-आयन बैटरियों में तथा जेट इंजन के लिए सुपर एलॉय में एक प्रमुख घटक के रूप में किया जाता है। इसका उपयोग उत्प्रेरक, रंगद्रव्य एवं चुंबकीय सामग्री में भी किया जाता है। कोबाल्ट के शीर्ष उत्पादकों को तालिका 8.24 में सूचीबद्ध किया गया है।

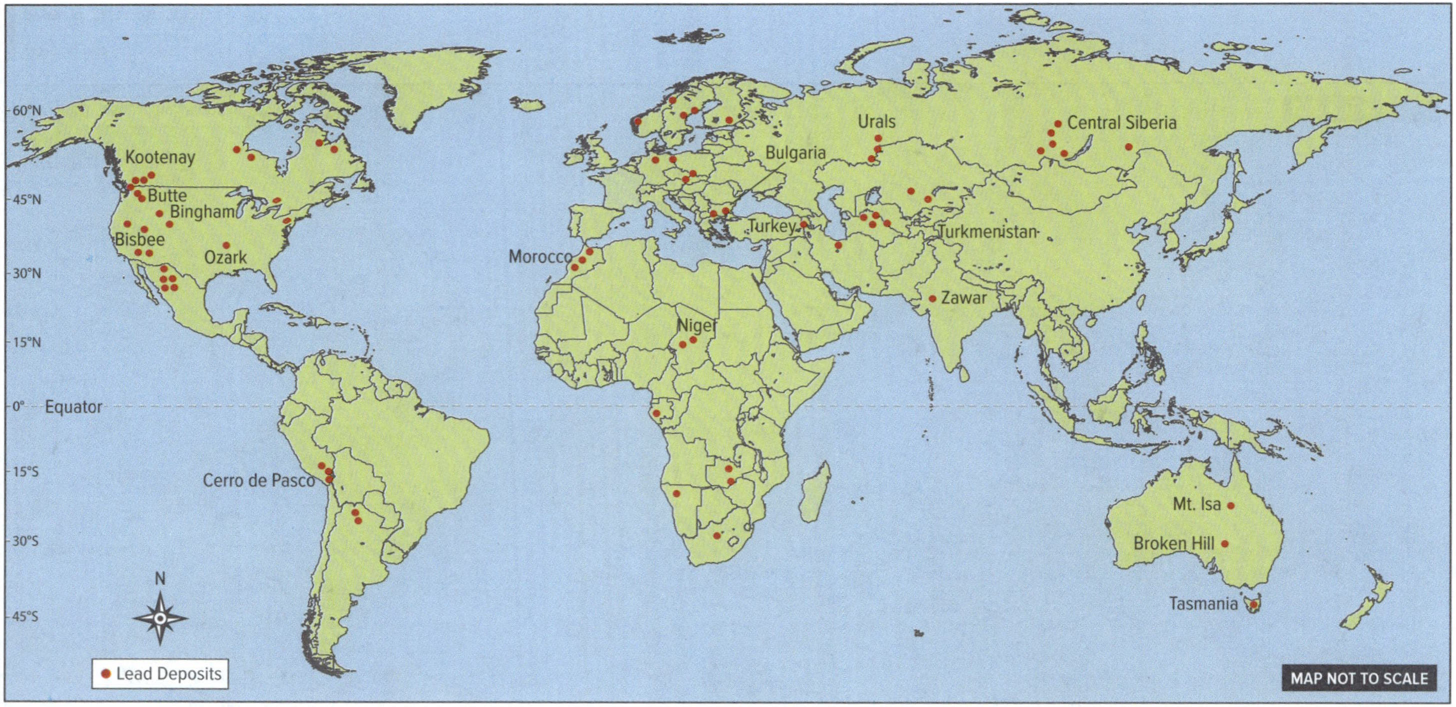

चित्र 8.16
विश्व में सीसा के भंडार

चित्र 8.17
विश्व में जिंक के भंडार

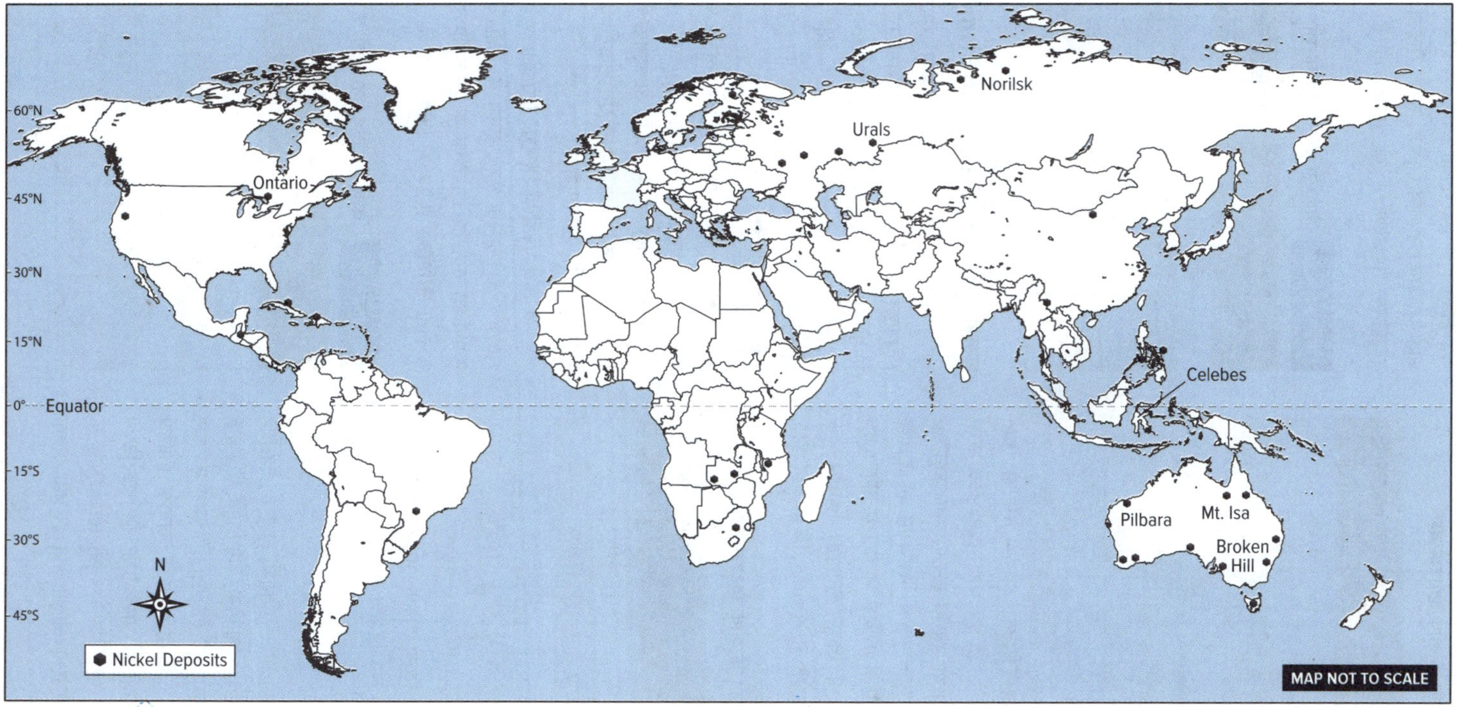

चित्र 8.18
विश्व में निकल के भंडार

तालिका 8.24 विश्व में कोबाल्ट के शीर्ष उत्पादक देश

क्र.सं.	देश	2023 में कोबाल्ट का उत्पादन (मीट्रिक टन में)
1.	कांगो लोकतांत्रिक गणराज्य	170,000
2.	इंडोनेशिया	17,000
3.	रूस	8,000
4.	ऑस्ट्रेलिया	4,600
5.	मेडागास्कर	4,000

लिथियम (Lithium)

लिथियम एक नरम, रजत-श्वेत (सिल्वर-व्हाइट) रंग की धातु है तथा सभी धातुओं में सबसे हल्की है। यह अपने उच्च ऊर्जा घनत्व के कारण रिचार्जेबल बैटरियों, विशेष रूप से स्मार्टफोन एवं इलेक्ट्रिक वाहनों के लिए बहुत महत्वपूर्ण है। लिथियम का उपयोग मूड-स्थिर करने वाली दवाओं में तथा मिश्र धातुओं में शक्ति एवं स्थायित्व को बढ़ाने के लिए भी किया जाता है। लिथियम के शीर्ष उत्पादकों को **तालिका 8.25** में सूचीबद्ध किया गया है।

तालिका 8.25 विश्व में लिथियम के शीर्ष उत्पादक देश

क्र.सं.	देश	2023 में लिथियम का उत्पादन (मीट्रिक टन में)
1.	ऑस्ट्रेलिया	86,000
2.	चिली	44,000
3.	चीन	33,000
4.	अर्जेंटीना	9,600
5.	ब्राजील	4,900

अर्जेंटीना, बोलीविया और चिली दक्षिण अमेरिका के एंडीज क्षेत्र में स्थित लिथियम त्रिकोण का निर्माण करते हैं।

टाइटेनियम (Titanium)

टाइटेनियम मजबूत, हल्की एवं संक्षारण-प्रतिरोधी धातु है, जिसका उपयोग एयरोस्पेस, चिकित्सा एवं औद्योगिक अनुप्रयोगों में किया जाता है। इसे मुख्य रूप से इल्मेनाइट ($FeTiO_3$) तथा रूटाइल (TiO_2) जैसे अयस्कों से प्राप्त किया जाता है, जबकि एनाटेज तथा ब्रूकाइट से यह कम मात्रा में प्राप्त होता है। टाइटेनियम के वजन की तुलना मे इसकी अत्यधिक मजबूती के अनुपात के कारण यह विमान के घटकों के लिए आदर्श धातु है। वहीं अपनी जैव-संगतता के कारण यह चिकित्सा प्रत्यारोपण के लिए मूल्यवान धातु है। इसका उपयोग पेंट्स में सफेद रंगद्रव्य एवं संक्षारण-प्रतिरोधी औद्योगिक उपकरणों में भी किया जाता है।

तालिका 8.26 विश्व में टाइटेनियम के शीर्ष उत्पादक देश

क्र.स.	देश	2023 में टाइटेनियम का उत्पादन (मीट्रिक टन में)
1.	चीन	2,20,000
2.	जापान	60,000
3.	रूस	20,000
4.	कजाकिस्तान	14,000
5.	सऊदी अरब	12,000

दुर्लभ मृदा तत्व (Rare Earth Elements)

दुर्लभ मृदा तत्व 17 रासायनिक रूप से समान धातुओं, अर्थात् 15 लैंथेनाइड्स (लैंथेनम, सेरियम, प्रासियोडाइमियम, नियोडाइमियम, प्रोमेथियम, समेरियम, यूरोपियम, गेडोलिनियम, टर्बियम, डिसप्रोसियम, होल्मियम, एर्बियम, थुलियम, यिट्रियम और लुटेटियम), स्कैंडियम और यिट्रियम; का एक समूह है, जो आधुनिक प्रौद्योगिकी के लिये बहुत महत्वपूर्ण है।

ये तत्व उच्च कार्यनिष्पादन वाली चुंबकों, उत्प्रेरकों एवं स्मार्टफोन, पवन टर्बाइन तथा इलेक्ट्रिक वाहनों में इलेक्ट्रॉनिक घटकों के निर्माण के लिए बहुत आवश्यक हैं। ये तत्व हरित ऊर्जा प्रौद्योगिकियों को आगे बढ़ाने एवं तकनीकी नवाचारों को बनाए रखने के लिए महत्वपूर्ण हैं।

ये तत्व पृथ्वी में 'दुर्लभ' नहीं हैं। यद्यपि, इनकी खनन योग्य सांद्रता में उपलब्धता बहुत दुर्लभ है। यही कारण है कि इन्हें यह नाम दिया गया है। इन तत्वों के शीर्ष वैश्विक उत्पादक देशों का उल्लेख **तालिका 8.27** में किया गया है।

तालिका 8.27 विश्व में दुर्लभ मृदा तत्वों के शीर्ष उत्पादक देश

क्र.सं.	देश	2023 में उत्पादन (मीट्रिक टन में)
1.	चीन	240,000
2.	अमेरिका	43,000
3.	म्यांमार	38,000
4.	ऑस्ट्रेलिया	18,000
5.	थाईलैंड	7,100

यूपीएससी प्रारंभिक परीक्षा के विगत वर्षों के प्रश्न

1. भारत के कतिपय तटीय क्षेत्रों में, प्रचुर मात्रा में उपलब्ध इल्मेनाइट और रूटाइल निम्नलिखित में से किसके समृद्ध स्रोत हैं? (2023)

(a) ऐलुमिनियम
(b) ताम्र
(c) लोह
(d) टाइटेनियम

उत्तर कुंजी

1. (d)

यूपीएससी मुख्य परीक्षा विगत वर्षों के प्रश्न

1. विश्व में खनिज तेल के असमान वितरण के बहुआयामी प्रभावों की विवेचना कीजिए (2021, 15 अंक)

इस अध्याय पर वैचारिक वीडियो देखने के लिए कृपया यहां दिए गए क्यूआर कोड को स्कैन करें

अध्याय

9

कृषि (AGRICULTURE)

अध्याय की रूपरेखा (Chapter Outline)

✓*याद रखने की युक्ति (Learning Trick)* **त्वरित पुनरावलोकन (Quick Revision)*

खेतों की जुताई करने, फसलें उगाने एवं उनकी कटाई करने, पशुधन एवं जानवरों को घरों में रखने एवं पालने की कला या विज्ञान को कृषि के रूप में जाना जाता है। कृषि भूगोल कृषि गतिविधियों में स्थानिक भिन्नता का अध्ययन है, जिसमें ऐसी विविधताओं का वर्णन एवं उन्हें समझाने का प्रयास दोनों शामिल हैं।

विश्व के कृषि क्षेत्र (AGRICULTURAL REGIONS OF THE WORLD)

वर्ष 1936 में डी. व्हिटलेसी ने विश्व की पहली कृषि प्रणाली का विस्तार से वर्णन किया था। उन्होंने विश्व के कृषि क्षेत्रों के सीमांकन के लिए निम्नलिखित पाँच मानदंडों का उपयोग किया, जो निम्नलिखित हैं:

1. फसल एवं पशुधन का संयोजन
2. सघन भूमि उपयोग
3. कृषि उपज का प्रसंस्करण एवं विपणन
4. मशीनीकरण का अनुपात
5. कृषि से जुड़े भवनों एवं अन्य संरचनाओं का संघ

व्हिटलेसी द्वारा वर्णित विश्व के इन कृषि क्षेत्रों को चित्र 9.1 में दर्शाया गया है तथा नीचे चर्चा की गई है:

खानाबदोश पशुपालन (Nomadic Herding)

खानाबदोश पशुपालन कृषि की एक पारिस्थितिक या निकट पारिस्थितिक प्रणाली है। यह मुख्य रूप से परिवार के लिए भोजन का उत्पादन करने तथा कपड़े, आश्रय एवं मनोरंजन की

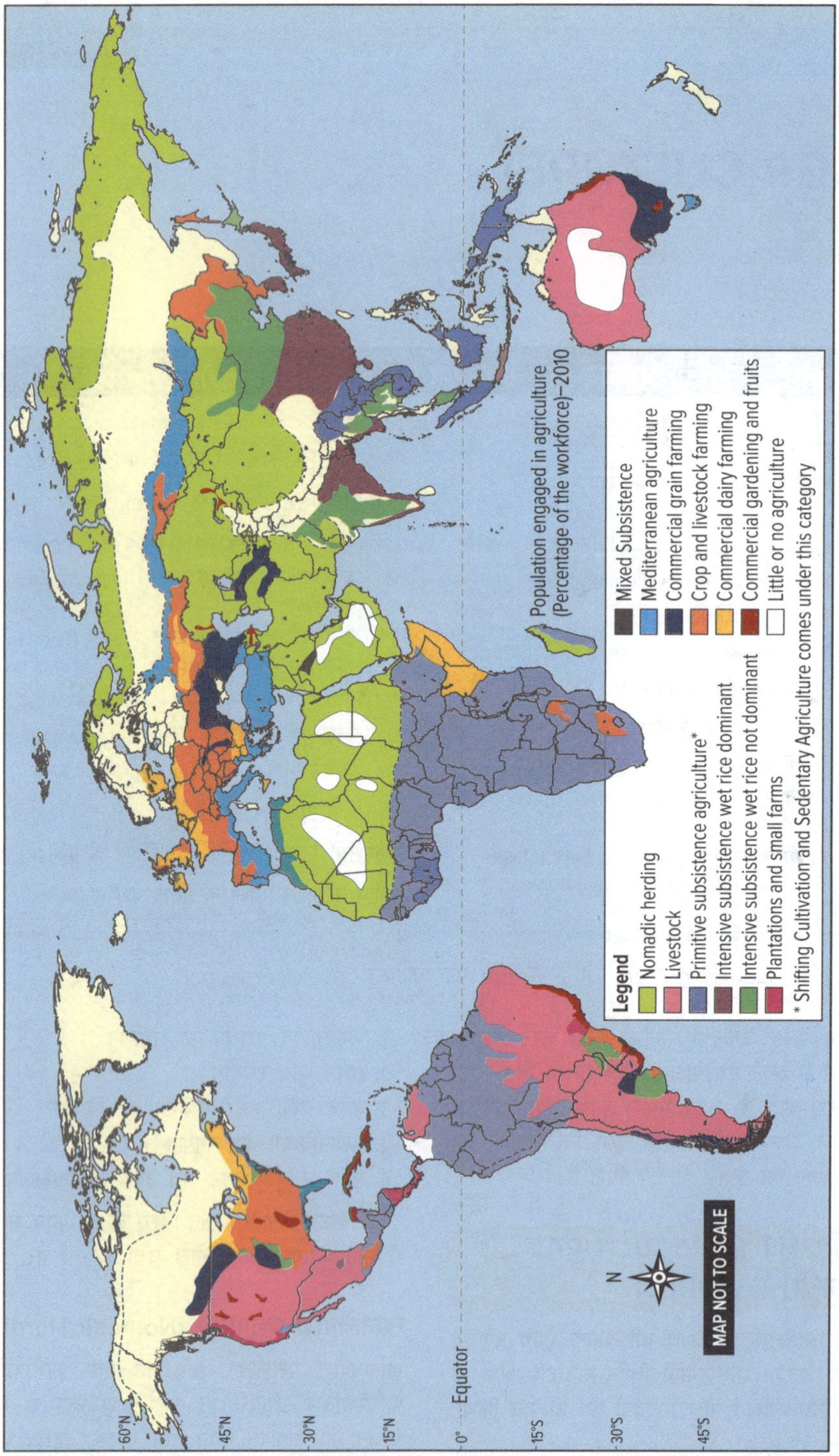

चित्र 9.1
विश्व कृषि क्षेत्र (डी. व्हिटलेसी के अनुसार)

आवश्यकताओं को पूरा करने के लिए किया जाता है। यह पशुपालन का सबसे सरल रूप है। खानाबदोश पशुपालक ऐसे जानवरों पर निर्भर होते हैं, जो उस क्षेत्र विशेष में प्राकृतिक रूप से पाये जाते हैं, जैसे- भेड़, बकरी, ऊँट, घोड़े और हिरन आदि। खानाबदोश पशुपालकों किसी एक विशेष स्थान पर रहने की अवधि तथा उनकी आवाजाही की दिशा पानी एवं प्राकृतिक चारे की उपलब्धता पर निर्भर करती है।

इस समय खानाबदोश पशुपालन मुख्य रूप से सहारा अफ्रीका (मॉरिटानिया, माली, नाइजर, चाड, सूडान, लीबिया, अल्जीरिया), एशिया के दक्षिण-पश्चिमी और मध्य भागों (ईरान, इराक, जॉर्डन, कुवैत, कजाकिस्तान, किर्गिजिया, ओमान, सऊदी अरब, सीरिया, तुर्कमेनिस्तान और यमन), यूरोप और एशिया के उत्तरी भागों (नॉर्वे, स्वीडन, फिनलैंड और रूस) तक ही सीमित है। उप-आर्कटिक क्षेत्रों में एस्किमो, इनुइट, लैप्स तथा याकूत बारहसिंगों एवं मछलियों आदि पर निर्भर हैं। कठोर जलवायु के कारण ये क्षेत्र कृषि के लिए अनुपयुक्त हैं। रेगिस्तानी क्षेत्रों में खानाबदोश पशुपालकों का भोजन अधिकतर पशुओं से प्राप्त होने वाली चीजों (दूध, पनीर, दही, मक्खन, मांस, आदि) से प्राप्त होता है। यद्यपि, खानाबदोश चरवाहों की आबादी कम हो रही है तथा अतीत में उनका जहां वर्चस्व था, वे क्षेत्र भी सिकुड़ रहे हैं। ऐसा प्रतीत होता है कि वास्तविक खानाबदोश जीवन उपर्युक्त क्षेत्रों के कुछ छोटे पृथक क्षेत्रों में ही विद्यमान है।

फार्म पशुपालन (Livestock Ranching)

फार्म पशुपालन अपेक्षाकृत समतल सतह एवं उन मैदानी क्षेत्रों में किया जाता है, जहाँ घास बहुतायत में उगती है। यह अधिकतर समशीतोष्ण एवं उष्णकटिबंधीय घास के मैदानों- स्टेपीज (यूरेशिया), प्रेयरीज (उत्तरी अमेरिका), पम्पास (अर्जेंटीना एवं उरुग्वे; जहां अल्फाल्फा घास बहुतायत में है), वेल्ड्स (दक्षिण अफ्रीका), डाउन्स (ऑस्ट्रेलिया), सवाना (सूडान), लानोस (वेनेजुएला) और कैम्पोस (ब्राजील और पैराग्वे) में किया जाता है। वाणिज्यिक चराई के प्रमुख क्षेत्र उत्तरी अमेरिका, दक्षिण अमेरिका, ऑस्ट्रेलिया, न्यूजीलैंड और दक्षिण अफ्रीका के घास के मैदान हैं।

प्रेयरी घास के मैदानों में हजारों खेत हैं, जिनमें से प्रत्येक 1000 एकड़ से अधिक हैं। मवेशियों में सफेद चेहरे वाली हियरफोर्ड नस्ल के मवेशी, काली एवं सफेद फ्रीजियन गाय, जर्सी गाय और भेड़ की बेहतरीन नस्लें शामिल हैं। हर साल लाखों मवेशियों एवं भेड़ों को बड़ा करके विशाल बूचड़खानों में ले जाया जाता है।

फार्म पशुपालन एवं खानाबदोश पशुपालन के बीच अंतर निम्नवत है:

1. खानाबदोश पशुपालन अधिक आदिम है। पशुओं की पैदावार में सुधार करने के लिए प्रौद्योगिकी का उपयोग नहीं किया जाता है।
2. फार्म पशुपालन विशिष्ट भूमि क्षेत्र में किया जाता है।
3. इसमें खानाबदोश पशुपालन की तरह किसानों एवं उनके झुंड की कोई आवाजाही नहीं होती है।

स्थानांतरित कृषि (स्लैश एंड बर्न या झूमिंग) (Shifting Cultivation (Slash and Burn or Jhuming))

स्थानांतरित कृषि का इतिहास भी कृषि के इतिहास जितना ही पुराना है। स्थानांतरित कृषि मृदा के उपयोग का एक आदिम रूप है। यह कृषि सामान्य रूप से उष्णकटिबंधीय वर्षा वनों में की जाती है **(चित्र 9.2)**। स्थानांतरित कृषि की मुख्य विशेषताएँ निम्नलिखित हैं:

1. इसमें भूमि पूरे समुदाय की होती है।
2. किसान परिवार के उपभोग के लिए फसल उगाते हैं।
3. इसमें आग, खुदाई करने के लिये छड़ियों, कुदाल एवं दरांती का उपयोग किया जाता है।
4. इसमें भारवाहक जानवरों का उपयोग नहीं होता है।
5. इसमें खाद एवं उर्वरकों का उपयोग नहीं होता है।
6. इसमें मिश्रित फसल (लगभग एक दर्जन फसलें मिश्रित रूप से बोई जाती हैं)।
7. इसमें बस्तियाँ स्थायी होती हैं, लेकिन खेतों को लगभग हर साल बदल दिया जाता है।
8. खेतों का रोटेशन चक्र 10 से 25 साल तक अलग-अलग हो सकता है।
9. कृषि की सघनता बहुत कम होती है। यद्यपि, इस प्रकार की कृषि पर्यावरण की दृष्टि से बहुत संवहनीय नहीं है, क्योंकि इसमें कृषि भूमि प्राप्त करने के लिए विशाल वन क्षेत्रों को काटना (और/या जलाना) होता है।

स्थिर कृषि (Sedentary Agriculture)

इस प्रकार की कृषि में खेतों का बदलकर उपयोग करने के बजाय फसलों का बदल-बदल कर उपयोग किया जाता है। इसमें किसान जमीन के भू-क्षेत्र विशेष पर नियंत्रण रख पाते हैं और इस तरह स्थायी बस्ती एवं कार्यक्षेत्र विकसित होता है।

यह कृषि मुख्य रूप से उष्णकटिबंधीय मध्य एवं दक्षिण अमेरिका, अफ्रीका और दक्षिण पूर्व एशिया में प्रचलित है।

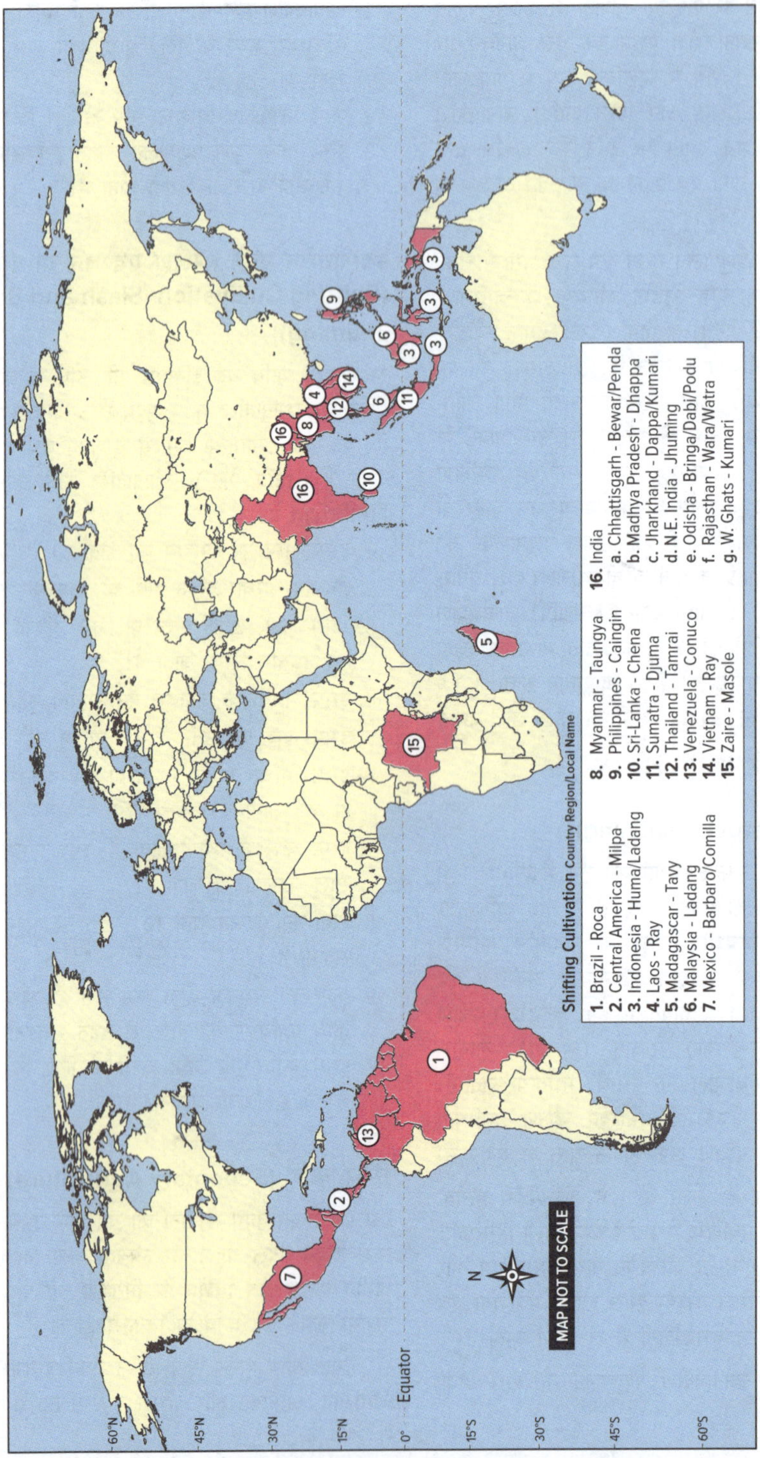

चित्र 9.2
स्थानांतरित कृषि

गहन निर्वाह कृषि (Intensive Subsistence Agriculture)

निर्वाह कृषि में किसानों द्वारा उगायी गयी फसलों का उपभोग किसान एवं उसके परिवार के सदस्यों द्वारा किया जाता है, अर्थात इनका अधिकतर उपयोग किसानों के 'निर्वाह' के लिए होता है, न कि व्यावसायिक बिक्री के लिये। यह कृषि अधिकतर एशिया एवं अफ्रीका के मानसूनी देशों में की जाती है। गहन निर्वाह कृषि की मुख्य विशेषताएं इस प्रकार हैं:

1. जोत/खेत का छोटा आकार होना।
2. बिखरे हुए खेत।
3. भारवाहक पशुओं का उपयोग।
4. घरेलू श्रम का उपयोग।
5. मशीनरी एवं उन्नत प्रौद्योगिकी का कम उपयोग।
6. अनाजयुक्त फसलों को महत्व
7. सामान्य ऋण ग्रस्तता

नमी की उपलब्धता के आधार पर इस प्रकार की कृषि को निम्नवत वर्गीकृत किया जा सकता है:

1. धान के साथ गहन निर्वाह (नम क्षेत्रों में चावल प्रमुख फसल के रूप में बोयी जाती है।)
2. धान के बिना गहन निर्वाह (शुष्क मानसूनी जलवायु में जहां गेहूं, मक्का, बाजरा आदि जैसी गैर-चावल प्रधान फसलें प्रमुख रूप से बोयी जाती हैं)।

हाल ही में भारत एवं चीन जैसे देशों में गहन वाणिज्यिक प्रकार की कृषि का विकास हुआ है, जहां कृषि में विकास के कारण किसान निर्वाह स्तर से परे अधिशेष उत्पादन करने में सक्षम हैं। यह अधिशेष उत्पादन बाजारों में बेचा जा रहा है, जिससे किसानों को कुछ अतिरिक्त आय हो रही है।

मिश्रित निर्वाह कृषि (Mixed Subsistence Farming)

कृषि का यह प्रकार मुख्य रूप से उत्तरी यूरोप, मध्य पूर्व और मैक्सिको के कुछ भागों में अपनाया जाता है। यहाँ फसलों का उत्पादन एवं पशुधन का पालन, दोनों ही किसानों के अपने उपभोग के लिए किया जाता है। इसमें बाजारों में बिक्री के लिए अधिक अधिशेष उपलब्ध नहीं होता है।

बागान कृषि (Plantation Agriculture)

'रोपण या बागान कृषि' शब्द का मूल रूप से उपयोग अमेरिका में ब्रिटिश बस्तियों के लिये और बाद में उत्तर अमेरिका, वेस्ट इंडीज और दक्षिण पूर्व एशिया (और अब अफ्रीका में भी) किसी भी बड़ी भू-संपत्ति के लिए किया गया था, जिनमें कृषि मुख्य रूप से एशिया एवं अफ्रीका के मजदूरों द्वारा की जाती थी। बागान कृषि विश्व के गर्म एवं आर्द्र उपोष्णकटिबंधीय क्षेत्रों में की जाती है। बागान कृषि की मुख्य विशेषताएँ निम्नवत हैं:

1. यह मुख्य रूप से उष्णकटिबंधीय देशों में नकदी फसलें उगाने के लिए की जाती है।
2. बागान सम्पदा का आकार सामान्य रूप से बड़ा होता है।
3. यह एक विशेष वाणिज्यिक कृषि है।
4. बागान कृषि में भूमि पर विशेष रूप से रबर, तेल-ताड़, खोपरा, कपास, चाय, कॉफी, भांग, मसाले, कोको, अनानास, केला, गन्ना, गांजा और पटसन (जूट) की कृषि की जाती है।
5. यह कृषि विशेष कौशल के साथ एवं जहाँ भी संभव हो, मशीनरी के उपयोग से निष्पादित की जाती है।
6. इसमें उर्वरकों एवं कीटनाशकों का अत्यधिक उपयोग किया जाता है।
7. एक ही पेड़/पौधे से अनेक वर्षों तक उपज प्राप्त होती है, इसलिए फसल की उपज सावधानी से प्राप्त की जानी चाहिए ताकि पौधों को नुकसान न हो।
8. अधिकांश बागान भू-सम्पदाओं में विपणन योग्य उत्पाद बनाने के लिए कारखाने होते हैं।

विस्तीर्ण या व्यापक कृषि (Extensive Agriculture)

व्यापक कृषि मध्य अक्षांशों के महाद्वीपीय क्षेत्रों में की जाती है, जहाँ 60 सेमी से भी कम वर्षा होती है। इसका सर्वोत्तम विकास रूस, मध्य एशिया, उत्तरी अमेरिका के मध्य एवं पश्चिमी मैदानों (प्रेयरी) के स्टेपीज जैसे समशीतोष्ण घास के मैदानों में होता है। व्यापक कृषि की मुख्य विशेषताएँ निम्नलिखित हैं:

1. जोत का आकार बड़ा होता है, जो 240 से 16,000 हेक्टेयर तक होता है।
2. इसमें मानव श्रम का बहुत कम उपयोग तथा मशीनों का अत्यधिक उपयोग होता है।
3. प्रति हेक्टेयर उपज कम होती है।
4. यह कम आबादी वाले क्षेत्रों में प्रचलित है।
5. केवल गेहूँ की खेती प्रमुख फसल पद्धति है। अन्य फसलों में जौ, जई, राई, सन एवं तिलहन महत्वपूर्ण हैं।
6. अधिकांश उपज बाजारों में बेची जाती है या निर्यात की जाती है। यही कारण है कि कृषि का यह प्रकार वाणिज्यिक कृषि है।

भूमध्यसागरीय कृषि प्रणाली (Mediterranean Agricultural System)

इस प्रकार की कृषि यूरोप, एशिया माइनर, कैलिफोर्निया, मध्य चिली, दक्षिण अफ्रीका के केप प्रांत तथा तस्मानिया सहित पश्चिमी

ऑस्ट्रेलिया के दक्षिण-पश्चिम में भूमध्य सागर के तटीय क्षेत्रों तक ही सीमित है। भूमध्यसागरीय कृषि की मुख्य विशेषताएँ निम्नवत हैं:

1. खट्टे फलों के बागों में विशेषज्ञता होती है। बागान कृषि के बाद अनाज प्राथमिकता में दूसरे स्थान पर बोया जाता हैं।
2. सर्दियों के मौसम में गेहूं तथा जौ मुख्य फसलें होती हैं।
3. कृषि जोतों का आकार मध्यम से लेकर विशाल आकार तक भिन्न-भिन्न होता है।
4. शुष्क ग्रीष्म ऋतु के कारण विशेष रूप से गर्मियों के दौरान सिंचाई की जाती है।
5. बेलें, अंजीर, जैतून आदि की खेती कृषि भूमि के बड़े भू-भाग पर की जाती हैं।
6. पहाड़ी क्षेत्रों में भेड़ पालन सामान्य बात है।

मिश्रित कृषि या वाणिज्यिक फसलें एवं पशुपालन (Mixed Farming or Commercial Crops and Livestock)

मिश्रित कृषि में फसलों का उत्पादन एवं पशुपालन दोनों शामिल होता है। यह कृषि पूरे यूरोप एवं उत्तरी अमेरिका (90 डिग्री देशांतर के पूर्व) में पायी जाती है। मिश्रित कृषि की मुख्य विशेषताएँ निम्नवत हैं:

1. यह समशीतोष्ण अक्षांशों के घनी आबादी वाले तथा शहरीकृत क्षेत्रों में की जाती है।
2. इसमें कृषि जोत का आकार बड़ा होता है।
3. इसमें मशीनों का अत्यधिक उपयोग किया जाता है।
4. इस कृषि से उच्च लाभ प्राप्त होता है।
5. वाणिज्यिक फसलों के अलावा, पशुओं, सूअरों एवं मुर्गी पालन के लिए फसलें उगाई जाती हैं।
6. कृषि भूमि पर चारा (घास) और मक्का की फसल उगायी जाती है।
7. सर्दियों के मौसम में पशुओं को चारा वाली फसलें, घास, सूखा चारा और सांद्र खिलाया जाता है।

डेयरी फार्मिंग (Dairy Farming)

दूध तथा दूध उत्पादों (मक्खन, पनीर, दही, गाढ़ा एवं पाउडर युक्त दूध) के लिए मवेशियों को रखना डेयरी फार्मिंग के रूप में जाना जाता है। यह मुख्य रूप से यूरोप, उत्तर एवं दक्षिण अमेरिका,

त्वरित पुनरावलोकन (Quick Revision)

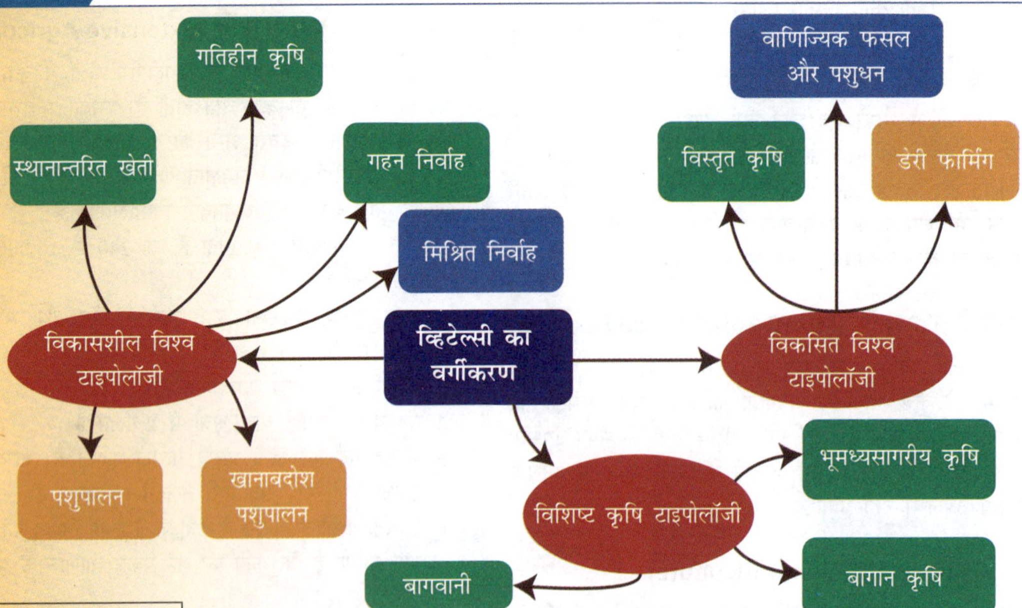

LEGEND
- फसल आधारित
- पशु आधारित
- मिश्रित

विकासशील: मुख्य रूप से विकासशील या अल्पविकसित दुनिया में प्रचलित
विकसित: मुख्य रूप से विकसित दुनिया में प्रचलित
विशेषीकृत: विशेष कटाई और पौधों की देखभाल के ज्ञान की आवश्यकता होती है क्योंकि प्रत्येक पौधा कई फसलें देता है, और इसलिए इसे संरक्षित करने की आवश्यकता होती है।

दक्षिण अफ्रीका, ऑस्ट्रेलिया एवं न्यूजीलैंड के समशीतोष्ण प्रदेशों में, अर्थात नम पश्चिमी समुद्री जलवायु में प्रचलित है,। डेयरी फार्मिंग की मुख्य विशेषताएँ निम्नवत हैं:

1. डेयरी कृषि में अत्यधिक पूंजी की आवश्यकता होती है। पशुधन के लिए आधारभूत संरचना विकसित करने के लिए इसमें बहुत अधिक राशि की आवश्यकता होती है।
2. इसमें मशीनों का अत्यधिक उपयोग होता है।
3. किसानों को दुधारू पशुओं की देखभाल के लिए लंबे समय तक काम करना पड़ता है।
4. यह कृषि प्राय: बड़े शहरों के आस-पास की जाती है, जहाँ इन उत्पादों की बहुत अधिक माँग होती है।

बागवानी या ट्रक कृषि (Horticulture Or Truck Farming)

विशेष रूप से सब्जियों, फलों एवं फूलों की विशेष कृषि को बागवानी या ट्रक कृषि के रूप में जाना जाता है। यह मुख्य रूप से उत्तर पूर्व अमेरिका, कनाडा (झील क्षेत्र) के अत्यधिक औद्योगिक, शहरीकृत क्षेत्रों एवं यूरोप, ऑस्ट्रेलिया तथा न्यूजीलैंड के महानगरीय क्षेत्रों के उपनगरों में प्रचलित है। विकसित देशों के शहरों में सब्जियों एवं फलों की भारी माँग होती है। अब इसे विकासशील देशों के शहरों के आसपास भी विकसित किया जा रहा है। इस प्रकार की कृषि की मुख्य विशेषताएँ निम्नवत हैं:

1. इसमें कृषि जोतों का आकार अपेक्षाकृत छोटा होता है।
2. ये बाग पक्की सड़कों से अच्छी तरह से जुड़े हुए होते हैं।
3. ट्रक फार्म सामान्य रूप से बाजारों से 10-12 घंटों की दूरी पर होते हैं, जिससे ट्रकों के माध्यम से इनका परिवहन संभव हो जाता है। इसी कारण इस तरह की कृषि को ट्रक कृषि नाम भी दिया गया है।
4. इसमें अधिक पूंजी की आवश्यकता होती है तथा मशीनों का अत्यधिक उपयोग किया जाता है।
5. इस प्रकार की कृषि वैज्ञानिक तरीके से की जाती है।
6. इसमें सब्जियों एवं फलों को हाथों से तोड़ा जाता है।

विश्व की प्रमुख फसलें (MAJOR CROPS OF THE WORLD)

विश्व की कुछ प्रमुख फसलों, उनकी वृद्धि संबंधी आवश्यकताओं एवं उनके सबसे बड़े उत्पादकों का उल्लेख **तालिका 9.1** में किया गया है।

तालिका 9.1 विश्व की प्रमुख फसलें

फसल	आवश्यक भौगोलिक परिस्थितियाँ.	प्रमुख उत्पादक	रोचक तथ्य
चावल	तापमान 20°से. से 25°से.; न्यूनतम वर्षा 100 सेमी; चिकनी मृदा	चीन, भारत, बांग्लादेश, इंडोनेशिया, वियतनाम। विश्व में अग्रणी निर्यातक: भारत। (चित्र 9.3)	• यह मूल रूप से एशिया की फसल है। • यह विश्व की आधी से अधिक आबादी का मुख्य भोजन है। इसमें उच्च आर्द्रता की आवश्यकता होती है।
गेहूँ	तापमान 10°से. से 25°से.; वर्षा 50 से 75 सेमी; दोमट मृदा जो अच्छी तरह से सूखी हो।	चीन, यूरोपीय संघ, भारत, रूस, अमेरिका। विश्व में अग्रणी निर्यातक: रूस (चित्र 9.4)।	• यह मूल रूप से दक्षिण-पश्चिम एशिया की फसल है। • विश्व स्तर पर दूसरी सबसे महत्वपूर्ण खाद्य फसल। फसल पकने के दौरान तेज धूप की आवश्यकता होती है।
जौ	तापमान 10°से. से 25°से.; वर्षा 50 से 75 सेमी; अच्छी तरह से सूखी हुयी दोमट मृदा।	यूरोपीय संघ, रूस, ऑस्ट्रेलिया, कनाडा, तुर्की। विश्व में अग्रणी निर्यातक: ऑस्ट्रेलिया (चित्र 9.5)।	• यह मूलत: उत्तरी अफ्रीका तथा एशिया के कुछ भागों की फसल है। • जौ सबसे पुराने कृषि वाले अनाजों में से एक है, जिसकी कृषि के प्रमाण 10,000 साल से भी पहले उपजाऊ अर्धचंद्र क्षेत्र की प्राचीन सभ्यताओं में मिलते हैं। • जौ बीयर उत्पादन में एक प्रमुख घटक है, माल्टेड जौ किण्वन के लिए आवश्यक चीनी प्रदान करता है और पेय के स्वाद एवं रंग में योगदान देता है।
मक्का	तापमान 15°से. से 25°से.; वर्षा 40 से 75 सेमी; अच्छी तरह से सूखी हुई दोमट मृदा।	अमेरिका, चीन, ब्राजील, यूरोपीय संघ, अर्जेंटीना। विश्व में अग्रणी निर्यातक: ब्राजील (चित्र 9.6)।	• यह मूलत: मध्य अमेरिका और मैक्सिको की फसल है। • इस फसल का उपयोग भोजन, पशु चारा और औद्योगिक उद्देश्यों आदि बहुप्रयोजनार्थ किया जाता है। C4 प्रकाश संश्लेषक पाथवे (photosynthetic pathway) इसे गर्म जलवायु में पनपने के लिये दक्ष बनाता है। जैव ईंधन (इथेनॉल, बायोडीजल) के उत्पादन के लिए इसका उपयोग किया जाता है।

(Continued)

तालिका 9.1 *(Continued)*

फसल	आवश्यक भौगोलिक परिस्थितियाँ	प्रमुख उत्पादक	रोचक तथ्य
मिलेट	तापमान। 20°से. से 27°से.; वर्षा 50 से 75 सेमी; मध्यम दर से पानी रिसने वाली दोमट मृदा।	भारत, नाइजर, चीन, माली, नाइजीरिया। विश्व में अग्रणी निर्यातक: यूएसए (चित्र 9.7)।	• यह फसल मूल रूप से अधिकतर अफ्रीकी और भारतीय उपमहाद्वीप में पायी जाती है। • इसमें छोटे दाने वाले अनाजों का समूह है; यह सूखे में भी पैदावार देने तथा पोषण मूल्य के लिए जानी जाती है। उदाहरण: ज्वार, बाजरा, रागी।
सोयाबीन	तापमान 15°से. से 22°से.; वर्षा 20 से 60 सेमी; मध्यम दर से पानी रिसने वाली दोमट मृदा।	ब्राजील, यूएसए, अर्जेंटीना, चीन, भारत। विश्व में अग्रणी निर्यातक: ब्राजील (चित्र 9.8)।	• यह फसल मूलतः पूर्वी एशिया से है। • सोयाबीन का उपयोग बहुप्रयोजनार्थ होता है। इसका उपयोग टोफू, सोया दूध तथा एडामे जैसे खाद्य पदार्थों से लेकर बायोडीजल, प्लास्टिक और औद्योगिक स्नेहक जैसे गैर-खाद्य उत्पादों तक, अनेक तरह के उत्पादों में किया जाता है।
गन्ना	तापमान 20°से. से 27°से.; वर्षा 100 से 150 सेमी; मध्यम दर से पानी रिसने वाली दोमट मृदा।	ब्राजील, भारत, चीन, पाकिस्तान, थाईलैंड, मैक्सिको, क्यूबा, कोलंबिया। प्रमुख निर्यातक: म्यांमार (चित्र 9.9)।	• यह फसल मूलतः न्यू गिनी से है। • इस फसल के लिये अत्यधिक जल की आवश्यकता होती है। इसका उपयोग चीनी और गुड़ के उत्पादन के लिए किया जाता है। गन्ने के उपोत्पादों का उपयोग इथेनॉल (नवीकरणीय जैव ईंधन) के उत्पादन में किया जाता है, जो इसे खाद्य और ऊर्जा उद्योगों दोनों के लिए एक महत्वपूर्ण फसल बनाता है।
चुकंदर	तापमान 10° से. से 20° से.; वर्षा 40 से 50 से.मी.; मध्यम दर से पानी रिसने वाली दोमट मृदा।	रूस, फ्रांस, यूएसए, जर्मनी, तुर्की। विश्व में अग्रणी निर्यातक: जर्मनी (चित्र 9.9)।	• यह मूलतः भूमध्यसागरीय क्षेत्र की फसल है। • चुकंदर विश्व की लगभग 20 प्रतिशत चीनी प्रदान करता है, जबकि शेष 80 प्रतिशत चीनी गन्ने से प्राप्त होती है। • चुकंदर से चीनी निकालने के बाद बचा हुआ गूदा पशु आहार के रूप में उपयोग किया जाता है, जबकि उपोत्पादों का उपयोग इथेनॉल एवं बायोगैस बनाने के लिए भी किया जाता है।
कपास	तापमान 18° से. से 25° से.; वर्षा 50 से 75 से.मी.; 180 ठंड रहित दिन।	चीन, भारत, ब्राजील, यूएसए, पाकिस्तान। विश्व में अग्रणी निर्यातक: चीन (चित्र 9.10)।	• यह मूलतः भारतीय उपमहाद्वीप (काली मृदा वाले क्षेत्र) की फसल है। • यह नकदी फसल है; इससे निकलने वाले रेशे का उपयोग कपड़ा बनाने के लिए किया जाता है। इस फसल में फूल आने के दौरान आसमान साफ होना चाहिए तथा धागा बनाने के दौरान नमी आवश्यक है। इस फसल में कीटों एवं बीमारियों, जैसे बॉलवर्म के प्रकोप की अत्यधिक संभावना रहती है। इसके निवारण के लिये बीटी कॉटन, जीएम कपास किस्म बनाई गई है।
रबर (प्राकृतिक)	तापमान 22°से. से 27°से.; वर्षा 150 से 200 सेमी.; अच्छी तरह से शुष्क जलोढ़ मृदा।	थाईलैंड, इंडोनेशिया, वियतनाम, भारत, चीन। विश्व में अग्रणी निर्यातक: थाईलैंड (चित्र 9.11)।	• यह फसल मूलतः ब्राजील की है। • यह नकदी फसल है; रबर के पेड़ों से निकाले गए लेटेक्स को विभिन्न रबर उत्पादों में संसाधित किया जाता है। इस फसल के लिये उच्च आर्द्रता और विशिष्ट मृदा की स्थिति की आवश्यकता होती है। • इस फसल के कारण उष्णकटिबंधीय वर्षा वनों की जैव विविधता को खतरा पैदा होता है, क्योंकि रबर के बागानों के लिए इन वर्षा वनों को काट दिया जाता है।
पाम ऑयल	तापमान: 25 से 28 डिग्री सेल्सियस; वर्षा 200 सेमी से अधिक।	इंडोनेशिया, मलेशिया, थाईलैंड, कोलंबिया और नाइजीरिया। विश्व में अग्रणी निर्यातक: इंडोनेशिया।	• यह फसल मूल रूप से भूमध्यरेखीय अफ्रीका की है। इसका उपयोग खाना पकाने, कॉस्मेटिक उद्योग और यहां तक कि जैव ईंधन के उत्पादन के लिए भी किया जाता है। इसे औपनिवेशिक शक्तियों द्वारा दक्षिण पूर्व एशिया में लाया गया था। इस समय इसकी कृषि दक्षिण पूर्व एशिया के उष्णकटिबंधीय वर्षा वनों के लिए उच्च जोखिम पैदा कर रही है। इन वर्षा वनों को पाम ऑयल के बागानों का विस्तार करने के लिए साफ किया जा रहा है।

(Continued)

तालिका 9.1 *(Continued)*

फसल	आवश्यक भौगोलिक परिस्थितियाँ	प्रमुख उत्पादक	रोचक तथ्य
चाय	तापमान: 15 डिग्री सेल्सियस से 25 डिग्री सेल्सियस; वर्षा 100 से 150 सेमी; पहाड़ी ढलानों पर मध्यम दर से पानी रिसने वाली मृदा।	चीन, भारत, केन्या, श्रीलंका, तुर्किये। विश्व में अग्रणी निर्यातक: चीन **(चित्र 9.12)**।	• चीन, उत्तर पूर्व भारत तथा म्यांमार के कुछ भागों में पायी जाती है। • यह पेय एवं बागान फसल है। इसकी पत्तियों से काली चाय, हरी चाय आदि बनाई जाती है। इसके लिए विशिष्ट जलवायु परिस्थितियों और हाथ से कटाई की आवश्यकता होती है।
कॉफी	तापमान 20°से. से 25°से.; वर्षा 100 से 150 से.मी.; अच्छी जलोढ़ मृदा।	ब्राजील, वियतनाम, कोलंबिया, इथियोपिया, इंडोनेशिया। विश्व में अग्रणी निर्यातक: ब्राजील **(चित्र 9.13)**।	• यह फसल मूलत: अफ्रीका (इथियोपिया) की है। • पेय फसल; कॉफी बनाने के लिए बीजों को भूनकर और पीसकर बनाया जाता है। इसके लिए विशेष छाया की स्थिति और अच्छी तरह से वितरित वर्षा की आवश्यकता होती है।
काकाओ (कोको)	तापमान 20°से. से 27°से.; वर्षा 150 से 200 से.मी.; अच्छी जलोढ़ मृदा।	आइवरी कोस्ट, घाना, इंडोनेशिया, इक्वाडोर, कैमरून। विश्व में अग्रणी निर्यातक: आइवरी कोस्ट **(चित्र 9.14)**।	• यह मूलत: मध्य एवं दक्षिण अमेरिका की फसल है। • कोको बीन्स चॉकलेट में मुख्य घटक है। यह प्राचीन मेसोअमेरिकन संस्कृतियों में इतने मूल्यवान थे कि इन्हें मुद्रा के रूप में इस्तेमाल किया जाता था। • कोको बीन्स को किण्वित कर और फिर भूनकर कोको बटर निकाला जाता है, जो चॉकलेट में मुख्य घटक है।
तम्बाकू	तापमान 18° से 25°से.; वर्षा 75 से 100 सेमी; पूरी तरह शुष्क जलोढ़ मृदा।	चीन, भारत, ब्राजील, इंडोनेशिया, यूएसए। विश्व में अग्रणी निर्यातक: ब्राजील **(चित्र 9.15)**।	• यह फसल मूलत: मेक्सिको एवं मध्य अमेरिका की है। • सिगरेट में इसके उपयोग के अलावा, तम्बाकू का उपयोग पारंपरिक चिकित्सा में इसके एनाल्जेसिक गुणों और विभिन्न बीमारियों, जैसे दर्द से राहत एवं पाचन संबंधी समस्याओं के इलाज के लिए किया जाता था। इसका उपयोग घावों एवं संक्रमणों के ईलाज के लिए पुल्टिस के रूप में भी किया जाता था।
मूंगफली	तापमान 20°से. से 25°से.; वर्षा 50 से 75 सेमी; मध्यम दर से पानी रिसने वाली दोमट से रेतीली दोमट मृदा।	चीन, भारत, नाइजीरिया, अर्जेंटीना, यूएसए। विश्व में अग्रणी निर्यातक: भारत **(चित्र 9.16)**।	• यह फसल मूलत: दक्षिण अमेरिका, विशेष रूप से ब्राजील एवं पैराग्वे की है। • मूंगफली एक फलीदार फसल है, जो मृदा को नाइट्रोजन से समृद्ध करती है। यह फसल चक्रण के लिए फायदेमंद है तथा मृदा की उर्वरता में सुधार करती है।
सेब	तापमान 15°से. से 20°से.; वर्षा 50 से 100 सेमी; मध्यम दर से पानी रिसने वाली जलोढ़ मृदा।	चीन, यूरोपीय संघ, यूएसए, तुर्की, भारत। विश्व में अग्रणी निर्यातक: इटली **(चित्र 9.17)**।	• यह फसल मूलत: मध्य एशियाई क्षेत्र की है।
केला	तापमान 18°से. से 25°से.; वर्षा 100 सेमी; अच्छी जलोढ़ मृदा।	भारत, चीन, इंडोनेशिया, ब्राजील, इक्वाडोर। विश्व में अग्रणी निर्यातक: इक्वाडोर **(चित्र 9.17)**।	• यह फसल मूलत: दक्षिण पूर्व एशिया की है। • केले को बेरीज के रूप में वर्गीकृत किया जाता है और ये थोड़े रेडियोधर्मी होते हैं, लेकिन खाने के लिए सुरक्षित होते हैं।
अंगूर	तापमान 15°से. से 20°से.; वर्षा 60 सेमी; अच्छी जलोढ़ मृदा।	चीन, इटली, स्पेन, यूएसए, फ्रांस। विश्व में अग्रणी निर्यातक: चिली **(चित्र 9.18)**।	• यह फसल मूलत: भूमध्य सागर की है। इसका उपयोग वाइन बनाने के लिए किया जाता है।

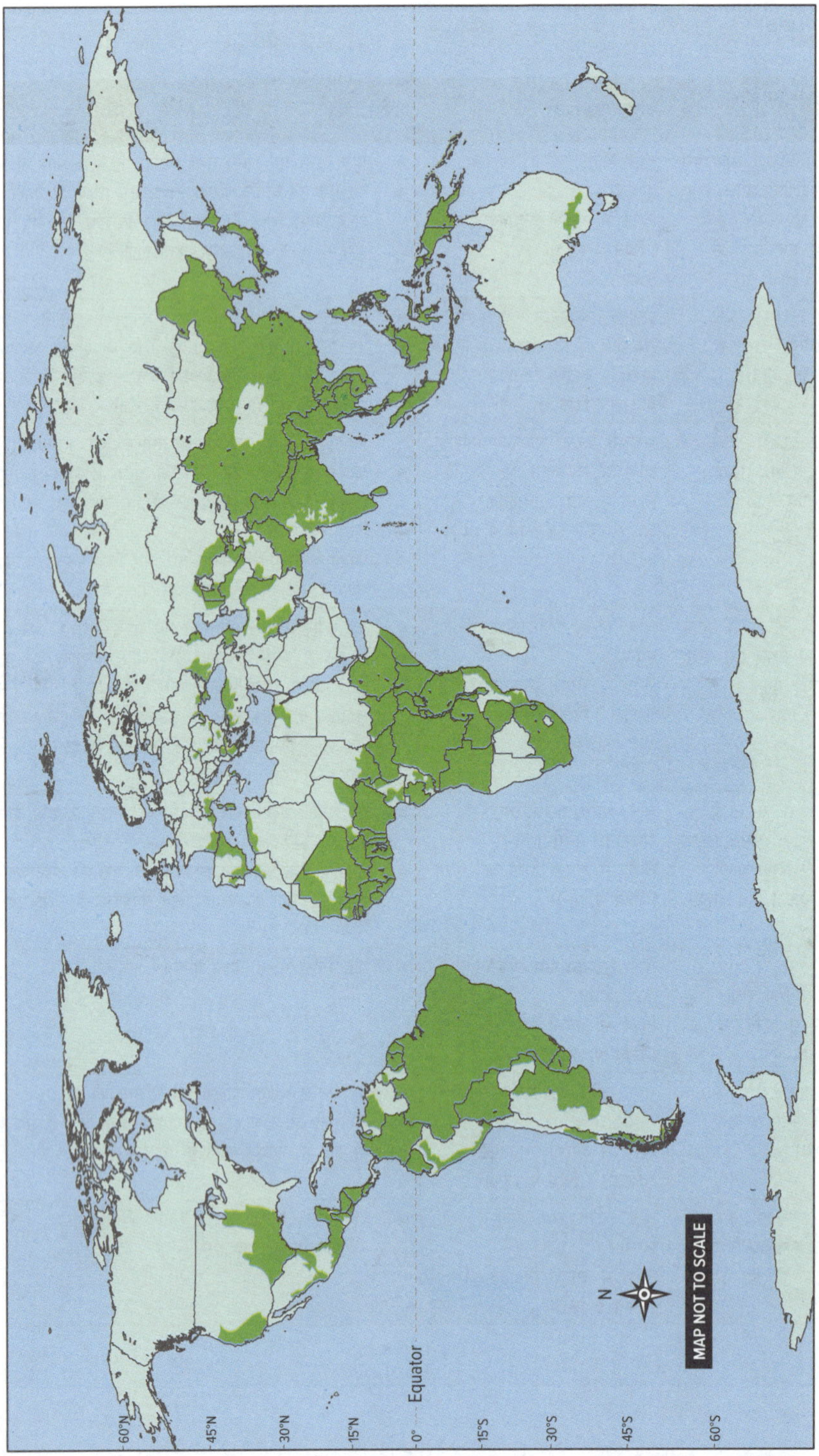

चित्र 9.3
विश्व के चावल उत्पादक क्षेत्र

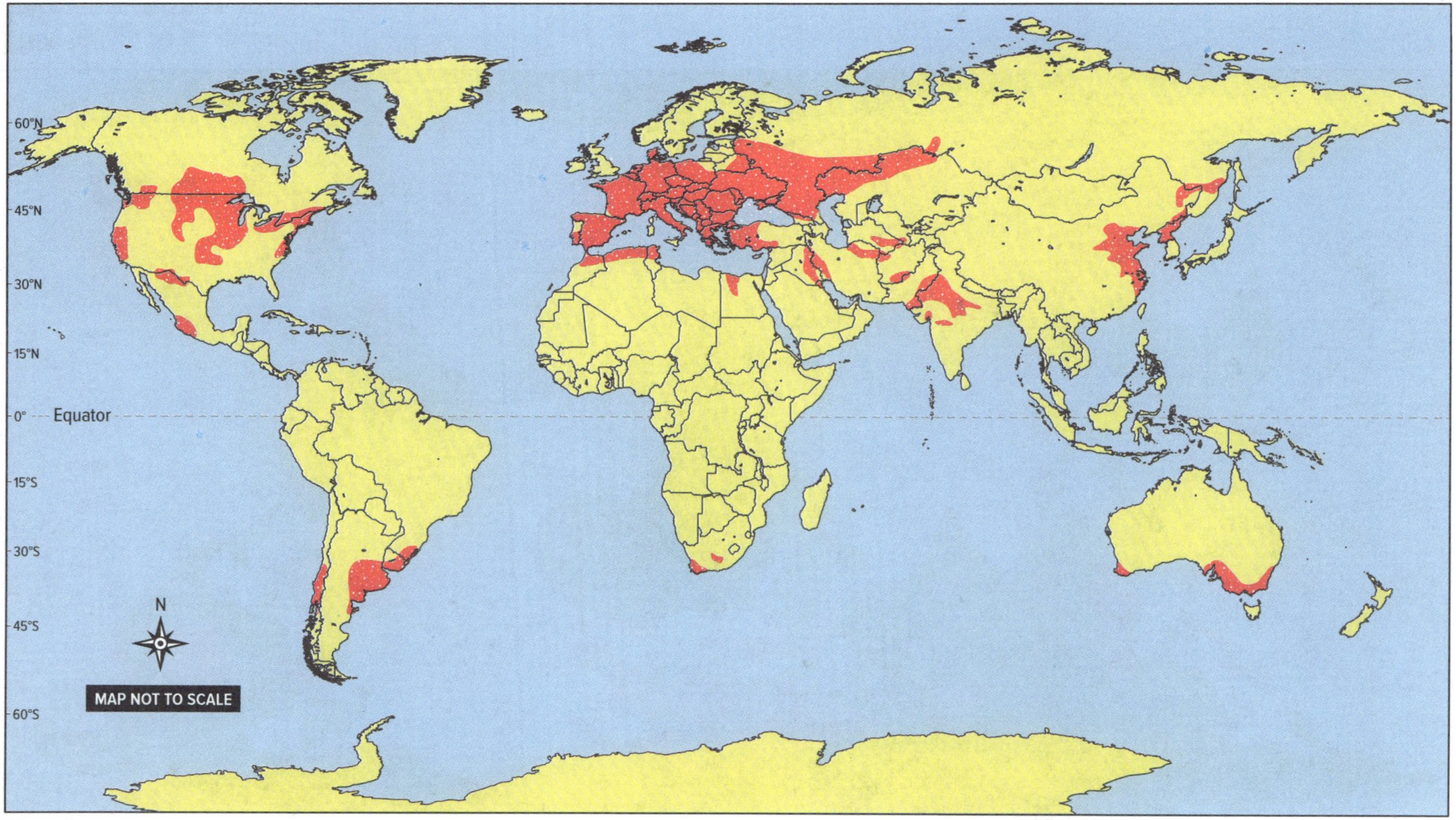

चित्र 9.4
विश्व के गेहूँ उत्पादक क्षेत्र

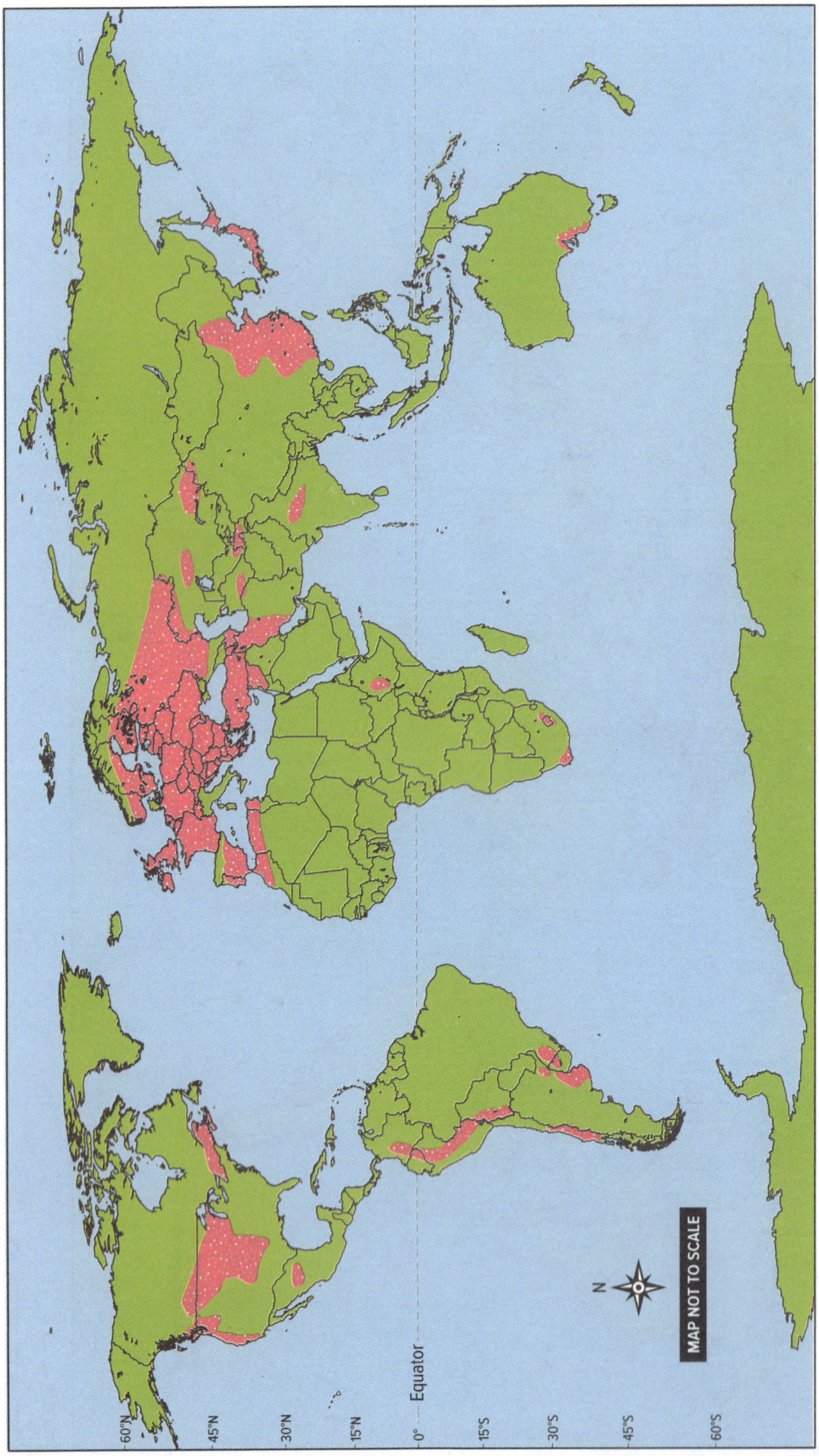

चित्र 9.5
विश्व के मुख्य जौ उत्पादक क्षेत्र

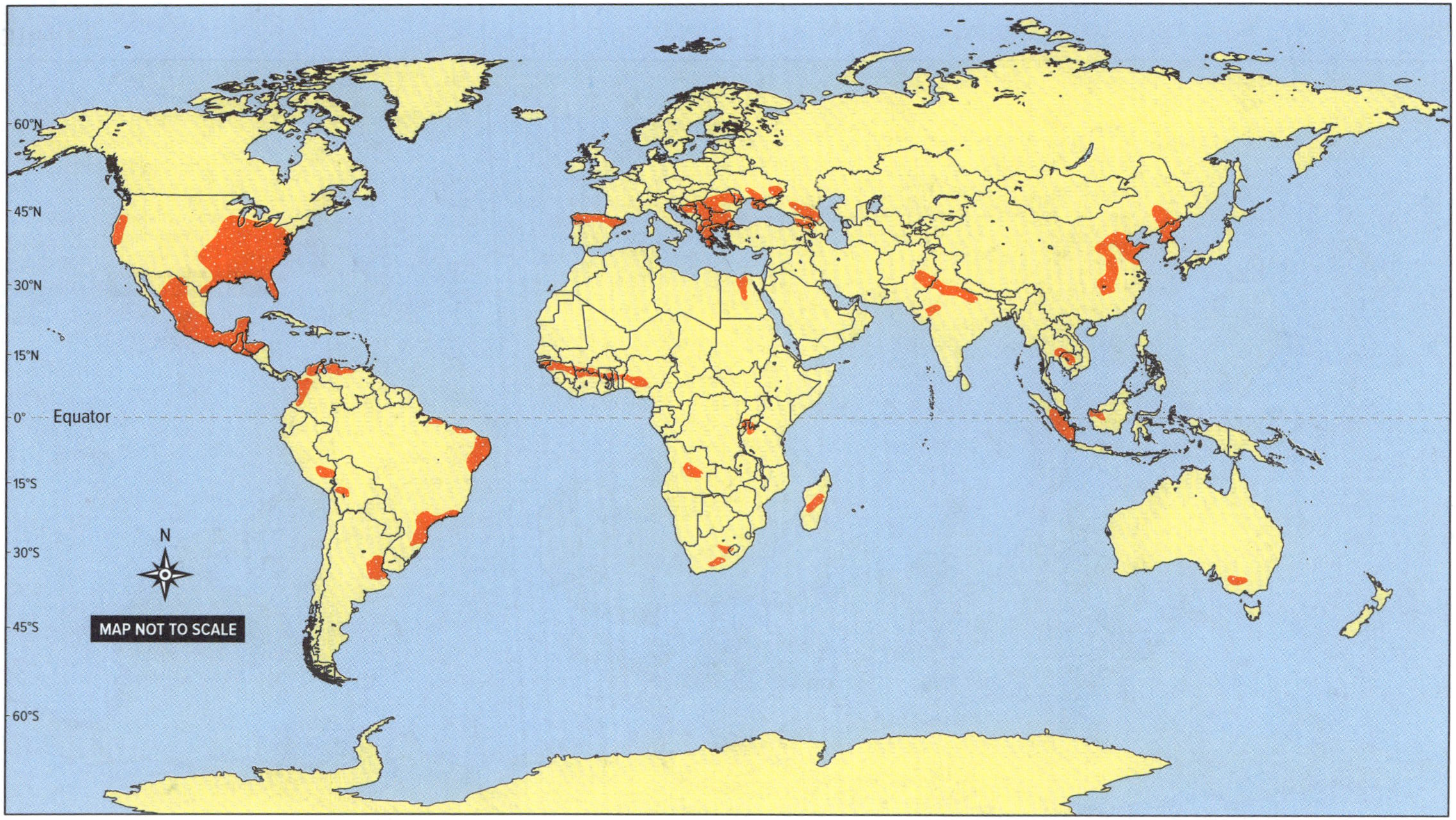

चित्र 9.6
विश्व के मुख्य मक्का उत्पादक क्षेत्र

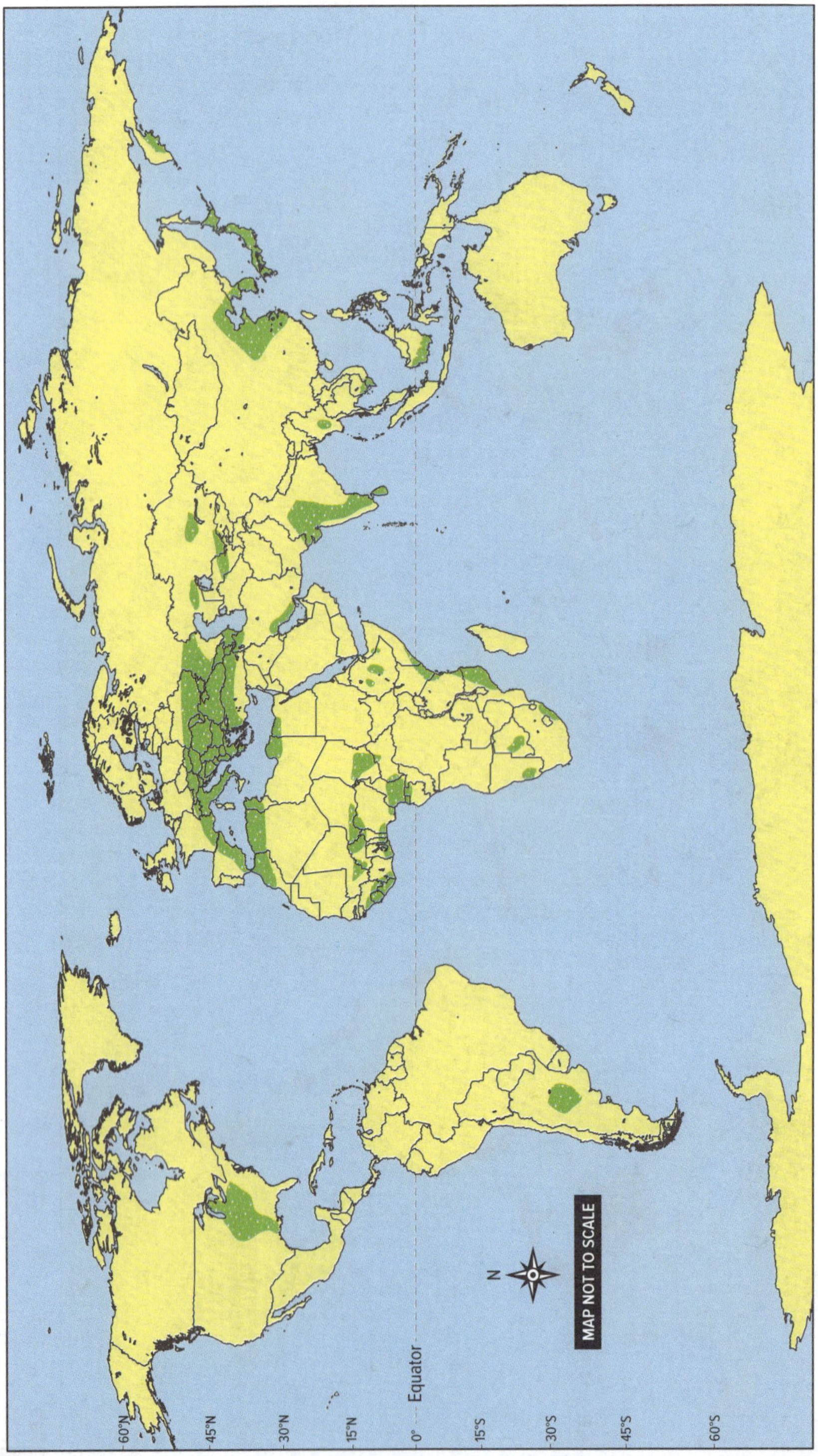

चित्र 9.7
विश्व के बाजरा एवं ज्वार उत्पादक क्षेत्र

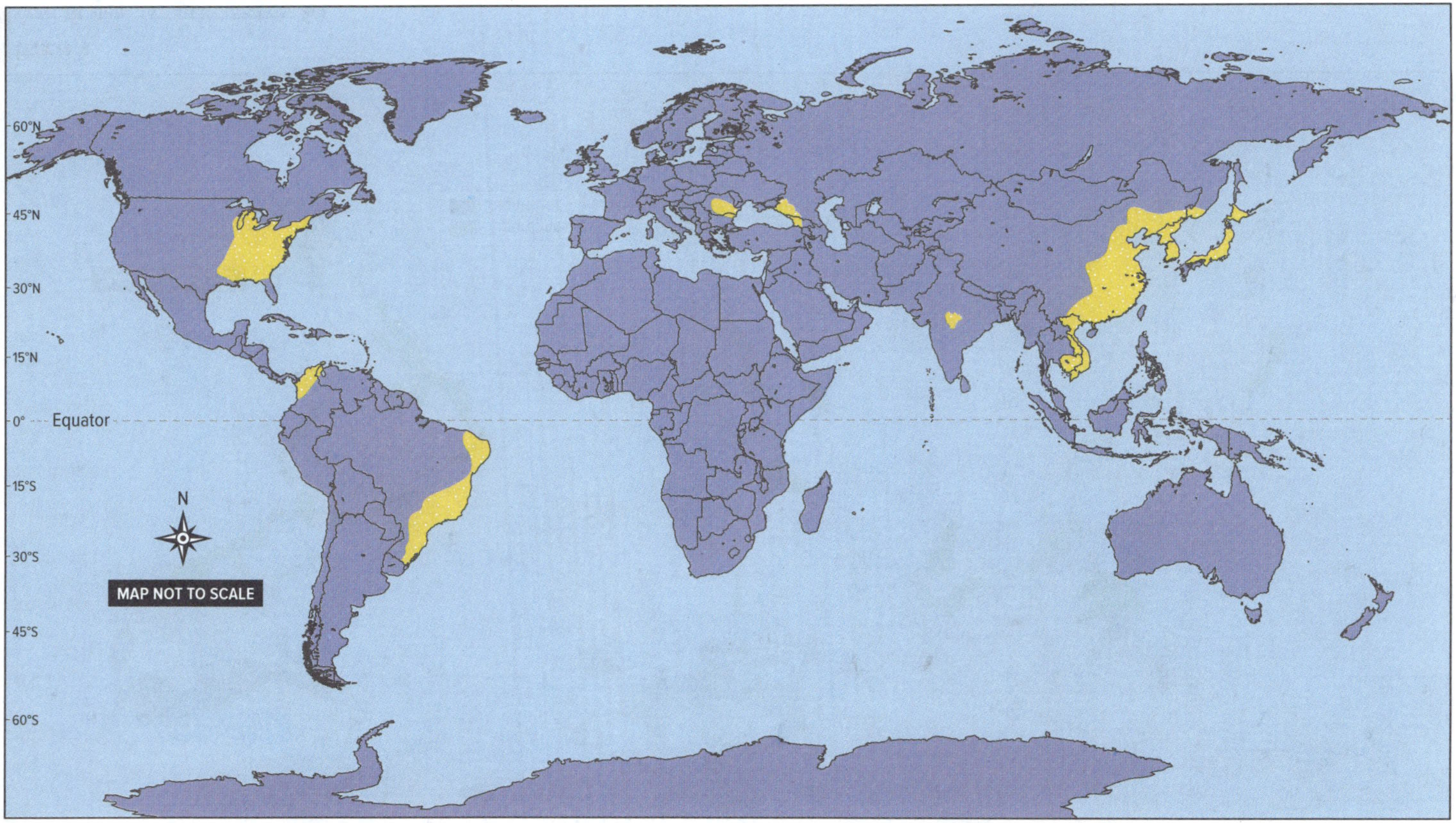

चित्र 9.8

विश्व के सोयाबीन उत्पादक क्षेत्र

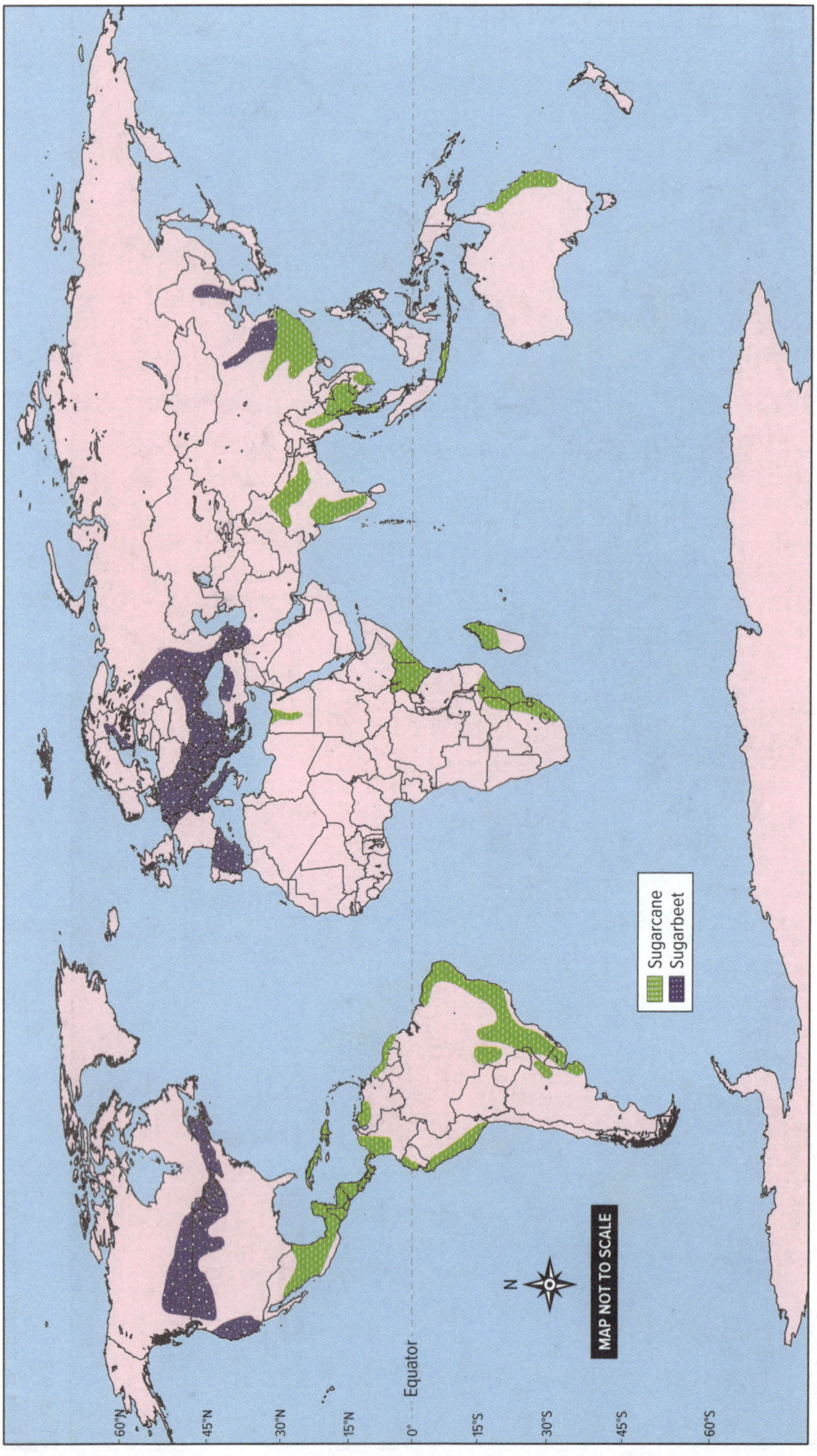

चित्र 9.9
विश्व के गन्ना एवं चुकंदर उत्पादक क्षेत्र

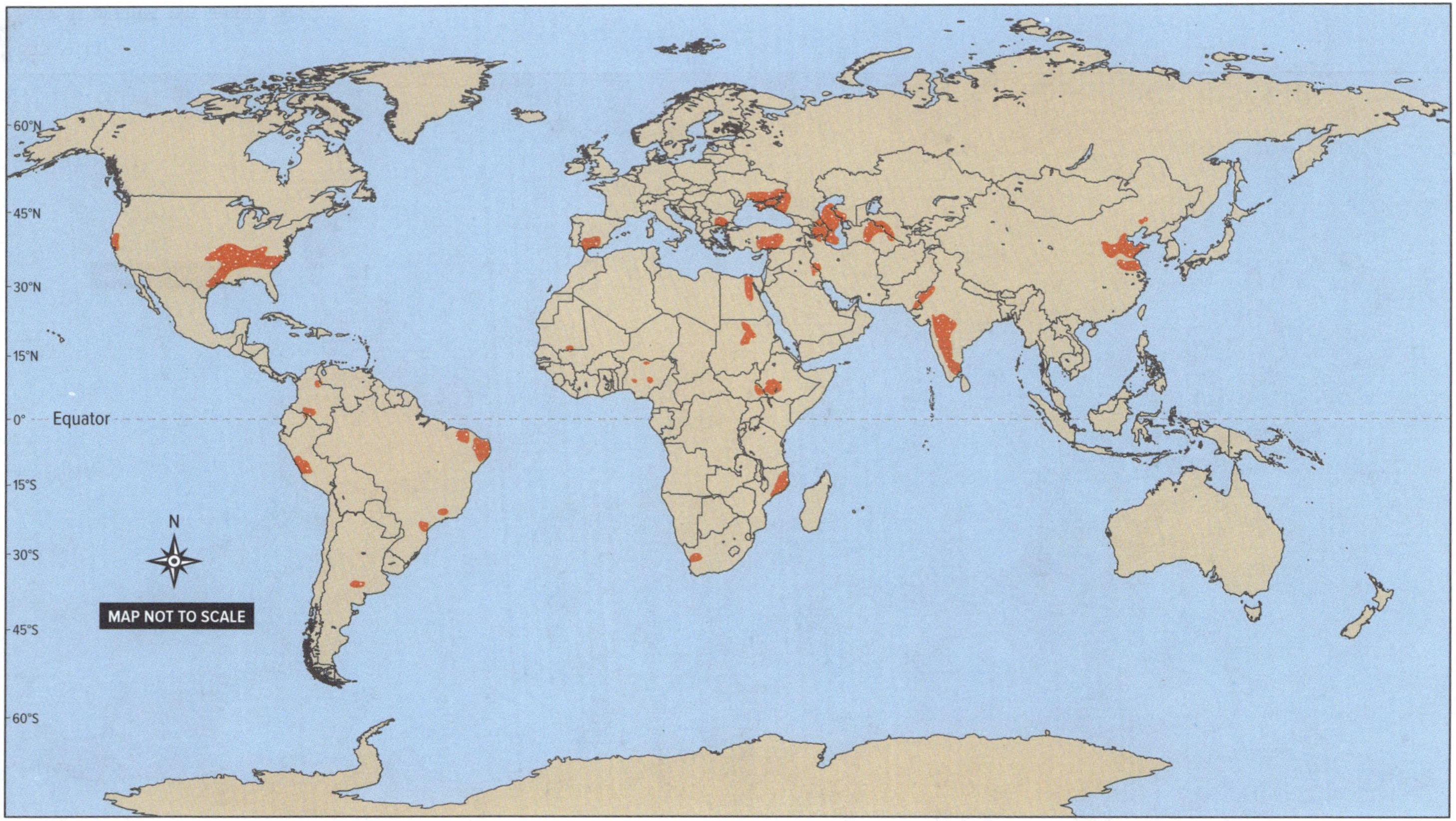

चित्र 9.10
विश्व के कपास उत्पादक क्षेत्र

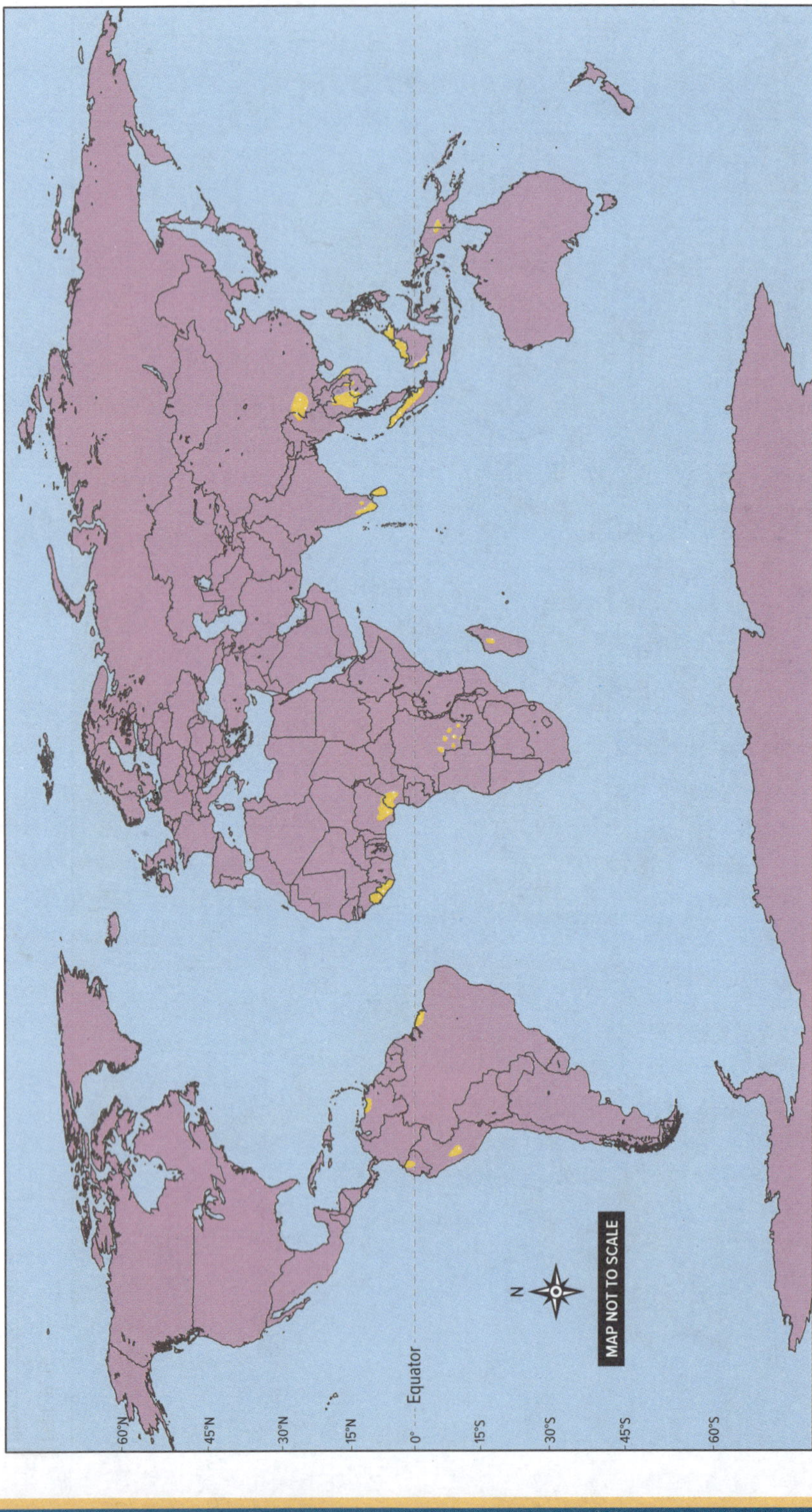

चित्र 9.11
विश्व के प्राकृतिक रबर उत्पादक क्षेत्र

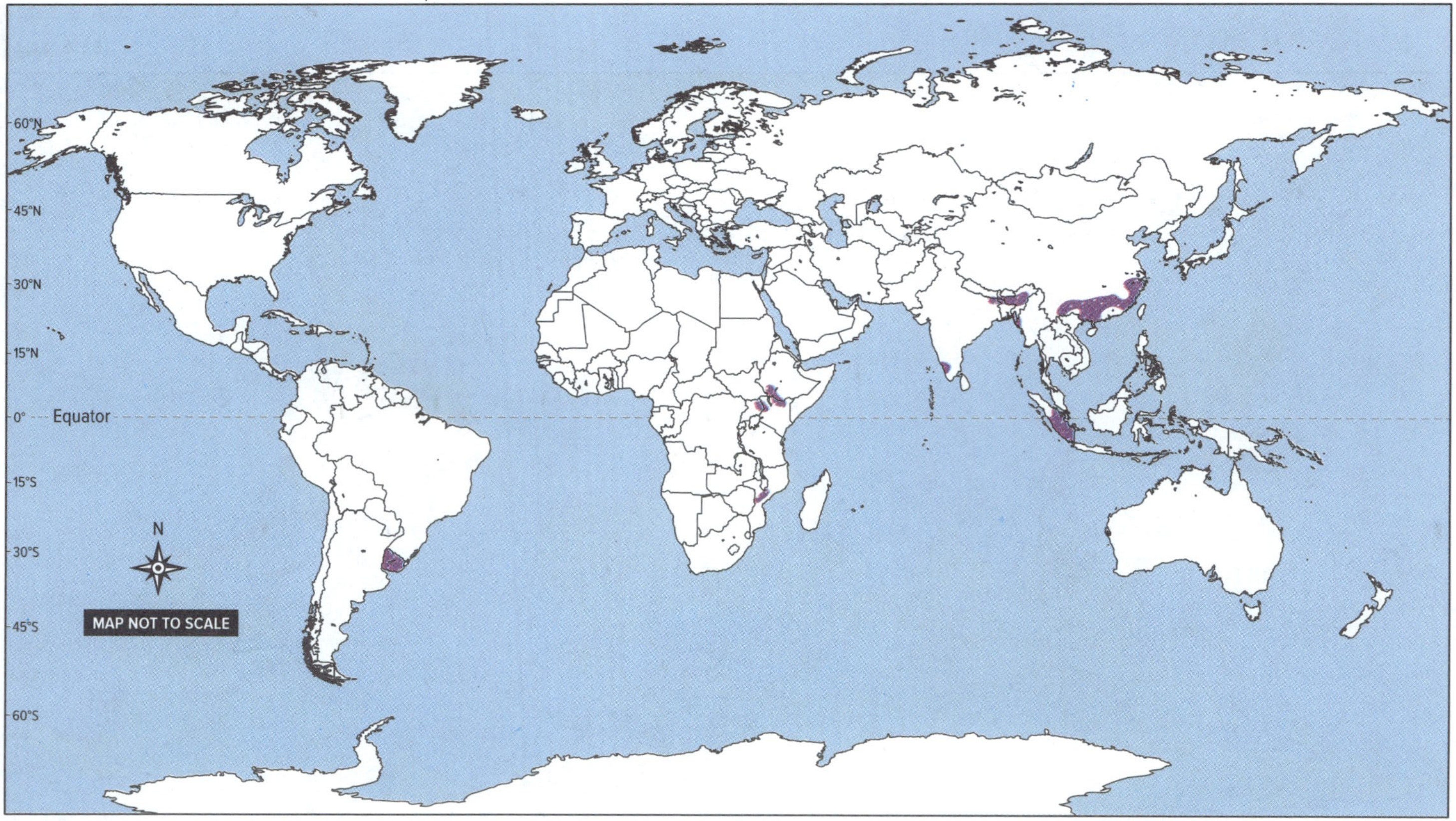

चित्र 9.12
विश्व के चाय उत्पादक क्षेत्र

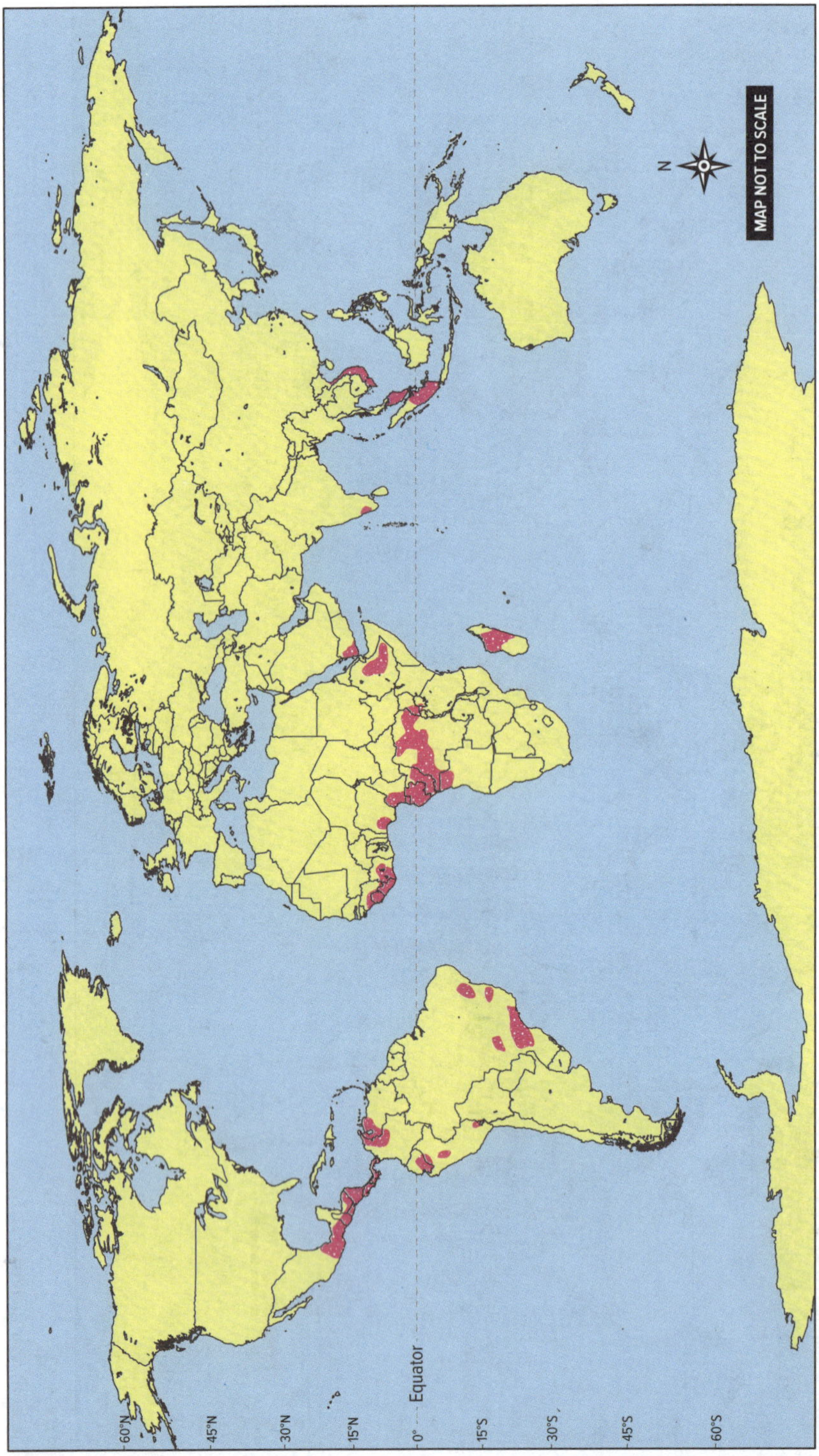

चित्र 9.13
विश्व के कॉफी उत्पादक क्षेत्र

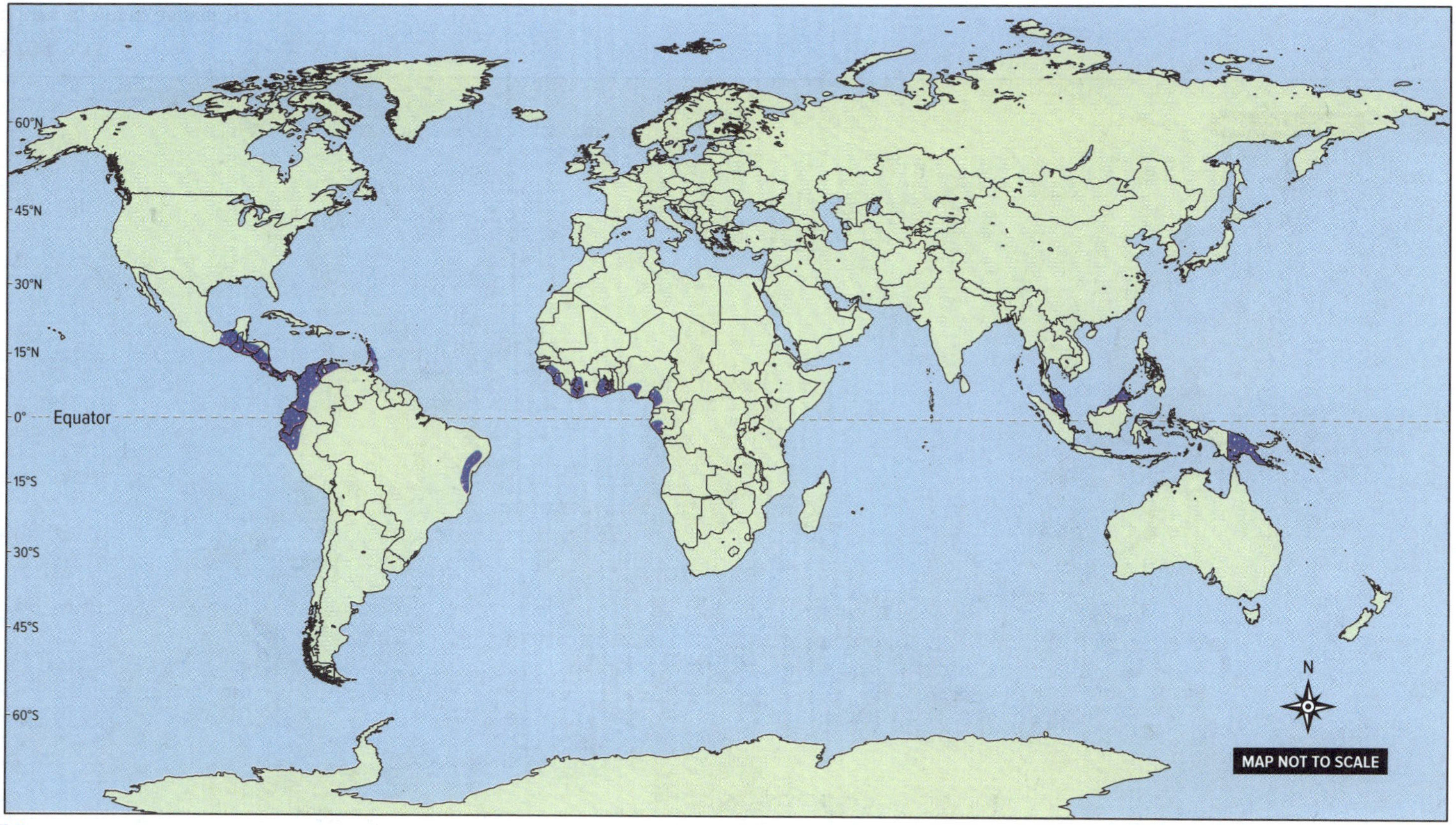

चित्र 9.14
विश्व के कोको उत्पादक क्षेत्र

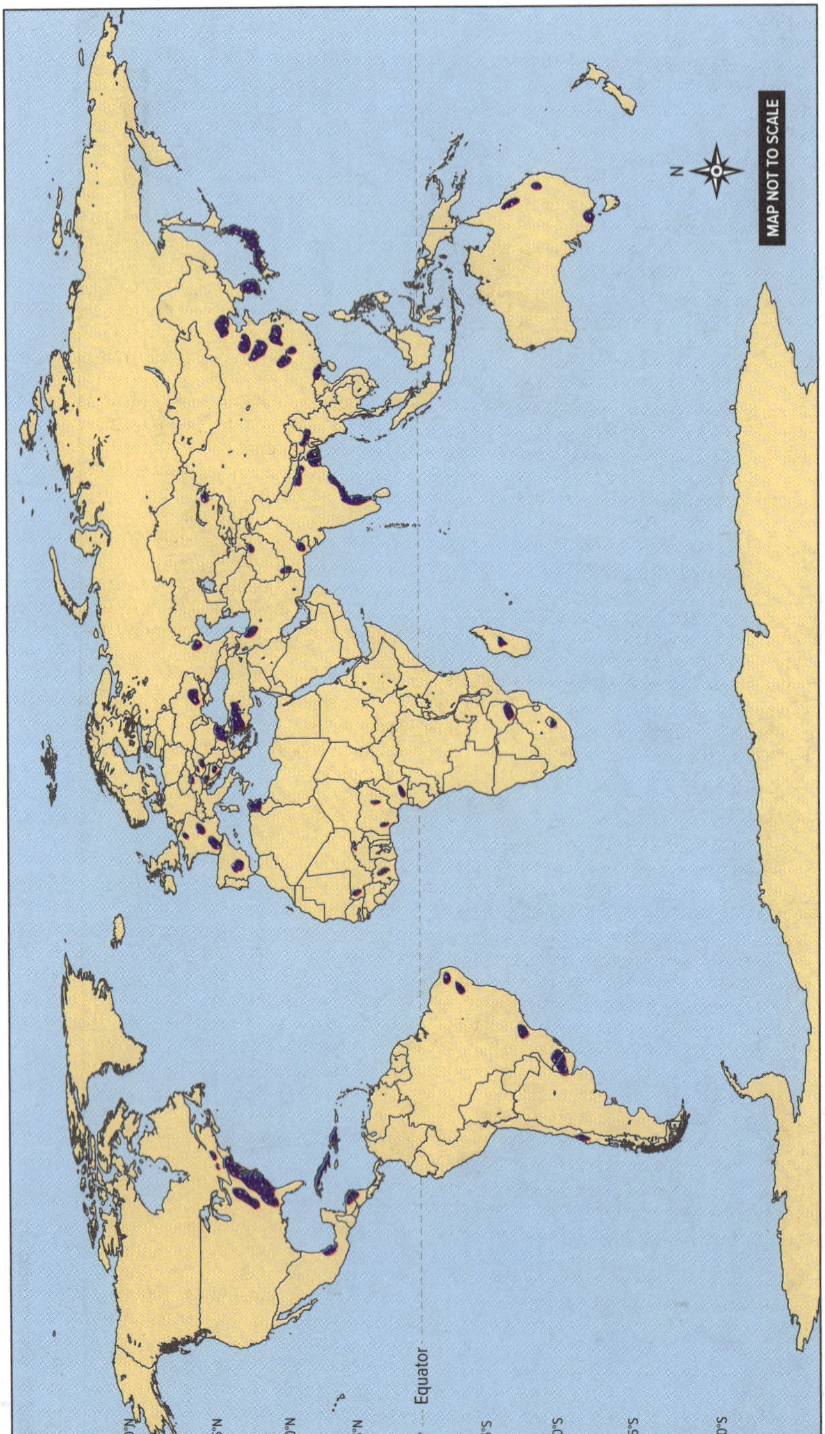

चित्र 9.15
विश्व के तम्बाकू उत्पादक क्षेत्र

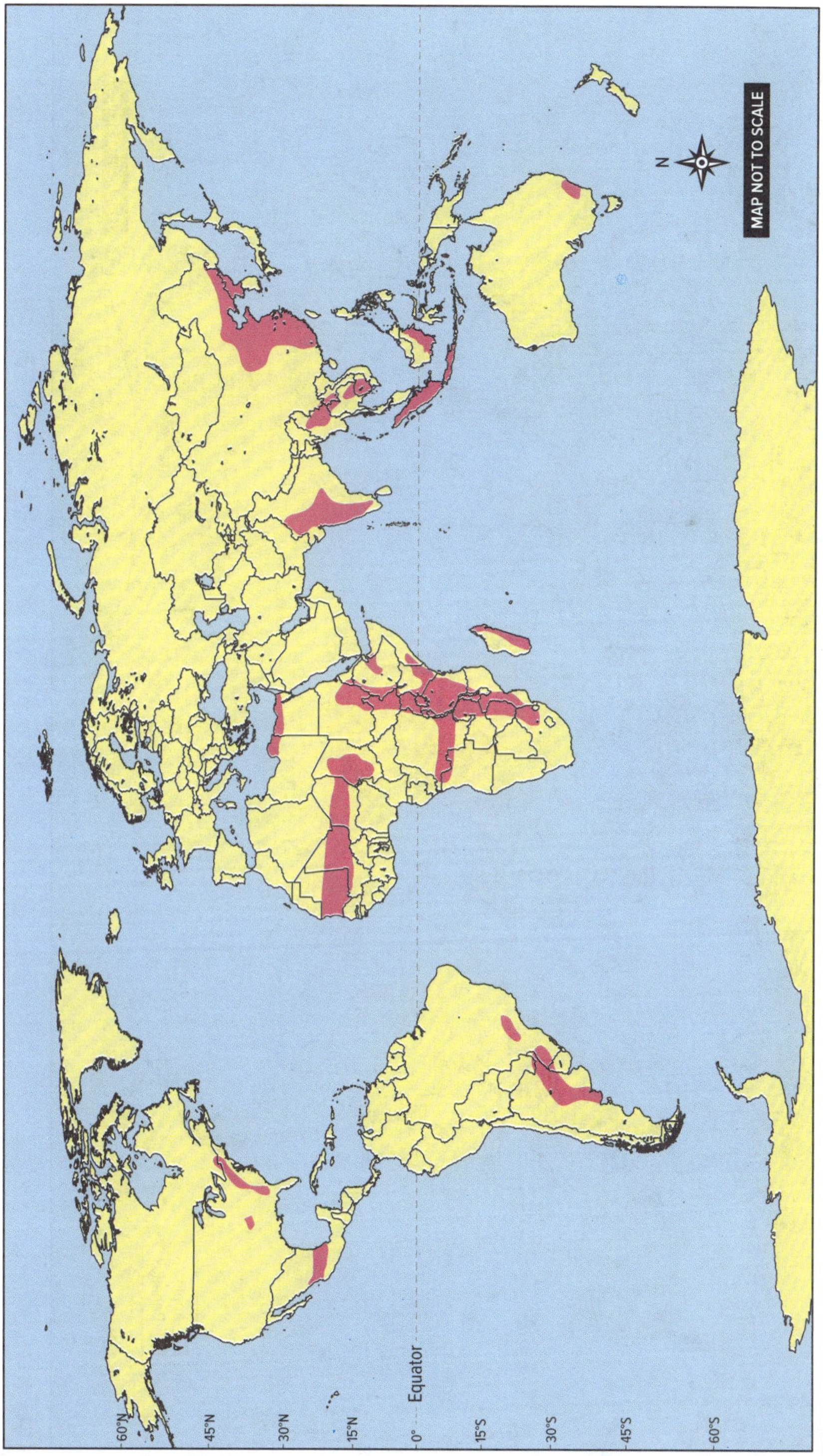

चित्र 9.16
विश्व के मूंगफली उत्पादक क्षेत्र

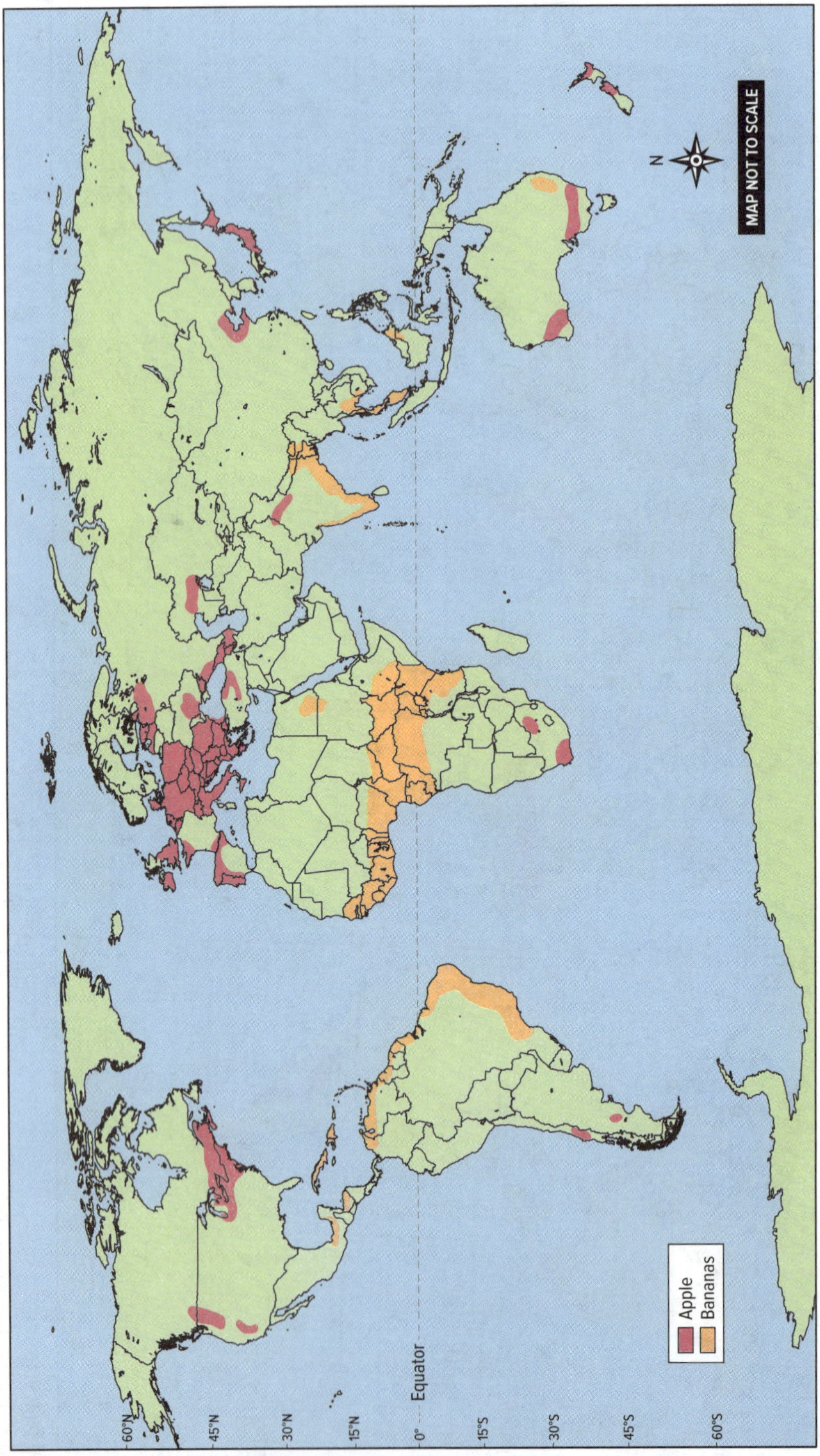

चित्र 9.17
विश्व के सेब एवं केला उत्पादक क्षेत्र

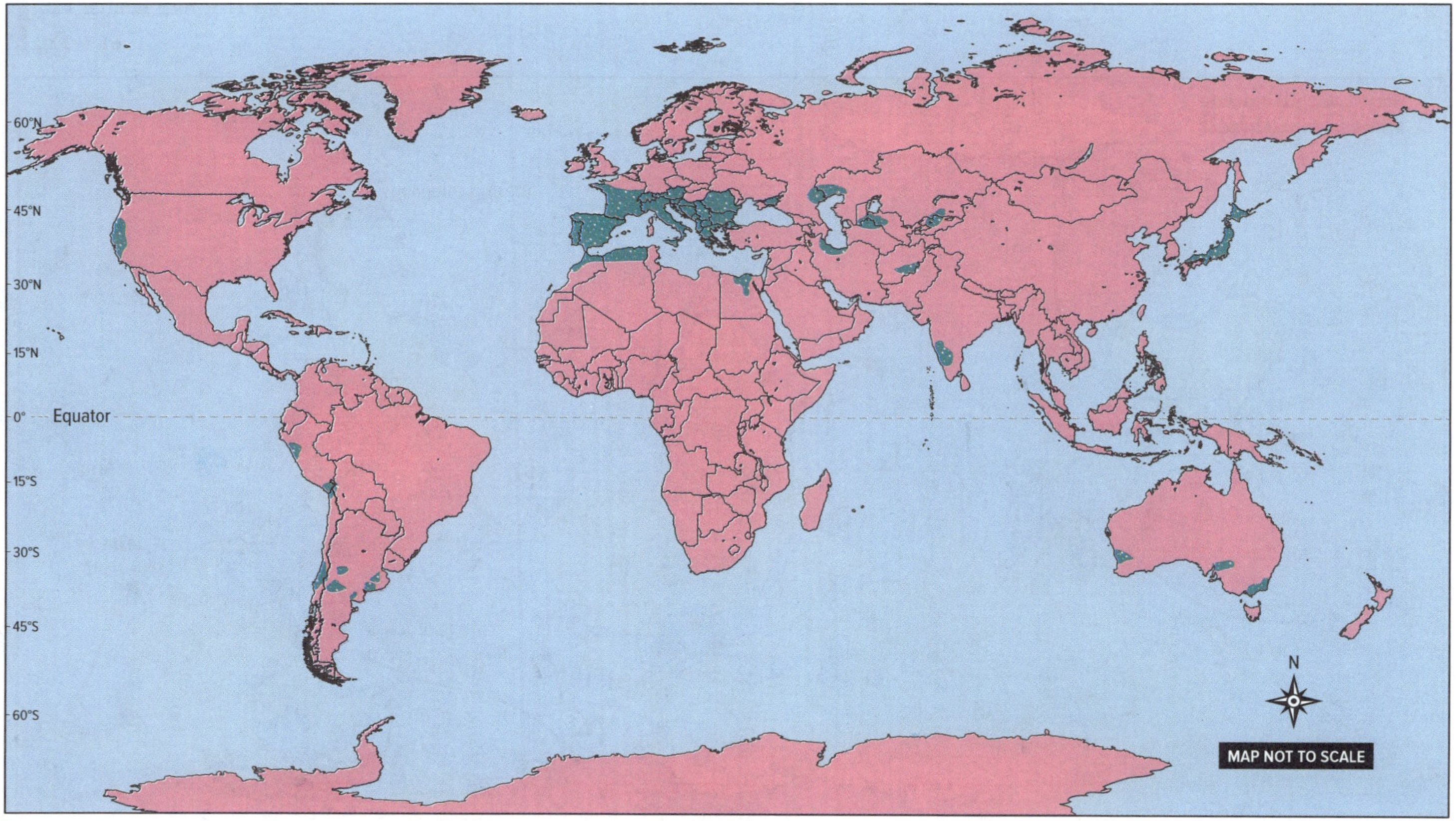

चित्र 9.18
विश्व के अंगूर एवं वाइन उत्पादक क्षेत्र

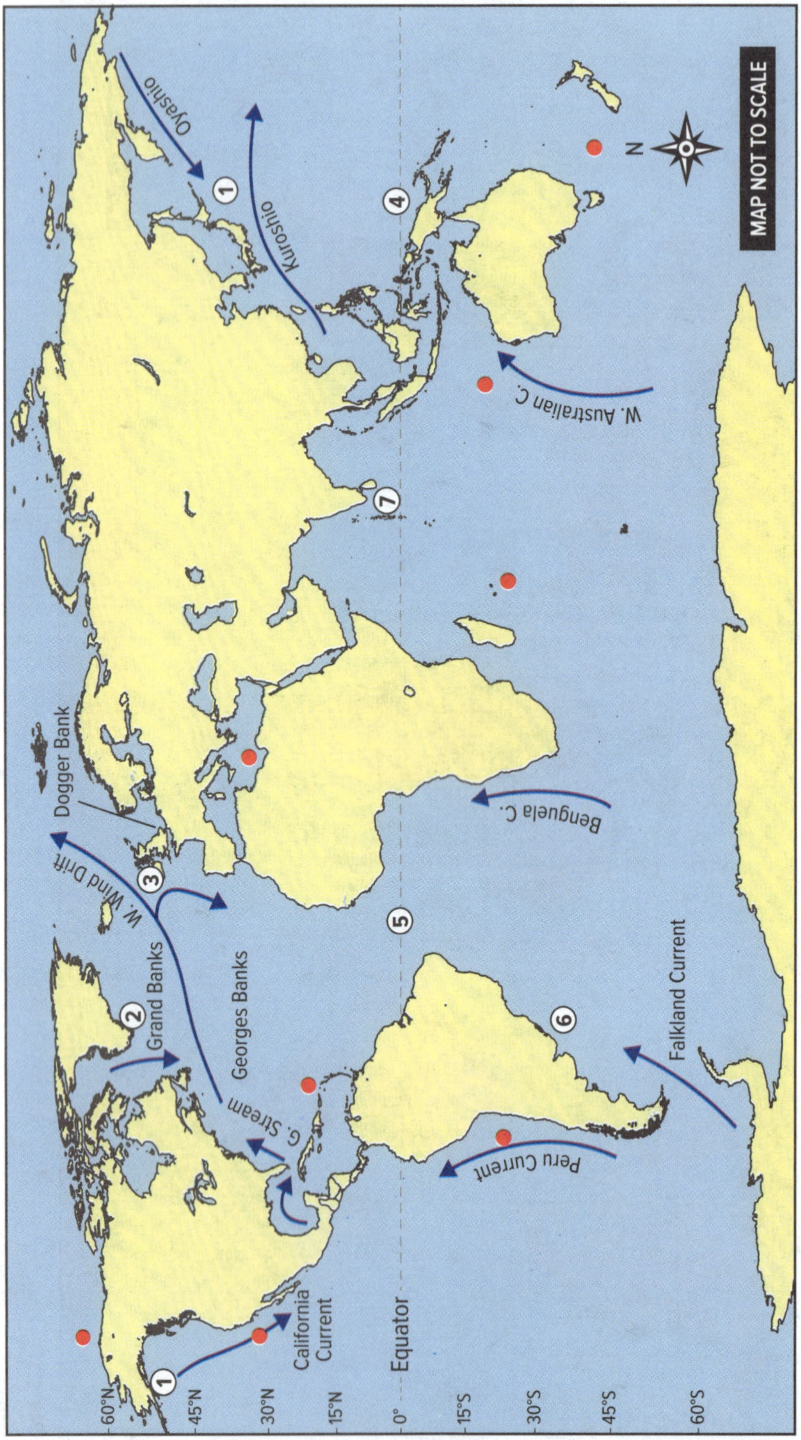

चित्र 9.19
विश्व के प्रमुख मत्स्य ग्रहण क्षेत्र

मत्स्य ग्रहण एवं वानिकी (FISHING AND FORESTRY)

मत्स्य ग्रहण एवं वानिकी में प्रकृति से कच्चा माल संग्रहीत करना या पैदावार करना शामिल है। ये विश्व के विकासशील एवं विकसित देशों में बड़ी संख्या में लोगों को रोजगार प्रदान करने वाली महत्वपूर्ण आर्थिक गतिविधियाँ हैं। इसके अतिरिक्त, ये भोजन, निर्माण सामग्री एवं व्यापार के महत्वपूर्ण स्रोत भी हैं।

मछली पकड़ना विश्व के तटीय क्षेत्रों, विशेषकर समशीतोष्ण अक्षांशों के तटीय क्षेत्रों में एक महत्वपूर्ण अर्थव्यवस्था है। मत्स्य पालन को दो समूहों में वर्गीकृत किया जा सकता है: (i) मीठे पानी की मछलियाँ तथा (ii) समुद्री मछलियाँ। चीन मीठे पानी की मछलियों के साथ-साथ समुद्री मछलियों का भी अग्रणी उत्पादक देश है। विश्व के प्रमुख मत्स्य ग्रहण क्षेत्र इस प्रकार हैं:

उत्तर पूर्वी अटलांटिक क्षेत्र (The North–East Atlantic Region)

यह क्षेत्र पुर्तगाल के तट से लेकर उत्तरी सागर सहित नॉर्वे के तट तक यूरोप के पश्चिमी भाग तक फैला हुआ है। उत्तरी अटलांटिक संवहन (खाड़ी की जलधारा) का गर्म पानी पूरे साल उत्तरी सागर के तट को खुला रखता है। उत्तरी सागर में स्थित डॉगर बैंक विश्व के सबसे महत्वपूर्ण मछली पकड़ने के मैदानों में से एक है। कॉड एवं हेरिंग इस क्षेत्र में पकड़ी जाने वाली महत्वपूर्ण मछली प्रजातियाँ हैं। मछली पकड़ने वाले प्रमुख देशों में बेल्जियम, डेनमार्क, फ्रांस, जर्मनी, आइसलैंड, आयरलैंड, नीदरलैंड, नॉर्वे, स्पेन, स्वीडन और यूके शामिल हैं (चित्र 9.18)।

उत्तर-पश्चिम अटलांटिक तटीय क्षेत्र (The North–West Atlantic Coastal Region)

यह मछली पकड़ने का क्षेत्र न्यूफाउंडलैंड (कनाडा) के आसपास स्थित है। यहाँ महाद्वीपीय शेल्फ काफी चौड़ा है, जिसे ग्रैंड बैंक एवं जॉर्जेस बैंक के नाम से जाना जाता है। इस क्षेत्र में खाड़ी की जलधारा का गर्म पानी और लैब्राडोर की जलधारा का ठंडा पानी मिलता है। ये स्थितियाँ प्लवक के तेज विकास के लिए आदर्श स्थिति हैं। परिणामस्वरूप, ये किनारे मछलियों से समृद्ध हैं। इस क्षेत्र की मुख्य मछलियाँ कॉड, हैडॉक, हेरिंग, लॉबस्टर, सीप और पर्च हैं। दक्षिणी भाग के गर्म पानी में झींगा महत्वपूर्ण मछली पायी जाती हैं। सेंट जॉन, चार्लोटटाउन, हैलिफैक्स, पोर्टलैंड, बोस्टन और न्यूयॉर्क इस क्षेत्र के महत्वपूर्ण मछली पकड़ने वाले बंदरगाह हैं।

उत्तर-पश्चिम प्रशांत क्षेत्र (The North-West Pacific Region)

यह क्षेत्र उत्तर में बेरिंग सागर से लेकर दक्षिण में फिलीपींस तक फैला हुआ है। कुरोशियो की गर्म जलधारा और ओयाशियो की ठंडी जलधाराएँ होन्शू द्वीप (जापान) के पूर्व में मिलती हैं। गर्म एवं ठंडी जलधाराओं का विलय मछलियों की जनसंख्या में तेज वृद्धि के लिए आदर्श परिस्थितियाँ बनाती हैं। चीन, जापान, उत्तर और दक्षिण कोरिया तथा रूस के लोग इस क्षेत्र में मुख्य रूप से मछली पकड़ते हैं।

उत्तर-पूर्व प्रशांत क्षेत्र (The North-East Pacific Region)

यह क्षेत्र कनाडा तथा अमेरिका के तटों के साथ अलास्का से कैलिफोर्निया तक फैला हुआ है। उत्तरी प्रशांत संवहन इस क्षेत्र में गर्म पानी लाता है, जो वर्ष-भर तट को खुला रखता है। इस क्षेत्र में पायी जाने वाली मुख्य मछली प्रजातियाँ हलिबूट, पिलचर्ड, सैल्मन, सार्डिन और टूना हैं। तट के साथ मुख्य बंदरगाह, जहाँ मछली उद्योग महत्वपूर्ण है, वे हैं एंकरेज (अलास्का), वैंकूवर (कनाडा), सैन-फ्रांसिस्को और लॉस एंजिल्स (यूएसए)। मछली अधिकांश आबादी के आहार में प्रोटीन का एक महत्वपूर्ण स्रोत है। लगभग 90 प्रतिशत मछली का स्रोत समुद्र है, जबकि शेष 10 प्रतिशत अंतर्देशीय जल निकायों से प्राप्त होती है।

याद रखने की युक्ति (Learning Trick)

विश्व के मत्स्य ग्रहण क्षेत्र

यहाँ अपने समुद्र विज्ञान के ज्ञान का उपयोग करें!

- ऐसे स्थान, जहाँ ठंडी जलधाराएँ एवं गर्म जलधाराएँ मिलती हैं (उत्तर पश्चिमी अटलांटिक एवं प्रशांत महासागर)
- ऐसे स्थान, जहाँ गर्म जलधाराएँ, ठंडी जलधाराओं में मिलती है। (उत्तर पूर्वी अटलांटिक एवं प्रशांत महासागर)।

इन सभी स्थानों पर गर्म एवं ठंडे पानी के मिश्रण से फाइटोप्लांक्टन अर्थात् मछली के भोजन के विकास के लिए अनुकूल परिस्थितियाँ बनती हैं।

जलीय कृषि (Aquaculture)

पानी में पौधों एवं जंतुओं का व्यावसायिक पालन-पोषण जलीय कृषि के रूप में जाना जाता है। इस समय जलीय कृषि विश्व मछली उत्पादन का एक प्रतिशत से भी कम है। चीन तथा जापान के तटीय क्षेत्र जलीय कृषि के लिए प्रसिद्ध हैं (तालिका 9.2)।

एशिया के मानसून वाले देशों में चावल के खेतों में उप-व्यवसाय के रूप में मछली पालन किया जाता है। शोध से पता चलता है कि एकीकृत चावल-जलीय जंतु प्रणाली मीथेन उत्सर्जन को 18.1 से 19.6 प्रतिशत और नाइट्रस ऑक्साइड उत्सर्जन को 19.7 से 28.2 प्रतिशत तक कम कर सकती है। यह उपयोग किये जाने वाले जलीय जंतु पर निर्भर करता है। पूरे जापान में अनेक स्थानों पर किसानों ने मछली उत्पादन के लिए कुछ चावल के खेतों को स्थायी रूप से खोद कर बनाये गये विशाल टैंकों में बदल दिया है। संयुक्त राज्य अमेरिका में कई दक्षिणी राज्यों में कैटफिश का व्यावसायिक उत्पादन बड़ा व्यवसाय बन गया है। भविष्य में भी मानव आहार में मछली का उपयोग इसी प्रकार किये जाने की प्रबल संभावना है। विकासशील देश निर्यात के बजाय अपने घरेलू बाजारों के लिए अधिक मछली का उत्पादन कर रहे हैं।

तालिका 9.2 प्रमुख मछली उत्पादक देश

रैंक	क्षेत्र	जलीय कृषि से आपूर्ति (2021, टन में)	मत्स्य ग्रहण द्वारा आपूर्ति (2021, टन में)
1.	चीन	72,805,297	13,142,837
2.	इंडोनेशिया	14,606,534	7,206,879
3.	भारत	9,408,300	5,024,905
4.	वियतनाम	4,749,274	3,540,250
5.	बांग्लादेश	2,638,745	1,982,483

स्रोत: विश्व बैंक [https://www-visualcapitalist-com/cp/ocean-fishing-aquaculture-map/ (अंतिम बार अक्तूबर, 2024 में एक्सेस किया गया)]

वानिकी (Forestry)

वानिकी समकालीन विश्व में एक महत्वपूर्ण आर्थिक गतिविधि है। लकड़ी का उपयोग ईंधन के रूप में खाना पकाने एवं गर्म करने तथा औद्योगिक प्रयोजनों (बोर्ड, लुगदी, लिबास) आदि के लिए किया जाता है।

व्यावसायिक वन दो विशाल वैश्विक पट्टियों में पाये जाते हैं, जैसा कि **चित्र 9.20** में दर्शाया गया है। पहली पट्टी वस्तुत: उत्तरी गोलार्ध के उच्च अक्षांशों में विश्व के चारों ओर स्थित है। दूसरी वन पट्टी, भूमध्यरेखीय क्षेत्र में स्थित है, जिसमें दक्षिण अमेरिका और मध्य अफ्रीका का एक बड़ा भाग शामिल है। उष्णकटिबंधीय क्षेत्र की मुख्य वन किस्में, जिनकी बहुत मांग हैं, इनमें महोगनी, देवदार, सागौन, आबनूस और बलसा शामिल हैं। अमेजन बेसिन विश्व के सबसे बड़े भूमध्यरेखीय वन क्षेत्रों में से एक है। अमेजन बेसिन के जंगल को 'सेल्वा' के नाम से जाना जाता है। जापान, दक्षिणी संयुक्त राज्य अमेरिका, मेडागास्कर, चिली, म्यांमार, थाईलैंड, दक्षिण-पूर्वी ऑस्ट्रेलिया, न्यूजीलैंड और कुछ पूर्वी यूरोपीय देशों में व्यावसायिक वन संग्रहण बहुत महत्वपूर्ण है।

विश्व के सबसे ऊंचे पेड़ उत्तरी कैलिफोर्निया के देवदार तथा चीड़ के जंगलों में पाये जाते हैं। मध्य अक्षांशों के कठोर लकड़ी वाले पर्णपाती पेड़ों के वन संसाधन में ओक, चेस्टनट, हिकॉरी, मेपल, बर्च और बीच के पेड़ शामिल हैं।

अमेरिका, चीन और रूस लकड़ी के सबसे बड़े उत्पादक हैं, जबकि भारत ईंधन की लकड़ी का अग्रणी उत्पादक देश है। इसके बाद ब्राजील तथा चीन का स्थान है। **(तालिका 9.3)**।

लकड़ी एवं इमारती लकड़ी का अधिकांश व्यापार अत्यधिक विकसित देशों में होता है। प्राकृतिक (अप्रसंस्कृत) लकड़ी का लगभग 85 प्रतिशत भाग केवल पाँच देश आयात करते हैं। इन देशों में (1) जापान, जो विश्व के कुल आयात का आधे से अधिक आयात करता है, और (2) दक्षिण कोरिया, फ्रांस, जर्मनी और यूके शामिल हैं। मलेशिया प्राकृतिक लकड़ी का प्रमुख निर्यातक देश है (कुल निर्यात का 35 प्रतिशत), इसके बाद संयुक्त राज्य अमेरिका का स्थान आता है।

तालिका 9.3 अग्रणी ईंधन उत्पादक देश

क्रम	देश	वैश्विक उत्पादन का प्रतिशत (वर्ष 2020)
1.	भारत	16
2.	चीन	8
3.	ब्राजील	6
4.	इथियोपिया	6
5.	कांगो लोकतांत्रिक गणराज्य	5

स्रोत: FAOSTAT-वानिकी डेटाबेस।

तालिका 9.4 अग्रणी औद्योगिक राउंडवुड

क्रम	देश	वैश्विक उत्पादन का प्रतिशत (वर्ष 2020)
1.	संयुक्त राज्य अमेरिका	19
2.	रूसी संघ	10
3.	चीन	9
4.	ब्राजील	7
5.	कनाडा	7

स्रोत: FAOSTAT-वानिकी डेटाबेस।

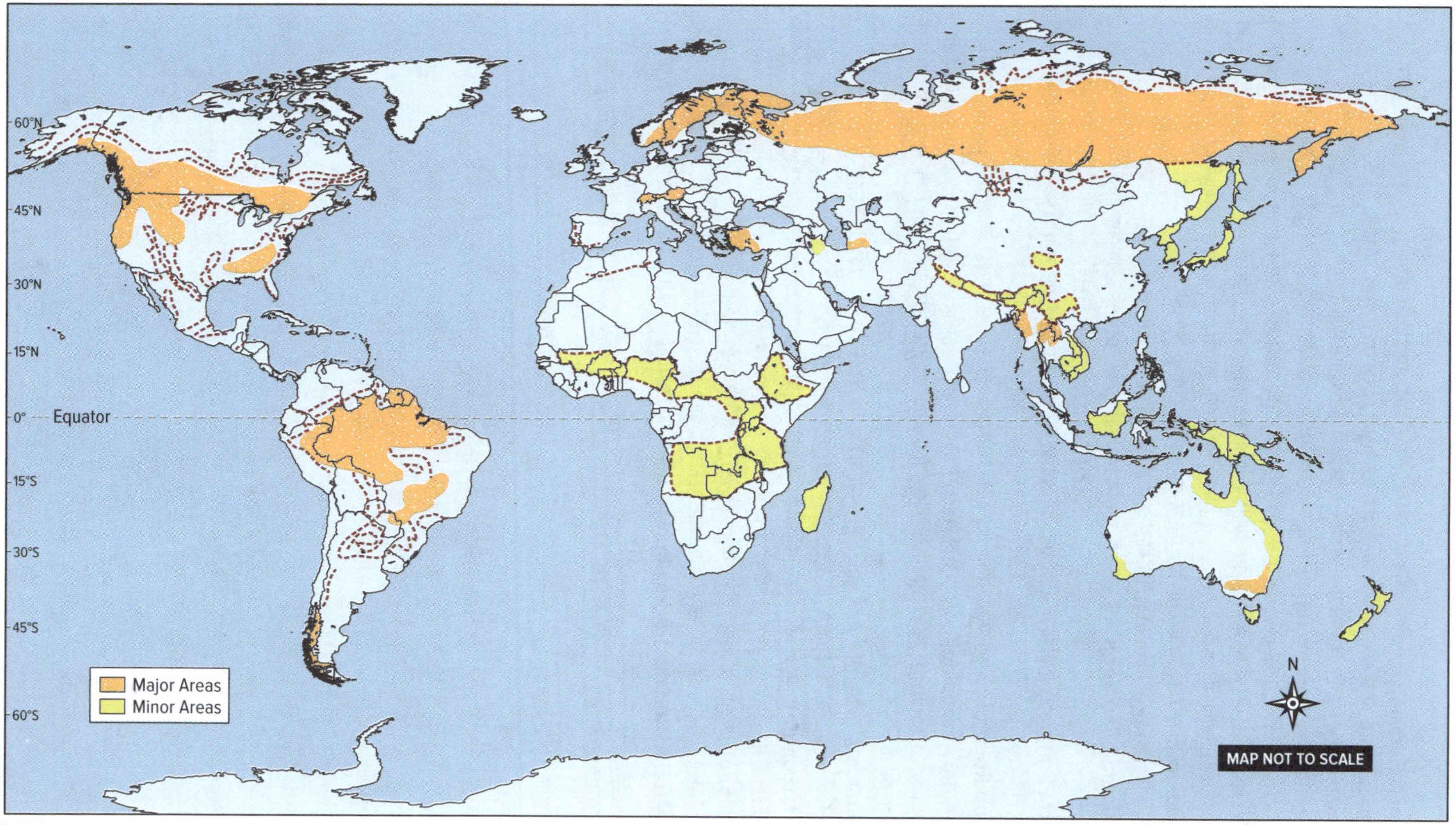

चित्र 9.20
विश्व के प्रमुख वन क्षेत्र

कृषि शब्दावली

- **जैविक कृषि (Organic Farming):** सिंथेटिक कीटनाशकों या उर्वरकों का उपयोग किये बिना की जाने वाली कृषि।
- **स्थायी कृषि (Permaculture):** प्राकृतिक पारिस्थितिकी तंत्रों की नकल करने वाली कृषि प्रणाली।
- **कृषि वानिकी (Agroforestry):** कृषि वातावरण में पेड़ों एवं झाड़ियों को शामिल करना।
- **पुनर्योजी कृषि (Regenerative Agriculture):** मृदा के स्वास्थ्य एवं पारिस्थितिकी तंत्र की बहाली पर बल देना।
- **संरक्षण कृषि (Conservation Agriculture):** मृदा के स्वास्थ्य को बनाए रखने तथा उसमें सुधार करने वाली व्यवस्था को लागू करना।
- **जल संवर्धन (Hydroponics):** पोषक तत्वों से भरपूर पानी में पौधों की कृषि करना, जिसमें मृदा की आवश्यकता नहीं होती है।
- **जलकृषि (Aquaponics):** पानी में पौधों के साथ-साथ (हाइड्रोपोनिक्स) जंतुओं का पालन (एक्वाकल्चर, मछली पालन) करना।
- **वायु-कृषि (Aeroponics):** मृदा के बिना हवा या धुंध के वातावरण में पौधे उगाना।
- **उर्ध्वाधर सतहों पर कृषि (Vertical Farming):** सामान्य रूप से घर के अंदर, ढेरों परतों में फसल उगाना।
- **परिशुद्ध कृषि (Precision Farming):** क्षेत्र स्तर पर प्रबंधन को अनुकूलित करने के लिए तकनीक (जैसे GPS और IoT) का उपयोग करना।
- **स्मार्ट कृषि (Smart Farming):** उत्पादकता एवं दक्षता को बढ़ावा देने के लिए AI, ड्रोन तथा सेंसर जैसी आधुनिक तकनीकों को एकीकृत करना।
- **फसल चक्रण (Crop Rotation):** मृदा की उर्वरता बढ़ाने के लिए एक ही खेत में फसलों को बारी-बारी से उगाना।
- **अंतर फसली प्रणाली (Intercropping):** कीट प्रबंधन एवं संसाधनों के बेहतर उपयोग के लिए पास-पास में अलग-अलग फसलें लगाना।
- **भू-संरक्षी कृषि (Cover Cropping):** ऑफ-सीजन के दौरान मृदा की रक्षा तथा उसे समृद्ध करने के लिए विशिष्ट फसलें (जैसे, सरसों, तिपतिया घास, मूली) उगाना।
- **वन संवर्धन (Silviculture):** लकड़ी एवं अन्य वन उत्पादों के लिए वन वृक्षारोपण का प्रबंधन करना।
- **अंगूर उत्पादन (Viticulture):** वाइन उत्पादन के लिए अंगूर की बेलों की कृषि।
- **मधुमक्खी पालन (Apiculture):** शहद और अन्य मधुमक्खी उत्पादों के लिए मधुमक्खी पालन करना।
- **रेशम पालन (Sericulture):** रेशम उत्पादन के लिए रेशम के कीड़ों का पालन करना।
- **बागवानी (Horticulture):** फलों, सब्जियों, फूलों और सजावटी पौधों की कृषि करना।
- **पुष्पकृषि (Floriculture):** पुष्प उद्योग के लिए फूलों और सजावटी पौधों की कृषि करना।
- **जलवायु-स्मार्ट कृषि (Climate-Smart Agriculture):** उत्पादकता, लचीलापन बढ़ाने और उत्सर्जन को कम करने के लिए डिजाइन की गई व्यवस्था।
- **जैव-कृषि (Biopharming):** दवा उत्पादन के लिए आनुवंशिक रूप से संशोधित पादपों एवं जंतुओं का उपयोग करना।

यूपीएससी प्रारंभिक परीक्षा के विगत वर्षों के प्रश्न

1. 'ताड़ तेल (पाम ऑयल)' के संदर्भ में, निम्नलिखित कथनों पर विचार कीजिए:
   1. ताड़ तेल वृक्ष दक्षिण-पूर्व एशिया में प्राकृतिक रूप में पाया जाता है।
   2. ताड़ तेल लिपस्टिक और इत्र बनाने वाले कुछ उद्योगों के लिए कच्चा माल है।
   3. ताड़ तेल का उपयोग जैव डीजल के उत्पादन में किया जा सकता है।

   उपर्युक्त कथनों में से कौन-से सही हैं? **(2021)**
   (a) केवल 1 और 2
   (b) केवल 2 और 3
   (c) केवल 1 और 3
   (d) 1, 2 और 3

2. निम्नलिखित में से कौन-सी फसल, न्यूनतम जल-दक्ष (लीस्ट वॉटर-एफिशिएंट) फसल है? **(2021)**
   (a) गन्ना (b) सूरजमुखी
   (c) बाजरा (d) अरहर (रेड ग्राम)

3. मत्स्यपालन (permaculture) की खेती पारंपरिक रासायनिक खेती से किस प्रकार भिन्न है? **(2020)**
   1. मत्स्यपालन (permaculture) खेती एकल संस्कृति (monocultural) व्यवस्था को हतोत्साहित करती है, लेकिन पारंपरिक रासायनिक खेती में monocultural व्यवस्था प्रमुख हैं।
   2. पारंपरिक रासायनिक खेती से मिट्टी की लवणता में वृद्धि हो सकती है, लेकिन मत्स्यपालन (permaculture) खेती में ऐसी घटना नहीं देखी जाती है।
   3. पारंपरिक रासायनिक खेती अर्ध-शुष्क क्षेत्रों में आसानी से संभव है लेकिन ऐसे क्षेत्रों में मत्स्यपालन (permaculture) खेती इतनी आसानी से संभव नहीं है।
   4. मत्स्यपालन (permaculture) खेती में मल्चिंग का अभ्यास बहुत महत्वपूर्ण है लेकिन पारंपरिक रासायनिक खेती में ऐसा जरूरी नहीं है।

   नीचे दिए गए कोड का उपयोग करके सही उत्तर चुनें।
   (a) 1 और 3 (b) 1, 2 और 4
   (c) केवल 4 (d) 2 और 3

उत्तर कुंजी

1. (b) 2. (a) 3. (b)

यूपीएससी मुख्य परीक्षा के विगत वर्षों के प्रश्न

1. रबर उत्पादक देशों के वितरण का वर्णन करते हुए उनके द्वारा सामना किये जाने वाले प्रमुख पर्यावरणीय मुद्दों को इंगित कीजिये। **(2022, 15 अंक)**

इस अध्याय पर वैचारिक वीडियो देखने के लिए कृपया यहां दिए गए क्यूआर कोड को स्कैन करें

अध्याय

10

उद्योग एवं उनकी अवस्थिति (INDUSTRIES AND THEIR LOCATION)

अध्याय की रूपरेखा (Chapter Outline)

उद्योगों का वर्गीकरण (CLASSIFICATION OF INDUSTRIES)*
- आर्थिक गतिविधि पर आधारित (Based on Economic Activity)
- आकार पर आधारित (Based on Size)
- स्वामित्व पर आधारित (Based on Ownership)
- बाजार अभिविन्यास पर आधारित (Based on Market Orientation)

उद्योगों की अवस्थिति को प्रभावित करने वाले कारक (FACTORS AFFECTING INDUSTRIAL LOCATION)✓
- कच्चा माल (Raw Materials)
- श्रम (Labour)
- बाजार तक पहुँच (Market Access)
- परिवहन एवं अवसंरचना (Transport and Infrastructure)
- ऊर्जा आपूर्ति (Energy Supply)
- पूंजी एवं वित्तीय कारक (Capital and Financial Factors)
- सरकारी नीतियाँ एवं विनियमन (Government Policies and Regulations)
- जलवायु एवं पर्यावरण नीतियाँ (Climate and Environmental Policies)
- सामाजिक एवं सांस्कृतिक कारक (Social and Cultural Factors)
- प्रौद्योगिकी एवं नवाचार की उपलब्धता (Availability of Technology and Innovation)
- वैश्विक एवं अंतर्राष्ट्रीय कारक (Global and International Factors)

वेबर का औद्योगिक अवस्थिति मॉडल (WEBER'S MODEL OF INDUSTRIAL LOCATION)
- उद्योगों की अवस्थिति को प्रभावित करने वाले मुख्य कारक (Key Factors Influencing Industrial Location)
- कच्चे माल की तुलना में तैयार माल में भार वृद्धि बनाम भार कम होने वाले उद्योग (Weight-gaining vs. Weight-losing Industries)
- आइसोटिम्स और आइसोडापेन्स (Isotims and Isodapanes)

विश्व के औद्योगिक क्षेत्र (INDUSTRIAL REGIONS OF THE WORLD)

✓*याद रखने की युक्ति (Learning Trick)* *त्वरित पुनरावलोकन (Quick Revision)*

उद्योग आधुनिक अर्थव्यवस्थाओं की रीढ़ हैं, क्योंकि तकनीकी प्रगति, रोजगार तथा वैश्विक व्यापार को आगे बढ़ाते हैं। उद्योगों की भौगोलिक स्थिति प्राकृतिक संसाधनों, श्रम की उपलब्ध ता, परिवहन अवसंरचना तथा बाजारों तक पहुँच के संयोजन से निर्धारित होती है। समय के साथ इन कारकों ने यूरोप के लौह एवं कोयला-समृद्ध क्षेत्रों से लेकर उत्तरी अमेरिका एवं पूर्वी एशिया के उच्च तकनीक समूहों तक विश्व भर में अलग-अलग औद्योगिक क्षेत्रों को आकार दिया है। उद्योग किस प्रकार विकसित होते हैं, आर्थिक विकास में किस तरह योगदान देते हैं तथा वैश्विक अर्थव्यवस्था के साथ किस तरह परस्पर व्यवहार करते हैं, इसका विश्लेषण करने के लिए भूगोल, संसाधनों एवं औद्योगिक विकास के बीच परस्पर क्रिया को समझना आवश्यक है।

ऐतिहासिक रूप से औद्योगिक क्रांति के कारण उद्योगों के स्थानिक वितरण में महत्वपूर्ण मोड़ आया, क्योंकि जिन देशों की कोयला, लोहा एवं जल संसाधनों तक पहुँच थी, वे देश औद्योगिक गतिविधियों के शुरुआती केंद्र बन गए। आज, औद्योगिक क्षेत्र अधिक विविध तथा विश्वव्यापी हैं। इनमें प्रमुख केंद्र संयुक्त राज्य अमेरिका, जर्मनी, चीन और भारत जैसे देशों में स्थित हैं। इनमें से

प्रत्येक क्षेत्र की अपनी अनूठी विशेषताएँ हैं, जो स्थानीय कारकों जैसे संसाधनों की निकटता, कुशल श्रम की उपलब्धता और वहां की सरकार की नीतियों आदि के माध्यम से आकार लेती हैं। ये कारक सभी उद्योगों, भारी विनिर्माण से लेकर उच्च तकनीक उत्पादन एवं सेवाओं तक की विशेषज्ञता को प्रभावित करते हैं।

उद्योगों का वर्गीकरण (CLASSIFICATION OF INDUSTRIES)

आर्थिक गतिविधि पर आधारित (Based on Economic Activity)

- **प्राथमिक उद्योग** प्राकृतिक संसाधनों के निष्कर्षण एवं उनको संग्रहीत करने पर ध्यान केंद्रित करते हैं। इसमें कृषि (खेती, बागवानी, पशुपालन), मछली पकड़ना (वाणिज्यिक मछली पकड़ना तथा जलीय कृषि), वानिकी (लॉगिंग, अर्थात् वृक्षों की कटाई एवं लकड़ी उत्पादन) और खनन एवं उत्खनन (खनिजों, अयस्कों और जीवाश्म ईंधन का निष्कर्षण) जैसी गतिविधियाँ शामिल हैं।
- **द्वितीयक उद्योगों** में कच्चे माल को तैयार माल में बदलना शामिल है। इन उद्योगों में विनिर्माण शामिल है। इन उद्योगों को दो भागों में विभाजित किया जा सकता है, अर्थात हल्के उद्योग (जैसे कि कपड़े एवं इलेक्ट्रॉनिक्स जैसे उपभोक्ता वस्तुओं का उत्पादन) और भारी उद्योग (जैसे कि मशीनरी, स्टील तथा जहाज निर्माण जैसी पूंजीगत वस्तुओं का उत्पादन)। इसके अतिरिक्त, निर्माण क्षेत्र में सड़क, पुल तथा इमारतों जैसे आधारभूत संरचना का निर्माण भी शामिल है।
- **तृतीयक उद्योग,** जिन्हें सेवा क्षेत्र के रूप में भी जाना जाता है। इनमें खुदरा एवं थोक व्यापार (माल की बिक्री), आतिथ्य एवं पर्यटन (होटल, रेस्तरां, यात्रा), परिवहन एवं रसद (परिवहन सेवाएँ एवं भंडारण), वित्तीय सेवाएँ (बैंकिंग, बीमा, रियल एस्टेट), स्वास्थ्य सेवाएं (अस्पताल, क्लीनिक), शिक्षा (स्कूल, कॉलेज), सूचना प्रौद्योगिकी (सॉफ्टवेयर, दूरसंचार) और पेशेवर सेवाएँ (कानूनी, परामर्श, विज्ञापन) जैसी सेवाओं की विस्तृत शृंखला शामिल है।
- **चतुर्थक उद्योग** बौद्धिक एवं ज्ञान-आधारित गतिविधियों पर ध्यान केंद्रित करते हैं। इनमें अनुसंधान एवं विकास (वैज्ञानिक अनुसंधान), सूचना सेवाएँ (डेटा प्रबंधन) तथा शिक्षा एवं प्रशिक्षण (उन्नत कार्यक्रम) शामल है।
- अंत में, **पंचक उद्योगों** में निर्णय लेने एवं सामाजिक नेतृत्व का उच्चतम स्तर शामिल होता है। इनमें सरकार (सार्वजनिक प्रशासन), अलाभकारी संगठन (दान, गैर-सरकारी संगठन) और संस्कृति एवं कला (संग्रहालय, थिएटर) आदि से संबंधित निर्णय शामिल होते हैं।

आकार पर आधारित (Based on Size)

- **सूक्ष्म उद्योग (Micro Industries):** ऐसे बहुत छोटे-छोटे व्यवसाय, जिनका संचालन प्राय: परिवार द्वारा किया जाता है। इनका निवेश 2.5 करोड़ से कम तथा कारोबार 10 करोड़ से कम होता है।
- **लघु उद्योग (Small Industries):** इसमें सीमित पूंजी एवं सीमित कार्यबल वाले छोटे पैमाने के उद्यम आते हैं। इनका निवेश 2.5 से 25 करोड़ के बीच और कारोबार 10 से 100 करोड़ के बीच होता है।
- **मध्यम उद्योग (Medium Industries):** इनमें मध्यम आकार के वे व्यवसाय आते हैं, जिनके पास कम संसाधन होते हैं। इनका निवेश स्तर 25 से 125 करोड़ के बीच और कारोबार 100 से 500 करोड़ के बीच होता है।
- **बड़े उद्योग (Large Industries):** इनमें अत्यधिक पूंजी, कार्यबल तथा संसाधनों वाले बड़े कॉर्पोरेशन आते हैं।

स्वामित्व पर आधारित (Based on Ownership)

- **सार्वजनिक क्षेत्र (Public Sector):** इनमें सरकार के स्वामित्व एवं संचालन वाले उद्योग आते हैं।
- **निजी क्षेत्र (Private Sector):** इनमें निजी व्यक्तियों या कंपनियों के स्वामित्व एवं प्रबंधन वाले उद्योग आते हैं।
- **संयुक्त क्षेत्र (Joint Sector):** ये सरकार एवं निजी क्षेत्र के बीच के सहयोगात्मक उपक्रम होते हैं।
- **सहकारी क्षेत्र (Cooperative Sector):** ये पारस्परिक लाभ के लिए समूह द्वारा सामूहिक रूप से संचालित एवं स्वामित्व वाले उद्योग हैं।

बाजार अभिविन्यास पर आधारित (Based on Market Orientation)

- **उपभोक्ता सामान (Consumer Goods):** वे उद्योग, जो उपभोक्ताओं द्वारा सीधे उपभोग किये जाने वाले उत्पादों, जैसे भोजन, कपड़े तथा इलेक्ट्रॉनिक्स सामान का उत्पादन करते हैं।
- **पूंजीगत सामान (Capital Goods):** इनमें अन्य उत्पादों के निर्माण में सहायता करने वाले सामान, जैसे कि मशीनरी, टूल एवं उपकरणों का उत्पादन किया जाता है।

त्वरित पुनरावलोकन (Quick Revision)

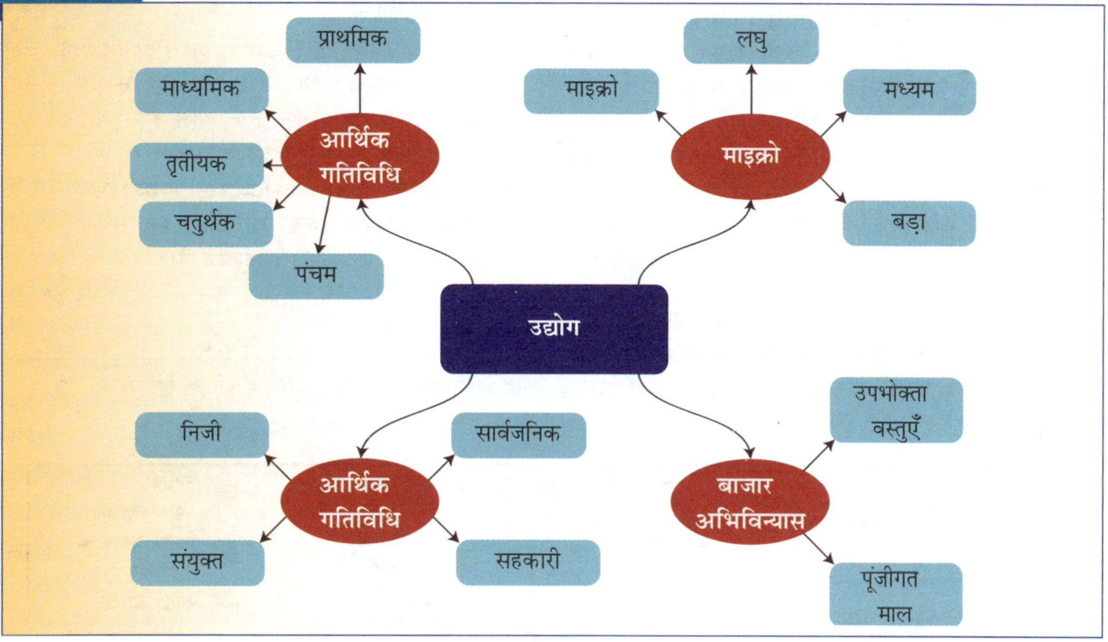

उद्योगों की अवस्थिति को प्रभावित करने वाले कारक (FACTORS AFFECTING INDUSTRIAL LOCATION)

कच्चा माल (Raw Materials)

- **कच्चे माल से निकटता (Proximity to Raw Materials):** कच्चे माल जैसे खनन एवं कृषि आधारित क्षेत्र के कच्चे माल पर निर्भर उद्योग, परिवहन लागत में कटौती करने के लिए कच्चे माल के स्रोतों के पास के स्थानों को प्राथमिकता देते हैं। इसके आधार पर उद्योगों को निम्नवत में वर्गीकृत किया जा सकता है:
    - **भारी कच्चा माल एवं हल्का तैयार माल वाले उद्योग (Weight-losing):** इन उद्योगों में प्रयुक्त कच्चा माल भारी होता है, जबकि तैयार उत्पाद हल्का होता है। (जैसे, चीनी एवं सीमेंट)।
    - **हल्का कच्चा माल एवं भारी तैयार माल (Weight-gaining):** इन उद्योगों में प्रयुक्त कच्चा माल हल्का होता है तथा तैयार उत्पाद भारी होता है (जैसे, पेय (बीवरेज) उद्योग)।
    - **फुटलूज (Footloose):** इन उद्योगों में कच्चे माल के वजन पर कोई निर्भरता नहीं होती है। (जैसे, सूचना प्रौद्योगिकी, प्रबंधन परामर्श तथा आभूषण) आदि।
- **उपलब्धता एवं गुणवत्ता (Availability and Quality):** कच्चे माल की प्रचुरता, इसका प्रकार तथा इसकी गुणवत्ता उद्योगों की अवस्थिति निर्धारित करने में महत्वपूर्ण भूमिका निभाते हैं।

श्रम (Labour)

- **श्रम की उपलब्धता (Availability of Labour):** कुशल या प्रचुर मात्रा में श्रम की आवश्यकता वाले उद्योग अपनी अवस्थिति के लिए उपयुक्त कार्यबल तक पहुँच वाले स्थानों को प्राथमिकता देते हैं।
- **श्रम लागत (Labour Costs):** कम श्रम लागत वाले क्षेत्र अक्सर श्रम-गहन उद्योगों को आकर्षित करते हैं।
- **श्रम कानून (Labour Laws):** अनुकूल श्रम विनियमन एवं कार्य परिस्थितियाँ उद्योगों की अवस्थिति संबंधी निर्णयों को प्रभावित कर सकती हैं।

बाजार तक पहुँच (Market Access)

- **बाजारों से निकटता (Proximity to Markets):** उच्च परिवहन लागत वाले अथवा जल्दी खराब हो जाने वाले सामान का उत्पादन करने वाले उद्योग परिवहन व्यय को कम करने के लिए बाजारों के पास स्थित होते हैं।
- **बाजार का आकार (Market Size):** अत्यधिक मांग वाले बड़े बाजार अधिकतम बिक्री एवं वितरण पहुंच की आवश्यकता वाले उद्योगों को आकर्षित करते हैं।

परिवहन एवं अवसंरचना (Transport and Infrastructure)

- **परिवहन सुविधाएँ (Transport Facilities):** सड़कों, रेलवे, बंदरगाहों तथा हवाई अड्डों के माध्यम से अच्छी कनेक्टिविटी वाले स्थान कच्चे माल और तैयार उत्पादों की कुशल आवाजाही सुनिश्चित करते हैं।
- **अवसंरचना (Infrastructure):** बिजली, पानी और संचार जैसी आवश्यक चीजों की उपलब्धता सुचारू औद्योगिक संचालन के लिए अति आवश्यक है।

याद रखने की युक्ति (Learning Trick)

क्या आपको बहुत सारी चीजें याद रखनी हैं? आइए, लाइफसाइकिल विधि का उपयोग करते हैं। इन बिंदुओं को "इनपुट आवश्यकताओं", "बिक्री आवश्यकताओं" और "बाहरी कारकों" में विभाजित कीजिये। नीचे देखें:

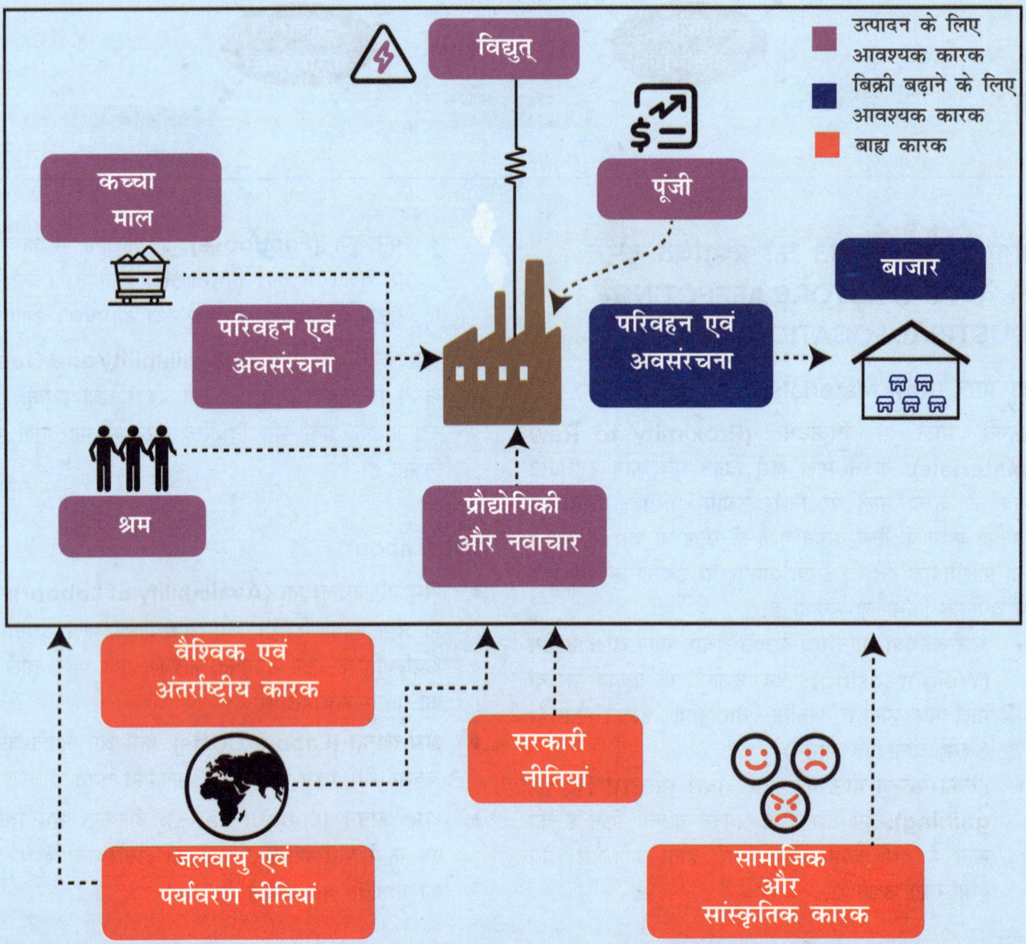

ऊर्जा आपूर्ति (Energy Supply)

- **बिजली तक पहुँच (Access to Power):** विशेषत: विनिर्माण एवं खनन जैसे ऊर्जा-गहन उद्योगों के लिए निरंतर एवं निर्बाध और सस्ती ऊर्जा बहुत महत्वपूर्ण है।
- **ऊर्जा के प्रकार (Types of Energy):** बिजली, प्राकृतिक गैस या नवीकरणीय ऊर्जा जैसे विशिष्ट ऊर्जा स्रोतों की उपलब्धता उद्योगों की अवस्थिति को प्रभावित करती है।

पूंजी एवं वित्तीय कारक (Capital and Financial Factors)

- **पूंजी तक पहुंच (Access to Capital):** वित्तीय संस्थानों से निकटता तथा ऋण प्राप्त करने में आसानी उद्योगों के स्थान संबंधी निर्णय लेने को प्रभावित करती है।
- **निवेश प्रोत्साहन (Investment Incentives):** कर में छूट तथा सब्सिडी जैसे सरकारी प्रोत्साहन उद्योगों को विशेष क्षेत्रों की ओर आकर्षित करते हैं।

सरकारी नीतियाँ एवं विनियमन (Government Policies and Regulations)

- **औद्योगिक नीतियाँ (Industrial Policies):** स्थानीय या क्षेत्रीय कानून, पर्यावरण विनियमन और औद्योगिक प्रोत्साहन संबंधी नीतियाँ उद्योगों की अवस्थिति को प्रभावित करती हैं।
- **कर (Taxation):** अनुकूल कर दरें उद्योगों को विशिष्ट क्षेत्रों की ओर आकर्षित कर सकती हैं।

जलवायु एवं पर्यावरण नीतियाँ (Climate and Environmental Policies)

- **जलवायु उपयुक्तता (Climate Suitability):** कुछ उद्योग विशिष्ट जलवायु स्थितियों (जैसे, कृषि, पर्यटन, आदि) पर निर्भर करते हैं।
- **पर्यावरण विनियमन (Environmental Regulations):** कठोर विनियमन के कारण कतिपय उद्योगों को कुछ क्षेत्रों में स्थापित किये जाने से रोका जा सकता है।

सामाजिक एवं सांस्कृतिक कारक (Social and Cultural Factors)

- **सामुदायिक दृष्टिकोण (Community Attitudes):** स्थानीय समुदाय का समर्थन या विरोध औद्योगिक सेटअप को प्रभावित करता है।
- **जीवन की गुणवत्ता (Quality of Life):** कर्मचारी कल्याण को प्राथमिकता देने वाले उद्योग बेहतर जीवन स्तर वाले स्थानों की ओर आकर्षित हो सकते हैं।

प्रौद्योगिकी एवं नवाचार की उपलब्धता (Availability of Technology and Innovation)

- **प्रौद्योगिकी तक पहुँच (Access to Technology):** तकनीकी केंद्रों एवं अनुसंधान संस्थानों की निकटता उच्च तकनीक उद्योगों को लाभ पहुँचाती है।
- **नवाचार पारिस्थितिकी तंत्र (Innovation Ecosystem):** अनुसंधान एवं विकास तथा नवाचार का समर्थन करने वाले क्षेत्र प्रतिस्पर्धी उद्योगों को आकर्षित करते हैं।

वैश्विक एवं अंतर्राष्ट्रीय कारक (Global and International Factors)

- **व्यापार समझौते (Trade Agreements):** अंतर्राष्ट्रीय व्यापार समझौते एवं निर्यात प्रोत्साहन वैश्विक बाजारों को लक्षित करने वाले उद्योगों को प्रभावित करते हैं।
- **राजनीतिक स्थिरता (Political Stability):** स्थिर राजनीतिक वातावरण वाले क्षेत्र उद्योगों के लिए अधिक आकर्षक होते हैं, जिससे व्यवधान का जोखिम कम होता है।

वेबर का औद्योगिक अवस्थिति मॉडल (WEBER'S MODEL OF INDUSTRIAL LOCATION)

वेबर का औद्योगिक अवस्थिति का सिद्धांत (जिसे न्यूनतम लागत सिद्धांत भी कहा जाता है) यह बताता है कि विशिष्ट लागतों को कम करने के आधार पर उद्योगों को कुछ विशिष्ट क्षेत्रों में क्यों स्थापित किया जाता है। इसे जर्मन अर्थशास्त्री अल्फ्रेड वेबर ने वर्ष 1909 के अपनी पुस्तक, "Theory of the Location of Industries (उद्योगों की अवस्थिति संबंधी सिद्धांत)" में प्रस्तावित किया था।

वेबर के अनुसार, परिवहन एवं श्रम लागतों के अलावा, उद्योगों से जुड़ी अन्य सभी लागतें एक बार उद्योग स्थापित हो जाने के बाद तय हो जाती हैं। परिवहन लागत एवं श्रम लागत कच्चे माल एवं बाजार से दूरी के साथ-साथ श्रम केंद्रों (ऐसी जगहें जहाँ श्रम उपलब्ध है) से दूरी के अनुसार अलग-अलग होती है।

उद्योगों की अवस्थिति को प्रभावित करने वाले मुख्य कारक (Key Factors Influencing Industrial Location)

1. **परिवहन लागत (Transportation Costs):** कच्चे माल को कारखाने तक ले जाने और तैयार माल को बाजार तक भेजने में आने वाली लागत।

2. **श्रम लागत (Labour Costs):** कार्यबल को काम पर रखने और बनाए रखने पर आने वाली लागत।
3. **संकूलन अर्थव्यवस्थाएँ (Agglomeration Economies):** इसमें अनेक उद्योग एक साथ मिलकर शहरी क्षेत्रों द्वारा प्रदान किये जाने वाले लाभों का फायदा उठाते हैं, जैसे कि साझा बुनियादी ढाँचे तक पहुँच, कुशल श्रम पूल और ज्ञान का प्रसार। आपने अपने आस-पास के बाजारों में देखा होगा, जहाँ किसी विशेष उत्पाद के विक्रेता, चाहे वह कपड़े हों, बर्तन हों, हार्डवेयर हों, आदि, एक-दूसरे के करीब दुकानें रखते हैं। इन संकूलन प्रवृत्तियों के आधार पर विश्व के कुछ भाग महत्वपूर्ण "वैश्विक औद्योगिक क्षेत्र" के रूप में उभरे हैं, जिनकी चर्चा अगले खंड में की जाएगी।
   उपर्युक्त कारकों के आधार पर वेबर ने दो मॉडल विकसित किए:
   - **न्यूनतम-लागत स्थान मॉडल (Least-cost Location Model):** इसमें कच्चे माल और तैयार माल दोनों की आवाजाही के अनुकूल स्थान का चयन करके परिवहन संबंधी लागत को कम करने पर ध्यान केंद्रित किया जाता है।
   - **न्यूनतम लागत संकूलन मॉडल (Least-cost Agglomeration Model):** इसमें अन्य उद्योगों के निकट होने से होने वाले लाभों पर विचार किया जाता है तथा इनका संतुलन परिवहन लागत से होने वाली बचत के साथ बिठाया जाता है।

कच्चे माल की तुलना में तैयार माल में भार वृद्धि बनाम भार कम होने वाले उद्योग (Weight-gaining vs. Weight-losing Industries)

- **भार वृद्धि वाले उद्योग (Weight-gaining Industries):** इन उद्योगों में तैयार उत्पाद, कच्चे माल की तुलना में भारी होते हैं (जैसे, पेय पदार्थ (बीवरेज) निर्माण)। ऐसे उद्योगों की फैक्ट्री का स्थान बाजार के करीब होता है।
- **तैयार माल का भार कम होने वाले उद्योग (Weight-losing Industries):** इन उद्योगों में तैयार उत्पाद कच्चे माल की तुलना में हल्का होता है (जैसे, खनन)। इनमें फैक्ट्री का स्थान कच्चे माल के स्रोतों के पास होता है, जिससे उनमें परिवहन लागत कम आती है।

आइसोटिम्स और आइसोडापेन्स (Isotims and Isodapanes)

- **समय समरूपता (Isotim):** किसी स्रोत से कच्चे माल की समान परिवहन लागत वाले बिंदुओं को जोड़ने वाली रेखा है, जिसे आमतौर पर संकेंद्रित वृत्तों द्वारा दर्शाया जाता है।
- **सम परिरेखा (Isodapane):** परिवहन लागत एवं श्रम लागत सहित समान सकल उत्पादन लागत वाले बिंदुओं को जोड़ने वाली रेखा है। उद्योगों के लिये सबसे अच्छी अवस्थिति सबसे कम लागत वाले आइसोडापेन के साथ होती है।

विश्व के औद्योगिक क्षेत्र (INDUSTRIAL REGIONS OF THE WORLD)

कुछ मुख्य औद्योगिक क्षेत्रों को चित्र 10.1 से 10.3 में दर्शाया गया है, जबकि उनके मुख्य उद्योग तालिका 10.1 में दिये गये हैं।

तालिका 10.1 विश्व के मुख्य औद्योगिक क्षेत्र

औद्योगिक क्षेत्र	मुख्य उद्योग
यूरोप	
बोहेमिया	लौह एवं इस्पात, भारी मशीनरी, खनन उपकरण, बिजली का सामान, हल्की मशीनरी, उपभोक्ता सामान, कृषि मशीनरी (चित्र 10.1)।
लोरेन	लौह एवं इस्पात, वस्त्र, भारी एवं हल्की मशीनरी, उपभोक्ता सामान, शराब की भट्टी, खाद्य प्रसंस्करण (चित्र 10.1)।
मॉस्को	लौह एवं इस्पात, सूती और ऊनी वस्त्र, इंजीनियरिंग सामान, मिश्रित मशीनरी, ऑटोमोबाइल, बिजली के सामान, दवा एवं खाद्य प्रसंस्करण (चित्र 10.1)।
पो-बेसिन	ऑटोमोबाइल, इलेक्ट्रॉनिक सामान, उपभोज्य वस्तुएँ, चीनी मिट्टी के बर्तन, कृषि मशीनरी, वित्तीय सेवाएँ (चित्र 10.1)।

(Continued)

तालिका 10.1 *(Continued)*

औद्योगिक क्षेत्र	मुख्य उद्योग
रुहर बेसिन	लौह एवं इस्पात, भारी मशीनरी, पेट्रोकेमिकल्स, खनन उपकरण, इलेक्ट्रॉनिक सामान, कृषि मशीनरी, उपभोज्य वस्तुएँ (चित्र 10.1)।
सार बेसिन	लौह एवं इस्पात, ऑटोमोबाइल, बिजली का सामान, इलेक्ट्रॉनिक्स, रसायन, कृषि मशीनरी, वस्त्र एवं खाद्य प्रसंस्करण (चित्र 10.1)।
जबरजे	भारी मशीनरी, खनन उपकरण, बिजली का सामान, इलेक्ट्रॉनिक्स, उपभोज्य वस्तुएँ, कपड़ा एवं खाद्य प्रसंस्करण।
कार्डिफ-स्वानसी (वेल्स)	जहाज निर्माण, लौह एवं इस्पात, भारी मशीनरी, ऑटोमोबाइल, पेट्रोकेमिकल्स, हल्की मशीनरी, उपभोज्य वस्तुएँ, खाद्य प्रसंस्करण (चित्र 10.2)।
ग्लासगो	जहाज निर्माण, लौह एवं इस्पात, भारी मशीनरी, ऑटोमोबाइल, उपभोज्य वस्तुएँ एवं खाद्य प्रसंस्करण (चित्र 10.2)।
मैनचेस्टर-लिवरपूल	जहाज निर्माण, कपड़ा, हल्की मशीनरी, बर्तन (चित्र 10.2)।
न्यूकैसल	जहाज निर्माण, मशीनरी और उपभोज्य वस्तुएँ।
वोल्गा क्षेत्र	पेट्रोकेमिकल, कपड़ा, बिजली का सामान, कृषि मशीनरी।
ग्रेट लेक्स के औद्योगिक शहर (उत्तरी अमेरिका)	
बफेलो	लौह एवं इस्पात, बिजली के उपकरण, रसायन, अनाज-पिसाई (मिलिंग) (चित्र 10.3)।
क्लीवलैंड	ऑटोमोबाइल, लौह एवं इस्पात, पेट्रोकेमिकल, इंजीनियरिंग सामान, परिशुद्धता मापी यंत्र, उपभोज्य वस्तुएँ (चित्र 10.3)।
डेट्रॉयट (मोटाउन या मोटर टाउन)	ऑटोमोबाइल, फोर्ड, जनरल मोटर्स एवं क्रिसलर का मुख्यालय, उपभोज्य वस्तुएँ, खाद्य प्रसंस्करण (चित्र 10.3)।
डुलुथ	अनाज निर्यात, फर-व्यापार, बिजली का सामान (चित्र 10.3)।
गैरी	भारी मशीनरी, बिजली का सामान, इंजीनियरिंग सामान, सटीक उपकरण, कृषि मशीनरी (चित्र 10.3)।
मिल्वौकी	शराब निर्माण (Brewing), रसायन, हल्की मशीनरी, बिजली का सामान, खाद्य प्रसंस्करण (चित्र 10.3)।
टोलेडो	ऑटोमोबाइल, लौह एवं इस्पात, कांच के उत्पाद, चीनी मिट्टी की चीजें, फल-पैकिंग, डेयरी उत्पाद (चित्र 10.3)।
टोरंटो	लौह एवं इस्पात, विमान, रसायन, फार्मास्यूटिकल्स, वस्त्र, कृषि मशीनरी और खाद्य प्रसंस्करण (चित्र 10.3)।

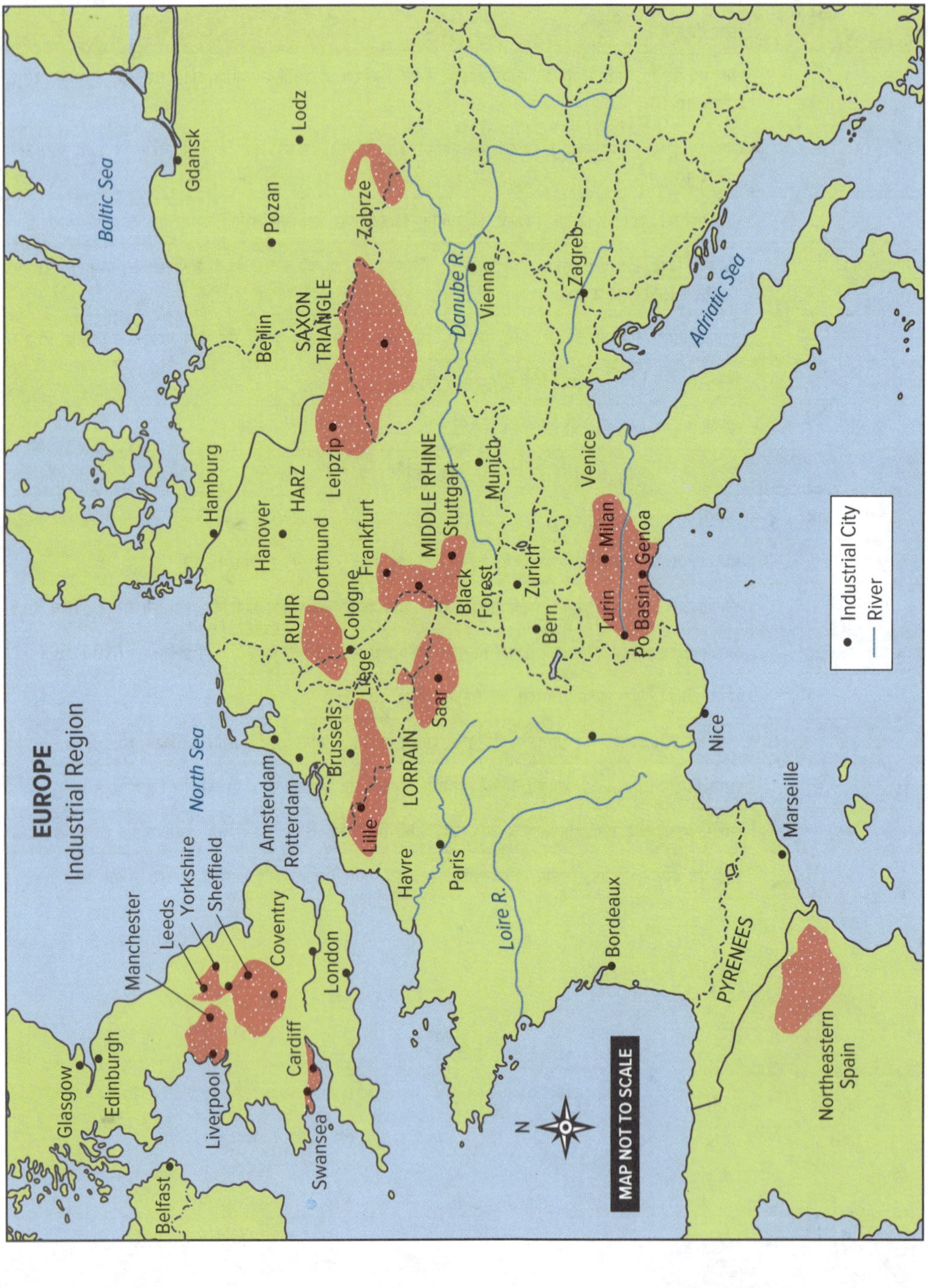

चित्र 10.1
यूरोप के औद्योगिक क्षेत्र

चित्र 10.2
यू.के. के औद्योगिक क्षेत्र

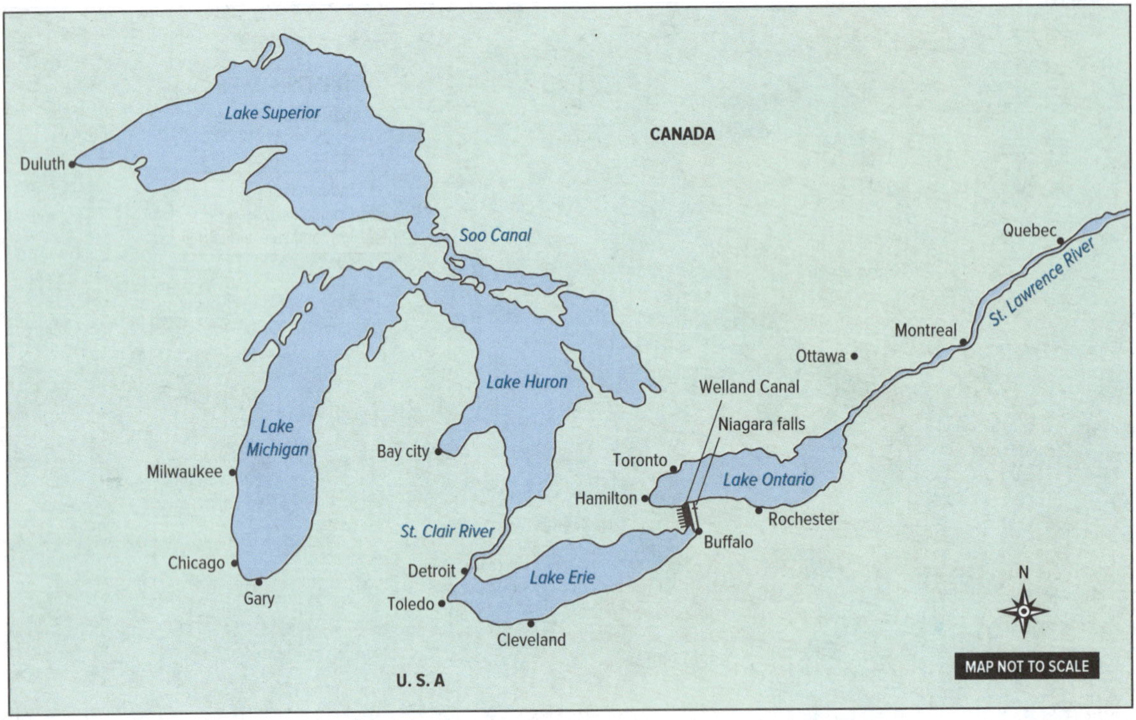

चित्र 10.3
उत्तरी अमेरिका की महान झीलों (ग्रेट लेक्स) के आसपास के औद्योगिक शहर

इस अध्याय पर वैचारिक वीडियो देखने के लिए कृपया यहां दिए गए क्यूआर कोड को स्कैन करें

अध्याय

11

जनांकिकी (DEMOGRAPHY)

अध्याय की रूपरेखा (Chapter Outline)

✓ *याद रखने की युक्ति (Learning Trick)*   * *त्वरित पुनरावलोकन (Quick Revision)*

मानव भूगोल (HUMAN GEOGRAPHY)

मानव भूगोल, भूगोल का एक ऐसा प्रमुख अध्ययन क्षेत्र है, जो इस बात का अध्ययन करता है कि स्थान, परिवेश तथा पर्यावरण किस प्रकार मानव गतिविधियों की स्थिति एवं परिणाम दोनों का निर्धारण करते हैं। मानव भूगोल का केंद्र मनुष्य है, इसलिए, पृथ्वी की सतह पर उसका व्यवसाय इस बात की ओर ध्यान आकर्षित करता है कि विभिन्न प्राकृतिक घटनाएँ मानव जाति को किस तरह प्रभावित करती हैं और मानव जाति किस तरह प्राकृतिक घटनाओं को प्रभावित करती है। ऐसी घटनाएँ मनुष्य को अकेले प्रभावित नहीं करती हैं, बल्कि उसे उसके सामान्य पर्यावरण के भाग के रूप में प्रभावित करती हैं, यद्यपि उसकी गतिविधियों पर ऐसी अनेक घटनाओं का कुछ न कुछ प्रभाव पड़ता है, फिर चाहे उनका उससे संबंध हों या नहीं भी हो। निम्नलिखित अनुच्छेद में पर्यावरण तथा अनेक सांस्कृतिक-आर्थिक गतिविधियों और परिदृश्यों के संबंध में मनुष्य द्वारा किए जा रहे व्यवसायों का विस्तृत अध्ययन किया गया है।

विश्व के जनसंख्या स्वरूप (POPULATION PATTERNS OF THE WORLD)

जनसंख्या (Population)

पृथ्वी 8.2 बिलियन से अधिक लोगों का घर है। यद्यपि, जनसंख्या का वितरण अत्यधिक असमान है। विश्व में भारत की विश्व जनसंख्या सबसे अधिक है, उसके बाद चीन, अमेरिका, इंडोनेशिया और पाकिस्तान हैं। संयुक्त राष्ट्र जनसंख्या पूर्वानुमान के अनुसार, 2084 में विश्व की जनसंख्या 10.3 बिलियन तक पहुंचने की संभावना है।

जनसंख्या घनत्व (Population Density)

जनसंख्या घनत्व किसी देश/क्षेत्र के एक वर्ग किलोमीटर में निवास करने वाले लोगों की औसत संख्या है।

विश्व का जनसंख्या घनत्व लगभग 62 व्यक्ति प्रति वर्ग किलोमीटर है (चित्र 11.1)।

जनसंख्या वृद्धि को प्रभावित करने वाले कारक (Factors affecting Population Growth)

- **जन्म दर (Birth Rate):** किसी निश्चित अवधि में किसी निश्चित जनसंख्या में प्रति हजार लोगों पर जीवित जन्मों की संख्या। उच्च जन्म दर से जनसंख्या वृद्धि होती है।
- **मृत्यु दर (Death Rate):** किसी निश्चित अवधि में किसी निश्चित जनसंख्या में प्रति हजार लोगों पर मृत्यु की संख्या। कम मृत्यु दर के कारण हुई कम मौतों के परिणामस्वरूप जनसंख्या में वृद्धि हो सकती है।
- **प्रवासन (Migration):** लोगों का एक स्थान से दूसरे स्थान पर जाना। आप्रवास (आंतरिक प्रवास) जनसंख्या के आकार को बढ़ा सकता है, जबकि उत्प्रवास (बाहरी प्रवासन) इसे घटा सकता है।
- **प्रजनन दर (Fertility Rate):** किसी जनसंख्या में प्रजनन आयु की महिलाओं से जन्म लेने वाले बच्चों की औसत संख्या। उच्च प्रजनन दर से जनसंख्या वृद्धि होती है, जबकि कम प्रजनन दर से जनसंख्या में गिरावट होती है। 2.1 की कुल प्रजनन दर प्रतिस्थापन दर कहलाती है, क्योंकि यह जनसंख्या को प्रतिस्थापित करने, मृत्यु दर को संज्ञान में रखते हुए और स्थिर जनसंख्या आकार सुनिश्चित करने के लिए प्रति महिला बच्चों की औसत संख्या है।
- **आयु संरचना (Age Structure):** जनसंख्या के भीतर विभिन्न आयु समूहों में व्यक्तियों का वितरण। युवा आयु संरचना (युवा लोगों के उच्च अनुपात वाले) के परिणामस्वरूप तीव्र जनसंख्या वृद्धि हो सकती है, जबकि वृद्ध जनसंख्या संरचना के परिणामस्वरूप धीमी वृद्धि या गिरावट हो सकती है।
- **आर्थिक एवं सामाजिक कारक (Economic and Social Factors):** सामाजिक-आर्थिक स्थितियाँ, स्वास्थ्य सेवा, शिक्षा, रोजगार के अवसरों तक पहुँच तथा सांस्कृतिक मानदंड प्रजनन दर, मृत्यु दर और प्रवासन इस स्वरूप या

याद रखने की युक्ति (Learning Trick)

जनसंख्या को प्रभावित करने वाले कारक

मूल कारक

- जन्म दर (BR) (लोगों की संख्या बढ़ती है)
- मृत्यु दर (DR) (लोगों की संख्या घटती है)

⇒ BR > DR → जनसंख्या में वृद्धि

BR = DR → स्थिर जनसंख्या

BR < DR → जनसंख्या में गिरावट

गतिशील कारक

- प्रवासन: 2 स्थानों की जनसंख्या प्रभावित होती है

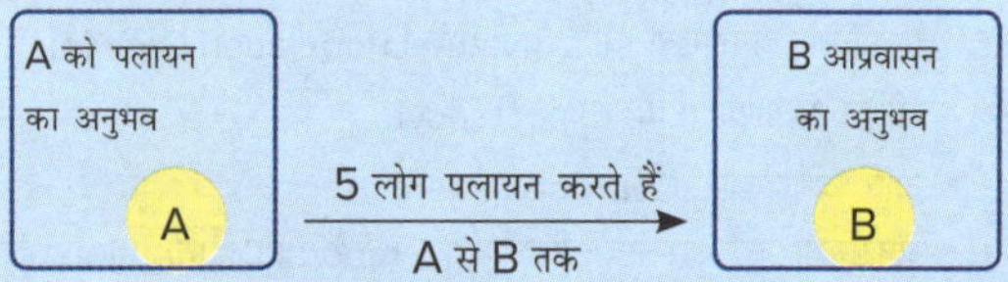

⇒ A की जनसंख्या 5 कम हो जाती है तथा B की जनसंख्या 5 बढ़ जाती है।

आइए, मूल एवं गतिशील कारकों को मिलाएँ:

1. यदि (आप्रवासन + BR) > (DR + उत्प्रवास)
   ⇒ जनसंख्या बढ़ती है
2. यदि दोनों समान हैं, तो जनसंख्या स्थिर है
3. यदि (आप्रवासन + BR) < (DR + उत्प्रवास)
   ⇒ जनसंख्या घटती है

अन्य कारक

- यदि अधिक युवा लोग (आयु संरचना), तो उच्च कुल प्रजनन दर (TFR) संभव है

↓

उच्च जन्म दर

- सामाजिक-आर्थिक परिस्थितियाँ TFR को प्रभावित करती हैं और इस प्रकार BR को प्रभावित करती हैं। यह स्वास्थ्य सुविधाओं को भी प्रभावित करता है, और इस प्रकार BR और DR दोनों को प्रभावित करता है!

↓

यह सब प्रवासन को भी प्रभावित करता है

पैटर्न को प्रभावित कर सकते हैं, जिससे जनसंख्या वृद्धि प्रभावित होती है।

प्राकृतिक जनसंख्या वृद्धि (Natural Population Growth)

प्राकृतिक जनसंख्या वृद्धि को किसी क्षेत्र में एक वर्ष में कुल जन्मों में से कुल मृत्यु को घटाकर परिकलित किया जाता है। इसमें उस क्षेत्र में या उससे होने वाले प्रवासन को शामिल नहीं किया जाता है। विश्व की जनसंख्या वृद्धि दर 1.1 प्रतिशत प्रति वर्ष है।

जीवन प्रत्याशा (Life Expectancy)

जीवन प्रत्याशा किसी व्यक्ति के जीवित रहने के औसत वर्ष हैं। यह किसी दी गई जनसंख्या में विशिष्ट आयु समूहों की मृत्यु दर पर आधारित है। विश्व में पुरुषों एवं महिलाओं के लिए औसत जीवन प्रत्याशा क्रमश: 69.6 और 74.5 वर्ष है, और चिकित्सा उपचार एवं जीवन स्तर में प्रगति के साथ इसके बढ़ने की उम्मीद है। मोनाको ने सबसे अधिक 89.8 वर्ष (2024) जीवन प्रत्याशा दर्ज की है।

अति जनसंख्या (Overpopulation)

अति जनसंख्या तब होती है, जब किसी क्षेत्र की जनसंख्या उस क्षेत्र के भूमि तथा पानी जैसे संसाधनों से अधिक हो जाती है। अति जनसंख्या कई कारकों के कारण होती है, जैसे कि मृत्यु दर में कमी, बेहतर चिकित्सा सुविधाएँ, प्रजनन उपचार में तकनीकी उन्नति, आप्रवासन, परिवार नियोजन की कमी, शिक्षा की कमी आदि। अति जनसंख्या के कारण प्राकृतिक संसाधनों की कमी, पर्यावरण का क्षरण, संघर्ष एवं युद्ध, बेरोजगारी में वृद्धि, जीवन की उच्च लागत आदि की स्थितियाँ उत्पन्न होती है।

त्वरित पुनरावलोकन (Quick Revision)

जनसंख्या और संसाधन

1. जनसंख्या < संसाधन → अल्प जनसंख्या
2. जनसंख्या > संसाधन → अति जनसंख्या
3. जनसंख्या = संसाधन → स्थिर जनसंख्या

जनसंख्या का अस्थायी वितरण (Temporal Distribution of Population)

- **ऐतिहासिक प्रवृतियां (1700 के दशक तक) (Historical Trends (up to 1700s)):** वैश्विक जनसंख्या 200 से 500 मिलियन लोगों के मध्य थी, जो सीमित खेती, उच्च शिशु मृत्यु दर तथा निरंतर बीमारियों के कारण धीरे-धीरे बढ़ रही थी।
- **आधुनिक युग (18वीं से 19वीं शताब्दी) (Modern Era (18th to 19th centuries):** 18वीं शताब्दी तक, जनसंख्या लगभग 700 मिलियन से 1 बिलियन तक पहुँच गई। औद्योगिक क्रांति के कारण विशिष्ट वृद्धि हुई, जिस कारण 19वीं शताब्दी के अंत तक जनसंख्या दोगुनी होकर लगभग 1.5 से 2 बिलियन हो गई।
- **20वीं शताब्दी (20th Century):** जनसंख्या वृद्धि में तेजी आई, यह 1900 में लगभग 1.6 बिलियन तथा 2000 तक लगभग 6.1 बिलियन तक पहुँच गई, यह सब बेहतर स्वास्थ्य सेवा, स्वच्छता और खाद्य उत्पादन के कारण संभव हुआ।
- **वैश्विक जनसंख्या वृद्धि (20वीं और 21वीं सदी की शुरुआत) (Global Population Growth (20th and early 21st centuries):** चिकित्सा, प्रौद्योगिकी एवं कृषि में प्रगति के कारण जनसंख्या 8 बिलियन से अधिक हो गई।
- **वर्तमान प्रवृतियां (Current Trends):** यद्यपि, विकास दर धीमी हो गई है, वैश्विक जनसंख्या अब भी बढ़ रही है, यह संभवत: 2050 तक 9.7 से 10.9 बिलियन तक पहुंच जाएगी, जिसमें सबसे अधिक वृद्धि उप-सहारा अफ्रीका और एशिया के कुछ उच्च प्रजनन क्षेत्रों में होगी।

जनसंख्या का स्थानिक वितरण (Spatial Distribution of Population)

महत्वपूर्ण कारक (Significant Factors)

- **भूगोल एवं जलवायु (Geography and Climate):** समशीतोष्ण जैसे अनुकूल जलवायु क्षेत्रों में जनसंख्या घनत्व अधिक होता है, जबकि रेगिस्तान जैसे कठोर जलवायु में घनत्व कम होता है। उदाहरण के लिए, भारत का सिंधु-गंगा मैदान अपनी उपजाऊ भूमि तथा अच्छी जलवायु के कारण घनी जनसंख्या वाला क्षेत्र है।
- **संसाधन (Resources):** पानी एवं उपजाऊ भूमि जैसे संसाधनों की दृष्टि से समृद्ध क्षेत्र, अधिक लोगों को आकर्षित करते हैं। उदाहरण के लिए, मिस्र में नील घाटी तथा भारत में गंगा घाटी घनी जनसंख्या वाले क्षेत्र हैं।
- **आर्थिक अवसर (Economic Opportunities):** शहर जैसे अधिक नौकरियों तथा उद्योगों वाले क्षेत्र लोगों को आकर्षित करते हैं।
  मुंबई, न्यूयॉर्क और टोक्यो जैसे शहरी क्षेत्र आर्थिक अवसरों के कारण घनी जनसंख्या वाले हैं।

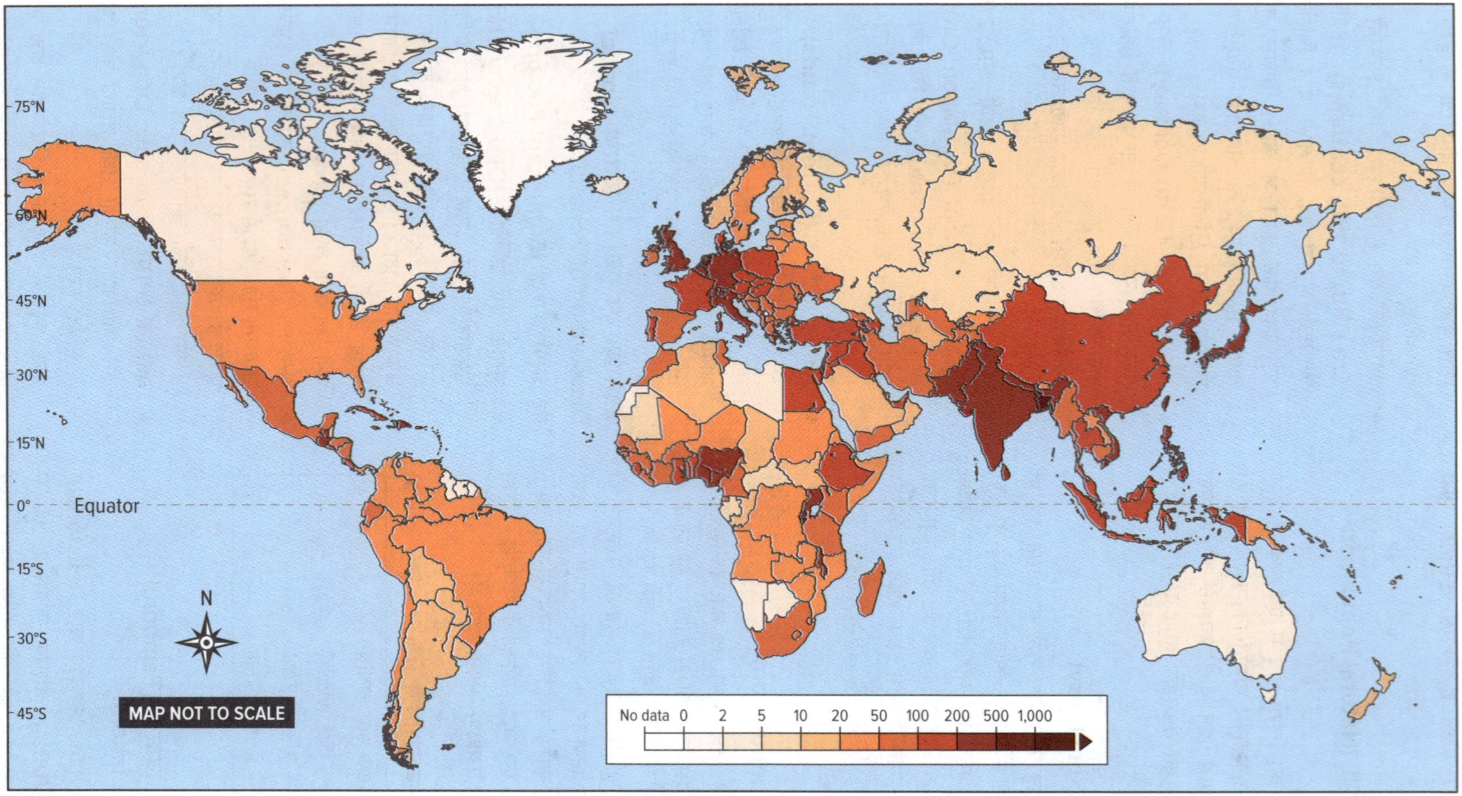

चित्र 11.1

जनसंख्या घनत्व, 2024

साभार: आवर वर्ल्ड इन डेटा; HYDE (2023); गैपमाइंडर (2022); UN WPP (2024); UN FAO (2024)। CCBY4.0 https://creativecommons.org/licenses/by/4.0/deed.en

- **राजनीतिक एवं सामाजिक कारक (Political and Social Factors):** कनाडा और ऑस्ट्रेलिया जैसे अच्छी सरकारी नीतियों एवं सामाजिक सेवाओं वाले स्थिर क्षेत्र, अधिक लोगों को आकर्षित करते हैं।
- **ऐतिहासिक कारक (Historical Factors):** व्यापार मार्ग तथा उपनिवेशीकरण जैसी ऐतिहासिक घटनाएँ जनसंख्या वितरण को आकार प्रदान करते हैं। तटीय क्षेत्रों एवं ऐतिहासिक व्यापार केंद्रों में अक्सर अधिक जनसंख्या होती है।

जनसंख्या वितरण के स्वरूप (Patterns of Population Distribution)

- **शहरी बनाम ग्रामीण (Urban vs. Rural):** बेहतर नौकरियों, आधारभूत संरचनाओं और सेवाओं के कारण शहरों में अधिक घनी जनसंख्या है, जबकि ग्रामीण क्षेत्रों में कम लोग हैं। उदाहरण के लिए, भारत में दिल्ली, मुंबई तथा कोलकाता ग्रामीण क्षेत्रों की तुलना में घनी जनसंख्या वाले हैं।
- **महाद्वीपीय वितरण (Continental Distribution):** महाद्वीपों में जनसंख्या घनत्व भिन्न होता है। चीन तथा भारत जैसे देशों के साथ एशिया सबसे अधिक जनसंख्या वाला है, जबकि ऑस्ट्रेलिया और अंटार्कटिका में घनत्व बहुत कम है।
- **क्षेत्रीय वितरण (Regional Distribution):** देशों के भीतर जनसंख्या व्यापक रूप से भिन्न हो सकती है; उदाहरण के लिए, यू.एस. पूर्वी तट और कैलिफोर्निया घनी जनसंख्या वाले हैं, जबकि आंतरिक पश्चिमी राज्यों जैसे व्योमिंग में घनत्व कम है।
- **तटीय बनाम अंतर्देशीय (Coastal vs. Inland):** तटीय क्षेत्रों में व्यापार और संसाधनों तक पहुँच के कारण जनसंख्या घनत्व अधिक होता है। अंतर्देशीय क्षेत्रों की तुलना में मुंबई, चेन्नई और न्यूयॉर्क जैसे शहर अधिक घनी जनसंख्या वाले हैं।

प्रवासन (Migration)

इतिहास में हमेशा लोग नए स्थानों पर बसते रहे हैं। आज, परिवहन में सुधार के साथ लोग पहले से कहीं अधिक दूर और तेजी से जा सकते हैं।

अक्सर लोग बेहतर आर्थिक, राजनीतिक या धार्मिक अवसरों की तलाश में अपने घर छोड़ देते हैं। नए स्थानों के प्रति इन आकर्षणों को पुल फैक्टर कहा जाता है।

कुछ लोग प्राकृतिक आपदाओं, उत्पीड़न या युद्ध से बचने के लिए अपने पुराने घरों को छोड़ देते हैं। इन्हें पुश फैक्टर कहा जाता है। लोग अपने देश के भीतर नए स्थानों पर जा सकते हैं (प्रवासन) या दूसरे देश में जा सकते हैं (आप्रवासन)।

आव्रजकों और उनके नए देशों के मध्य सांस्कृतिक अंतर अक्सर संघर्षों को जन्म देते हैं। शरणार्थी अपनी जान बचाने के लिए भागते हैं। प्रवासी अपनी मर्जी से जाते हैं। यह अंतर बहुत महत्वपूर्ण है। शरणार्थियों को अंतर्राष्ट्रीय समझौते द्वारा संरक्षित किया जाता है और उन्हें विश्व समुदाय द्वारा समर्थन दिया जा सकता है। प्रवासियों को ये सुरक्षाएँ नहीं मिलती हैं।

त्वरित पुनरावलोकन (Quick Revision)

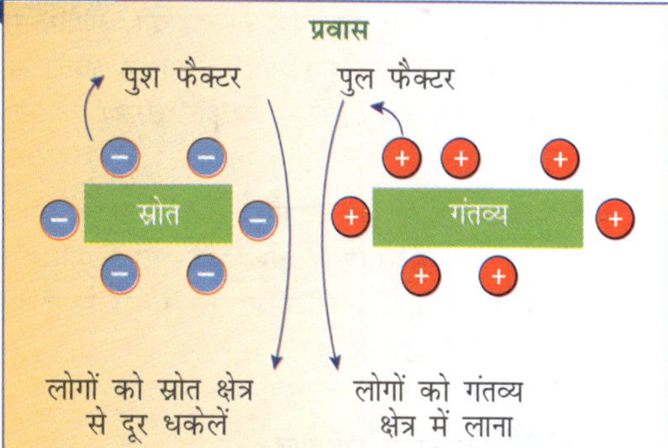

केवल दबावकारी कारकों (जैसे युद्ध, गरीबी, सामाजिक भेदभाव, आदि) का अस्तित्व अक्सर जबरन पलायन का कारण बनता है।

सांस्कृतिक विविधता (Cultural Diversity)

संस्कृति किसी मानव समाज की जीवन शैली होती है। विश्व के हर समाज की अपनी अनूठी संस्कृति होती है। संस्कृति के पहलुओं में समाज की भाषा, धर्म, कला, रीति-रिवाज, जातीयता, संस्थाएँ, तकनीक और अन्य विशेषताएँ शामिल हैं। देशों में कई संस्कृतियाँ हो सकती हैं, और संस्कृतियाँ राष्ट्रीय सीमाओं को पार कर सकती हैं। धर्म एवं भाषा किसी संस्कृति की दो विशिष्ट विशेषताएँ हैं। आज विश्व में हजारों धर्मों को माना जाता है और लगभग 7,100 भाषाएँ बोली जाती हैं।

धर्म (Religions)

धर्म समूह पहचान एवं सांस्कृतिक विशिष्टता का प्रतीक है। सभी समाजों की अपनी मूल्य प्रणालियाँ होती हैं – समान आस्था,

समझ, अपेक्षाएँ और नियंत्रण उनके सदस्यों को एकजुट करती हैं, और उन्हें अन्य सांस्कृतिक समूहों से अलग करती हैं। ऐसी मूल्य प्रणाली को ही धर्म कहा जाता है, जब इसमें औपचारिक या अनौपचारिक उपासना अलौकिक एवं पवित्र तथा ईश्वरीय आस्था की प्रणाली शामिल होती है।

विश्व के प्रमुख धर्मों में ईसाई धर्म, इस्लाम, हिंदू धर्म, बौद्ध धर्म, जैन धर्म आदि शामिल हैं (चित्र 11.2)। नास्तिकता विश्व के लोगों के मध्य एक और उभरती हुई आस्था प्रणाली है। इसमें वे लोग भी शामिल हैं, जो किसी भी धर्म में विश्वास नहीं रखते हैं।

भाषाएँ (Languages)

भाषा समाजीकरण की एक बड़ी शक्ति है। यह सांस्कृतिक संचय एवं ऐतिहासिक संचरण के लिए आवश्यक है। कहावतें, औषधि-सूत्र, प्रार्थनाएँ, लोक-कथाएँ, मानकीकृत भाषण, गीत, वंशावली भाषा के कुछ अधिक स्पष्ट रूप हैं, जिन्हें संस्कृति संरक्षण के साधन के रूप में लिया जाता है।

भाषा परिवार उन भाषाओं के समूह से संबंधित हैं, जो एक ही पूर्ववर्ती मूल भाषा से समय के साथ धीरे-धीरे विकसित हुए हैं। विश्व की भाषाओं को निम्नलिखित 16 समूहों में वर्गीकृत किया जा सकता है (तालिका 11.1):

तालिका 11.1 भाषाओं के मुख्य समूह

1.	एफ्रो एशियाई	9.	मलय-पोलिनेशियाई
2.	भारतीय अमेरिकी	10.	मोन -खमेर
3.	आस्ट्रेलियाई	11.	नीग्रो-कांगो (बंटू)
4.	द्रविड़	12.	निलो सहारा
5.	भारोपीय	13.	पापुआई
6.	इनूकीटूत्	14.	चीन -तिब्बती
7.	जापानी एवं कोरियाई	15.	यूरालिक एवं अल्ताईक
8.	खोइसन	16.	अवर्गीकृत

स्रोत: द निस्ट्रॉम डेस्क एटलस, 2008, हर्फ जोन्स एजुकेशन डिवीजन, इंडियानापोलिस, पृ. 43.

शहरीकरण (Urbanisation)

विश्व की लगभग आधी जनसंख्या अब शहरी क्षेत्रों में रहती है। पिछले 50 वर्षों में विश्व की शहरी जनसंख्या चार गुना से भी अधिक बढ़ गई है। जैसे-जैसे खेती ज्यादा कुशल और मशीनीकृत होती जा रही है, शारीरिक श्रम की आवश्यकता कम होती जा रही है। इसलिए, ये अतिरिक्त लोग नौकरी की तलाश में शहरों की ओर रुख़ कर रहे हैं।

शहरीकरण के स्तरों को चित्र 11.3 में दिखाया गया है। इस आंकड़े से यह देखा जा सकता है कि विकसित देश अधिक शहरीकृत हैं, जिनकी कुल जनसंख्या का 75 से 97 प्रतिशत शहरी क्षेत्रों में रह रहा है। मध्य अफ्रीकी देशों में शहरीकरण का स्तर 25 प्रतिशत से कम है, जबकि अधिकतर एशियाई देशों (जापान, दक्षिण कोरिया, हांगकांग, ईरान, कुवैत, सिंगापुर, सऊदी अरब, तुर्की, यूएई को छोड़कर) में शहरीकरण का स्तर 25 से 50 प्रतिशत के मध्य है (चित्र 11.3)।

प्रथम लोग (विश्व की प्रमुख जनजातियाँ) (FIRST PEOPLE (MAJOR TRIBES OF THE WORLD))

विश्व की प्रमुख जनजातियाँ को आदिवासी लोग, प्रथम लोग, मूल निवासी और देशज लोग कहा जाता है, ये मूल निवासी अपनी 4,000 से अधिक अनूठी भाषाओं में स्वयं को कई नामों से पुकारते हैं और विश्व की जनसंख्या का लगभग 6.2 प्रतिशत हैं (चित्र 11.4)। देशज लोग संस्कृति, धर्म और सामाजिक तथा आर्थिक संगठनों में आश्चर्यजनक रूप से विविध हैं। फिर भी आज वे अतीत की तरह, बाहरी विश्व का शिकार बन रहे हैं। इनमें से कुछ अपनी परंपराओं के अनुसार जीते हैं, कुछ सरकारों से लाभ प्राप्त करते हैं, और कुछ अन्य कारखानों, कार्यालयों या व्यवसायों में काम करते हैं। ये लोग भूमि एवं पर्यावरण के साथ घनिष्ठ संबंध बनाए रखते हैं।

ये वैश्विक जनसंख्या का सिर्फ 6.2 प्रतिशत हैं, लेकिन अत्यधिक गरीबों में इनकी भागीदारी लगभग 19 प्रतिशत हैं। इनकी जीवन प्रत्याशा विश्व भर में गैर-देशज लोगों की जीवन प्रत्याशा से 20 वर्ष तक कम है। ये विश्व के हर क्षेत्र में रहते हैं, लेकिन इनमें से लगभग 70 प्रतिशत एशिया तथा प्रशांत क्षेत्र में रहते हैं, इसके बाद अफ्रीका में 16.3 प्रतिशत, लैटिन अमेरिका एवं कैरिबियन में 11.5 प्रतिशत, उत्तरी अमेरिका में 1.6 प्रतिशत और यूरोप एवं मध्य एशिया में 0.1 प्रतिशत रहते हैं।

देशज लोगों के उदाहरणों में आर्कटिक के इनुइट, एरिजोना के व्हाइट माउंटेन अपाचे, अमेजन के यानोमामी और तुपी लोग, पूर्वी अफ्रीका के मासाई जैसे पारंपरिक चरवाहे और फिलीपींस के पहाड़ी क्षेत्र के बोंटोक लोगों जैसे आदिवासी लोग शामिल हैं (तालिका 11.2)।

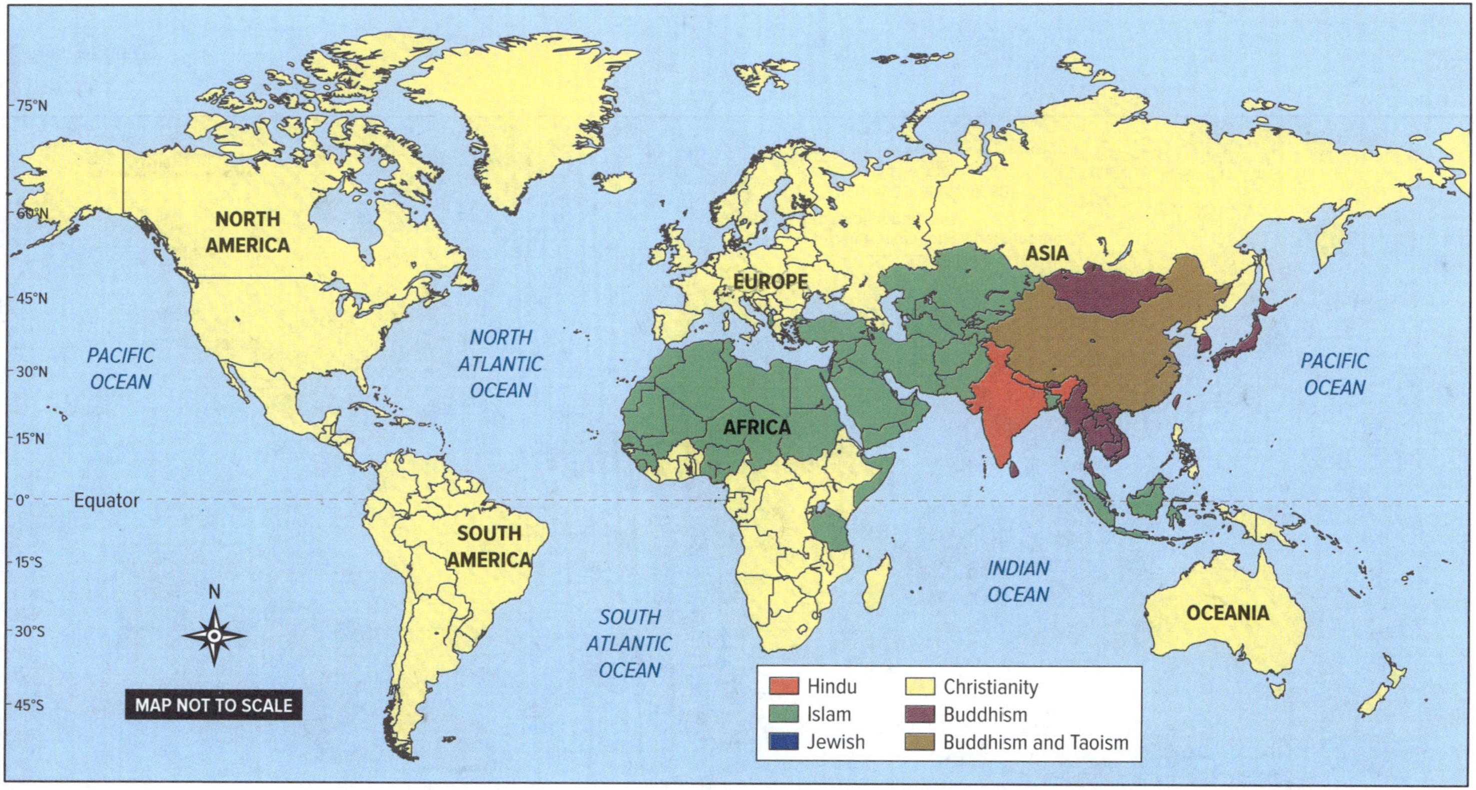

चित्र 11.2
विश्व के प्रमुख धर्म

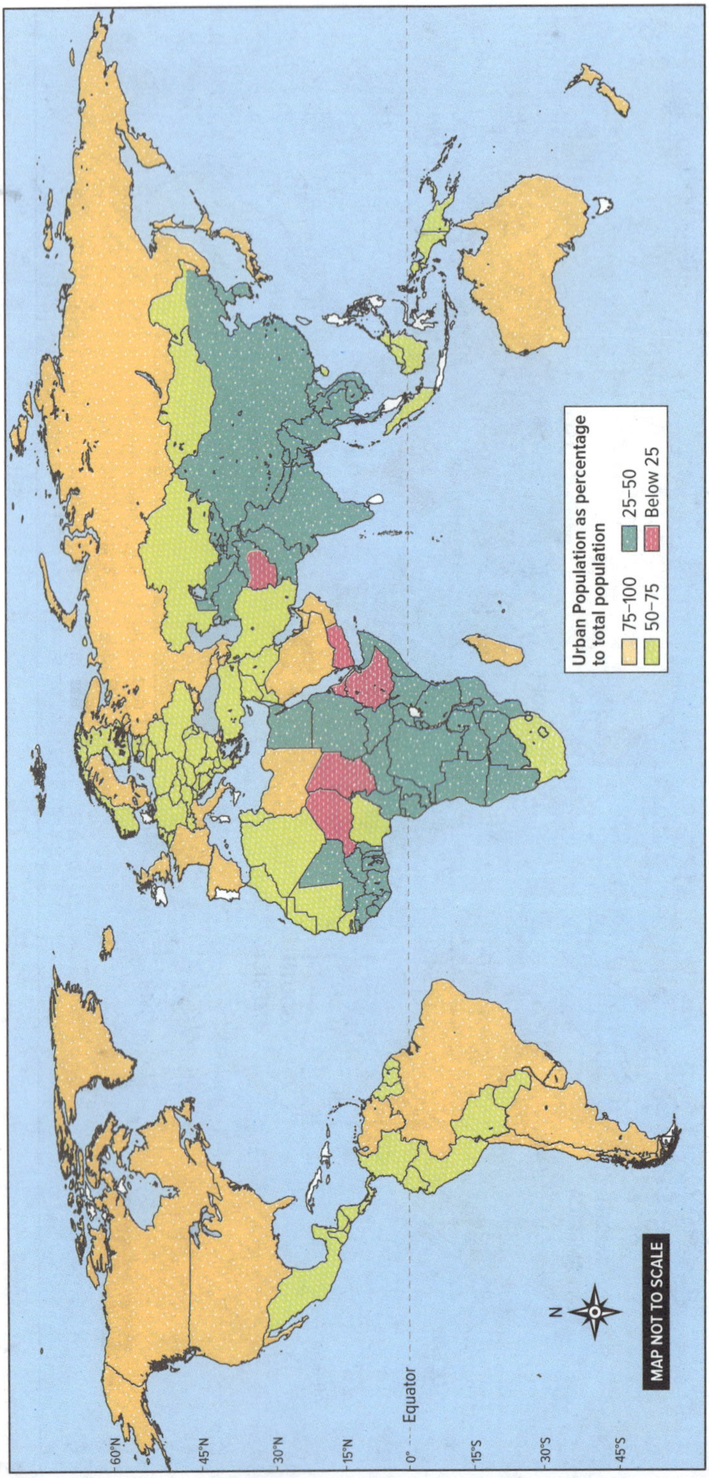

चित्र 11.3
विश्व शहरीकरण

तालिका 11.2 विश्व के मूल निवासी

महाद्वीप/देश	मूल निवासी
1. अफ्रीका	अफार, बबिंगा, बंटू, बर्बर, बोंगो, बोबो, बुशमैन, डिंका, एफे, फुलानी, हॉटेंटॉट, किकुयुस, लेसे, माबुती, मसाई, नुएर, ओरोमो, सान, शिलुक, टिग्म्यो, त्सवा, तुआरेग, त्वा, जुलु (चित्र 11.4)।
2. एशिया	ऐनु, अस्मत, बद्दू, चकमा, चिन, दानी, दयाक, हमांग, हरेन, इबान, इफुगाओ, काचिन, कलिंग, करेन, कायन, केदांग, कुर्द, लिसु, मर्मो, पख्तून, सकाई, सेमांग, शाह, वेद्दा (चित्र 11.4)
3. ऑस्ट्रेलिया	अरुनटा, बिदजंदजारा, डिएरी, गुरिंदजी, कडाकु, कामिलारोई, मुंगिन, तिवी, वेलब्री (चित्र 11.4)
4. यूरोप/रूस	चुककची, एस्किमो, कोर्याक, लैप्स, नेमत, सोमोयेड, तुंगस, सामी, याकूत, युकागिर (चित्र 11.4)
5. उत्तरी अमेरिका A ककनाडा	बेला, ब्लैकफुट, कूला, डेनी, क्री, हैडा, इनु, इनुइट, मेटी, टलिनिट (चित्र 11.4)
B यूएसए/मेक्सिको	अपाचे, अराफाहो, चोल, कोमानाची, क्रो, डाइन, होपी, केरेस, लैकांडो, माया, नवाजो, नेज, पावनी, पर्स, यूटी, युकाटेक
6. दक्षिण अमेरिका	अची, अक्रोरी, अरवाक, आयमारा, बोरो, करेन, कायापो, लैकोना, मापुची मास्कॉय, सेकोया, टोबा

मानव विकास सूचकांक (HUMAN DEVELOPMENT INDEX)

मानव विकास सूचकांक (एचडीआई) पहली बार 1990 में विकसित और लागू किया गया था। यह मानव क्षमताओं के संवर्धन में किसी देश या क्षेत्र की उपलब्धियों को मापने का एक माध्यम है। एचडीआई मानव विकास के इन घटकों का एक संयोजन है: (i) दीर्घायु, (ii) ज्ञान (iii) जीवन स्तर। हाल ही में इसमें यह भी शामिल है: (iv) मानव गरीबी सूचकांक, (v) लिंग विकास सूचकांक, और (vi) लिंग सशक्तीकरण सूचकांक। दीर्घायु को जीवन प्रत्याशा से मापा जाता है। ज्ञान को वयस्क साक्षरता (दो-तिहाई भार) के संयोजन द्वारा मापा जाता है। जीवन स्तर को स्थानीय जीवन लागत (क्रय शक्ति समता या पीपीपी) के लिए समायोजित प्रति व्यक्ति वास्तविक जीडीपी के आधार पर क्रय शक्ति द्वारा मापा जाता है। चित्र 11.5 विश्व भर में वैश्विक एचडीआई मूल्यों को दर्शाता है।

जनसंख्या पिरामिड (POPULATION PYRAMIDS)

- जनसंख्या पिरामिड जनसंख्या की आयु एवं लिंग संरचना को दर्शाने वाला एक चार्ट है, जो जनसंख्या संरचना, विकास और भविष्य की चुनौतियों को समझने में मदद करता है।
- ये पिरामिड जनसंख्या की विशेषताओं के आधार पर भिन्न आकार लेते हैं।

विस्तृत पिरामिड (Expansive Pyramid)

- **आकार (Shape):** नीचे की ओर चौड़ा (अधिक युवा लोग), ऊपर की ओर संकीर्ण (कुछ वृद्ध लोग)।
- **विशेषताएँ (Features):** बहुत उच्च जन्म एवं उच्च दर के कारण तीव्र जनसंख्या वृद्धि।
- **उदाहरण (Example):** नाइजीरिया का पिरामिड में बड़ी संख्या में बच्चों एवं युवाओं को दर्शाता है, जो उच्च जन्म दर एवं उच्च निर्भरता अनुपात को इंगित करता है, इसमें कम जीवन प्रत्याशा के कारण वृद्धों की संख्या कम होती है।

संकुचित पिरामिड (Constrictive Pyramid)

- **आकार (Shape):** संकीर्ण आधार (न्यून जन्म दर), मध्य में चौड़ा (अधिक कामकाजी आयु वाले लोग), संकीर्ण शीर्ष (कम वृद्ध)।
- **विशेषताएँ (Features):** न्यून जन्म एवं मृत्यु दर के कारण धीमी जनसंख्या वृद्धि।
- **उदाहरण (Example):** जापान के पिरामिड में कम युवा लोग तथा बड़ी कामकाजी आयु वाली जनसंख्या है, जिसमें चौड़ा शीर्ष वृद्ध जनसंख्या को दर्शाता है।

स्थिर पिरामिड (Stationary Pyramid)

- **आकार (Shape):** बहुत वृद्ध लोगों को छोड़कर सभी आयु समूहों में लगभग समान वितरण।

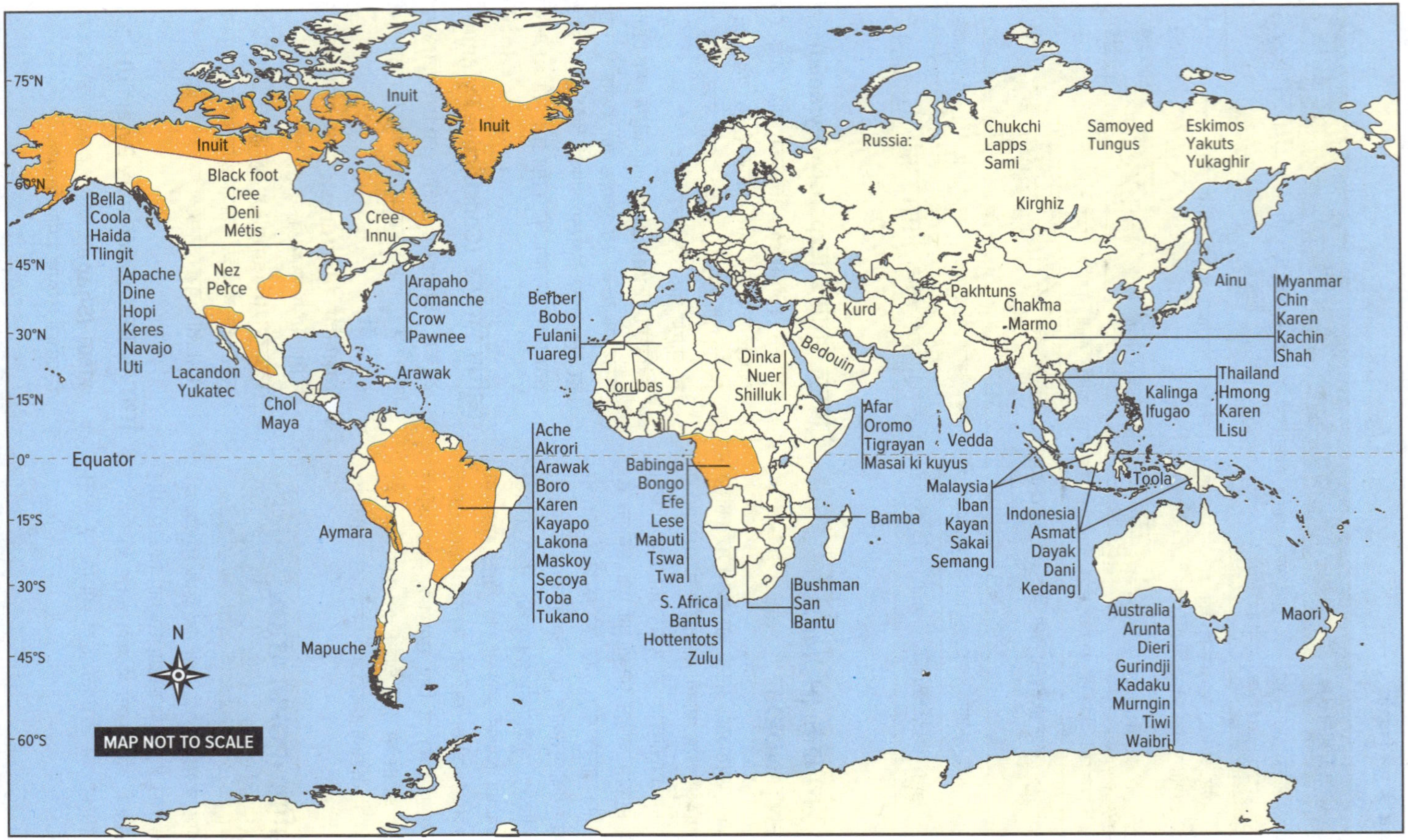

चित्र 11.4

विश्व के देशज लोग

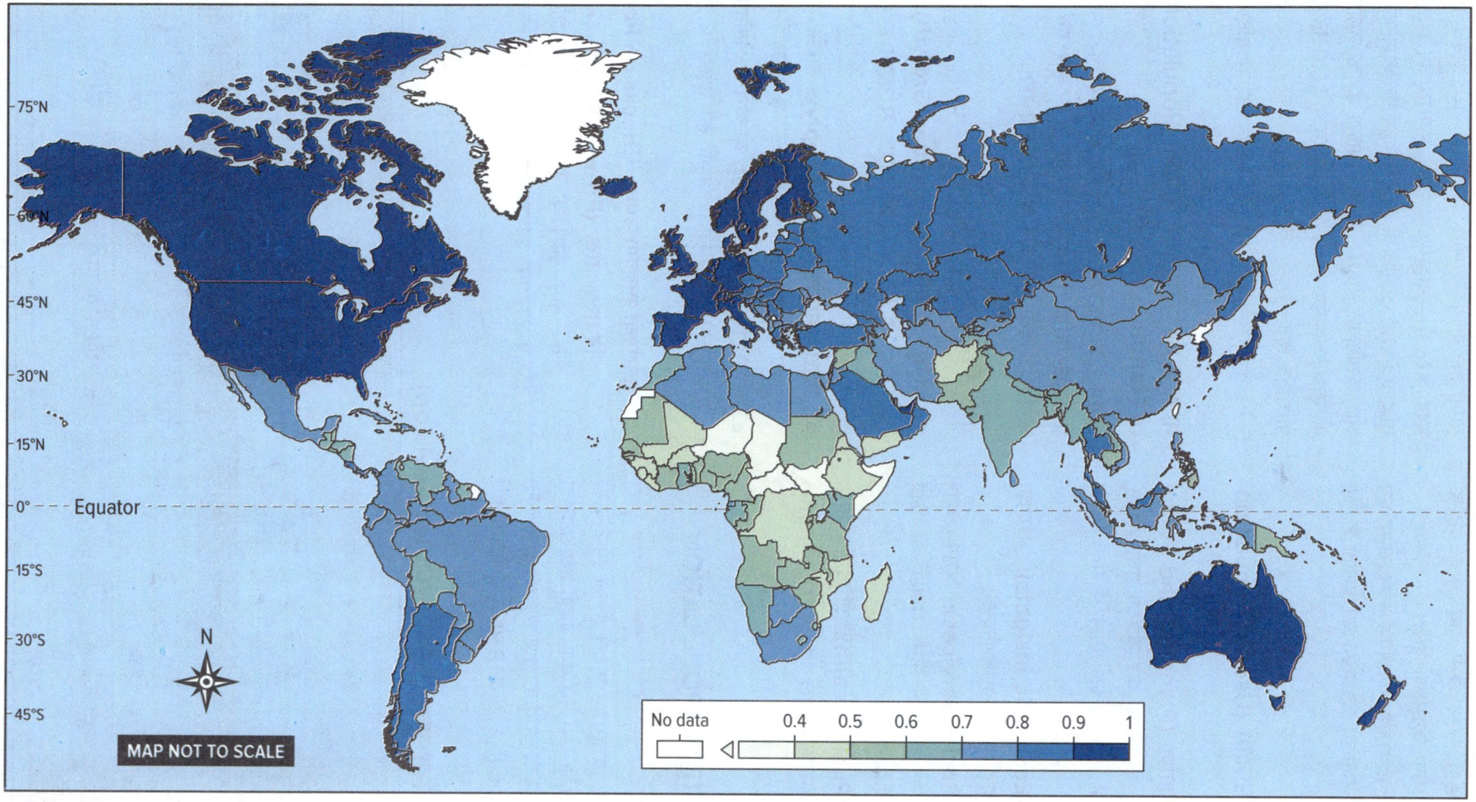

चित्र 11.5

विश्व - मानव विकास

साभार: Our World in Data; UNDP, Human Development Report (2024)। **CCBY4.0 https://creativecommons.org/licenses/by/4.0/deed.en**

- **विशेषताएँ (Features):** न्यून जन्म एवं मृत्यु दर के कारण स्थिर या बहुत धीमी जनसंख्या वृद्धि।
- **उदाहरण (Example):** यू.एस. पिरामिड न्यून जन्म एवं मृत्यु दर के साथ एक संतुलित जनसंख्या को दर्शाता है, जो स्थिरता को इंगित करता है।

जनसंख्या पिरामिड के उपयोग (Uses of Population Pyramids)

- **योजना एवं नीति निर्माण (Planning and Policy Making):** सरकारों एवं संगठनों को स्वास्थ्य सेवा, शिक्षा, आवास एवं रोजगार के लिए योजना बनाने में मदद करता है।
- **आर्थिक अंतर्दृष्टि (Economic Insights):** संभावित श्रम शक्ति एवं आर्थिक निर्भरता को दर्शाता है।
- **सामाजिक सेवाएँ (Social Services):** पेंशन, बाल देखभाल तथा बुजुर्गों की देखभाल जैसी सेवाओं के लिए संसाधन आवंटन हेतु मार्गदर्शन।
- **सार्वजनिक स्वास्थ्य (Public Health):** अधिक चिकित्सा सेवा या टीकाकरण आवश्यकता वाले आयु समूहों की पहचान करने में मदद करता है।

जनसंख्या संबंधी सिद्धांत (POPULATION THEORIES)

जनसंख्या संबंधी सिद्धांत ऐसे विचार एवं मॉडल हैं, जो स्पष्ट करते हैं कि समय के साथ जनसंख्या कैसे एवं क्यों बढ़ती तथा बदलती है और स्थिर होती है। ये जन्म दर, मृत्यु दर तथा संसाधन उपलब्धता जैसे कारकों की जांच करते हैं और जनसंख्या गतिशीलता एवं सामाजिक या पर्यावरणीय कारकों के मध्य संबंध को समझने में मदद करते हैं। उदाहरण के लिए, माल्थस का सिद्धांत जनसंख्या वृद्धि एवं खाद्य आपूर्ति के मध्य संतुलन पर ध्यान केंद्रित करता है, और जनांकिकी संक्रमण सिद्धांत बताता है कि समाज के विकास के साथ जनसंख्या उच्च जन्म एवं मृत्यु दर से निम्न दर में कैसे परिवर्तित होती है।

आइये, इन दोनों सिद्धांतों पर विस्तार से दृष्टि डालें।

माल्थस का जनसंख्या सिद्धांत (Population Theory of Malthus)

थॉमस रॉबर्ट माल्थस ने 1798 में जनसंख्या वृद्धि पर एक सिद्धांत प्रस्तावित किया, जिसमें जनसंख्या के आकार एवं खाद्य आपूर्ति के मध्य संबंधों पर ध्यान केंद्रित किया गया।

मुख्य विचार (Key Ideas)

- **जनसंख्या वृद्धि (Population Growth):** माल्थस का मानना था कि जनसंख्या तीव्रता से बढ़ती है (नियमित रूप से दोगुनी होती है)।
- **खाद्य आपूर्ति (Food Supply):** उन्होंने तर्क दिया कि खाद्य उत्पादन धीमी, सरेखीय दर से बढ़ता है।
- **असंतुलन (Imbalance):** माल्थस ने चेतावनी दी थी कि जनसंख्या वृद्धि, खाद्य आपूर्ति की तुलना में तीव्रता से बढ़ सकती है।
- **जनसंख्या नियंत्रण उपाय (Checks on Population):**
  - **निवारक रोक (Preventive Checks):** जन्म दर को कम करने के लिए विवाह में देरी करना और गर्भनिरोधक का उपयोग जैसे स्वैच्छिक उपाय करना।

त्वरित पुनरावलोकन (Quick Revision)

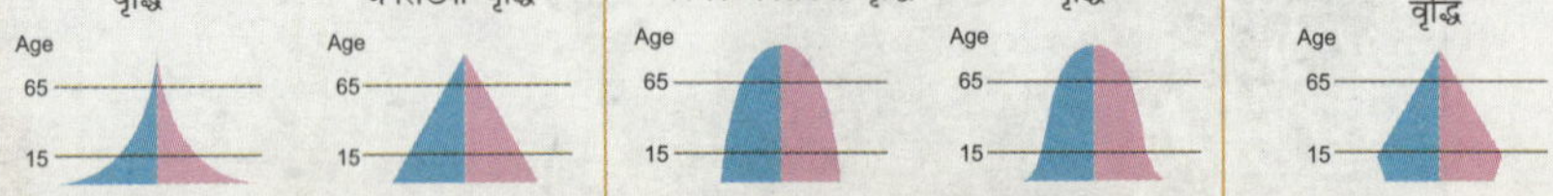

जनसंख्या पिरामिड	धीमी जनसंख्या वृद्धि; बहुत तेजी से जनसंख्या वृद्धि	घटती हुई और फिर स्थिर जनसंख्या वृद्धि; धीमी जनसंख्या वृद्धि	धीमी होती जनसंख्या वृद्धि
पिरामिड का प्रकार	**प्रशस्त**	**स्थिर**	**संकुचनात्मक**
विकास	अविकसित	विकासशील	विकसित
जन्म दर	बहुत अधिक	गिरावट	कम
मृत्यु दर	बहुत अधिक	उच्च, लेकिन गिरावट	कम
जीवन प्रत्याशा	लघु	बढ़ती	लंबा

- **सकारात्मक रोक (Positive Checks):** अकाल, बीमारी तथा युद्ध जैसे अनैच्छिक कारक, जो मृत्यु दर को बढ़ाते हैं।

आलोचनाएँ (Criticisms)

- **प्रौद्योगिकीय प्रगति (Technological Advancements):** आलोचकों का मानना है कि माल्थस ने उस मानवीय नवाचार को कम करके आंका था, जिसने खाद्य उत्पादन में काफी वृद्धि की है।
- **आर्थिक एवं सामाजिक कारक (Economic and Social Factors):** माल्थस ने जनसंख्या वृद्धि एवं संसाधन वितरण को प्रभावित करने वाले जटिल कारकों पर पूरी तरह से विचार नहीं किया।

आधुनिक व्याख्याएँ (Modern Interpretations)

माल्थस के विचारों पर अब भी न केवल खाद्य आपूर्ति, बल्कि पर्यावरणीय स्थिरता एवं संसाधनों की कमी के संदर्भ में भी विचार किया जाता है।

जनांकिकी संक्रमण सिद्धांत (Demographic Transition Theory)

जनांकिकी संक्रमण सिद्धांत (डीटीटी) स्पष्ट करता है कि किसी देश की जनसंख्या विकास के साथ कैसे बदलती है, यह उच्च जन्म एवं मृत्यु दर से निम्न की ओर बढ़ती है।

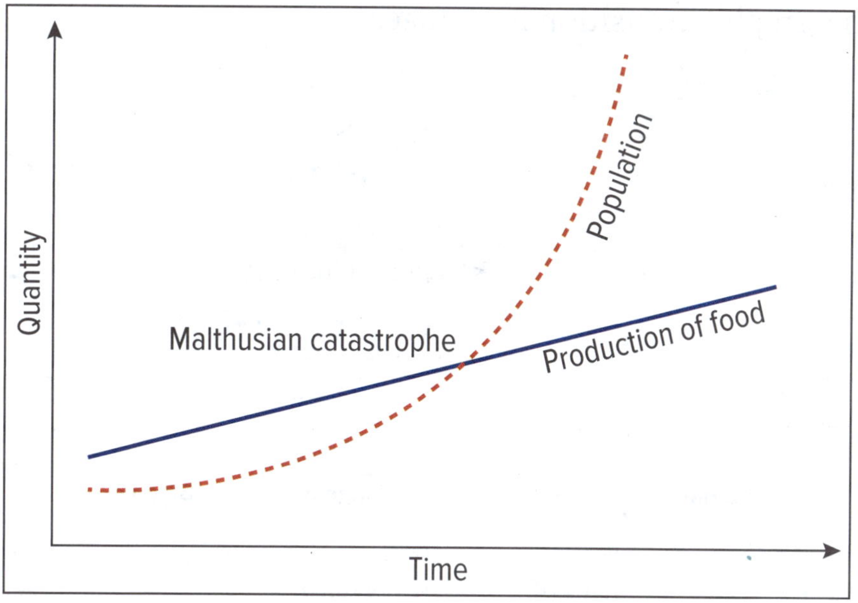

चित्र 11.6
जनसंख्या वृद्धि का माल्थस सिद्धांत

चरण (Stages)

चरण 1: उच्च स्थिर (पूर्व-औद्योगिक) (Stage 1: High Stationary (Pre-Industrial))

- सीमित स्वास्थ्य सेवा तथा खराब जीवन दशाओं के कारण उच्च जन्म एवं मृत्यु दर के साथ धीमी और उतार-चढ़ाव वाली जनसंख्या वृद्धि।
- उदाहरण: 18वीं शताब्दी से पहले के अधिकांश समाज और वर्तमान में कुछ आदिम आदिवासी समाज।

चरण 2: प्रारंभिक विस्तार (संक्रमणकालीन) (Stage 2: Early Expanding (Transitional))

- स्वास्थ्य सेवा, स्वच्छता तथा खाद्य आपूर्ति में सुधार के परिणामस्वरूप उच्च जन्म दर एवं घटती मृत्यु दर के कारण तेजी से जनसंख्या वृद्धि होती है।
- उदाहरण: अफ्रीका के कई विकासशील देश।

चरण 3: विलंब से विस्तार (औद्योगिक) (Stage 3: Late Expanding (Industrial))

- सामाजिक मानदंडों में बदलाव और अधिक महिलाओं द्वारा शिक्षा और रोजगार तक पहुँच के परिणामस्वरूप जन्म दर में कमी और मृत्यु दर में कमी के कारण जनसंख्या वृद्धि में कमी।
- उदाहरण: भारत तथा ब्राजील।

चरण 4: कम स्थिर (औद्योगिकोत्तर) (Stage 4: Low Stationary (Post-Industrial))

- न्यून जन्म एवं मृत्यु दर के परिणामस्वरूप स्थिर या धीमी गति से बढ़ती जनसंख्या के कारण अक्सर वृद्ध जनसंख्या से संबंधित चुनौतियों का सामना करना पड़ता है।
- उदाहरण: अमेरिका, जापान और यूरोप के अधिकांश विकसित देश।

चरण 5: गिरावट (प्रस्तावित) (Stage 5: Decline (Proposed))

- बहुत कम जन्म दर एवं कम मृत्यु दर के परिणामस्वरूप अत्यधिक विकसित अर्थव्यवस्थाओं में जनसंख्या गिरावट देखी जा सकती है।
- उदाहरण: जापान, जर्मनी और इटली संभवत: इस चरण में प्रवेश कर रहे हैं, जहाँ उनकी कुल प्रजनन दर प्रतिस्थापन दरों से बहुत नीचे गिर गई है (चित्र 11.7)।

The demographic transition in 5 stages

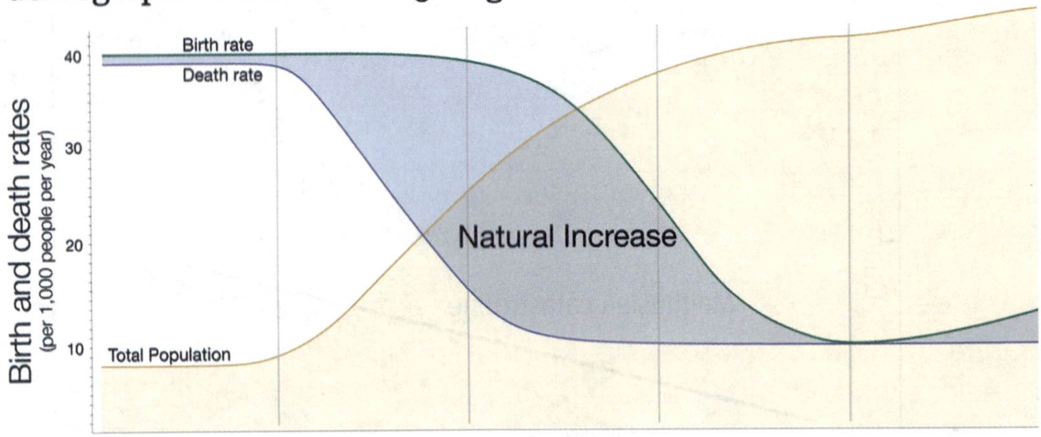

	Stage 1	Stage 2	Stage 3	Stage 4	Stage 5
Birth rate	High	High	Falling	Low	Rising again
Death rate	High	Falls rapidly	Falls more slowly	Low	Low
Natural increase	Stable or slow increase	Very rapid increase	Increase slows down	Falling and then stable	Stable or slow increase

Population Pyramid

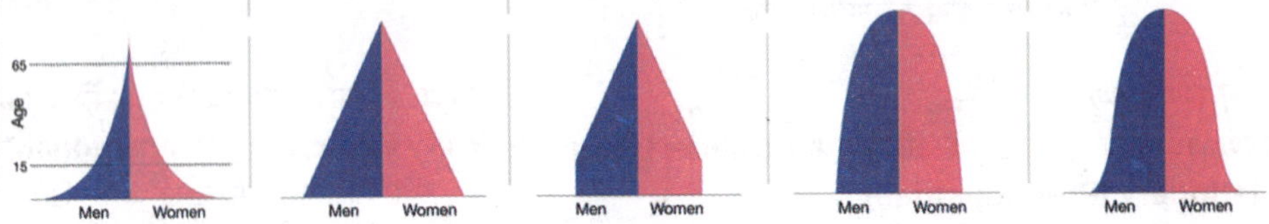

चित्र 11.7
जनांकिकीय परिवर्तन के पाँच चरण
साभार: Our World in Data; Max Roser.

डीटीटी के निहितार्थ (Implications of DTT)

- **आर्थिक विकास:** इस सिद्धांत के अनुसार, जैसे-जैसे देश विकसित होते हैं, वे चरणों से गुजरते हैं, जिससे नियोजन एवं नीति-निर्माण प्रभावित होता है।

जनांकिकीय शीत

जनांकिकीय शीत जन्म दर में गिरावट एवं वृद्ध जनसंख्या में वृद्धि को संदर्भित करती है, जिसके कारण कई देशों में कार्यबल कम हो जाता है और आर्थिक ठहराव आ जाता है।

प्रभाव

- **आर्थिक मंदी:** कार्यबल में कमी के कारण उत्पादकता एवं आर्थिक विकास में कमी आती है।
- **निर्भरता अनुपात में वृद्धि:** कामकाजी उम्र के व्यक्तियों की तुलना में अधिक वृद्ध आश्रित, सामाजिक सेवाओं एवं स्वास्थ्य सेवा प्रणालियों पर दबाव डालते हैं।
- **पेंशन संकट:** कम अंशदानकर्ताओं के कारण पेंशन एवं सेवानिवृत्ति प्रणालियों पर वित्तीय दबाव।
- **अप्रवासन में वृद्धि संबंधित समस्या:** श्रमिकों की कमी से आर्थिक प्रतिस्पर्धा कम हो सकती है तथा श्रम अंतराल को भरने के लिए अप्रवासन की आवश्यकता हो सकती है। इससे देश में सामाजिक एवं सांस्कृतिक समस्याएँ पैदा हो सकती हैं।

- **वृद्ध जनसंख्या होना:** बाद के चरणों में वृद्ध जनसंख्या से जुड़ी चुनौतियाँ शामिल हैं, जैसे स्वास्थ्य सेवा की उच्च लागत।
- **शहरीकरण:** विकास के कारण प्रायः शहरीकरण बढ़ता है, जिससे बसावटों के स्वरूप में परिवर्तन होता है।
- **शिक्षा एवं महिला अधिकार:** घटती जन्म दर महिलाओं के लिए बेहतर शिक्षा एवं रोजगार के अवसरों से जुड़ी हुई है।
- **पर्यावरणीय प्रभाव:** जनसंख्या परिवर्तन के कारण संसाधनों के उपयोग एवं पर्यावरणीय संवहनीयता में परिवर्तन होते हैं।

याद रखने की युक्ति (Learning Trick)

जनांकिकीय संक्रमण सिद्धांत के चरण

चरण	विशेषता	नाम
I	जन्म एवं मृत्यु दर दोनों **उच्च** हैं जनसंख्या **स्थिर** है	उच्च स्थिर चरण
II	मृत्यु दर में गिरावट, जन्म दर अभी भी उच्च है, इसलिए पहली बार जनसंख्या में **विस्तार** होता है	प्रारंभिक विस्तार चरण
III	जन्म दर कम होने लगती है, लेकिन मृत्यु दर से अभी भी अधिक है, इसलिए जनसंख्या अभी भी धीरे-धीरे **विस्तार** करती है	देर से विस्तार चरण
IV	जन्म एवं मृत्यु दर दोनों अब **कम** हैं। इसलिए जनसंख्या फिर से **स्थिर** हो जाती है	निम्न स्थिर चरण
V	जन्म दर, मृत्यु दर से **कम** हो जाती है, इसलिए जनसंख्या **घटती** है	घटता चरण

यूपीएससी प्रारंभिक परीक्षा के विगत वर्षों के प्रश्न

1. निम्नलिखित देशों पर विचार कीजिए: (2024)
   1. इटली
   2. जापान
   3. नाइजीरिया
   4. दक्षिण कोरिया
   5. दक्षिण अफ्रीका

   उपर्युक्त में से किन देशों का उल्लेख प्रायः मीडिया में उनकी निम्न जन्म दर, अथवा वृद्धोन्मुख जनसंख्या अथवा हासमान जनसंख्या के लिए किया जाता है?

   (a) 1, 3, 2 और 4
   (b) 1, 3 और 5
   (c) केवल 2 और 4
   (d) केवल 3 और

2. किसी अर्थव्यवस्था में कुल प्रजनन दर को किस रूप से परिभाषित किया जाता है? (2024)

   (a) एक वर्ष में जनसंख्या में प्रति 1000 व्यक्तियों पर जन्म लेने वाले बच्चों की संख्या
   (b) किसी दी गई जनसंख्या में एक दंपति के जीवन-काल में उनसे जन्मे बच्चों की संख्या
   (c) जन्म दर घटा मृत्यु दर
   (d) एक महिला की गर्भधारण आयु (चाइल्ड-बेअरिंग एज) के अंत तक उनसे जन्मे जीवित बच्चों की औसत संख्या

उत्तर कुंजी

1. (a) 2. (d)

यूपीएससी मुख्य परीक्षा के विगत वर्षों के प्रश्न

1. 'जनसांख्यिकीय शीत' (डेमोग्राफिक विंटर) की अवधारणा क्या है? क्या विश्व ऐसी स्थिति की ओर अग्रसर है? विस्तार से बताइए। (2024, 10 अंक)

भाग **II**

भारत का भूगोल (India's Geography)

अध्याय 12

इस अध्याय पर वैचारिक वीडियो देखने के लिए कृपया यहां दिए गए क्यूआर कोड को स्कैन करें

भारत का भौतिक भूगोल (PHYSICAL GEOGRAPHY OF INDIA)

अध्याय की रूपरेखा (Chapter Outline)

आकार एवं स्थान (SIZE AND LOCATION)

- ✧ पड़ोसी देशों के साथ सीमा साझा करने वाले भारतीय राज्य एवं संघ राज्यक्षेत्र (Indian States & Union Territories Sharing Borders with Neighbouring Countries)
- ✧ भारत की अंतर्राष्ट्रीय सीमाएँ (International Borders of India)
- ✧ भारत के चार सुदूर बिंदु (Four Corners of India)
- ✧ भारत: भौगोलिक चरम परिघटनाएँ (India: Geographical Extremes)
- ✧ भारत की पर्वत शृंखलाएँ एवं सबसे ऊँची चोटियाँ (Mountain Ranges and Highest Peaks of India)
- ✧ भारत का उत्तरी मैदान (Northern Plains of India)
- ✧ भारतीय रेगिस्तान: थार (The Indian Desert: Thar)
- ✧ प्रायद्वीपीय पठार (The Peninsular Plateau)
- ✧ भारत के तटीय मैदान (Coastal Plains of India)
- ✧ भारत के द्वीप (Islands of India)

भारत का अपवाह तंत्र (DRAINAGE OF INDIA)

- ✧ हिमालयी अपवाह प्रणाली या प्रायद्वीपीयेतर अपवाह प्रणाली (The Himalayan Drainage System or the Extra-Peninsular Drainage)
- ✧ प्रायद्वीपीय अपवाह प्रणाली (The Peninsular Drainage System)
- ✧ जलविभाजक (Watersheds)
- ✧ भारत के प्रमुख अपवाह बेसिन (Major Drainage Basins of India)
- ✧ भारत में हिमालय के मुख्य हिमनद (ग्लेशियर) (Main Glaciers of Indian Himalayas)

भारत के प्रमुख पर्वतीय दर्रे (MAJOR MOUNTAIN PASSES OF INDIA)

- ✧ दर्रा (Pass)
- ✧ समुद्री बीच (Sea Beaches)
- ✧ झीलें (Lakes)
- ✧ जल-प्रपात (Waterfall)
- ✧ भारत के जल संसाधन (Water Resources of India)
- ✧ भारत में जल संकट (Water Stress in India)
- ✧ भारत की नदी जोड़ो परियोजना (Indian River Linking Project)
- ✧ परियोजना सिंहावलोकन (Project Overview)
- ✧ संभावित लाभ (Potential Benefits)
- ✧ संभावित कमियाँ (Potential Drawbacks)
- ✧ वर्तमान स्थिति (Current Status)

भारतीय जलवायु (INDIAN CLIMATE)

- ✧ भारत की जलवायु को प्रभावित करने वाले मुख्य कारक (Key Factors Influencing India's Climate)

भारत के मौसम (SEASONS OF INDIA)

- ✧ शीत ऋतु (Winter Season)
- ✧ ग्रीष्म ऋतु (Summer Season)
- ✧ मानसून के आगमन का मौसम (Advancing Monsoon Season)
- ✧ विशेषताएँ (Characteristics)
- ✧ भारतीय मानसून को प्रभावित करने वाले कारक (Factors Affecting Indian Monsoons)
- ✧ लौटता हुआ मानसून का मौसम (Retreating Monsoon Season)
- ✧ भारत में वर्षा वितरण (Rainfall Distribution in India)

प्राकृतिक वनस्पति (NATURAL VEGETATION)

- ✧ भारत में वनों के प्रकार (Types of Forests of India)
- ✧ सामाजिक एवं कृषि-वानिकी (Social and Farm–Forestry)

भारत की मृदा (SOILS OF INDIA)

- ✧ जलोढ़ मृदा (Alluvial Soil)

- काली मृदा (रेगुर) (Black Soil (Regur))
- लाल एवं पीली मृदा (Red and Yellow Soil)
- लैटेराइट मृदा (Laterite Soil)
- शुष्क मृदा (Arid Soils)
- लवणीय मृदा (उसारा) (Saline Soils (Usara))
- पीट/दलदली मृदा (Peaty/Marshy Soils)
- वन एवं पर्वतीय मृदा (Forest and Mountain Soils)

मृदा क्षरण (SOIL DEGRADATION)
- मृदा क्षरण के कारण (Causes of Soil Degradation)
- मृदा के क्षरण की रोकथाम (Prevention of Soil Degradation)
- भारत में मृदा क्षरण के प्रभाव (Impacts of Soil Degradation in India)

भारत में प्राकृतिक आपदाएँ (NATURAL DISASTERS IN INDIA)
- सूखा (Droughts)
- भारत में बाढ़ (Flooding in India)
- शहरी बाढ़ (Urban Flooding)
- बादल फटना (Cloudbursts)
- भारत में चक्रवात (Cyclones in India)
- भूकंप (Earthquakes)
- सुनामी (Tsunamis)
- भूस्खलन (Landslides)

यूपीएससी प्रारंभिक परीक्षा के विगत वर्षों के प्रश्न

यूपीएससी मुख्य परीक्षा के विगत वर्षों के प्रश्न

✓*याद रखने की युक्ति (Learning Trick)* **त्वरित पुनरावलोकन (Quick Revision)*

आकार एवं स्थान (SIZE AND LOCATION)

क्षेत्रफल की दृष्टि से भारत विश्व का सातवाँ सबसे बड़ा देश है और जनसंख्या की दृष्टि से विश्व का सबसे बड़ा देश है। भारत उत्तर में बर्फ से ढके हिमालय से लेकर दक्षिण में धूप से सराबोर तटीय गाँवों तथा पूर्व में ब्रह्मपुत्र की अत्यधिक उपजाऊ घाटी से लेकर पश्चिम में बंजर रेतीले रेगिस्तान तक फैला हुआ है। इसका क्षेत्रफल 32,87,263 वर्ग किलोमीटर है। भारत 8°4′ उत्तरी अक्षांश से लेकर 37°6′ उत्तरी अक्षांश तक और 68°7′ पूर्वी देशांतर से लेकर 97°25′ पूर्वी देशांतर तक फैला हुआ है। इसकी लंबाई उत्तर से दक्षिण तक 3,214 किलोमीटर और पूर्व से पश्चिम तक 2933 किलोमीटर है। भारत की सीमा लगभग 15,106.7 किलोमीटर है। मुख्य भूमि, लक्षद्वीप और अंडमान एवं निकोबार द्वीप समूह की तटरेखा की कुल लंबाई 11098 किलोमीटर है। भारत के राज्यों एवं संघ राज्यक्षेत्रों को **तालिका 12.1** में सूचीबद्ध किया गया है।

तालिका 12.1 भारत के राज्य एवं संघ राज्यक्षेत्र

क्रमांक	राज्य/संघ राज्यक्षेत्र	राजधानी
1.	आंध्र प्रदेश	अमरावती
2.	अरुणाचल प्रदेश	ईटानगर
3.	असम	दिसपुर
4.	बिहार	पटना
5.	छत्तीसगढ़	रायपुर
6.	गोवा	पणजी
7.	गुजरात	गांधीनगर
8.	हरियाणा	चंडीगढ़
9.	हिमाचल प्रदेश	शिमला
10.	झारखंड	रांची
11.	कर्नाटक	बंगलुरु (बैंगलोर)
12.	केरल	तिरुवनंतपुरम
13.	मध्य प्रदेश	भोपाल
14.	महाराष्ट्र	मुंबई
15.	मणिपुर	इंफाल
16.	मेघालय	शिलाँग
17.	मिजोरम	आइजोल
18.	नागालैंड	कोहिमा
19.	ओडिशा (उड़ीसा)	भुवनेश्वर
20.	पंजाब	चंडीगढ़
21.	राजस्थान	जयपुर
22.	सिक्किम	गंगटोक
23.	तमिलनाडु	चेन्नई
24.	तेलंगाना (2.6.2014)	हैदराबाद
25.	त्रिपुरा	अगरतला
26.	उत्तर प्रदेश	लखनऊ
27.	उत्तराखंड	देहरादून
28.	पश्चिम बंगाल	कोलकाता

(Continued)

तालिका 12.1 *(Continued)*

क्रमांक	राज्य/संघ राज्यक्षेत्र	राजधानी
	संघ राज्यक्षेत्र	
1.	अंडमान एवं निकोबार	पोर्ट ब्लेयर
2.	चंडीगढ़	चंडीगढ़
3.	दादरा, नगर हवेली एवं दमन दीव	दमन
4.	दिल्ली, एनसीआर	नई दिल्ली
5.	लद्दाख (31 अक्टूबर, 2019)	लेह
6.	जम्मू एवं कश्मीर (31 अक्टूबर 2019)	श्रीनगर
7.	लक्षद्वीप	कवरत्ती
8.	पुडुचेरी	पुडुचेरी

भारत की सीमाएँ अफगानिस्तान, पाकिस्तान, चीन, नेपाल, भूटान, म्यांमार एवं बांग्लादेश के साथ लगती हैं। श्रीलंका भारत से एक संकीर्ण समुद्री चौनल द्वारा अलग होता है, जिसे पाक जलडमरूमध्य तथा मन्नार की खाड़ी के नाम से जाना जाता है। भारत की पड़ोसी देशों के साथ अंतर्राष्ट्रीय सीमाओं की लंबाई **तालिका 12.2** में सूचीबद्ध की गई है।

तालिका 12.2 **पड़ोसी देशों के साथ भारत की सीमाएँ**

क्रमांक	देश	लंबाई (किमी. में)	सीमा की कुल लंबाई का प्रतिशत
1.	बांग्लादेश	4,096.7	26.95
2.	चीन	3,488	25.99
3.	पाकिस्तान	3,323	21.78
4.	नेपाल	1,751	11.53
5.	म्यांमार	1,643	9.89
6.	भूटान	699	3.86
7.	अफगानिस्तान	106	0.52

पड़ोसी देशों के साथ सीमा साझा करने वाले भारतीय राज्य एवं संघ राज्यक्षेत्र (Indian States & Union Territories Sharing Borders with Neighbouring Countries)

1. अफगानिस्तान: लद्दाख
2. बांग्लादेश: असम, मेघालय, मिजोरम, त्रिपुरा और पश्चिम बंगाल
3. भूटान: अरुणाचल प्रदेश, असम, सिक्किम और पश्चिम बंगाल
4. चीन: अरुणाचल प्रदेश, हिमाचल प्रदेश, लद्दाख, सिक्किम और उत्तराखंड
5. म्यांमार: अरुणाचल प्रदेश, मणिपुर, मिजोरम और नागालैंड
6. नेपाल: बिहार, सिक्किम, उत्तराखंड, उत्तर प्रदेश और पश्चिम बंगाल
7. पाकिस्तान: गुजरात, जम्मू और कश्मीर, लद्दाख, पंजाब और राजस्थान।

भारत की अंतर्राष्ट्रीय सीमाएँ (International Borders of India)

1.	वाघा बॉर्डर, पंजाब:	(भारत-पाकिस्तान)
2.	मोरेह, मणिपुर:	(भारत-म्यांमार)
3.	नाथू ला दर्रा, सिक्किम:	(भारत-चीन)
4.	लोंगेवाला, राजस्थान:	(भारत-पाकिस्तान)
5.	डॉकी-तमाबिल, मेघालय:	(भारत-बांग्लादेश)
6.	कच्छ का रण, गुजरात:	(भारत-पाकिस्तान)
7.	पैंगोंग झील, लद्दाख:	(भारत-चीन)
8.	सोनौली बॉर्डर, उत्तर प्रदेश:	(भारत-नेपाल)
9.	धनुषकोडी, तमिलनाडु:	(भारत-श्रीलंका)
10.	जयगांव, पश्चिम बंगाल:	(भारत-भूटान)

भारत के चार सुदूर बिंदु (Four Corners of India)

1. **सुदूर उत्तरी बिंदु (The Northernmost Point)**
   सियाचिन ग्लेशियर का इंदिरा कोल, जो जम्मू एवं कश्मीर में स्थित है, वास्तविक नियंत्रण रेखा के अंतर्गत सुदूर उत्तर में स्थित बिंदु है।
2. **सुदूर दक्षिणी बिंदु (The Southernmost Point)**
   तमिलनाडु में केप कोमोरिन (कन्याकुमारी), यह भारतीय मुख्य भूमि का सुदूर दक्षिणी बिंदु है। यह अरब सागर, हिंद महासागर और बंगाल की खाड़ी के संगम पर स्थित है। सम्पूर्ण भारत की बात करें, जिसमें इसके द्वीप भी शामिल हैं, तो सुदूर दक्षिणी बिंदु इंदिरा पॉइंट (जिसे पहले पिग्मेलियन पॉइंट कहा जाता था) है।
3. **सुदूर पूर्वी बिंदु (The Easternmost Point)**
   अरुणाचल प्रदेश के लोहित जिले में स्थित छोटा-सा गाँव किबिथू भारत का सुदूर पूर्वी बिंदु है। यह चीन के तिब्बत क्षेत्र की सीमा पर स्थित है।
4. **सुदूर पश्चिमी बिंदु (The Westernmost Point)**
   गुजरात के कच्छ क्षेत्र के लखपत तालुका में गुहार मोती के पश्चिम में भारतीय उपमहाद्वीप का सुदूर पश्चिमी बिंदु है।

त्वरित पुनरावलोकन (Quick Revision)

भारत के सुदूर बिंदु

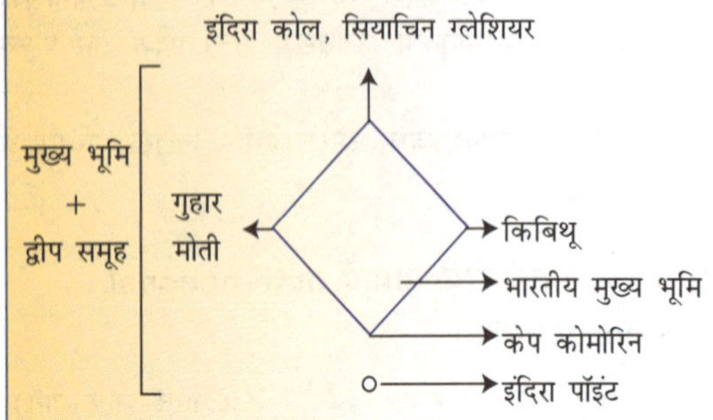

भारत: भौगोलिक चरम परिघटनाएँ (India: Geographical Extremes)

सबसे गर्म स्थान: बीकानेर जिले का ब्रियावाली, 56°C, 5 जून, 1991।

सबसे ठंडा स्थान: लद्दाख में द्रास, 28 दिसंबर, 1910 को -45°C।

सबसे अधिक वर्षा वाला स्थान: मावसिनराम (मेघालय) औसत वार्षिक वर्षा लगभग 11,875 मिमी.।

सबसे ऊँची चोटी: K2 (गॉडविन ऑस्टेन, 8611 मीटर) लद्दाख।

सबसे लंबी नदी: गंगा नदी, 2525 किमी.।

सबसे बड़ा नदी द्वीप: माजुली, ब्रह्मपुत्र नदी (असम)।

सबसे बड़ा रेगिस्तान: थार रेगिस्तान, क्षेत्रफल 259,000 वर्ग किमी।

सबसे बड़ा पठार: दक्कन का पठार, 422,000 वर्ग किमी।

सबसे ऊँचा झरना: कुंचिकल झरना (455 मीटर), वरही नदी शिमोगा जिला, कर्नाटक।

सबसे लंबी तटरेखा वाला राज्य: गुजरात, 2340.62 किमी. (तालिका 12.3)

सबसे लंबा समुद्री तट: मरीना बीच-चेन्नई, 12 किमी. यह विश्व के सबसे लंबे समुद्री तट में से एक है।

सबसे बड़ी खारे पानी की झील: चिल्का झील (ओडिशा, क्षेत्रफल: शुष्क मौसम के दौरान 900 वर्ग किमी से लेकर मानसून के मौसम में लगभग 1,165 वर्ग किलोमीटर तक।

सबसे लंबी सुरंग: श्यामा प्रसाद मुखर्जी सुरंग (9.28 किमी), जिसे पहले चेनानी-नाशरी सुरंग कहा जाता था; जम्मू को कश्मीर से जोड़ती है।

तालिका 12.3 सबसे लंबी तटरेखा वाला राज्य/ संघ राज्य क्षेत्र

क्रमांक	राज्य/ संघ राज्यक्षेत्र	तटरेखा की लंबाई (किमी. में)
1.	अंडमान और निकोबार	3083.5
2.	गुजरात	2340.62
3.	तमिलनाडु	1068.69
4.	आंध्र प्रदेश	1053.07
5.	महाराष्ट्र	877.97

नोट: जनवरी 2025 में नवीनतम संशोधित आंकड़ों पर आधारित।

सबसे लंबी नहर: इंदिरा गांधी नहर, लंबाई 650 किमी।

सबसे ऊंचा बांध: उत्तराखंड में टिहरी बांध (260.5 मीटर) भागीरथी नदी पर।

पूर्णत: हिमालय में स्थित भारत के राज्य/ संघ राज्यक्षेत्र: जम्मू और कश्मीर, अरुणाचल प्रदेश, हिमाचल प्रदेश और सिक्किम।

अंशत: हिमालय और अंशत: मैदानी/पठार इलाकों में स्थित राज्य/ संघ राज्यक्षेत्र: असम, लद्दाख, पश्चिम बंगाल और उत्तराखंड।

भारत और पाकिस्तान के बीच की सीमा को रेडक्लिफ रेखा के नाम से जाना जाता है।

पाकिस्तान और अफगानिस्तान के बीच की सीमा रेखा: डूरंड रेखा।

अंडमान एवं निकोबार द्वीप के बीच में 10 डिग्री चौनल (10 डिग्री उत्तरी अक्षांश) है। डंकन जलसंधि लिटिल अंडमान और दक्षिण अंडमान द्वीपों को अलग करती है। ग्रेट चौनल इस द्वीप समूह को इंडोनेशिया से अलग करता है, जबकि कोको जलडमरूमध्य इन्हें म्यांमार के कोको द्वीपों से अलग करता है।

लक्षद्वीप द्वीपसमूह में, मलिकू एटोल (मिनिकॉय द्वीप) और शेष द्वीपों के बीच 9 डिग्री चौनल (9°N अक्षांश) है। ये द्वीप मालदीव से 8 डिग्री चौनल (8°N अक्षांश) के माध्यम से अलग होते हैं।

कर्क रेखा जिन राज्यों से होकर गुजरती है: गुजरात, राजस्थान, मध्य प्रदेश, छत्तीसगढ़, झारखंड, पश्चिम बंगाल, त्रिपुरा, मिजोरम।

भारत की मानक मध्याह्न रेखा: 82°30′ पूर्वी देशांतर (उत्तर प्रदेश, छत्तीसगढ़, मध्य प्रदेश, ओडिशा, आंध्र प्रदेश से होकर गुजरती है)

ऐसे राज्य जिनकी कोई अंतर्राष्ट्रीय सीमा या समुद्र तट नहीं है: तेलंगाना, मध्य प्रदेश, छत्तीसगढ़, झारखंड, दिल्ली और हरियाणा।

भारत का भौगोलिक विभाजन (Physiographic Divisions of India): भौगोलिक आधार पर भारत को निम्नलिखित भागों में विभाजित किया गया है:

1. हिमालय पर्वत शृंखला
2. भारत का विशाल मैदान और थार रेगिस्तान

3. प्रायद्वीपीय पठार
4. तटीय मैदान
5. द्वीप समूह

हिमालय (The Himalayas): हिमालय विश्व की नवीनतम, सबसे ऊंची तथा सबसे विशाल पर्वत शृंखलाओं में से एक है। यह पर्वत शृंखला पश्चिम में सिंधु घाटी से पूर्व में ब्रह्मपुत्र घाटी तक लगभग 2400 किमी लम्बी है। इसकी चौड़ाई जम्मू एवं कश्मीर में लगभग 500 किमी से लेकर अरुणाचल प्रदेश में लगभग 200 किमी तक है। हिमालय के दक्षिणी में शिवालिक (300 मीटर समोच्च) की तलहटी है, लेकिन उत्तरी सीमा अस्पष्ट है तथा यह तिब्बत के पठार **(चित्र 12.1)** में विलीन हो जाती है।

हिमालय सिंधु एवं ब्रह्मपुत्र घाटियों में अक्षसंघीय मोड़ (Syntaxial Bend) या घुटने के जोड़ जैसा मोड़ बनाता है, जिससे नदियाँ भी मुड़ जाती हैं। यह एक हॉगबैक (शूकर कटक) स्थलाकृति है, जिसमें दक्षिण में सीधी खड़ी ढलान तथा उत्तर में मध्यम ढलान है।

हिमालय पर्वत शृंखला भारत के इन राज्यों एवं संघ राज्य क्षेत्रों अर्थात जम्मू एवं कश्मीर, लद्दाख, उत्तराखंड, हिमाचल प्रदेश, अरुणाचल प्रदेश, मणिपुर, मेघालय, मिजोरम, नागालैंड, सिक्किम, त्रिपुरा, असम तथा पश्चिम बंगाल में फैली हुई है।

हिमालय पर्वत शृंखला की सबसे ऊँची चोटियाँ **चित्र 12.2** में दर्शायी गयी हैं। हिमालय में 8000 मीटर से अधिक उँचाई वाली चोटियों की संख्या 14 है और 7000 मीटर से अधिक ऊँची चोटियों की संख्या 110 हैं। इसकी अधिकांश मुख्य श्रेणियाँ भारत, नेपाल, भूटान तथा तिब्बत की दक्षिणी सीमा पर स्थित हैं। हिमालय की शीर्ष दस सबसे ऊँची चोटियाँ **चित्र 12.2** में दर्शायी गयी हैं और इनकी ऊँचाई **तालिका 12.4** में दी गयी है।

उत्तरी पर्वत को चार समानांतर देशांतरीय क्षेत्रों में वर्गीकृत किया गया है, जिनकी विशिष्ट भू-भौतिकीय एवं भू-वैज्ञानिक विशेषताएं निम्नवत हैं:

(1) टेथिस/तिब्बती या ट्रांस-हिमालय, जिसमें कराकोरम, लद्दाख तथा जस्कर (जंस्कार) श्रेणियाँ शामिल हैं।
(2) आंतरिक/उच्चतर या वृहत्तर हिमालय
(3) लघु या निम्न हिमालय
(4) बाहरी हिमालय/उप-हिमालय या शिवालिक श्रेणी

1. **टेथिस/तिब्बती या ट्रांस-हिमालय (Tethys/Tibetan or Trans-Himalaya):** यह लगभग 40 किमी चौड़ा है और उच्च हिमालय के ठीक उत्तर में स्थित है। इसकी ऊँचाई 3,000 मीटर से 4,300 मीटर के बीच है। यह अत्यधिक जीवाश्म चट्टानों से बना है। ये चट्टानें प्रारंभिक पैलियोजोइक (पुराजीव युग) (कैम्ब्रियन) से लेकर तृतीयक इओसीन, अर्थात् आदि नूतन युग तक की है। यह सिंधु-त्सांगपो सिवनी क्षेत्र द्वारा यूरेशियन प्लेट से अलग होती है।

तालिका 12.4 हिमालय की सबसे ऊंची चोटियां

क्र.सं.	चोटी का नाम	नेपाली नाम	चीनी नाम	समुद्र तल से ऊँचाई (मीटर में)
1.	माउंट एवरेस्ट	सागरमाथा	क्यूमोलंगमा फेंग	8,848
2.	K2 (काराकोरम)	–	–	8,611
3.	कंचनजंघा	कंचनजंघा	–	8,586
4.	ल्होत्से-I	ल्होत्से	ल्होत्से	8,516
5.	मकालू	मकालू	मकरु शान	8,463
6.	चो ओयू	चो ओयू	क्युवोवुयाग	8,201
7.	धौलागिरी	धवलागिरि	–	8,167
8.	मनास्लु-I	मनास्लु-I	–	8,163
9.	नंगा पर्वत	–	–	8,126
10.	अन्नपूर्णा	–	–	8,091

इसके उप-भाग निम्नवत हैं:

(क) **कराकोरम** (इसे ग्ष्णगिरि श्रेणी के रूप में भी जाना जाता है): इसका विस्तार संघ राज्यक्षेत्र लद्दाख तथा पाकिस्तान, अफगानिस्तान एवं चीन तक है। विश्व की दूसरी सबसे ऊँची चोटी, अर्थात K2 (माउंट गॉडविन-ऑस्टेन) इसी श्रेणी में स्थित है।

(ख) **लद्दाख:** यह कराकोरम श्रेणी से सटी हुई हैं।

(ग) **जस्कर:** यह सिंधु नदी के दक्षिण में स्थित है। यह वृहत् हिमालय के समानांतर श्रेणी है।

(घ) **कैलाश:** यह पूर्णतः भारत के बाहर स्थित है। यह पर्वत हिंदुओं एवं बौद्ध धर्मावलंबियों, दोनों ही के लिए उच्च धार्मिक महत्व रखता है। यह भारतीय उपमहाद्वीप की तीन बहुत महत्वपूर्ण नदियों, अर्थात सिंधु, सतलुज एवं ब्रह्मपुत्र का स्रोत भी है।

ये पर्वत श्रेणियाँ अपने विशाल ग्लेशियरों के लिए जानी जाती हैं, चूंकि ये वृहत हिमालय के छाया क्षेत्र में स्थित हैं। जैसे नुब्रा (लद्दाख श्रेणी), सियाचिन एवं हिस्पर (काराकोरम श्रेणी)। इनमें खारदुंग ला, चांग ला, उमलिंग ला आदि जैसे महत्वपूर्ण पर्वतीय दर्रे स्थित हैं।

चित्र 12.1

पर्वत श्रृंखलाएँ

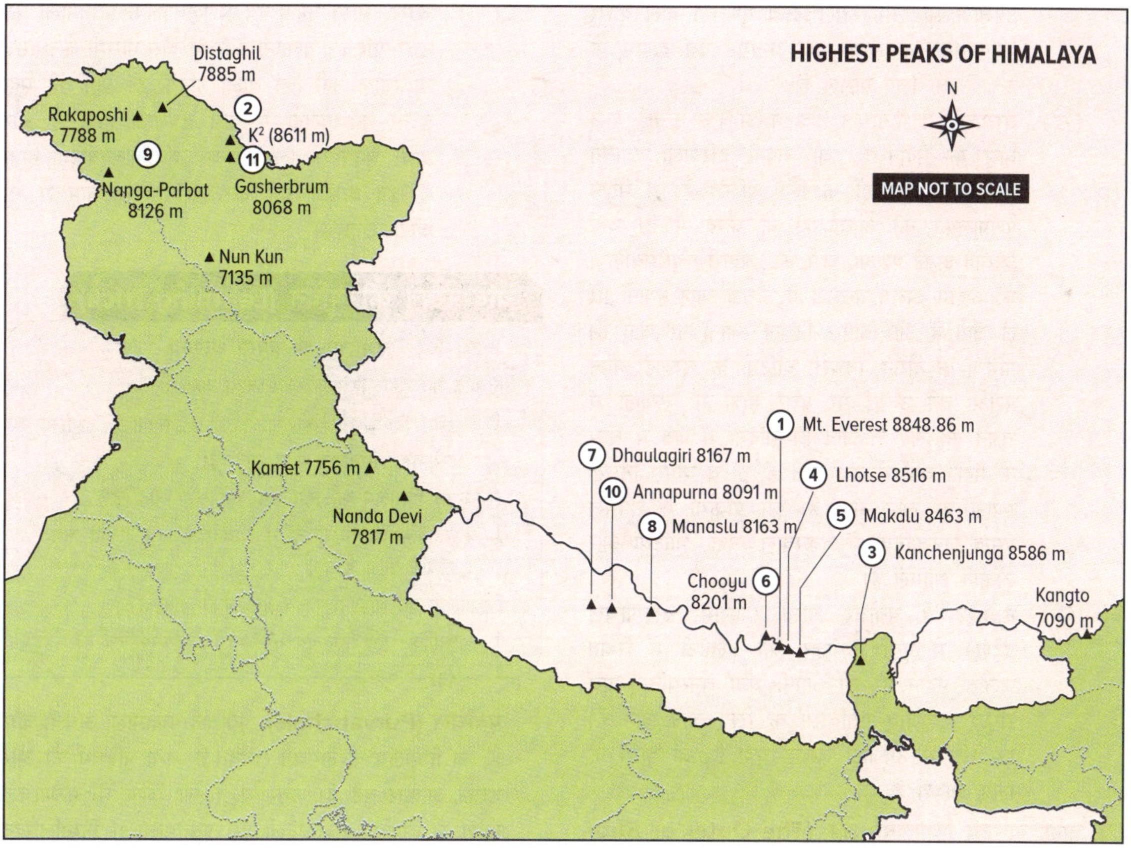

चित्र 12.2

हिमालय की सबसे ऊंची चोटियाँ

2. **आंतरिक/उच्च या वृहत हिमालय (The Inner/Higher or Greater Himalaya):** इसे हिमाद्री के नाम से भी जाना जाता है। यह 6,000 मीटर से अधिक ऊँचाई पर स्थित उच्च पर्वतमालाओं की सुदूर उत्तरी सीमा बनाता है। यह हमेशा बर्फ से ढका रहता है तथा इसमें विश्व की अनेक सर्वाधिक ऊँची चोटियाँ हैं। यह मुख्य रूप से केंद्रीय क्रिस्टलीय (ग्रेनाइट एवं नीस) चट्टानों से बना है और लगभग 50 किमी चौड़ा है। इसमें कई महत्वपूर्ण पर्वतीय दर्रे हैं, जैसे कि बुर्जिल (जम्मू-कश्मीर), जोजी ला (लद्दाख), बारालाचा ला, शिपकी ला (हिमाचल प्रदेश); नीति दर्रा, लिपु लेख (उत्तराखंड); नाथू ला, जेलेप ला (सिक्किम)।
3. **लघु हिमालय या निम्न हिमालय (The Lesser or Lower Himalaya):** निम्न हिमालय, जिसे हिमाचल के नाम से भी जाना जाता है। यह मध्यम श्रेणियों से बना है तथा आंतरिक हिमालय से इसका गहरा संबंध है। इसमें पर्वतमालाओं की एक जटिल प्रणाली है, जो लगभग 60 से 80 किमी चौड़ी है। लघु हिमालय की महत्वपूर्ण श्रेणियों में पीर पंजाल एवं धौलाधार शामिल हैं, जो जम्मू एवं कश्मीर तथा हिमाचल प्रदेश में स्थित हैं। उत्तराखंड में नाग टिब्बा और मसूरी पहाड़ियाँ; नेपाल में महाभारत श्रेणी है। यह क्षेत्र मुख्य रूप से जीवाश्म रहित संरचनाओं से बना है।

महत्वपूर्ण दर्रे: पीर पंजाल दर्रा, बनिहाल दर्रा।

लघु हिमालय / हिमाचल से जुड़ी कुछ महत्वपूर्ण विशेषताएँ निम्नवत हैं:-

(क) **करेवा:** ये पीर पंजाल एवं जंस्कर पर्वतमाला के बीच पाये जाते हैं। ये अवसादी संरचनाएँ हैं, जिनका निर्माण प्लीस्टोसीन या प्रतिनूतन युग के दौरान प्राचीन नदियों एवं झीलों द्वारा जमा की गयी मृदा, गाद, रेत एवं बजरी की परतों से हुआ है। ये

उपजाऊ सीढ़ीनुमा स्थल उच्च गुणवत्ता वाले केसर (जाफरान) के साथ-साथ अखरोट एवं बादाम के उत्पादन के लिए प्रसिद्ध हैं।

(ख) **बुग्यालः** ये हिमाचल क्षेत्र में अधिक ऊंचाई वाले घास के मैदान हैं, जो अपनी हरियाली, जीवंत फूलों एवं चारागाहों के लिए प्रसिद्ध हैं। ये मैदान पशुपालकों की आवाजाही के केन्द्र में है। यहाँ चरवाहे अपने पशुओं, जैसे भेड़, बकरी तथा मवेशियों को अलग-अलग ऋतुओं में ऊँचाई वाले स्थानों पर ले जाते हैं और वापस निचले स्थानों पर लाते हैं। गर्मियों के दौरान, निचली घाटियों के चरवाहे अपने पशुओं को ऊँचाई पर प्रचुर मात्रा में बुग्यालों में चराने के लिए ले जाते हैं। सर्दियों में जब ये घास के मैदान बर्फ से ढक जाते हैं, तो वे वापस निचले स्थानों पर लौट आते हैं। इस प्रक्रिया में शामिल प्रमुख जनजातियों में बकरवाल, गद्दी, भोटिया और ड्रोकपा शामिल हैं।

(ग) **दुआरः** ये पूर्वोत्तर भारत (असम, अरुणाचल प्रदेश) में पूर्वी हिमालय की तलहटी में स्थित जलोढ़ मैदान हैं, जो अपनी घनी वनस्पतियों एवं समृद्ध वन्यजीव पर्यावासों के लिए जाने जाते हैं। इस क्षेत्र में उपजाऊ जलोढ़ मृदा है, जो कृषि के लिए आदर्श है।

4. **बाह्य या उप-हिमालयी क्षेत्र (The Outer or Sub-Himalayan Zone):** यह क्षेत्र कुछ स्थानों पर लघु हिमालय से सपाट तल वाली घाटियों के माध्यम से अलग होते हैं, जिन्हें दून के नाम से जाना जाता है। शिवालिक पर्वतमाला उत्तर-पश्चिम में सिंधु घाटी से लेकर असम में ब्रह्मपुत्र तक लगभग 2400 किलोमीटर से अधिक की एक सतत शृंखला है, जिसमें तीस्ता नदी का 80-90 किलोमीटर का अंतराल है। इसकी चौड़ाई 10 से 50 किलोमीटर होने के कारण, शिवालिक श्रेणी की ऊँचाई शायद ही कभी 1,300 मीटर से अधिक होती है। इसके भागों में जम्मू की पहाड़ियाँ (जम्मू), डफला, मिरी, अबोर, मिश्मी (अरुणाचल); उत्तराखंड में ढांग तथा दुधवा; नेपाल में चुरिया घाट शामिल हैं।

इस पर्वत शृंखला से जुड़ी शब्दावलीः

(क) **दूनः** ये उत्तरी भारत (हिमाचल प्रदेश, उत्तराखंड) में शिवालिक की पहाड़ियों एवं हिमाचल के बीच पाई जाने वाली देशांतरीय घाटियाँ हैं। देहरादून एवं पाटली दून जैसी इन घाटियों में नदियाँ तथा उपजाऊ भूमि हैं।

(ख) **चोसः** भारत के पंजाब में शिवालिक पर्वतमाला की उत्तर-पश्चिमी तलहटी में स्थित चोस मौसमी जलधाराएँ या रेतीले नदी तल वाली नदियाँ हैं। यहाँ की मृदा दुआर की तुलना में कम उपजाऊ होती है और प्रायः कृषि के लिए सिंचाई की आवश्यकता होती है। इन धाराओं को चोस या राव के नाम से भी जाना जाता है।

याद रखने की युक्ति (Learning Trick)

हिमालय की प्रमुख श्रेणियाँ

* हिमाद्रि को वृहत हिमालय क्यों कहा जाता है?
  ↳ इसमें विश्व की सबसे ऊँची चोटियाँ स्थित हैं, इसलिए इसे वृहत हिमालय कहा जाता है!
* लघु/निम्न हिमालय को हिमाचल क्यों कहा जाता है?
  ↳ यह हिमाद्रि की तुलना में आकार में लघु अर्थात कम ऊँचाई वाला है।
* शिवालिक को बाह्य हिमालय क्यों कहा जाता है?
  ↳ क्योंकि, यह हिमालय की सबसे बाहरी शृंखला है।

पूर्वांचल (Purvanchals): पूर्वांचल पर्वतमाला अर्धचंद्राकार है, जो हिमालय के लगभग लंबवत है, तथा पश्चिम की ओर उत्तल आकार की है। उत्तर से दक्षिण दिशा में अरुणाचल प्रदेश से मिजोरम तक फैली इस पर्वतमाला में निम्नलिखित शामिल हैं:

(क) **मिश्मी एवं पटकाई बम (Mishmi & Patkai Bum):** अरुणाचल प्रदेश में भारत-म्यांमार सीमा पर स्थित है।

(ख) **नागा पहाड़ियां (Naga Hills):** ये नागालैंड में स्थित है तथा इनमें पूर्वांचल श्रेणी की सबसे ऊंची चोटी अर्थात सरमाटी स्थित है। इसमें कोहिमा की पहाड़ियाँ भी शामिल हैं।

(ग) **मणिपुर की पहाड़ियां (Manipur Hills):** यह मणिपुर में स्थित है। लोकटक झील इन्हीं में स्थित है। **बरैल** की पहाड़ियाँ उन्हें नागा पहाड़ियों से अलग करती हैं।

(घ) **मिजो पहाड़ियां (Mizo Hills):** ये मिजोरम में स्थित हैं। इन्हें पहले लुशाई पहाड़ियों के नाम से जाना जाता था।

इस क्षेत्र की विशेषता ऊबड़-खाबड़ भूभाग और घने जंगल हैं, जहां विकास के कार्य करना बहुत कठिन है।

भारत के लोगों के लिए हिमालय की भू-जलवायु, इसका सामाजिक-आर्थिक एवं सांस्कृतिक महत्व बहुत अधिक है। इनका महत्व संक्षेप में निम्नवत है:-

(क) **जलवायवीय प्रभाव (Climatic Influence):** हिमालय भारत की जलवायु को अत्यधिक प्रभावित करता है, क्योंकि यह अरब सागर एवं बंगाल की खाड़ी से आने वाले ग्रीष्मकालीन मानसून को रोकता है और सर्दियों में साइबेरियाई ठंडी हवाओं से भारत के वृहत्तर मैदानों की रक्षा करता है।

(ख) **रक्षा (Defence):** हिमालय बाहरी आक्रमणकारियों से भारत की रक्षा करता है। वास्तव में, भारत पर कभी भी उत्तरी दिशा से आक्रमण नहीं हुआ है।

(ग) **बारहमासी नदियों का स्रोत (Source of Perennial Rivers):** भारत की अधिकांश विशाल एवं बारहमासी नदियाँ हिमालय के हिमनदों (ग्लेशियरों) से निकलती हैं।

(घ) **उपजाऊ मृदा (Fertile Soils):** भारत की विशाल नदियाँ भारत के विशाल मैदानों में उपजाऊ मृदा का जमाव करती हैं, इस कारण ये मैदान विश्व के सर्वाधिक उपजाऊ मैदानों में से एक हैं।

(ङ) **वन संपदा (Forest Wealth):** हिमालय वन एवं औषधीय जड़ी-बूटियों से समृद्ध है। यह ईंधन, इमारती लकड़ी, खाद्य पदार्थ, चारा, औषधीय जड़ी-बूटियाँ और उद्योगों के लिए कच्चा माल उपलब्ध कराता है।

(च) **जलविद्युत (Hydro&electricity):** हिमालय जलविद्युत उत्पादन के लिए अनेक स्थल प्रदान करता है। दुलहस्ती, बघलियार, सलाल (चिनाब नदी पर), पोंग और देहरा व्यास नदी पर, भाखड़ा-नंगल, गिरि-बाटा, बस्सी, चमेरा और नाथपा-झाकरी सतलुज नदी पर और टिहरी, कोटेश्वर आदि अन्य प्रमुख जलविद्युत परियोजनाएँ हैं, जो हिमालय में स्थित है।

(छ) **खनिज (Minerals):** हिमालय धात्विक एवं अधात्विक खनिजों में समृद्ध है। कश्मीर में कोयला पाया जाता है। तांबा, सीसा, जस्ता, निकल, कोबाल्ट, टंगस्टन, सोना, चांदी, चूना पत्थर, कीमती तथा अर्ध-कीमती पत्थर, जिप्सम, मैग्नेसाइट, संगमरमर और निर्माण सामग्री आदि उत्तराखंड, हिमाचल प्रदेश, सिक्किम, अरुणाचल प्रदेश और संघ राज्यक्षेत्र जम्मू और कश्मीर में पाए जाने वाले अन्य खनिज हैं।

(ज) **पर्यटन (Tourism):** हिमालय में कई हिल स्टेशन हैं, जो वर्ष-भर हजारों अंतर्राष्ट्रीय एवं घरेलू पर्यटकों को आकर्षित करते हैं। हिमालय में कुछ महत्वपूर्ण पर्यटन स्थल- गुलमर्ग, सोनमर्ग, पहलगाम, युसमर्ग, श्रीनगर, डलहौजी, धर्मशाला, चंबा, शिमला, कुल्लू, मनाली, मसूरी, नैनीताल, रानीखेत, बागेश्वर, अल्मोड़ा, दार्जिलिंग, गंगटोक और ईटानगर हैं।

(झ) **पवित्र स्थान (Holy Places):** हिमालय में अनेक धार्मिक एवं पवित्र स्थान हैं, जहाँ लोग आते हैं। बड़ी संख्या में तीर्थयात्री अमरनाथ, बद्रीनाथ, गंगोत्री, केदारनाथ, ज्वालाजी, उत्तरकाशी, वैष्णो देवी, यमुनोत्री आदि पवित्र मंदिरों में जाते हैं।

(ञ) **अल्पाइन घास के मैदान (चरागाह) (Alpine Pastures):** अधिक ऊंचाई पर स्थित अल्पाइन चरागाह हिमालय में रहने वाले आदिवासी लोगों की भेड़, बकरियों तथा याक को पौष्टिक चारा प्रदान करते हैं। ये भारत के हिमालयी क्षेत्र में अधिक ऊंचाई वाले चारागाह और घास के मैदान हैं, जहां अनेक औषधीय एवं सुगंधित पादप पाये जाते हैं।

(ट) हिमालय में अनेक जनजातियों की समृद्ध सांस्कृतिक विरासत है।

भारत की पर्वत शृंखलाएँ एवं सबसे ऊँची चोटियाँ (Mountain Ranges and Highest Peaks of India)

भारत में हिमालय 2400 किलोमीटर से अधिक लंबाई में विस्तृत हैं। भारत की अन्य महत्वपूर्ण पर्वत श्रेणियाँ हैं:

1. उत्तर-पूर्व में भारत की सीमा से सटे पूर्वांचल
2. विंध्याचल, जो सिंधु-गंगा के मैदान को दक्कन के पठार से अलग करती हैं
3. सतपुड़ा
4. अरावली
5. पश्चिमी घाट, जिसे सह्याद्रि के नाम से भी जाना जाता है यह पश्चिमी तटीय मैदानों के पूर्वी किनारे पर स्थित है।
6. पूर्वी घाट

भारत की सबसे ऊँची चोटी: K2 (गॉडविन ऑस्टेन) – 8,611 मीटर (चित्र 12.3)।

अरावली की सबसे ऊँची चोटी: गुरु शिखर (माउंट आबू) – 1,722 मीटर (चित्र 12.3)।

चित्र 12.3
मुख्य चोटियाँ

विंध्याचल की सबसे ऊंची चोटी: गुडविल पीक (दमोह, मध्य प्रदेश) – 752 मीटर **(चित्र 12.3)**

सतपुड़ा की सबसे ऊँची चोटी: धूपगढ़ (महादेव पहाड़ियाँ) – 1,350 मीटर **(चित्र 12.3)**।

पूर्वी घाट की सबसे ऊँची चोटी: जिंदगड़ा चोटी (आंध्र प्रदेश) – 1,690 मीटर **(चित्र 12.3)**।

पश्चिमी घाट की सबसे ऊँची चोटी एवं प्रायद्वीपीय भारत की सबसे ऊँची चोटी: अनाईमुडी (अन्नामलाई पहाड़ियाँ – केरल) – 2,695 मीटर **(चित्र 12.3)**।

नीलगिरि (तमिलनाडु - केरल सीमा) की सबसे ऊँची चोटी: डोडा बेट्टा – 2,636 मीटर **(चित्र 12.3)**।

भारतीय द्वीपों की सबसे ऊंची चोटी: सैडल पीक (7,32 मीटर), अंडमान एवं निकोबार।

भारत का उत्तरी मैदान (Northern Plains of India)

हिमालय पर्वत शृंखला ने हिमालय के दक्षिण में एक विशाल अवसादन या बेसिन का निर्माण किया है, जो सिंधु, ब्रह्मपुत्र तथा गंगा नदियों के जलोढ़ जमाव से भरपूर है। इससे भारत के विशाल उत्तरी मैदान का निर्माण हुआ है। ये मैदान पश्चिम से पूर्व की ओर 3,200 किलोमीटर तक फैले हुए हैं और विश्व की सबसे घनी आबादी वाले क्षेत्रों में से हैं। ये भारत की कृषि में महत्वपूर्ण भूमिका निभाते हैं तथा इस क्षेत्र की नदियाँ सिंचाई, परिवहन और जलविद्युत जैसे आवश्यक संसाधन प्रदान करती हैं।

यह क्षेत्र ऐतिहासिक एवं सांस्कृतिक रूप से बहुत महत्वपूर्ण है। यहां दिल्ली, वाराणसी तथा पटना जैसे प्रमुख शहर स्थित हैं। यह मैदान उत्तर से दक्षिण की ओर हल्के ढलान वाला समतल मैदान हैं, जिसमें पश्चिम में अर्ध-शुष्क से लेकर पूर्व में आर्द्र उपोष्णकटिबंधीय जलवायु है। यद्यपि, इस क्षेत्र को मृदा के कटाव, जल प्रदूषण तथा भूजल की कमी जैसी पर्यावरणीय चुनौतियों का सामना करना पड़ रहा है।

भारत के उत्तरी मैदान से जुड़ी शब्दावली:

1. **भाबर (Bhabher)**: पहाड़ों के तेज ढाल से बहकर आने वाली नदियाँ पहाड़ की तलहटी में जलोढ़ निक्षेप जमा कर देती है, जिससे वहां नदी भूमिगत हो जाती है। तलहटी में स्थित इस क्षेत्र को भाबर कहा जाता है। यह क्षेत्र सिंधु नदी से लेकर तीस्ता नदी तक विस्तृत है। इसकी चौड़ाई 8 से 16 किलोमीटर है और साथ ही शिवालिक की तलहटी भी है।
2. **तराई (Terai):** यह 15 से 30 किलोमीटर चौड़ी एवं विस्तृत जैव-विविधता वाली पट्टी है। तराई भाबर के नीचे स्थित है। यह एक दलदली पट्टी है, जहाँ नदियाँ भूमिगत होने के बाद पुनः उभरती हैं।
3. **भांगर या बांगर (Bhangar):** यह नदी से दूर, ऊंचे बाढ़ के मैदानी क्षेत्रों में पाया जाने वाला पुराना, मोटे जलोढ़ का क्षेत्र है। इसमें कंकर (मोटे कणों का समूह) कण होते हैं, जो नवीन जलोढ़ जमावों की तुलना में कम उपजाऊ होते हैं। इसे स्थानीय बोलियों में भूर के नाम से भी जाना जाता है।

याद रखने की युक्ति (Learning Trick)

उत्तरी मैदान

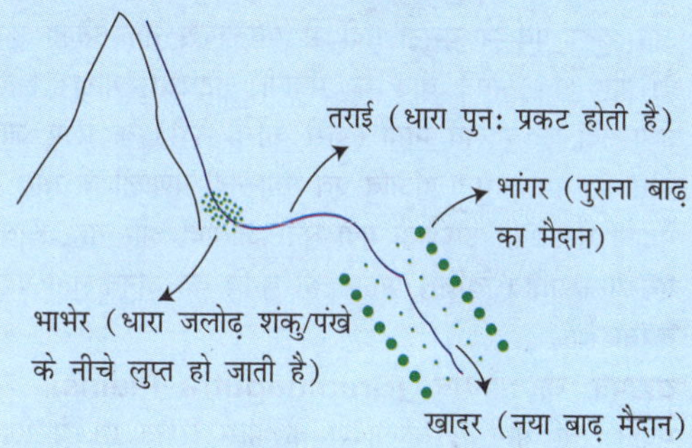

4. **खादर (Khadar):** नदी के बाढ़ के मैदान में पाए जाने वाले उपजाऊ, नवीन जलोढ़ जमाव को खादर कहा जाता है। यह बाढ़ के पानी से हर साल भर जाता है, जिससे यह कृषि के लिए बेहद उत्पादक क्षेत्र है। इस क्षेत्र को कचहरी क्षेत्र या बाढ़ का मैदान भी कहा जाता है।
5. **दोआब (Doab):** दो नदियां, जो आगे चलकर मिल जाती हैं, उनके बीच स्थित बाढ़ का मैदानी क्षेत्र दोआब कहलाता है।

भारत के उत्तरी मैदान में निम्नलिखित भाग शामिल हैं:

1. **राजस्थान का मैदान (Rajasthan Plains):** इसमें शुष्क पश्चिमी (बांगर) एवं अर्ध-शुष्क पूर्वी मैदान शामिल हैं, जिन्हें अरावली पर्वतमाला विभाजित करती है। पश्चिमी मैदान थार रेगिस्तान क्षेत्र में फैला हुआ है। इन मैदानों में मौसमी नदियाँ बहती हैं, जो अंतर्देशीय जल निकासी का काम करती हैं। यहाँ सांभर झील जैसी खारे पानी की झीलें भी हैं, जिनका उपयोग नमक बनाने के लिए किया जाता है। बांगर के मैदानों की सिंचाई अब मुख्य रूप से इंदिरा गांधी नहर प्रणाली एवं सरदार सरोवर जैसी अन्य जलविद्युत परियोजनाओं द्वारा की जा रही है। पूर्वी मैदानों की सिंचाई यमुना की सहायक नदियों - जैसे कि चंबल, बनास और छोटी नदियों जैसे कि बाणगंगा, माही आदि से होती है।

2. **पंजाब-हरियाणा का मैदान (Punjab-Haryana Plains):** यह पश्चिम-मध्य क्षेत्र में स्थित है। यह पश्चिम में सिंधु नदी एवं पूर्व में यमुना नदी के बीच स्थित है। इस क्षेत्र में बारी (ब्यास-रावी) एवं बिष्ट (ब्यास-सतलज) दोआब शामिल हैं। अपनी उपजाऊ मृदा के लिए ख्यात इस क्षेत्र में सिंचाई के लिए सुविकसित नहर प्रणाली है, जिससे यहां व्यापक रूप से कृषि (गेहूं, चावल, कपास) की पैदावार होती है।
3. **गंगा का मैदान (Ganga Plains):** यह मैदान सबसे बड़ा और सुदूर पूर्व में यमुना नदी से बांग्लादेश तक फैला हुआ है। यह क्षेत्र अपने बाढ़ के मैदानों, तटबंधों, गोखुर झीलों तथा नदी के बदलते मार्गों (जैसे कोसी नदी) के लिए जाना जाता है। गंगा-यमुना दोआब एवं गंगा नदी प्रणाली के बाढ़ के मैदानों में इसकी उपजाऊ मृदा घनी आबादी और गेहूं, चावल एवं गन्ने सहित विविध प्रकार की कृषि को अनुकूलता प्रदान करती है।
4. **ब्रह्मपुत्र का मैदान (Brahmaputra Plains):** यह मैदान पूर्वी भाग में बांग्लादेश के पास स्थित है। ये मैदान बाढ़ से ग्रस्त रहता है तथा इनमें नदी के किनारे द्वीप (चार) स्थित हैं। भारी वर्षा के कारण यह क्षेत्र हरा-भरा रहता है। यह चाय के बागानों एवं ब्रह्मपुत्र नदी के डेल्टा (सुंदरबन) के लिए प्रसिद्ध है।

भारतीय रेगिस्तान: थार (The Indian Desert: Thar)

यह रेगिस्तान, जिसे भारत का महान रेगिस्तान भी कहा जाता है, पूर्वी राजस्थान के मैदान का विस्तार है। यह लगभग 2,00,000 वर्ग किलोमीटर में फैला हुआ है। इसका 86 प्रतिशत हिस्सा भारत में है, जो राजस्थान, गुजरात, पंजाब तथा हरियाणा में फैला हुआ है, जबकि शेष 14 प्रतिशत हिस्सा पाकिस्तान में है। यह पश्चिम में सिंधु नदी के मैदान, उत्तर तथा उत्तर-पूर्व में पंजाब के मैदान, दक्षिण-पूर्व में अरावली पर्वतमाला और दक्षिण में कच्छ के रण से घिरा है।

स्थानीय रूप से इसे मरुस्थली कहा जाता है। इसके परिदृश्य में रेत के टीले शामिल हैं, जो हवा के कारण बदलते रहते हैं। इस क्षेत्र में रेतीले मैदान, भाकर एवं डुंगर के रूप में जानी जाने वाली कम बंजर पहाड़ियाँ हैं। इस क्षेत्र में मौसमी नदियाँ, जलधाराएँ (नाले) और सांभर एवं पुष्कर डीडवाना, पंचभद्रा झील जैसी खारे पानी की झीलें हैं। इस क्षेत्र में पुष्कर झील राजस्थान की सबसे बड़ी प्राकृतिक मीठे पानी की झील है। थार का रेगिस्तान भारत तथा पाकिस्तान के बीच एक प्राकृतिक अवरोध के रूप में भी काम करता है और नमक, जिप्सम, संगमरमर, ग्रेनाइट, बलुआ पत्थर, मृदा, चूना पत्थर जैसे खनिजों एवं कच्चे तेल एवं प्राकृतिक गैस जैसे जीवाश्म ईंधन का स्रोत है। यही कारण है कि राजस्थान को खनिजों का संग्रहालय कहा जाता है।

प्रायद्वीपीय पठार (The Peninsular Plateau)

यह भारत की सबसे प्राचीन एवं सबसे बड़ी भौगोलिक इकाई है। यह गोंडवाना का भाग था और लाखों वर्ष पुराना है। इसका क्षेत्रफल लगभग 1,600,000 वर्ग किलोमीटर है। यह पठार खंडित हो गया है, जिससे ऊपर उठे हुए खंड एवं निचले बेसिन बन गए हैं। यह केंद्रीय उच्च भूमि (हाइलैंड्स), छोटानागपुर का पठार, दक्कन का पठार, शिलांग का पठार और पूर्वी एवं पश्चिमी घाट सहित कई तरह की भौगोलिक संरचनाओं से जुड़ा हुआ है।

प्रायद्वीपीय पठार उत्तर में अरावली, मालवा के पठार, विंध्याचल, बघेलखंड तथा राजमहल की पहाड़ियों, पश्चिम में सह्याद्रि (पश्चिमी घाट) और पूर्व में पूर्वी घाट से घिरा हुआ है।

नर्मदा नदी घाटी पठार को मध्य उच्चभूमि एवं दक्कन के पठार में विभाजित करती है। शिलांग का पठार प्रायद्वीपीय पठार का एक अलग भाग है। शिलांग का पठार मालदा (राजमहल-गारो) अंतराल के माध्यम से प्रायद्वीप के शेष भाग से अलग किया जाता है, जो हिमालय की उत्पत्ति के दौरान बना था। बाद में यह गंगा-ब्रह्मपुत्र नदी प्रणालियों द्वारा लायी गयी तलछट से भर गया था।

मध्य उच्चभूमि अधिक ऊँची (800-1200 मीटर) हैं और इसका ढलान गंगा-यमुना नदी घाटी की ओर, उत्तर की ओर है। इनमें अरावली, मालवा एवं मेवाड़ का पठार, बुंदेलखंड एवं बघेलखंड, विंध्याचल एवं छोटानागपुर का पठार शामिल हैं।

अरावली प्राचीन पर्वतमाला है, जो दक्षिण-पश्चिम से उत्तर-पूर्व की ओर 800 किलोमीटर तक फैली हुई है। इसकी चोटियाँ 1000 मीटर से अधिक ऊँची हैं (माउंट आबू, गुरु शिखर पर्वत)। मालवा का पठार विंध्याचल के उत्तर में स्थित है तथा इसमें लावा प्रवाह एवं खड्ड हैं। विंध्याचल नर्मदा नदी घाटी से खड़ी ढलान लिये हुए हैं और दक्षिण की ओर मध्यम ढलान है। यह पूर्व से पश्चिम तक 100 किलोमीटर से अधिक दूरी तक फैला हुआ है। कैमूर की पहाड़ियाँ तथा भारनेर की पहाड़ियाँ विंध्याचल का ही विस्तार है।

मालवा का पठार बुंदेलखंड, बघेलखंड तथा छोटानागपुर के पठारों तक फैला हुआ है। छोटानागपुर के पठार में कोयले के भंडार हैं। राजमहल की पहाड़ियाँ पठार के पूर्वी किनारे पर स्थित है।

दक्कन का पठार सतपुड़ा, मैकल और हजारीबाग पर्वतमालाओं से घिरा हुआ है। सतपुड़ा पर्वतमाला नर्मदा एवं तापी नदी घाटियों के बीच स्थित है। दक्कन के पठार के तीन उप-विभाग हैं: महाराष्ट्र, तेलंगाना और कर्नाटक। महाराष्ट्र के पठार में समतल-शीर्ष वाली

पहाड़ियाँ तथा लावा प्रवाह द्वारा निर्मित सीढ़ीदार खेत हैं। तेलंगाना के पठार में गोल पहाड़ियों एवं घाटियों सहित नीस स्थलाकृतियां हैं। कर्नाटक के पठार में भी गोल पहाड़ियों एवं घाटियों सहित नीस स्थलाकृतियां है, जो कृष्णा एवं कावेरी नदियों का अपवाह क्षेत्र बनाती है। पश्चिमी एवं पूर्वी घाट दक्कन के पठार की सीमाएँ बनाते हैं।

पश्चिमी घाट, जिसे सह्याद्रि भी कहा जाता है, 1200 मीटर की औसत ऊँचाई वाली एक पर्वत शृंखला है, जो अरब सागर के सामने भारत के पश्चिमी तट पर 1600 किलोमीटर तक विस्तृत है। वास्तव में यह कोई पर्वत शृंखला नहीं है, बल्कि यह भ्रंश भूमिरूप (फॉल्ट स्कार्प) है और प्रायद्वीपीय पठार का भाग है। इस स्थलाकृति में ग्रेनाइट तथा नीस चट्टानें पायी जाती हैं। इनमें बाबा बुदन पहाड़ियाँ, नीलगिरी, पलानी और कार्डेमम की पहाड़ियाँ शामिल हैं। इसमें महत्वपूर्ण निम्नस्थल थालघाट (581 मीटर), भोरघर (229 मीटर), पालघाट/पलक्कड़ निम्नस्थल (300 मीटर) और शेनकोट्टा निम्नस्थल (181 मीटर) हैं। पश्चिमी घाट की सबसे ऊँची चोटी अनाईमुडी चोटी है, जो अन्नामलाई श्रेणी में स्थित है। पश्चिमी घाट दक्षिण-पश्चिम मानसून को रोकता है, इस कारण हवा की दिशा में भारी वर्षा होती है। यह अपने हरे-भरे जंगलों, विविध प्रकार के वन्य जीवों एवं जल प्रपातों के लिये प्रसिद्ध है। यह पूर्व की ओर बहने वाली प्रमुख नदियों तथा पश्चिम की ओर बहने वाली छोटी नदियों का स्रोत है। यह एक जलवायवीय एवं जल अपवाह क्षेत्र विभाजन का निर्माण करता है।

पूर्वी घाट भारत के पूर्वी तट पर बंगाल की खाड़ी के सामने स्थित पर्वत शृंखला है। महानदी, गोदावरी, कृष्णा एवं कावेरी जैसी दक्षिण भारत की कई प्रमुख नदियां इसका भारी अपरदन करती है। पूर्वी घाट की पहाड़ियों में महेंद्रगिरि, नल्लामलाई, शेषचलम, वेलिकोंडा, पालकोंडा, जावड़ी, शेवरॉय, एर्रामाला, कालरायन और बिलिगिरी रंगन शामिल हैं। सबसे ऊँची चोटी जिंदगाड़ा है। पूर्वी घाट में पश्चिमी घाटों की अपेक्षा कम निरंतरता है तथा इनकी ऊँचाई भी कम है। इनकी औसत ऊँचाई केवल 600 मीटर है। इनमें कम वर्षा होती है, जिसके कारण जंगल एवं झाड़ियाँ सूख जाती हैं। यह कई प्रमुख भारतीय नदियों के अपवाह क्षेत्र के लिए महत्वपूर्ण हैं। दोनों घाट नीलगिरी में मिलते हैं।

भारत के तटीय मैदान (Coastal Plains of India)

पूर्वी एवं पश्चिमी घाटों के अलावा भारत में तटीय मैदान भी हैं। पश्चिमी तटीय मैदानों में गुजरात, कोंकण, कर्नाटक, और मालाबार के मैदान शामिल हैं।

गुजरात के मैदानों को कच्छ, काठियावाड़ तथा सौराष्ट्र के मैदानों में विभाजित किया गया है। कच्छ प्रायद्वीप उभरती हुई तटरेखा का एक उदाहरण है, जिसका अर्थ है कि भूमि समुद्र तल से ऊपर उठ गई है। इस कारण कच्छ के रण जैसे नमक के दलदल का निर्माण हुआ है। पश्चिमी बनास एवं लूनी नदियाँ इस क्षेत्र में अंतर्देशीय बहती हैं। भारत के सबसे बड़े घास के मैदानों में से एक बन्नी घास का मैदान भी यहीं स्थित है। काठियावाड़ प्रायद्वीप में ज्वालामुखी गतिविधियों के कारण काली मृदा है। गिर पर्वतमाला भी यहीं स्थित है, जो एशियाई शेरों का एकमात्र निवास स्थान है। गुजरात के शेष मैदानों में सौराष्ट्र के कुछ भाग शामिल हैं, जहाँ नर्मदा एवं तापी नदियों द्वारा निर्मित नदियाँ मौजूद हैं। नर्मदा-तापी तटीय मैदान का नदी मुहाना पश्चिमी तटीय मैदान का सबसे चौड़ा तटीय मैदान (80 किलोमीटर) है।

दमन से गोवा तक कोंकण का मैदान एक जलमग्न तटरेखा है, जिसमें व्यापक महाद्वीपीय शेल्फ एवं समुद्री चट्टानें हैं। गोवा से मंगलुरु तक कर्नाटक का मैदान भी एक जलमग्न तटरेखा है। मंगलुरु से कन्याकुमारी तक मालाबार तट विवर्तनिकी (टेक्टोनिक) रूप से स्थिर तटरेखा है, जो पश्चिम की ओर बहने वाली पश्चिमी घाट की छोटी नदियों द्वारा की जाने वाली निक्षेपण गतिविधियों के कारण उभर रही है। इसमें कई झीलें, लैगून तथा कयाल नामक बैकवाटर हैं।

पूर्वी तटीय मैदान सुवर्णरेखा नदी से कन्याकुमारी तक विस्तृत है तथा महानदी, गोदावरी, कृष्णा, कावेरी आदि प्रमुख नदियों के जलोढ़ जमाव से निर्मित हुआ है। पूर्वी तटीय मैदान पश्चिमी तटीय मैदानों की तुलना में व्यापक है। कच्छ के मैदानों के विपरीत, ये मैदान बंगाल की खाड़ी में गिरने वाली लंबी नदियों द्वारा किये गये जमाव के कारण उभरे हैं। ये मैदान उत्तरी सरकार (महानदी से कृष्णा तक) एवं कोरोमंडल तट (कृष्णा के दक्षिण) में विभाजित हैं। ओडिशा में स्थित उत्कल के मैदानों में भारत की सबसे बड़ी झील चिल्का झील शामिल है। उत्कल के दक्षिण में स्थित आंध्र के मैदानों में कोलेरू झील (पूर्व में एक लैगून, जो अब तटीय जमाव के कारण अंतर्देशीय झील बन गई है) और उपजाऊ कृष्णा-गोदावरी का डेल्टा है। तमिलनाडु के मैदान पुलिकट झील से कन्याकुमारी तक विस्तृत हैं। पूर्वी एवं पश्चिमी तटीय मैदान कन्याकुमारी में मिलते हैं।

भारत के द्वीप (Islands of India)

भारत में द्वीपों के 2 समूह हैं, अर्थात अंडमान एवं निकोबार तथा लक्षद्वीप द्वीप समूह।

अंडमान एवं निकोबार द्वीप समूह, बंगाल की खाड़ी में स्थित हैं तथा इसे अंडमान सागर से अलग करते हैं। इन द्वीपों को कोको जलडमरूमध्य म्यांमार के कोको द्वीपों से अलग करता है। अंडमान एवं निकोबार द्वीप समूह कुल 8,249 वर्ग किलोमीटर के क्षेत्र में फैले हुए हैं। इनमें 836 द्वीप/उप-द्वीप/उभरी हुई चट्टाने / सतहें शामिल हैं,

जिनमें से केवल 31 द्वीपों पर ही लोग रहते हैं। अंडमान एवं निकोबार द्वीप समूहों के बीच 10-डिग्री जलडमरूमध्य (चौनल) स्थित हैं। इन द्वीपों का निर्माण हिमालय पर्वत शृंखला की उत्पत्ति के दौरान हुआ था। इनमें से अधिकांश द्वीप उत्तर में म्यांमार के अराकन्योमा पहाड़ों तथा दक्षिण में इंडोनेशियाई द्वीप सुमात्रा का विस्तार हैं।

भारत का एकमात्र सक्रिय ज्वालामुखी, अंडमान द्वीप समूह के बैरन द्वीप में स्थित है। एक अन्य ज्वालामुखी द्वीप, नारकोंडम, बैरन द्वीप के निकट ही स्थित है। इस द्वीप समूह के लगभग सभी द्वीपों पर प्रवाल भित्तियाँ पाई जाती हैं।

भारत का सबसे छोटा संघ राज्यक्षेत्र, लक्षद्वीप एक द्वीप समूह है, जिसमें 12 एटोल, तीन रीफ तथा पांच जलमग्न तट हैं। यह 32 वर्ग किलोमीटर क्षेत्रफल वाला संघ राज्यक्षेत्र है, जिसमें एक ही जिला है। इसमें दस द्वीपों पर बसावट है, 17 निर्जन द्वीप हैं, इनसे जुड़े छोटे उप-द्वीप, चार बसावट छोटे द्वीप तथा 5 जलमग्न रीफ शामिल हैं। जिन द्वीपों पर बसाहट हैं, उनमें कावारत्ती, अगत्ती, अमिनी, कदमत, किल्टन, चेतलाट, बित्रा, एंड्रोट, कल्पेनी तथा मिनिकॉय शामिल हैं। बित्रा द्वीप इन सभी में सबसे छोटा द्वीप है, जिसकी जनसंख्या केवल 271 व्यक्ति (जनगणना 2011) है। यह अरब सागर में केरल के तट से लगभग 400 किलोमीटर दूर स्थित है। ये द्वीप समूह लाखों वर्ष पहले जलमग्न ज्वालामुखीय संरचनाओं पर प्रवाल द्वीपों के रूप में निर्मित हुए हैं। ये द्वीपसमूह 78,000 वर्ग किलोमीटर क्षेत्र में फैले हैं, जिसमें मिनिकॉय एवं अमिनदिवी सहित मुख्य द्वीप समूह शामिल हैं। इस द्वीप समूह के सुदूर दक्षिण में स्थित द्वीप, मिनिकॉय (मालिकु एटोल), 9-डिग्री चौनल के माध्यम से शेष द्वीपों से अलग होता है। इस समूह में एंड्रोट द्वीप सबसे बड़ा है। प्रशासनिक केंद्र कावारत्ती में स्थित है। ये द्वीप मालदीव से 8-डिग्री चौनल द्वारा अलग होते हैं।

त्वरित पुनरावलोकन (Quick Revision)

भारत के भौगोलिक प्रभाग

- **पर्वत**
  - ट्रांस-हिमालय
    - काराकोरम
    - लद्दाख
    - जस्कर
  - वृहत हिमालय
  - लघु हिमालय
  - बाह्य हिमालय
  - पूर्वांचल
- **उत्तरी मैदान**
  - राजस्थान
  - पंजाब-हरियाणा
  - गंगा
  - ब्रह्मपुत्र
- **रेगिस्तान**
- **पठार**
  - मध्य हाइलैंड्स
  - डेक्कन
  - उत्तर पूर्वी (शिलांग)
- **तटीय मैदान**
  - पश्चिम
    - कच्छ
    - काठियावाड़
    - गुजरात
    - कोंकण
    - मालाबार
  - पूर्व
    - उत्तरी मंडल
    - कोरोमंडल
- **द्वीप समूह**
  - अंडमान और निकोबार
  - लक्षद्वीप

भारत का अपवाह तंत्र (DRAINAGE OF INDIA)

अपवाह तंत्र (drainage) का तात्पर्य भू-सतह के प्राकृतिक अपवाह अथवा मानवीय गतिविधियों द्वारा शुरू की गई भू-जल निकासी प्रणाली से है। भू-सतह का प्राकृतिक अपवाह बेसिनों में स्थित होता है। जल निकासी (अपवाह) बेसिन वे क्षेत्र होते हैं, जहां पानी केंद्रित होता है तथा अपवाह नेटवर्क में बहता है। भारत की अपवाह प्रणाली को प्रायद्वीपीय अपवाह एवं प्रायद्वीपीयेतर अपवाह या हिमालयी अपवाह प्रणाली में विभाजित किया जा सकता है। भारत में नदियों में पानी की वार्षिक आवक लगभग 1,858,100 मिलियन क्यूबिक मीटर है, जिसमें से एक तिहाई से अधिक (33.8 प्रतिशत) का योगदान ब्रह्मपुत्र द्वारा किया जाता है। इसके बाद गंगा (25.2 प्रतिशत), गोदावरी (6.4 प्रतिशत), सिंधु (4.3 प्रतिशत), महानदी (3.6 प्रतिशत), कृष्णा (3.4 प्रतिशत) तथा नर्मदा (2.9 प्रतिशत) का स्थान आता है। शेष 20.4 प्रतिशत का योगदान अन्य नदियों द्वारा दिया जाता है।

हिमालयी अपवाह प्रणाली या प्रायद्वीपीयेतर अपवाह प्रणाली (The Himalayan Drainage System or the Extra-Peninsular Drainage)

हिमालयी अपवाह प्रणाली में भारत की सभी अंतर्राष्ट्रीय नदियाँ शामिल हैं, जैसे सिंधु, गंगा एवं ब्रह्मपुत्र। इनमें से अधिकतर नदियाँ

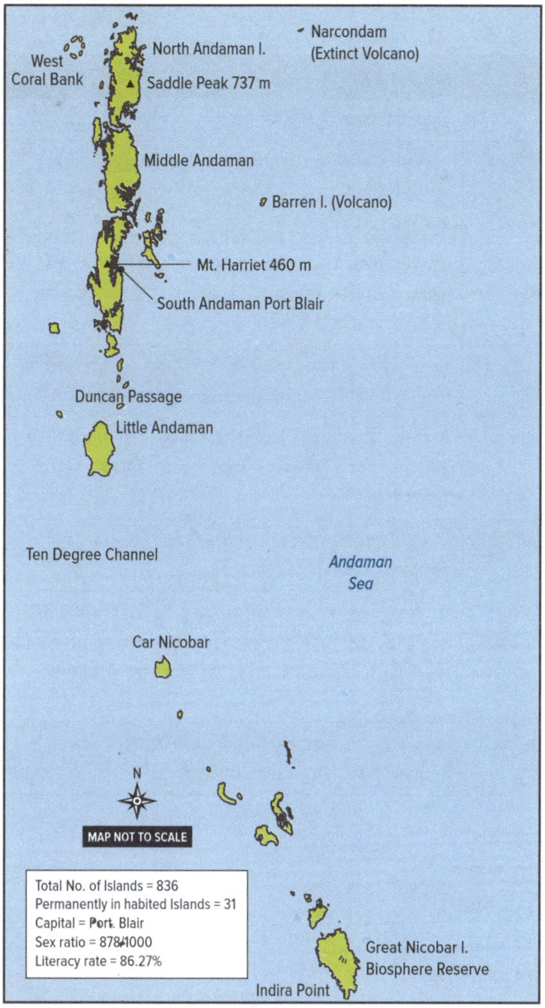

चित्र 12.4
अंडमान और निकोबार द्वीप समूह

तथा उनकी प्रमुख सहायक नदियाँ बारहमासी हैं, जो ग्लेशियरों, झरनों और बारिश से अपना पानी प्राप्त करती हैं। ये नदियाँ अपनी युवावस्था में हैं तथा अपरदन के माध्यम से अनेक प्रकार के भूमि रूपों- जैसे कि झरने, जल-प्रपात, तीव्र ढलान (रैपिड्स), खाई (गॉर्ज), खड़ी घाटियाँ, जलोढ़ पंखे और नदी वेदिकाएँ निर्मित करती हैं।

हिमालय में ये नदियाँ बहुत टेढ़ी-मेढ़ी हैं, लेकिन मैदानी क्षेत्रों में ये बहुत घुमावदार होती हैं तथा प्रायः अपना मार्ग बदलती रहती हैं। इन नदियों की धाराएँ मौसमी उतार-चढ़ाव दिखाती हैं, जिससे विशेषकर सामान्य बारिश के मौसम में विनाशकारी बाढ़ आती है।

हिमालय की नदियों का भारतीय लोगों के जीवन में बहुत बड़ा सामाजिक-आर्थिक एवं सांस्कृतिक महत्व है। हिमालय की नदियों के पानी का उपयोग सिंचाई, उद्योग, जलविद्युत उत्पादन, नौवहन और घरेलू उद्देश्यों के लिए किया जाता है।

प्रायद्वीपीय अपवाह प्रणाली (The Peninsular Drainage System)

प्रायद्वीपीय भारत की अपवाह प्रणाली हिमालयी अपवाह प्रणाली की तुलना में बहुत पुरानी है। यह अधिकतर मौसमी एवं वर्षा आधारित है। कावेरी नदी को छोड़कर, ये बारहमासी नदियां नहीं हैं। इनकी कटाव एवं वहन क्षमता कम है। इनका जलमार्ग अधिक सुनिश्चित है तथा आधार स्तर के करीब हैं। तटीय नदियाँ बारहमासी नहीं हैं। ये सीमित जलग्रहण क्षेत्र के साथ लंबाई में छोटी हैं।

हिमालयी एवं प्रायद्वीपीय अपवाह प्रणालियों के बीच अंतर **तालिका 12.5** में उल्लिखित है:

> कावेरी बारहमासी नदी है, क्योंकि यह दक्षिण-पश्चिम एवं उत्तर-पूर्व दोनों ही मानसून से वर्षा प्राप्त करती है।

जलविभाजक (Watersheds)

तीन मुख्य जलविभाजक या वाटरशेड हैं:

1. हिमालय पर्वतमाला
2. विंध्याचल एवं सतपुड़ा पर्वतमाला
3. पश्चिमी घाट

भारत के प्रमुख अपवाह बेसिन (Major Drainage Basins of India)

भूमि का वह क्षेत्र, जहां से नदी एवं उसकी सहायक नदियां जल बहाकर लाती है 'अपवाह बेसिन' कहलाता है। यह नदी बेसिन का पर्याय है। अपवाह क्षेत्र के आधार पर, भारत के नदी बेसिन को निम्नलिखित तीन श्रेणियों में वर्गीकृत किया जा सकता है (**चित्र 12.5**):

1. **विशाल नदी बेसिन:** 20,000 वर्ग किमी से अधिक जलग्रहण क्षेत्र वाले नदी बेसिन।
2. **मध्यम नदी बेसिन:** 2,000 से 20,000 वर्ग किमी तक के जलग्रहण क्षेत्र वाले बेसिन।
3. **लघु नदी बेसिन:** 2,000 वर्ग किमी से कम के जलग्रहण क्षेत्र वाले बेसिन।

भारत को 25 प्रमुख नदी बेसिन क्षेत्रों एवं 103 उप-बेसिन क्षेत्रों में विभाजित किया गया है। भारत के 12 नदी बेसिनों का जलग्रहण क्षेत्र 20,000 वर्ग किमी. और उससे अधिक है।

तालिका 12.5 हिमालय एवं प्रायद्वीपीय अपवाह प्रणालियों के बीच अंतर

		हिमालयी नदियाँ	प्रायद्वीपीय नदियाँ
1.	उत्पत्ति	हिमालय की ऊँची पर्वतमाला से निकलती हैं।	प्रायद्वीपीय पठार से निकलती हैं।
2.	जलग्रहण क्षेत्र	इनके बड़े बेसिन एवं विशाल जलग्रहण क्षेत्र हैं। उदाहरण के लिए, सिंधु, गंगा तथा ब्रह्मपुत्र नदियों के बेसिन क्रमशः 11.78, 8.61 और 5.8 लाख वर्ग किमी में विस्तारित हैं।	इनके छोटे बेसिन हैं। उदाहरण के लिए, गोदावरी नदी बेसिन 3.12 लाख वर्ग किमी में फैला है, जो सिंधु बेसिन क्षेत्र के एक तिहाई से भी कम है।
3.	घाटियाँ	गहरी V-आकार की घाटियों से होकर बहती हैं तथा कभी-कभी गहरी खाईयाँ बनाती हैं।	उथली घाटियों में बहती हैं, जो कमोबेश ढालू होती हैं। इन नदियों में अपरदन गतिविधियां न्यूनतम होती हैं तथा ये शायद ही कभी गहरी खाईयाँ बनाती हैं।
4.	अपवाह का प्रकार	पूर्ववर्ती एवं अनुवर्ती दोनों ही प्रकार के अपवाह हैं।	इन नदियों में अनुवर्ती अपवाह ही हैं। सिवाय सुवर्णरेखा नदी के जिसका अध्यारोपित (superimposed) अपवाह है।
5.	जल प्रवाह	दक्षिण-पश्चिम मानसून तथा बर्फ के पिघलने के कारण ये नदियां सदाबहार हैं।	ये नदियां मुख्य रूप से वर्षा से जल प्राप्त करती हैं और अधिकतर मौसमी नदियां हैं। केवल कावेरी जैसी कुछ नदियां सदाबहार नदी हैं।
6.	चरण	ये नदियां युवा वलित पहाड़ों से होकर बहती हैं तथा अब भी युवावस्था में हैं।	ये नदियां प्राचीन पठारी क्षेत्र से होकर बहती हैं तथा अपनी परिपक्व अवस्था में पहुँच गयी हैं।
7.	घुमावदार मार्ग	ये नदीयां ऊपरी क्षेत्रों में अत्यधिक टेढ़े-मेढ़े मार्ग से होकर गुजरती हैं। जब ये मैदानों में पहुँचती हैं, तो इनकी गति धीमी हो जाती है, जिससे इनका मार्ग घुमावदार हो जाता है। ये नदियां प्राय: अपना मार्ग बदलती रहती हैं।	ये नदियां पठार की कठोर चट्टानी सतह से होकर गुजरती हैं तथा इनमें जलोढ़ कम होने के कारण बहुत कम घुमावदार मार्ग बनाती हैं। परिणामस्वरूप, ये अधिक सीधे मार्ग से बहती हैं।
8.	डेल्टा एवं मुहाना	ये अपने मुहाने पर विशाल डेल्टा बनाती हैं। गंगा-ब्रह्मपुत्र का डेल्टा विश्व का सबसे बड़ा डेल्टा है।	नर्मदा एवं तापी जैसी कुछ नदियाँ मुहाना बनाती हैं, जबकि अधिकांश अन्य नदियां डेल्टा बनाती हैं

क्षेत्रफल के अनुसार घटते क्रम में भारत के प्रमुख नदी बेसिन निम्नवत हैं:

1. गंगा
2. सिन्धु
3. गोदावरी
4. कृष्णा
5. ब्रह्मपुत्र
6. महानदी
7. नर्मदा
8. कावेरी
9. तापी
10. पेन्नार
11. ब्राह्मणी
12. माही
13. सुवर्णरेखा

भारत में विश्व की कुछ सबसे बड़े अंतर्देशीय अपवाह नदी बेसिन भी हैं, जिनमें लूनी नदी (उद्गम: अरावली; मुहाना: कच्छ का रण); और घग्गर-हरका प्रणाली (उद्गम: शिवालिक श्रेणी; मुहाना: ओट्टू झील, हरियाणा) शामिल हैं।

तालिका 12.6 भारत के प्रमुख नदी बेसिन

नदी बेसिन	बेसिन क्षेत्र*	प्रतिशत क्षेत्र	वार्षिक निर्वहन (घन मीटर/वर्ग किमी)	प्रतिशत
गंगा	8,61,404	26.2	4,68,700	25.2
सिंधु	3,21,289	9.8	79,500	4.3
गोदावरी	3,12,812	9.5	1,18,000	6.4
कृष्णा	2,58,948	7.9	62,800	3.4

(Continued)

तालिका 12.6 *(Continued)*

नदी बेसिन	बेसिन क्षेत्र*	प्रतिशत क्षेत्र	वार्षिक निर्वहन (घन मीटर/वर्ग किमी)	प्रतिशत
ब्रह्मपुत्र	1,94,413	7.8	6,27,000	33.8
महानदी	1,41,589	4.3	66,640	3.6
नर्मदा	98,796	3.0	54,600	2.9
कावेरी	81,155	2.7	20,950	1.1
तापी	65,145	2.0	17,982	0.9
पेन्नार	55,213	1.7	3,238	0.2
ब्राह्मणी	51,822	1.2	18,310	1.0
माही	34,842	1.0	11,800	0.6
सुवर्णरेखा	29,196	0.6	7,940	0.4
साबरमती	21,674	0.7	3,800	0.2
मध्यम और छोटी नदियाँ	7,11,833	23.6	–	16.0
कुल	**32,87,697**	**100.00**	**1,561,170**	**100.00**

*क्षेत्र का तात्पर्य भारत में स्थित बेसिन क्षेत्र से है
स्रोत: एस.पी. दास गुप्ता, 1989

भारत की सबसे लंबी नदियों को **चित्र 12.6** में दर्शाया गया है और **तालिका 12.7** में सूचीबद्ध किया गया है। कुछ प्रमुख नदियों एवं उनकी सहायक नदियों का उल्लेख **तालिका 12.8** और **12.9** में किया गया है।

तालिका 12.7 भारत की सबसे लंबी नदियाँ

क्रमांक	नदी	नदी की लंबाई (किमी. में)
1.	गंगा*	2,525
2.	गोदावरी	1,465
3.	कृष्णा	1,400
4.	यमुना	1,370
5.	नर्मदा	1,312
6.	घाघरा	1,080
7.	सतलुज*	1,050
8.	महानदी	858
9.	कावेरी	805
10.	सोन	780
11.	कोसी	730
12.	ब्रह्मपुत्र*	725

*भारत में नदी की लंबाई

चित्र 12.5
भारत के प्रमुख अपवाह बेसिन

River	Source	Length in Km
Beas	Rohtang Pass	460
Chambal	Mhow	960
Chenab	Bara-Lacha Pass	1180
Damodar	Chota Nagpur Plateau	541
Gandak	Tibet-Nepal Border	425
Ganga	Gomukh Glacier	2525
Ghaghara	Gurla-Mandhata Peak	1080
Godavari	Trimbakplateau (Nashik)	1465
Indus	Mansarovar Lake	2880
Jhelum	Verinag	724
Kaveri	Tala, W. Ghats	800
Krishna	Mahabaleshwar	1400
Ravi	Rohtang Pass	725
Sutlej	Rakas Lake (Tibet)	1450
Yamuna	Yamunotri Glacier	1376
Mahanadi	Dandakaranya	877
Narmada	Amarkantak	1310
Tapi Multai	Betul	730

चित्र 12.6

नदियाँ एवं उनकी सहायक नदियाँ

तालिका 12.8 भारत की नदियाँ एवं उनकी मुख्य सहायक नदियाँ

क्र.सं.	नदी	बायी ओर की सहायक नदियां	दायी ओर की सहायक नदियां
1.	ब्रह्मपुत्र	सुबनसिरी, मानस	लोहित, दिहांग, धनसिरी, कलांग (चित्र 12.6)
2.	गंगा	अलकनंदा, रामगंगा, गोमती, काली (शारदा), सरयू, राप्ती, घाघरा (करनाली), गंडक, त्रिशूली, बूढ़ी-गंडक, बागमती, कोसी, महानंदा	यमुना, सोन, रिहंद, अजय, पुनपुन, फल्गु, दामोदर, रूपनारायण, हल्दी (हुगली की सहायक नदी) (चित्र 12.6)
3.	गोदावरी	सबरी, इंद्रावती, परानहिता वैनगंगा, पेनगंगा, वर्धा, पूर्णा और दुधाना	मंजीरा, तिरना, मनैर, किन्नरसानी (चित्र 12.6)
4.	सिन्धु	जस्कर, सुरू, द्रास, किशनगंगा, झेलम, चिनाब, रावी, ब्यास, सतलुज	श्योक, नुब्रा, गिलगित आदि (चित्र 12.6)
5.	कावेरी	हेरांगी, हेमवती, लोकापावनी, शिमशा और अर्कावती	लक्ष्मणतीर्थ, काबिनी, सुवर्णावती, भवानी और अमरावती (चित्र 12.6)
6.	कृष्णा	मुन्नेरु, मुसी, हलिया, भीमा, पंचगंगा, दूधगंगा	कोयना, मालप्रभा, घाटप्रभा, तुंगभद्रा (चित्र 12.6)
7.	लूनी	बांडी, सूकरी, जवाई, सुलेरी	-
8.	महानदी	इब, मांड, हसदेव, शिवनाथ	ओंग, जोंक, टेल
9.	नर्मदा	बुरहनेर, बंजार, शर, शक्कर, तवा और कुंडी	हिरण, बार्ना, कोलार (चित्र 12.6)
10.	सतलुज	तिरुंग, गयाथिंग, बास्पा, डुलिंग, सोल्दांग	परेछू, स्पीति, ब्यास
11.	तापी	शिप्रा, कपरा, खुरसी, मोना, पूर्णा, गिरना, पंझरा	बैतूल, पाटकी, सूकी, अरुणावती, गोमई (चित्र 12.6)
12.	यमुना	टोंस, हिंडन	चम्बल (बनास, शिप्रा, पार्वती), सिंध, बेतवा, धसान, केन

तालिका 12.9 भारत की प्रायद्वीपीय नदियों के बारे में तथ्य

क्र.सं.	नदी	उद्‌गम	लंबाई (किमी में)	अपवाह क्षेत्र (वर्ग कि.मी. में)	औसत वार्षिक प्रवाह की मात्रा (मिलियन घन)	मुख्य सहायक नदियाँ
1.	महानदी	छत्तीसगढ़ के रायपुर जिले में सिहावा के पास दंडकारण्य से	857	1,41,600	67,000	इब, मांड, हसदो, सियोनाथ, ओंग, जोंक और टेल
2.	गोदावरी	महाराष्ट्र में नासिक के पास त्र्यंबक पठार से	1,465	3,12,812	1,05,000	मंजरा, मुला, पेनगंगा, वर्धा, वैनगंगा, इंद्रावती, सबरी, प्राणहिता
3.	कृष्णा	महाबलेश्वर के पास से	1,400	2,58,948	67,670	कोयना, घाटप्रभा, मालप्रभा, भीम, तुंगभद्रा, मुसी, मुनेरु
4.	कावेरी	तालकावेरी (पश्चिमी घाट से)	800	87,900	20,950	हेरांगी, हेमावती, लोकापावनी, शिम्शा, अर्कावती, लक्ष्मणतीर्थ, काबिनी, सुवर्णवथ, भवानी और अमरावती
5.	नर्मदा	अमरकंटक पठार से	1,310	98,796	40,700	हिरन, ओरसांग, बरना, कोलार, बुरहनेर, बंजार, शार, शेखर, तवा, कुंडी
6.	तापी	बैतूल जिले में मुलताई (म.प्र.) से	730	65,145	17,980	पूर्णा, बैतूल, पटकाई, गंजाल, धतरंज, बोकाड और अमरावती

भारत में हिमालय के मुख्य हिमनद (ग्लेशियर) (Main Glaciers of Indian Himalayas)

हिमनद या ग्लेशियर बर्फ का वह विशाल ढेर है, जिसका निर्माण ठोस, पुन:क्रिस्टलीकृत बर्फ से होता है। इसकी मोटाई इतनी अधिक होती है कि यह प्लास्टिक के समान बह सकता है। हिमालय में हिंदुकुश-काराकोरम पर्वतमाला (पामीर) एवं पूर्वी हिमालय-पटकाई-बम पर्वतमाला (अरुणाचल प्रदेश) के दो अक्षसंघीय (Syntactical) मोड़ों के बीच लगभग 15,000 ग्लेशियर

हैं। ये आकार में 60 किमी से अधिक विशालकाय भी हैं और केवल 2 से 5 किमी की लंबाई वाले लघु ग्लेशियर भी हैं। लगभग 33,000 वर्ग किमी या हिमालय का 17 प्रतिशत भाग बर्फ से ढका है, जिसमें से अकेले काराकोरम पर्वतमाला में 16,000 वर्ग किमी बर्फ है। पूर्वी हिमालय में हिमरेखा की ऊँचाई समुद्र तल से 4,200 मीटर है, जो काराकोरम पर्वतमाला में कम होकर 4000 मीटर हो जाती है। इसके अलावा, वृहत हिमालय पर्वतमाला में यह हिमरेखा उत्तरी ढलानों की अपेक्षा दक्षिणी ढलानों पर नीचे है। इसका कारण यह है कि दक्षिणी ढलानों पर बहुत अधिक वर्षा होती है और ये ढलान उत्तरी ढलानों, जहां ढलान मध्यम है एवं शुष्क है, उसकी तुलना में बहुत अधिक खड़ी ढलान हैं। हिमालय के कुछ महत्वपूर्ण हिमनदों (ग्लेशियरों) का संक्षिप्त विवरण निम्नवत है (चित्र 12.7)।

बियाफो हिमनद (Biafo Glacier)

काराकोरम में ब्राल्डो घाटी में स्थित बियाफो हिमनद की लंबाई लगभग 63 किलोमीटर है। यह ध्रुवीय क्षेत्र के बाहर चौथा सबसे लंबा हिमनद है। इसका हिमानी प्रोथ 5,128 मीटर की ऊँचाई पर स्थित है। शिगर नदी इसी हिमनद से निकलती है। (चित्र 12.7)

चोगो लुंगमा हिमनद (Chogo Lungma Glacier)

यह काराकोरम की राकापोशी श्रेणी में स्थित है। इसकी लंबाई 50 किलोमीटर है। यह पूर्व की ओर बहता है तथा यह समुद्र तल से 2075 मीटर की ऊँचाई पर समाप्त होता है। यह शिगर नदी की सहायक नदी बाशा बसना का उद्‌गम स्रोत है। (चित्र 12.7)

गंगोत्री हिमनद या गौमुख हिमनद (Gangotri Glacier or Gaumukh Glacier)

यह पवित्र गंगा नदी का स्रोत है। यह हिमनद लगभग 28 किलोमीटर लंबा है। इस हिमनद का प्रोथ (स्नाउट) समुद्र तल से 3880 मीटर की ऊँचाई पर स्थित है। (चित्र 12.7)

गशेरब्रम हिमनद (Gasherbrum Glacier)

यह काराकोरम श्रेणी में स्थित है तथा इसकी लंबाई 26 किमी है। इस हिमनद का प्रोथ (स्नाउट) समुद्र तल से लगभग 4,345 मीटर की ऊँचाई पर स्थित है। यहाँ से पिघला हुआ पानी श्योक नदी प्रणाली में मिलता है। (चित्र 12.7)

हिस्पर हिमनद (Hispar Glacier)

यह हिमनद काराकोरम श्रेणी में स्थित है तथा 63 किलोमीटर लंबा है। यह ध्रुवीय क्षेत्र के बाहर तीसरा सबसे लंबा हिमनद है। यह दक्षिण की ओर बहता है और इसका प्रोथ 3,000 मीटर की ऊंचाई पर स्थित है। यह हिस्पर नदी की सहायक नदी है। (चित्र 12.7)

कंचनजंगा हिमनद (Kanchenjunga Glacier)

यह हिमनद 21 किलोमीटर लंबा है। कोसी नदी की सहायक नदी कंचन का उद्‌गम इसी हिमनद से होता है। (चित्र 12.7)

कांगटो हिमनद (7089 मीटर) (Kangto Glacier (7089 m))

यह हिमनद अरुणाचल प्रदेश के पश्चिमी भागों में स्थित है। यह राज्य का सबसे ऊँचा स्थान है। कामेंग नदी की सहायक नदी पचुक नदी इसी हिमनद से निकलती है।

माना हिमनद (Mana Glacier)

उत्तराखंड एवं तिब्बत की सीमा पर स्थित यह हिमनद 18 किलोमीटर लंबा है। जाध या जाह्नवी गंगा इसी नदी से निकलती है तथा भागीरथी नदी में मिल जाती है।

मिलम हिमनद (Milam Glacier)

इसकी लम्बाई 5 किलोमीटर है तथा कुमाऊँ का दूसरा सबसे लंबा, हिमनद है। यह गोरीगंगा नदी का उद्‌गम स्थल है। (चित्र 12.7)

पिंडारी हिमनद (Pindari Glacier)

कुमाऊं के त्रिशूल-नंदा देवी क्षेत्र में पिंडारी हिमनद स्थित है। आसान पहुंच के कारण यह पर्यटकों के लिए अत्यधिक आकर्षण का केंद्र है। यह पिंडर नदी का उद्‌गम स्रोत है, जो बाद में कर्णप्रयाग में अलकनंदा नदी से मिलती है। (चित्र 12.7)

सियाचिन हिमनद (Siachen Glacier)

नुबरा घाटी में स्थित सियाचिन हिमनद की लंबाई 76 किलोमीटर है। यह ध्रुवीय क्षेत्र के बाहर सबसे बड़ा हिमनद है। यह 450 वर्ग किलोमीटर क्षेत्र में फैला हुआ है। इस हिमनद का प्रोथ 3,705 मीटर की ऊंचाई पर स्थित है। यह नुबरा नदी का उद्‌गम स्रोत है। (चित्र 12.7)

सोनापानी हिमनद (Sonapani Glacier)

यह हिमनद हिमाचल प्रदेश की चंद्रा घाटी (पीर पंजाल श्रेणी) में स्थित है तथा 15 किलोमीटर लंबा है। यह रोहतांग दर्रे से लगभग 4,000 मीटर नीचे की ओर से शुरू होता है। यह चंद्रा नदी का उद्‌गम स्रोत है।

जेमू हिमनद (4750 मीटर) (Zemu Glacier (4750 m))

कंचनजंगा के उत्तर-पूर्वी भागों में स्थित है तथा यह तीस्ता नदी का उद्‌गम स्रोत है। (चित्र 12.7)

चित्र 12.7
भारत के प्रमुख हिमनद

भारत के प्रमुख पर्वतीय दर्रे (MAJOR MOUNTAIN PASSES OF INDIA)

दर्रा (Pass)

पहाड़ों के ऊपर या बीच से गुजरने वाले मार्ग को 'दर्रा' कहते हैं। भारत के महत्वपूर्ण दर्रो को चित्र 12.8 में दर्शाया गया है तथा निम्नलिखित सूची में संक्षेप में वर्णन किया गया है:-

- **अघिल दर्रा (Aghil Pass):** यह लद्दाख एवं सिंकियांग (चीन) के बीच स्थित है।
- **बलचा धुरा (Balcha Dhura):** यह दर्रा उत्तराखंड को तिब्बत (चीन) से जोड़ता है।
- **बनिहाल दर्रा (जवाहर सुरंग) (Banihal Pass):** यह दर्रा बनिहाल शहर (डोडा जिला) एवं अनंतनाग (कश्मीर संभाग) के काजीगुंड शहर को जोड़ता है।
- **बरालाचा दर्रा (Baralacha La):** यह केलोंग एवं लेह (लद्दाख) के बीच स्थित है।
- **भोरघाट (Bhorghat):** मुंबई एवं पुणे (महाराष्ट्र) के बीच स्थित है।
- **बोमडिला दर्रा (Bomdila Pass):** यह तेजपुर (असम) एवं तवांग (अरुणाचल प्रदेश) के बीच स्थित है।
- **बुम ला (Bum La):** यह अरुणाचल प्रदेश एवं ल्हासा (तिब्बत-चीन) के बीच स्थित है।
- **चांग ला (Chang La):** यह लद्दाख एवं तिब्बत (चीन) के बीच स्थित है।
- **शिपकी ला (Shipki La):** सतलुज घाटी के माध्यम से हिमाचल प्रदेश (भारत) एवं तिब्बत (चीन) के बीच स्थित है।
- **थागा ला (Thaga La):** हिमाचल प्रदेश (मनाली) एवं लद्दाख (लेह) के बीच स्थित है।
- **दीफू दर्रा (Diphu Pass):** अरुणाचल प्रदेश एवं म्यांमार के बीच स्थित है।
- **गोरानघाट (Goranghat):** उदयपुर एवं सिरोही (अरावली-राजस्थान) के बीच स्थित है।
- **जेलेप ला (Jelep La):** गंगटोक (सिक्किम-भारत) एवं ल्हासा (तिब्बत-चीन) के बीच स्थित है।
- **काराकोरम दर्रा (Karakoram Pass):** लद्दाख एवं सिंकियांग (चीन) के बीच स्थित है।
- **खारदुंगला दर्रा (Khardungla Pass):** नुबरा घाटी से होकर लेह एवं सियाचिन ग्लेशियरों के बीच स्थित है।
- **लिपु लेख दर्रा (Lipu Lekh Pass):** उत्तराखंड एवं तिब्बत (चीन) के बीच स्थित है।
- **माना दर्रा (Mana Pass):** उत्तराखंड एवं तिब्बत (चीन) के बीच स्थित है।
- **नाथू ला (Nathu La):** सिक्किम (भारत) एवं तिब्बत (चीन) के बीच स्थित है। चुम्बी घाटी में प्रवेश करने के लिये प्रवेश द्वार।
- **नीति दर्रा (Niti Pass):** उत्तराखंड एवं तिब्बत (चीन) के बीच स्थित है।
- **थालघाट एवं भोरघाट गैप (Thalghat & Bhorghat Gaps):** पश्चिमी घाट से होकर गुजरता है, जिसे क्रमश: बॉम्बे का प्रवेश द्वार एवं कोंकण का प्रवेश द्वार कहा जाता है (महाराष्ट्र)।
- **पालघाट (Palghat):** पलक्कड़ एवं कोयंबटूर (तमिलनाडु) के बीच स्थित है।
- **शेनकोट्टा (Shenkotta):** कोल्लम (केरल) एवं मदुरै (तमिलनाडु) के बीच स्थित है। शेनकोट्टा एवं पालघाट दर्रे के माध्यम से दक्षिण-पश्चिम मानसूनी हवाएँ तमिलनाडु में प्रवेश करती हैं।

समुद्री बीच (Sea Beaches)

समुद्र बीच समुद्री लहरों की क्रिया द्वारा समुद्र तट पर तलछट का अस्थायी जमाव है। भारत के कुछ महत्वपूर्ण समुद्री तटों को चित्र 12.9 में दर्शाया गया है और उनके नाम तालिका 12.10 में सूचीबद्ध हैं।

झीलें (Lakes)

झीलें पानी के वे स्थिर निकाय हैं, जो चारों तरफ से भूमि से घिरे होते हैं। इनका आकार एवं गहराई अलग-अलग होती है। कैस्पियन सागर विश्व की सबसे बड़ी झील है, उसके बाद सुपीरियर (उत्तरी अमेरिका) एवं विक्टोरिया (अफ्रीका) हैं। भारत में, चिल्का झील सबसे बड़ी खारे पानी की झील है, जबकि वुलर सबसे बड़ी मीठे पानी की झील है। भारत की महत्वपूर्ण झीलों को चित्र 12.10 में दर्शाया गया है, जबकि तालिका 12.11 में उनके स्थान दिए गए हैं।

जल-प्रपात (Waterfall)

जल-प्रपात गिरते हुए पानी का झरना होता है, जहाँ पानी लंबवत रूप से गिरता है। जल-प्रपात का निर्माण वहां होता है, जहां अधिक प्रतिरोधी चट्टान की परते हों, किसी निक्क बिंदु पर या जहाँ तलछट का जमाव हुआ हो। भारत में अनेक जल-प्रपात हैं। भारत के कुछ महत्वपूर्ण झरनों को चित्र 12.11 में दर्शाया गया है। और (तालिका 12.12) में दिया गया है।

चित्र 12.8
भारत – प्रमुख दर्रे

चित्र 12.9
भारत के समुद्री बीच

तालिका 12.10 भारत के समुद्री तट

क्र.सं.	राज्य/संघ राज्यक्षेत्र	समुद्री बीच या समुद्री तट
1.	आंध्र प्रदेश	भीमुनिपट्टनम, मंगिनापुडी समुद्र बीच, मायपाडु समुद्र बीच, ऋषिकोंडा बीच, वोडारेवु बीच
2.	गोवा	अंजुना बीच, अगोंडा बीच, अरामबोल बीच, कोलवा बीच, डोना पाउला बीच, वागाटोर बीच
3.	गुजरात	बेयट, द्वारका, चोरवाड, गोपनाथ, मांडवी, नवी-बंदर, सोमनाथ, वेरावल
4.	कर्नाटक	कारवार, कुडले, मालपे, मरावन्थे, मुरुदेश्वर, ओम, पनाम्बुर, उल्ला
5.	केरल	अलेप्पी, बेकल, चेराई, कप्पड़, कोल्लम, कोवलम, लाइटहाउस, रॉकहोम, समुद्र, शंखुमुघम, तिरुमुल्लावरम, वर्कला, वेलि, वाइपीन एवं गुंडू द्वीप समूह
6.	लक्षद्वीप	बंगराम, कदमत, कवरत्ती, मिनिकॉय
7.	महाराष्ट्र	अलीबाग, बेसिन, गोराई, चौपाटी, धनु, गणपतिपुले, हरिहरेश्वर, मनोरी, मुरुद जंजीरा, जुहू, किहिम, मांडवा, मालवन, मार्वे, मुरुद, श्रीवर्धन, सिंधुदुर्ग, वेलनेश्वर, वेंगुरला, विजयदुर्ग
8.	ओडिशा	बालीघई, चांदीपुर, छत्रपुर, गहिरमाथा, गोपालपुर, कोणार्क, पारादीप, पुरी
9.	अंडमान व नोकोबार द्वीप समूह	चिड़ियाटप्पु, वंडूर, कॉर्बिन कोव, कुरुसदाई द्वीप, महाबलीपुरम, मंडपम, नील द्वीप, सदुरंगपट्टिनम
10.	पुदुचेरी	सैरगाह, स्वर्ग, ऑरो, कराईकल, रॉक
11.	तमिलनाडु	कोवेलोंग, मरीना, पिचावरम, पुलिकट, वट्टाकोट्टई
12.	पश्चिम बंगाल	दीघा, फ्रेजरगंज, गंगा सागर, शंकरपुर
13.	दमन एवं दीव तथा दादरा एवं नगर हवेली	देवका समुद्र तट, जम्पोर समुद्र तट, चक्रतीर्थ, जालंधर, नागोआ

तालिका 12.11 भारत की झीलें

क्रमांक	झील	राज्य/संघ राज्यक्षेत्र	विशेषता
1.	अष्टमुडी (लैगून)	केरल	यह एक विशिष्ट आर्द्रभूमि पारिस्थितिकी तंत्र है और बड़े ताड़ के आकार का (जिसे ऑक्टोपस का आकार भी कहा जा सकता है) जल निकाय।
2.	भीमताल	उत्तराखंड	भीमताल पैराग्लाइडिंग के लिए बहुत लोकप्रिय है।
3.	चिलिका	ओडिशा	(लैगून), भारत की सबसे बड़ी खारे पानी की झील है।
4.	डल झील	कश्मीर	तैरते बगीचों के लिए प्रसिद्ध है, जिसे कश्मीरी भाषा में 'राड' के नाम से जाना जाता है।
5.	देवताल झील	उत्तराखंड	–
6.	गोविंद बल्लभ पंत सागर	उत्तर प्रदेश	रिहंद बांध पर सबसे बड़ी मानव निर्मित झील
7.	गुरुडोंगमार झील	सिक्किम	भारत की सबसे ऊँची झील। तीस्ता नदी के जलग्रहण क्षेत्र में स्थित है।
8.	कांवर	बिहार	एशिया की सबसे बड़ी मीठे पानी की गोखुर झील है। यह बूढ़ी गंडक नदी के घुमावदार बहाव से बनी है।
9.	कोलेरू	आंध्र प्रदेश	कृष्णा और गोदावरी डेल्टा के बीच स्थित है।
10.	लोकटक	मणिपुर	पूर्वोत्तर भारत की सबसे बड़ी मीठे पानी की झील। अपनी अनूठी विशेषताओं, अर्थात फुमदी (सड़ते हुए कार्बनिक पदार्थों से बने गोलाकार द्वीप) के लिए जानी जाती है।
11.	लोनार	महाराष्ट्र	यह उल्कापिंड से निर्मित गड्ढे में मौजूद है। यह अत्यधिक खारे पानी की झील है और नमक पसंद करने वाले सूक्ष्मजीवों (हेलोफाइल्स) के अनुकूल है, जिससे इसका रंग गुलाबी हो जाता है।
12.	नैनी ताल	उत्तराखंड	इसकी उत्पति विवर्तनिकी से हुई है और यह पहले लगभग गोलाकार थी, परंतु लगातार भूस्खलन के कारण इसका आकार अर्धचंद्राकार हो गया है।
13.	नक्की झील	राजस्थान	यह अपनी मेंढ़कनुमा चट्टान के लिए प्रसिद्ध है, जो ऐसी प्रतीत होती है कि कोई मेंढक झील में कूदने ही वाला है।
14.	निजाम सागर	आंध्र प्रदेश	यह हैदराबाद के निजाम के नाम पर एक जलाशय है।

(Continued)

तालिका 12.11 *(Continued)*

क्रमांक	झील	राज्य/संघ राज्यक्षेत्र	विशेषता
15.	परशुराम कुंड	अरुणाचल प्रदेश	लोहित नदी के निचले इलाकों में मिश्मी पठार के तेलु शती/तैलंग क्षेत्र में स्थित हिंदू तीर्थस्थल है।
16.	पुलिकट	आंध्र प्रदेश	यह आंध्र प्रदेश और तमिलनाडु की सीमा का एक हिस्सा है।
17.	पुष्कर झील	राजस्थान	यह झील 'तीर्थ-गुरु' के नाम से प्रसिद्ध है तथा बहुत ही महत्वपूर्ण हिंदू तीर्थस्थल है।
18.	रवींद्र सरोवर	पश्चिम बंगाल	यह ढाकुरिया झील के नाम से भी जानी जाती है।
19.	साल्ट लेक	कोलकाता	यह पश्चिम बंगाल में दो रामसर स्थलों में से एक है, दूसरा स्थल सुंदरबन वेटलैंड है।
20.	सांभर झील	राजस्थान	यह अंतर्देशीय खारे पानी की झील है।
21.	थोल झील	गुजरात	यह मीठे पानी की कृत्रिम झील है।
22.	त्सोमोरीरी	लद्दाख	इसे पहाड़ी झील भी कहा जाता है।
23.	उदयपुर झील	राजस्थान	पिछोला
24.	भोजताल (ऊपरी और निचली झील)	मध्य प्रदेश	यह भोपाल में स्थित है। निचली झील को "छोटा तालाब" के नाम से भी जाना जाता है।
25.	वेम्बनाड कयाल	केरल	भारत की सबसे लंबी झील और यह एक लैगून झील है।
26.	वुलर झील	कश्मीर	यह भारत की सबसे बड़ी झील है।

तालिका 12.12 **भारत के प्रमुख जलप्रपात**

क्र.सं.	जल-प्रपात	ऊंचाई (मी. में)	नदी का नाम	राज्य
1.	बरेहीपानी	399	बुधबलंगा	मयूरभंज (ओडिशा)
2.	दूधसागर जल-प्रपात (जिसे 'दूध का सागर' भी कहा जाता है)	320	मांडोवी	गोवा
3.	नोहसिंगिथियांग झरना (जिसे 'सेवन सिस्टर्स' के नाम से भी जाना जाता है)	315	चेरापूंजी	मेघालय
4.	बरकाना जलप्रपात	259	सीता	शिमोगा (कर्नाटक)
5.	जोग जल-प्रपात	253	शरावती	शिमोगा (कर्नाटक)
6.	खंडाधार जलप्रपात	244	कोरापानी नाला	सुंदरगढ़ (ओडिशा)
7.	वंतावंग जल-प्रपात	229	लाउ नदी	सेरछिप (मिजोरम)
8.	मागोड जल-प्रपात	198	बेदती नदी	उत्तर कन्नड़ (कर्नाटक)
9.	लोध जलप्रपात	143	बूढ़ा नदी	लातेहार (झारखंड)
10.	चचाई	130	बिहड़	मध्य प्रदेश
11.	बुंडला	100	बुंडला	कांगड़ा (हिमाचल प्रदेश)
12.	हुंडरू जलप्रपात	99	सुवर्णरेखा	रांची (झारखंड)
13.	तीरथगढ़	91	मुनगा	बस्तर (छत्तीसगढ़)
14.	अथिराप्पिल्ली जल-प्रपात	25	चलाकुडी	केरल
15.	धुआंधार जल-प्रपात	30	नर्मदा	मध्य प्रदेश
16.	चित्रकोट जलप्रपात (भारत का नियाग्रा जलप्रपात)	29	इंद्रावती	छत्तीसगढ
17.	ठोसघर (जल-प्रपातों की शृंखला है।)	15 से 20 और इनमें से एक झरना 200 मीटर ऊंचा है।	महाराष्ट्र	–

चित्र 12.10

भारत की प्रमुख झीलें

चित्र 12.11

भारत के प्रमुख जल प्रपात

तालिका 12.13 हिमालयी और प्रायद्वीपीय अपवाह तंत्र में अंतर

विशेषता	हिमालयी अपवाह तंत्र	प्रायद्वीपीय अपवाह तंत्र
उत्पत्ति	इसकी उत्पति ऊंची हिमालय पर्वतमाला से होती है	इसकी उत्पति प्रायद्वीपीय पठार से होती है।
जलग्रहण क्षेत्र	यहां से निकलने वाली नदियों के विशाल बेसिन और जलग्रहण क्षेत्र हैं (जैसे, सिंधु: 11.78 लाख वर्ग किमी, गंगा: 8.61 लाख वर्ग किमी)	यहां से निकलने वाली नदियों के बेसिन अपेक्षाकृत लघु होते हैं (जैसे, गोदावरी: 3.12 लाख वर्ग किमी)
घाटियाँ	नदियां अपनी युवावस्था में गहरी V-आकार की घाटियों से होकर बहती हैं, जो अक्सर खाइयों का निर्माण करती हैं	नदियां उथली, श्रेणीबद्ध घाटियों से होकर बहती हैं, जो कम-से-कम अपरदन गतिविधियां करती हैं।
अपवाह का प्रकार	इसमें पूर्ववर्ती और अनुवर्ती अपवाह के दोनों पैटर्न मिलते हैं।	इसमें मुख्य रूप से अनुवर्ती अपवाह पैटर्न है। कुछ नदियों का अपवाह अध्यारोपित अपवाह है। (जैसे, सुवर्णरेखा)
जल प्रवाह	इसमें बर्फ पिघलने और मानसून की बारिश के कारण सदाबहार जल प्रवाह रहता है।	इसमें अधिकांशत: नदियां मौसमी है, जो वर्षाजल पर निर्भर करती है। (कावेरी जैसी नदियाँ अपवाद हैं)
चरण	नदियां अपनी युवा अवस्था में युवा वलित पहाड़ों से होकर बहती हैं।	नदियां अपनी परिपक्व अवस्था में पुराने प्रायद्वीपीय पठार से होकर बहती हैं।
घुमावदार जलधाराएँ	नदियां मैदानी इलाकों में वेग में अचानक कमी आने के कारण विसर्पित धाराओं में बहती हैं।	कठोर चट्टानी सतहों के कारण सीधी धाराओं में बहती हैं, सीमित विसर्पित धाराएँ बनाती हैं।
डेल्टा एवं मुहाना	विशाल डेल्टा का निर्माण करती हैं (जैसे, गंगा-ब्रह्मपुत्र डेल्टा, जो विश्व में सबसे बड़ा है)	कुछ नदियाँ मुहाना बनाती हैं (जैसे, नर्मदा, ताप्ती); अन्य नदियां डेल्टा बनाती हैं

भारत के जल संसाधन (Water Resources of India)

- पानी सबसे मूल्यवान संसाधन है। यद्यपि, यह सीमित एवं असमान रूप से वितरित है।
- भारत के पास विश्व के जल संसाधनों का केवल 4 प्रतिशत है, जबकि इसे विश्व की लगभग 18 प्रतिशत आबादी तथा 15 प्रतिशत से अधिक पशुधन का भरण-पोषण करना होता है।
- देश में पानी का मुख्य स्रोत औसत वार्षिक वर्षा है तथा यह अनुमानत: 4000 बिलियन क्यूबिक मीटर (बीसीएम) है। मानसून के मौसम (जून-सितंबर) के दौरान अनुमानित वर्षा 3,000 बिलियन क्यूबिक मीटर (बीसीएम) या वार्षिक वर्षा का 75 प्रतिशत होती है।
- जनसंख्या, औद्योगीकरण तथा शहरीकरण की तीव्र वृद्धि के साथ पानी की मांग तीव्र गति से बढ़ रही है।
- जल संसाधन (जल शक्ति) मंत्रालय जल संसाधनों के विकास, विनियमन एवं विवेकपूर्ण उपयोग के लिए नीतियाँ तथा कार्यक्रम निर्धारित करता है।
- देश की औसत वार्षिक जल उपलब्धता 1869 बीसीएम आंकी गई है। इसमें से कुल उपयोग योग्य जल संसाधन 1123 बीसीएम है, जिसमें सतही जल 690 बीसीएम तथा भूजल 433 बीसीएम होने का आकलन है।

भारत में जल संकट (Water Stress in India)

भारत में प्रचुर मात्रा में जल संसाधन मौजूद हैं, फिर भी इसे कई कारणों से जल संकट से जूझना पड़ता है, ये कारण निम्नवत हैं:-

भौगोलिक कारक (Geographical Factors)

- **शुष्क एवं अर्ध-शुष्क क्षेत्र (Arid and Semi-Arid Regions):** राजस्थान एवं गुजरात जैसे राज्यों में कम वार्षिक वर्षा होती है। यहां औसतन 40 सेमी. से भी कम वर्षा होती है तथा सतही जल आपूर्ति सीमित है। इन क्षेत्रों में भूजल की कमी एक महत्वपूर्ण समस्या है। इसका उदाहरण थार के रेगिस्तान में पानी की गंभीर कमी है।
- **असमान वर्षा वितरण (Uneven Rainfall Distribution):** भारत की लगभग 75 प्रतिशत वर्षा मानसून के मौसम (जून से सितंबर) के दौरान होती है। इसके परिणामस्वरूप गैर-मानसून महीनों में पानी की कमी होती है। यह कमी विशेषत: उन क्षेत्रों में होती है, जहां पर्याप्त जल भंडारण सुविधाओं का अभाव है। उदाहरण के लिए, प्रायद्वीपीय भारत के अनेक भागों में मौसमी पानी की कमी होती है।

मानवीय कारक (Human Factors)

- **भूजल का अत्यधिक दोहन (Groundwater Over-exploitation):** सिंचाई के लिए भूजल का अत्यधिक

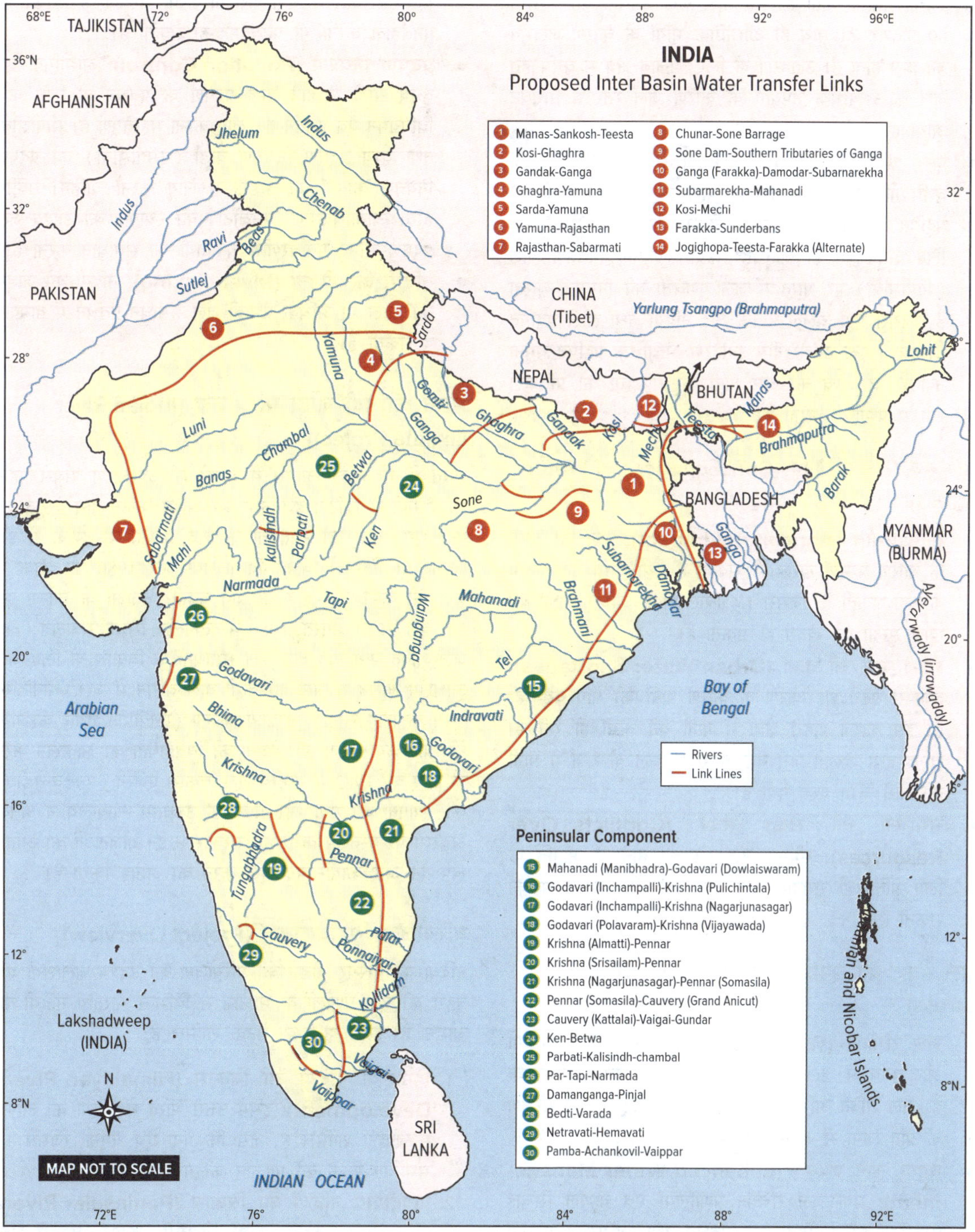

चित्र 12.12
भारत की नदी जोड़ो परियोजना

उपयोग किया जाता है। यह कुल जल उपयोग का लगभग 80 प्रतिशत है। साथ ही औद्योगिक माँगों के कारण जलभृत का ह्रास होता है। उदाहरण के लिए, पंजाब क्षेत्र में कृषि हेतु जल के अत्यधिक उपयोग के कारण जल स्तर में गिरावट आयी है।

- **जल प्रदूषण (Water Pollution):** औद्योगिक एवं कृषि गतिविधियों से निकलने वाले प्रदूषक जल स्रोतों को प्रदूषित कर सकते हैं, जिससे ये स्रोत पीने और सिंचाई के लिए अनुपयुक्त हो जाते हैं। केंद्रीय प्रदूषण नियंत्रण बोर्ड (सीपीसीबी) पूरे भारत में जल गुणवत्ता की निगरानी करता है, जिससे पता चलता है कि कई नदियाँ तथा झीलें प्रदूषित हैं। इसका एक उल्लेखनीय उदाहरण अत्यधिक प्रदूषित यमुना नदी है, जो नीचे की ओर पानी की गुणवत्ता को प्रतिकूल रूप से प्रभावित करती है।

जल संकट के परिणाम (Consequences of Water Stress)

- **कृषि प्रभाव (Agricultural Impact):** जल की कमी के कारण फसलें खराब हो सकती हैं तथा कृषि उत्पादकता कम हो सकती है, जिससे 1.4 बिलियन से अधिक लोगों की खाद्य सुरक्षा को खतरा हो सकता है।
- **शहरी जल की कमी (Urban Water Shortages):** तेजी से बढ़ते शहरीकरण के कारण पानी की मांग बढ़ रही है। इस कारण शहरी क्षेत्रों में पानी की कमी हो रही है। चेन्नई तथा दिल्ली जैसे बड़े शहरों में हाल के वर्षों में पानी की भारी कमी देखी गयी है।
- **संसाधनों को लेकर संघर्ष (Conflicts Over Resources):** सीमित जल संसाधन होने से आपूर्ति के लिए प्रतिस्पर्धा समुदायों एवं राज्यों के बीच संघर्ष भड़का सकती है।

जल संकट का समाधान (Addressing Water Stress)

- **जल संरक्षण (Water Conservation):** घरों, उद्योगों और कृषि में जल संरक्षण को प्रोत्साहित करना आवश्यक है। जल शक्ति अभियान जैसी पहल का उद्देश्य जल संरक्षण के प्रति लोगों में जागरूकता बढ़ाना है।
- **बेहतर जल प्रबंधन (Enhanced Water Management):** वर्षा जल संचयन प्रणालियों एवं कुशल सिंचाई तकनीकों सहित बेहतर जल प्रबंधन तथा आधारभूत संरचना में निवेश से जल संरक्षण में सहायता मिल सकती है। कुओं, बावड़ियों और मेड़बंदी जैसे पारंपरिक संरक्षण के तरीकों को पुनर्बहाल करना भी फायदेमंद हो सकता है।
- **प्रदूषण नियंत्रण (Pollution Control):** औद्योगिक एवं कृषि स्रोतों से होने वाले प्रदूषण के प्रबंधन के लिए कड़े विनियमन एवं प्रवर्तन तंत्र लागू करना महत्वपूर्ण है। सीपीसीबी तथा राज्य प्रदूषण नियंत्रण बोर्डों (एसपीसीबी) को प्रदूषण नियंत्रण कानूनों को कड़ाई से लागू करना चाहिए। राष्ट्रीय हरित न्यायाधिकरण (एनजीटी) की स्थापना का उद्देश्य जल प्रदूषण सहित पर्यावरणीय चुनौतियों का समाधान करना है।
- **नदियों को जोड़ना (River Linking):** नदियों को जोड़ने की पहल भी अधिक प्रभावी जल संसाधन प्रबंधन में योगदान दे सकती है।

भारत की नदी जोड़ो परियोजना (Indian River Linking Project)

भारत में नदियों को आपस में जोड़ने की अवधारणा सबसे पहले 19वीं सदी में ब्रिटिश इंजीनियर सर आर्थर कॉटन द्वारा प्रस्तुत की गयी थी। भारत की स्वतंत्रता के बाद, 1960 के दशक में इस विचार पर फिर से विचार किया गया और 1980 के दशक में जल की कमी और बाढ़ के प्रति बढ़ती चिंताओं के कारण इसे और बल मिला। अगस्त, 1980 में तत्कालीन सिंचाई मंत्रालय (अब जल शक्ति मंत्रालय) द्वारा जल संसाधनों के विकास के लिए जल अधिशेष बेसिन से जल की कमी वाले बेसिन में जल स्थानांतरित करने के लिए राष्ट्रीय परिप्रेक्ष्य योजना (एनपीपी) तैयार की गयी थी। प्रतिक्रियास्वरूप, परियोजना की व्यवहार्यता का आकलन करने के लिए वर्ष 1982 में राष्ट्रीय जल विकास एजेंसी (एनडब्ल्यूडीए) की स्थापना की गयी थी। भारत के उच्चतम न्यायालय ने अनेक अवसरों पर हस्तक्षेप करते हुए सरकार से इन योजनाओं को अंतिम रूप देने और कार्यान्वयन शुरू करने का आग्रह किया है।

परियोजना सिंहावलोकन (Project Overview)

नदियों को परस्पर जोड़ने की परियोजना का उद्देश्य जलाशयों एवं नहरों की एक प्रणाली के माध्यम से विभिन्न भारतीय नदियों को जोड़ना है। इसमें दो मुख्य घटक शामिल हैं:

1. **हिमालयी नदियों का विकास (Himalayan Rivers Development):** इसमें उत्तरी भारत में नदियों को आपस में जोड़ना शामिल है, जैसे कि गंगा एवं यमुना, जिसमें 14 संभावित लिंक की पहचान की गयी है।
2. **प्रायद्वीपीय नदियों का विकास (Peninsular Rivers Development):** इसमें गोदावरी, कृष्णा, कावेरी तथा महानदी सहित प्रायद्वीपीय भारत में नदियों को आपस में

जोड़ने पर ध्यान केंद्रित किया गया है, जिसमें 16 संभावित लिंक की पहचान की गयी है।

इसके अतिरिक्त, कुछ राज्यों ने अंतर-राज्यीय नदी-जोड़ों पहल का प्रस्ताव दिया है।

संभावित लाभ (Potential Benefits)

- **बाढ़ नियंत्रण (Flood Control):** अधिशेष जल वाले क्षेत्रों से पानी की कमी वाले क्षेत्रों में जल का स्थानांतरण करते हुए यह परियोजना बाढ़ को कम करने में मदद कर सकती है।
- **बेहतर सिंचाई (Enhanced Irrigation):** यह परियोजना शुष्क क्षेत्रों में अधिक भरोसेमंद जल आपूर्ति प्रदान कर सकती है, जिससे कृषि उत्पादकता में वृद्धि होगी।
- **सूखा राहत (Drought Relief):** यह परियोजना जल-स्थानांतरण के माध्यम से जल की कमी वाले क्षेत्रों में सूखे की स्थिति को कम कर सकती है।
- **जलविद्युत उत्पादन (Hydropower Generation):** इस परियोजना से जलविद्युत उत्पादन की सुविधा भी मिल सकती है।

संभावित कमियाँ (Potential Drawbacks)

- **पर्यावरण संबंधी चिंताएँ (Environmental Concerns):** बाँधों एवं नहरों के निर्माण से पारिस्थितिकी तंत्र बाधित हो सकता है, समुदाय विस्थापित हो सकते हैं तथा अवसादन (तलछट जमाव) बढ़ सकता है।
- **सामाजिक मुद्दे (Social Issues):** परियोजना के कारण जल अधिकारों एवं नदियों या बांध निर्माण क्षेत्रों के आस-पास रहने वाले व्यक्तियों के संभावित विस्थापन के बारे में प्रश्न चिह्न उठ सकते हैं।
- **आर्थिक व्यवहार्यता (Economic Viability):** निर्माण, रखरखाव एवं पर्यावरणीय शमन से जुड़ी भारी लागत इसकी आर्थिक व्यवहार्यता के प्रति चिंताएँ पैदा करती है।
- **अनिश्चित परिणाम (Uncertain Outcomes):** अपने उद्देश्यों को पूरा करने में यह परियोजना कितनी प्रभावी होगी यह विवाद का विषय है। विशेष रूप से वाष्पीकरण से होने वाली जलहानि तथा संभावित जलभराव के संबंध में परिणाम अनिश्चित है।
- **अंतर-राज्यीय जल बंटवारे की चुनौतियाँ (Inter&State Water Sharing Challenges):** अलग-अलग आवश्यकताओं वाले राज्यों के बीच जल-बंटवारे के समझौतों के संबंध में बातचीत करना एक जटिल चुनौती है।

वर्तमान स्थिति (Current Status)

यह परियोजना निरंतर चर्चा का विषय बनी हुई है। एक पायलट पहल के रूप में देखे जाने वाली केन-बेतवा नदी जोड़ो परियोजना 2014 में कैबिनेट की मंजूरी मिली थी, लेकिन पर्यावरणीय मंजूरी तथा अंतर-राज्यीय समझौतों के संदर्भ में चुनौतियों का सामना करना पड़ रहा है।

पट्टीसीमा लिफ्ट सिंचाई परियोजना का उद्घाटन 2016 में किया गया था। इसका उद्देश्य गोदावरी की पोलावरम परियोजना से कृष्णा नदी में पानी स्थानांतरित करके गोदावरी एवं कृष्णा नदियों को जोड़ना है।

एनडब्ल्यूडीए अन्य प्रस्तावित लिंक की व्यवहार्यता का मूल्यांकन कर रहा है।

भारतीय जलवायु (INDIAN CLIMATE)

भारत की जलवायु अपने क्षेत्रों में दक्षिणी तटीय क्षेत्रों में उष्णकटिबंधीय परिस्थितियों से लेकर उत्तरी क्षेत्रों में शीत, समशीतोष्ण परिस्थितियों तक काफी विवधता लिये हुए है। इसमें पश्चिम में शुष्क, रेगिस्तान जैसी परिस्थितियाँ और पूर्व में भारी वर्षा शामिल है। भारत की जलवायु मुख्य रूप से मानसूनी है। भारत में होने वाली वार्षिक वर्षा का लगभग 75 प्रतिशत (पश्चिमी एवं मध्य भारत में 90 प्रतिशत; दक्षिणी एवं उत्तर पश्चिमी भारत में 50-75 प्रतिशत) मानसून के दौरान होती है।

भारत की जलवायु को प्रभावित करने वाले मुख्य कारक (Key Factors Influencing India's Climate)

1. **अक्षांश (Latitude):** भारत लगभग 6° उत्तरी अक्षांश से 35° उत्तरी अक्षांश तक फैला हुआ है तथा इसका अधिकांश भाग उष्णकटिबंधीय क्षेत्र में आता है, जिसके परिणामस्वरूप उच्च सौर विकिरण और सामान्य रूप से पूरे वर्ष गर्म तापमान रहता है। यद्यपि, उच्च अक्षांश के साथ उत्तरी क्षेत्रों में अधिक समशीतोष्ण परिस्थितियाँ हैं, जिससे जलवायु ठंडी होती है।
2. **हिमालय (The Himalayas):** यह ऊँची पर्वत श्रृंखला मध्य एशिया से आने वाली ठंडी, शुष्क हवाओं के विरुद्ध अवरोध के रूप में कार्य करके जलवायु को आकार देने में महत्वपूर्ण भूमिका निभाती है। यह भारतीय उपमहाद्वीप के अधिकांश भाग को कठोर सर्दियों से बचाता है तथा मानसून के निर्माण में सहायता करता है, जो गर्मियों के महीनों के दौरान आवश्यक वर्षा लाता है।
   - **ठंडी हवाओं को रोकना (Blocking Cold Winds):** हिमालय ठंडी हवा को भारतीय उपमहाद्वीप

में आगे आने से रोकता है, जिससे अधिकांश क्षेत्रों में हल्की सर्दियाँ सुनिश्चित होती हैं।

- **मानसून को प्रभावित करना (Monsoonal Influence):** हिमालय अवरोध के रूप में कार्य करके भारत भर में नमी से भरी मानसूनी हवाओं को दिशा प्रदान करने में मदद करता है, जिससे मानसून प्रणाली देश के कृषि चक्र के लिए महत्वपूर्ण हो जाती है।

3. **दबाव एवं पवन प्रणाली (Pressure and Wind Systems):** भारत में मौसमी दबाव और हवा का पैटर्न इसके मौसम को बहुत प्रभावित करते हैं:
   - **ग्रीष्मकालीन मानसून (Summer Monsoon):** गर्मियों के दौरान, भारत में कम दबाव की स्थिति होने के कारण दक्षिण-पश्चिम से नमी युक्त हवाएं प्रवाहित होती है, जिसके परिणामस्वरूप भारी वर्षा होती है।
   - **शीतकालीन परिसंचरण (Winter Circulation):** सर्दियों में उच्च दबाव के कारण उत्तर-पूर्व से शुष्क हवायें चलती है। यद्यपि, उपोष्णकटिबंधीय पश्चिमी जेट से पश्चिमी विक्षोभ आते हैं, जिससे विशेषकर उत्तरी भारत में कभी-कभी सर्दियों में वर्षा होती है।
4. **महासागरीय जलधाराएँ (Ocean Currents):** अरब सागर, बंगाल की खाड़ी तथा हिंद महासागर के साथ तटीय रेखाएँ, आसपास के जल निकाय तटीय क्षेत्रों में जलवायु को संतुलित करने में सहायता करते हैं। हिंद महासागर की भूमध्यरेखीय धारा जैसी गर्म जलधाराएँ उच्च आर्द्रता और गर्म तटीय परिस्थितियों के निर्माण में योगदान करती हैं।
5. **महाद्वीपीयता (Continentality):** जैसे-जैसे आप अंतर्देशीय क्षेत्र में आगे बढ़ते हैं, समुद्र का संयमित प्रभाव कम होता जाता है, जिससे तापमान में अत्यधिक भिन्नता होती है। तटीय क्षेत्रों की तुलना में अंतर्देशीय क्षेत्रों में गर्मियाँ अधिक गर्म और सर्दियाँ अधिक सर्द होती हैं।
6. **भूस्थलीय आगतियां (Relief Features):** भारत की विविध भू-स्थलाकृति भी स्थानीय जलवायु को आकार देने में महत्वपूर्ण भूमिका निभाती है। उदाहरण के लिए:
   - **पश्चिमी घाट (Western Ghats):** ये पहाड़ अवरोध के रूप में कार्य करते हैं, जिससे इन पहाड़ों के हवा की दिशा वाले भाग में भारी वर्षा होती है और इनके विपरीत भाग में वर्षा-छाया क्षेत्र बन जाता है।
   - **हिमालय (The Himalayas):** हिमालय की अधिक ऊँचाई के कारण उत्तरी क्षेत्रों में शीत जलवायु है, जबकि पठारी एवं मैदानी क्षेत्र में समशीतोष्ण या उष्णकटिबंधीय जलवायु है।

ये सभी कारक मिलकर भारत की जलवायु परिस्थितियों में व्यापक विविधता पैदा करते हैं। इस कारण भारत विश्व में भौगोलिक एवं जलवायु की दृष्टि से सर्वाधिक विविधता वाले देशों में से एक है।

भारत के मौसम (SEASONS OF INDIA)

भारत में 4 ऋतुएँ हैं, जिनमें से प्रत्येक के साथ विविध विशेषताएँ जुड़ी हुई हैं। ये 4 ऋतुएँ हैं:

1. शीत ऋतु (दिसंबर से अप्रैल के आरंभ तक)
2. ग्रीष्म ऋतु (अप्रैल से जून (उत्तर-पश्चिम भारत में जुलाई तक होती है)
3. आता मानसून (जून से मध्य सितंबर)
4. लौटता मानसून (मध्य सितंबर से दिसंबर)

आइए इन सभी ऋतुओं को एक-एक करके समझते हैं।

शीत ऋतु (Winter Season)

यह शुष्क, शीत परिस्थितियों (उच्च दाब एवं न्यून तापमान) वाला मौसम होता है। यह विशेष रूप से भारत के महाद्वीपीय भागों में पाया जाता है। भारत के उत्तरी भागों, विशेषत: सिंधु-गंगा के मैदानों में प्राय: कोहरे का निर्माण करता है, जो कुछ स्थितियों में धुंध या कोहरे में बदल सकता है। इन क्षेत्रों में पाला पड़ना भी सामान्य बात है। इस अवधि के दौरान तापमान बहुत कम होने से प्राय: प्रदूषण का आवरण बन जाता है, जिसमें धरातल के पास प्रदूषक फँस जाते हैं। इस मौसम में अपतटीय उत्तर-पूर्वी व्यापारिक पवनें चलती हैं।

इसके अतिरिक्त, इस मौसम में बहुत कम उष्णकटिबंधीय चक्रवात आते हैं, क्योंकि अंतर-उष्णकटिबंधीय अभिसरण क्षेत्र (आईटीसीजेड़) के स्थानांतरण के कारण उच्च दबाव प्रणाली धरातल एवं समुद्र, दोनों ही जगह व्याप्त होती है। इन महीनों के दौरान शीत लहरें प्राय: भारत के उत्तरी भागों को प्रभावित करती हैं। इस अवधि में वर्षा पश्चिमी विक्षोभों के कारण होती है, जो उपोष्णकटिबंधीय पश्चिमी जेट द्वारा संचालित होती है। शीत ऋतु में होने वाली इस वर्षा को स्थानीय भाषा में 'मावट' या 'महावट' कहा जाता है, जो इस क्षेत्र में बोयी जाने वाली रबी फसलों के लिए महत्वपूर्ण है।

पश्चिमी विक्षोभ (Western Disturbances)

पश्चिमी विक्षोभ (डब्ल्यूडी) भूमध्य सागर क्षेत्र से उत्पन्न होने वाले अतिरिक्त उष्णकटिबंधीय तूफान हैं, जो उपोष्णकटिबंधीय पश्चिमी जेट स्ट्रीम के कारण भारत की ओर आते हैं। ये विक्षोभ जैसे-जैसे पूर्व दिशा की ओर बढ़ते हैं, भूमध्य सागर, कालासागर तथा कैस्पियन सागर से नमी संगृहीत करते हैं। ये विक्षोभ पश्चिमी

एशियाई क्षेत्र से गुजरते हुए अंततः हिमालय तक पहुँचते हैं। हिमालय से टकराकर ये अपनी नमी खो देते हैं और उत्तरी भारत में वर्षा का कारण बनते हैं (चित्र 12.13)।

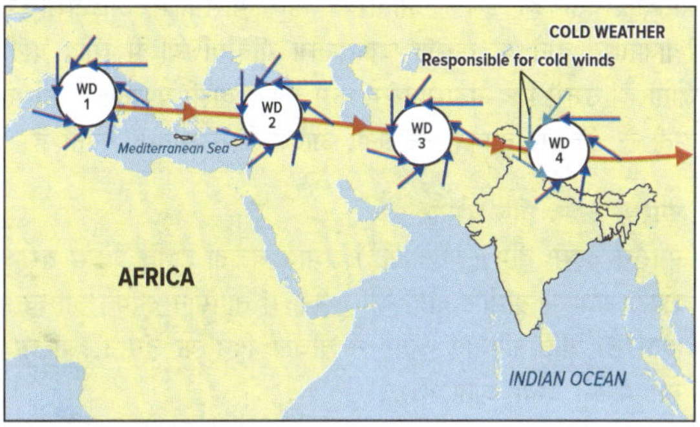

चित्र 12.13
पश्चिमी विक्षोभ

पश्चिमी विक्षोभ साल भर आते हैं, लेकिन ये मुख्यतः दिसंबर और अप्रैल के बीच ही भारत को प्रभावित करते हैं। ऐसा इसलिए, क्योंकि उपोष्णकटिबंधीय पश्चिमी जेट स्ट्रीम, जो इन तूफानों को आगे ले जाती है, शीत ऋतु में अपना रास्ता बदलकर हिमालय की ओर लाती है। इस अवधि में औसतन हर महीने 4 से 6 पश्चिमी विक्षोभ आते हैं। जेट स्ट्रीम वर्ष भर उत्तर की ओर चलते हैं, जो तिब्बत के पठार और चीन से होकर गुजरते हैं।

जेट स्ट्रीम की स्थिति सूर्य के स्थान के अनुसार बदलती रहती है। ये स्ट्रीम अक्तूबर में मानसून के लौटने के बाद उत्तरी भारत में दिखाई देते हैं तथा शीत ऋतु में उत्तरोत्तर दक्षिण की ओर बढ़ते हैं। जेट स्ट्रीम फरवरी में अपने सुदूर दक्षिणी स्थान पर पहुँचते हैं और फिर मई के बाद भारतीय उपमहाद्वीप से बाहर निकल जाते हैं।

प्रभाव (Impact)

1. **सर्दियों में वर्षा (Winter Rainfall):** ये विक्षोभ उत्तर-पश्चिमी भारत (जैसे, पंजाब, हरियाणा तथा दिल्ली) में सर्दियों में मानसून-पूर्व वर्षा का मुख्य कारण हैं और इनसे हिमालय में बर्फबारी भी होती है।
2. **तापमान विनियमन (Temperature Regulation):** ये विक्षोभ बादल एवं नमी लाते हैं, जिससे अत्यधिक ठंड की स्थिति को रोकने में मदद मिलती है।
3. **जल संसाधन (Water Resources):** इनके कारण होने वाली बर्फबारी के परिणामस्वरूप गंगा एवं सिंधु जैसी हिमालयी नदी प्रणालियों में जल की आवक होती है। यह जल सिंचाई और पीने के पानी के लिए महत्वपूर्ण है।
4. **मौसमी परिघटनाएँ (Weather Events):** ये विक्षोभ भारी वर्षा, ओलावृष्टि तथा आंधी जैसी चरम मौसमी परिघटनाएं ला सकते हैं, जिससे फसलें और आधारभूत संरचना प्रभावित होती हैं।

पश्चिमी विक्षोभों पर जलवायु परिवर्तन का प्रभाव (Impact of Climate Change on Western Disturbances)

- **आवृत्ति एवं तीव्रता (Frequency and Intensity):** जलवायु परिवर्तन से इनकी तीव्रता में बदलाव आ सकता है, क्योंकि गर्म हवा में अधिक नमी होती है, जिससे भारी वर्षा एवं बर्फबारी होती है।
- **पैटर्न या स्वरूप में बदलाव (Shift in Patterns):** जलवायु परिवर्तन के कारण उपोष्णकटिबंधीय पश्चिमी जेट स्ट्रीम में बदलाव हुआ है, जिससे ये विक्षोभ और उत्तर की ओर बढ़ रहे हैं। इसके परिणामस्वरूप भारत में कम वर्षा एवं बर्फबारी होती है। इससे वर्षा का पूर्वानुमान, कृषि हेतु पानी की उपलब्धता प्रभावित होती है।
- **जलवायु संबंधी आपदाएँ (Climatological Disasters):** पश्चिमी विक्षोभ, जो सामान्य रूप से सर्दियों के दौरान भारत को प्रभावित करते हैं, अब गर्मियों के महीनों में भी अधिक बार देखे जा रहे हैं। इस बदलाव का श्रेय आर्कटिक क्षेत्र में तापमान बढ़ने (आर्कटिक एम्पलीफिकेशन) को जाता है, जो गर्मियों के दौरान उपोष्णकटिबंधीय पश्चिमी जेट स्ट्रीम को दक्षिण की ओर कम कर रहा है। गर्मियों में मानसून के दौरान तथा मानसून के बाद की अवधि के दौरान इन विक्षोभों की उपस्थिति दक्षिण-पश्चिम मानसून और अन्य स्थानीय संवहन प्रणालियों, जैसे बंगाल की खाड़ी या अरब सागर से उष्णकटिबंधीय कम दबाव के क्षेत्रों के साथ परस्पर क्रिया की संभावना को बढ़ा देती है। ये परस्पर क्रिया संभावित रूप से गंभीर मौसम संबंधी आपदाओं को जन्म दे सकती है।

आर्कटिक तापवृद्धि

जलवायु परिवर्तन के कारण आर्कटिक क्षेत्र में शेष विश्व की तुलना में दो से चार गुना अधिक तेजी से तापवृद्धि हो रही है (विभिन्न अध्ययनों के आधार पर)। इसका कारण सतह-अल्बेडो प्रतिक्रिया घटना (सरफेस अल्बीडो फीडबैक फेनोमेना) है। बर्फ एवं हिम में उच्च परावर्तकता होती है, जिसका तात्पर्य है कि वे आने वाली सूर्य की अधिकांश किरणों को परावर्तित कर देते हैं। जब गर्मी में ये परावर्तक सतहें पिघलना शुरू होती है, तो ये खुले समुद्र जैसे गहरे क्षेत्र में परिवर्तित हो जाती हैं। ये क्षेत्र सूर्य की अधिक रोशनी को अवशोषित कर लेते हैं। इस

बढ़े हुए अवशोषण से स्थानीय तापवृद्धि और तेज हो जाती है, जिससे बर्फ और भी अधिक पिघलना शुरू हो जाती है और इस प्रकार, यह चक्र चलता रहता है (चित्र 12.14)।

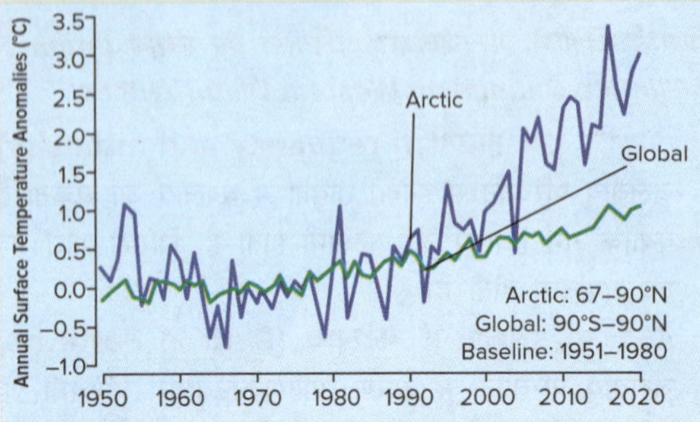

चित्र 12.14
आर्कटिक तापवृद्धि

ग्रीष्म ऋतु (Summer Season)

शीतकालीन (मकर) संक्रांति के बाद, सूर्य अपनी उत्तर दिशा की यात्रा शुरू करता है। जैसे-जैसे सूर्य उत्तर की ओर बढ़ता है, अंतर उष्ण-कटिबंधीय अभिसरण क्षेत्र (इंटरट्रॉपिकल कन्वर्जेंस जोन) भी आगे बढ़ता है, जो लगभग 25 डिग्री उत्तर तक पहुँच जाता है।

यह बदलाव भारत में मौसम में परिवर्तन लाता है, जिससे हमारे यहाँ ग्रीष्म ऋतु शुरू हो जाती है। उच्च तापमान इस मौसम की एक महत्वपूर्ण विशेषता है, और यह गर्म, शुष्क लू (हवाओं) के लिए जाना जाता है, जो थार के रेगिस्तान से निकलने वाली स्थानीय हवा है। यह मुख्य रूप से भारत के उत्तरी मैदानों को प्रभावित करती है। लू हवाएँ अपने साथ थार के रेगिस्तान से रेत लाती हैं, जिससे धूल के तूफान (स्थानीय रूप से आंधी के रूप में जाना जाता है) उत्पन्न होते हैं, जो कभी-कभी पश्चिमी विक्षोभ के साथ परस्पर क्रिया कर वर्षा कर सकते हैं।

इस अवधि के दौरान प्रायः अत्यधिक गर्म हवाएँ चलती हैं। महाद्वीपीय (धरातलीय) एवं समुद्री गर्म वायु द्रव्यमानों के अभिसरण के कारण मानसून पूर्व वर्षा इसकी प्रमुख विशेषता है। कुछ महत्वपूर्ण मानसून पूर्व वर्षा निम्नवत हैं:-

- *नॉरवेस्टर (या काल बैसाखी):* यह पश्चिम बंगाल, बिहार, झारखंड तथा ओडिशा को प्रभावित करती है, जो चावल, चाय और जूट जैसी फसलों के लिए महत्वपूर्ण है।
- *बारडोली छीरहा/बोर्डोइसिला (चाय की वर्षा):* असम में होती है।
- *मैंगो शॉवर:* कर्नाटक तथा केरल में होती है, जो आम उत्पादन में सहायक है।
- *कॉफी/चेरी ब्लॉसम वर्षा:* कर्नाटक तथा केरल में होती है, जो कॉफी की खेती को लाभ पहुँचाती है।

ये वर्षा भारत की वार्षिक वर्षा में लगभग एक प्रतिशत का योगदान देती है। इसके अतिरिक्त, इस मौसम में आईटीसीजेड़ स्थानांतरित होने के कारण चक्रवातीय गतिविधियों में वृद्धि देखी जाती है। उत्तरी हिंद महासागर में कम दबाव वाली प्रणाली विकसित होती है, जिससे तूफानों के लिए आदर्श परिस्थितियाँ बनती हैं।

नगरीय ऊष्मा द्वीप प्रभाव

नगरीय ऊष्मा द्वीप (यूएचआई) प्रभाव बताता है कि किस तरह शहरी क्षेत्रों में ग्रामीण क्षेत्रों की तुलना में तापमान काफी अधिक होता है। यह तापमान अंतर न केवल दिन के दौरान, बल्कि रात में भी देखा जाता है।

चित्र 12.15
नगरीय ऊष्मा द्वीप प्रभाव

कारण

- **कंक्रीट एवं डामर की सतहें:** शहरी आधारभूत संरचना, जैसे सड़कें एवं भवन गर्मी को अवशोषित कर लेती हैं तथा उसे बनाए रखती हैं, जिससे तापमान बढ़ता है।
- **वनस्पति की कमी:** शहरों में सीमित हरियाली, छाया एवं वाष्पोत्सर्जन जैसी प्राकृतिक शीतलन प्रक्रियाओं को कम करती है।
- **ऊष्मा उत्सर्जन:** वाहन, कारखाने तथा एयर कंडीशनिंग सिस्टम ऊष्मा का उत्सर्जन करते हैं, जिससे शहरों में गर्मी बढ़ जाती है।
- **भवन निर्माण सामग्री:** कांच, धातु तथा अन्य भवन निर्माण सामग्री ऊष्मा को अवशोषित करती है और इसे परावर्तित करती है, जिससे इसका प्रभाव और बढ़ जाता है।
- **मानवजनित ऊष्मा:** शहरी वातावरण में गर्म एवं ठण्डी हवा प्रदान करने वाले उपकरणों के लिए ऊर्जा का उपयोग अतिरिक्त गर्मी उत्पन्न करता है।
- **शहरी संरचना:** घनी इमारतें ऊष्मा को अवशोषित करती हैं तथा वायु प्रवाह को बाधित कर 'हीट कैन्यन' बनाती हैं।

निवारण/शमन

- **हरित आवरण बढ़ाना:** अधिक पेड़ लगाना तथा हरित स्थान बनाना, छाया एवं वाष्पोत्सर्जन के माध्यम से गर्मी को कम करने में सहायता करता है।
- **परावर्तक एवं ठंडी छतें:** भवनों एवं फुटपाथों पर ऐसी सामग्री का उपयोग करना, जो सूर्य के प्रकाश को परावर्तित करे और ऊष्मा को कम अवशोषित करे। इससे यूएचआई के प्रभाव को कम करने में मदद मिल सकती हैं।
- **शहरी नियोजन:** शहरों को इस तरह से संरचित किया जाये कि वहां अधिक खुले स्थान हो, बेहतर वायु प्रवाह हो तथा संवहनीय निर्माण हो ताकि वहां तापवृद्धि को कम किया जा सके।
- **ऊष्मा उत्सर्जन को कम करना:** ऊर्जा-दक्ष व्यवस्था को बढ़ावा देकर और जीवाश्म ईंधन पर निर्भरता कम करके ऊष्मा उत्सर्जन को कम किया जा सकता है।

मानसून के आगमन का मौसम (Advancing Monsoon Season)

भारतीय मानसून, जिससे देश में औसत वार्षिक वर्षा की लगभग 75 प्रतिशत वर्षा होती है, भारत का सबसे महत्वपूर्ण मौसम है। इसका न केवल पारिस्थितिकी पर बल्कि देश की संस्कृति पर भी व्यापक प्रभाव पड़ता है।

'मौसिम' शब्द अरबी भाषा से लिया गया है, जिसका अर्थ है मौसमी हवाओं का पलटना, विशेष रूप से जून से सितंबर तक। आइए हवाओं के इस पलटाव को समझते हैं:-

1. शेष मौसमों के दौरान, भारत उत्तरी गोलार्ध में उष्णकटिबंधीय राष्ट्र होने के नाते पूर्वोत्तर व्यापारिक हवाओं के प्रभाव में रहता है।
2. गर्मी के मौसम में आईटीसीजेड़ के उत्तरी गोलार्ध में चले जाने के कारण भारत अब दक्षिण-पश्चिमी व्यापारिक हवाओं के प्रभाव में आ जाता है। ये हवाएँ और कुछ नहीं, बल्कि दक्षिण-पूर्वी व्यापारिक हवाएँ ही हैं, जो भूमध्य रेखा को पार करके आईटीसीजेड़ पर मिलने पर कोरिओलिस बल प्रभाव (दक्षिण-पूर्वी हवाएँ उत्तरी गोलार्ध में दाई ओर धकेल दी जाती हैं, जिससे ये दक्षिण-पश्चिमी हवाएँ बन जाती हैं) के कारण अपनी दिशा में बदलाव कर लेती हैं। उत्तरी हिंद महासागर से गुजरते समय ये हवाएँ नमी इकट्ठा करती हैं तथा भारत में दक्षिण-पश्चिमी मानसूनी वर्षा करती हैं।

विशेषताएँ (Characteristics)

आईटीसीजेड के खिसकने से भारत में मानसूनी गर्त के रूप में जाना जाने वाला कम दबाव वाला क्षेत्र बन जाता है, जो दक्षिण-पूर्वी व्यापारिक हवाओं को आकर्षित करता है।

मानसून की शुरुआत अचानक होती है, जिसके साथ गरज और बिजली चमकती है। इस घटना को मानसून विस्फोट (बर्स्ट) के रूप में जाना जाता है। भारत के दक्षिण पश्चिमी तटीय भाग में स्थित होने के कारण केरल राज्य में सबसे पहले मानसून की वर्षा होती है। केरल में मानसून के आगमन की सामान्य तिथि 1 जून है। 15 जुलाई तक लगभग सम्पूर्ण देश मानसून के प्रभाव में आ जाता है। इसमें कुछ क्षेत्र शामिल नहीं हैं, जैसे कि थार का रेगिस्तान का एक भाग (अरावली का वर्षा छाया क्षेत्र), हिमाचल प्रदेश का लाहौल एवं स्पीति जिला, लद्दाख क्षेत्र (दोनों हिमालय के वर्षा छाया क्षेत्र में हैं), और पूर्वी तमिलनाडु एवं तटीय आंध्र प्रदेश (दोनों पश्चिमी घाट के वर्षा छाया क्षेत्र में स्थित हैं) **(चित्र 12.16)**।

भारत का प्रायद्वीपीय आकार होने के कारण मानसूनी हवाएँ दो शाखाओं में विभाजित हो जाती हैं:

1. **अरब सागर शाखा:** यह शाखा अधिक शक्तिशाली है। यह आगे तीन उप-शाखाओं में विभाजित है, अर्थात् पश्चिमी घाट उप-शाखा (सबसे अधिक आर्द्र; मुख्य रूप से पश्चिमी घाट के पवन पक्ष को प्रभावित करती है), मध्य उप-शाखा (नर्मदा एवं तापी क्षेत्र से गुजरती है तथा गंगा के मैदानों के साथ-साथ छोटानागपुर पठार को भी प्रभावित करती है) और गुजरात उप-शाखा (सबसे शुष्क; गुजरात, राजस्थान, पंजाब तथा हरियाणा को प्रभावित करती है)।
2. **बंगाल की खाड़ी शाखा:** यह शाखा म्यांमार तट की स्थलाकृति से प्रभावित है। दक्षिण-पश्चिमी हवाएँ तटीय म्यांमार के अराकान योमा पहाड़ों से टकराती हैं और भारतीय उपमहाद्वीप की ओर मुड़ जाती हैं। इस प्रकार, मानसून पूर्वी भारत में सामान्य दक्षिण-पश्चिमी दिशा से नहीं, बल्कि दक्षिण एवं दक्षिण-पूर्व दिशाओं से प्रवेश करता है। यही कारण है कि इस क्षेत्र में मानसूनी हवाओं को पूर्वैया (हिंदी शब्द पूर्व से आने वाली हवाओं को दर्शाता है) के रूप में जाना जाता है। इसकी एक शाखा गंगा के मैदानों से होकर पश्चिम की ओर बढ़ती है, जो पंजाब के मैदानी भाग तक जाती है। दूसरी शाखा ब्रह्मपुत्र घाटी तक जाती है, जो उत्तरी एवं पूर्वोत्तर भारत में व्यापक वर्षा करती है। एक उप-शाखा मेघालय में गारो एवं खासी पहाड़ियों को प्रभावित करती है, जहाँ खासी पहाड़ियों के ऊपर स्थित मावसिनराम में विश्व में सबसे अधिक औसत वार्षिक वर्षा दर्ज की जाती है।

भारतीय प्रायद्वीप द्वारा अलग की गयी अरब सागर एवं बंगाल की खाड़ी की शाखाएं अंततः उत्तरी मैदानी क्षेत्र में मिल जाती हैं।

भारत में मानसून की वर्षा पूरे मानसून के मौसम में निरंतर नहीं होती है। वास्तव में इस वर्षा की अवधि के बीच-बीच

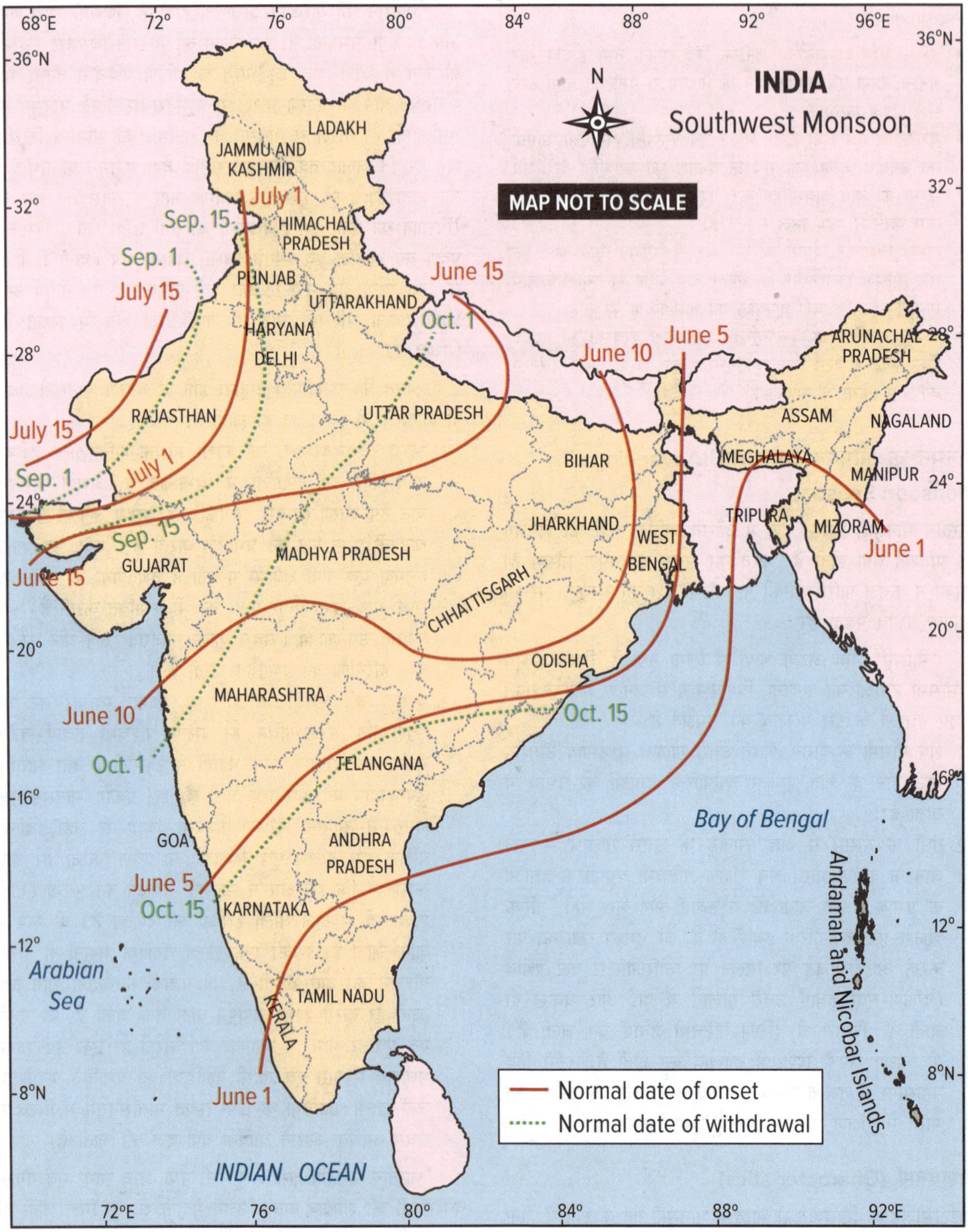

चित्र 12.16
दक्षिण-पश्चिम मानसून

में शुष्क अवधि भी होती है, जिसे मानसून अंतराल के रूप में जाना जाता है। यह सामान्य रूप से मानसून के मौसम के दौरान कम या बिल्कुल भी वर्षा नहीं होने की अवधि को संदर्भित करता है, जो सामान्यत: भारत में जुलाई या अगस्त में होता है। ये शुष्क अवधि सामान्य हैं और विभिन्न क्षेत्रों में अलग-अलग होती हैं। उत्तरी भारत में अंतराल तब होते हैं, जब मानसूनी गर्त के कमजोर होने और उत्तर की ओर स्थानांतरित होने के कारण वर्षा लाने वाली प्रणालियों की आवृत्ति कम हो जाती हैं। (वर्षा क्षेत्र को ठंडा करने में सहायता करती है, जिससे वायुमंडलीय दबाव बढ़ता है, जिससे गर्त कमजोर हो जाता है), जबकि पश्चिमी तट पर ये अंतराल तब होते हैं, जब मानसूनी हवाएँ पश्चिमी तट के समानांतर बहती हैं और नमी से युक्त बादल वर्षा नहीं कर पाते हैं।

मानसून की अवधि कई दिनों तक चल सकती है, कभी-कभी तो एक सप्ताह या एक महीने तक भी बढ़ सकती है। इस दौरान, हिमालय, दक्षिणी प्रायद्वीप के कुछ हिस्सों (पश्चिमी घाट के पवन-आवेशित क्षेत्र) और पूर्वोत्तर भारत जैसे उन क्षेत्रों को छोड़कर भारत के अधिकांश भागों में बहुत कम या बिलकुल भी वर्षा नहीं होती है, जहाँ अभी भी बारिश हो सकती है।

इस मौसम में बाढ़ आना, विशेषत: नदी-नालों के आसपास एक सामान्य घटना है।

भारतीय मानसून को प्रभावित करने वाले कारक (Factors Affecting Indian Monsoons)

भारतीय मानसून अनेक कारकों से प्रभावित होता है, जिनमें से कुछ ज्ञात हैं तथा कई अज्ञात हैं। ज्ञात कारक निम्नवत हैं:-

1. **स्थल एवं जल के तापमान में अंतर (Differential Heating of Land and Water):** ग्रीष्म ऋतु में भारतीय भू-भाग आसपास के ठंडे महासागरों (अरब सागर एवं बंगाल की खाड़ी) की तुलना में अधिक गर्म होता है, इस कारण दबाव में अंतर उत्पन्न हो जाता है। गर्म हवा स्थल पर ऊपर उठती है, जिससे कम दबाव का क्षेत्र बनता है, जबकि ठंडी, सघन हवा महासागरों के ऊपर रहती है। स्थल पर कम दबाव का क्षेत्र बनने के कारण नमी से भरी समुद्र पर स्थित हवाएँ स्थल की ओर बहती हैं, जिससे मानसून की वर्षा होती है।
2. **अंतर-उष्णकटिबंधीय अभिसरण क्षेत्र (आईटीसीजेड़) का स्थानांतरण (Shift of the Intertropical Convergence Zone (ITCZ)):** भूमध्य रेखा के पास स्थित कम दबाव वाला क्षेत्र आईटीसीजेड़ गर्मियों के दौरान उत्तर की ओर स्थानांतरित हो जाता है, जो संरेखित होकर भारतीय उपमहाद्वीप पर आता है। इस स्थानांतरण से भारत में भारी वर्षा होती है और मानसून में उल्लेखनीय वृद्धि होती है (चित्र 12.17)।
3. **उपोष्णकटिबंधीय पश्चिमी जेट स्ट्रीम (Subtropical Westerly Jet Stream):** यह अधिक ऊंचाई वाली जेट स्ट्रीम मानसून पैटर्न को प्रभावित करती है। कमजोर या उत्तर की ओर स्थानांतरित होती जेट स्ट्रीम के कारण अधिक नमी युक्त दक्षिणी हवाएं भारत तक पहुंचती है, जिससे मानसून को बढ़ावा मिलता है, जबकि मजबूत या दक्षिण की ओर स्थानांतरित होती जेट स्ट्रीम मानसून गतिविधि में बाधा डाल सकती है (चित्र 12.18)।
4. **तिब्बती पठार एवं उष्णकटिबंधीय पूर्वी जेट स्ट्रीम (टीईजे) (Tibetan Plateau and Tropical Easterly Jet Stream (TEJ)):** तिब्बती पठार गर्मियों में ऊष्मा के स्रोत के रूप में कार्य करता है, जिससे टीईजे मजबूत होती हैं, जो नमी से भरी हवाओं को अपनी ओर खींचती है। मजबूत टीईजे मजबूत मानसून को बढ़ावा देती है, जबकि कमजोर टीईजे कमजोर मानसून का कारण बनती है (चित्र 12.19)।
5. **सोमाली जेट स्ट्रीम (Somali Jet Stream):** यह निम्न-स्तरीय जेट स्ट्रीम गर्मियों के दौरान अरब सागर के पार दक्षिण-पश्चिम से बहती है, जो भारत में नमी पहुंचाने में महत्वपूर्ण भूमिका निभाती है, इस प्रकार मानसून की वर्षा में योगदान देती है (चित्र 12.20)।
6. **अल नीनो दक्षिणी दोलन (El Nixo Southern Oscillation (ENSO)):** यह प्रशांत महासागरीय परिघटना है, जो मानसून की तीव्रता को प्रभावित करती है। अल नीनो की घटनाओं के परिणामस्वरूप सामान्यतया कमजोर मानसून वर्षा होती है, जबकि ला नीना की परिघटनाएँ मजबूत मानसून से जुड़ी होती हैं (चित्र 12.21)।
7. **हिंद महासागर द्विध्रुव (आईओडी) (Indian Ocean Dipole (IOD)):** आईओडी पश्चिमी एवं पूर्वी हिंद महासागर के बीच तापमान में होने वाले बदलावों को दर्शाता है। सकारात्मक आईओडी परिघटना मानसून की वर्षा को बढ़ाती है, जबकि नकारात्मक आईओडी परिघटना इसे कमजोर कर सकती है (चित्र 12.22)।
8. **मैडेन-जूलियन दोलन (ऑसिलेशन) (एमजेओ) (Madden-Julian Oscillation (MJO)):** यह वायुमंडलीय परिघटना हफ्तों से लेकर महीनों तक मानसून की तीव्रता को प्रभावित करती है। अनुकूल एमजेओ चरण वर्षा को बढ़ा सकता है, जबकि प्रतिकूल चरण इसे कम कर सकता है (चित्र 12.23)।

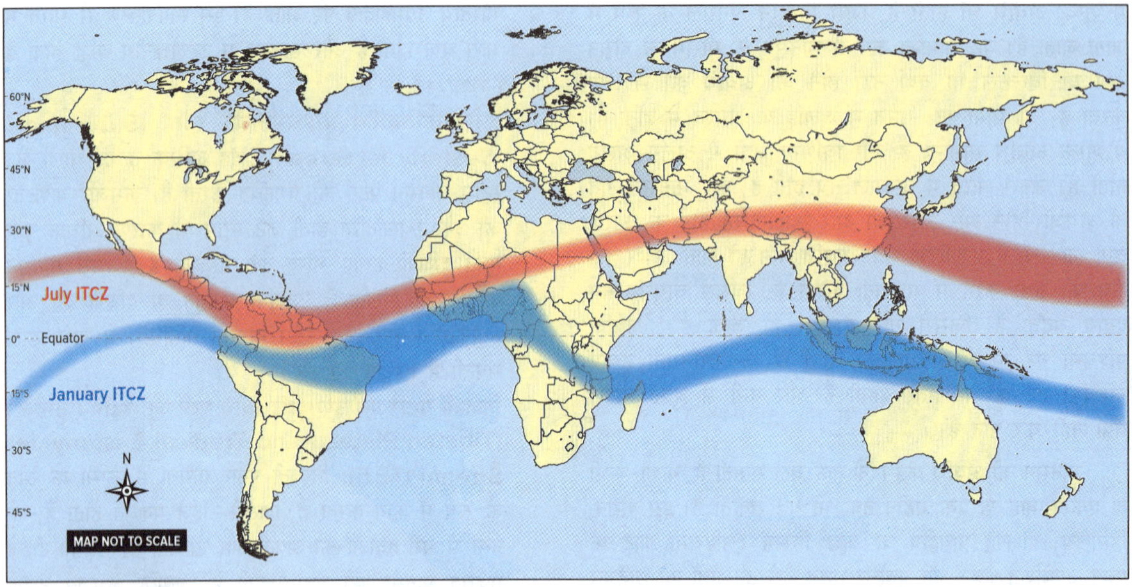

चित्र 12.17
अंतर उष्ण-कटिबंधीय अभिसरण क्षेत्र (आईटीसीजेड़) का स्थानांतरण

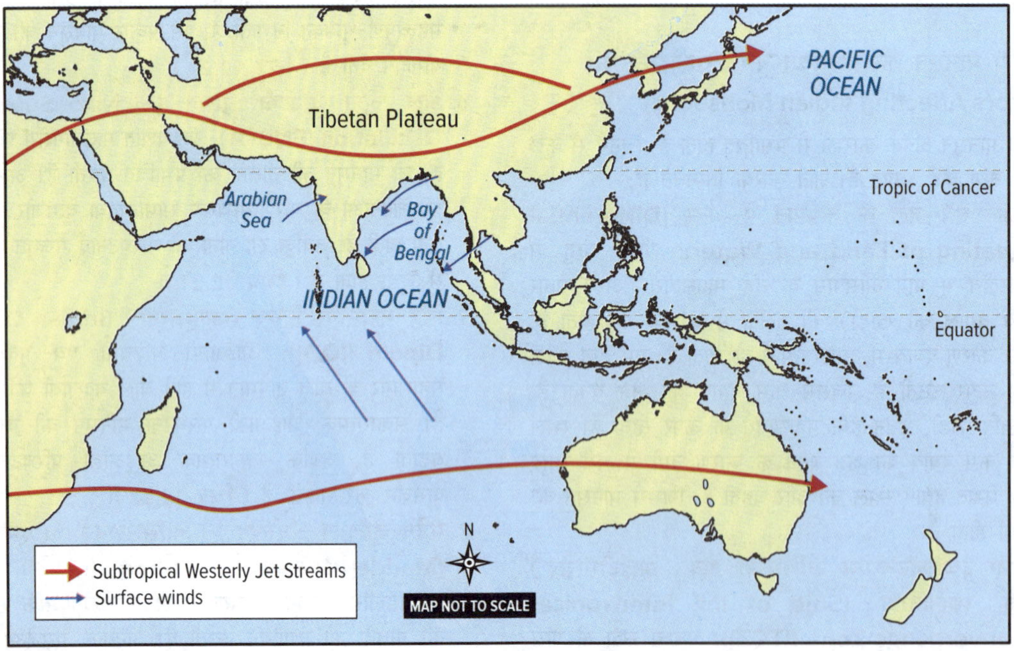

चित्र 12.18
उपोष्णकटिबंधीय पश्चिमी जेट स्ट्रीम

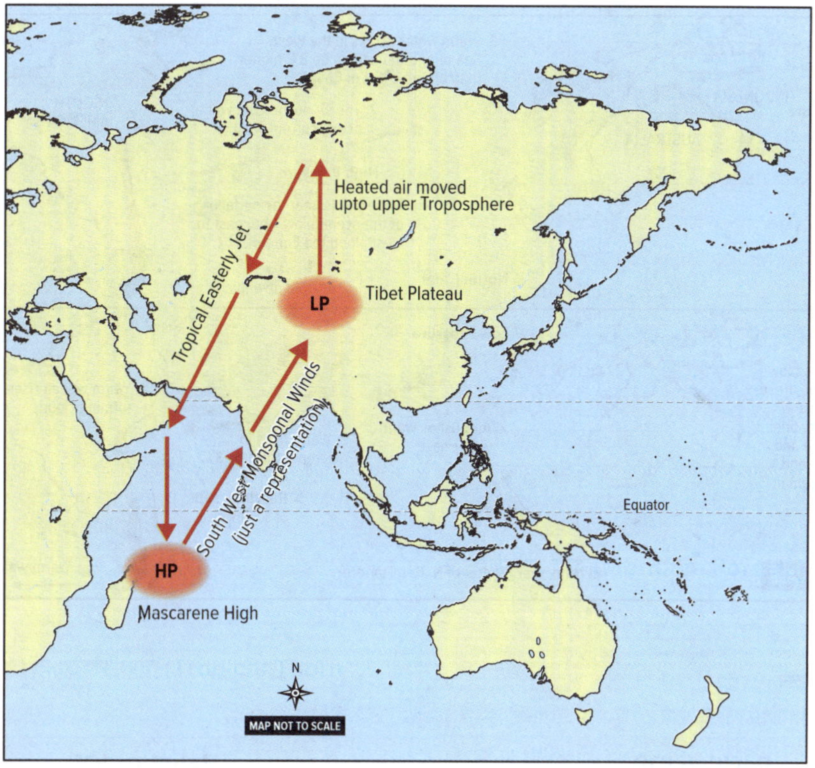

चित्र 12.19

उष्णकटिबंधीय पूर्वी जेट स्ट्रीम

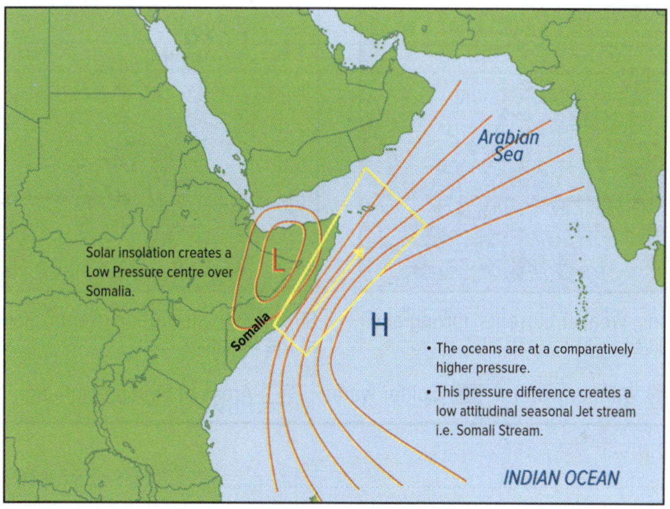

चित्र 12.20

सोमाली जेट स्ट्रीम

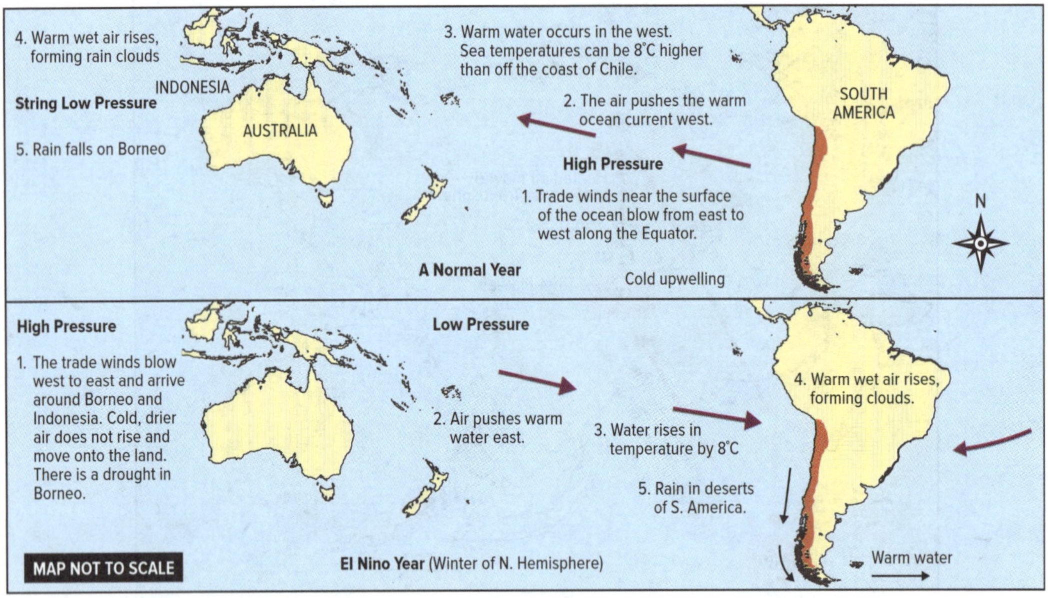

चित्र 12.21
अल नीनो-दक्षिणी दोलन

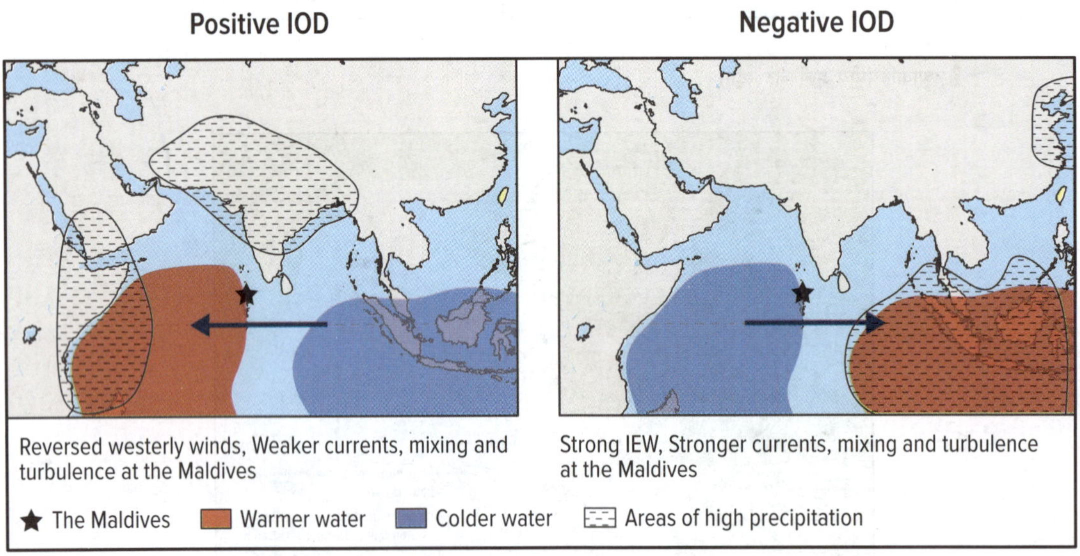

चित्र 12.22
हिंद महासागर द्विध्रुव
स्रोत: **Sea-level and monsoonal control on the Maldives carbonate plateform (Indian Ocean) over the last 1.3 million years (Sept- 2023), Copernicus, CC BY 4.0 https://creativecommons-org/licenses/by/4.0/**

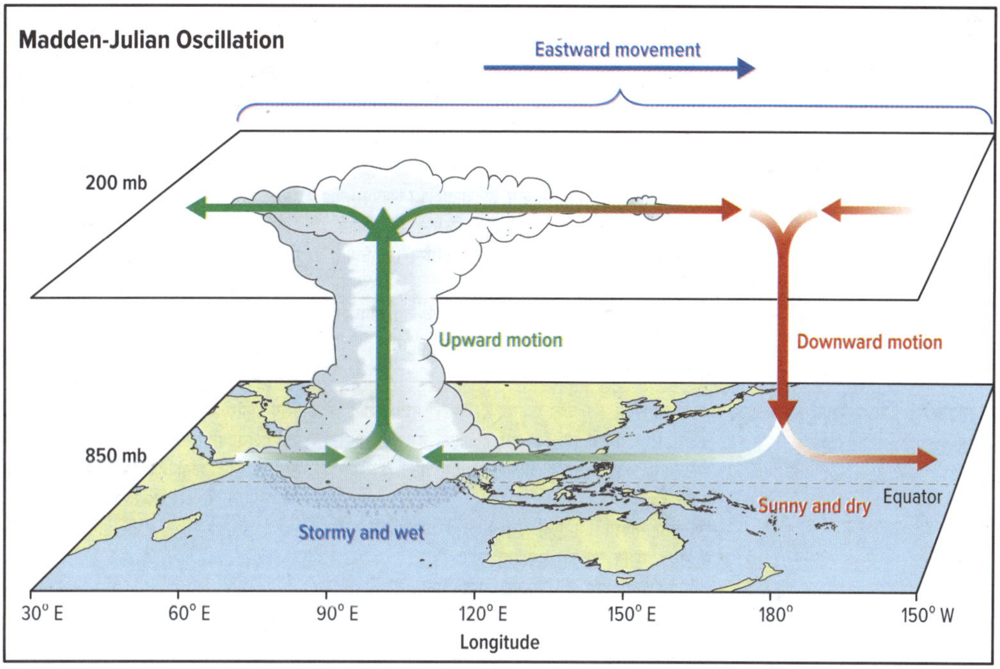

चित्र 12.23
मैडेन-जूलियन दोलन

9. **मानसून अंतर-मौसमी दोलन (एमआईएसओ) (Monsoon Intra-seasonal Oscillation (MISO)):** यह 14 से 15 दिनों का पश्चिम की ओर प्रसारित होने वाला द्विसाप्ताहिक दोलन है। गर्त रेखाएँ एवं निम्न दाब प्रणालियाँ, कटक एवं उच्च दाब प्रणालियाँ 2 सप्ताह (14 से 15 दिन) की अवधि के साथ पूर्व से पश्चिम की ओर अनुक्रम में प्रसारित होती हैं। इसे अर्ध-साप्ताहिक दोलन के रूप में जाना जाता है। जब एक गर्त या निम्न दाब क्षेत्र किसी विशेष क्षेत्र पर फैलता है, तो उस क्षेत्र में अधिक वर्षा होती है तथा जब कटक या उच्च दाब किसी विशेष क्षेत्र से गुजरता है, तो इससे किसी विशेष क्षेत्र में कम वर्षा होती है, अथवा वर्षा ही नहीं होती है।
10. **आर्कटिक समुद्री बर्फ (Arctic Sea Ice):** हाल के अध्ययनों से संकेत मिलता है कि आर्कटिक समुद्री बर्फ में कमी आने से मध्य एवं पूर्वोत्तर भारत में वर्षा बढ़ सकती है, जबकि पश्चिमी एवं दक्षिणी क्षेत्रों में यह घट सकती है, यद्यपि सटीक तंत्र अस्पष्ट हैं।

ऐसी कुछ और परिघटनाओं के बारे में अधिक जानकारी तालिका 12.14 में दी गयी है।

अपतटीय गर्त एवं भंवर

अपतटीय गर्त क्या है?

मानसून के मौसम के दौरान भारत के पश्चिमी तट पर कम दबाव का एक उथला गर्त (समुद्र तल सतह चार्ट पर) देखा जाता है। इसे अपतटीय गर्त के रूप में जाना जाता है। इस प्रकार की प्रणाली प्राय: भारत के पश्चिमी तट पर, दक्षिण-पश्चिम मानसून की अवधि के दौरान, उत्तरी केरल से दक्षिण गुजरात तक कहीं भी विकसित होती है, और तटीय पट्टी के आस-पास के भागों में वर्षा के मामले में मानसून को मजबूत करने के लिए जिम्मेदार होती है।

अपतटीय भंवर क्या है?

भारत के पश्चिमी तट पर पश्चिमी घाट के रूप में एक भू-आकृति अवरोध है। ये पहाड़ उत्तर से दक्षिण दिशा की ओर उन्मुख हैं तथा लगभग 1000 किमी. लंबे और 200 किमी. चौड़े हैं। जब मानसूनी हवाएँ पहाड़ों से टकराती हैं, तो कई अवसरों पर उनके पास पश्चिमी घाट पर चढ़ने के लिए पर्याप्त ऊर्जा नहीं होती है। ऐसे मौकों पर वे पहाड़ों के चारों ओर विक्षेपित हो जाते हैं तथा अपतटीय भंवर से वापस लौट आती हैं। ये भंवर मानसून के मौसम में पश्चिमी तट पर भारी से बहुत भारी वर्षा के लिए जिम्मेदार होते हैं।

तालिका 12.14 कुछ महत्वपूर्ण महासागर-मौसम प्रणालियाँ

परिघटना	अवस्थिति	प्रक्रिया	प्रभाव
ईएनएसओ (अल नीनो-दक्षिणी दोलन)	भूमध्यरेखीय प्रशांत महासागर	गर्म (अल नीनो) एवं ठंडी (ला नीना) महासागर के तापमान के बीच एक चक्र है। अल नीनो तब होता है, जब पश्चिमी प्रशांत की समुद्री सतह का तापमान पूर्वी प्रशांत की तुलना में कम हो जाता है (व्यापारिक हवाओं के कमजोर होने के कारण, जिससे पूर्वी प्रशांत में गर्म पानी जमा हो जाता है), जो सामान्य स्थितियों के विपरीत है। ला नीना तब होता है, जब पश्चिमी प्रशांत का तापमान अधिक हो जाता है और पूर्वी प्रशांत का तापमान सामान्य से कम हो जाता है।	अल नीनो वॉकर सर्कुलेशन को उलट देता है, जबकि ला नीना इसे तीव्र करता है। अल नीनो भारत में मानसून की वर्षा को कम करता है। इसके कारण ऑस्ट्रेलिया में सूखा पड़ता है तथा दक्षिणी अमेरिका में सर्दियों में होने वाली वर्षा में वृद्धि होती है। ला नीना से भारत में मजबूत मानसून होता है तथा ऑस्ट्रेलिया में बाढ़ आती है।
अल नीनो मोडोकी और ला नीना मोडोकी	मध्य प्रशांत महासागर	यह अल नीनो का एक प्रकार है, जिसमें पूर्वी प्रशांत के बजाय मध्य प्रशांत अधिक गर्म हो जाता है। यह सामान्य अल नीनो की तुलना में अलग जलवायु पैटर्न का कारण बनता है। ला नीना मोडोकी में पूर्वी एवं पश्चिमी प्रशांत की तुलना में मध्य प्रशांत अधिक ठंडा हो जाता है। (मोडोकी का अर्थ है- समान, किंतु भिन्न)	इसके कारण भारत में अनियमित मानसून पैटर्न, इंडोनेशिया में सूखा और पूर्वी चीन एवं जापान में वर्षा में वृद्धि होती है। इसके कारण अटलांटिक में तेज तूफान भी आ सकते हैं।
अटलांटिक नीनो/ अटलांटिक नीना	उष्णकटिबंधीय अटलांटिक महासागर	अटलांटिक नीनो: इसमें पूर्वी अटलांटिक पश्चिमी अटलांटिक की तुलना में गर्म हो जाता है। अटलांटिक नीना: इसमें पश्चिमी अटलांटिक सामान्य से अधिक गर्म हो जाता है; पूर्वी अटलांटिक सामान्य से ठंडा हो जाता है।	अटलांटिक नीनो के कारण पश्चिमी साहेल में वर्षा में वृद्धि हो जाती है तथा दक्षिण अमेरिकी मानसून की शुरुआत प्रभावित होती है। अटलांटिक नीना के कारण उपर्युक्त क्षेत्रों में सूखा पड़ सकता है।
मैडेन-जूलियन ऑसिलेशन (एमजेओ)	वैश्विक (उष्णकटिबंधीय महासागरों में) अधिकतर हिन्द एवं प्रशांत महासागरों में	यह बढ़े हुए संवहन (बादल एवं वर्षा) की एक चलती हुई पट्टी है, जो हर 30 से 60 दिनों में विश्व भर में पूर्व की ओर यात्रा करती है, जो मौसम एवं मानसून के पैटर्न या स्वरूप को प्रभावित करती है।	यह मानसून की मजबूती, चक्रवात गतिविधियों और यहां तक कि ईएनएसओ चरणों को भी प्रभावित करता है। अपने सक्रिय चरण के दौरान उष्णकटिबंधीय क्षेत्रों में वर्षा में वृद्धि करता है।
हिन्द महासागर द्विध्रुव (आईओडी)	पश्चिमी एवं पूर्वी हिंद महासागर में	आईओडी पश्चिमी एवं पूर्वी हिंद महासागर के बीच तापमान के अंतर को संदर्भित करता है। सकारात्मक आईओडी (गर्म पश्चिमी हिन्द महासागर) मानसून में वृद्धि कर सकता है, जबकि नकारात्मक आईओडी (गर्म पूर्व) मानसून को कमजोर कर सकता है।	सकारात्मक आईओडी भारतीय मानसून में वृद्धि करता है, जिससे संभावित रूप से बाढ़ आ सकती है, जबकि नकारात्मक आईओडी मानसून को कमजोर करता है और जिससे सूखे की संभावना रहती है।
अटलांटिक महासागर द्विध्रुव (एओडी)	उत्तरी एवं दक्षिणी उष्णकटिबंधीय अटलांटिक महासागर में	सकारात्मक चरण: उत्तरी अटलांटिक समुद्र की सतह का तापमान दक्षिणी अटलांटिक की तुलना में अधिक गर्म हो जाता है। नकारात्मक चरण: दक्षिणी अटलांटिक की सतह उत्तरी अटलांटिक से अधिक गर्म हो जाती है।	इससे अटलांटिक में हरिकेन (तूफान) का निर्माण होता है, साहेल क्षेत्र में वर्षा होती है तथा अमेजन में सूखा पड़ता है। सकारात्मक एओडी साहेल क्षेत्र में वर्षा में वृद्धि कर देता है; नकारात्मक एओडी इसमें कमी लाता है।
आर्कटिक दोलन (एओ)	आर्कटिक क्षेत्र एवं उत्तरी गोलार्ध में	यह आर्कटिक क्षेत्र में अलग-अलग दबाव अंतरों की विशेषता वाला जलवायु पैटर्न है। सकारात्मक चरण (यूरेशिया के बजाय कनाडाई क्षेत्र पर उच्च दबाव) आर्कटिक की ठंडी हवाओं को वहीं रोक देता है, जबकि नकारात्मक चरण (यूरेशिया की ओर उच्च दबाव) इन हवाओं को दक्षिण की ओर धकेल देता है।	सर्दियों के मौसम की चरम परिघटनाएँ: नकारात्मक चरण यूरोप, उत्तरी अमेरिका तथा एशिया में शीत ऋतु को और अधिक ठंडा बना देता है, जबकि सकारात्मक चरण से यहां हल्की ठंडा रहती है, लेकिन इससे आर्कटिक के तापमान में वृद्धि होती है। आर्कटिक में तापवृद्धि वृद्धि के परिणामस्वरूप बर्फ पिघलकर अटलांटिक में आ जाती है।

याद रखने की युक्ति (Learning Trick)

भारतीय मानसून को प्रभावित करने वाले कारक

	कारक	सकारात्मक प्रभाव का कारण	नकारात्मक प्रभाव का कारण
1.	स्थल एवं समुद्री सतह के तापमान में अंतर	तापमान में अंतर का अधिक होना	तापमान में अंतर का कम होना
2.	आईटीसीजेड का स्थानांतरण	यह स्थानांतरण हर बार होता है, इसलिए हमेशा सकारात्मक प्रभाव डालता है।	–
3.	उपोष्णकटिबंधीय पश्चिमी जेट स्ट्रीम	जब हिमालय की ओर पूरी तरह उत्तर में स्थानांतरित हो जाए।	जब हिमालय की ओर केवल आंशिक स्थानांतरण हो।
4.	तिब्बती पठार एवं उष्णकटिबंधीय पूर्वी जेट	तिब्बती पठार में तापमान का उच्च स्तर हो	तिब्बती पठार में कम तापमान हो।
5.	सोमाली जेट स्ट्रीम	इसका हमेशा सकारात्मक प्रभाव पड़ता है। सकारात्मक प्रभाव की सीमा जेट स्ट्रीम की तेजी पर निर्भर करती है।	–
6.	ईएनएसओ	ला नीना	अल नीनो
7.	हिंद महासागर द्विध्रुव	सकारात्मक हिंद महासागर द्विध्रुव	नकारात्मक हिंद महासागर द्विध्रुव
8.	मैडेन जूलियन दोलन	संयोजी चरण (सक्रिय चरण)	दबाव वाला चरण (निष्क्रिय चरण)
9.	आर्कटिक समुद्री बर्फ	मध्य एवं उत्तर-पूर्वी भारत में बेहतर वर्षा होती है।	बर्फ कम रहने पर पश्चिमी एवं दक्षिणी भारत में कम वर्षा होती है।
10.	मानसून अंतर-मौसमी दोलन (एमआईएसओ)	कम दबाव वाले क्षेत्र में वर्षा में वृद्धि होती है।	उच्च दबाव वाले क्षेत्र में वर्षा में कमी आती है।

वॉकर परिसंचरण

वॉकर परिसंचरण का संदर्भ भूमध्यरेखीय प्रशांत क्षेत्र पर पूर्व-पश्चिम वायुमंडलीय परिसंचरण से है, जो पूर्वी एवं पश्चिमी प्रशांत क्षेत्र के बीच तापमान में अंतर से होता है। सामान्य परिस्थितियों में व्यापारिक हवाएँ गर्म पानी को पश्चिम की ओर धकेलती हैं (पश्चिमी प्रशांत क्षेत्र गर्म और नम होता है, पूर्वी प्रशांत क्षेत्र ठंडा एवं शुष्क होता है)।

ईएनएसओ का प्रभाव

- **अल नीनो:** यह वॉकर परिसंचरण को उल्टा करता है, क्योंकि गर्म पानी मध्य/पूर्वी प्रशांत क्षेत्र में स्थानांतरित हो जाता है, जिससे पूर्व की ओर वर्षा होती है और पश्चिम में सूखा पड़ता है।
- **ला नीना:** तीव्र व्यापारिक हवाओं के साथ वॉकर परिसंचरण को मजबूत बनाता है, जिससे पश्चिम (एशिया/ऑस्ट्रेलिया) में अधिक वर्षा होती है और पूर्व (पेरू) में शुष्क परिस्थितियाँ बनती हैं।

अल नीनो मोडोकी एवं ला नीना मोडोकी का प्रभाव

- **अल नीनो मोडोकी:** पारंपरिक अल नीनो पूर्वी प्रशांत क्षेत्र की सतह को गर्म करके वॉकर परिसंचरण को कमजोर बनाता है। इसके विपरीत अल नीनो मोडोकी मध्य प्रशांत क्षेत्र की सतह को गर्म करता है। यह ऊपर की ओर गति एवं संवहन (वर्षा) को मध्य प्रशांत क्षेत्र की ओर स्थानांतरित कर देता है, जिससे वॉकर परिसंचरण कमजोर हो जाता है और पश्चिमी तथा पूर्वी प्रशांत क्षेत्र दोनों में शुष्क स्थितियाँ उत्पन्न हो जाती हैं।
- **ला नीना मोडोकी:** यह पूर्वी प्रशांत के बजाय मध्य प्रशांत की सतह को ठंडा करता है, जिससे वॉकर परिसंचरण की मजबूत व्यापारिक हवाएँ और संवहन पश्चिम की ओर स्थानांतरित हो जाते हैं, जिससे नियमित ला नीना की तुलना में वर्षा पैटर्न कम तीव्र, लेकिन फिर भी स्थानांतरित हो जाता है और शुष्क वातावरण बनता है।

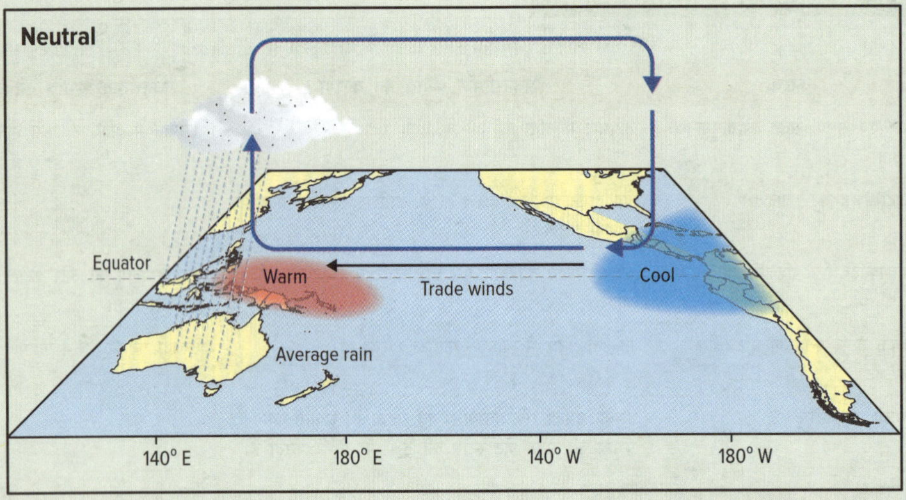

चित्र 12.24

लौटता हुआ मानसून का मौसम (Retreating Monsoon Season)

अक्टूबर तथा नवंबर के महीने में मानसून के वापस लौटने का समय होता है। सितंबर के अंत तक, दक्षिण-पश्चिमी मानसून कमजोर हो जाता है क्योंकि गंगा के मैदानों पर कम दबाव वाला गर्त सूर्य की गति के साथ दक्षिण की ओर बढ़ जाता है। सितंबर के अंत तक मानसून सबसे पहले राजस्थान, गुजरात तथा गंगा के पश्चिमी मैदानों से वापस लौटता है और अक्टूबर तक यह बंगाल की खाड़ी के उत्तरी भागों में चला जाता है और अंत में नवंबर तक कर्नाटक और तमिलनाडु की ओर बढ़ जाता है। दिसंबर के मध्य तक कम दबाव का केंद्र प्रायद्वीप से पूरी तरह से हट जाता है।

इस लौटते हुए मानसून के मौसम में आसमान साफ, तापमान अधिक और आर्द्रता रहती है, जिससे कठोर मौसम रहता है, जिसे 'अक्तूबर की गर्मी' कहा जाता है।

अक्तूबर के अंत तक, उत्तरी भारत में तापमान गिरना शुरू हो जाता है। अक्तूबर एवं नवंबर के महीनों में उत्तर में शुष्क मौसम रहता है, वहीं प्रायद्वीप के पूर्वी भागों में विशेषत: बंगाल की खाड़ी तथा अंडमान सागर पर बनने वाले कम दबाव के क्षेत्रों के कारण सबसे अधिक वर्षा होती हैं। इस समय में चक्रवातीय कम दबाव के क्षेत्र अरब सागर में कम बनते हैं। इस अवधि में, विशेष रूप से बंगाल की खाड़ी में सबसे गंभीर चक्रवात देखे जाते हैं, जो समुद्री सतह के उच्च तापमान, मानसून के गर्त (ट्रफ) के दक्षिण की ओर शिफ्ट होने और हवा की दिशा बदलने से बनते हैं।

कोरोमंडल तट पर इन चक्रवातों से पर्याप्त वर्षा होती है। इसके अतिरिक्त, पूर्वोत्तर मानसून से तमिलनाडु एवं तटीय आंध्र प्रदेश में वर्षा होती है, क्योंकि बंगाल की खाड़ी से पूर्वोत्तर व्यापारिक हवाएँ चलती हैं।

भारत में वर्षा वितरण (Rainfall Distribution in India)

ऊपर चर्चा किये गये अनेक कारकों के कारण, भारत में वर्षा वितरण अत्यधिक विविधता लिये हुए हैं। औसत वार्षिक वर्षा के आधार पर विभिन्न वर्षा क्षेत्रों में निम्नवत विभाजित किया गया है:-

उच्च वर्षा वाले क्षेत्र (200 सेमी वार्षिक से अधिक) (High Rainfall Regions (>200 cm annually))

- **पश्चिमी घाट का हवा की दिशा वाला भाग (Windward side of the Western Ghats):** इसमें पश्चिमी तटीय पट्टी एवं पश्चिमी घाट शामिल हैं, जो दक्षिणी गुजरात से महाराष्ट्र, गोवा, कर्नाटक तथा केरल तक फैले हुए हैं।
- **पूर्वोत्तर भारत (Northeast India):** मुख्य क्षेत्र असम, मेघालय तथा अरुणाचल प्रदेश के कुछ भाग हैं। चेरापूंजी एवं मावसिनराम विशेष रूप से उल्लेखनीय हैं, जहाँ विश्व स्तर पर सबसे अधिक वर्षा होती है। यह उस फनलिंग प्रभाव के कारण होता है, जहाँ बादल पर्वत शृंखलाओं के बीच से गुजरते हैं, जिससे वर्षा तेज हो जाती है।

मध्यम वर्षा वाले क्षेत्र (100 से 200 सेमी. प्रतिवर्ष) (Medium Rainfall Regions (100–200 cm annually))

- **हिमालय की तलहटी:** उत्तराखंड, हिमाचल प्रदेश तथा दार्जिलिंग सहित उत्तरी पश्चिम बंगाल इस क्षेत्र में आते हैं।
- **पूर्वी भारत:** ओडिशा, झारखंड, बिहार, पूर्वी मध्य प्रदेश तथा पूर्वोत्तर के कुछ भाग। विशेषकर पूर्वोत्तर मानसून से पूर्वी तमिलनाडु में भी मध्यम वर्षा होती है ।

कम वर्षा वाले क्षेत्र (50 से 100 सेमी. प्रतिवर्ष) (Low Rainfall Regions (50–100 cm annually))

- **प्रायद्वीपीय भारत:** इसमें महाराष्ट्र एवं कर्नाटक में दक्कन के पठार के कुछ भाग शामिल हैं।
- **उत्तर पश्चिमी भारत:** पंजाब, हरियाणा, पश्चिमी उत्तर प्रदेश, गुजरात तथा पश्चिमी राजस्थान। जम्मू एवं कश्मीर के कुछ भाग भी इस श्रेणी में आते हैं।

बहुत कम वर्षा वाले क्षेत्र (प्रतिवर्ष 50 सेमी. से कम) (Very Low Rainfall Regions (<50 cm annually))

- **राजस्थान:** मुख्य रूप से इसका पश्चिमी, अर्ध-शुष्क क्षेत्र।
- **वर्षा छाया क्षेत्र:** महाराष्ट्र, कर्नाटक तथा तमिलनाडु में पश्चिमी घाट की पूर्वी ढलानें। लद्दाख में भी कम वर्षा होती है, जो हिमालय के वर्षा छाया क्षेत्र में स्थित है।

प्राकृतिक वनस्पति (NATURAL VEGETATION)

पौधों का वह समूह, जो मानव हस्तक्षेप के बिना किसी क्षेत्र में विकसित हुआ है, उसे प्राकृतिक वनस्पति के रूप में जाना जाता है। इन अधिकांश परिदृश्यों को मनुष्य ने वनों की कटाई, कृषि एवं उद्योग लगाकर बदल दिया है।

यह तर्क दिया जाता है कि वास्तव में ऐसे अपेक्षाग्त कम क्षेत्र हैं, जहाँ प्राकृतिक वनस्पति बची हुई है।

भारत के विभिन्न भौगोलिक क्षेत्रों में वनों का प्रतिशत भाग तालिका 12.15 में दिया गया है।

तालिका 12.15 भारत – वन का भौगोलिक वितरण

क्रमांक	क्षेत्र	कुल वन क्षेत्र का प्रतिशत
1.	प्रायद्वीपीय पठार एवं पहाड़ियाँ	57.00
2.	हिमालयी क्षेत्र	18.00
3.	पश्चिमी घाट एवं पश्चिमी तटीय मैदान	10.50
4.	पूर्वी घाट एवं पूर्वी तटीय मैदान	9.50
5.	भारत का विशाल मैदान	5.00
	कुल	**100.00**

भारत में वनों के प्रकार (Types of Forests of India)

जलवायु की विविधता के कारण भारत में वनस्पति भी समान रूप से विविध है। भारत के प्रमुख वन प्रकारों में निम्नलिखित शामिल हैं (चित्र 12.25):-

1. उष्णकटिबंधीय सदाबहार एवं अर्ध सदाबहार वन (1. Tropical Evergreen and Semi Evergreen Forests)

- उष्णकटिबंधीय सदाबहार वनों में पेड़ लगातार अनुकूल तापमान एवं आर्द्रता की स्थिति के कारण साल भर अपनी पत्तियाँ बनाए रखते हैं।
- सघन पत्तियों (केनोपी) के कारण इनके नीचे वनस्पति सीमित मात्रा में पनपती है, क्योंकि पत्तियां सघन होने के कारण सूर्य के प्रकाश नीचे भूमि तक नहीं पहुंच पाती है।

इन वनों को वर्षा के आधार पर विभाजित किया गया है:

आर्द्र सदाबहार वन (Wet Evergreen Forests)

- वर्षा: 200 सेमी. से अधिक; तापमान: 25 से 27 डिग्री सेल्सियस।
- पश्चिमी घाट (मुंबई के दक्षिण), पूर्वोत्तर भारत और अंडमान और निकोबार द्वीप समूह में पाये जाते हैं।
- प्रजातियाँ: कटहल, शीशम, महोगनी, ऐनी, आबनूस, अगरवुड (औध)।

अर्ध-सदाबहार वन (Semi-Evergreen Forests)

- वर्षा: 175 से 225 सेमी.; तापमान: 24 से 27 डिग्री सेल्सियस।
- पश्चिमी तट, असम, पूर्वी घाट की निचली ढलानों, ओडिशा तथा अंडमान के कुछ भागों में पाये जाते हैं।
- आर्द्र सदाबहार एवं नम पर्णपाती वनों के बीच संक्रमण, जिसमें अनेक प्रजातियाँ पायी जाती हैं।
- झाड़-झंखाड़ के कारण सदाबहार।
- प्रजातियाँ: कदम, काजू, देवदार, चेस्टनट, कांटेदार बांस।

शुष्क सदाबहार वन (Dry Evergreen Forests)

- वर्षा: लगभग 100 सेमी., जहां वर्ष-भर वर्षा होती है।
- तमिलनाडु तट पर पाये जाते हैं।

- कम वर्षा के कारण छोटे-छोटे पेड़ होते हैं।
- प्रजातियाँ: इमली, नीम, ताड़ी ताड़।

2. उष्णकटिबंधीय पर्णपाती वन (Tropical Deciduous Forests)

इन वनों में पेड़ हर साल अपने पत्ते खो देते हैं। वर्षा के स्तर के आधार पर इन्हें निम्न श्रेणियों में वर्गीकृत किया जा सकता है:

नम पर्णपाती वन (Moist Deciduous Forests)

- वर्षा: 100-200 सेमी.; तापमान: लगभग 27 डिग्री सेल्सियस।
- पश्चिमी घाट, पूर्वोत्तर भारत, शिवालिक पर्वतमाला (तराई एवं भांबर क्षेत्र के साथ), पूर्वी मध्य प्रदेश की पहाड़ियों, छत्तीसगढ़, छोटानागपुर के पठार, ओडिशा के अधिकांश भाग एवं पश्चिम बंगाल तथा अंडमान एवं निकोबार द्वीप समूह के कुछ भागों के आसपास के क्षेत्रों में पाये जाते हैं।

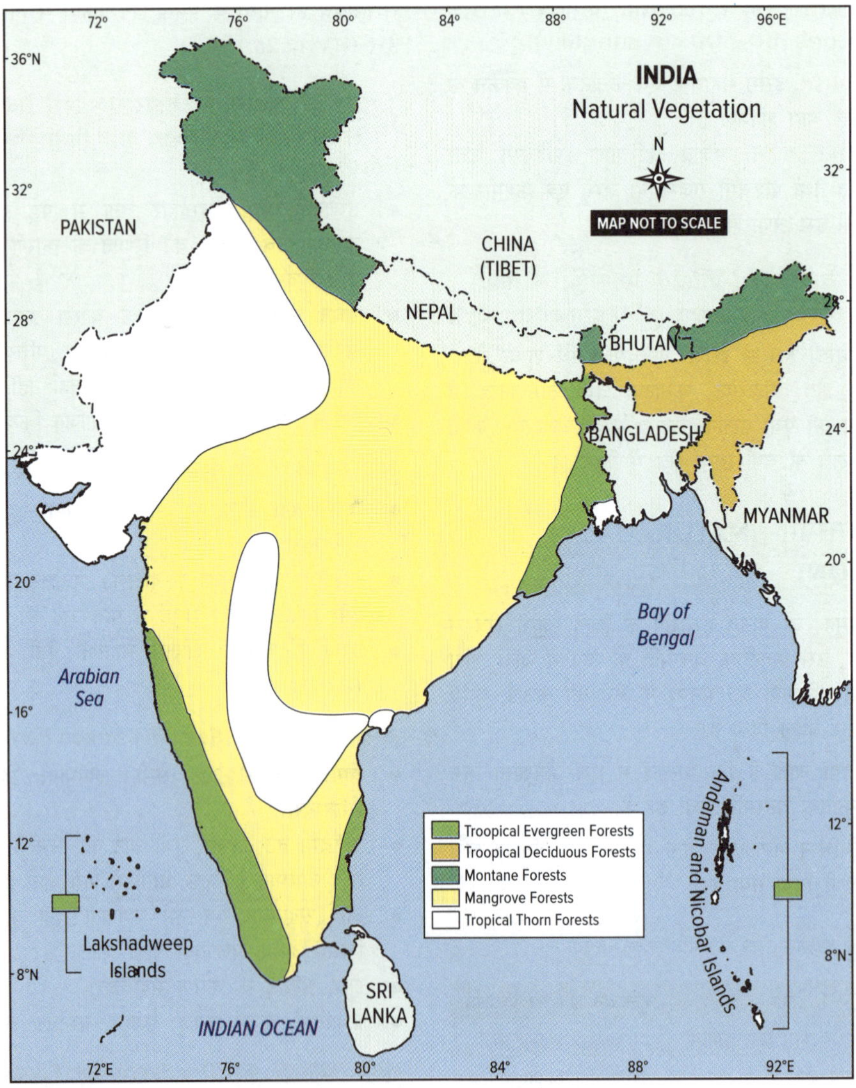

चित्र 12.25

भारतीय उपमहाद्वीप की प्राकृतिक वनस्पति

- इन वनों के नीचे झाड़ियाँ होती हैं, क्योंकि इन पेड़ों की पत्तियां बहुत घनी नहीं होती है।
- उल्लेखनीय प्रजातियों में सागौन, साल, महुआ, तेंदू और बांस जैसे मूल्यवान पेड़ शामिल हैं।

शुष्क पर्णपाती वन (Dry Deciduous Forests)

- वर्षा: 75-100 सेमी.; तापमान: 25-30 डिग्री सेल्सियस।
- ये वन नम पर्णपाती एवं कांटेदार वनों के बीच संक्रमण का प्रतिनिधित्व करते हैं।
- महाराष्ट्र, कर्नाटक, आंध्र प्रदेश तथा तमिलनाडु जैसे राज्यों (इन सभी राज्यों के तटीय भागों को छोड़कर) सहित भारतीय प्रायद्वीप के एक बड़े हिस्से में पाये जाते हैं।
- प्रायद्वीपीय क्षेत्र के वर्षा वाले क्षेत्रों के साथ-साथ उत्तर प्रदेश, बिहार तथा मध्य प्रदेश के मैदानी क्षेत्रों में पाये जाते हैं। राजस्थान के कुछ क्षेत्रों में भी ये वन पाये जाते हैं, यद्यपि इनका घनत्व कम है।
- आम प्रजातियों में सागौन, तेंदू, लाल चंदन, साल और खैर शामिल हैं।

3. उष्णकटिबंधीय कांटेदार वन (Tropical Thorn Forests)

- उष्णकटिबंधीय कांटेदार वन बहुत कम वर्षा (50 सेमी. से कम वार्षिक वर्षा) तथा 25-30 डिग्री सेल्सियस के बीच के तापमान वाले शुष्क क्षेत्रों में पाये जाते हैं।
- वनस्पति विरल होती हैं, जिसमें छोटे, बिखरे हुए पेड़ तथा झाड़ियाँ (जेरोफाइटिक वनस्पति) शामिल हैं।
- भारत में ये वन उत्तर-पश्चिमी भारत के शुष्क एवं अर्ध-शुष्क क्षेत्रों में पाये जाते हैं, जिनमें राजस्थान, दक्षिण-पश्चिमी पंजाब, पश्चिमी हरियाणा, कच्छ, सौराष्ट्र और उत्तर प्रदेश के कुछ भाग शामिल हैं। ये वन महाराष्ट्र, कर्नाटक, तेलंगाना, आंध्र प्रदेश तथा तमिलनाडु में पश्चिमी घाट के वर्षा छाया क्षेत्रों में भी मौजूद हैं।
- आम प्रजातियों में कीकर, बबूल, नीम, कैर तथा कैक्टस शामिल हैं, साथ ही भारतीय जंगली खजूर और घास थोड़े आर्द्र क्षेत्रों में दिखाई देते हैं।

4. तटीय और दलदली वन (Littoral and Swamp Forests)

- तटीय एवं दलदली वन, जिन्हें सामान्य रूप से मैंग्रोव के नाम से जाना जाता है, डेल्टा, मुहाना तथा खाड़ियों के आसपास पाये जाते हैं।
- ये अंडमान एवं निकोबार द्वीप समूह तथा पश्चिम बंगाल में सुंदरबन (जिसकी विशेषता सुंदरी वृक्ष है) जैसे क्षेत्रों में अत्यधिक विकसित हैं। ये वन महानदी, गोदावरी, कृष्णा और कावेरी जैसी प्रमुख नदियों के डेल्टा में भी मौजूद हैं।
- मैंग्रोव कटाव, तूफानी लहरों और सुनामी के विरुद्ध तटीय सुरक्षा में महत्वपूर्ण भूमिका निभाते हैं।
- भारत में विश्व के मैंग्रोव आवरण का लगभग 7 प्रतिशत हिस्सा है। भारतीय मैंग्रोव का 40 प्रतिशत हिस्सा सुंदरवन (पश्चिम बंगाल) में है।
- ये वन मीठे एवं खारे पानी, दोनों में पनपते हैं तथा इनमें विविपैरिटी, अर्थात् जरायुजता (पेड़ पर अंकुरित होने वाले बीज) और न्यूमेटोफोर (साँस लेने वाली जड़ें) जैसे अनोखे अनुकूलन पाये जाते हैं।
- उल्लेखनीय प्रजातियों में सुंदरी, केओरा, अगर तथा राइजोफोरा शामिल हैं।

5. पर्वतीय वन (Montane Forests)

- पहाड़ी क्षेत्रों में वनों के प्रकार ऊँचाई के अनुसार भिन्न-भिन्न होते हैं।
- **उत्तरी पर्वत (हिमालय):**
    - आधार (कम ऊँचाई): नम पर्णपाती वन।
    - 1000 से 2000 मीटर की ऊँचाई: आर्द्र शीतोष्ण वन, जिनमें मूल रूप से ओक के पेड़, ब्रिटिश शासन के दौरान रेलवे उपयोग के लिए इनके स्थान पर पाइन के पेड़ लगाये गये थे।
    - 2000–3000 मीटर: ब्लू पाइन, स्प्रूस और घास के मैदान।
    - 3000–4000 मीटर: सिल्वर फर, जुनिपर, रोडोडेंड्रोन और घास के मैदान (बुग्याल) वाले अल्पाइन वन।
    - 4000 मीटर से ऊपर: हिमरेखा तक अल्पाइन टुंड्रा वनस्पति। उत्तरी ढलानों पर सूर्य के प्रकाश कम होने के कारण वनस्पति विरल रहती है।
- **दक्षिणी पर्वत (पश्चिमी घाट):**
    - पश्चिमी ढलान (कम ऊँचाई): सदाबहार वन, जो ऊँचाई पर शीतोष्ण सदाबहार वनों में बदल जाते हैं। इन्हें 'शोला' के नाम से जाना जाता है। ये नीलगिरी, अन्नामलाई और पलानी पहाड़ियों में पाये जाते हैं।
    - पूर्वी ढलान: शुष्क सदाबहार या पर्णपाती वन, जो ऊँचाई बढ़ने के साथ शीतोष्ण शोला में भी बदल जाते हैं। हिमालय के विपरीत, इन क्षेत्रों में कम ऊँचाई के कारण अल्पाइन टुंड्रा वनस्पति का अभाव है।

भारत में लगभग 7,13,789 वर्ग किलोमीटर वन क्षेत्र है तथा यह देश के भौगोलिक क्षेत्र का 21.71 प्रतिशत है। 2019 और 2021 (नवीनतम भारत वन स्थिति रिपोर्ट) के बीच वन क्षेत्र में 1,540 वर्ग किलोमीटर की वृद्धि हुई है।

भारत का कुल हरित आवरण (वन आवरण + वृक्ष आवरण) 24.56 प्रतिशत है।

सबसे अधिक सघन वन क्षेत्र वाले राज्य मिजोरम (84.53 प्रतिशत), अरुणाचल प्रदेश (79.33 प्रतिशत), मेघालय (76 प्रतिशत) तथा मणिपुर (74.34 प्रतिशत) हैं। 75 प्रतिशत से अधिक वन क्षेत्र वाले राज्य मिजोरम, लक्षद्वीप, अंडमान एवं निकोबार द्वीप समूह, अरुणाचल प्रदेश, मेघालय हैं।

वन क्षेत्र में कमी का मुख्य कारण स्थानान्तरित कृषि, चक्रीय कटाई, जैविक दबाव, विकासात्मक गतिविधियों के लिए वन भूमि का उपयोग, वन क्षेत्र का जलमग्न होना, कृषि विस्तार और प्राकृतिक आपदाएं हैं।

त्वरित पुनरावलोकन (Quick Revision)

वन के प्रकार

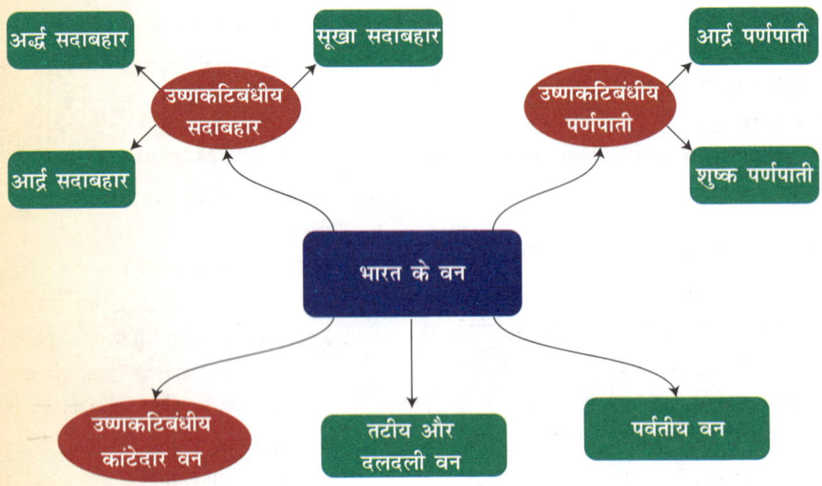

आर्द्र सदाबहार	अर्द्ध सदाबहार	आर्द्र पर्णपाती	शुष्क पर्णपाती	कांटेदार

→ **घटती हुई वर्षा**

एफएओ की नवीनतम रिपोर्ट, स्टेट ऑफ द वर्ल्ड्स फॉरेस्ट्स (22 जुलाई, 2024 को जारी) के अनुसार, भारत ने 2010 से 2020 के बीच हर वर्ष 2,66,000 हेक्टेयर वन क्षेत्र बढ़ाया है। इस प्रकार, चीन और ऑस्ट्रेलिया के बाद भारत विश्व भर में तीसरे स्थान पर है, जो इस अवधि के दौरान सबसे अधिक वन लाभ वाले शीर्ष 10 देशों में से एक है। एफएओ ने कृषि वानिकी में भारत की पहल एवं वन विस्तार के लिए बंजर भूमि को बहाल करने के प्रयासों की सराहना की है।

सामाजिक एवं कृषि-वानिकी (Social and Farm-Forestry)

सामाजिक वानिकी, विशेष रूप से ग्रामीण क्षेत्रों में स्थानीय समुदायों को वन प्रबंधन में शामिल करके लाभ पहुँचाते हुए वृक्ष आवरण को बढ़ाने वाली भूमि प्रबंधन की एक रणनीति है। इसका प्राथमिक लक्ष्य ऐसे पेड़ लगाना है, जो इन समुदायों की पर्यावरणीय एवं सामाजिक-आर्थिक दोनों ही आवश्यकताओं को पूरा करते हों। इस शब्द को पहली बार भारत में राष्ट्रीय कृषि आयोग द्वारा वर्ष 1976 में प्रस्तुत किया गया था।

सामाजिक वानिकी के प्रकार (Types of Social Forestry)

- **सामुदायिक वानिकी (Community Forestry):** समुदाय बंजर भूमि या परती भूमि का प्रबंधन करते हैं, ईंधन एवं चारे जैसे संसाधनों से लाभ उठाते हैं तथा साथ ही संवहनीय वन प्रबंधन सीखते हैं। इसका एक उदाहरण भारत का संयुक्त वन प्रबंधन (जेएफएम) कार्यक्रम है।
- **शहरी वानिकी (Urban Forestry):** पार्क एवं सड़कों जैसे शहरी क्षेत्रों के किनारे पेड़ लगाने, हवा की गुणवत्ता तथा सौंदर्य में सुधार करने पर ध्यान केंद्रित करता है। घने शहरी जंगलों की मियावाकी पद्धति भारत में लोकप्रिय हो रही है।
- **विस्तार वानिकी (Extension Forestry):** यह ग्रामीण समुदायों को वानिकी के लाभों के बारे में शिक्षित करता है तथा पेड़ लगाने के लिए तकनीकी सहायता प्रदान करता है। इसमें संवहनीय कार्यप्रणालियों पर कार्यशालाएँ भी शामिल हैं।
- **कृषि वानिकी (Agroforestry):** इसमें एक ही भूमि पर पेड़ों एवं फसलों को साथ-साथ उगाया जाता है। नाइट्रोजन निर्धारण के माध्यम से मृदा की उर्वरता में सुधार किया जाता है तथा हवा से सुरक्षा प्रदान की जाती है। उदाहरण: सेसबानिया जैसे नाइट्रोजन-फिक्सिंग पेड़ों का उपयोग करना।

लाभ (Advantages)

- **पर्यावरणीय (Environmental):** इससे वृक्षों का आवरण बढ़ता है, जलवायु परिवर्तन से निपटने में मदद मिलती है, तथा पर्यावास प्रदान करके जैव विविधता की रक्षा होती है। यह मृदा संरक्षण एवं संधारणीय कृषि में भी सहायता करता है।
- **सामाजिक (Social):** ग्रामीण क्षेत्रों में रोजगार सृजित करता है, वन उत्पाद प्रदान करता है तथा वन प्रबंधन में भागीदारी के माध्यम से समुदायों को सशक्त बनाता है।
- **आर्थिक (Economic):** लकड़ी, फलों एवं शहद तथा औषधीय पौधों जैसे गैर-लकड़ी वन उत्पादों (एनटीएफपी) की बिक्री के माध्यम से ग्रामीण समुदायों के लिए आय सृजित करता है।

कृषि वानिकी गतिविधि के लिए उपयोग की जाने वाली भूमि के संबंध में सामाजिक वानिकी से भिन्न है। कृषि वानिकी को सामुदायिक/सरकारी भूमि के बजाय, निजी भूमि पर बढ़ावा दिया जाता है। यह किसानों को अपने खेतों पर पेड़ लगाने के लिए प्रोत्साहित करती है, जो वाणिज्यिक मूल्य, हवा से सुरक्षा प्रदान कर सकते हैं तथा मृदा के कटाव को कम कर सकते हैं।

भारत की मृदा (SOILS OF INDIA)

भारतीय कृषि अनुसंधान परिषद (आईसीएआर) भारतीय मृदा को आठ प्राथमिक प्रकारों में वर्गीकृत करता है (चित्र 12.26):

जलोढ़ मृदा (Alluvial Soil)

- यह सबसे व्यापक मृदा है, जिसके अंतर्गत भारत की भूमि के 40 प्रतिशत से अधिक भाग आते हैं।
- उत्तरी मैदानों एवं तटीय मैदानों में पायी जाती है।
- प्रकार: भांगर या बांगर (पुरानी, कम उपजाऊ) तथा खादर (नई, अधिक उपजाऊ)।
- पोटाश एवं चूने से भरपूर होती है, लेकिन नाइट्रोजन, फास्फोरस और ह्यूमस की मात्रा कम होती है।
- गन्ना, धान, गेहूं और दालों जैसी फसलों के लिए आदर्श है।

काली मृदा (रेगुर) (Black Soil (Regur))

- भारत में यह तीसरी सबसे सामान्य मृदा है, जो भारत के डेकन ट्रैप से जुड़ी बेसाल्टिक चट्टानों के टूटने के कारण बनती है।
- महाराष्ट्र, सौराष्ट्र, मध्य प्रदेश, छत्तीसगढ़ के आदिवासियों तथा गोदावरी-कृष्णा घाटियों के साथ पायी जाती है।
- इसमें मैग्नीशियम, पोटाश, लोहा, स्टोन और एल्युमिना की गुणवत्ता पायी जाती है।
- इसमें नाइट्रोजन, फॉस्फोरिक एसिड तथा कार्बनिक पदार्थों की कमी होती है।
- नमी को अच्छी तरह से बनाए रखती है, जो इसे कपास, गन्ना और दालों जैसी वर्षा आधारित फसलों के लिए आदर्श मृदा बनाती है।
- यह अपनी स्वयं जुताई करने की क्षमता के लिए प्रसिद्ध है। गर्मियों के दौरान, मृदा में नमी कम होने के कारण, मृदा में दरारें विकसित हो जाती हैं। ये दरारें मृदा के वातन में मदद करती हैं।

लाल एवं पीली मृदा (Red and Yellow Soil)

- यह आग्नेय चट्टानों से प्राप्त होती है। इसमें लोहे की मात्रा भरपूर होती है, जिसके कारण इस मृदा रंग लाल होता है।
- मृदा में मौजूद लोहे के हाइड्रेट होने पर यह पीली हो जाती है।
- लाल मृदा डेक्कन के पठार के कम वर्षा वाले क्षेत्रों तथा पश्चिमी घाट के पाइडमोंट क्षेत्र में पायी जाती है। पीली मृदा ओडिशा और छत्तीसगढ़ के कुछ हिस्सों में पायी जाती है।

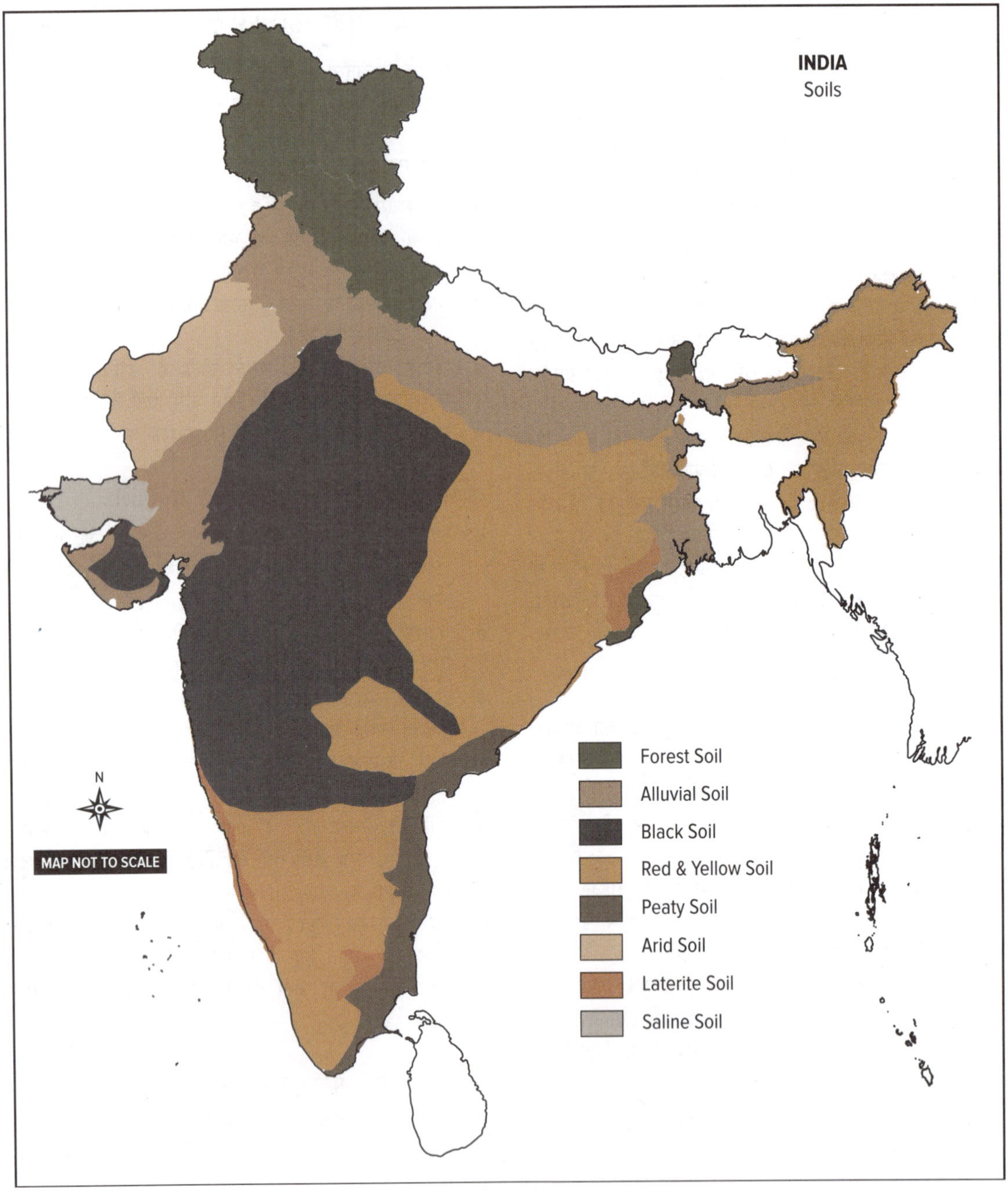
INDIA
Soils
Forest Soil
Alluvial Soil
Black Soil
Red & Yellow Soil
Peaty Soil
Arid Soil
Laterite Soil
Saline Soil
N
MAP NOT TO SCALE

चित्र 12.26
मृदा

- इन मृदा में प्रचुर मात्रा में लोहा होता है और नाइट्रोजन, फॉस्फोरस तथा ह्यूमस की कमी होती है।
- यदि मृदा बारीक हो, तो उपजाऊ होती है, जो गेहूं, कपास, दालों और तिलहन जैसी फसलों के लिए सहायक होती है।

लैटेराइट मृदा (Laterite Soil)

- आर्द्र किनारों पर, लाल मृदा खराब उर्वरता वाली अम्लीय मृदा में बदल जाती है।
- दक्षिणी भारत, पश्चिमी घाट, ओडिशा, पश्चिम बंगाल और पूर्वोत्तर में पायी जाती है।
- इसमें आयरन ऑक्साइड और पोटाश से भरपूर होता है, लेकिन नाइट्रोजन, फॉस्फेट तथा कैल्शियम की मात्रा कम होती है।
- यह चाय, कॉफी और काजू की कृषि के लिए उपयुक्त है।

शुष्क मृदा (Arid Soils)

- यह रेतीली एवं लवणता युक्त होती है तथा राजस्थान एवं थार के रेगिस्तान जैसे शुष्क क्षेत्रों में पायी जाती है।
- इसमें नमी, ह्यूमस और नाइट्रोजन की कमी होती है, लेकिन फॉस्फोरस पर्याप्त मात्रा में होता है।
- इसे सिंचाई के माध्यम से (उदाहरण के लिए, इंदिरा गांधी नहर के माध्यम से) उत्पादक बनाया जा सकता है)।
- फसलें: बाजरा, चारा, फलियाँ (ग्वार), और सिंचित गेहूँ।

लवणीय मृदा (उसारा) (Saline Soils (Usara))

- यह उच्च लवणता युक्त सामग्री (सोडियम, पोटेशियम, मैग्नीशियम) वाली बंजर मृदा है।
- यह राजस्थान, पंजाब, उत्तर प्रदेश, हरियाणा, गुजरात और महाराष्ट्र के शुष्क और अर्ध-शुष्क क्षेत्रों में पायी जाती है।
- यह नारियल और चारे जैसी लवणता प्रतिरोधी फसलों की कृषि के लिए उपयुक्त है।

पीट/दलदली मृदा (Peaty/Marshy Soils)

- यह ओडिशा, सुंदरवन, बिहार, उत्तर प्रदेश और केरल जैसे उच्च वर्षा एवं आर्द्रता वाले क्षेत्रों में पायी जाती है।
- यह ह्यूमस एवं कार्बनिक पदार्थों से भरपूर होती है, लेकिन यदि उचित जल निकासी न हो, तो यह बंजर हो सकती है।
- अगर मृदा का उचित प्रबंधन किया जाए, तो चावल जैसी फसलें पनप सकती हैं।

वन एवं पर्वतीय मृदा (Forest and Mountain Soils)

- यह हिमालय, पश्चिमी तथा पूर्वी घाट के वनों, पहाड़ी क्षेत्रों में पायी जाती है।
- इस मृदा की विशेषताएं ऊंचाई के अनुसार बदलती रहती हैं: घाटी की मृदा दोमट एवं गाद वाली होती है, जो चावल एवं गेहूं के लिए उपयुक्त होती है, जबकि ऊपरी ढलानों में मोटी मृदा होती है, जो बागवानी के लिए अच्छी होती है।

मृदा क्षरण (SOIL DEGRADATION)

मृदा क्षरण का अर्थ है- मृदा की गुणवत्ता एवं स्वास्थ्य में गिरावट आना, जिससे जीवन को सहारा देने की इसकी क्षमता प्रभावित होती है। यह क्षरण धीरे-धीरे होता है तथा इसके ऐसे अनेक कारक हैं, जो मृदा की उर्वरता एवं संरचना को क्षति पहुंचाते हैं।

मृदा क्षरण के कारण (Causes of Soil Degradation)

1. मृदा क्षरण (Soil Erosion)

हवा एवं पानी ऊपरी मृदा को नष्ट कर देते हैं, जो पौधों की वृद्धि के लिए महत्वपूर्ण पोषक तत्वों से भरपूर परत है।

- वनों की कटाई (Deforestation): पेड़ों को काटने से मृदा का क्षरण होता है।
- अस्थायी कृषि पद्धतियाँ (Unsustainable farming practices): खेतों को जोतने तथा उन्हें खाली छोड़ने से मृदा क्षरण का जोखिम बढ़ जाता है।
- अत्यधिक चराई (Overgrazing): पशुओं के चरने से वनस्पति नष्ट हो जाती है तथा मृदा सघन हो जाती है।

2. रासायनिक क्षरण (Chemical Degradation)

- उर्वरकों एवं कीटनाशकों के अत्यधिक उपयोग से मृदा का पोषक तत्व संतुलन और जैव विविधता बाधित होती है।
- अनुचित उपयोग से लवणीकरण हो सकता है, जहाँ लवणता के निर्माण से मृदा बंजर हो सकती है।
- खराब सिंचाई तकनीक भी मृदा की अम्लता को बढ़ा सकती है।

3. भौतिक क्षरण (Physical Degradation)

- खनन, निर्माण, अत्यधिक सिंचाई और भारी मशीनरी के उपयोग के कारण जल-जमाव जैसी गतिविधियाँ मृदा की संरचना को क्षति पहुँचा सकती हैं तथा इसकी उर्वरता को कम कर सकती हैं।

मृदा के क्षरण की रोकथाम (Prevention of Soil Degradation)

- **संवहनीय भूमि प्रबंधन (Sustainable Land Management):** फसल चक्र, कवर क्रॉपिंग और नो-टिल कृषि जैसी प्रथाएँ मृदा के स्वास्थ्य को बनाए रखने और कटाव को रोकने में मदद करती हैं।
- **वनीकरण/पुनर्वनीकरण (Afforestation/Reforestation):** पेड़ लगाना तथा वनों को बनाये रखना, ये दोनों मृदा को हवा के कटाव से बचाता है और उसमें कार्बनिक पदार्थ की वृद्धि होती है।
- **टेरेसिंग/कंटूर बंडिंग (Terracing/Contour Bunding):** ढलानों पर टेरेस बनाने से पानी का प्रवाह धीमा हो जाता है, जिससे पहाड़ियों पर कटाव कम होता है।
- **परिरक्षित जुताई (Conservation Tillage):** जुताई कम करने से मृदा की नमी एवं कार्बनिक पदार्थों को बनाए रखने में मदद मिलती है।
- **मिश्रित खाद एवं गोबर खाद का उपयोग (Composting and Manure Use):** कार्बनिक पदार्थ मिलाने से उर्वरता एवं जल प्रतिधारण क्षमता में सुधार होता है।
- **परिशुद्ध कृषि (Precision Agriculture):** प्रौद्योगिकी के माध्यम से पानी एवं उर्वरकों का कुशल उपयोग अपव्यय तथा पर्यावरणीय प्रभाव को कम करता है।

भारत में मृदा क्षरण के प्रभाव (Impacts of Soil Degradation in India)

- **कृषि उत्पादकता में कमी (Reduced Agricultural Productivity):** ऊपरी मृदा के क्षरण से फसल की पैदावार कम हो जाती है, जिससे खाद्य सुरक्षा को खतरा होता है। उदाहरण के लिए, पंजाब में रासायनिक उर्वरकों के अत्यधिक उपयोग से मृदा की उर्वरता कम हो गयी है, जिससे गेहूं का उत्पादन कम हुआ है।
- **पानी की कमी (Water Scarcity):** खराब मृदा में पानी कम रहता है, जिससे सूखे की स्थिति और बदतर हो जाती है। महाराष्ट्र में मृदा क्षरण ने पानी की कमी को और भी बढ़ा दिया है, जिससे कृषि करना मुश्किल हो गया है।
- **जैव विविधता की हानि (Loss of Biodiversity):** मृदा का क्षरण पारिस्थितिकी तंत्र को बाधित करता है, जिससे जैव विविधता को हानि पहुँचती है। उदाहरण के लिए, पश्चिमी घाट का संकटग्रस्त ब्लाइंड स्किंक जीवित रहने के लिए स्वस्थ मृदा पर निर्भर है।
- **आजीविका की क्षति (Livelihood Loss):** मृदा की उर्वरता में गिरावट से किसानों की आजीविका खतरे में आ जाती है। राजस्थान में अत्यधिक चराई एवं वनों की कटाई के कारण चरवाहा समुदाय बेहतर चरागाह भूमि की तलाश में पलायन करने के लिए मजबूर है।
- **मरुस्थलीकरण (Desertification):** मृदा का क्षरण, कम वर्षा के साथ मिलकर राजस्थान एवं गुजरात जैसे क्षेत्रों में मरुस्थलीकरण को बढ़ावा देता है, जिससे भूमि की उत्पादकता कम हो जाती है।
- **सार्वजनिक स्वास्थ्य संबंधी मुद्दे (Public Health Issues):** खराब मृदा प्रदूषकों को छानने में कम प्रभावी होती है, जिससे दूषित जल स्रोत एवं स्वास्थ्य जोखिम बढ़ जाते हैं। खराब भूमि से धूल के तूफान भी श्वसन संबंधी समस्याओं को बढ़ा सकते हैं।

भारत में प्राकृतिक आपदाएँ (NATURAL DISASTERS IN INDIA)

सूखा (Droughts)

सूखा, शुष्क मौसम की दीर्घावधि होता है। भारतीय मौसम विभाग के अनुसार, सूखे की स्थिति तब होती है, जब कम-से-कम 22 दिनों तक लगातार 0.25 सेमी. से कम वर्षा हो। यद्यपि, यह परिभाषा भारत में हर जगह लागू नहीं होती है। मावसिनराम एवं चेरापूंजी जैसी जगहों पर 0.25 मिमी से कम वर्षा वाला एक सप्ताह भी सूखा माना जा सकता है।

भारत में सूखे को प्राय: विशेषत: वर्ष 1982, 1998, 2009, 2016-18 आदि जैसे अल-नीनो वर्षों के दौरान मानसून की विफलता से जोड़ा जाता है। सूखे के दौरान, वनस्पति, फसलें तथा सतही एवं भूमिगत जल आपूर्ति प्रभावित होती है। कृषि सूखा की स्थिति तब होती है, जब लगातार चार सप्ताह तक सामान्य वर्षा का आधा या उससे भी कम वर्षा हो अथवा खरीफ फसल के मौसम (मध्य मई से मध्य अक्तूबर) के दौरान 5 सेमी. या उससे कम साप्ताहिक वर्षा हो। भारत में लगभग हर पाँच साल में एक बार सूखा पड़ता है, जबकि पश्चिमी राजस्थान में हर पाँच साल में दो बार सूखा पड़ता है।

सूखा-प्रवण क्षेत्र (Drought-Prone Areas)

- **राजस्थान के शुष्क एवं अर्ध-शुष्क क्षेत्र (Arid and Semi&arid Areas of Rajasthan):** थार रेगिस्तान, गुजरात, हरियाणा, पंजाब और उत्तर प्रदेश के कुछ भागों सहित यह क्षेत्र सूखे से ग्रस्त है। यहाँ 20 से 60 प्रतिशत

की परिवर्तनशीलता के साथ 15 से 75 सेमी. वार्षिक वर्षा होती है।

- **अन्य सूखा-ग्रस्त क्षेत्र (Other Drought&Prone Areas):** ओडिशा, पश्चिम बंगाल, झारखंड, छत्तीसगढ़, मध्य प्रदेश, उत्तर प्रदेश, लद्दाख, जम्मू एवं कश्मीर तथा तमिलनाडु के अलग-अलग क्षेत्र भी प्रायः सूखे से प्रभावित रहते हैं।

मानकीकृत वर्षा सूचकांक

मानकीकृत वर्षा सूचकांक (एसपीआई) सूखे की निगरानी के लिए एक व्यापक रूप से स्वीकृत तथा महत्वपूर्ण माध्यम है। इस सूचकांक में सूखे की स्थिति के लिए नकारात्मक मान एवं आर्द्र स्थितियों के लिए सकारात्मक मान होते हैं। अधिक गंभीर स्थिति होने पर ये नकारात्मक या सकारात्मक मान बहुत अधिक होते हैं। भारत सरकार के कृषि मंत्रालय ने अपने नवीनतम सूखा नियमावली में किसी भी क्षेत्र को सूखा प्रभावित घोषित करने के लिए एसपीआई को एक अनिवार्य संकेतक के रूप में मान्यता प्रदान की है। एसपीआई मानचित्र साप्ताहिक एवं मासिक रूप से तैयार किये जाते हैं, ताकि अत्यधिक, गंभीर या मध्यम शुष्क या आर्द्र स्थितियों का अनुभव करने वाले या उनमें से निकलने वाले क्षेत्रों की पहचान की जा सके।

भारत में बाढ़ (Flooding in India)

बाढ़ प्राकृतिक या मानव-प्रेरित ऐसी घटनाएँ होती हैं, जो पानी के अपनी सामान्य सीमाओं से बाहर निकलने पर घटित होती हैं। इसमें भूमि जलमग्न हो जाती है। यह अत्यधिक वर्षा, नदियों या झीलों के उफान, तटीय तूफान या बांधों के टूटने के कारण आ सकती है। बाढ़ से संपत्ति, आधारभूत संरचनाएँ और पारिस्थितिकी तंत्र को काफी क्षति हो सकती है तथा इससे जान-माल की भी क्षति हो सकती है। भारत के अधिकतर भागों में बाढ़ आने की संभावना रहती है।

पूर्वोत्तर भारत (Northeastern India)

- **असम (Assam):** ब्रह्मपुत्र नदी एवं उसकी सहायक नदियाँ प्रायः उफान पर रहती हैं, जिससे असम के मैदानी क्षेत्रों में व्यापक बाढ़ आती है। हर साल मानसून में आने वाली बाढ़ से जनजीवन अस्त-व्यस्त हो जाता है और कृषि तथा आधारभूत संरचनाओं को क्षति पहुँचती है।
- **मेघालय (Meghalaya):** भारी बारिश, विशेष रूप से चेरापूंजी एवं मावसिनराम में बाढ़ और भूस्खलन का कारण बनती है।

पूर्वी भारत (Eastern India)

- **बिहार (Bihar):** राज्य में गंगा, कोसी, गंडक और बागमती जैसी नदियों के उफान के कारण प्रायः बाढ़ आती है।
- **पश्चिम बंगाल (West Bengal):** कोलकाता समेत गंगा के डेल्टाई क्षेत्र में भारी वर्षा तथा नदी के उफान से बाढ़ आती है। सुंदरवन में ज्वारीय बाढ़ का खतरा रहता है।
- **ओडिशा (Odisha):** महानदी नदी एवं उसकी सहायक नदियाँ विशेष रूप से तटीय एवं डेल्टा क्षेत्रों में महत्वपूर्ण बाढ़ का कारण बन सकती हैं। तूफान से आने वाली लहरें इस स्थिति को और बदतर कर देती हैं।

उत्तरी भारत (Northern India)

- **उत्तर प्रदेश (Uttar Pradesh):** गंगा, घाघरा और राप्ती जैसी नदियों के उफान पर होने के कारण मुख्य रूप से पूर्वी भागों में बाढ़ आती है। बाढ़ के मैदानी क्षेत्र विशेष रूप से संवेदनशील होते हैं।
- **हरियाणा एवं पंजाब (Haryana and Punjab):** यद्यपि यहां बाढ़ कम आती है, लेकिन भारी वर्षा एवं नदी के उफान पर होने के कारण बाढ़ आ सकती है, जिससे कृषि क्षेत्र और बस्तियाँ प्रभावित होती हैं।

पश्चिमी भारत (Western India)

- **गुजरात (Gujarat):** साबरमती एवं नर्मदा इस राज्य की ऐसी नदी प्रणालियाँ, जो भारी वर्षा के साथ बाढ़ का कारण बन सकती हैं। शहरी एवं ग्रामीण दोनों ही क्षेत्र बाढ़ प्रभावित होते हैं।
- **महाराष्ट्र (Maharashtra):** मुंबई तथा अन्य तटीय क्षेत्रों के साथ-साथ नदी के किनारे के क्षेत्रों में भारी वर्षा एवं अपर्याप्त जल निकासी के कारण बाढ़ आ जाती है। कोंकण तट विशेष रूप से असुरक्षित है।

मध्य भारत (Central India)

- **मध्य प्रदेश (Madhya Pradesh):** नर्मदा, चंबल और बेतवा जैसी नदियाँ, विशेषतः तीव्र मानसून के दौरान उफान पर आ सकती हैं, जिससे आसपास के क्षेत्रों में बाढ़ आ सकती है।
- **छत्तीसगढ़ (Chhattisgarh):** महानदी नदी बेसिन में भारी बाढ़ आ सकती है, जिससे ग्रामीण एवं शहरी दोनों ही क्षेत्र प्रभावित हो सकते हैं।

दक्षिणी भारत (Southern India)

- **केरल (Kerala):** भारी मानसूनी बारिश तथा पेरियार, पंबा एवं भरतपुझा जैसी नदियों के उफान पर आने के कारण राज्य में गंभीर बाढ़ आने का खतरा होता है। वर्ष 2018 की बाढ़ विशेष रूप से विनाशकारी थी।

- **कर्नाटक (Karnataka):** तटीय क्षेत्र एवं पश्चिमी घाट बाढ़ के प्रति संवेदनशील हैं। खराब जल निकासी व्यवस्था के कारण बेंगलुरु जैसे शहरों में शहरी बाढ़ भी चिंता का विषय है।
- **तमिलनाडु (Tamil Nadu):** पूर्वोत्तर मानसून के कारण, विशेषत: तटीय एवं डेल्टा क्षेत्रों में बाढ़ आ सकती है, जैसा कि वर्ष 2015 में चेन्नई में आई बाढ़ में देखा गया था।

हिमालय की तलहटी एवं उत्तरी पहाड़ियाँ (Himalayan Foothills and Northern Mountains)

- **उत्तराखंड (Uttarakhand):** भारी मानसूनी वर्षा से हिमालयी क्षेत्र में अचानक बाढ़ एवं भूस्खलन हो सकता है। वर्ष 2013 की केदारनाथ आपदा इसका एक उल्लेखनीय उदाहरण है। यहां बादल फटना भी सामान्य बात है।
- **हिमाचल प्रदेश (Himachal Pradesh):** उत्तराखंड की तरह ही यहां भी भारी वर्षा से अचानक बाढ़ एवं भूस्खलन हो सकता है, जिसका असर ग्रामीण एवं पर्यटन क्षेत्रों पर पड़ता है।

शहरी बाढ़ (Urban Flooding)

जब भारी वर्षा शहर की जल निकासी प्रणाली को प्रभावित करती है, तो शहरी बाढ़ आती है। इसमें सड़कों, घरों तथा आधारभूत संरचना पर पानी का जमाव हो जाता है। ग्रामीण बाढ़ के विपरीत, शहरी बाढ़ मुख्य रूप से कंक्रीट एवं डामर जैसी अभेद्य सतहों की अधिकता के कारण आती है, जो पानी को जमीन में सोखने से रोकती हैं।

शहरी बाढ़ के कारण (Causes of Urban Flooding)

- **भारी वर्षा (Heavy Rainfall):** लंबे समय तक तेज वर्षा होने से शहरी जल निकासी प्रणालियों की क्षमता कमजोर पड़ जाती है।
- **खराब जल निकासी (Poor Drainage):** अपर्याप्त, खराब रख-रखाव वाली जल निकासी आधारभूत संरचना पानी की रुकावट तथा पानी के कम प्रवाह का कारण बन सकती है।
- **अनियोजित शहरीकरण (Unplanned Urbanisation):** शहर की तेजी और अनियोजित वृद्धि के कारण भूमि की मात्रा कम हो जाती है, जिससे वर्षा जल अवशोषित नहीं हो पाता है और बहने वाले जल की मात्रा बढ़ जाती है।
- **अनुचित अपशिष्ट प्रबंधन (Improper Waste Management):** कचरा नालियों को अवरुद्ध कर सकता है, जिससे समस्या और भी बदतर हो सकती है।
- **जल निकायों पर अतिक्रमण (Encroachment on Water Bodies):** झीलों, आर्द्रभूमियों और नदियों पर निर्माण प्राकृतिक जल निकासी को बाधित करता है।
- **जलवायु परिवर्तन (Climate Change):** जलवायु परिवर्तन के कारण भारी वर्षा जैसी अधिक लगातार तथा तीव्र चरम मौसमी परिघटनाएँ शहरी बाढ़ को बढ़ा सकती हैं।
- **वनों की कटाई (Deforestation):** शहरों एवं उसके आस-पास के क्षेत्रों में कम पेड़ होने से वर्षा जल का कम प्राकृतिक अवशोषण हो पाता है। इस कारण भी बहने वाले जल की मात्रा में वृद्धि होती है।

शहरी बाढ़ को रोकना (Preventing Urban Flooding)

- **बेहतर जल निकासी (Improved Drainage):** भारी वर्षा से निपटने के लिए शहरी जल निकासी प्रणालियों को उन्नत करना और उनका समुचित रखरखाव करना।
- **वर्षा जल संचयन (Rainwater Harvesting):** अपवाह को कम करने और भूजल को रिचार्ज करने के लिए वर्षा जल संगृहीत करना।
- **हरित अवसंरचना (Green Infrastructure):** जल के अवशोषण को बढ़ाने के लिए पार्कों, हरी छतों और पारगम्य फुटपाथ का निर्माण करना।
- **जल निकायों को पुनर्बहाल करना (Restoring Water Bodies):** बाढ़ के पानी को अवशोषित करने की उनकी क्षमता में सुधार करने के लिए झीलों, आर्द्रभूमियों एवं नदियों की रक्षा करना और उन्हें पुनर्बहाल करना।
- **शहरी नियोजन (Urban Planning):** यह सुनिश्चित करना कि शहर के विकास की आयोजना प्राकृतिक जल निकासी पैटर्न और बाढ़ क्षेत्रों को ध्यान में रखकर की जाए।
- **बाढ़ पूर्वानुमान (Flood Forecasting):** प्रारंभिक चेतावनी प्रदान करने के लिए उन्नत पूर्वानुमान एवं निगरानी प्रणालियों को लागू करना।
- **सार्वजनिक जागरूकता (Public Awareness):** बाढ़ के जोखिमों के बारे में निवासियों को जानकारी प्रदान करना और उन्हें बाढ़ शमन के प्रयासों में शामिल करना।

बादल फटना (Cloudbursts)

अचानक तीव्र वर्षा आने की घटना को बादल फटना कहते हैं, इसमें थोड़े से समय में एक छोटे से क्षेत्र में भारी मात्रा में वर्षा होती है। इससे प्राय: अचानक बाढ़ आ जाती है। बादल फटना को सामान्यतया एक विशिष्ट स्थान पर एक घंटे में कम-से-कम 10 सेमी वर्षा होने के रूप में परिभाषित किया गया है।

बादल फटने की घटनाएँ कैसे होती हैं? (How do Cloudbursts Form?)

1. **तेजी से ऊपर उठना (Rapid Uplift):** पहाड़ों अथवा अस्थिर मौसम की स्थितियों के कारण गर्म, नमीयुक्त हवा प्राय: तेजी से ऊपर उठती है।
2. **संघनन (Condensation):** जैसे-जैसे हवा ऊपर उठती है तथा ठंडी होती जाती है, यह पानी की बूंदों का निर्माण करती है। बादल फटने की घटनाओं में यह प्रक्रिया तेजी से होती है, जिससे घने बादल बनते हैं।
3. **अचानक बारिश (Sudden Rainfall):** भारी बादल अपनी नमी को एक साथ छोड़ देते हैं, जिससे भारी वर्षा होती है। भूमि वर्षा को जल्दी सोख नहीं पाती, जिससे अचानक बाढ़ आ जाती है। बादल में ठंडी हवा भी वर्षा की बूंदों को नीचे की ओर धकेल सकती है।

बादल फटने की परिस्थितियाँ (Conditions for Cloudbursts)

- **पहाड (Mountains):** हिमालय एवं पश्चिमी घाट जैसे क्षेत्र बादल फटने के संभावित क्षेत्र हैं, क्योंकि पहाड़ हवा को ऊपर की ओर धकेलते हैं।
- **मानसून का मौसम (Monsoon Season):** भारतीय मानसून (जून से सितंबर) के दौरान बादल फटना सामान्य बात है, जब गर्म एवं नमीयुक्त हवा पहाड़ों से टकराती है।

यद्यपि, पहाड़ों में बादल फटने की घटना अधिक सामान्य बात है, वहीं मैदानी क्षेत्रों में भी ये घटनाएं हो सकती हैं। यद्यपि, पहाड़ विशेष रूप से बादल फटने के विनाशकारी प्रभावों, जैसे अचानक बाढ़ आना तथा भूस्खलन के प्रति संवेदनशील होते हैं। हिमालय एवं पश्चिमी घाट विशेष रूप से बादल फटने के संभावित क्षेत्र हैं। जलवायु परिवर्तन के कारण बादल फटने की घटनाएं अधिक हो रही हैं, क्योंकि गर्म हवा अधिक नमी को बनाए रख सकती हैं।

बादल फटने का पुर्वानुमान लगाना मुश्किल है, क्योंकि ये छोटे पैमाने की घटनाएँ हैं। उच्च-रिजॉल्यूशन रडार या उन्नत मौसम मॉडल पूर्वानुमान को बेहतर बना सकते हैं।

भारत में चक्रवात (Cyclones in India)

भारत का उष्णकटिबंधीय स्थान तथा 11098 किलोमीटर से अधिक की इसकी विस्तृत तटरेखा इसे उष्णकटिबंधीय चक्रवातों के प्रति संवेदनशील बना देती है। अप्रैल से दिसंबर तक की अवधि चक्रवातों का चरम मौसम है, जिसमें मई-जून एवं अक्तूबर-नवंबर की अवधि में चक्रवात विशेष रूप से सक्रिय होते हैं।

अनुकूल परिस्थितियाँ (Favourable Conditions)

- **समुद्र की सतह का गर्म तापमान (Warm Sea Surface Temperatures):** इस अवधि के दौरान बंगाल की खाड़ी एवं अरब सागर की सतह का तापमान सर्वाधिक गर्म होता है, जो चक्रवात निर्माण के लिए ऊर्जा प्रदान करता है।
- **मानसूनी हवाएँ एवं नमी (Monsoon Winds and Moisture):** दक्षिण-पश्चिम मानसून अत्यधिक नमी लाता है, जो चक्रवात के निर्माण के लिए आवश्यक है।

बंगाल की खाड़ी बनाम अरब सागर (Bay of Bengal vs. Arabian Sea)

बंगाल की खाड़ी में अरब सागर की तुलना में अधिक चक्रवात आते हैं, जिनका अनुपात लगभग 4:1 है। ऐसा अनुकूल जलवायु परिस्थितियों के कारण होता है। बंगाल की खाड़ी में विस्तृत गर्म जल क्षेत्र और कम पवन कतरनी जैसी स्थितियाँ हैं।

औसत चक्रवात गतिविधि (Average Cyclone Activity)

औसतन, उत्तरी हिंद महासागर (बंगाल की खाड़ी एवं अरब सागर) में प्रतिवर्ष 5 से 6 उष्णकटिबंधीय चक्रवात बनते हैं, जिनमें से 2 से 3 गंभीर होते हैं।

जलवायु परिवर्तन का प्रभाव (Impact of Climate Change)

- **गर्म समुद्र, तेज तूफान (Warmer Seas, Stronger Storms):** जलवायु परिवर्तन के कारण गर्म समुद्री सतह का तापमान चक्रवातों को बनने, इनके तीव्र होने और बनाए रखने के लिए अधिक ऊर्जा प्रदान करता है। इससे हवा की गति बढ़ सकती है और अधिक व्यापक क्षति हो सकती है।
- **आवृत्ति में वृद्धि आवश्यक नहीं है, परंतु चक्रवातों की गहनता में वृद्धि होती है (Increased Intensity, Not Necessarily Frequency):** यद्यपि चक्रवातों की कुल संख्या में भले ही उल्लेखनीय वृद्धि नहीं हो, परंतु जलवायु परिवर्तन के कारण मौजूदा चक्रवात अत्यधिक गंभीर हो सकते हैं। तेज हवाएं, भारी वर्षा और उच्च तूफानी लहरें इसके संभावित परिणाम हैं।
- **अरब सागर पर प्रभाव (Impact on the Arabian Sea):** अरब सागर, जो ऐतिहासिक रूप से चक्रवातों के लिए कम संभावित क्षेत्र है, अधिक गर्म सतह के कारण बढ़ी हुई गतिविधियों के संकेत दे रहा है। इससे भारत के पश्चिमी तट पर अधिक संख्या में और तीव्र चक्रवात आ सकते हैं।

- **बंगाल की खाड़ी पर प्रभाव (Impact on the Bay of Bengal):** बंगाल की खाड़ी, जो पहले से ही चक्रवातों का हॉटस्पॉट है, समुद्र की सतह के बढ़ते तापमान के कारण यहां और भी अधिक शक्तिशाली चक्रवात सकते हैं। तूफानी लहरों एवं भारी वर्षा में वृद्धि से तटीय आबादी एवं अंतर्देशीय क्षेत्र और भी अधिक प्रभावित हो सकते हैं।

अनुकूलन एवं शमन (Adaptation and Mitigation)

- **अनुकूलन (Adaptation):** समुद्री दीवारें बनाना, पूर्व चेतावनी प्रणाली में सुधार करना तथा आपदा की तैयारी को बढ़ावा देना, बदलते चक्रवात परिदृश्य के अनुकूल होने के लिए महत्वपूर्ण हैं।
- **शमन (Mitigation):** ग्रीनहाउस गैस उत्सर्जन को कम करके जलवायु परिवर्तन का समाधान करना चक्रवात की तीव्रता के दीर्घकालिक शमन के लिए आवश्यक है।
- **उदाहरण (Examples):**
  - 2019: अत्यंत गंभीर चक्रवाती तूफान फानी (ओडिशा), अत्यंत गंभीर चक्रवाती तूफान वायु (गुजरात)
  - 2020: सुपर चक्रवाती तूफान अम्फान (पश्चिम बंगाल), अत्यंत गंभीर चक्रवाती तूफान निसर्ग (महाराष्ट्र)
  - 2021: अत्यंत गंभीर चक्रवाती तूफान तौक्ते (गुजरात), अत्यंत गंभीर चक्रवाती तूफान यास (ओडिशा)
  - 2023: अत्यंत गंभीर चक्रवाती तूफान मंडौस (तमिलनाडु), अत्यंत गंभीर चक्रवाती तूफान सितरंग (आंध्र प्रदेश)
  - 2024: चक्रवात असना (गुजरात)

भारत की रंग-कोडित चक्रवात चेतावनी प्रणाली (India's Colour–Coded Cyclone Warning System)

भारत सरकार लोगों को आने वाले चक्रवातों के बारे में चेतावनी देने के लिए एक रंग-कोडित (Colour–Coded) प्रणाली का उपयोग करती है:

- **चक्रवात पूर्व निगरानी (कोई रंग नहीं) (Pre–cyclone Watch (No colour)):** उत्तर हिन्द महासागर में चक्रवात विकसित होने से 72 घंटे पहले जारी किया जाता है।
- **चक्रवात चेतावनी (पीला) (Cyclone Alert (Yellow)):** तटीय क्षेत्रों में प्रतिकूल मौसम की आशंका से कम-से-कम 48 घंटे पहले जारी किया जाता है। इसमें तूफान के स्थान, तीव्रता, दिशा और संभावित प्रभाव के बारे में जानकारी शामिल होती है।
- **चक्रवात चेतावनी (नारंगी) (Cyclone Warning (Orange)):**: प्रतिकूल मौसम की आशंका से कम-से-कम 24 घंटे पहले जारी की जाती है। इसमें भूमि पर टकराने के बिन्दु (लैंडफॉल पॉइंट) का पूर्वानुमान शामिल होता है।
- **भूमि पर टकराने (लैंडफॉल) के बाद का पूर्वानुमान (लाल) (Post Landfall Outlook (Red)):** भूमि पर टकराने से कम-से-कम 12 घंटे पहले जारी किया जाता है। भूमि पर टकराने के बाद चक्रवात की संभावित गति एवं अंतर्देशीय क्षेत्रों में अपेक्षित प्रतिकूल मौसम के बारे में जानकारी प्रदान करता है।

उत्तरी हिंद महासागर में चक्रवातों का नामकरण (Naming Cyclones in the North Indian Ocean)

विश्व मौसम विज्ञान संगठन/एशिया एवं प्रशांत क्षेत्र के लिए आर्थिक एवं सामाजिक आयोग (WMO/ESCAP) उष्णकटिबंधीय चक्रवातों संबंधी पैनल बंगाल की खाड़ी और अरब सागर में बनने वाले चक्रवातों का नामकरण करता है। यह पद्धति सितंबर, 2004 में शुरू हुई थी।

भाग लेने वाले देश (Participating Countries)

नामकरण प्रक्रिया में तेरह देश शामिल हैं: बांग्लादेश, भारत, ईरान, पाकिस्तान, ओमान, मालदीव, म्यांमार, श्रीलंका, थाईलैंड, संयुक्त अरब अमीरात, यमन, कतर और संऊदी अरब।

नामकरण प्रक्रिया (Naming Process)

- **पूर्वनिर्धारित सूची (Predefined List):** नाम पूर्वनिर्धारित सूची से चुने जाते हैं।
- **देश का योगदान (Country Contributions):** प्रत्येक देश सूची में 13 नाम प्रदान करता है।
- **आरएसएमसी, नई दिल्ली उष्णकटिबंधीय चक्रवात केंद्र (RSMC New Delhi Tropical Cyclone Centre):** आरएसएमसी, नई दिल्ली उष्णकटिबंधीय चक्रवात केंद्र, उन तूफानों को नाम देता है जो एक निर्दिष्ट तीव्रता तक पहुँचते हैं।
- **अद्वितीय नाम (Unique Names):** भ्रम से बचने के लिए नाम नये होने चाहिए तथा वैश्विक स्तर पर कहीं और इनका प्रयोग नहीं किया हुआ होना चाहिए।
- **निवृत्त नाम (Retired Names):** एक बार नाम का उपयोग हो जाने के बाद, इसे भविष्य के तूफानों के नामों की सूची से हटा दिया जाता है।
- **दक्षिण चीन सागर से आने वाले चक्रवात (Cyclones from the South China Sea):** यदि कोई चक्रवात

दक्षिण चीन सागर से उत्पन्न होकर बंगाल की खाड़ी में प्रवेश करता है, तो उसका मूल नाम बरकरार रखा जाता है।

भूकंप (Earthquakes)

भूकंप पृथ्वी की सतह पर अचानक विध्वंसक कंपन है, जो पृथ्वी की भू-पर्पटी के नीचे चट्टानों में संग्रहीत ऊर्जा के निकलने के कारण होता है। जब टेक्टोनिक प्लेट्स, पृथ्वी की सबसे बाहरी परत के बड़े भाग परस्पर खिसकते या रगड़ते हैं, तो यह ऊर्जा निकलती है।

भारत में भूकंप की संभावना (India's Vulnerability)

भारत भारतीय एवं यूरेशियन टेक्टोनिक प्लेटों के टकराव क्षेत्र में स्थित होने के कारण भूकंप के प्रति अधिक संवेदनशील क्षेत्र है। हिमालयी क्षेत्र, विशेष रूप से जम्मू एवं कश्मीर, हिमाचल प्रदेश, उत्तराखंड और पूर्वोत्तर भारत के कुछ भाग अत्यधिक भूकंपीय क्षेत्र हैं। अन्य भूकंप-प्रवण क्षेत्रों में गुजरात, महाराष्ट्र और अंडमान एवं निकोबार द्वीप समूह शामिल हैं।

वर्ष 2002 में भारतीय मानक ब्यूरो ने भारत को चार भूकंप क्षेत्रों में विभाजित किया, जिसमें जोन V सबसे अधिक संवेदनशील था, और जोन II सबसे कम। भारत का 59 प्रतिशत भूभाग भूकंप के प्रति संवेदनशील है। देश का लगभग 11 प्रतिशत भाग सबसे सक्रिय भूकंपीय क्षेत्र, यानी जोन V में आता है, जबकि 18 प्रतिशत और 30 प्रतिशत क्षेत्र क्रमशः जोन IV और जोन III में आते हैं। (चित्र 12.27)।

सुनामी (Tsunamis)

सुनामी पानी की एक बड़ी मात्रा के अचानक विस्थापन के कारण उठने वाली विशाल लहरें हैं, जो प्रायः पानी के नीचे भूकंप, ज्वालामुखी विस्फोट या भूस्खलन के कारण उत्पन्न होती हैं। सुनामी समुद्र में अविश्वसनीय गति से यात्रा कर सकती है, जिससे तटीय क्षेत्रों में पहुँचने पर व्यापक विनाश होता है।

भारत में संभावना (India's Vulnerability)

भारत की लंबी तटरेखा, विशेष रूप से बंगाल की खाड़ी और अरब सागर के साथ इसे सुनामी के लिए असुरक्षित बनाती है। हिंद महासागर क्षेत्र में बड़े भूकंपों का इतिहास रहा है, जो सुनामी उत्पन्न कर सकते हैं। वर्ष 2004 के हिंद महासागर भूकंप एवं सुनामी, जिसने भारत सहित अनेक देशों में व्यापक तबाही मचाई, इसने इस तरह की घटनाओं के लिए देश की संवेदनशीलता को उजागर किया है।

भूस्खलन (Landslides)

भारत में भूस्खलन, विशेषकर पहाड़ी क्षेत्रों तथा भारी वर्षा वाले क्षेत्रों में एक सामान्य घटना है। भारत में भूस्खलन के बारे में कुछ मुख्य विवरण इस प्रकार हैं:

भूस्खलन के प्रकार (Types of Landslides)

- **मलबे का प्रवाह (Debris flows):** मृदा, चट्टानों तथा अन्य मलबे का तेजी से बहता हुआ प्रवाह।
- **चट्टान का गिरना (Rockfalls):** चट्टान के टुकड़ों का अचानक अलग होना और गिरना।
- **स्लाइड (Slides):** सतह पर चट्टान या मृदा के द्रव्यमान का नीचे की ओर खिसकना।
- **रेंगना (Creep):** ढलान से नीचे मृदा या चट्टान का धीमा, निरंतर बहाव।

भूस्खलन के कारण (Causes of Landslides)

- **भारी वर्षा (Heavy Rainfall):** तीव्र वर्षा से भूमि में नमी आ जाती है, जिससे इसकी स्थिरता कम हो जाती है तथा भूस्खलन का जोखिम बढ़ जाता है।
- **भूकंप (Earthquakes):** भूकंप से चट्टानें एवं मृदा खिसक सकती हैं, जिससे भूस्खलन हो सकता है।
- **वनों की कटाई (Deforestation):** पेड़ों एवं वनस्पतियों को साफ करने से ढलान अस्थिर हो सकते हैं। इस कारण ये क्षेत्र भूस्खलन के प्रति अधिक संवेदनशील हो सकते हैं।
- **मानव गतिविधियाँ (Human Activities):** निर्माण, खनन एवं अन्य मानवीय गतिविधियाँ ढलानों को कमजोर कर सकती हैं तथा भूस्खलन के जोखिम को बढ़ा सकती हैं।

भूस्खलन की आशंका वाले क्षेत्र (Regions Prone to Landslides)

- **हिमालयी क्षेत्र (Himalayan Region):** हिमालय, अपनी खड़ी ढलानों एवं भारी वर्षा के कारण भूस्खलन के प्रति विशेष रूप से संवेदनशील है। उत्तराखंड, हिमाचल प्रदेश और जम्मू एवं कश्मीर जैसे राज्य प्रभावित होते रहते हैं।
- **पश्चिमी घाट (Western Ghats):** भारत के पश्चिमी तट के साथ एक पर्वत शृंखला, पश्चिमी घाट भी अपनी खड़ी ढलानों एवं मानसून की वर्षा के कारण भूस्खलन के प्रति संवेदनशील हैं।
- **पूर्वोत्तर भारत (Northeast India):** असम, मेघालय तथा अरुणाचल प्रदेश जैसे राज्य अपने पहाड़ी क्षेत्रों और भारी वर्षा के कारण भूस्खलन के प्रति अतिसंवेदनशील क्षेत्र हैं।

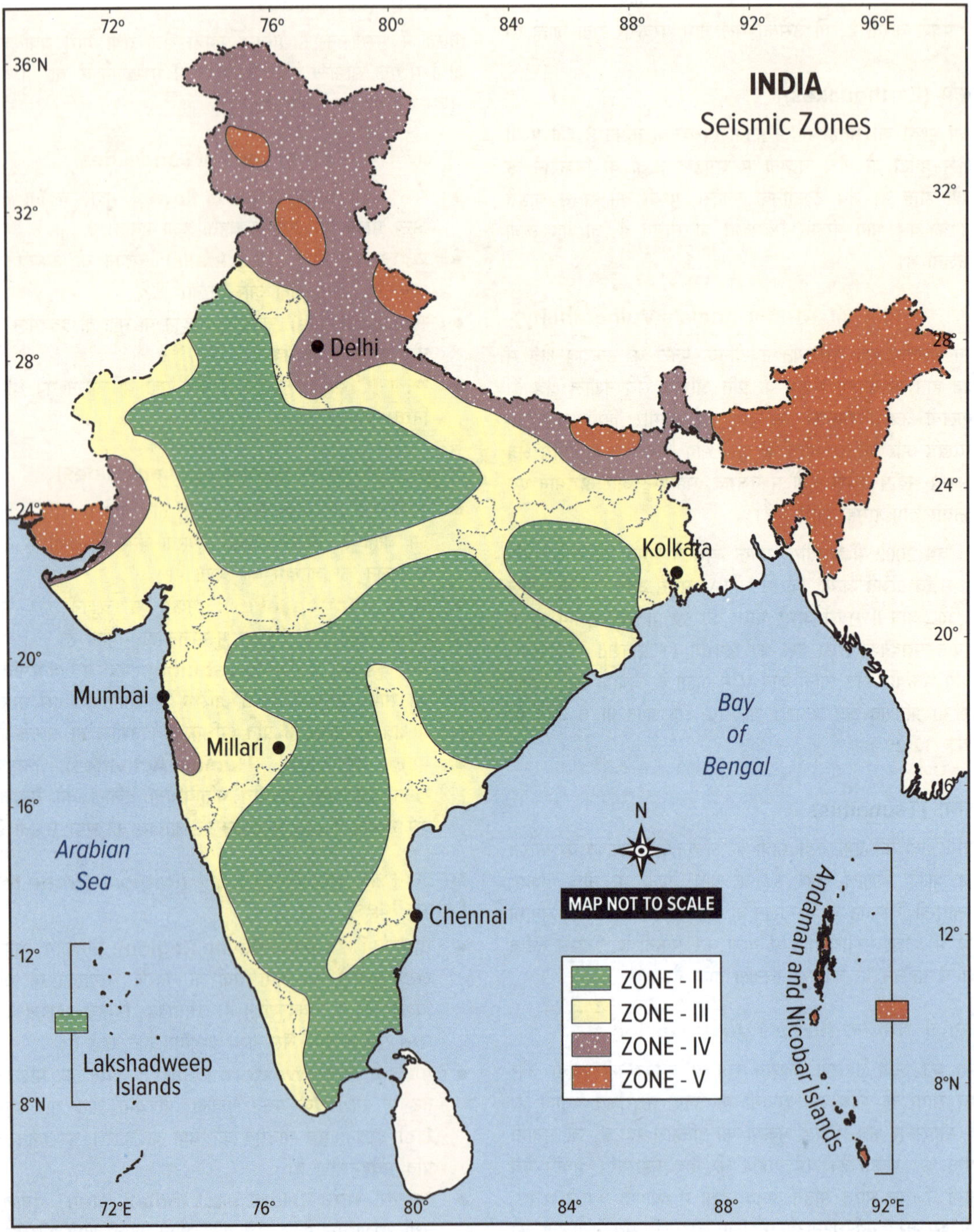

चित्र 12.27
भारत – भूकंपीय क्षेत्र

- **मध्य भारत (Central India):** मध्य प्रदेश तथा छत्तीसगढ़ जैसे क्षेत्रों में विशेष रूप से भारी मानसून के मौसम में भूस्खलन हो सकता है।

इन क्षेत्रों में भूस्खलन क्यों होता है (Why Landslides Occur in These Regions)

- **खड़ी ढलान (Steep Slopes):** इन क्षेत्रों में खड़ी ढलानें इन्हें भूस्खलन के प्रति अधिक संवेदनशील बनाती हैं, क्योंकि गुरुत्वाकर्षण बल ढलान की स्थिरता को आसानी से अव्यवस्थित कर सकता है।
- **भारी वर्षा (Heavy Rainfall):** इन क्षेत्रों, विशेष रूप से मानसून के मौसम में भारी मात्रा में वर्षा होती है, जो भूमि को संतृप्त कर देती है और इसकी स्थिरता को कम कर सकती है।
- **भूवैज्ञानिक कारक (Geological Factors):** इन क्षेत्रों की अंतर्निहित भूविज्ञान भी भूस्खलन की संवेदनशीलता में योगदान कर सकती है। उदाहरण के लिए, कमजोर या टूटी हुई चट्टानें भूस्खलन के प्रति अधिक प्रवण हो सकती हैं।
- **वनों की कटाई (Deforestation):** इन क्षेत्रों में वनों की कटाई ढलानों को स्थिर करने में मदद करने वाली प्राकृतिक वनस्पति को हटाकर भूस्खलन के जोखिम को बढ़ा सकती है।

यूपीएससी प्रारंभिक परीक्षा के विगत वर्षों के प्रश्न

1. पश्चिम से पूर्व की ओर प्रयागराज के अनुप्रवाह में गंगा में मिलने वाली हिमालय की नदियों के संदर्भ में, निम्नलिखित में से कौन-सा अनुक्रम सही है? (2024)
   (a) घाघरा - गोमती - गंडक - कोसी
   (b) गोमती - घाघरा - गंडक - कोसी
   (c) घाघरा - गोमती - कोसी - गंडक
   (d) गोमती - घाघरा - कोसी - गंडक
2. निम्नलिखित में से कौन-सा एक, समुद्र स्तर में पुनरावर्ती गिरावट का सर्वोत्तम उदाहरण है, जिससे वर्तमान समय की सुविस्तृत कच्छभूमि उत्पन्न हुई है? (2023)
   (a) भीतरकनिका गरान (मैन्ग्रोव)
   (b) मरकनम लवण बेसिन
   (c) नौपाड़ा अनूप
   (d) कच्छ का रण
3. निम्नलिखित कथनों पर विचार कीजिए:
   1. अमरकंटक पहाड़ियाँ विन्ध्य और सह्याद्रि श्रेणियों के संगम पर हैं।
   2. बिलीगिरिरंगन पहाड़ियाँ सतपुड़ा श्रेणी के सबसे पूर्वी भाग हैं।
   3. शेषाचलम पहाड़ियाँ पश्चिमी घाट के सबसे दक्षिणी भाग हैं।

   उपर्युक्त में से कितने कथन सही हैं? (2023)
   (a) केवल एक (b) केवल दो
   (c) सभी तीन (d) कोई भी नहीं
4. निम्नलिखित कथनों पर विचार कीजिए:
   1. झेलम नदी, वुलर झील से होकर जाती है।
   2. कृष्णा नदी सीधे कोल्लेरू झील का भरण करती है।
   3. गंडक नदी के विसर्पण से काँवर झील निर्मित हुई है।

   उपर्युक्त में से कितने कथन सही है? (2023)
   (a) केवल एक (b) केवल दो
   (c) सभी तीन (d) कोई भी नहीं
5. निम्नलिखित कथनों पर विचार कीजिए:

   कथन-I: उष्णकटिबंधीय वर्षा वनों की मृदा पोषक तत्त्वों से भरपूर होती है।

   कथन-II: उष्णकटिबंधीय वर्षा वनों के उच्च ताप और आर्द्रता के कारण मृदा में विद्यमान मृत जैव पदार्थ का द्रुत अपघटन होता है।

   उपर्युक्त कथनों के बारे में, निम्नलिखित में से कौन-सा एक सही है? (2023)
   (a) कथन-I और कथन-II दोनों सही है तथा कथन-II, कथन-I की सही व्याख्या है
   (b) कथन-I और कथन-II दोनों सही है तथा कथन-II, कथन-I की सही व्याख्या नहीं है
   (c) कथन-I सही है किन्तु कथन-II गलत है
   (d) कथन-I गलत है किन्तु कथन-II सही है
6. निम्नलिखित वृक्षों पर विचार कीजिए:
   1. कटहल (आर्टोकार्पस हेटेरोफाइलस)
   2. महुआ (मधुका इंडिका)
   3. सागौन (टेक्टोना ग्रैन्डिस)

   उपर्युक्त में से कितने पर्णपाती वृक्ष हैं? (2023)
   (a) केवल एक (b) केवल दो
   (c) सभी तीन (d) कोई भी नहीं
7. दक्षिण भारत की गंडिकोटा घाटी (कैन्यन) निम्नलिखिता नदियों में से किस एक से निर्मित हुई है? (2022)
   (a) कावेरी (b) मंजिरा
   (c) पेन्नार (d) तुंगभद्रा
8. निम्नलिखित युग्मों पर विचार कीजिए:

	शिखर		पर्वत
1.	नामचा बरवा	–	गढ़वाल हिमालय
2.	नंदा देवी	–	कुमाऊँ हिमालय
3.	नोकरेक	–	सिक्किम हिमालय

उपर्युक्त युग्मों में कौन-सा/से सही सुमेलित है/हैं ? **(2022)**

(a) 1 और 2 (b) केवल 2
(c) 1 और 3 (d) केवल 3

9. सिंधु नदी प्रणाली के संदर्भ में, निम्नलिखित चार नदियों में से तीन नदियाँ इनमें से किसी एक नदी में मिलती हैं जो सीधे सिंधु नदी से मिलती है। निम्नलिखित में से वह नदी कौन-सी है, जो सिंधु नदी से सीधे मिलती है? **(2021)**

(a) चेनाब (b) झेलम
(c) रावी (d) सतलुज

10. निम्नलिखित नदियों पर विचार कीजिए:
    1. ब्राह्मणी
    2. नागावली
    3. सुवर्णरेखा
    4. वंशधारा

उपर्युक्त में से कौन-सी नदियाँ पूर्वी घाट से निकलती हैं? **(2021)**

(a) 1 और 2 (b) 2 और 4
(c) 3 और 4 (d) 1 और 3

11. भारत में काली कपास मृदा की रचना, निम्नलिखित में से किसके अपक्षयण से हुई है? **(2021)**

(a) भूरी वन मृदा
(b) विदरी (फिशर) ज्वालामुखीय चट्टान
(c) ग्रेनाइट और शिस्ट
(d) शेल और चूना पत्थर

12. सियाचिन हिमनद कहाँ स्थित है? **(2020)**

(a) अक्साई चिन के पूर्व में
(b) लेह के पूर्व में
(c) गिलगिट के उत्तर में
(d) नुब्रा घाटी के उत्तर में

उत्तर कुंजी

1. (b) **2.** (d) **3.** (d) **4.** (a) **5.** (d) **6.** (b) **7.** (c) **8.** (b) **9.** (d) **10.** (b)
11. (b) **12.** (d)

यूपीएससी मुख्य परीक्षा के विगत वर्षों के प्रश्न

1. 'बादल फटने' की परिघटना क्या है? व्याख्या कीजिये। **(2024, 10 अंक)**

2. दक्षिण-पश्चिम मानसून भोजपुर क्षेत्र में 'पुरवैया' (पूर्वी) क्यों कहलाता है? इस दिशापरक मौसमी पवन प्रणाली ने क्षेत्र के सांस्कृतिक लोकाचार को कैसे प्रभावित किया है? **(2023, 10 अंक)**

3. हिमालय क्षेत्र तथा पश्चिमी घाटों में भू-स्खलनों के विभिन्न कारणों का अंतर स्पष्ट कीजिए। **(2021, 10 अंक)**

4. मरुस्थलीकरण के प्रक्रम की जलवायविक सीमाएँ नहीं होती हैं। उदाहरणों सहित औचित्य सिद्ध कीजिए। **(2020, 10 अंक)**

5. नदियों को आपस में जोड़ना सूखा, बाढ़ और बाधित जल-परिवहन जैसी बहु-आयामी अन्तर्सम्बन्धित समस्याओं का व्यवहार्य समाधान दे सकता है। आलोचनात्मक परीक्षण कीजिए। **(2020, 10 अंक)**

इस अध्याय पर वैचारिक वीडियो देखने के लिए कृपया यहां दिए गए क्यूआर कोड को स्कैन करें

अध्याय

13

भारत की जनसंख्या (INDIA'S POPULATION)

अध्याय की रूपरेखा (Chapter Outline)

✓*याद रखने की युक्ति (Learning Trick)*　　**त्वरित पुनरावलोकन (Quick Revision)*

भारत दुनिया का सबसे अधिक जनसंख्या वाला देश है। जून 2023 में भारत चीन को पीछे छोड़ते हुए पहले स्थान पर पहुँच गया है। यद्यपि, जनसंख्या का वितरण बहुत असमान है।

जैसा कि हम अध्याय 11 में अध्ययन कर चुके हैं, जनसंख्या का वितरण प्रत्यक्ष या अप्रत्यक्ष रूप से भौतिक कारकों (भू-भाग, स्थलाकृति, जलवायु, मृदा, प्राकृतिक वनस्पति, खनिज, आदि) एवं सांस्कृतिक परिवेश (सामाजिक-आर्थिक एवं सांस्कृतिक विकास) द्वारा नियंत्रित होता है। इस अध्याय में भारतीय जनसंख्या की प्रमुख विशेषताओं का संक्षिप्त विवरण दिया गया है।

जनसंख्या वृद्धि (GROWTH OF POPULATION)

जनसंख्या वृद्धि किसी विशेष क्षेत्र में दो निश्चित समय बिंदुओं के बीच रहने वाले लोगों की संख्या में वृद्धि की दर है। दो समय बिंदुओं के बीच शुद्ध परिवर्तन प्रतिशत में व्यक्त किया जाता है तथा जनसंख्या वृद्धि दर के रूप में वर्णित किया जाता है। वर्ष 2001 एवं 2011 के बीच जनसंख्या की दशकीय वृद्धि तालिका 13.1 में दी गयी है, जबकि वर्ष 2001 से 2011 के बीच चयनित राज्यों में जनसंख्या की प्रतिशत दशकीय वृद्धि चित्र 13.1 (तालिका 13.2) में दर्शायी गयी है।

तालिका 13.1 भारत की जनसंख्या वृद्धि

वर्ष	जनसंख्या	दशकीय वृद्धि (प्रतिशत में)	दशकीय वृद्धि में परिवर्तन (प्रतिशत में)	वर्ष 1901 पर प्रगतिशील वृद्धि दर
1901	23,83,96,327	–	–	–
1911	25,20,93,390	5.75	–	5.75
1921	25,13,21,213	10.31	–6.05	5.42
1931	27,89,77,238	11.00	11.31	17.02
1941	31,86,60,580	14.22	3.22	33.67
1951	36,10,88,090	13.31	–0.91	51.47
1961	43,92,34,771	21.64	8.33	84.25
1971	54,81,59,652	24.80	3.16	129.94
1981	68,33,29,097	24.66	–0.14	186.64
1991	84,64,21,039	23.87	–0.79	255.05
2001	1,02,87,37,436	21.54	–2.33	331.47
2011	1,21,08,54,977	17.64	–3.90	–
2024	1,450,000,000	–	–	–

स्रोत: भारत की जनगणना, 2011

तालिका 13.2 चयनित राज्यों में वर्ष 2001 से 2011 के बीच जनसंख्या की दशकीय वृद्धि (चित्र 13.1)

क्रमांक	राज्य	दशकीय वृद्धि दर प्रतिशत में
1.	मेघालय	27.9
2.	अरुणाचल प्रदेश	26.0
3.	बिहार	25.4
4.	जम्मू एवं कश्मीर*	23.6
5.	मिजोरम	23.5
6.	राजस्थान	21.3
7.	मध्य प्रदेश	20.3
8.	उत्तर प्रदेश	20.2
9.	सिक्किम	12.9
10.	केरल	4.9
11.	नागालैंड	-0.6

स्रोत: भारत की जनगणना, 2011

*वर्ष 2019 में संघ राज्यक्षेत्र घोषित

भारत के उत्तरी राज्यों में जनसंख्या की तीव्र वृद्धि मुख्य रूप से साक्षरता के निम्न स्तर, बेरोजगारी, प्रति व्यक्ति कम आय एवं निम्न जीवन स्तर के कारण है।

जनसंख्या का घनत्व (Density of Population)

जनसंख्या का घनत्व भूमि-मानव अनुपात को दर्शाता है। इसकी गणना देश की कुल जनसंख्या को कुल क्षेत्रफल से विभाजित

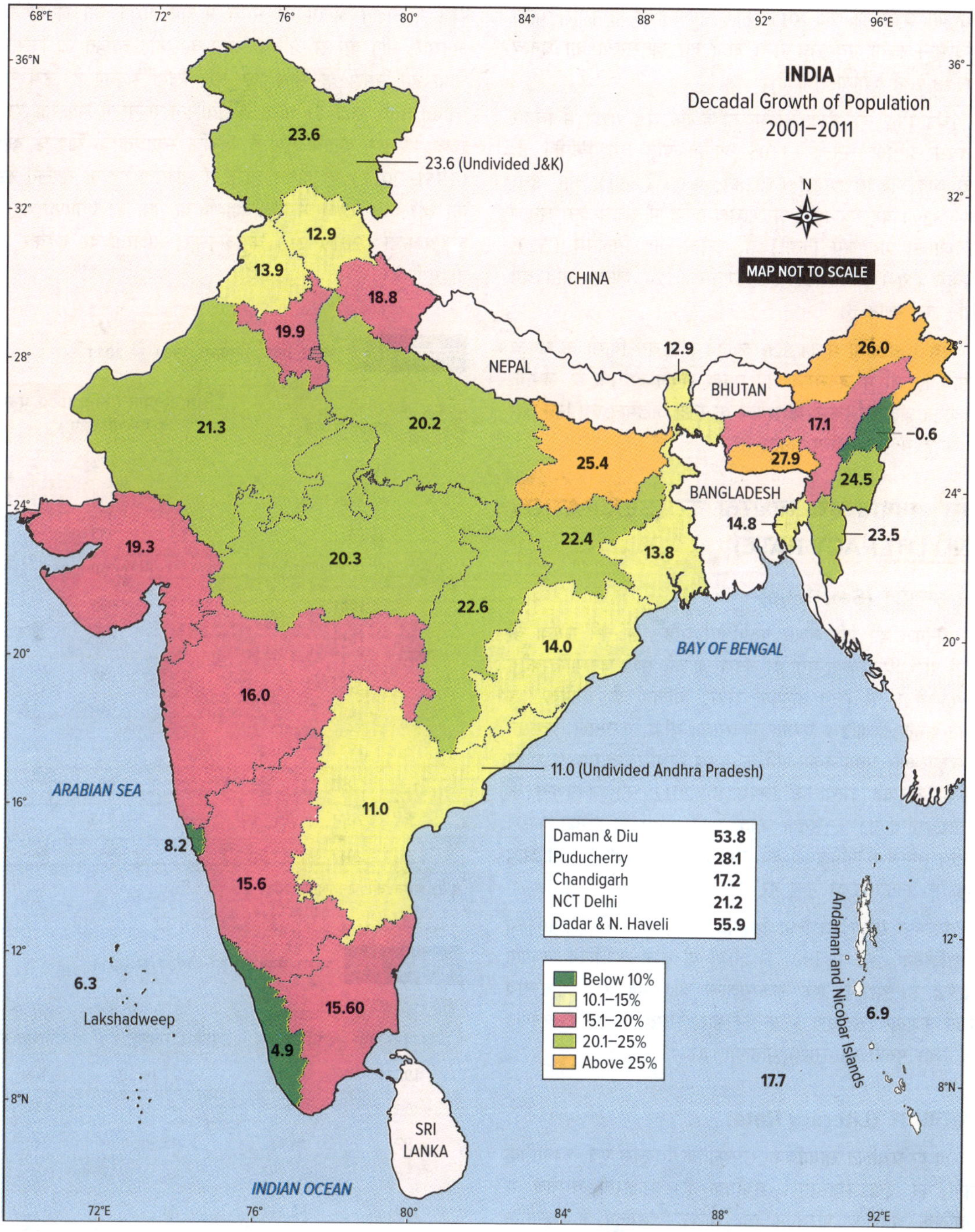

चित्र 13.1

जनसंख्या की दशकीय वृद्धि का प्रतिशत 2001 से 2011

स्रोत: पीआईबी, दिनांक 11 फरवरी, 2020; **https://pib.gov.in/PressReleasePage.aspx?PRID=1602755**

करके की जाती है। वर्ष 2011 की जनगणना के अनुसार, भारत के विभिन्न राज्यों एवं संघ राज्य क्षेत्रों की जनसंख्या का घनत्व चित्र 13.2 में दर्शाया गया है।

चित्र 13.2 यह देखा जा सकता है कि बड़े राज्यों में बिहार में सबसे अधिक घनत्व (1106 व्यक्ति प्रति वर्ग किमी) है, उसके बाद पश्चिम बंगाल (1028), केरल (860) और उत्तर प्रदेश (829) का स्थान है। अरुणाचल प्रदेश में सबसे कम घनत्व (17 व्यक्ति प्रति वर्ग किमी) है, उसके बाद मिजोरम (52), सिक्किम (86) और जम्मू एवं कश्मीर (124 व्यक्ति प्रति वर्ग किमी) का स्थान है।

संघ राज्य क्षेत्रों में 11,320 व्यक्ति प्रति वर्ग किमी के घनत्व के साथ दिल्ली में जनसंख्या का घनत्व सबसे अधिक है, जबकि 46 व्यक्ति प्रति वर्ग किमी के घनत्व के साथ अंडमान एवं निकोबार द्वीप समूह में सबसे कम घनत्व है।

लिंग अनुपात एवं साक्षरता दर (SEX RATIO AND LITERACY RATE)

लिंग अनुपात (Sex Ratio)

लिंग अनुपात को प्रति हजार पुरुषों पर महिलाओं की संख्या के रूप में परिभाषित किया गया है। जनसंख्या की सभी जनसांख्यिकीय विशेषताओं में से लिंग अनुपात सबसे मौलिक है, क्योंकि यह प्रजनन क्षमता, वैवाहिक स्थिति, जनसंख्या वृद्धि, कार्यबल, प्रवासन के स्वरूप और सामाजिक-आर्थिक संबंध निर्धारित करता है। भारत में लिंग अनुपात अत्यधिक विषम है। 2011 की जनगणना के अनुसार, भारत का जनसंख्या घनत्व 943:1000 है। इसका कारण भारतीय समाज में महिलाओं की निम्न स्थिति है, जिसने सभी आयु समूहों में उनकी उच्च मृत्यु दर में योगदान दिया है।

विभिन्न राज्यों का लिंग अनुपात चित्र 13.3 में दर्शाया गया है। तालिका 13.3 में 1901 से 2011 के बीच का लिंग अनुपात सूचीबद्ध है। यद्यपि, एक सकारात्मक बात यह है कि राष्ट्रीय परिवार स्वास्थ्य सर्वेक्षण 5 के अनुसार, भारत का लिंग अनुपात प्रति हजार पुरुषों पर 1020 महिलाएं है।

साक्षरता दर (Literacy Rate)

साक्षरता दर प्रचलित सामाजिक-सांस्कृतिक विकास एवं राजनीतिक चेतना का एक महत्वपूर्ण संकेतक है। साक्षरता वास्तव में सामाजिक-आर्थिक परिवर्तन का वाहक इसलिए है, क्योंकि इससे विशिष्ट कौशल का अधिग्रहण करने में सुविधा मिलती है, व्यावसायिक क्षमता विकसित करती है और सामाजिक परिवर्तन की प्रक्रिया को तेज करती है। साक्षरता की परिभाषा अलग-अलग देशों में अलग-अलग है। भारत में वर्ष 2011 की जनगणना के अनुसार, सात वर्ष से अधिक आयु का कोई व्यक्ति जो किसी भी भाषा को समझ के साथ पढ़ और लिख सकता है, उसे साक्षर व्यक्ति कहा जाता है। भारत के विभिन्न राज्यों में साक्षरता दर को चित्र 13.4 में दर्शाया गया है, जबकि स्वतंत्रता के बाद के दशकों (1951-2011) के दौरान भारत में साक्षरता दर के बदलते रुझान को तालिका 13.4 में सूचीबद्ध किया गया है। एनएफएचएस-5 के आंकड़ों (2019-21) के अनुसार, साक्षरता दर बढ़कर 78% हो गयी है।

तालिका 13.3 भारत-लिंग अनुपात: 1901 से 2011

जनगणना वर्ष	लिंग अनुपात (प्रति 1000 पुरुषों पर महिलाएं)
1901	972
1911	964
1921	955
1931	950
1941	945
1951	946
1961	941
1971	930
1981	934
1991	927
2001	933
2011	943

स्रोत: भारत की जनगणना, 2011

तालिका 13.4 भारत-साक्षरता दर: 1951 से 2011

जनगणना वर्ष	व्यक्ति (प्रतिशत में)	पुरुष (प्रतिशत में)	महिला (प्रतिशत में)
1951	18.33	27.16	8.86
1961	28.3	40.40	15.35
1971	34.45	45.96	21.97
1981	43.57	56.38	29.76
1991	52.21	64.13	39.29
2001	64.84	75.26	53.67
2011	74.04	82.14	65.46

स्रोत: भारत की जनगणना, 2011

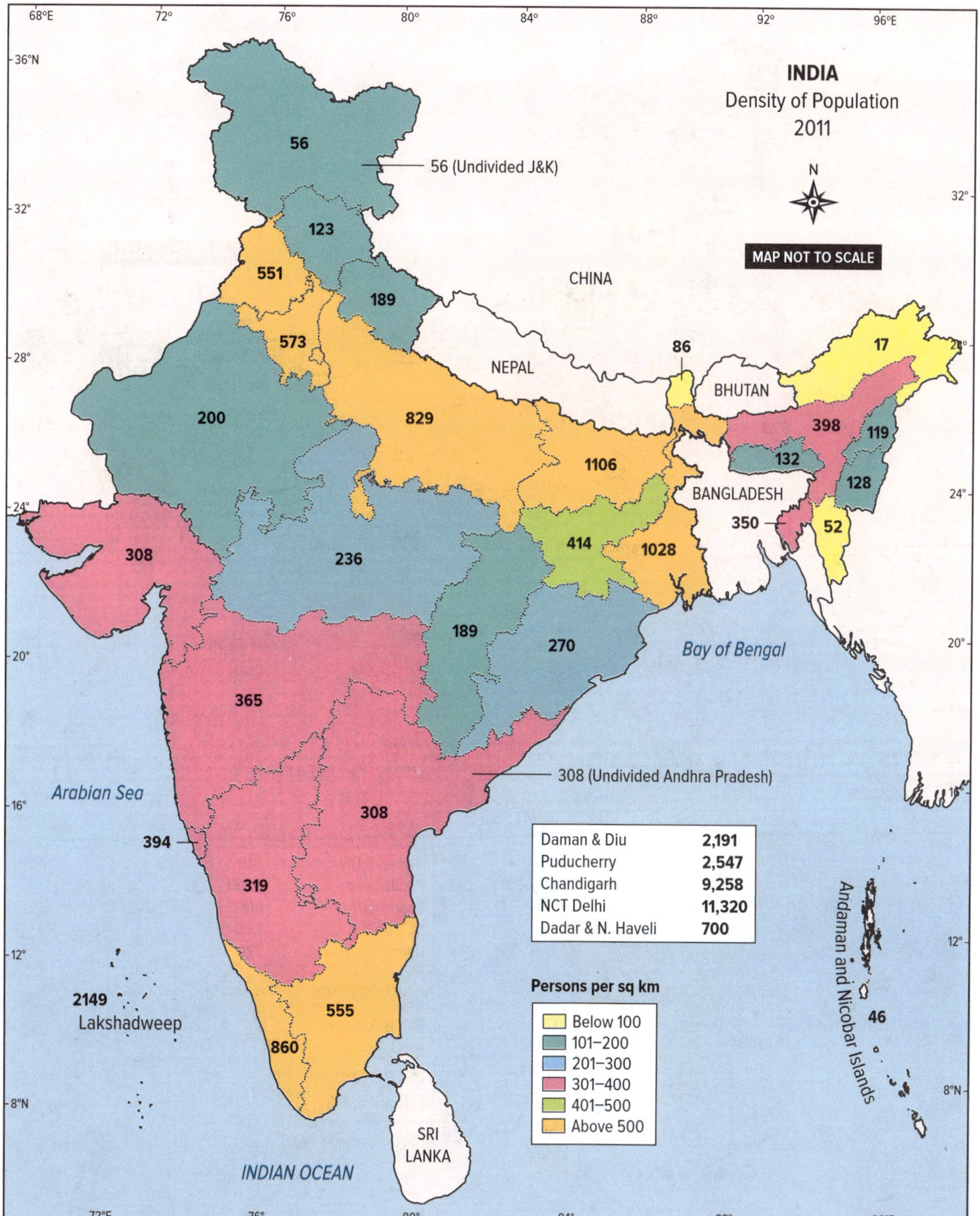

चित्र 13.2
जनसंख्या घनत्व (2011)

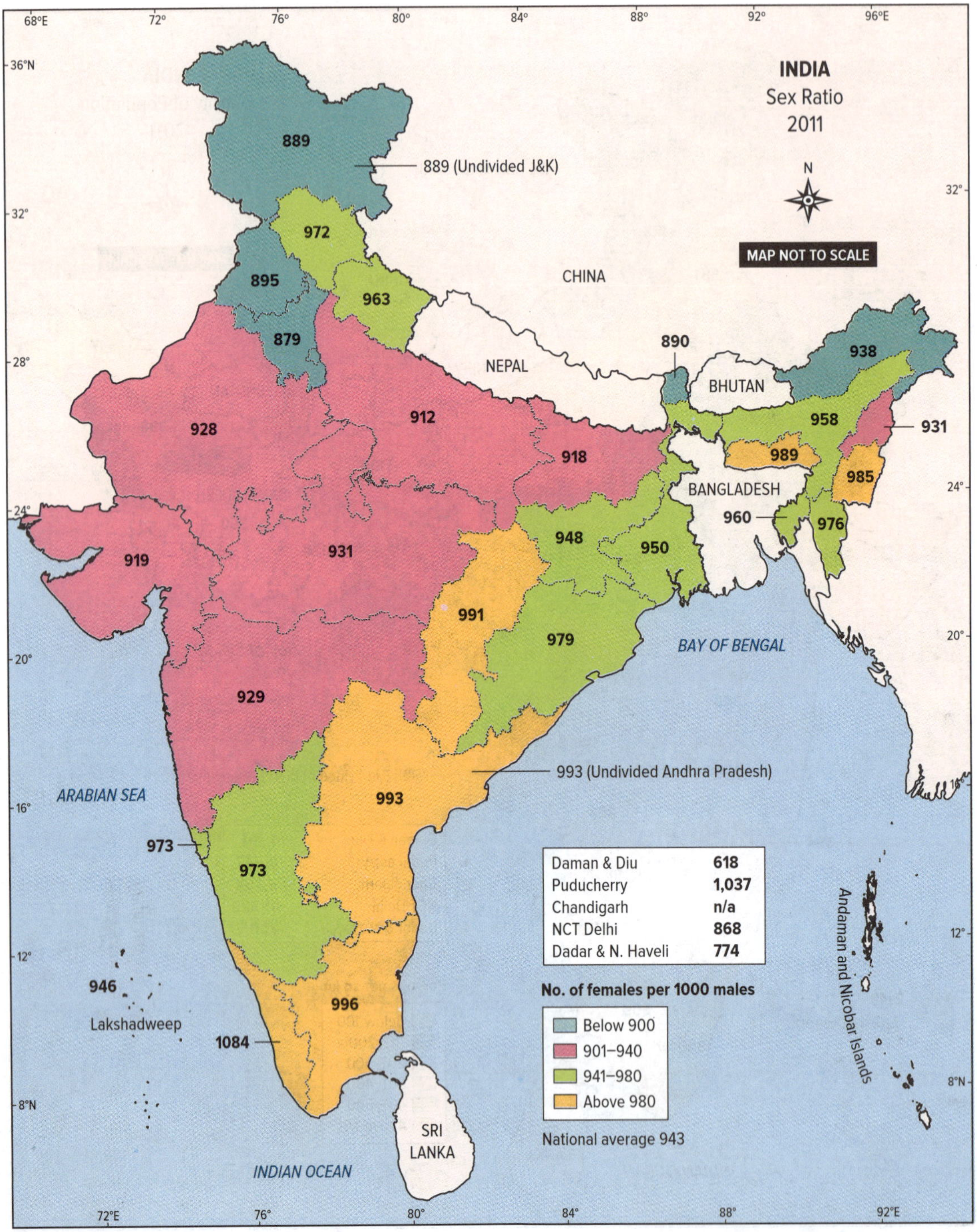

चित्र 13.3
लिंग अनुपात (2011)

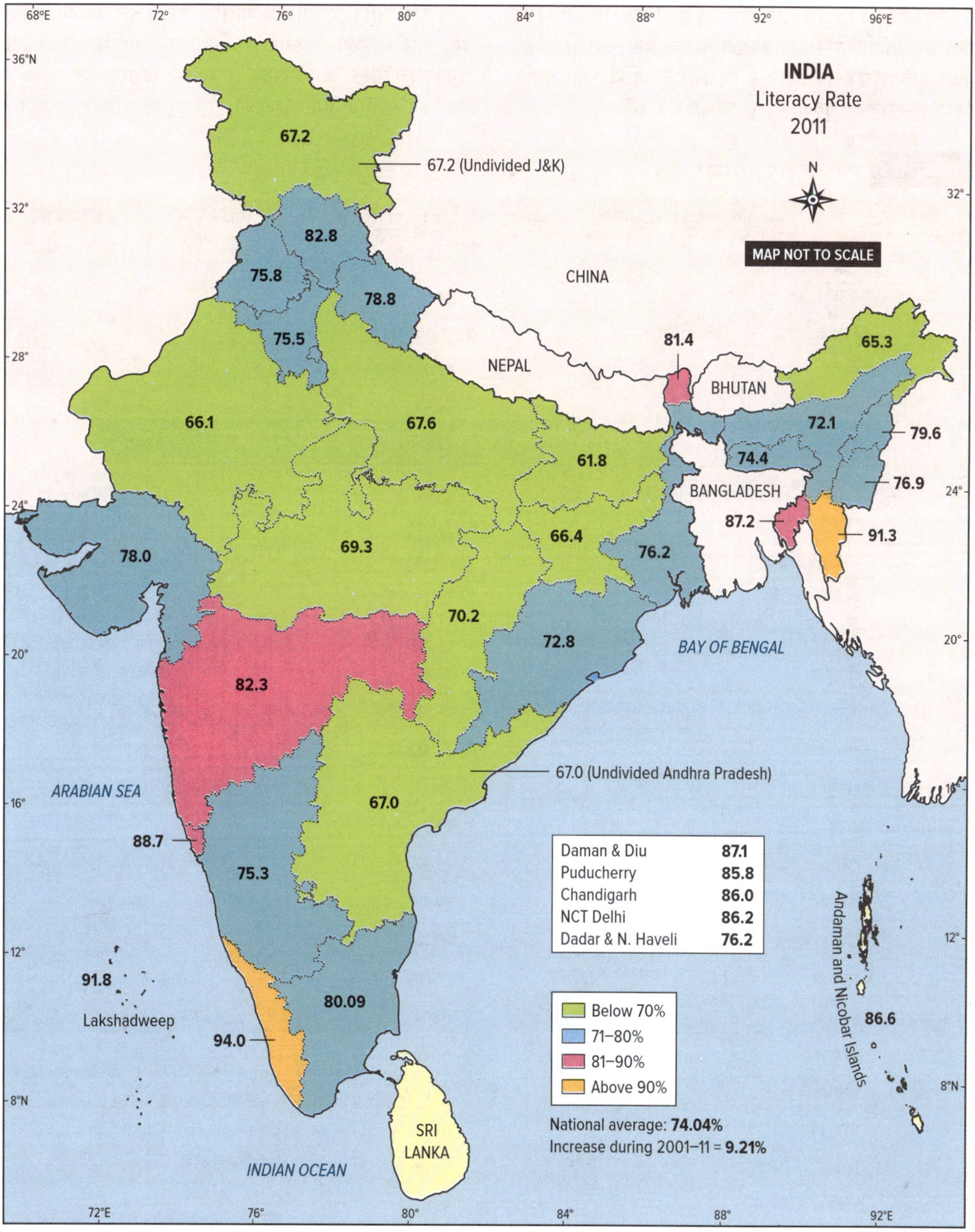

चित्र 13.4
प्रभावी साक्षरता दर (2011)

तालिका 13.5 में देखा जा सकता है कि वर्ष 1951 में भारत की साक्षरता दर 18.33 प्रतिशत थी, जो वर्ष 2001 में बढ़कर 64.83 प्रतिशत एवं वर्ष 2011 में 74.04 प्रतिशत हो गयी। यद्यपि, महिला साक्षरता दर पुरुषों की तुलना में कम रही।

वर्ष 2011 में महिला साक्षरता दर केवल 65.40 प्रतिशत थी, जबकि पुरुष साक्षरता दर 82.1 प्रतिशत से अधिक थी। एनएफएचएस-5 के अनुसार, भारत में साक्षरता दर पुरुषों के लिए 84 प्रतिशत तथा महिलाओं के लिए 72 प्रतिशत हो गयी है।

तालिका 13.5 भारत-साक्षरता दर 2011

रैंक	राज्य/संघ राज्यक्षेत्र	साक्षरता दर 2001 (प्रतिशत में)	साक्षरता दर 2011 (प्रतिशत में)
1.	केरल	90.92	94.0
2.	मिजोरम	88.49	91.3
3.	लक्षद्वीप	86.66	91.8
4.	गोवा	82.01	88.7
5.	चंडीगढ़	81.94	86.0
6.	दिल्ली	81.67	86.2
7.	अंडमान एवं निकोबार द्वीप समूह	81.30	86.6
8.	पुडुचेरी	81.24	85.8
9.	दमन एवं दीव	78.18	87.1
10.	महाराष्ट्र	77.27	82.3
11.	हिमाचल प्रदेश	77.13	82.8
12.	तमिलनाडु	73.47	80.09
13.	त्रिपुरा	73.16	87.2
14.	उत्तराखंड	72.28	78.8
15.	मणिपुर	70.87	76.9
16.	पंजाब	69.95	75.8
17.	गुजरात	69.97	78.0
18.	सिक्किम	69.69	81.4
19.	पश्चिम बंगाल	69.22	76.2
20.	हरियाणा	68.60	75.5
21.	कर्नाटक	67.04	75.3
22.	नागालैंड	67.11	79.5
23.	छत्तीसगढ	64.66	70.2
24.	मध्य प्रदेश	63.74	69.3
25.	असम	64.28	72.1
26.	ओडिशा	63.61	72.8
27.	मेघालय	63.61	74.4
28.	आंध्र प्रदेश	61.11	67.0

रैंक	राज्य/संघ राज्यक्षेत्र	साक्षरता दर 2001 (प्रतिशत में)	साक्षरता दर 2011 (प्रतिशत में)
29.	राजस्थान	61.03	66.1
30.	दादरा एवं नगर हवेली	57.63	76.2
31.	उत्तर प्रदेश	57.36	67.6
32.	जम्मू एवं कश्मीर*	54.46	67.1
33.	अरुणाचल प्रदेश	54.74	65.3
34.	झारखंड	54.13	66.4
35.	बिहार	47.53	61.8
	भारत	**65.38**	**74.04**

स्रोत: भारत की जनगणना, 2011

*2019 में संघ राज्यक्षेत्र घोषित

ग्रामीण एवं शहरी जनसंख्या (Rural and Urban Population)

भारत मूलतः ग्रामीण जनसंख्या वाला देश है। वर्ष 2011 में कुल जनसंख्या का लगभग 68.9 प्रतिशत ग्रामीण जनसंख्या तथा केवल 31.1 प्रतिशत शहरी जनसंख्या थी। पिछली शताब्दी के दौरान ग्रामीण एवं शहरी जनसंख्या के बदलते स्वरूप को तालिका 13.6 में दर्शाया गया है। तालिका 13.6 में यह देखा जा सकता है कि वर्ष 1901 में कुल जनसंख्या का केवल 10.8 प्रतिशत शहरी जनसंख्या थी, जो वर्ष 2011 में बढ़कर लगभग 31.1 प्रतिशत हो गयी। यद्यपि, विश्व बैंक के नवीनतम आँकड़ों के अनुसार, भारत की 36.36 प्रतिशत जनसंख्या शहरी क्षेत्रों में रहती है।

तालिका 13.6 भारत-ग्रामीण एवं शहरी जनसंख्या: 1901 से 2011

जनगणना वर्ष	ग्रामीण जनसंख्या (मिलियन में)	शहरी जनसंख्या (मिलियन में)	कुल ग्रामीण जनसंख्या का प्रतिशत	कुल शहरी जनसंख्या का प्रतिशत
1901	213	26	89.2	10.8
1911	226	26	89.7	10.3
1921	223	28	88.8	11.2
1931	246	33	88.0	12.0
1941	275	44	86.1	13.9
1951	299	62	82.7	17.3
1961	360	79	82.0	18.0
1971	439	109	80.1	19.9
1981	524	159	76.7	23.3
1991	629	218	74.3	25.7
2001	743	286	72.2	27.8
2011	847	363	68.84	31.16

स्रोत: भारत की जनगणना, 2011

धार्मिक संरचना (RELIGIOUS COMPOSITION)

भाषा की तरह धर्म भी समूह की पहचान एवं सांस्कृतिक एकीकरण का प्रतीक है। सभी समाजों में, चाहे उनका आर्थिक विकास का स्तर कुछ भी हो, मूल्य प्रणालियाँ, समान विश्वास, समझ एवं अपेक्षाएँ होती हैं, जो उनके लोगों को एकजुट करती हैं।

भारत एक बहु-धार्मिक देश है। यह हिंदू धर्म, बौद्ध धर्म, जैन धर्म एवं सिख धर्म का जन्म स्थान है। इसके अलावा, यहूदी धर्म, ईसाई धर्म, इस्लाम तथा पारसी धर्म के अनुयायी भी हैं, जो दक्षिण-पश्चिम एवं मध्य एशिया के देशों से भारत आए थे। भारत में विभिन्न धार्मिक समूहों का अनुपात तालिका 13.7 में सूचीबद्ध किया गया है।

तालिका 13.7 में देखा जा सकता है कि 80.5 प्रतिशत के साथ हिंदू देश में सर्वाधिक संख्या में हैं। यद्यपि, उनकी सघनता राज्य-दर-राज्य एवं क्षेत्र-दर-क्षेत्र अलग-अलग है।

तालिका 13.7 भारत की धार्मिक संरचना, 2011

धार्मिक समूह	जनसंख्या (मिलियन में)	कुल जनसंख्या का प्रतिशत
हिंदू	966.2	79.80
इस्लाम	172.3	14.23
ईसाई धर्म	27.8	2.3
सिख धर्म	20.7	1.71
बौद्ध धर्म	8.47	0.70
जैन धर्म	4.48	0.37
अन्य	7.99	0.89
भारत	1,210,854,977	

स्रोत: भारत की जनगणना, 2011

भाषाएँ (Languages)

भारत एक बहु-जातीय बहुभाषी देश है। पीपुल्स लिंग्विस्टिक सर्वे ऑफ इंडिया के अनुसार, विभिन्न सामाजिक समूहों द्वारा बोली जाने वाली 780 भाषाएँ हैं।

भारतीय भाषाएँ निम्नलिखित चार भाषाई समूहों से संबंधित हैं:

1. इंडो-यूरोपीय परिवार (आर्यन): भारतीय जनसंख्या का लगभग 73 प्रतिशत भाग आर्यन परिवार की भाषाएँ बोलता है।
2. द्रविड़ परिवार-द्रविड़ (20 प्रतिशत)।
3. ऑस्ट्रिक परिवार-निषाद (4.5 प्रतिशत)।
4. सिनो-तिब्बती परिवार-किरात (2.5 प्रतिशत)।

विभिन्न राज्यों में मुख्य भाषाओं का वितरण तालिका 13.8 में दिया गया है।

भारत की प्रमुख अनुसूचित जनजातियाँ एवं जातियाँ (MAJOR SCHEDULED TRIBES & CASTES OF INDIA)

अनुसूचित जनजातियाँ (Scheduled Tribes)

भारत के संविधान में दी गयी अनुसूचित जनजातियाँ देश की कुल जनसंख्या (2011) का लगभग 8.6 प्रतिशत हैं। वे विभिन्न नस्लीय, जातीय, भाषाई, धार्मिक एवं सांस्कृतिक समूहों से संबंधित हैं। भारतीय अनुसूचित जनजातियाँ देश के पहाड़ी, वन तथा पर्वतीय क्षेत्रों में अधिकतर अलगाव एवं सापेक्ष अलगाव वाले क्षेत्रों में रहती हैं।

अनुसूचित जनजातियाँ मूलत: मूलनिवासी हैं। उन्हें प्राय: 'चौथी दुनिया' के लोग कहा जाता है। वे अतीत एवं वर्तमान के उपनिवेशवाद के शिकार हैं। उन्होंने भूमि तथा जंगलों के साथ घनिष्ठ संबंध बनाए रखा है। विभिन्न राज्यों एवं संघ राज्य क्षेत्रों की महत्वपूर्ण जनजातियों को चित्र 13.5 में दर्शाया गया है।

मानचित्र (चित्र 13.6) में देखा जा सकता है कि जनजातीय जनसंख्या का सर्वाधिक प्रतिशत लक्षद्वीप (94.8 प्रतिशत) में है, उसके बाद मिजोरम (94.4 प्रतिशत), नागालैंड (86.5 प्रतिशत) और मेघालय (86.1 प्रतिशत) का स्थान आता है। अरुणाचल प्रदेश राज्य तथा संघ राज्यक्षेत्र दादरा एवं नगर हवेली की भी 62 प्रतिशत से अधिक जनसंख्या जनजातीय है। इसके विपरीत गोवा, हरियाणा, पंजाब और उत्तर प्रदेश राज्यों में जनजातीय जनसंख्या 0.1 प्रतिशत से भी कम है (चित्र 13.7)।

अनुसूचित जातियाँ (Scheduled Castes)

अनुसूचित जातियाँ शब्द का पहली बार प्रयोग भारत सरकार अधिनियम, 1935 तथा भारत सरकार जाति आदेश, 1936 में किया गया। डॉ. बी. आर. अंबेडकर उन्हें 'दलित वर्ग' कहना पसंद करते थे, जबकि महात्मा गांधी उन्हें 'हरिजन' कहते थे। भारत के संविधान ने अनुसूचित जाति शब्द को बरकरार रखा।

अनुसूचित जातियों की उत्पत्ति प्राचीन काल में हुई है, जब विभिन्न हिंदू धर्मग्रंथों ने उन्हें चतुर्वर्ण (चार-स्तरीय पदानुक्रमित

तालिका 13.8 भारतीय भाषाएँ

परिवार	उप-परिवार	शाखा/समूह	भाषा क्षेत्र
आस्ट्रिक (निषाद) 1.11%	ऑस्ट्रो-एशियाई	मोन-खमेर	मेघालय, निकोबार द्वीप समूह
	ऑस्ट्रो-एशियाई	मुंडा	असम, बिहार, छत्तीसगढ़, झारखंड, मध्य प्रदेश, महाराष्ट्र, ओडिशा, पश्चिम बंगाल, भारत के बाहर
द्रविड़ियन (द्रविड़) 19.64%		दक्षिण द्रविड़	तमिलनाडु, कर्नाटक, केरल
		मध्य द्रविड़	आंध्र प्रदेश, छत्तीसगढ़, झारखंड, मध्य प्रदेश, ओडिशा
		उत्तर द्रविड़	बिहार, मध्य प्रदेश, ओडिशा, पश्चिम बंगाल
चीन-तिब्बती (किरात) 1.01%	तिब्बती-म्यांमारी	तिब्बती-हिमालयी	जम्मू और कश्मीर, हिमाचल प्रदेश, सिक्किम
		उत्तर असम	अरूणाचल प्रदेश
		असमामी-म्यांमारी	असम, मणिपुर, मेघालय, मिजोरम, नागालैंड, त्रिपुरा
इंडो-यूरोपीय (आर्यन) 78.07%	इंडो-आर्यन	ईरानी	भारत के बाहर
		दर्दिक	जम्मू एवं कश्मीर
		इंडो-आर्यन	असम, बिहार, छत्तीसगढ़, गोवा, गुजरात, हरियाणा, हिमाचल प्रदेश, जम्मू एवं कश्मीर, झारखंड, मध्य प्रदेश, ओडिशा, पंजाब, उत्तर प्रदेश, उत्तराखंड, महाराष्ट्र, पश्चिम बंगाल

स्रोत: भारत की जनगणना, 2011

सामाजिक व्यवस्था) की सबसे निचले क्रम पर रखा था। शायद यह शुरू में श्रम विभाजन पर आधारित था, लेकिन शुद्धता एवं अशुद्धता के हठधर्मी सिद्धांत का वंशानुगत और अनन्य अभ्यास बन गया। विभिन्न राज्यों की मुख्य अनुसूचित जातियों को **चित्र 13.8** में दर्शाया गया है।

अनुसूचित जातियाँ भारत के लगभग सभी राज्यों में अलग-अलग अनुपात तथा प्रतिशत के साथ पायी जाती हैं। विभिन्न राज्यों में अनुसूचित जातियों की जनसंख्या का प्रतिशत **चित्र 13.9** में दर्शाया गया है। **चित्र 13.9** से यह देखा जा सकता है कि अनुसूचित जातियों का उच्चतम प्रतिशत पंजाब (31.9 प्रतिशत) में पाया जाता है, उसके बाद उत्तर प्रदेश (20.7 प्रतिशत), हरियाणा (20.2 प्रतिशत), तमिलनाडु (20.01 प्रतिशत) और उत्तराखंड (18.8 प्रतिशत) का स्थान आता है। यद्यपि, पूर्वोत्तर भारत के राज्यों में अनुसूचित जातियों का अनुपात नगण्य है।

भारतीय अल्पसंख्यक: मुस्लिम, ईसाई, सिख, बौद्ध, जैन तथा पारसी (पारसी) को राष्ट्रीय अल्पसंख्यक आयोग (एनसीएम) अधिनियम, 1992 के प्रावधानों के अनुसार अल्पसंख्यक के रूप में अधिसूचित किया गया है। ये समुदाय देश की जनसंख्या का लगभग 19.3 प्रतिशत हिस्सा हैं।

अल्पसंख्यक कार्य मंत्रालय (Ministry of Minority Affairs)

अल्पसंख्यक कार्य मंत्रालय का गठन 29 जनवरी, 2006 को किया गया था। इसका कार्य अल्पसंख्यकों से संबंधित मुद्दों पर केंद्रित दृष्टिकोण सुनिश्चित करना तथा अल्पसंख्यक समुदायों के लाभ के लिए समग्र नीति आयोजना समन्वयन, मूल्यांकन और विनियामक एवं विकास कार्यक्रमों की समीक्षा में महत्वपूर्ण भूमिका निभाना है।

मानव संसाधन (Human Resources)

मनुष्य किसी राष्ट्र का मूलभूत स्रोत है। मानव संसाधन का अर्थ है- मानव पूंजी। किसी देश को मानव संसाधनों के विकास के लिए जनशक्ति का नियोजन शुरू करना चाहिए।

मानव संसाधनों के संबंध में परिसंपत्तियों एवं देनदारियों, दोनों ही दृष्टिकोणों से विचार किया जाना चाहिए। आर्थिक विकास को प्राप्त करने के लिए प्राकृतिक एवं मानव संसाधनों दोनों का उचित उपयोग आवश्यक है। प्राकृतिक संसाधनों का विवेकपूर्ण उपयोग काफी हद तक मानव संसाधनों की सीमा पर निर्भर करता है। लेकिन, पुन: बहुत अधिक जनसंख्या विकास के सभी प्राप्त किए गए समस्त परिणामों को खत्म कर देगी।

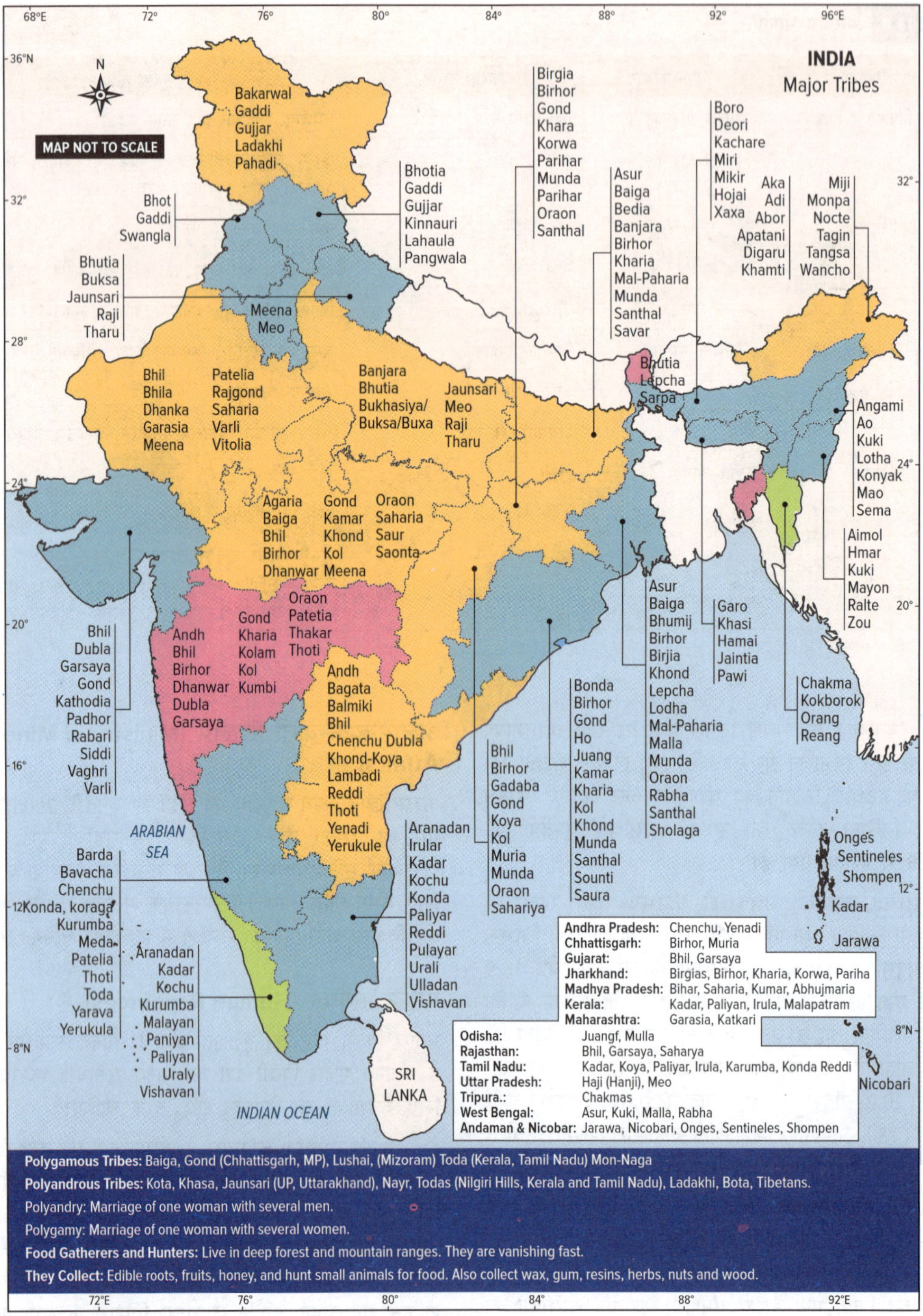

Polygamous Tribes: Baiga, Gond (Chhattisgarh, MP), Lushai, (Mizoram) Toda (Kerala, Tamil Nadu) Mon-Naga

Polyandrous Tribes: Kota, Khasa, Jaunsari (UP, Uttarakhand), Nayr, Todas (Nilgiri Hills, Kerala and Tamil Nadu), Ladakhi, Bota, Tibetans.

Polyandry: Marriage of one woman with several men.

Polygamy: Marriage of one woman with several women.

Food Gatherers and Hunters: Live in deep forest and mountain ranges. They are vanishing fast.

They Collect: Edible roots, fruits, honey, and hunt small animals for food. Also collect wax, gum, resins, herbs, nuts and wood.

72°E 76° 80° 84° 88° 92°E

चित्र 13.5

भारत की प्रमुख जनजातियाँ

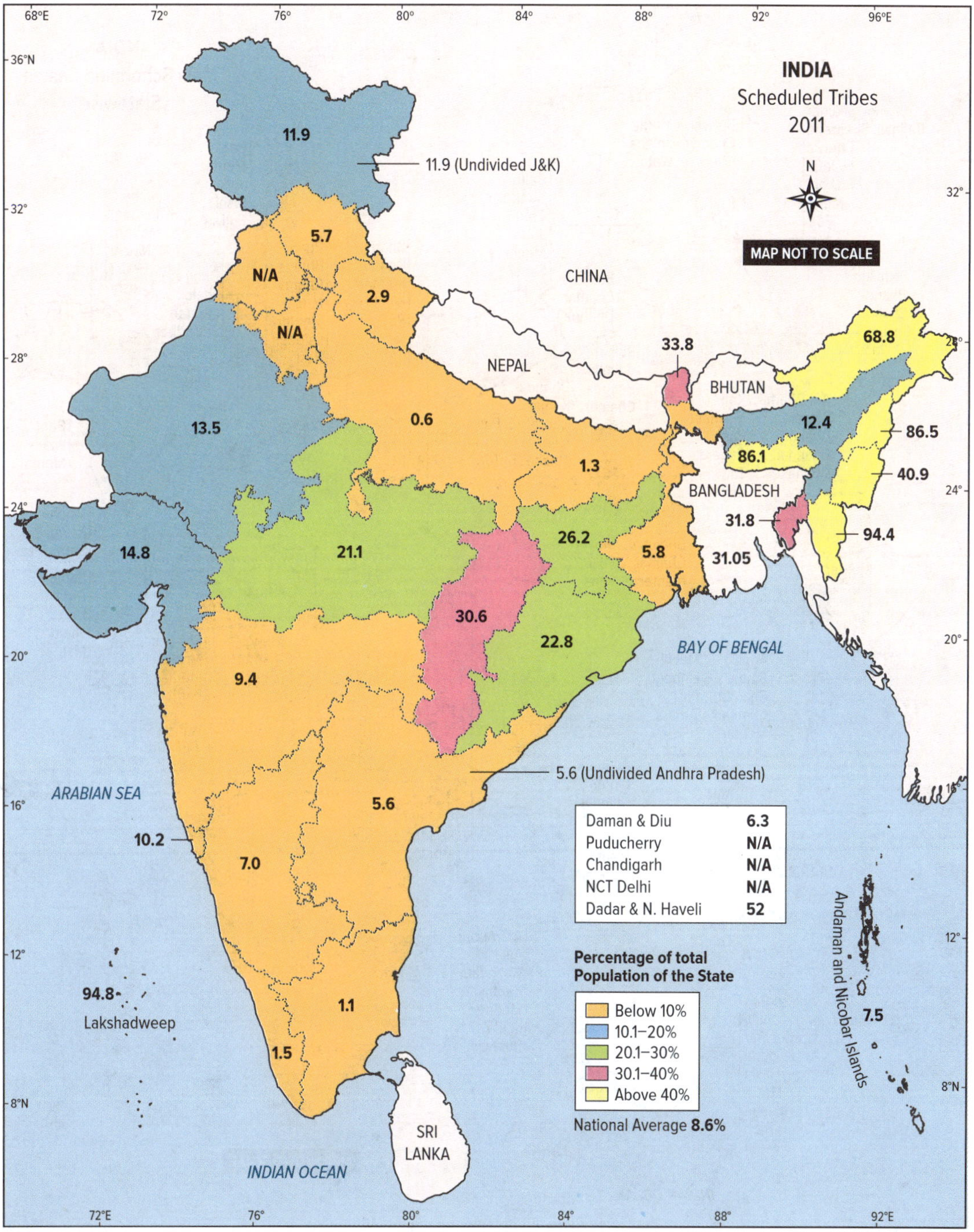

चित्र 13.6
अनुसूचित जनजातियों का घनत्व (2011)

चित्र 13.7

भारत की राज्यवार मुख्य अनुसूचित जातियाँ

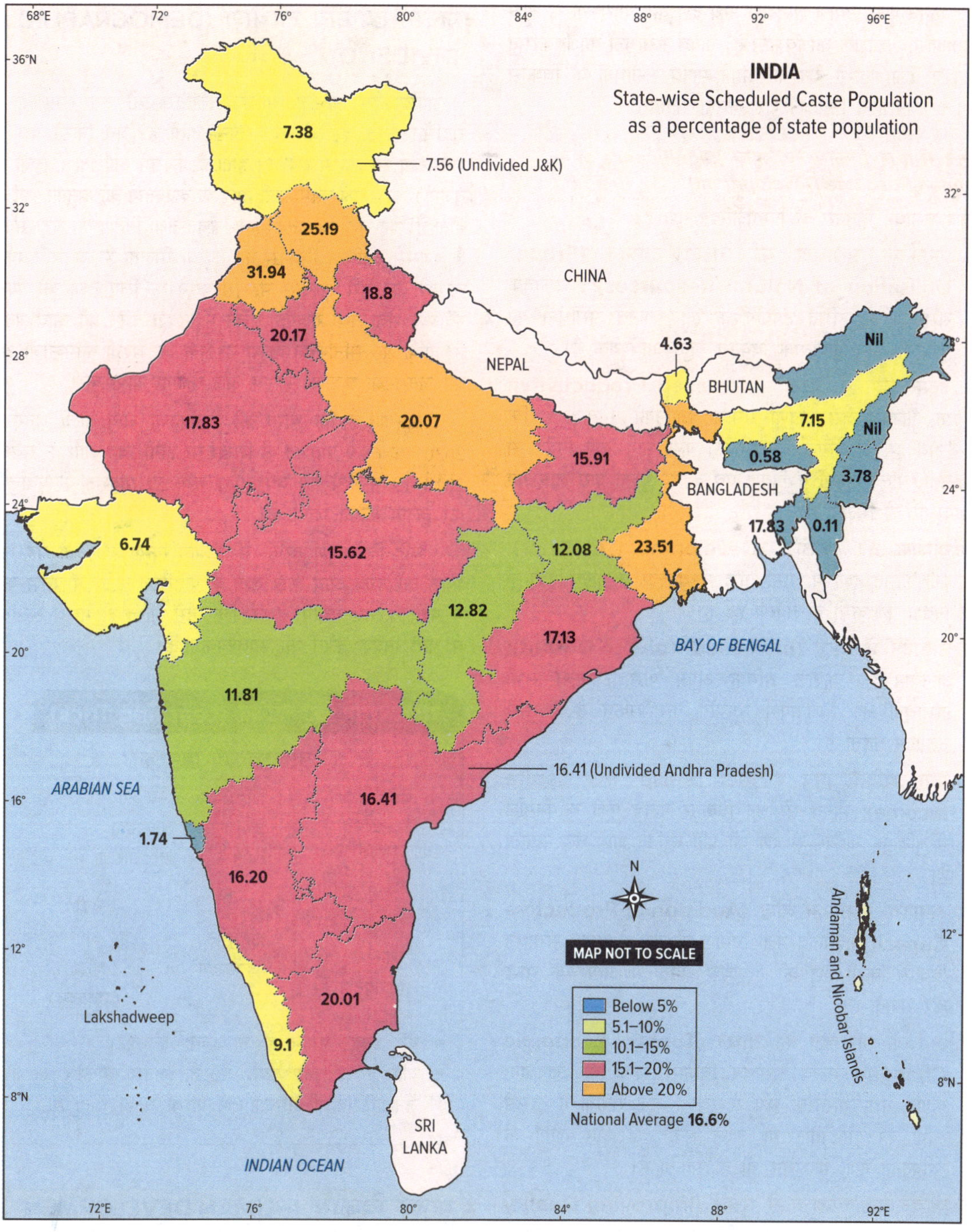

चित्र 13.8

राज्यवार अनुसूचित जाति की जनसंख्या (राज्य की जनसंख्या के प्रतिशत के रूप में), 2011

मानव पूंजी निर्माण शब्द का अर्थ देश की जनसंख्या के बीच क्षमताओं एवं कौशल का विकास है। मानव संसाधनों को विकसित करने के लिए किसी देश को अपने मानव संसाधनों के विकास के लिए जनशक्ति नियोजन शुरू करना चाहिए।

मानव संसाधन विकास का महत्व (Significance of Human Resource Development)

मानव संसाधन विकास के निम्नलिखित गुण हैं:

1. **प्राकृतिक संसाधनों का उचित उपयोग (Proper Utilisation of Natural Resources):** प्राकृतिक संसाधनों के उचित उपयोग के लिए मानव संसाधनों का गुणात्मक एवं मात्रात्मक विकास बहुत आवश्यक है।
2. **उत्पादकता में वृद्धि (Increased Productivity):** प्रो. गैलब्रेथ जैसे अग्रणी समाज वैज्ञानिकों ने कहा है कि 'अब हमें औद्योगिक विकास का बड़ा भाग पूंजी निवेश से नहीं, बल्कि पुरुषों में निवेश एवं बेहतर पुरुषों द्वारा लाए गए सुधारों से मिलता है।'
3. **कौशल का विकास (Development of Skills):** अविकसित देशों में धीमी वृद्धि मुख्य रूप से मानव पूंजी में निवेश की कमी के कारण हुई है।
4. **उत्पादन में वृद्धि (Increased Volume Output):** ज्ञानवान एवं कुशल श्रमिक अपने पास उपलब्ध सभी संसाधनों का विवेकपूर्ण उपयोग कर सकते हैं, जिससे उत्पादन बढ़ता है।
5. **प्रति व्यक्ति आय में वृद्धि (Raises Per Capita Income):** मानव संसाधन विकास मानव पूंजी के निर्माण में वृद्धि के माध्यम से देश की प्रति व्यक्ति आय बढ़ा सकता है।
6. **उत्पादक क्षमता में वृद्धि (Addition to Productive Capacity):** मानव पूंजी निर्माण के रूप में मानव संसाधन विकास किसी देश की उत्पादक क्षमता में आवश्यक वृद्धि कर सकता है।
7. **आर्थिक परिवर्तन का साधन (Tool for Economic Change):** मानव संसाधन विकास लोगों को ज्ञानवान, कुशल तथा शारीरिक रूप से स्वस्थ बना सकता है। इससे लोगों का दृष्टिकोण भी बदल सकता है और लोगों के व्यक्तिगत गुणों में सुधार भी हो सकता है।
8. **जीवन की गुणवत्ता में सुधार (Improving Quality of Life):** मानव संसाधन विकास सामान्य रूप से लोगों के जीवन की गुणवत्ता में सुधार का मार्ग प्रशस्त कर सकता है।

जनसांख्यिकीय लाभांश (DEMOGRAPHIC DIVIDEND)

जनसांख्यिकीय लाभांश आर्थिक विकास की उस संभावना को संदर्भित करता है, जो तब उत्पन्न होती है, जब किसी देश की जनसंख्या संरचना में बदलाव होता है, जिसमें आश्रितों (बच्चों एवं बुजुर्गों) के सापेक्ष कामकाजी आयु के व्यक्तियों का अनुपात अधिक होता है। यह बदलाव उत्पादकता, बचत तथा निवेश को बढ़ा सकता है, जिससे आर्थिक विकास को बढ़ावा मिलता है। जनसांख्यिकीय लाभांश को पूरी तरह से महसूस करने के लिए देशों को शिक्षा, स्वास्थ्य सेवा तथा रोजगार सृजन में निवेश करने की आवश्यकता है, ताकि यह सुनिश्चित किया जा सके कि बढ़ती कामकाजी आयु की जनसंख्या कुशल, स्वस्थ और रोजगार प्राप्त करे।

अनुमान है कि भारत की कामकाजी आयु वाली जनसंख्या 2030 तक 68.9 प्रतिशत के शिखर पर होगी। यह आर्थिक सर्वेक्षण 2018-19 में दिये गये वर्ष 2041 तथा 59 प्रतिशत के पूर्वानुमान की तुलना काफी जल्दी है।

यदि विवेकपूर्ण तरीके से उपयोग किया जाए, तो यह लाभ भारत को उच्च आय वाले देशों के प्रतिष्ठित क्लब में प्रवेश करने में मदद करेगा। यद्यपि, इसके लिए हमें भारत के मानव संसाधनों में भारी निवेश करने की आवश्यकता है।

याद रखने की युक्ति (Learning Trick)

जनसांख्यिकीय विभाजन

कार्यशील आयु जनसंख्या (15-64 वर्ष) >> आश्रित जनसंख्या (0 - 14 वर्ष और झ 65 वर्ष)

शिक्षा, स्वास्थ्य (इनपुट) → कार्यशील जनसंख्या → बढ़ी हुई आर्थिक वृद्धि (उत्पादन)

- यदि इनपुट पर्याप्त हैं, तो उच्च आउटपुट।
- यदि इनपुट की कमी है, तो जनसांख्यिकीय लाभांश जनसांख्यिकीय अभिशाप में परिवर्तित हो जाता है।

मानव विकास (HUMAN DEVELOPMENT)

मानव विकास रिपोर्ट, 2022 के अनुसार, भारत 193 देशों तथा क्षेत्रों में से 134वें स्थान पर है, जिसका मानव विकास

सूचकांक (एचडीआई) 0.644 है, जो वर्ष 2021 में 0.633 से ऊपर है। राज्य स्तर पर भारत का एचडीआई चित्र 13.10 में दर्शाया गया है।

तालिका 13.9 भारत-मानव विकास सूचकांक

राज्य/संघ राज्य क्षेत्र	मानव विकास सूचकांक वर्ष	
	2021	2022
अंडमान एवं निकोबार द्वीप समूह	0.693	0.706
आंध्र प्रदेश	0.630	0.642
अरुणाचल प्रदेश	0.670	0.683
असम	0.603	0.615
बिहार	0.566	0.577
चंडीगढ	0.738	0.751
छत्तीसगढ़	0.613	0.625
दादरा एवं नगर हवेली	0.613	0.624
दमन एवं दीव	0.662	0.674
गोवा	0.747	0.760
गुजरात	0.635	0.646
हरियाणा	0.683	0.696
हिमाचल प्रदेश	0.703	0.715
जम्मू एवं कश्मीर	0.706	0.720
झारखंड	0.588	0.600
कर्नाटक	0.661	0.673
केरल	0.745	0.758
लक्षद्वीप	0.706	0.719
मध्य प्रदेश	0.599	0.611
महाराष्ट्र	0.683	0.695
मणिपुर	0.671	0.683
मेघालय	0.637	0.650
मिजोरम	0.697	0.709
नागालैंड	0.667	0.679
नयी दिल्ली	0.722	0.734
उड़ीसा	0.598	0.610
पुडुचेरी	0.729	0.741
पंजाब	0.685	0.698
राजस्थान	0.640	0.652
सिक्किम	0.699	0.712
तमिलनाडु	0.679	0.692
तेलंगाना	0.647	0.660
त्रिपुरा	0.612	0.624
उत्तर प्रदेश	0.598	0.609
उत्तरांचल	0.669	0.681
पश्चिम बंगाल	0.623	0.635
कुल	0.633	0.644

स्रोत: ग्लोबल डेटा लैब, मानव विकास सूचकांक (5.0)

त्वरित पुनरावलोकन (Quick Revision)

मानव विकास सूचकांक

मानव विकास सूचकांक की गणना के लिए विचारित कारक।

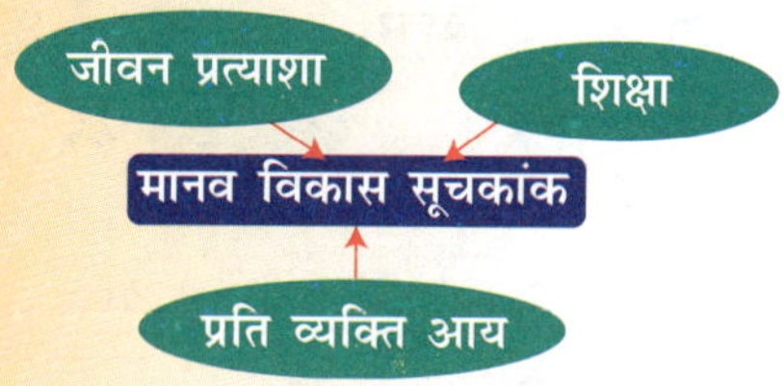

भारत में गरीबी (Poverty in India)

आधिकारिक आंकड़ों के अनुसार, भारत की कुल जनसंख्या का लगभग एक तिहाई भाग गरीबी रेखा से नीचे है। विभिन्न राज्यों में गरीबी के आंकड़ों को चित्र 13.11 में दर्शाया गया है। इस आंकड़े से यह देखा जा सकता है कि बिहार में बहुआयामी गरीबी का प्रतिशत सबसे अधिक 33.76 प्रतिशत है, उसके बाद झारखंड (28.81 प्रतिशत) तथा मेघालय (27.79 प्रतिशत) का स्थान है। केरल राज्य (0.55 प्रतिशत) में बहुआयामी गरीबी सबसे कम है, उसके बाद गोवा (0.84 प्रतिशत) तथा तमिलनाडु (2.2 प्रतिशत) का स्थान है।

बहुआयामी गरीबी (MULTIDIMENSIONAL POVERTY)

बहुआयामी गरीबी, गरीबी का एक ऐसा माप है, जो सिर्फ आय से परे है, यह व्यक्तियों के समक्ष अपने दैनिक जीवन में आने वाले कई अभावों को दर्शाता है। इनमें शिक्षा की कमी, खराब स्वास्थ्य, अपर्याप्त जीवन स्तर, स्वच्छ पानी, बिजली तथा अन्य आधारभूत आवश्यकताओं तक पहुँच की कमी शामिल है। बहुआयामी गरीबी सूचकांक (एमपीआई) का इस्तेमाल प्रायः इन अभावों का आकलन करने और सिर्फ आय की तुलना में गरीबी की अधिक व्यापक समझ प्रदान करने के लिए किया जाता है।

इस सूचकांक की गणना संयुक्त राष्ट्र विकास कार्यक्रम (यूएनडीपी) द्वारा ऑक्सफोर्ड गरीबी तथा मानव विकास पहल (ओपीएचआई) के सहयोग से की जाती है। भारत में राज्य स्तर पर यह कार्य नीति आयोग द्वारा किया जाता है।

चित्र 13.9

मानव विकास सूचकांक, 2022

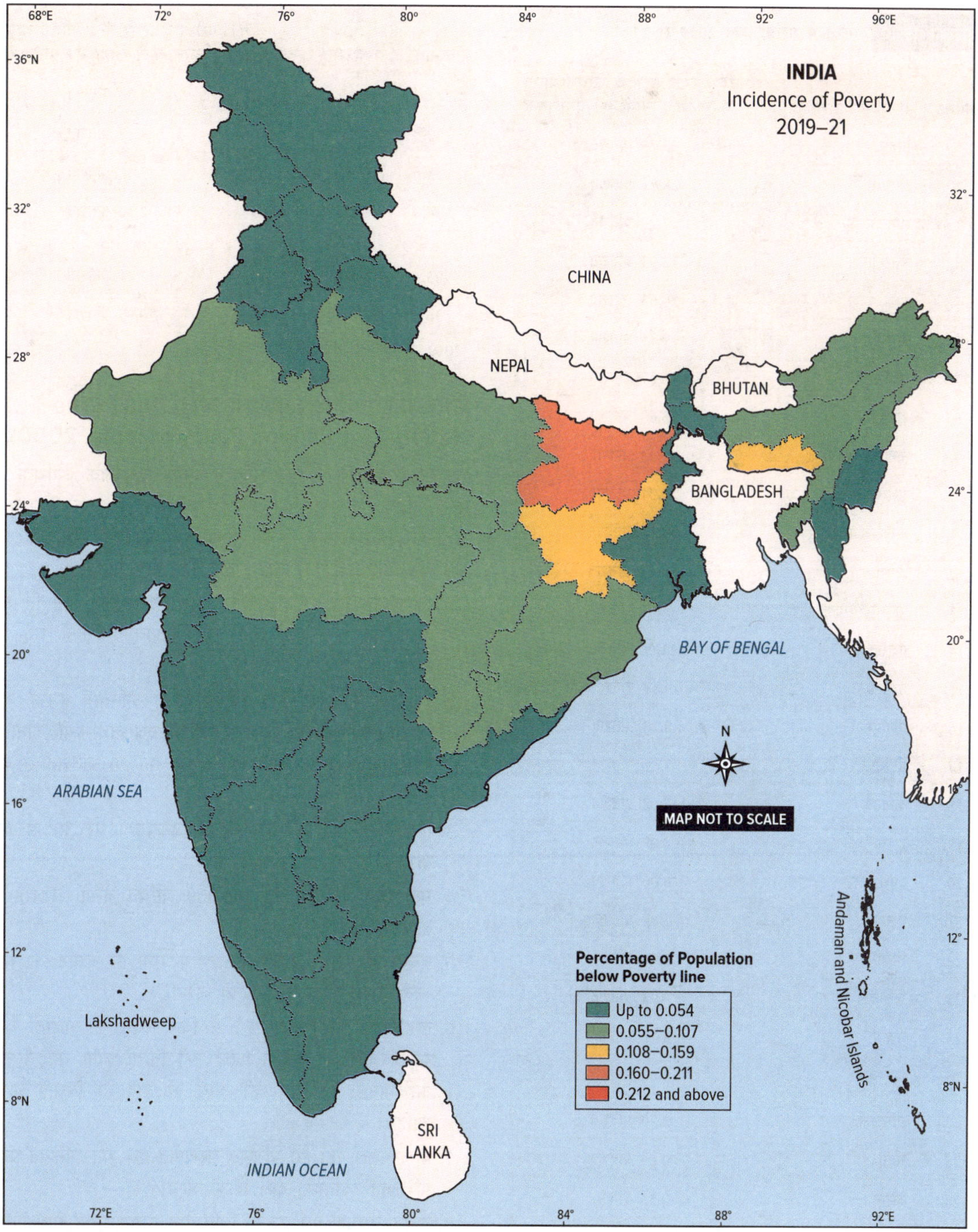

चित्र 13.10

भारत: गरीबी रेखा से नीचे जीवन यापन करने वाली जनसंख्या का प्रतिशत (2019 से 21)

स्रोत: नीति आयोग

तालिका 13.10 भारत में गरीबी, वर्ष 2019 से 21

क्रमांक	राज्य/संघ राज्यक्षेत्र	गरीबी रेखा से नीचे जीवन यापन करने वाले लोगों का प्रतिशत
1.	बिहार	33.76 प्रतिशत
2.	झारखंड	28.81 प्रतिशत
3.	मेघालय	27.79 प्रतिशत
4.	उत्तर प्रदेश	22.93 प्रतिशत
5.	मध्य प्रदेश	20.63 प्रतिशत
6.	असम	19.35 प्रतिशत
7.	छत्तीसगढ़	16.37 प्रतिशत
8.	ओडिशा	15.68 प्रतिशत
9.	नागालैंड	15.43 प्रतिशत
10.	राजस्थान	15.31 प्रतिशत
11.	अरुणाचल प्रदेश	13.76 प्रतिशत
12.	त्रिपुरा	13.11 प्रतिशत
13.	पश्चिम बंगाल	11.89 प्रतिशत
14.	गुजरात	11.66 प्रतिशत
15.	उत्तराखंड	9.67 प्रतिशत
16.	मणिपुर	8.10 प्रतिशत
17.	महाराष्ट्र	7.81 प्रतिशत
18.	कर्नाटक	7.58 प्रतिशत
19.	हरियाणा	7.07 प्रतिशत
20.	आंध्र प्रदेश	6.06 प्रतिशत
21.	तेलंगाना	5.88 प्रतिशत
22.	मिजोरम	5.30 प्रतिशत
23.	हिमाचल प्रदेश	4.93 प्रतिशत
24.	पंजाब	4.75 प्रतिशत
25.	सिक्किम	2.60 प्रतिशत
26.	तमिलनाडु	2.20 प्रतिशत
27.	गोवा	0.84 प्रतिशत
28.	केरल	0.55 प्रतिशत
29.	दादरा एवं नगर हवेली और दमन एवं दीव	9.21 प्रतिशत
30.	जम्मू एवं कश्मीर*	4.80 प्रतिशत
31.	लद्दाख*	3.53 प्रतिशत
32.	चंडीगढ़	3.52 प्रतिशत
33.	दिल्ली	3.43 प्रतिशत
34.	अंडमान एवं निकोबार द्वीप समूह	2.30 प्रतिशत
35.	लक्षद्वीप	1.11 प्रतिशत
36.	पुडुचेरी	0.85 प्रतिशत

*2019 में संघ राज्यक्षेत्र घोषित

भारत की राष्ट्रीय जनसंख्या नीति, 2000 (The National Population Policy of India, 2000)

भारतीय जनसंख्या की तीव्र वृद्धि ने अनेक सामाजिक-आर्थिक एवं पारिस्थितिक समस्याएँ पैदा की हैं। जनसंख्या वृद्धि को कम करने के लिए भारत सरकार ने वर्ष 2000 में जनसंख्या नीति तैयार की थी। जनसंख्या नीति के मुख्य बिंदु नीचे दिए गए हैं:

1. आधारभूत प्रजनन तथा बाल देखभाल सेवाओं, आपूर्ति और आधारभूत संरचनाओं की अपूर्ण आवश्यकताओं को पूरा करना।
2. 14 वर्ष की आयु तक स्कूली शिक्षा अनिवार्य करना, तथा माध्यमिक विद्यालय स्तर पर लड़के एवं लड़कियों, दोनों के लिए स्कूल छोड़ने वालों की संख्या को 20 प्रतिशत से कम करन ा।
3. शिशु मृत्यु दर को प्रति हजार जनसंख्या पर 30 से कम करना।
4. मातृ मृत्यु दर को प्रति 100,000 जीवित जन्मों पर 100 से कम करना।
5. बच्चों को सभी टीका-निवारणीय रोगों से बचाने के लिए सार्वभौमिक टीकाकरण प्राप्त करना।
6. लड़कियों का विवाह देरी से किये जाने को बढ़ावा देना। यह विवाह 18 वर्ष से पहले नहीं किया जाना चाहिये तथा अधिमानत: 20 वर्ष की आयु के बाद ही विवाह करना चाहिए।
7. कुल प्रसवों का 80 प्रतिशत संस्थागत एवं शत-प्रतिशत प्रसव प्रशिक्षित व्यक्तियों द्वारा किया जाना।
8. सूचना/परामर्श एवं प्रजनन विनियमन सेवाओं तक सार्वभौमिक पहुँच प्राप्त करना।
9. जन्म, मृत्यु, विवाह तथा गर्भधारण का शत-प्रतिशत पंजीकरण प्राप्त करना।

10. एड्स के प्रसार को रोकना तथा प्रजनन पथ के संक्रमण एवं यौन संचारित रोगों के प्रबंधन के बीच बेहतर एकीकरण को बढ़ावा देना।
11. रोकथाम योग्य रोगों की रोकथाम एवं नियंत्रण करना।
12. प्रजनन एवं बाल स्वास्थ्य सेवाओं के प्रावधान में भारतीय चिकित्सा पद्धति (आईएसएम) को एकीकृत करना तथा सभी घरों तक पहुँचाना।
13. कुल प्रजनन दर के प्रतिस्थापन स्तर को प्राप्त करने के लिए छोटे परिवार के मानदंड को जोरदार तरीके से बढ़ावा देना।
14. सामाजिक क्षेत्र के कार्यक्रमों के कार्यान्वयन में अभिसरण लाना, ताकि परिवार कल्याण एक जन-केंद्रित कार्यक्रम बन सके।

रणनीतियाँ (Strategies)

उपर्युक्त राष्ट्रीय सामाजिक-जनसांख्यिकीय लक्ष्यों को प्राप्त करने के लिए, इस नीतिगत दस्तावेज में निम्नलिखित रणनीतियों की रूपरेखा तैयार की गयी है:

1. विकेंद्रीकृत योजना एवं कार्यक्रम कार्यान्वयन।
2. ग्राम स्तर पर सेवा वितरण का अभिसरण।
3. बेहतर स्वास्थ्य तथा पोषण के लिए महिलाओं को सशक्त बनाना।
4. बाल देखभाल सेवाएँ।
5. परिवार कल्याण सेवाओं की तत्काल आवश्यकताओं को पूरा करना।
6. शहरी झुग्गी-झोपड़ियों में रहने वालों, आदिवासी समुदायों, पहाड़ी क्षेत्र की जनसंख्या तथा विस्थापित एवं प्रवासी जनसंख्या के लिए परिचालन रणनीतियाँ; नियोजित पितृत्व में पुरुषों की भागीदारी बढ़ाना।
7. विविध स्वास्थ्य सेवा प्रदान करना।
8. गैर-सरकारी संगठनों तथा निजी क्षेत्र के साथ सहयोग।
9. प्रजनन एवं बाल स्वास्थ्य में गर्भनिरोधक तकनीक तथा अनुसंधान।
10. सूचना, शिक्षा एवं संचार।
11. भारत सरकार ने प्रधानमंत्री की अध्यक्षता में राष्ट्रीय जनसंख्या आयोग की नियुक्ति की है।

भारत जून 2023 में सबसे अधिक जनसंख्या वाला देश बन गया। दुनिया की बदलती सामाजिक-आर्थिक वास्तविकताओं के साथ भारत के लिए वर्तमान जनसंख्या चुनौतियों के आधार पर संशोधित एक नई जनसंख्या नीति तैयार करने तथा उसे अपनाने का सही समय है।

बस्तियाँ (SETTLEMENTS)

मानव बस्तियाँ ऐसे समुदाय हैं, जहाँ लोग निवास एवं परस्पर व्यवहार करते हैं। इनमें छोटे गाँवों से लेकर बड़े शहर तथा दैनन्दिन जीवन को सहारा प्रदान करने के लिये निर्मित वातावरण और आधारभूत संरचनाएँ शामिल है। जब हम जनसंख्या का अध्ययन करते हैं, तो बस्तियों को समझना भी आवश्यक है, ताकि यह पहचाना जा सके कि लोग एक-दूसरे के साथ और अपने आस-पास के प्राकृतिक संसाधनों के साथ किस प्रकार व्यवहार करते हैं।

बस्तियों को प्रभावित करने वाले कारक (Factors Affecting Settlements)

भौतिक कारक (Physical Factors)

- **स्थलाकृति (Topography):** भारत में गंगा के मैदान जैसे समतल, उपजाऊ मैदान घनी बस्तियों को बढ़ावा देते हैं, जबकि पहाड़ी क्षेत्र में कठिन भू-भाग होने के कारण छितरी हुई बस्तियां होती हैं।
- **जलवायु (Climate):** मध्यम जलवायु उच्च जनसंख्या घनत्व के लिए अनुकूल होती है, जबकि थार रेगिस्तान जैसे क्षेत्र में चरम जलवायु की स्थिति में बड़ी बस्तियां नही. होती हैं।
- **जल आपूर्ति (Water Supply):** नदियों जैसे जल स्रोतों की निकटता वाले स्थानों पर सघन बस्तियां होती है, जैसा कि मिस्र में नील नदी के किनारे देखा गया है।
- **मृदा उर्वरता (Soil Fertility):** सिंधु-गंगा के मैदान की मिट्टी जैसी उपजाऊ मृदा कृषि व्यवहार्यता के कारण घनी जनसंख्या को बढ़ावा देती है।
- **प्राकृतिक संसाधन (Natural Resources):** खनिजों जैसे संसाधनों की उपलब्धता से समूहबद्ध बस्तियाँ विकसित हो सकती हैं, जैसा कि झारखंड के खनन क्षेत्रों में देखा गया है।

आर्थिक कारक (Economic Factors)

- **कृषि उत्पादकता (Agricultural Productivity):** उच्च उत्पादकता घनी बस्तियों को सहारा देती है, जिसका उदाहरण पंजाब की उन्नत कृषि है।
- **रोजगार के अवसर (Employment Opportunities):** गैर-कृषि नौकरियाँ जनसंख्या को आकर्षित करती हैं, जो औद्योगिक क्षेत्रों के पास बस्तियों के स्वरूप को प्रभावित करती हैं।

- **पहुँच एवं परिवहन (Accessibility and Transportation):** परिवहन नेटवर्क की निकटता बड़ी तथा अधिक समृद्ध बस्तियों को बढ़ावा देती है, जैसा कि राजमार्गों और रेलवे के पास देखा गया है।

सामाजिक एवं सांस्कृतिक कारक (Social and Cultural Factors)

- **समुदाय एवं रिश्तेदारी (Community and Kinship):** सामाजिक बंधन बस्तियों के समूहीकरण को प्रभावित करते हैं, जैसा कि पारंपरिक भारतीय गांवों में देखा जाता है।
- **सांस्कृतिक प्रथाएँ (Cultural Practices):** धार्मिक एवं सांस्कृतिक प्रथाएँ बस्तियों की संरचना को विशेष रूप से राजस्थान जैसे क्षेत्रों में आकार देती हैं।
- **भूमि स्वामित्व का स्वरूप (Land Ownership Patterns):** भूमि वितरण बस्तियों के स्वरूप को प्रभावित करता है, जिसमें बड़ी संपत्तियाँ समूहबद्ध बस्तियों की ओर ले जाती हैं, जो ऐतिहासिक रूप से जमींदारी प्रणाली से प्रभावित हैं।

राजनीतिक कारक (Political Factors)

- **सरकारी नीतियाँ (Government Policies):** भूमि उपयोग तथा ग्रामीण विकास संबंधी नीतियाँ बस्तियों के स्वरूप को आकार देती हैं, जैसा कि भारत की हरित क्रांति के दौरान देखा गया था।
- **सुरक्षा एवं स्थिरता (Security and Stability):** राजनीतिक स्थिरता बस्तियों को प्रोत्साहित करती है, जबकि संघर्ष वाले क्षेत्रों में जनसंख्या में कमी या विखंडन देखा गया है।

पर्यावरणीय कारक (Environmental Factors)

- **प्राकृतिक आपदाएँ (Natural Disasters):** तटीय ओडिशा जैसे प्राकृतिक आपदाओं से ग्रस्त क्षेत्रों में कम स्थिर बस्तियाँ हैं तथा वहाँ प्रवास या बस्तियों के स्वरूप में बदलाव देखा जा सकता है।

ग्रामीण एवं शहरी बस्तियाँ (Rural and Urban Settlements)

- **ग्रामीण बस्तियाँ (Rural Settlements):** ये विरल जनसंख्या वाले क्षेत्र होते हैं, जहाँ छोटे समुदाय, कृषि-आधारित आजीविका तथा प्राकृतिक वातावरण से घनिष्ठ संबंध होते हैं।
- **शहरी बस्तियाँ (Urban Settlements):** ये जटिल आधारभूत संरचना, विविध आर्थिक गतिविधियों तथा सेवाओं एवं उद्योगों की उच्च सघनता वाले घनी जनसंख्या वाले क्षेत्र होते हैं।

त्वरित पुनरावलोकन (Quick Revision)

बस्तियों को प्रभावित करने वाले कारक

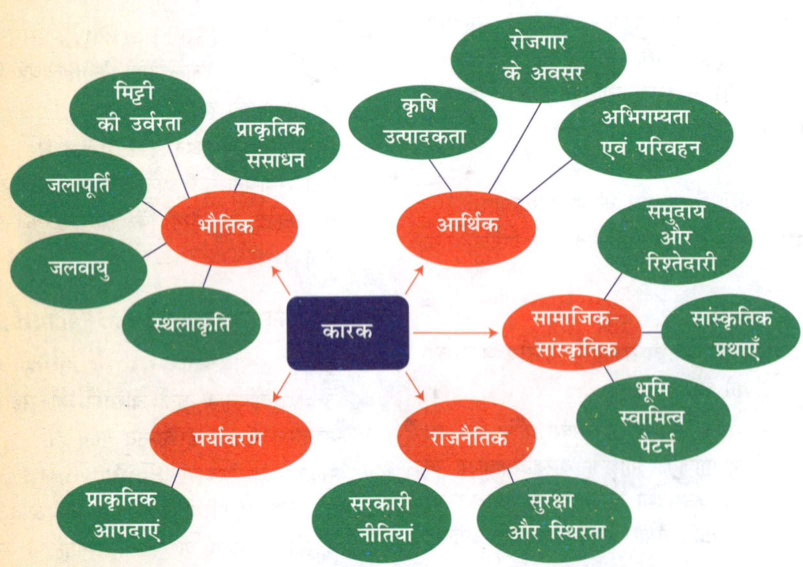

- शहरी बस्तियों की तुलना में ग्रामीण बस्तियाँ विविध एवं गतिशील हैं, क्योंकि ये प्राकृतिक एवं पर्यावरणीय कारकों से अधिक निकटता से प्रभावित होती हैं।

भारत की बस्तियों को उसकी जनसंख्या के आधार पर विभिन्न वर्ग श्रेणियों में विभाजित किया जा सकता है। अधिक जानकारी के लिए तालिका 13.11 देखें।

बस्तियों के प्रकार (Types of Settlements)

घनी/केंद्रीकृत बस्तियाँ (Compact/Nucleated Settlements)

- अनुकूल भू-स्थलाकृतियों एवं जलवायु वाले क्षेत्रों में बसी होती हैं।
- घर तथा भवन एक-दूसरे से सटे हुए होते हैं।
- सामान्यत: उपजाऊ मैदानों, घाटियों या प्रचुर प्राकृतिक संसाधनों या सुरक्षा वाले क्षेत्रों में पायी जाती हैं।
- उदाहरण: उत्तर भारत का मैदान, राजस्थान, बुंदेलखंड तथा नागालैंड में स्थित आर्द्र जलवायु वाले स्थान।

अर्द्ध-सघन बस्तियाँ (Semi-Compact Settlements)

- अनुकूल भू-स्थलाकृतियों, परंतु कम अनुकूल जलवायु वाले क्षेत्रों में पायी जाती हैं।
- सघन तथा छितरी हुई बस्तियों के बीच का संक्रमणकालीन रूप होता है।
- घर कुछ हद तक सघन होते हैं, लेकिन उनके बीच अधिक जगह होती है।
- ये बस्तियां प्राकृतिक या सामाजिक कारकों के कारण बड़े गाँवों के विखंडन का परिणाम होती है।
- उदाहरण: सिंधु बेसिन, गुजरात के मैदान तथा राजस्थान के कुछ मैदानी भाग।

छोटी बस्तियाँ (Hamleted Settlements)

- सामाजिक या जातीय कारणों से अलग-अलग इकाइयों में विभाजित होती हैं।
- पन्ना, पारा, पल्ली, नगला तथा धानी जैसे नामों से जाना जाता है।
- उत्तरी भारत के गंगा के मैदानों, निचली हिमालयी घाटियों, छत्तीसगढ़ के मैदानों (आदिवासी समूह) तथा दक्षिण भारत के कुछ भागों में सामान्यत: पायी जाती है।

छितरी हुई बस्तियाँ (Dispersed Settlements)

- घर तथा भवन एक बड़े क्षेत्र में फैले हुए होते हैं।
- प्रतिकूल जलवायु तथा भू-स्थलाकृति इन क्षेत्रों में पायी जाती हैं।
- उदाहरण: हिमालयी क्षेत्र (उत्तराखंड, हिमाचल प्रदेश, लद्दाख), मेघालय, आदि।

बस्तियों के स्वरूप (Patterns of Settlements)

- **रैखिक (Linear):** सबसे सामान्य स्वरूप, राजमार्गों, वन पथों तथा नदियों के किनारे पाया जाता है। क्रॉस-सेक्शन पर यह टी-आकार या स्टार-आकार के पैटर्न या चेकरबोर्ड पैटर्न में भी हो सकती हैं।
- **अंडाकार/वृत्ताकार (Oval/Circular):** ये किसी विशेष आकर्षण वाले नोडल बिंदु (क्षेत्र) के आसपास बसी होती हैं। जैसे कि किसी धार्मिक स्थान, नखलिस्तान (Oasis), तालाब आदि के आसपास।
- **त्रिकोणीय (Triangular):** डेल्टा एवं जलोढ़ शंकु क्षेत्रों में पायी जाती है।

  इन बस्तियों' के बारे में अधिक जानकारी के लिए माजिद हुसैन की पुस्तक *भारत का भूगोल* का अध्याय 14 पढ़ें।
- **आयताकार (ग्रिड पैटर्न) (Rectangular (Grid pattern)):** यह पैटर्न मैदानी क्षेत्रों में पाया जाता है।
- **सीढ़ीनुमा (Step):** यह पैटर्न या स्वरूप पहाड़ी क्षेत्रों में पाया जाता है, जहाँ समतल सतह विकसित करने के लिए पहाड़ियों को काटा जाता है तथा आधारभूत संरचना विकसित की जाती है। सीढ़ीनुमा बस्तियों को वेदिकानुमा बस्तियां भी कहा जाता है।

तालिका 13.11 भारत-वर्ग/श्रेणी-वार कस्बों एवं शहरों की संख्या तथा उनकी जनसंख्या, 2011

वर्ग	जनसंख्या	संख्या	जनसंख्या (मिलियन में)	कुल शहरी विकास का प्रतिशत	वर्ष 1991 से 2001 में वृद्धि का प्रतिशत
कुल वर्ग		5161	285.35	100.00	31.13
I	>100,000	423	172.04	61.48	23.12
II	50,000–99,999	498	34.43	12.30	43.45

(Continued)

तालिका 13.11 *(Continued)*

वर्ग	जनसंख्या	संख्या	जनसंख्या (मिलियन में)	कुल शहरी विकास का प्रतिशत	वर्ष 1991 से 2001 में वृद्धि का प्रतिशत
III	20,000–49,999	1386	41.97	15.00	46.19
IV	10,000–19,999	1560	22.60	8.08	32.94
V	5,000–9,999	1057	7.98	2.85	41.49
VI	<5000	227	0.80	0.29	21.21

स्रोत: भारत की जनगणना, 2011

याद रखने की युक्ति (Learning Trick)

बस्तियों के पैटर्न

पैटर्न वस्तुत: जमीन पर बस्तियों द्वारा निर्मित आकृति है जिसे पक्षी की नजर से देखा जाता है (हेलीकॉप्टर या हवाई जहाज आदि)।

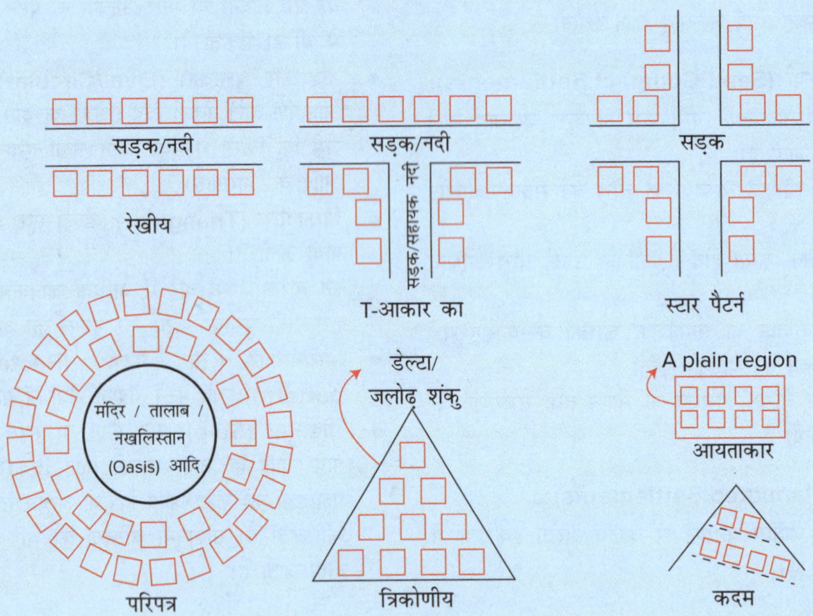

तालिका 13.12 भारत मिलियन प्लस शहरी समूह-2011

क्र.सं.	शहरी समूह	राज्य/संघ राज्य क्षेत्र	जनसंख्या (2011)
1.	मुंबई	महाराष्ट्र	18,394,912
2.	दिल्ली	दिल्ली	16,349,831
3.	कोलकाता	पश्चिम बंगाल	14,035,959
4.	चेन्नई	तमिलनाडु	8,653,521
5.	बैंगलोर	कर्नाटक	8,520,435
6.	हैदराबाद	तेलंगाना	7,674,689
7.	अहमदाबाद	गुजरात	6,361,084
8.	पुणे	महाराष्ट्र	5,057,709
9.	सूरत	गुजरात	4,591,246
10.	जयपुर	राजस्थान	3,046,163
11.	कानपुर	उत्तर प्रदेश	2,920,496
12.	लखनऊ	उत्तर प्रदेश	2,902,920
13.	नागपुर	महाराष्ट्र	2,497,870
14.	गाजियाबाद	उत्तर प्रदेश	2,375,820
15.	इंदौर	मध्य प्रदेश	2,170,295
16.	कोयंबटूर	तमिलनाडु	2,136,916
17.	कोच्चि	केरल	2,119,724
18.	पटना	बिहार	2,049,156
19.	कोझिकोड	केरल	2,028,399
20.	भोपाल	मध्य प्रदेश	1,886,100
21.	त्रिशूर	केरल	1,861,269
22.	वडोदरा	गुजरात	1,822,221
23.	आगरा	उत्तर प्रदेश	1,760,285

(Continued)

तालिका 13.12 *(Continued)*

क्र.सं.	शहरी समूह	राज्य/संघ राज्य क्षेत्र	जनसंख्या (2011)
24.	विशाखापत्तनम	आंध्र प्रदेश	1,728,128
25.	मलप्पुरम	केरल	1,699,060
26.	तिरुवनंतपुरम	केरल	1,679,754
27.	कन्नूर	केरल	1,640,986
28.	लुधियाना	पंजाब	1,618,829
29.	नासिक	महाराष्ट्र	1,561,809
30.	विजयवाड़ा	आंध्र प्रदेश	1,476,931
31.	मदुरै	तमिलनाडु	1,465,625
32.	वाराणसी	उत्तर प्रदेश	1,432,280
33.	मेरठ	उत्तर प्रदेश	1,420,902
34.	फरीदाबाद	हरियाणा	1,414,050
35.	राजकोट	गुजरात	1,390,640
36.	जमशेदपुर	झारखंड	1,339,438
37.	जबलपुर	मध्य प्रदेश	1,268,848
38.	श्रीनगर	जम्मू एवं कश्मीर	1,264,202
39.	आसनसोल	पश्चिम बंगाल	1,242,414
40.	वसई-विहार	महाराष्ट्र	1,222,390
41.	प्रयागराज	उत्तर प्रदेश	1,212,395
42.	धनबाद	झारखंड	1,196,214
43.	औरंगाबाद	महाराष्ट्र	1,193,167
44.	अमृतसर	पंजाब	1,183,549
45.	जोधपुर	राजस्थान	1,138,300
46.	रायपुर	छत्तीसगढ	1,123,558
47.	रांची	झारखंड	1,120,374

तालिका 13.12 *(Continued)*

क्र.सं.	शहरी समूह	राज्य/संघ राज्य क्षेत्र	जनसंख्या (2011)
48.	ग्वालियर	मध्य प्रदेश	1,117,740
49.	कोल्लम	केरल	1,110,668
50.	दुर्ग-भिलाई नगर	छत्तीसगढ	1,064,222
51.	चंडीगढ़	चंडीगढ़	1,026,459
52.	तिरुचिराप्पल्ली	तमिलनाडु	1,022,518
53.	कोटा	राजस्थान	1,001,694

स्रोत: भारत की जनगणना, 2011

शहरी झुग्गी-झोपड़ियाँ (Urban Slums)

झुग्गी-झोपड़ियाँ खराब आवासों वाला क्षेत्र है, जहां प्राय: बहु-व्यस्तता तथा अत्यधिक भीड़भाड़ होती है। शहरी झुग्गियाँ शहरी जनसंख्या विस्फोट की उत्पाद हैं, जो औद्योगीकरण के साथ हुआ है। शहरी झुग्गियों के मुख्य कारण हैं: (i), विशेष रूप से ग्रामीण से शहरी प्रवास के कारण जनसंख्या में तेजी से वृद्धि (ii) कृषि भूमि पर भारी दबाव, (iii) बेरोजगारी, (iv) शहरों में नौकरियों का आकर्षण, (v) किफायती आवास की कमी (vi) आय में असमानता (vii) शहरी नियोजन की कमी।

झुग्गियों की विशेषता गरीबी, कुपोषण, बीमारी, अस्वच्छता, अज्ञानता तथा जीवन स्तर के खराब मानक हैं। भारत में झुग्गी-झोपड़ियों की जनसंख्या का राज्य-व्यापी वितरण तालिका 13.13 में दर्शाया गया है। वर्ष 2011 की जनगणना में झुग्गियों की जानकारी प्रदान करने वाले कुल शहरों की संख्या 2613 थी। झुग्गी-झोपड़ियों की जनसंख्या की सर्वाधिक प्रतिशत जनसंख्या महाराष्ट्र में है। यद्यपि, हिमाचल प्रदेश, सिक्किम, अरुणाचल प्रदेश, नागालैंड, मणिपुर, मिजोरम, अंडमान एवं निकोबार द्वीप समूह, दादरा एवं नगर हवेली तथा दमन एवं दीव तथा लक्षद्वीप में कोई झुग्गी बस्ती नहीं है।

तालिका 13.13 वर्ष 2001 और 2011 में मलिन बस्तियों का तुलनात्मक प्रतिशत भाग

राज्य/संघ राज्यक्षेत्र	प्रतिशत हिस्सेदारी (2001)	प्रतिशत हिस्सेदारी (2011)
महाराष्ट्र	22.9	18.1
आंध्र प्रदेश	12.0	15.6
पश्चिम बंगाल	8.9	9.8
तमिलनाडु	8.1	8.9
मध्य प्रदेश	7.2	8.7
कर्नाटक	4.5	5.0
राजस्थान	3.0	3.2

(Continued)

तालिका 13.13 *(Continued)*

राज्य/संघ राज्यक्षेत्र	प्रतिशत हिस्सेदारी (2001)	प्रतिशत हिस्सेदारी (2011)
राष्ट्रीय राजधानी क्षेत्र दिल्ली	3.9	2.7
पंजाब	2.8	2.2
छत्तीसगढ़	2.1	2.9
हरियाणा	3.2	2.5
ओडिशा	2.1	2.4
बिहार	1.6	1.9
जम्मू एवं कश्मीर, उत्तराखंड, झारखंड, असम, केरल, त्रिपुरा, पुडुचेरी, हिमाचल प्रदेश, चंडीगढ़, नागालैंड, मिजोरम, मेघालय, सिक्किम, अरुणाचल प्रदेश, गोवा, अंडमान एवं निकोबार द्वीप समूह	–	1 प्रतिशत से कम
जम्मू एवं कश्मीर, उत्तराखंड, झारखंड, चंडीगढ़, मेघालय, असम, पुडुचेरी, त्रिपुरा, केरल	1 प्रतिशत से कम	–
मणिपुर, दादरा एवं नगर हवेली तथा दमन एवं दीव, लक्षद्वीप	–	कोई झुग्गी-झोपड़ी नहीं
हिमाचल प्रदेश, सिक्किम, अरुणाचल प्रदेश, नागालैंड, मणिपुर, मिजोरम, दादरा एवं नगर हवेली तथा दमन एवं दीव, अंडमान एवं निकोबार द्वीप समूह	कोई झुग्गी-झोपड़ी नहीं	–

स्रोत: झुग्गी-झोपड़ियों के लिए प्राथमिक जनगणना सार, 2011

भारत के महापंजीयक एवं जनगणना आयुक्त का कार्यालय

इस अध्याय पर वैचारिक वीडियो देखने के लिए कृपया यहां दिए गए क्यूआर कोड को स्कैन करें

अध्याय

14

भारत का आर्थिक भूगोल (ECONOMIC GEOGRAPHY OF INDIA)

अध्याय की रूपरेखा (Chapter Outline)

✓*याद रखने की युक्ति (Learning Trick)* *त्वरित पुनरावलोकन (Quick Revision)*

भारत की भौगोलिक संरचना, जलवायु, मृदा एवं वनस्पति में विविधता के साथ-साथ प्रचुर भूमि तथा जल संसाधनों के कारण यह देश अपने प्राकृतिक संसाधनों का दोहन कर पाया है तथा अपने उद्योगों को विकसित कर पाया है। इस अध्याय में हम भारत के कृषि एवं खनिज संसाधनों के बारे में जानेंगे और बाद में देश में स्थापित उद्योगों का अध्ययन करेंगे।

भारत में कृषि (AGRICULTURE IN INDIA)

भारत के लगभग 42.3 प्रतिशत कार्यबल को कृषि क्षेत्र में रोजगार मिलता है तथा राष्ट्रीय सकल घरेलू उत्पाद (2022-23) में इसका योगदान लगभग 18.2 प्रतिशत है। भारत कृषि उत्पादन में वैश्विक स्तर पर दूसरे स्थान पर है, जिसका उत्पादन मूल्य 2022 तक 572 बिलियन डॉलर से अधिक है। देश में विश्व का सबसे बड़ा कृषि योग्य भूमि क्षेत्र भी है, जो लगभग 1.597 मिलियन वर्ग किलोमीटर (394.6 मिलियन एकड़) क्षेत्र है।

भारत दूध, दालों तथा जूट के उत्पादन में विश्व का अग्रणी देश है। चावल, गेहूँ, गन्ना, मूंगफली, सब्जियाँ, फल और कपास के उत्पादन में यह विश्व में दूसरे स्थान पर है। वित्त वर्ष 2022-23 में कृषि-निर्यात लगभग 46.44 बिलियन डॉलर तक पहुँच गया। वर्ष 2021-22 के आर्थिक सर्वेक्षण के अनुसार, भारत के बोए गए शुद्ध क्षेत्र का लगभग 49 प्रतिशत सिंचित है, जिसमें 40 प्रतिशत पानी नहरों तथा 60 प्रतिशत भूजल स्रोतों से प्राप्त होता है।

भारत में फसल के मौसम (Cropping Seasons of India)

भारत में तीन फसली मौसम हैं, जो तापमान एवं नमी की स्थिति पर निर्भर करते हैं। इससे देश में उगाई जाने वाली फसलों की विविधता मिलती है (तालिका 14.1)।

खरीफ मौसम (Kharif Season)

- **समय अवधि (Time Period):** जून से अक्टूबर।
- **बुवाई (Sowing):** जून में दक्षिण-पश्चिम मानसून के प्रारंभ के साथ शुरू होती है।
- **कटाई (Harvesting):** सितंबर से अक्टूबर।
- **प्रमुख फसलें (Major Crops):** धान (चावल), मक्का, ज्वार, बाजरा, दालें (जैसे मूंग, उड़द और अरहर), कपास, मूंगफली, सोयाबीन तथा गन्ना।
- **जलवायु परिस्थितियाँ (Climatic Conditions):** पर्याप्त वर्षा के साथ गर्म एवं आर्द्र मौसम की आवश्यकता होती है। बाजरा, दालें तथा तिलहन निम्न आर्द्र क्षेत्रों में भी उगाए जा सकते हैं।

रबी मौसम (Rabi Season)

- **समय अवधि:** अक्टूबर/नवंबर से मार्च/अप्रैल।
- **बुवाई:** मानसून की वर्षा के बाद, अक्टूबर से दिसंबर तक।
- **कटाई:** मार्च से अप्रैल।
- पश्चिमी विक्षोभ के कारण सर्दियों में होने वाली वर्षा इसके विकास में सहायक होती है।

तालिका 14.1 भारत के फसली मौसम

फसली मौसम	उत्तरी राज्यों में उगाई जाने वाली प्रमुख फसलें	दक्षिणी राज्यों में उगाई जाने वाली प्रमुख फसलें
खरीफ (जून-अक्टूबर)	चावल, कपास, बाजरा, मक्का, ज्वार, अरहर, काला चना, हरा चना,	चावल, मक्का, रागी, ज्वार, मूंगफली
रबी (अक्टूबर-मार्च/अप्रैल)	गेहूँ, चना, जौ, सरसों, रेपसीड, मसूर, मटर, हरा चारा (बरसीम)	गेहूँ, सरसों, जौ, चना, जई, सूरजमुखी
जायद (मार्च/अप्रैल-जून)	सब्जियाँ, खीरा, खरबूजा, चारा	खीरा, कद्दू, करेला, तरबूज, खरबूजा, टमाटर, हरी पत्तेदार सब्जियाँ, तथा कुछ छोटी अवधि की दालें जैसे मूंग और उड़द

- **प्रमुख फसलें:** गेहूं, जौ, जई, चना, सरसों, मटर तथा अलसी।
- **जलवायु परिस्थितियाँ:** विकास के लिए शीत एवं शुष्क मौसम तथा कटाई के दौरान गर्म मौसम की आवश्यकता होती है।

जायद का मौसम (Zaid Season)

- **समय अवधि (Time Period):** मार्च/अप्रैल से जून।
- **बुवाई (Sowing):** रबी मौसम के अंत तथा खरीफ मौसम की शुरुआत के बीच।
- **कटाई (Harvesting):** जून से जुलाई।
- **प्रमुख फसलें (Major Crops):** तरबूज, खरबूजा, खीरा, सब्जियाँ, चारा फसलें और कुछ दालें (जैसे मूंग एवं उड़द)।
- **जलवायु परिस्थितियाँ (Climatic Conditions):** सिंचाई की उपलब्धता के साथ गर्म एवं शुष्क मौसम की आवश्यकता होती है

याद रखने की युक्ति (Learning Trick)

भारत के फसल मौसम

जनवरी	फरवरी	मार्च	अप्रैल	मई	जून
जुलाई	अगस्त	सितंबर	अक्टूबर	नवंबर	दिसंबर

जल स्रोत

- खरीफ फसलें → दक्षिण-पश्चिमी मानसून + कृत्रिम सिंचाई
- रबी फसलें → शीतकालीन मानसून + कृत्रिम सिंचाई
- जायद फसलें → कृत्रिम सिंचाई

सिंचाई (IRRIGATION)

भारतीय कृषि को प्राय: 'मानसून का जुआ' कहा जाता है। वर्षा की उच्च परिवर्तनशीलता वाले क्षेत्रों में सिंचाई की उपलब्धता से फसलों की खेती अधिक विश्वसनीय तथा टिकाऊ बन सकती है। वास्तव में कृषि क्षेत्र की पूरी क्षमता का उपयोग करने के लिए सिंचाई बहुत महत्वपूर्ण है। इसलिए, हमारे जल संसाधनों का कुशल उपयोग बहुत महत्व रखता है। देश के कुछ भागों में हर वर्ष सूखा पड़ता है। मानसून के देरी से आने से प्राय: कृषि लाभ कम हो जाते हैं। इसके अलावा, सर्दियों की फसलें काफी हद तक सिंचाई पर निर्भर हैं। इन सभी समस्याओं को हल करने के लिए सिंचाई की आवश्यकता है। प्राचीन काल से ही भारत में सिंचाई की जाती रही है तथा अब यह कुल सिंचित क्षेत्र के मामले में विश्व में पहले स्थान पर है। मुख्य सिंचाई स्रोत तथा उनके द्वारा सिंचित क्षेत्र चित्र 14.1 में दिखाए गए हैं।

उद्देश्य के आधार पर सिंचित खेती को इस प्रकार वर्गीकृत किया जा सकता है:

- **सुरक्षात्मक सिंचाई (Protective Irrigation):** पौधों को सूखने से बचाने के लिए सिंचाई की जाती है।
- **उत्पादक सिंचाई (Productive Irrigation):** जब पौधे सिंचाई के बिना भी जीवित रह सकते हैं, लेकिन उनकी उत्पादकता सीमित रहती है, जब तक कि उन्हें पानी की अधिक निरंतर आपूर्ति न मिले।

नहरें (Canals)

नहरें भारत में सिंचाई के सबसे पुराने तथा सबसे महत्वपूर्ण स्रोतों में से एक हैं। यद्यपि, नहर सिंचाई मुख्य रूप से भारत के विशाल मैदानी क्षेत्रों (पंजाब, हरियाणा, उत्तर प्रदेश, उत्तराखंड, राजस्थान, बिहार तथा पश्चिम बंगाल) और भारत के उपजाऊ मैदानों (आंध्र प्रदेश, कर्नाटक, मध्य प्रदेश, ओडिशा तथा तमिलनाडु) तक ही सीमित है। बारी दोआब नहर, भाखड़ा नहर, इंदिरा गांधी नहर, पूर्वी एवं पश्चिमी यमुना नहरें, गंगा नहर, आगरा और शारदा नहरें भारत की कुछ महत्वपूर्ण सिंचाई प्रणालियाँ हैं। नहर सिंचाई ने इंदिरा गांधी नहर कमांड क्षेत्र में थार रेगिस्तान के कुछ क्षेत्रों को उपजाऊ हरे-भरे क्षेत्रों में बदल दिया है। तालिका 14.2 नहर सिंचाई तथा सिंचाई के अन्य स्रोतों के अंतर्गत आने वाले क्षेत्र को दर्शाती है और तालिका 14.3 भारत की प्रमुख नहरों को दर्शाती है।

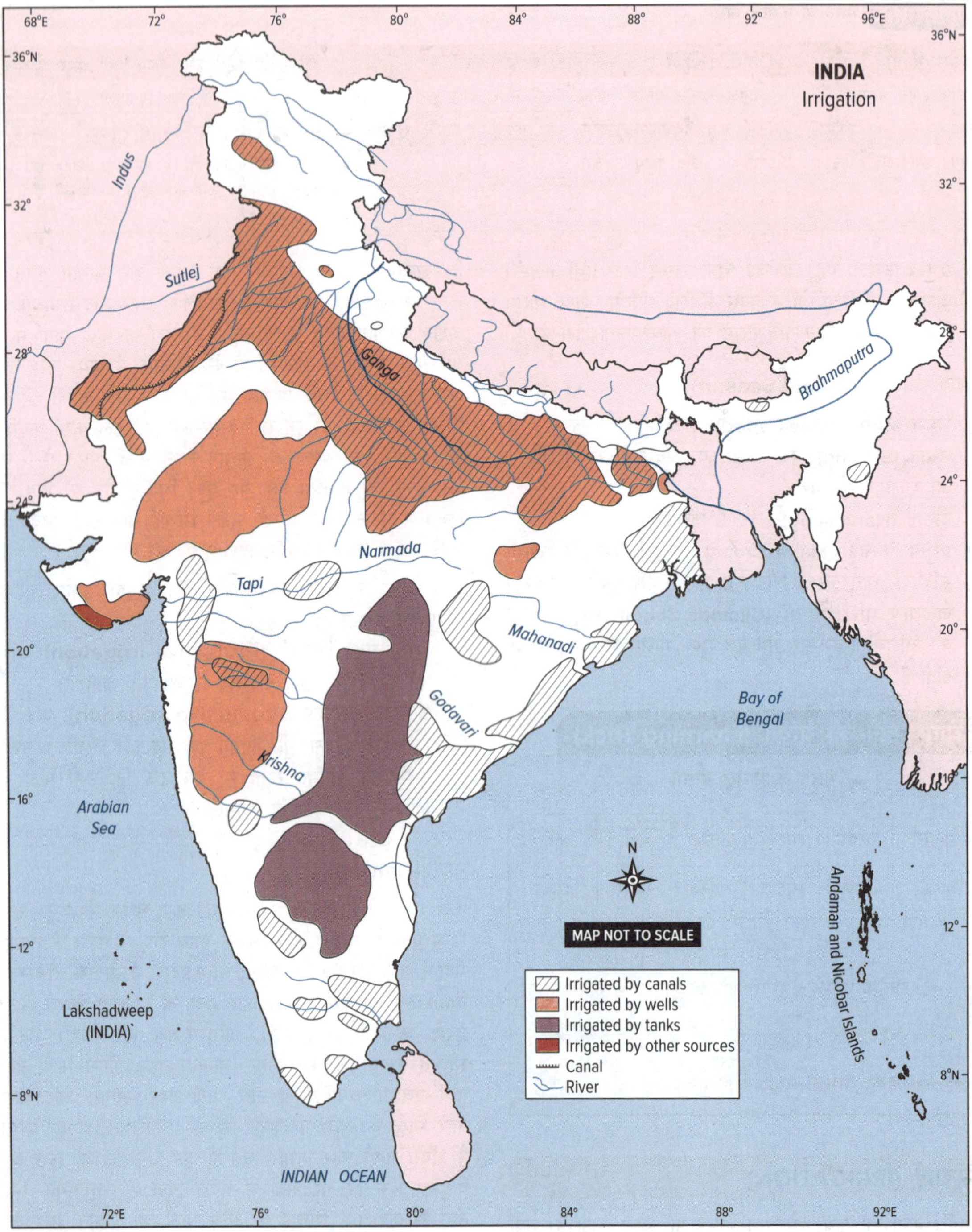

चित्र 14.1
सिंचाई के स्रोत

तालिका 14.2 वर्ष 2021-22 के लिए देश में सिंचाई के विभिन्न स्रोतों का राज्यवार ब्यौरा

(हजार हेक्टेयर में)

राज्य/संघ राज्य क्षेत्र/वर्ष	शुद्ध सिंचित क्षेत्र							
	नहरें				कुएँ			शुद्ध सिंचित क्षेत्र (कॉलम 4 से 8)
	सरकारी	निजी	कुल	तालाब	ट्यूब-वेल	अन्य कुएं	अन्य स्रोत	
(1)	(2)	(3)	(4)	(5)	(6)	(7)	(8)	(9)
आंध्र प्रदेश	1,344	–	1,344	310	1162	28	108	2,952
अरुणाचल प्रदेश	–	–	–	–	–	–	63	63
असम	101	10	112	7	105	52	162	438
बिहार	967	–	967	53	1,924	23	116	3,082
छत्तीसगढ	899	0	899	25	610	12	59	1604
गोवा	8	–	8	0	0	0	7	15
गुजरात	1,604	–	1,604	239	1,874	1,693	386	5,796
हरियाणा	1,237	–	1,237	–	2,342	–	–	3,579
हिमाचल प्रदेश	5	–	5	0	28	3	75	111
झारखंड	4	–	4	90	19	71	94	279
कर्नाटक	1,435	–	1,435	154	2,244	321	768	4,920
केरल	72	0	73	48	45	122	116	403
मध्य प्रदेश	1,824	–	1,824	512	5,015	3,056	2,495	1,2903
महाराष्ट्र*	1,033	–	1,033	–	2,070	–	–	3,103
मणिपुर*	–	–	–	–	–	–	62	62
मेघालय	84	18	102	102	–	–	–	102
मिजोरम	2	14	16	–	–	–	–	16
नगालैंड	–	–	–	–	–	–	49	49
ओडिशा	–	–	–	–	–	–	1,238	1,238
पंजाब	1,160	–	1,160	–	2,953	–	–	4,113
राजस्थान	2,056	–	2,056	39	4,457	2,157	215	8,924
सिक्किम*	–	–	–	–	–	–	14	14
तमिलनाडु	684	0	684	410	546	1,285	5	2,930
तेलंगाना	2,085	–	2,085	222	834	207	29	3,376
त्रिपुरा	7	–	7	2	8	1	71	89
उत्तराखंड	65	1	66	0	226	2	21	315
उत्तर प्रदेश	2,204	–	2,204	85	10,299	1,269	84	13,941
पश्चिम बंगाल	–	–	–	–	3,127	3,127	–	–
अंडमान एवं निकोबार द्वीप समूह*	–	–	0	–	–	0	0	0
चंडीगढ़	–	–	–	–	0	–	–	0

(Continued)

तालिका 14.2 *(Continued)*

राज्य/संघ राज्य क्षेत्र/वर्ष	शुद्ध सिंचित क्षेत्र							
	नहरें				कुएँ			
	सरकारी	निजी	कुल	तालाब	ट्यूब-वेल	अन्य कुएं	अन्य स्रोत	शुद्ध सिंचित क्षेत्र (कॉलम 4 से 8)
(1)	(2)	(3)	(4)	(5)	(6)	(7)	(8)	(9)
दादर एवं नगर हवेली और दमन एवं दीव	0	–	0	0	0	1	0	2
दिल्ली	2	–	2	–	18	0	1	22
जम्मू एवं कश्मीर	163	104	267	10	8	7	22	315
लद्दाख	3	17	20	–	–	–	0	20
लक्षद्वीप	–	–	–	–	–	–	–	–
पुडुचेरी	5	–	5	–	9	–	0	14
अखिल भारत	19,054	164	19,218	2,205	36,797	10,308	9,387	77,916

* अनंतिम

नोट: '0' 500 हेक्टेयर से कम क्षेत्र से संबंधित है।

रिक्त स्थान (–) राज्यों/संघ राज्य क्षेत्रों से डेटा की उपलब्धता या रिपोर्टिंग नहीं होने को दर्शाता है।

स्रोत: अर्थशास्त्र एवं सांख्यिकी निदेशालय, कृषि एवं किसान कल्याण मंत्रालय।

तालिका 14.3 भारत की प्रमुख नहरें

क्र.सं.	नहर	स्रोत/वर्ष	कमांड के अंतर्गत क्षेत्र	सिंचाई के अंतर्गत जिले
1.	इंदिरा गांधी नहर	हरिके बैराज (सतलुज एवं व्यास नदियाँ) 31 मार्च, 1958 को शुरू।	19.63 मिलियन हेक्टेयर	राजस्थान। इससे पंजाब में सिंचाई नहीं होती है।
2.	भाखड़ा नहर	सतलुज नदी, 1954	1.3 मिलियन हेक्टेयर	पंजाब, हरियाणा, राजस्थान, लुधियाना, पटियाला, संगरूर, जालंधर तथा फिरोजपुर
3.	शारदा नहर	भारत-नेपाल सीमा के पास बनबसा। 1928 में शुरू हुई।	2 मिलियन हेक्टेयर	बरेली, खीरी, पीलीभीत, शाहजहांपुर, हरदोई, लखनऊ, उन्नाव, प्रतापगढ़, सीतापुर, सुल्तानपुर, बाराबंकी, इलाहाबाद, रायबरेली
4.	ऊपरी गंगा नहर	कनखल (हरिद्वार), 1954	20 लाख हेक्टेयर	हरिद्वार, मुजफ्फरनगर, मेरठ, गाजियाबाद, बुलन्दशहर, अलीगढ, मथुरा, एटा, मैनपुरी, कानपुर
5.	सरहिन्द नहर	रूपनगर (रोपड़)	1.36 मिलियन हेक्टेयर	पटियाला, संगरूर, भटिंडा, लुधियाना, फिरोजपुर (पंजाब), हिसार, सिरसा, फतेहाबाद (हरियाणा)
6.	निचली गंगा नहर	नरौरा (बुलंदशहर जिला), 1878	1.2 मिलियन हेक्टेयर	बुलन्दशहर, अलीगढ, फर्रुखाबाद, मैनपुरी, एटा, इटावा, कानपुर, इलाहाबाद
7.	बिष्ट दोआब नहर	भाखड़ा-नांगल परियोजना का हिस्सा	1.36 मिलियन हेक्टेयर	जालंधर और होशियारपुर
8.	पश्चिमी यमुना नहर	ताजेवाला	2.5 मिलियन हेक्टेयर	अम्बाला, कुरूक्षेत्र, करनाल, पानीपत, रोहतक, हिसार, सिरसा, फरीदाबाद तथा जिंद
9.	ऊपरी बारी-दोआब नहर	माधोपुर (पठानकोट), रावी-नदी, 1859	5.4 लाख हेक्टेयर	गुरदासपुर और अमृतसर
10.	तवा नहर	तवा बैराज	4 लाख हेक्टेयर	नर्मदापुरम
11.	पूर्वी यमुना नहर	फैजाबाद (सहारनपुर), 1831	2 लाख हेक्टेयर	सहारनपुर, मुजफ्फरनगर, मेरठ, बागपत, गाजियाबाद
12.	मेट्टूर नहर	मेट्टूर बांध	1.2 लाख हेक्टेयर	सलेम, तिरुचिरापल्ली

नहर सिंचाई के लाभ (Merits of Canal Irrigation)

1. नहरें सिंचाई का बारहमासी स्रोत हैं।
2. नहरें सिंचाई का सस्ता स्रोत हैं।
3. नहरें बहुत अधिक मात्रा में तलछट लाती हैं, जो सिंचित खेतों की उर्वरता को बढ़ाती हैं।
4. नहरें कृषि को टिकाऊ बनाती हैं।
5. नहरें बरसात के मौसम में बाढ़ को नियंत्रित करने में मदद करती हैं।

नहर सिंचाई के नुकसान (Demerits of Canal Irrigation)

1. नहर के कारण पानी का अत्यधिक उपयोग एवं दुरुपयोग होता है।
2. अत्यधिक सिंचाई से जलभराव होता है।
3. अत्यधिक सिंचाई से भूमिगत जल स्तर में वृद्धि होती है।
4. बरसात के मौसम में कई नहरें ओवरफ्लो हो जाती हैं।
5. नहर से सिंचाई केवल मैदानी क्षेत्रों में ही संभव है।
6. जल-जमाव वाले क्षेत्र मच्छरों के प्रजनन के मैदान बन जाते हैं।
7. अर्ध-शुष्क क्षेत्रों में नहर से सिंचाई के कारण ऊसर (कल्लर) बनने की समस्या होती है।

कुएँ एवं ट्यूबवेल (Wells and Tubewells)

कृषि जनगणना 2015-16 के अनुसार, भारत के कुल सिंचित क्षेत्र का लगभग 64 प्रतिशत भूजल स्रोतों से सिंचित है, जिसमें कुएँ एवं ट्यूबवेल दोनों शामिल हैं। भारत के उत्तरी मैदानों में ट्यूबवेल सिंचाई का व्यापक विकास हुआ है। लगभग 95 प्रतिशत ट्यूबवेल उत्तर प्रदेश, पंजाब, हरियाणा, गुजरात, बिहार, मध्य प्रदेश, महाराष्ट्र, आंध्र प्रदेश, कर्नाटक, पश्चिम बंगाल तथा ओडिशा में स्थित हैं।

ट्यूबवेल सिंचाई के लाभ (Merits of Tubewell Irrigation)

1. ट्यूबवेल कम समय में लगाए जा सकते हैं।
2. सरकार और किसानों द्वारा सुविधाजनक स्थानों पर ट्यूबवेल लगाए जा सकते हैं।
3. ट्यूबवेल कम लागत पर लगाए जा सकते हैं।
4. ट्यूबवेल सिंचाई का एक स्वतंत्र स्रोत है।
5. आवश्यकता पड़ने पर ट्यूबवेल का उपयोग किया जा सकता है।
6. ट्यूबवेल के पानी में कई खनिज एवं लवण (जैसे, नाइट्रेट, सल्फेट, आदि) होते हैं, जो मृदा की उर्वरता को बढ़ाते हैं।

ट्यूबवेल सिंचाई से हानि (Demerits of Tubewell Irrigation)

1. ट्यूबवेल से सीमित क्षेत्र में ही सिंचाई की जा सकती है।
2. भूमिगत जलस्तर विशेष रूप से गर्मी के मौसम में कम हो जाता है।
3. मानसून की विफलता की स्थिति में भूमिगत जलस्तर गिर जाता है तथा फसलों की सिंचाई के लिए पर्याप्त पानी उपलब्ध नहीं हो पाता।
4. चूंकि, ट्यूबवेल एवं पंपिंग सेट बिजली तथा डीजल से चलते हैं, इसलिए इसे सिंचाई का महंगा तरीका माना जाता है।

तालाब (Tanks)

तालाब से सिंचाई विशेष रूप से दक्कन पठार के पूर्वी भाग में की जाती है, जहाँ स्थलाकृति छोटी-छोटी नदियों पर बाँध बनाने तथा कृत्रिम झीलों में पानी इकट्ठा करने के लिए उपयुक्त है। तमिलनाडु में चेंगलपट्टू, उत्तरी अर्काट, दक्षिणी अर्काट, आंध्र प्रदेश में नेल्लोर तथा वारंगल जिलों में बड़ी संख्या में तालाब पाए जाते हैं। अन्य राज्य, जहाँ यह कम प्रचलित है, वे हैं- ओडिशा, पश्चिम बंगाल, उत्तर प्रदेश, कर्नाटक तथा महाराष्ट्र।

सूक्ष्म सिंचाई (MICRO IRRIGATION)

सूक्ष्म सिंचाई में ऐसी तकनीकें शामिल हैं, जो पौधों की जड़ों तक सीधे पानी पहुंचाकर कृषि में पानी के उपयोग को अनुकूलित करती हैं, जिससे पानी की बर्बादी कम होती है तथा समग्र दक्षता में सुधार होता है। इसमें ड्रिप सिंचाई, स्प्रिंकलर और फॉगर्स जैसी विधियाँ शामिल हैं, जिनमें से प्रत्येक के अलग-अलग लाभ एवं उपयोग हैं।

सूक्ष्म सिंचाई के प्रकार (Types of Micro Irrigation)

1. ड्रिप सिंचाई (Drip Irrigation)

- **विवरण (Description):** पाइप तथा एमिटर के नेटवर्क के माध्यम से सीधे पौधे की जड़ों तक पानी पहुंचाता है, जिससे पानी का सटीक उपयोग संभव होता है (चित्र 14.2)।
- **लाभ (Advantages)**
  - केवल पौधों की जड़ क्षेत्र पर सिंचाई पर ध्यान केंद्रित करके पानी की बर्बादी को कम करता है।
  - कम पानी के दबाव की आवश्यकता होती है, जिससे ऊर्जा लागत कम होती है।
  - पानी में मिश्रित उर्वरकों या कीटनाशकों के साथ इसका उपयोग किया जा सकता है, जिससे पोषक तत्वों का अवशोषण बेहतर होता है तथा रासायनिक अपशिष्ट कम होता है।

चित्र 14.2
ड्रिप सिंचाई

- **नुकसान (Disadvantages)**
    - उपकरणों की खरीद हेतु आरंभ में अधिक निवेश।
    - पाइपों का जाम होना, विशेष रूप से कठोर जल वाले क्षेत्रों में पानी की आपूर्ति में बाधा उत्पन्न कर सकता है।
    - इनको लगाने के लिये फसल पादपों के बीच जगह की आवश्यकता होती है, इस कारण अलग-अलग पादप अंतराल वाले क्षेत्रों में इसका उपयोग सीमित मात्रा में ही हो सकता है।

2. स्प्रिंकलर सिंचाई (Sprinkler Irrigation)

- **विवरण (Description):** घूमते हुए या स्थिर स्प्रिंकलर के माध्यम से पानी का छिड़काव किया जाता है, जो बड़े क्षेत्र में प्राकृतिक वर्षा की नकल जैसा है (चित्र 14.3)।

चित्र 14.3
स्प्रिंकलर सिंचाई

- **लाभ (Advantages)**
    - सभी प्रकार की मृदा के लिए उपयुक्त है।
    - बड़े क्षेत्रों में समान वितरण प्रदान करता है। इससे खेत को समतल करने की आवश्यकता कम हो जाती है।
- **नुकसान (Disadvantages)**
    - हवा के हस्तक्षेप से असमान जल वितरण हो सकता है।
    - विशेष रूप से गर्म जलवायु में पानी के वाष्पीकरण से नुकसान हो सकता है।

3. फॉगर्स (Foggers)

- **विवरण (Description):** यह नमी प्रदान करने के लिए महीन धुंध बनाता है। इसका प्रयोग मुख्य रूप से नाजुक फसलों के लिए नर्सरी या ग्रीनहाउस में उपयोग किया जाता है (चित्र 14.4)।
- **लाभ (Advantages)**
    - आर्द्र वातावरण बनाने तथा यह सुनिश्चित करने के लिए आदर्श है कि नाजुक पौधों को सीधे जलभराव के बिना नमी मिले।
- **हानि (Disadvantages)**
    - उच्च वाष्पीकरण के कारण खुले खेतों में सीमित उपयोग।
    - हवा की अधिक संतृप्ति से बचने के लिए सावधानीपूर्वक नियंत्रण की आवश्यकता होती है।

चित्र 14.4
फॉगर्स

सूक्ष्म सिंचाई के लाभ (Advantages of Micro Irrigation)

- **जल संरक्षण (Water Conservation):** यह जल उपयोग दक्षता में नाटकीय रूप से सुधार करता है, विशेष रूप से उन क्षेत्रों में जहाँ पानी की कमी है।

- **मृदा अपरदन को रोकता है (Prevents Soil Erosion):** चूँकि यह अति-संतृप्ति से बचाता है, इसलिए, मृदा अपरदन की संभावना न्यूनतम होती है।
- **विभिन्न मृदाओं के लिए उपयुक्त (Applicable to Varied Soils):** सूक्ष्म सिंचाई सभी प्रकार की मृदाओं और भू-भागों के लिए उपयुक्त है, इसके लिए खेतों को समतल करने की आवश्यकता नहीं होती है।
- **फसल उत्पादकता में सुधार (Improved Crop Productivity):** समान जल वितरण से लगातार वृद्धि होती है, पोषक तत्वों की हानि कम होती है और उपज बढ़ती है।

चुनौतियाँ (Challenges)

- **उच्च आरंभिक लागत (High Initial Costs):** ड्रिप सिंचाई जैसी सूक्ष्म सिंचाई प्रणालियों की स्थापना में महत्वपूर्ण अग्रिम लागत शामिल होती है।
- **रख-रखाव की आवश्यकताएँ (Maintenance Needs):** इस प्रणाली को नियमित रख-रखाव की आवश्यकता होती है, ताकि रुकावट को रोका जा सके तथा यह सुनिश्चित किया जा सके कि पानी सभी क्षेत्रों में समान रूप से पहुँचे।
- **आवश्यक विशेषज्ञता (Expertise Required):** इसके सेटअप एवं संचालन के लिए तकनीकी ज्ञान आवश्यक है, अन्यथा इससे संसाधनों की बर्बादी हो सकती है।

भारत में भूमि उपयोग (Land Use in India)

भूमि राजस्व अभिलेखों के अनुसार, भारत में भूमि उपयोग को 9 प्रकारों में वर्गीकृत किया गया है (विवरण तालिका 14.4 में दिया गया है):

- **वन (Forests):** सरकार द्वारा वन के रूप में नामित क्षेत्र।
- **बंजर एवं ऊसर भूमि (Barren & Wasteland):** वह भूमि, जिस पर वर्तमान तकनीकों से खेती नहीं की जा सकती।
- **गैर-कृषि उपयोग में लाई गई भूमि (Land put to Non–Agricultural Use):** इसमें बस्तियाँ, उद्योग, वाणिज्यिक केंद्र एवं आधारभूत संरचनाएँ शामिल हैं।
- **स्थायी चारागाह एवं चरागाह भूमि (Permanent Pastures and Grazing Lands):** अधिकतर स्थायी चारागाह एवं चारागाह भूमि पंचायतों या सरकार के स्वामित्व में होती है। यह शायद ही कभी निजी स्वामित्व में होती है।
- **विविध वृक्ष फसलें एवं उपवन (Miscellaneous Tree Crops and Groves):** बाग एवं फलों के पेड़ों वाले क्षेत्र आते हैं। यह सामान्य रूप से निजी स्वामित्व वाले बागान होते हैं।
- **कृषि योग्य बंजर भूमि (Culturable Wasteland):** 5 साल से अधिक समय तक बिना कृषि के छोड़ी गई भूमि, लेकिन उसे फिर से प्राप्त किया जा सकता है।
- **वर्तमान परती (Current Fallow):** मृदा को ठीक होने के लिए एक कृषि वर्ष तक बिना कृषि के छोड़ी गई भूमि।
- **वर्तमान परती के अलावा परती (Fallow Other than Current Fallow):** एक से अधिक, लेकिन पाँच वर्ष से कम समय के लिए परती छोड़ी गई भूमि।
- **शुद्ध बुवाई क्षेत्र (Net Sown Area):** फसल की कृषि के लिए उपयोग की जाने वाली भूमि। (भूमि जोतों के आकार के लिए, तालिका 14.5 देखें)

यद्यपि, भूमि का कोई टुकड़ा किस श्रेणी में आता है, यह तय नहीं है। यह कई कारणों से बदलता रहता है जैसे:

- **शहरीकरण (Urbanisation):** शहरों के विस्तार से कृषि एवं वन भूमि शहरी क्षेत्रों में परिवर्तित हो जाती है।
- **औद्योगीकरण (Industrialisation):** उद्योगों की स्थापना के लिए भूमि के बड़े क्षेत्रों की आवश्यकता होती है, जिससे ग्रामीण एवं प्राकृतिक भूमि का रूपांतरण होता है।
- **आधारभूत संरचना का विकास (Infrastructure Development):** सड़कों, रेलवे, हवाई अड्डों एवं बांधों के निर्माण से भूमि उपयोग में बदलाव होता है।
- **कृषि विस्तार (Agricultural Expansion):** भोजन की बढ़ती मांग से वनों की कटाई होती है तथा प्राकृतिक पारिस्थितिकी तंत्र कृषि भूमि में परिवर्तित हो जाते हैं।
- **वनों की कटाई (Deforestation):** लकड़ी, कृषि कार्य या बस्तियों के विस्तार के लिए जंगलों को साफ करने से भूमि उपयोग में महत्वपूर्ण बदलाव होता है।
- **जनसंख्या वृद्धि (Population Growth):** जनसंख्या दबाव बढ़ने से आवास एवं संसाधनों के लिए प्राकृतिक भूमि पर अतिक्रमण होता है।
- **खनन (Mining):** खनिजों एवं संसाधनों के निष्कर्षण से प्राकृतिक परिदृश्य में बदलाव होता है।
- **जलवायु परिवर्तन (Climate Change):** जलवायु परिस्थितियों में बदलाव के कारण कुछ भूमि अपने वर्तमान उपयोग के लिए अनुपयोगी हो सकती है, जिससे भूमि उपयोग में परिवर्तन हो सकता है।
- **भूमि क्षरण (Land Degradation):** मृदा अपरदन, लवणीकरण एवं क्षरण के अन्य रूप भूमि उपयोग प्रथाओं में परिवर्तन को मजबूर करते हैं।

- **नीति एवं कानून (Policy and Legislation):** कुछ भूमि उपयोगों को बढ़ावा देने या प्रतिबंधित करने वाली सरकारी नीतियाँ भूमि उपयोग के स्वरूप को महत्वपूर्ण रूप से प्रभावित कर सकती हैं।
- **आर्थिक कारक (Economic Factors):** बदलती आर्थिक गतिविधियाँ, जैसे कि कृषि से रियल एस्टेट में बदलाव, भूमि उपयोग परिवर्तन को प्रेरित करती हैं।
- **तकनीकी उन्नति (Technological Advancements):** नई कृषि तकनीकें या भूमि सुधार तकनीकें भूमि उपयोग में परिवर्तन ला सकती हैं।
- **पर्यटन (Tourism):** पर्यटन में वृद्धि के लिए अधिक मनोरंजक क्षेत्रों, होटलों तथा अन्य आधारभूत संरचनाओं की आवश्यकता होती है, जिससे प्राकृतिक भू-परिदृश्य बदल जाते हैं।
- **प्राकृतिक आपदाएँ (Natural Disasters):** बाढ़, भूकंप तथा सूखे जैसी घटनाएँ भूमि को उसके पिछले उपयोग के लिए अनुपयुक्त बना सकती हैं, जिससे परिवर्तन की आवश्यकता पड़ सकती है।

तालिका 14.4 भारत-सामान्य भूमि उपयोग, 2018-19

क्र.सं.	भूमि की श्रेणी	क्षेत्र (मिलियन हेक्टेयर में)
	भूमि उपयोग सांख्यिकी के लिए रिपोर्टिंग क्षेत्र (1 से 9)	3,06,650
1.	वन	72,021
2.	गैर-कृषि उपयोग के लिए रखा गया क्षेत्र	27,845
3.	बंजर और गैर-कृषि योग्य भूमि	16,554
4.	स्थायी चारागाह और अन्य चरागाह भूमि	10,248
5.	विविध वृक्ष फसलों के अंतर्गत भूमि	2,992
6.	कृषि योग्य बंजर भूमि	11,659
7.	वर्तमान परती भूमि के अलावा परती भूमि	11,128
8.	वर्तमान परती भूमि	13,498
9.	बोया गया शुद्ध क्षेत्र	1,40,705
	कृषि भूमि (5+6+7+8+9)	1,79,982
	कृषि योग्य भूमि (8+9)	1,54203
	फसली सघनता (बुवाई किये गये कुल प्रतिशत क्षेत्र की तुलना में फसल क्षेत्र)।	155.9

स्रोत: भूमि उपयोग सांख्यिकी एक नजर में: 2022–23, कृषि और किसान कल्याण मंत्रालय

तालिका 14.5 भारत में जोत का आकार, 2015-16

क्र.सं.	आकार समूह	कृषि जनगणना 2015-16 जोतों की संख्या ('000 में)	कृषि जनगणना 2015-16 संचालित क्षेत्रफल ('000 हेक्टेयर में)	कुल जोतों में जोतों का प्रतिशत	कुल क्षेत्रफल में से संचालित क्षेत्रफल का प्रतिशत	प्रति जोत औसत संचालित क्षेत्रफल (हेक्टेयर में)
1.	सीमांत (1.00 हेक्टेयर से कम)	1,00,251	37,923	68.45	24.03	0.38
2.	लघु (1.00-2.00 हेक्टेयर)	25,809	36,151	17.62	22.91	1.40
3.	अर्ध-मध्यम (2.00-4.00 हेक्टेयर)	13,993	37,619	9.55	23.84	2.69
4.	मध्यम (4.00-10.00 हेक्टेयर)	5,561	31,810	3.80	20.16	5.72
5.	बड़ा (10.00 हेक्टेयर और उससे अधिक)	838	14,314	0.57	9.07	17.07
	कुल	**1,46,454**	**1,57,817**	**100.00**	**100.00**	**1.08**

स्रोत: भारत सरकार (2019)। कृषि जनगणना 2015-16, कृषि जनगणना प्रभाग, कृषि, सहकारिता एवं किसान कल्याण विभाग, कृषि एवं किसान कल्याण मंत्रालय, नई दिल्ली।

शुष्क भूमि कृषि (Dryland Farming)

शुष्क भूमि कृषि, उन क्षेत्रों में फसलों की कृषि है, जहां फसलों के लिए पानी का स्रोत केवल वर्षा है तथा औसत वार्षिक वर्षा 40-70 सेमी के बीच होती है और वर्षा की वार्षिक परिवर्तनशीलता 20 से 60 प्रतिशत के बीच होती है। कृषि विशेषज्ञों के अनुसार, वर्षा की यह मात्रा कई फसलों को उगाने के लिए पर्याप्त है, लेकिन इसका वितरण बहुत अनिश्चित है तथा अधिकांश समय वर्षा वाष्पोत्सर्जन की दर से कम होती है। वास्तव में 80 प्रतिशत से अधिक वर्षा केवल 10-15 दिनों में दर्ज की जाती है। भारत में शुद्ध कृषि वाले क्षेत्र का लगभग 62 प्रतिशत शुष्क भूमि एवं वर्षा आधारित कृषि के अंतर्गत है, जो भारत के कुल उत्पादन का लगभग 40 प्रतिशत योगदान देता है। शुष्क भूमि कृषि एवं वर्षा आधारित कृषि की मुख्य विशेषताएं तालिका 14.6 में सूचीबद्ध की गई हैं।

सिंचित एवं वर्षा आधारित क्षेत्र का विवरण तालिका 14.7 में दिया गया है।

तालिका 14.6 शुष्क भूमि एवं आर्द्रभूमि कृषि

क्र.सं.	मुख्य विशेषताएं	शुष्क भूमि पर कृषि	आर्द्रभूमि कृषि
1.	वर्षा	< 115 सेमी	> 115 सेमी
2.	फसलों के लिए नमी की उपलब्धता	कम	पर्याप्त
3.	फसल उगाने की अवधि	< 120 दिन	> 120 दिन
4.	फसल प्रणाली	एकल फसल या अंतरफसल	अंतरफसल या दोहरी फसल
5.	बाधाएं	वायु एवं जल अपरदन	जल अपरदन
6.	क्षेत्र	शुष्क एवं अर्ध-शुष्क तथा उप-आर्द्र/आर्द्र क्षेत्रों की ऊपरी भूमि	आर्द्र एवं उप-आर्द्र क्षेत्र

तालिका 14.7 भारत में सिंचित एवं वर्षा आधारित क्षेत्र

वर्ग	क्षेत्र (मिलियन हेक्टेयर में)	कुल कृषि योग्य भूमि का प्रतिशत
कुल कृषि योग्य	143.8	100.00
शुष्क भूमि	34.5	24.0
आर्द्रभूमि*	65.5	45.5
सिंचित	43.8–73	30.5–22.20

*इसमें 15 मिलियन हेक्टेयर बाढ़-प्रवण क्षेत्र भी शामिल है

शुष्क भूमि कृषि में फसल उत्पादन में आने वाली समस्याएँ (Problems of Crop Production in Dryland Farming)

शुष्क भूमि कृषि की मुख्य समस्याएँ निम्नलिखित हैं। परिणामस्वरूप, इसमें फसलों का विफल होना काफी आम बात है।

1. **वर्षा का अपर्याप्त एवं असमान वितरण (Inadequate and Uneven Distribution of Rainfall):** जैसा कि ऊपर बताया गया है, शुष्क भूमि कृषि क्षेत्रों में वर्षा कम होती है तथा यह अत्यधिक परिवर्तनशील होती है, जिसके परिणामस्वरूप फसल की पैदावार अनिश्चित होती है।
2. **वर्षा का देर से आना तथा जल्दी समाप्त हो जाना (Late Onset and Early Cessation of Rains):** जब गर्मियों में मानसून का आगमन देर से होता है, तो फसलों की बुवाई में देरी होती है, जिसके परिणामस्वरूप खराब पैदावार होती है। कभी-कभी, मौसम में बहुत जल्दी वर्षा बंद हो जाती है, जिससे फसल फूलने एवं पकने के समय सूखे की चपेट में आ जाती है, जिससे फसल की पैदावार काफी कम हो जाती है।
3. **फसल अवधि के दौरान लंबे समय तक सूखा (Prolonged Dry Spells During the Crop Period):** वर्षा के मौसम में लंबे समय तक सूखा भारतीय मानसून की एक महत्वपूर्ण विशेषता रही है। फसल अवधि के दौरान लंबे समय तक ये बीच के सूखे का अंतराल फसल की वृद्धि एवं उपज को कम करते हैं तथा जब ये अंतराल बहुत लंबे समय तक रहता है, तो फसलें खराब हो जाती हैं।
4. **कम नमी धारण क्षमता (Low Moisture Retention Capacity):** यहां फसलें रेतीली या लाल मृदा जैसी मोटी बनावट वाली मृदा में उगाई जाती हैं। यहां भूमि उबड़-खाबड़ तथा उथली मृदा होती है, जिसके कारण वर्षा का पानी बह जाता है।
5. **मृदा की कम उर्वरता (Low Fertility of Soils):** शुष्क भूमि में न केवल न्यून नमी होती है, बल्कि उसमें पोषक तत्व भी कम होते हैं। यहां मृदा की उर्वरता बढ़ाने की आवश्यकता है, परंतु यहां मृदा में पर्याप्त नमी नहीं होने के कारण रासायनिक उर्वरकों के व्यापक उपयोग की गुंजाइश भी नहीं है।

टिकाऊ शुष्क कृषि के लिए रणनीति (Strategy for Sustainable Dry Farming)

शुष्क भूमि कृषि में प्रति इकाई क्षेत्र में फसलों की उपज कम होती है। फसल की उपज बढ़ाने के लिए महत्वपूर्ण सूखा प्रबंधन प्रथाओं में उपयुक्त फसलों एवं फसल प्रणालियों का चयन, जुताई, बीज एवं बुवाई, पोषक तत्व प्रबंधन, वर्षा जल प्रबंधन, खरपतवार प्रबंधन, कीट प्रबंधन, कटाई तथा भंडारण शामिल हैं।

भारत की महत्वपूर्ण फसलें (IMPORTANT CROPS OF INDIA)

भारत की प्रमुख फसलें एवं उनके बारे में महत्वपूर्ण विवरण तालिका 14.8 में दिया गया है।

तालिका 14.8 भारत की महत्वपूर्ण फसलें

फसल	तापमान (डिग्री सेल्सियस)	वर्षा (सेमी.)	मृदा का प्रकार	भारत में उत्पादन (मिलियन टन)	भारत में शीर्ष उत्पादक राज्य	अतिरिक्त जानकारी
चावल	15–27	100–300	गहरी चिकनी एवं दोमट मृदा	136.7 (2023–24)	पश्चिम बंगाल, उत्तर प्रदेश, आंध्र प्रदेश, बिहार	यह विश्व की आधी से अधिक आबादी का मुख्य भोजन है। इसके लिये उच्च आर्द्रता की आवश्यकता होती है। इसमें इंडिका (लंबा दाना) तथा जैपोनिका (छोटा दाना) किस्में शामिल हैं। पश्चिम बंगाल जैसे कुछ क्षेत्रों में चावल की 3 फसलें उगाई जाती हैं: ऑस, अमन एवं बोरो।
गेहूँ	10–25 (बुवाई के समय)	75–100	अच्छी जल निकासी वाली उपजाऊ दोमट तथा चिकनी मृदा। जलोढ़, चेरनोजम	112.9 (2023–24)	पंजाब, हरियाणा, मध्य प्रदेश, उत्तर प्रदेश	विश्व स्तर पर दूसरी सबसे महत्वपूर्ण खाद्य फसल है। इसके पकने के दौरान तेज धूप की आवश्यकता होती है। भारत में यह सर्दियों की फसल है।
ज्वार (सोरघम)	25–32	40	जलोढ़, काली या लाल मृदा	4.7 (2023–24)	महाराष्ट्र (>50 प्रतिशत), कर्नाटक, मध्य प्रदेश, आंध्र प्रदेश, तेलंगाना	दक्षिणी भारत में खरीफ एवं रबी दोनों के मौसम में उगायी जाती है। उत्तर में जैव ईंधन तथा चारे के रूप में भी उपयोग किया जाता है।
बाजरा (मोती बाजरा)	20–30	40–60	रेतीली दोमट, काली मृदा	10.7 (2023–24)	राजस्थान, महाराष्ट्र, गुजरात, उत्तर प्रदेश, हरियाणा	सूखा प्रतिरोधी फसल। प्रायः मिश्रित फसल प्रणाली के हिस्से के रूप में उगाई जाती है।
बाजरा (सामान्य)	20–30	परिवर्तनशील, कम पानी की आवश्यकता वाली	अच्छी जल निकासी वाली मृदा, अनुकूलनीय	17.5 (2023–24)	कर्नाटक, महाराष्ट्र, राजस्थान, गुजरात	शुष्क परिस्थितियों में पैदावार दे सकता है तथा पोषक तत्वों से भरपूर होता है। इसमें ज्वार, मोती बाजरा एवं फिंगर बाजरा जैसी फसलें शामिल हैं।
मक्का (मकई)	15–27	50–80	बहुमुखी। गहरी-भारी मृदा से लेकर हल्की रेतीली दोमट मृदा	35.7 (2023–24)	कर्नाटक, मध्य प्रदेश, बिहार, आंध्र प्रदेश, तेलंगाना	खाद्य, पशु आहार तथा उद्योग के लिए उपयोग की जाने वाली बहुमुखी फसल। गर्म जलवायु में पैदावार दे सकती है।
कपास	21–27	50–100	चिकनी काली मृदा	32.5 (2023–24)	गुजरात, महाराष्ट्र, तेलंगाना	वस्त्र उद्योग हेतु उपयोग में लायी जाने वाली खरीफ की नकदी फसल है। भारत लंबे (अमेरिकी) एवं छोटे (भारतीय) दोनों प्रकार के स्टेपल कपास का उत्पादन करता है।

(Continued)

तालिका 14.8 *(Continued)*

फसल	तापमान (डिग्री सेल्सियस)	वर्षा (सेमी.)	मृदा का प्रकार	भारत में उत्पादन (मिलियन टन)	भारत में शीर्ष उत्पादक राज्य	अतिरिक्त जानकारी
जूट	25–35	150–200	अच्छी जल निकासी वाली उपजाऊ जलोढ़ मृदा	9.3 (2023–24)	पश्चिम बंगाल, बिहार, असम	बोरी तथा पैकेजिंग के लिए इस्तेमाल की जाने वाली नकदी फसल। बांग्लादेश के बाद भारत दूसरा सबसे बड़ा उत्पादक देश है।
गन्ना	21–27	150–200	अच्छी जल निकासी वाली उपजाऊ दोमट मृदा	442.5 (2023–24)	उत्तर प्रदेश, महाराष्ट्र, कर्नाटक, तमिलनाडु, आंध्र प्रदेश	इसे संसाधित कर चीनी बनायी जाती है। यह नकदी फसल है। अधिक सिंचाई की आवश्यकता होती है तथा पानी की अधिक खपत होती है।
दालें	15–27	परिवर्तनशील, बहुत अधिक की आवश्यकता नहीं	अच्छी जल निकासी वाली मृदा	24.5 (2023–24)	मध्य प्रदेश, राजस्थान, महाराष्ट्र, उत्तर प्रदेश	नाइट्रोजन-फिक्सिंग फलियाँ, मृदा के स्वास्थ्य के लिए महत्वपूर्ण है। इसमें चना, दाल आदि शामिल हैं। अंतर-फसल के लिए महत्वपूर्ण। (अधिक जानकारी तालिका 14.9 में दी गयी है।)
तिलहन	15-30	30–75 (फसल के अनुसार भिन्न)	दोमट से चिकनी दोमट	39.6 (2023–24)	मध्य प्रदेश, महाराष्ट्र, गुजरात, तेलंगाना, आंध्र प्रदेश	मुख्य प्रकारों में सोयाबीन, मूंगफली, रेपसीड तथा सरसों शामिल हैं। खाद्य तेल उत्पादन के लिए महत्वपूर्ण। (अधिक जानकारी तालिका 14.9 में दी गयी है।)
चाय	15–25	150–300	अच्छी जल निकासी वाली, अम्लीय, उपजाऊ मृदा	1.3 (2023–24)	असम, पश्चिम बंगाल, तमिलनाडु, केरल	यह पेय फसल है। इसके लिये विशिष्ट जलवायु परिस्थितियों की आवश्यकता होती है। भारत प्रमुख वैश्विक निर्यातक देश है।
कॉफी	15–25	150–200	अच्छी जल निकासी वाली, थोड़ी अम्लीय मृदा	0.4 (2023–24)	कर्नाटक, केरल, तमिलनाडु	यह पेय फसल है, जिसके लिए छाया तथा सुवितरित वर्षा की आवश्यकता होती है। भारत में अरेबिका एवं रोबस्टा दोनों किस्में उगाई जाती हैं।
रबर	25–35	200–300	अच्छी जल निकासी वाली, थोड़ी अम्लीय, उपजाऊ मृदा	0.9 (2023–24)	केरल, तमिलनाडु	यह नकदी फसल है। इससे लेटेक्स निकाला जाता है, जिससे रबर उत्पादों का निर्माण होता है। उच्च आर्द्रता की आवश्यकता होती है।
काजू	20–30	100–200	लेटेराइट मृदा	0.8 (2023–24)	महाराष्ट्र, आंध्र प्रदेश, ओडिशा, कर्नाटक, केरल	यह ब्राजील मूल का पौधा है। पुर्तगाली इसे अन्यत्र स्थानों पर ले गये। निर्यात के लिए प्रमुख नकदी फसल।

तालिका 14.9 कुछ महत्वपूर्ण दलहन और तिलहन

फसल	पानी की आवश्यकता/ मौसम	मुख्य उत्पादक राज्य	अतिरिक्त जानकारी
चना	कम पानी की आवश्यकता होती है; रबी की फसल	मध्य प्रदेश, उत्तर प्रदेश, महाराष्ट्र, आंध्र प्रदेश, तेलंगाना, राजस्थान	हरित क्रांति के कारण उत्तर-पश्चिम भारत से विस्थापित हो गया है।
तुअर (पिजन पी)	वर्षा आधारित फसल	महाराष्ट्र (कुल उत्पादन का 1/3 उत्पादित करता है), उत्तर प्रदेश, कर्नाटक, गुजरात, मध्य प्रदेश	मुख्य रूप से वर्षा आधारित; यह शुष्क जलवायु में भी पैदावार देने वाली फलीदार फसल है।
मूंगफली	वर्षा आधारित, खरीफ फसल; दक्षिण भारत में रबी की फसल	गुजरात, राजस्थान, तमिलनाडु, तेलंगाना, आंध्र प्रदेश, कर्नाटक, महाराष्ट्र	तिलहन की फसल; खाद्य तेल का प्रमुख स्रोत
रेपसीड एवं सरसों	रबी की फसल; पाले के प्रति संवेदनशील	राजस्थान (कुल उत्पादन का 1/3), हरियाणा, मध्य प्रदेश	प्रमुख तिलहन फसल; सफेद और काली राई की किस्में
सोयाबीन	खरीफ की फसल	मध्य प्रदेश, महाराष्ट्र	इन दो राज्यों में 90 प्रतिशत उत्पादन होता है; तेल निष्कर्षण के लिए व्यापक रूप से इसका उपयोग किया जाता है
सूरजमुखी	यह मुख्य रूप से दक्षिणी भारत में उगायी जाती है, उत्तर भारत में कम बोयी जाती है।	कर्नाटक, आंध्र प्रदेश, तेलंगाना, महाराष्ट्र के कुछ भाग	खाद्य तेल उत्पादन के लिए महत्वपूर्ण है।

गन्ना फैक्ट्रियाँ दक्षिण की ओर क्यों जा रही हैं?

गन्ना उद्योग धीरे-धीरे उत्तर से दक्षिण भारत की ओर स्थानांतरित हो रहा है, जिसके कई कारण हैं, जो निम्नवत हैं:

- **उष्णकटिबंधीय जलवायु:** दक्षिणी क्षेत्र की उष्णकटिबंधीय जलवायु गन्ने की कृषि के लिए अधिक उपयुक्त है, जो बेहतर फसल पैदावार में योगदान देती है। भारत के कृषि-जलवायु क्षेत्र के लिए तालिका 14.10 देखें।
- **उच्च सुक्रोज सामग्री:** दक्षिण में उगाए जाने वाले गन्ने में सुक्रोज की मात्रा अधिक होती है, जो इसे चीनी उत्पादन के लिए अधिक कुशल बनाती है।
- **लंबा पेराई सत्र:** दक्षिण में अपेक्षाकृत मध्यम तापमान के कारण पेराई सत्र अक्टूबर से मई तक होता है, जबकि उत्तर में यह नवंबर से फरवरी तक होता है।
- **सफल सहकारी समितियाँ:** दक्षिण में सहकारी कृषि प्रणाली अधिक सफल रही है, जो किसानों को बेहतर संगठनात्मक एवं आर्थिक सहायता प्रदान करती है।

इन कारकों ने सामूहिक रूप से दक्षिण भारत में गन्ना उद्योग के विस्तार तथा सफलता को बढ़ावा दिया है।

भारत के कृषि-जलवायु क्षेत्र (Agro-Climatic Regions of India)

अपनी विविध भौगोलिक संरचना तथा जलवायु के कारण, भारत में समृद्ध कृषि-जलवायु विविधता भी है। भारत के विभिन्न कृषि-जलवायु क्षेत्रों को तालिका 14.10 में सूचीबद्ध किया गया है।

तालिका 14.10 भारत के कृषि-जलवायु क्षेत्र

कृषि-जलवायु क्षेत्र	इसमें शामिल राज्य/क्षेत्र	मुख्य विशेषताएँ	मुख्य फसलें
पश्चिमी हिमालयी क्षेत्र	जम्मू एवं कश्मीर, हिमाचल प्रदेश, उत्तराखंड	अधिक ऊँचाई, सर्दियाँ, समशीतोष्ण ग्रीष्मकाल, बारहमासी नदियाँ	गेहूँ, मक्का, जौ, सेब
पूर्वी हिमालयी क्षेत्र	सिक्किम, असम, उत्तर-पूर्व भारत	अधिक वर्षा, ऊबड़-खाबड़ इलाका, झूम कृषि	चावल, मक्का, चाय, फल
निचले गंगा के मैदान	पश्चिम बंगाल, बिहार (पूर्वी), असम	उपजाऊ जलोढ़ मृदा, अधिक वर्षा, जलभराव वाले क्षेत्र	चावल, जूट, गेहूं, दालें

(Continued)

तालिका 14.10 *(Continued)*

कृषि-जलवायु क्षेत्र	इसमें शामिल राज्य/क्षेत्र	मुख्य विशेषताएँ	मुख्य फसलें
मध्य गंगा के मैदान	पूर्वी उत्तर प्रदेश, बिहार	उपजाऊ जलोढ़ मृदा, गर्म और आर्द्र जलवायु	चावल, गेहूं, चना, सरसों, आम
ऊपरी गंगा के मैदान	पश्चिमी उत्तर प्रदेश, उत्तराखंड	उप-आर्द्र जलवायु, नहर/ट्यूबवेल सिंचाई	गेहूं, चावल, गन्ना, मक्का
ट्रांस-गंगा के मैदान	पंजाब, हरियाणा, दिल्ली, चंडीगढ़	अर्ध-शुष्क, उच्च कृषि उत्पादकता, सिंचाई सुविधाएँ	गेहूं, चावल, कपास, गन्ना
पूर्वी पठार और पहाड़ियाँ	पूर्वी महाराष्ट्र, छत्तीसगढ़, ओडिशा	पहाड़ी इलाका, मध्यम वर्षा, सूखा-प्रवण	धान, मूंगफली, बाजरा
मध्य पठार और पहाड़ियाँ	मध्य प्रदेश, राजस्थान, उत्तर प्रदेश	अर्ध-शुष्क, लाल/पीली मृदा, मध्यम सिंचाई	ज्वार, दलहन, तिलहन
पश्चिमी पठार और पहाड़ियाँ	महाराष्ट्र, मध्य प्रदेश	शुष्क, काली मृदा, कम वर्षा	कपास, सोयाबीन, दलहन, बाजरा
दक्षिणी पठार और पहाड़ियाँ	आंध्र प्रदेश, कर्नाटक, तमिलनाडु	मध्यम वर्षा, मिश्रित मृदा, सूखाग्रस्त क्षेत्र	बाजरा, दलहन, चावल, मूंगफली
पूर्वी तटीय मैदान और पहाड़ियाँ	तटीय आंध्र प्रदेश, तमिलनाडु, ओडिशा	आर्द्र, उच्च वर्षा, उपजाऊ तटीय जलोढ़ मृदा	चावल, मूंगफली, कपास, गन्ना
पश्चिमी तटीय मैदान और घाट	केरल, कर्नाटक, गोवा, महाराष्ट्र, तमिलनाडु	उच्च वर्षा, लाल लैटेराइट मृदा	नारियल, चावल, रबर, काजू
गुजरात के मैदान और पहाड़ियाँ	गुजरात	शुष्क से अर्ध-शुष्क, लवणता युक्त मृदा	कपास, मूंगफली, ज्वार, बाजरा
पश्चिमी शुष्क क्षेत्र	राजस्थान	रेगिस्तानी जलवायु, अत्यधिक तापमान, कम वर्षा	बाजरा, दालें, ज्वार
द्वीपीय क्षेत्र	अंडमान एवं निकोबार द्वीप समूह, लक्षद्वीप	आर्द्र उष्णकटिबंधीय, वन आवरण, रेतीली-दोमट मृदा	नारियल, सुपारी, मसाले

भारत की कृषि क्रांतियाँ (Agricultural Revolutions of India)

स्वतंत्रता के बाद से भारत में कई कृषि क्रांतियाँ हुई हैं। उनमें से कुछ **तालिका 14.11** में सूचीबद्ध हैं।

तालिका 14.11 **भारत की प्रमुख कृषि क्रांतियाँ**

क्रांति	अवधि	प्रमुख हस्तियां/प्रणेता	मुख्य फोकस	सफलताएँ	कमियाँ
हरित क्रांति	1960 के दशक के अंत से 1980 के दशक की शुरुआत तक	डॉ. एम. एस. स्वामीनाथन	उच्च उपज वाले बीज, उर्वरकों, कीटनाशकों तथा सिंचाई का बढ़ता उपयोग	गेहूँ और चावल के उत्पादन में उल्लेखनीय वृद्धि; खाद्यान्नों में आत्मनिर्भरता; आयात पर निर्भरता में कमी।	क्षेत्रीय एवं सामाजिक असमानताएँ; पर्यावरणीय गिरावट; जल स्तर में कमी।
श्वेत क्रांति (ऑपरेशन फ्लड)	1970 के दशक के बाद	डॉ. वर्गीज कुरियन	डेयरी उद्योग का विकास	भारत सबसे बड़ा दूध उत्पादक बन गया; ग्रामीण आय में सुधार हुआ; सहकारी नेटवर्क बनाया (जैसे, अमूल)।	गुणवत्ता मानकों को बनाए रखने में चुनौतियाँ; अपर्याप्त कोल्ड चेन और प्रसंस्करण अवसंरचना।
नीली क्रांति	1980 के दशक के बाद	–	मत्स्य पालन क्षेत्र का विकास	मछली उत्पादन में वृद्धि; निर्यात में वृद्धि (2021-22 में कृषि-निर्यात का 17 प्रतिशत); तटीय क्षेत्रों में पोषण एवं रोजगार में सुधार।	अधिक मछली पकड़ना, संसाधनों की कमी; जल प्रदूषण सहित पर्यावरणीय क्षति।

(Continued)

तालिका 14.11 *(Continued)*

क्रांति	अवधि	प्रमुख हस्तियां/प्रणेता	मुख्य फोकस	सफलताएँ	कमियाँ
पीली क्रांति	1980 के दशक के बाद	–	तिलहन उत्पादन	सरसों, सूरजमुखी, सोयाबीन जैसे तिलहनों में उल्लेखनीय वृद्धि; खाद्य तेल आयात निर्भरता में कमी।	जलवायु परिवर्तनशीलता के कारण उत्पादन प्रभावित हुआ; बाजार में उतार-चढ़ाव, जिससे किसानों की आय प्रभावित हुई।
सदाबहार क्रांति	1990 के बाद	डॉ. एम. एस. स्वामीनाथन	टिकाऊ कृषि, आधुनिक और पारंपरिक प्रथाओं का सम्मिश्रण	स्थायित्व एवं आनुवंशिक विविधता पर बल; प्राकृतिक संसाधनों का संरक्षण।	कार्यान्वयन संबंधी चुनौतियाँ एवं मजबूत नीतिगत समर्थन तथा किसान को शिक्षित किये जाने की आवश्यकता।

अन्य महत्वपूर्ण कृषि क्रांतियाँ (Other Important Agricultural Revolutions)

- भूरी क्रांति: कॉफी/चमड़ा/कोको
- स्वर्ण क्रांति: फल/शहद/बागवानी निरपख टूटज
- गोल्डन फाइबर (स्वर्ण रेशा): जूट
- सिल्वर रिवॉल्युशन: अंडा
- सिल्वर फाइबर रिवॉल्युशन (चांदी रेशा क्रांति): कपास
- गुलाबी क्रांति: प्याज/फार्मा/झींगा
- लाल क्रांति: टमाटर/मांस
- गोल क्रांति: आलू
- सदाबहार क्रांति: प्रौद्योगिकी के साथ-साथ पारिस्थितिकी (एम. एस. स्वामीनाथन)
- भूरी (ग्रे) क्रांति: उर्वरक
- प्रोटीन क्रांति: इसमें किसानों को खाद्यान्न उत्पादन को बढ़ावा देने तथा प्रोटीन युक्त दालों के आयात को कम करने के लिए वैज्ञानिक कृषि तकनीकों को अपनाने के लिए प्रोत्साहित करती है।

प्राकृतिक कृषि (NATURAL FARMING)

प्राकृतिक कृषि, जिसे प्राय: 'फुकुओका विधि' के रूप में जाना जाता है, एक ऐसा कृषि दृष्टिकोण है, जो न्यूनतम मानवीय हस्तक्षेप पर बल देता है और प्राकृतिक पारिस्थितिकी प्रणालियों के साथ सामंजस्य स्थापित करने का प्रयास करता है। इस कृषि प्रक्रिया में सिंथेटिक रसायनों, उर्वरकों, कीटनाशकों तथा अत्यधिक जुताई का उपयोग नहीं किया जाता है। इसमें स्थानीय रूप से प्राप्त प्राकृतिक संसाधनों के उपयोग के माध्यम से जैव विविधता, मृदा के स्वास्थ्य एवं टिकाऊ कृषि विधियों को प्राथमिकता दी जाती है। इस दर्शन को जापानी किसान एवं दार्शनिक मासानोबू फुकुओका ने अपनी 1975 की पुस्तक द वन-स्ट्रॉ रिवोल्यूशन में प्रतिपादित किया था।

इस दर्शन के अंतर्गत एक विशिष्ट विधि शून्य बजट प्राकृतिक कृषि (ZBNF) है, जो कम लागत वाले दृष्टिकोण पर केंद्रित है। इसमें स्थानीय रूप से तैयार सामग्री पर निर्भर रहते हैं, जबकि कीटनाशकों एवं उर्वरकों जैसे बाहरी इनपुट का उपयोग करने से बचा जाता है। खरपतवारों, कीड़ों तथा जानवरों को विरोधी के रूप में नहीं देखा जाता, बल्कि ZBNF का उद्देश्य प्राकृतिक पारिस्थितिकी विकसित करना है।

मुख्य अवधारणाएँ (Key Concepts)

1. **न्यूनतम मानवीय हस्तक्षेप (Minimal Human Intervention):** मूल सिद्धांत यह है कि प्रगति को यथासंभव अपना प्राकृतिक मार्ग अपनाने दिया जाए।
2. **प्राकृतिक इनपुट का उपयोग (Use of Natural Inputs):** यह दृष्टिकोण प्राकृतिक उर्वरकों तथा कीट प्रबंधन तकनीकों पर निर्भर करता है, जिसमें खाद, गोबर तथा जैविक कीट नियंत्रण विधियों का उपयोग किया जाता है।
3. **मृदा स्वास्थ्य (Soil Health):** स्वस्थ मृदा पारिस्थितिकी तंत्र को बनाए रखने के लिए फसल चक्र, कवर फसल और कम जुताई जैसी पद्धतियों को लागू किया जाता है।

यह दर्शन उस टिकाऊ कृषि प्रणाली को बढ़ावा देता है, जो कृषि पद्धतियों को प्राकृतिक पर्यावरण के साथ संरेखित करता है, तथा रासायनिक इनपुट पर निर्भरता के बिना लचीलेपन और उत्पादकता को प्रोत्साहित करता है।

भारतीय कृषि से जुड़ी चुनौतियाँ (CHALLENGES ASSOCIATED WITH INDIAN AGRICULTURE)

यद्यपि, भारत वैश्विक स्तर पर कृषि उत्पादों के सबसे बड़े उत्पादकों में से एक है, लेकिन हम और बेहतर हो सकते हैं! भारतीय कृषि से जुड़ी कई चुनौतियाँ हैं, जो हमें अपनी पूरी क्षमता का उपयोग करने से रोक रही हैं। तालिका 14.12 में इन चुनौतियों को विस्तार से दिया गया है।

तालिका 14.12 भारतीय कृषि से जुड़ी चुनौतियाँ

श्रेणी	चुनौतियाँ
जलवायु परिवर्तन तथा मौसम परिवर्तनशीलता	**चरम मौसम:** सूखे, बाढ़ और चक्रवातों की बढ़ती आवृत्ति फसल उत्पादन को बाधित करती है। **तापमान में उतार-चढ़ाव:** फसल वृद्धि चक्र और पैदावार को प्रभावित करता है। **कीट विस्तार:** जलवायु परिवर्तन के कारण कीट एवं रोगजनकों के पर्यावासों में वृद्धि हो सकती है।
भूमि विखंडन	बड़ी संख्या में छोटी एवं खंडित भूमि जोत के कारण बड़े पैमाने की किफायतें तथा मशीनीकरण में बाधा डालते हैं।
जल एवं सिंचाई संबंधी चुनौतियां	**भूजल की कमी:** विशेष रूप से पंजाब तथा हरियाणा जैसे राज्यों में अत्यधिक जल निकर्षण **अकुशल जल उपयोग:** पारंपरिक सिंचाई विधियों से पानी की अधिक बर्बादी होती है। **मानसून पर निर्भरता:** सिंचाई की आधारभूत संरचना की कमी।
मृदा स्वास्थ्य क्षरण	**पोषक तत्वों की हानि:** रासायनिक उर्वरकों पर अत्यधिक निर्भरता पोषक तत्वों को कम करती है। **मृदा क्षरण:** वनों की कटाई तथा खराब पद्धतियों के कारण।
बीज एवं रोपण सामग्री	**बीज उपलब्धता:** प्रमाणित बीजों की सीमित उपलब्धता। **पारंपरिक बीज हानि:** एकल कृषि से स्थानीय, लचीली बीज किस्मों में कमी आती है।
जैव विविधता हानि	**एकल कृषि:** आनुवंशिक विविधता को कम करती है, जिससे बीमारियों के प्रति संवेदनशीलता बढ़ती है। **रसायनों का अत्यधिक उपयोग:** इससे फसलें कीटनाशक प्रतिरोधी हो जाती हैं तथा स्वास्थ्य प्रभाव विपरीत प्रभाव पड़ता है।
तकनीकी अपनाना	**कम मशीनीकरण:** आधुनिक मशीनरी का सीमित उपयोग, विशेष रूप से छोटे धारकों के बीच। **सूचना तक पहुँच:** समय पर कृषि डेटा तथा मौसम पूर्वानुमान संबंधी जानकारी नहीं मिलना।
बिजली तक पहुँच	**बिजली संबंधी समस्याएँ:** अनियमित आपूर्ति से सिंचाई तथा कृषि कार्य बाधित होते हैं।
श्रमिकों की कमी	**प्रवास:** ग्रामीण से शहरी प्रवास के कारण कृषि श्रमिकों की कमी होती है। **बढ़ती मजदूरी:** बढ़ी हुई मजदूरी लागत किसानों पर बोझ है।
भंडारण एवं अवसंरचना	**अपर्याप्त भंडारण:** भंडारण सुविधाओं के पर्याप्त नहीं होने के कारण फसल कटाई के बाद नुकसान होता है। **कोल्ड चेन का अभाव:** फलों एवं सब्जियों जैसे खराब होने वाले खाद्य पदार्थों की शेल्फ लाइफ को प्रभावित करता है।
कटाई के बाद प्रबंधन	**प्रसंस्करण की कमी:** प्रसंस्करण इकाइयों की कमी मूल्य संवर्धन को सीमित करती है। **परिवहन संबंधी मुद्दे:** अपर्याप्त अवसंरचना बाजार पहुंच में बाधा डालती है।
बाजार पहुंच एवं मूल्य अस्थिरता	**बाजार की अक्षमताएं:** खराब अवसंरचना के कारण किसानों को कम कीमत मिलती है। **मूल्य अस्थिरता:** अस्थिर वस्तु मूल्य किसानों के लिए वित्तीय अनिश्चितता पैदा करते हैं।
नीति एवं संस्थागत चुनौतियां	**सब्सिडी:** उर्वरकों, पानी तथा बिजली के लिए खराब लक्षित सब्सिडी। **ऋण पहुंच:** किफायती ऋण की सीमित उपलब्धता, जिससे किसान ऋणग्रस्त हो जाते हैं। **नियामक मुद्दे:** जटिल एवं पुराने कानून।

अनुबंध कृषि (Contract Farming)

अनुबंध कृषि, कृषि से लाभ के अनुकूलन पर आधारित कृषि की एक विधि है। अनुबंध में एक कंपनी निम्नलिखित उद्देश्यों के साथ किसान/किसानों के साथ एक लिखित अनुबंध करती है:

1. निर्दिष्ट गुणवत्ता के उत्पाद की एक निश्चित मात्रा का उत्पादन करना। उत्पाद को कंपनी द्वारा सहमत मूल्य पर खरीदा जाएगा। दूसरे शब्दों में, विपणन उत्पादन के साथ अनुबंध करता है। खरीद करने के बाद कंपनी, फ्रीज करती

है, निर्जलीकरण करती है तथा डिब्बाबंदी का काम शुरू करती है। कभी-कभी कंपनी सहकारी समितियों के साथ अनुबंध करती है।

2. अनुबंध कृषि में मुख्य रूप से सब्जियाँ, फल, फूल और मुर्गी पालन किया जाता है।

अनुबंध कृषि के लाभ (Merits of Contract Farming)

इसमें किसानों को कुछ लाभ मिलते हैं, जो निम्नवत हैं:

1. उनके उत्पादों की बिक्री सुनिश्चित होती है।
2. उन्हें खुले बाजार की तुलना में अधिक कीमत मिलती है।
3. किसानों की पूंजी की आवश्यकता कम हो जाती है, क्योंकि अनुबंध में प्राय: अग्रिम भुगतान के लिए सहमति होती है।
4. प्राय: कंपनियाँ विशेष ज्ञान एवं विशेषज्ञता भी प्रदान करती हैं।

अनुबंध कृषि की हानियां (Demerits of Contract Farming)

1. अगर किसान ने गुणवत्तापूर्ण उत्पाद तैयार किया है, तो उसे अनुबंध द्वारा दी जाने वाली कीमत से अधिगम कीमत खुले बाजार में मिल सकती है।
2. किसान यंत्रवत तरीके से काम करता है और अपनी स्वतंत्र स्थिति खो देता है।
3. सौदेबाजी की शक्ति कंपनियों के पक्ष में झुक जाती है, क्योंकि वे आर्थिक रूप से अधिक शक्तिशाली होती हैं।
4. किसान एक ऐसा आर्थिक व्यक्ति बन जाता है, जो शायद उसकी पारंपरिक जीवन शैली के अनुरूप न हो। वास्तव में भारतीय किसान सामान्य रूप से जीवन शैली के रूप में संतुष्टि के लिए कृषि करते हैं।

खनिज स्रोत (MINERAL RESOURCES)

लौह अयस्क संसाधन (Iron Ore Resources)

लोहे का उपयोग मुख्य रूप से स्टील बनाने के लिए निर्माण में किया जाता है, जो भवनों, वाहनों तथा मशीनरी के निर्माण के लिए आवश्यक है। यह घरेलू उत्पादों के निर्माण के लिए भी महत्वपूर्ण है और शरीर में आयरन की कमी को दूर करने के लिए चिकित्सा अनुप्रयोगों में भी इसका उपयोग किया जाता है। कुछ राज्य, जहाँ प्रमुख लौह अयस्क भंडार पाए जाते हैं, उन्हें तालिका 14.13 और चित्र 14.5 में देखा जा सकता है।

वैश्विक उपलब्धता (Global Availability)

लौह अयस्क भंडार का 38 प्रतिशत ऑस्ट्रेलिया में होने का अनुमान है। इसके बाद ब्राजील, चीन, भारत और रूस ऐसे देश हैं, जहाँ लौह अयस्क के महत्वपूर्ण भंडार है।

मैंगनीज संसाधन (Manganese Resources)

मैंगनीज का उपयोग मुख्य रूप से स्टील उत्पादन में किया जाता है, जहाँ यह स्टील तथा मिश्र धातुओं की शक्ति, कठोरता और स्थायित्व में बेहतरी लाता है। इसका उपयोग बैटरियों, विशेष रूप से क्षारीय एवं लिथियम-आयन बैटरियों और विभिन्न रासायनिक प्रक्रियाओं में उत्प्रेरक के रूप में भी किया जाता है (चित्र 14.6, तालिका 14.14 और 14.15)।

तालिका 14.13 भारत में लौह अयस्क भंडार

राज्य	लौह अयस्क भण्डार वाले प्रमुख जिले
ओडिशा	मयूरभंज, झारसुगुड़ा, सुंदरगढ़
झारखंड	पूर्वी सिंहभूम, पश्चिमी सिंहभूम
छत्तीसगढ	दुर्ग, दंतेवाड़ा, बैलाडीला
कर्नाटक	बल्लारी, होसपेट, बाबा बुदान हिल्स, कुद्रेमुख, शिवमोगा, तुमकुर, चित्रदुर्ग
महाराष्ट्र	चंद्रपुर, भंडारा, रत्नागिरी
तेलंगाना	वारंगल, करीमनगर
आंध्र प्रदेश	कुरनूल, कडप्पा, अनंतपुर
तमिलनाडु	सेलम, नीलगिरि
गोवा	उत्तरी गोवा, दक्षिणी गोवा

तालिका 14.14 मैंगनीज के वैश्विक भंडार

देश	प्रमुख स्थान
दक्षिण अफ्रीका	कालाहारी बेसिन
चीन	गुआंग्शी, गुइझोउ
ऑस्ट्रेलिया	उत्तरी क्षेत्र
गैबॉन	मोआंडा खदानें
ब्राजील	सेरा डू नेवियो खदानें

तालिका 14.15 भारत में मैंगनीज के भंडार

राज्य	मैंगनीज भण्डार वाले प्रमुख जिलों के साथ
मध्य प्रदेश	बालाघाट, छिंदवाड़ा, निमाड़, मंडला, झाबुआ
ओडिशा	केंदुझार, सुंदरगढ़, कोरापुट, कालाहांडी
कर्नाटक	धारवाड़, बल्लारी, बेलगावी, उत्तर कन्नड़, चिक्कमगलुरु, शिवमोग्गा, चित्रदुर्ग, तुमकुरु
महाराष्ट्र	नागपुर, भंडारा, रत्नागिरी

लघु उत्पादक (Minor Producers)

तेलंगाना, गोवा और झारखंड

चित्र 14.5
भारत में लौह अयस्क भंडार

चित्र 14.6

भारत में तांबा और मैंगनीज भंडार

तांबे के संसाधन (Copper Resources)

तांबे का उपयोग इसकी उत्कृष्ट चालकता के कारण विद्युत तारों, इलेक्ट्रॉनिक्स एवं दूरसंचार में व्यापक रूप से किया जाता है। यह अपने संक्षारण प्रतिरोध और लचीलापन (चित्र 14.6 और तालिका 14.16 और 14.17) के कारण प्लंबिंग, छत और औद्योगिक मशीनरी में भी आवश्यक है।

तालिका 14.16 तांबे के वैश्विक भंडार

देश	प्रमुख स्थान
चिली	एंडीज क्षेत्र: विश्व की सबसे बड़ी तांबे की खदानें, यानी चुक्विकामाटा और एस्कोन्डिडा खदानें
पेरू	एंडीज क्षेत्र
चीन	आंतरिक मंगोलिया, युन्नान पठार, झिंजियांग
अमेरिका	एरिजोना, यूटा, न्यू मैक्सिको
ऑस्ट्रेलिया	क्वींसलैंड, दक्षिणी ऑस्ट्रेलिया

तालिका 14.17 भारत में तांबे के भंडार

राज्य	तांबे के भंडार वाले प्रमुख जिले	भारतीय भंडार का प्रतिशत
राजस्थान	झुंझुनू, खेतड़ी, अलवर	52.25 प्रतिशत
मध्य प्रदेश	बालाघाट	23.28 प्रतिशत
झारखंड	सिंहभूम	15.14 प्रतिशत
आंध्र प्रदेश	गुंटूर	कम मात्रा में
कर्नाटक	चित्रदुर्ग, हसन	माइनर
तमिलनाडु	दक्षिण अर्काट	माइनर
अन्य राज्य	गुजरात, हरियाणा, महाराष्ट्र, मेघालय, नागालैंड, ओडिशा, सिक्किम, तेलंगाना, उत्तराखंड, पश्चिम बंगाल	बहुत कम मात्रा

बॉक्साइट संसाधन (Bauxite Resources)

बॉक्साइट का उपयोग मुख्य रूप से एल्युमीनियम के उत्पादन में किया जाता है, जिसका व्यापक रूप से निर्माण, परिवहन और पैकेजिंग उद्योगों में उपयोग किया जाता है। इसका उपयोग अपवर्तक, रसायन और अपघर्षक (चित्र 14.7 और तालिका 14.18 और 14.19) के निर्माण में भी किया जाता है।

तालिका 14.18 बॉक्साइट के वैश्विक भंडार

देश	प्रमुख स्थान
ऑस्ट्रेलिया	डार्लिंग रेंज
भारत	ओडिशा, झारखंड और गुजरात
गिनी	बोके क्षेत्र
ब्राजील	मिनस गैरस
चीन	शांक्सी, गुआंगशी

तालिका 14.19 भारत में बॉक्साइट के भंडार

राज्य	बॉक्साइट के भण्डार वाले प्रमुख जिले
ओडिशा	कालाहांडी, संबलपुर, बोलांगीर, कोरापुट
झारखंड	लोहरडगा पैटलैंड*
गुजरात	भावनगर, जामनगर
छत्तीसगढ	अमरकंटक पठार
मध्य प्रदेश	कटनी-जबलपुर क्षेत्र, बालाघाट
महाराष्ट्र	कोलाबा, ठाणे, रत्नागिरी, सतारा, पुणे

*पैटलैंड बेसाल्टिक लावा से ढके सपाट शीर्ष वाले टेबललैंड या पहाड़ी मैदान हैं)।

बॉक्साइट के छोटे उत्पादकों में तमिलनाडु, कर्नाटक और गोवा शामिल हैं।

अभ्रक संसाधन (Mica Resources)

अभ्रक का उपयोग इसके उत्कृष्ट इन्सुलेटिंग गुणों एवं गर्मी के प्रतिरोध के कारण मुख्य रूप से विद्युत तथा इलेक्ट्रॉनिक्स उद्योगों में किया जाता है। इसका उपयोग सौंदर्य प्रसाधन, पेंट और प्लास्टिक उद्योगों में इसके परावर्तक और चमकदार गुणों के कारण भी किया जाता है (चित्र 14.8 और तालिका 14.20 और 14.21)।

यूरेनियम एवं थोरियम भंडार (Uranium and Thorium Deposits)

यूरेनियम को प्राय: विश्व के सबसे स्वच्छ ईंधनों में से एक माना जाता है। इसका उपयोग मुख्य रूप से बिजली उत्पादन के लिए परमाणु रिएक्टरों में ईंधन के रूप में तथा परमाणु हथियार के उत्पादन में किया जाता है।

तालिका 14.20 अभ्रक के वैश्विक भंडार

देश	प्रमुख स्थान
भारत	झारखंड, बिहार, आंध्र प्रदेश,
चीन	हुनान, जियांग्शी, ग्वांगडोंग
रूस	उरल्स, साइबेरिया
ब्राजील	मिनस गैरस, बाहिया
अमेरिका	नॉर्थ कैरोलिना, साउथ डकोटा

चित्र 14.7
भारत में बॉक्साइट भंडार

चित्र 14.8
भारत में अभ्रक भंडार

तालिका 14.21 भारत में अभ्रक भंडार

राज्य	अभ्रक के भंडार वाले प्रमुख जिले
झारखंड	मस्कोवाइट अभ्रक (हजारीबाग पठार, कोडरमा)
आंध्र प्रदेश	नेल्लोर
राजस्थान	जयपुर से भीलवाड़ा और उदयपुर के आसपास की बेल्ट में
कर्नाटक	मैसूरु, हासन
तमिलनाडु	कोयंबटूर, तिरुचिरापल्ली, मदुरै, कन्याकुमारी
केरल	अलाप्पुझा (अलेप्पी)
महाराष्ट्र	रत्नागिरि
पश्चिम बंगाल	पुरुलिया, बांकुरा

दूसरी ओर, थोरियम एक अन्य प्रमुख परमाणु ईंधन है, जिसका उपयोग यूरेनियम-233 के उत्पादन में किया जाता है, जिसका उपयोग स्वच्छ परमाणु ऊर्जा के उत्पादन में किया जा सकता है। वैश्विक स्तर पर, यूरेनियम का सबसे बड़ा भंडार ऑस्ट्रेलिया (20 प्रतिशत) में है, जबकि थोरियम का भंडार भारत (25 प्रतिशत) में है **(तालिका 14.22)**।

तालिका 14.22 भारत में यूरेनियम और थोरियम के भंडार

संसाधन	राज्य	प्रमुख जिले/क्षेत्र
यूरेनियम	झारखंड	जादूगुड़ा में यूसीआईएल की कई खदानें (सिंघभूम कॉपर बेल्ट के साथ)
	राजस्थान	उदयपुर, अलवर, झुंझुनू
	छत्तीसगढ	दुर्ग
	महाराष्ट्र	भंडारा
	हिमाचल प्रदेश	कुल्लू, हमीरपुर, ऊना
	आंध्र प्रदेश	संभावित भंडार
	तेलंगाना	संभावित भंडार
	कर्नाटक	संभावित भंडार
थोरियम	केरल	विश्व का सबसे समृद्ध मोनाजाइट भंडार पलक्कड़ और कोल्लम में है
	आंध्र प्रदेश	विशाखापत्तनम के पास
	ओडिशा	महानदी नदी डेल्टा

टिन के भंडार (Tin Deposits)

टिन का उपयोग मुख्य रूप से खाद्य पैकेजिंग के लिए टिनप्लेट के उत्पादन, धातुओं को जोड़ने, विशेष रूप से इलेक्ट्रॉनिक्स उद्योग के लिए सोल्डर के निर्माण में किया जाता है। इसका उपयोग अन्य धातुओं को जंग से बचाने के लिए कोटिंग करने तथा कांसा जैसी मिश्र धातुओं को और कठोर एवं प्रतिरोधी बनाने के लिए भी किया जाता है।

शीर्ष वैश्विक भंडार चीन (20 प्रतिशत), पेरू, इंडोनेशिया, वियतनाम और बोलीविया में पाए जाते हैं। भारत में हमारे पास बहुत अधिक टिन के भंडार नहीं है। यह वर्तमान में केवल छत्तीसगढ़ (दंडकारण्य पठार) में पाया जाता है, ओडिशा (कोरापुट) में संभावित भंडार हैं।

सोने के भण्डार (Gold Deposits)

सोना शायद वैश्विक अर्थव्यवस्था के लिए सबसे महत्वपूर्ण भंडार है, विश्व की मुद्राएँ प्रायः सोने के भंडार से जुड़ी होती हैं। इसका उपयोग इसकी उत्कृष्ट चालकता के कारण आभूषण उत्पादन एवं संक्षारण प्रतिरोधी विद्युत कनेक्टर, सर्किट बोर्ड तथा अन्य घटकों को बनाने के लिए भी किया जाता है।

दक्षिण अफ्रीका के विटवाटरसैंड बेसिन क्षेत्र में सोने का प्रमुख वैश्विक भंडार है। एंडियन पर्वत (दक्षिण अमेरिका), वेस्टर्न (पश्चिमी) कॉर्डिलेरा (उत्तरी अमेरिका), साइबेरियन क्रेटन (एशिया) तथा कालगोर्ली (ऑस्ट्रेलिया) सोने के कुछ अन्य महत्वपूर्ण भंडार हैं।

भारत में अब तक सोने का उत्पादन कर्नाटक (कोलार, हुट्टी) तक ही सीमित था। यद्यपि, हाल ही में किए गए प्रारंभिक सर्वेक्षणों से पता चला है कि बिहार (भारत में सबसे बड़ा भंडार हो सकता है), झारखंड, छत्तीसगढ़, राजस्थान तथा आंध्र प्रदेश में सोने के भंडार मौजूद हो सकते हैं।

चांदी के भंडार (Silver Deposits)

अपने लचीलेपन एवं सौंदर्य आकर्षण के कारण चांदी का उपयोग अक्सर आभूषणों एवं सजावटी वस्तुओं में किया जाता है। इसकी बेहतर चालकता एवं रोगाणुरोधी गुण इसे इलेक्ट्रॉनिक्स, फोटोग्राफी और चिकित्सा में भी उपयोगी बनाते हैं।

शीर्ष वैश्विक भंडारों में मेक्सिको, पेरू, चीन, बोलीविया और चिली शामिल हैं। भारत में चांदी का कोई बड़ा भंडार नहीं है। कुछ भंडार राजस्थान में पाए जाते हैं, जबकि कर्नाटक, झारखंड और आंध्र प्रदेश में संभावित भंडार हैं।

दुर्लभ मृदा तत्व (Rare Earth Elements)

ऐसे सत्रह धातु तत्व, जो दुर्लभ मृदा तत्वों (आरईई) को बनाते हैं, उनमें पंद्रह लैंथेनाइड्स, साथ ही स्कैंडियम और यट्रियम शामिल हैं। इलेक्ट्रॉनिक्स, नवीकरणीय ऊर्जा और रक्षा ऐसे उच्च तकनीक वाले व्यवसाय हैं, जो इन घटकों पर निर्भर हैं। ये अपने विशेष

57	58	59	60	61	62	63	64	65	66	67	68	69	70	71
La	Ce	Pe	Nd	Pm	Sm	Eu	Gd	Tb	Dy	Ho	Er	Tm	Yb	Lu
138.905	140.116	140.908	144.242	144.913	150.36	151.964	157.25	158.925	162.500	164.930	167.259	168.934	173.055	174.967
Lanthanum	Cerium	Praseodymium	Neodymium	Promethium	Samarium	Europium	Gadolinium	Terbium	Dysprosium	Holmium	Erbium	Thulium	Ytterbium	Lutetium

लैंथेनाइड्स श्रृंखला

गुणों के कारण सेलफोन, इलेक्ट्रिक कार, पवन टर्बाइन और सैन्य हार्डवेयर के निर्माण के लिए आवश्यक हैं, जिसमें मजबूत चुंबकीय, ल्यूमिनसेंट और इलेक्ट्रोकेमिकल क्षमताएं शामिल हैं।

भले ही इनके नाम से कुछ और ही पता चलता हो, लेकिन दुर्लभ पृथ्वी तत्व पृथ्वी की भू-पर्पटी में काफी सामान्य हैं, लेकिन ये शायद ही कभी सघन सांद्रता में पाए जाते हैं, जिस कारण इनका निष्कर्षण चुनौतीपूर्ण हो जाता है। खनन एवं प्रसंस्करण क्षमता के बड़े भाग को अपने नियंत्रण में रखते हुए चीन विश्व आपूर्ति पर हावी है। कई देश, विशेष रूप से संयुक्त राज्य अमेरिका और भारत वैकल्पिक आपूर्ति श्रृंखला बनाने और इन महत्वपूर्ण खनिजों के लिए चीन पर अपनी निर्भरता कम करने पर ध्यान केंद्रित कर रहे हैं, क्योंकि इन दुर्लभ मृदा तत्वों का रणनीतिक महत्व है।

वैश्विक भंडार चीन (आंतरिक मंगोलिया क्षेत्र), ऑस्ट्रेलिया (माउंट वेल्ड), वियतनाम, रूस और अमेरिका में पाए जाते हैं। हाल ही में स्वीडन में विशाल संभावित भंडार पाए गए हैं, जिससे पश्चिमी देश उत्साहित हैं, जो इन महत्वपूर्ण तत्वों के लिए चीन पर अपनी निर्भरता कम करना चाहते हैं।

भारत में अनुमानत: 13.07 मिलियन टन इन-सीटू मोनाजाइट है, जिसमें लगभग 55-60 प्रतिशत कुल दुर्लभ पृथ्वी तत्व ऑक्साइड है। ये संसाधन मुख्य रूप से केरल, तमिलनाडु, ओडिशा, आंध्र प्रदेश, महाराष्ट्र और गुजरात में तटीय समुद्र तट प्लेसर रेत में और झारखंड, पश्चिम बंगाल और तमिलनाडु में अंतर्देशीय खनिज भंडार में पाए जाते हैं। वैश्विक स्तर पर भारत में दुर्लभ पृथ्वी तत्वों का पाँचवाँ सबसे बड़ा भंडार है। यद्यपि, भारत में भारी दुर्लभ पृथ्वी तत्वों (HREE) की निकालने योग्य मात्रा की कमी है। निकाले जाने वाले मुख्य REE नियोडिमियम और प्रेजोडायमियम हैं, जिन्हें 99.9 प्रतिशत तक शुद्ध किया जा सकता है।

भारत में विशेष रूप से तटीय विनियमन क्षेत्र (सीआरजेड) और वन संरक्षण नियमों के कारण आरईई के निष्कर्षण में विनियामक बाधाओं का सामना करना पड़ता है। विशेष रूप से प्राथमिक निष्कर्षण इकाई एमएसएमई मंत्रालय के तहत आईआरईएल (इंडिया) लिमिटेड है, जिसने पहले निजी क्षेत्र की भागीदारी की अनुमति दी थी, लेकिन अब नहीं। भारत के पास जापान की एक सहायक कंपनी टोयोटा त्सुशो कॉरपोरेशन, विशाखापत्तनम में स्थित, टोयोत्सु रेयर अर्थ्स इंडिया लिमिटेड के माध्यम से एक विदेशी सहयोग भी है।

लिथियम (Lithium)

लिथियम का उपयोग इलेक्ट्रिक वाहनों, पोर्टेबल इलेक्ट्रॉनिक्स और अक्षय ऊर्जा भंडारण प्रणालियों के लिए रिचार्जेबल बैटरी में व्यापक रूप से किया जाता है, क्योंकि इसमें उच्च ऊर्जा घनत्व होता है। इसका उपयोग सिरेमिक, कांच और स्नेहक के उत्पादन और द्विध्रुवी विकार जैसे मन:स्थिति विकारों (Mood disorders) के उपचार में भी किया जाता है।

विश्व स्तर पर, लिथियम के सबसे बड़े भंडार (ज्ञात भंडार का 75 प्रतिशत) दक्षिण अमेरिका के अर्जेंटीना, बोलीविया और चिली में लिथियम त्रिकोण में पाए जाते हैं।

भारत में कोई सक्रिय खदान नहीं है; यद्यपि, छत्तीसगढ़ के कोरबा में पहली लिथियम खदान खुलने वाली है। इसके अलावा, जम्मू-कश्मीर, कर्नाटक और राजस्थान में भी संभावित भंडार पाए गए हैं।

लिथियम खनन से जुड़ी समस्याएं (Problems Associated with Lithium Mining)

यद्यपि, लिथियम खनन विभिन्न पर्यावरणीय एवं सामाजिक-आर्थिक चुनौतियों के कारण जांच के दायरे में आ गया है। इससे यह प्रश्न उठा है कि मुख्य रूप से लिथियम-आयन बैटरी का उपयोग करने वाली नवीकरणीय एवं इलेक्ट्रिक प्रौद्योगिकियाँ वास्तव में कितनी 'स्वच्छ' हैं। नीचे ऐसी कुछ चुनौतियों को सूचीबद्ध किया गया है:

1. **अत्यधिक जल उपयोग (Excessive Water Usage):** विशेष रूप से नमक के मैदानों में जमा नमकीन पानी से लिथियम निष्कर्षण में बड़ी मात्रा में पानी की आवश्यकता होती है। यह शुष्क क्षेत्रों में विशेष रूप से हानिकारक है, जहाँ स्थानीय जल आपूर्ति पहले से ही दुर्लभ है, जिससे स्थानीय समुदायों एवं पारिस्थितिकी तंत्रों पर नकारात्मक प्रभाव पड़ता है, जिसमें कृषि और पीने के पानी की आपूर्ति शामिल है।
2. **पर्यावरण प्रदूषण (Environmental Pollution):** लिथियम निष्कर्षण में उपयोग की जाने वाली रासायनिक प्रक्रियाएँ, जैसे सल्फ्यूरिक एसिड और अन्य विषैले रसायनों का उपयोग, मृदा एवं जल को दूषित कर सकता है। यह प्रदूषण आस-पास के पर्यावरण को खराब कर सकता है, जिससे पारिस्थितिकी तंत्र एवं मानव स्वास्थ्य दोनों को खतरा हो सकता है।

3. **पर्यावास नष्ट होना: (Habitat Destruction):** बड़े पैमाने पर लिथियम खनन (किसी भी अन्य प्रकार के खनन की तरह) से प्राकृतिक भू-परिदृश्य परिवर्तित होता है, जिससे पर्यावास नष्ट होते हैं और जैव विविधता को नुकसान पहुंचता है। भूमि की खुदाई, खनन अवसंरचना का निर्माण और अपशिष्ट पदार्थों के निपटान से भूमि क्षरण एवं वन्यजीव प्रजातियों का विस्थापन हो सकता है।
4. **सामाजिक एवं आर्थिक प्रभाव (Social and Economic Impact):** जिन क्षेत्रों में लिथियम खनन होता है, वहाँ स्थानीय समुदायों को विस्थापन या अपने जीवन के तौर-तरीकों में व्यवधान का सामना करना पड़ सकता है। इसके अतिरिक्त, खराब कामकाजी परिस्थितियाँ तथा विशेष रूप से कमजोर श्रम विनियमन वाले देशों में श्रमिकों का शोषण भी चिंता का विषय हो सकता है।

चूना पत्थर (Limestone)

यह खनिज हमारी सभ्यता की रीढ़ है। इसका उपयोग मुख्य रूप से सीमेंट उत्पादन और इसके टिकाउ होने और आसान उपलब्धता के कारण भवन निर्माण सामग्री के रूप में किया जाता है। यह इस्पात उत्पादन और जल उपचार जैसे उद्योगों में भी एक आवश्यक घटक है, जहाँ यह अशुद्धियों को दूर करने के लिए एक प्रवाह (flux) के रूप में कार्य करता है और जल में अम्लता को दूर करता है।

चूना पत्थर के सबसे बड़े वैश्विक भंडार चीन के हुबेई, गुआंग्शी और शेडोंग प्रांतों में हैं। इसके बाद, अमेरिका (टेक्सास, फ्लोरिडा और केंटकी), भारत (राजस्थान, मध्य प्रदेश, आंध्र प्रदेश और गुजरात), रूस (काकेशस पर्वत और यूराल पर्वत) और ब्राजील (मिनस गेरैस और बाहिया) का स्थान हैं। भारत में स्थित भंडारों का विवरण निम्न तालिका में दिया गया है।

राज्य	चूना पत्थर के भण्डार वाले प्रमुख जिले
राजस्थान	जैसलमेर, जोधपुर, नागौर, बीकानेर
मध्य प्रदेश	सतना, कटनी, दमोह
आंध्र प्रदेश	कर्नूल, अनंतपुर
गुजरात	भावनगर, अमरेली, कच्छ

कोबाल्ट (Cobalt)

कोबाल्ट का उपयोग मुख्य रूप से रिचार्जेबल बैटरियों, विशेष रूप से इलेक्ट्रिक वाहनों, स्मार्टफोन और लैपटॉप के लिए लिथियम-आयन बैटरियों में किया जाता है। यह उच्च तापमान को सह सकने वाले सुपरलॉय में भी आवश्यक है, जिससे यह जेट इंजन और बिजली संयंत्रों में टरबाइन ब्लेड के लिए महत्वपूर्ण हो जाता है।

वैश्विक स्तर पर, डेमोक्रेटिक रिपब्लिक ऑफ कांगो में कोबाल्ट का सबसे अधिक भंडार है (यह 74 प्रतिशत वैश्विक कोबाल्ट का उत्पादन भी करता है)। इसके अलावा, फिलीपींस, इंडोनेशिया, ऑस्ट्रेलिया और क्यूबा कुछ अन्य देश हैं, जिनके पास अच्छे कोबाल्ट भंडार हैं।

भारत में अभी कोबाल्ट का उत्पादन नहीं होता है और यह पूरी तरह से आयात पर निर्भर है। यद्यपि, झारखंड के सिंहभूम जिले, ओडिशा के केंदुझार और जाजपुर जिलों, राजस्थान के झुंझुनू जिले, नागालैंड के तुएनसांग जिले और मध्य प्रदेश के झाबुआ और होशंगाबाद जिलों में संभावित भंडार पाए गए हैं।

निकेल (Nickel)

निकेल का उपयोग स्टेनलेस स्टील के उत्पादन में व्यापक रूप से किया जाता है, जो अपनी मजबूती, संक्षारण प्रतिरोध तथा अधिक ताप सहने की क्षमता के कारण मूल्यवान है। यह बैटरी, विशेष रूप से निकेल-कैडमियम और निकेल-मेटल हाइड्राइड बैटरी और इलेक्ट्रिक वाहन बैटरी की बढ़ती मांग में भी महत्वपूर्ण भूमिका निभाता है।

इसके वैश्विक भंडार मुख्य रूप से इंडोनेशिया, फिलीपींस और रूस में पाए जाते हैं। भारत में कोई सक्रिय निकल खदान नहीं है। अनुमान है कि हमारे पास विश्व के निकल भंडार का लगभग 0.2 प्रतिशत है, जिसका प्राथमिक भंडार ओडिशा, विशेष रूप से सुकिंदा घाटी (जाजपुर), मयूरभंज और क्योंझर जिलों में स्थित है। झारखंड के सिंहभूम पूर्वी जिले और नागालैंड के किफिर जिले में भी इसके भंडार पाए गये हैं। झारखंड के जादुगुड़ा में यूरेनियम भंडार के साथ निकल भी प्राप्त हुआ है तथा इन स्रोतों से इसे निकालने के लिए विधि विकसित की जा रही है।

टैंटलम (Tantalum)

टैंटलम का उपयोग मोबाइल फोन, कंप्यूटर और ऑटोमोटिव इलेक्ट्रॉनिक्स में कैपेसिटर और इलेक्ट्रॉनिक घटकों के निर्माण में किया जाता है, क्योंकि इसमें ऊर्जा को संग्रहीत करने तथा छोड़ने की उत्कृष्ट क्षमता होती है। जंग के प्रति इसका प्रतिरोध इसे चिकित्सा प्रत्यारोपण, शल्य चिकित्सा उपकरणों और रासायनिक उद्योग में उपयोगी बनाता है।

वैश्विक स्तर पर टैंटालम के शीर्ष भंडारों में डेमोक्रेटिक रिपब्लिक ऑफ कांगो, उसके बाद रवांडा, ब्राजील और नाइजीरिया शामिल हैं, जो चीन के साथ 11 प्रतिशत का योगदान देते हैं। भारत में पंजाब में सतलुज नदी की रेत में संभावित टैंटालम भंडार की पहचान की गई है।

तालिका 14.23 अन्य महत्वपूर्ण खनिज संसाधन

क्र.सं.	अयस्क	उत्पाद	भारत में उपस्थिति
1	एपेटाइट और रॉक फॉस्फेट	फास्फोरस, फ्लोरीन, यूरेनियम (उप-उत्पाद के रूप में)	एपेटाइट (बहुत दुर्लभ): पश्चिम बंगाल, झारखंड, मेघालय; रॉक फॉस्फेट: झारखंड, राजस्थान, मध्य प्रदेश
2	बोरेक्स और सैसोलाइट	बोरॉन	आर्थिक रूप से व्यवहार्य भंडार नहीं है; पुगा घाटी में कम मात्रा में पाया जाता है।
3	क्रोमाइट	क्रोमियम	96 प्रतिशत से अधिक भंडार ओडिशा में पाए गए हैं; मणिपुर, मेघालय, कर्नाटक, झारखंड, महाराष्ट्र, तमिलनाडु, आंध्र प्रदेश में कम मात्रा में पाया जाता है।
4	क्रायोलाइट	फ्लोरीन, सोडियम (बहुत कम)	नहीं
5	डायटोमाइट (मृत डायटम भंडार)	सिलिका	गुजरात, राजस्थान
6	फ्लोराइट	फ्लोरीन	गुजरात, राजस्थान, छत्तीसगढ़, महाराष्ट्र
7	इल्मेनाइट, रूटाइल, ब्रूकाइट, ल्यूकोक्सीन	टाइटेनियम	केरल, तमिलनाडु, आंध्र प्रदेश, ओडिशा
8	कायनाइट, सिलिमेनाइट, एंडालुसाइट	एल्युमिनियम	कायनाइट: तेलंगाना, आंध्र प्रदेश; सिलिमेनाइट: ओडिशा, तमिलनाडु; एंडालुसाइट: उत्तर प्रदेश में संभावित भंडार
9	मैग्नेसाइट	मैग्नीशियम	उत्तराखंड, तमिलनाडु
10	मोनाजाइट	थोरियम, लैंटानम, सेरियम	केरल, तमिलनाडु, ओडिशा, आंध्र प्रदेश, महाराष्ट्र और गुजरात में तटीय समुद्र तट प्लेसर रेत में 130 से अधिक भंडार; झारखंड, पश्चिम बंगाल में अंतर्देशीय भंडार
11	पाइराइट	लौह, सल्फर	2003 से कोई उत्पादन नहीं
12	वर्मीक्यूलाइट	अभ्रक सदृश	तमिलनाडु, आंध्र प्रदेश, कर्नाटक
13	जिरकोन	जिरकोनियम	इल्मेनाइट, रूटाइल और मोनाजाइट के साथ पाया जाता है; राज्यवार वितरण उपलब्ध नहीं है

विद्युत संसाधन (POWER RESOURCES)

किसी देश का सामाजिक-आर्थिक विकास काफी हद तक विद्युत एवं ऊर्जा संसाधनों की उपलब्धता से नियंत्रित होता है। भारत के मुख्य ऊर्जा संसाधन कोयला, पेट्रोलियम, प्राकृतिक गैस और विद्युत हैं। हाल के वर्षों में ऊर्जा के गैर-परंपरागत स्रोतों के विकास पर योजनाकारों का ध्यान बढ़ रहा है। परमाणु ऊर्जा के उत्पादन को ऊर्जा की समग्र उपलब्धता में महत्वपूर्ण योगदान देने के लिए तैयार किया जा रहा है **(चित्र 14.9)**।

विद्युत (Electricity)

विद्युत ऊर्जा का एक स्वच्छ स्रोत है। यह पानी, कोयला, खनिज तेल, प्राकृतिक गैस, हवा, समुद्री लहरों, ज्वार, तापीय झरनों और परमाणु खनिजों से उत्पन्न होती है। विद्युत अपेक्षाकृत सस्ती, परिवहन योग्य, प्रदूषण मुक्त और नवीकरणीय है। इन लाभों के कारण यह तेजी से लोकप्रिय हो रही है।

प्रति व्यक्ति विद्युत की खपत को प्राय: सामाजिक-आर्थिक विकास का सूचक माना जाता है। भारत में प्रति व्यक्ति विद्युत की खपत लगभग 985 kWh है, जो विश्व में प्रति व्यक्ति खपत यानी 53.9 मेगावाट प्रति घंटा से काफी कम है।

विभिन्न स्रोतों द्वारा विद्युत की कुल स्थापित क्षमता 1950-51 में केवल 2.3 हजार मेगावाट थी, जो 30 सितंबर 2024 तक 453 गीगावाट हो गई। सबसे अधिक स्थापित क्षमता ताप विद्युत की है, जो स्थापित क्षमता का 52.91 प्रतिशत है।

कोयला भंडार (Coal Reserves)

भारतीय भूवैज्ञानिक सर्वेक्षण द्वारा प्रकाशित राष्ट्रीय कोयला सूची 2023 के अनुसार, 1 अप्रैल, 2023 तक भारत में कुल अनुमानित कोयला भंडार 378.21 बिलियन टन है। कोयला मंत्रालय द्वारा कोयला भंडार का अनुमान **तालिका 14.24** में सूचीबद्ध किया गया है। **(चित्र 14.10)**

पेट्रोलियम (Petroleum)

पेट्रोलियम ऊर्जा का एक महत्वपूर्ण स्रोत है। कच्चा तेल तलछटी चट्टानों से प्राप्त होता है। पेट्रोलियम का राज्यवार उत्पादन **चित्र 14.11** में दिखाया गया है।

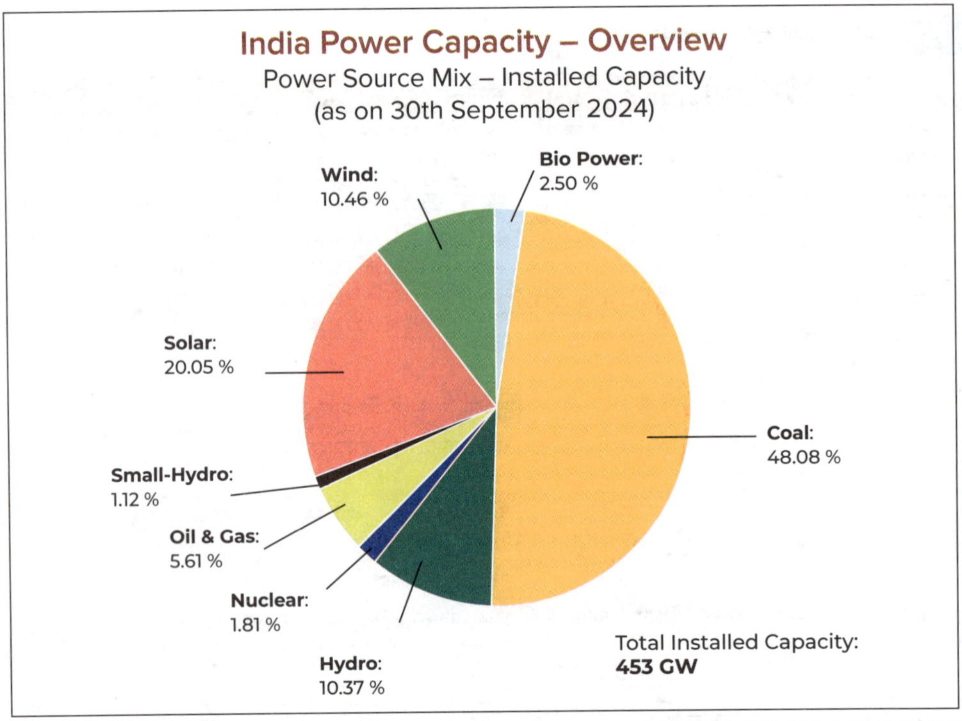

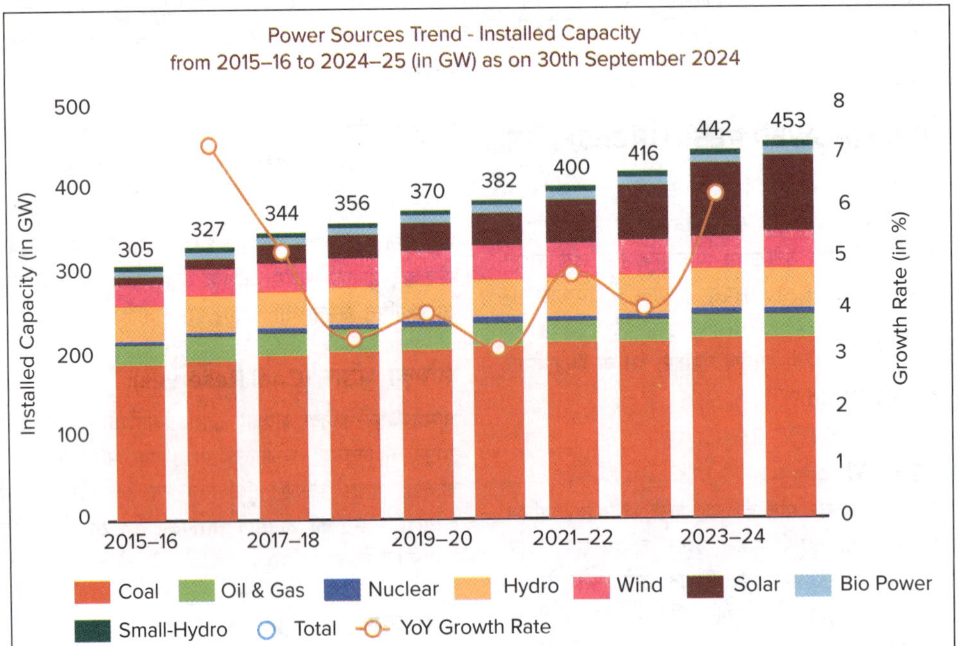

चित्र 14.9

भारत-विद्युत की स्थापित क्षमता (हजार मेगावाट में)

स्रोत: भारत का जलवायु एवं ऊर्जा डैशबोर्ड (2024); https://iced.niti.gov.in/ (नवंबर 2024 को प्राप्त नवीनतम जानकारी के अनुसार)

तालिका 14.24 भारत में कोयला भंडार

प्रकार	स्थान का नाम
गोंडवाना (बिटुमिनस) मुख्य रूप से दामोदर, सोन, महानदी, गोदावरी आदि नदी घाटियों में स्थित है।	**झारखंड-बंगाल कोयला बेल्ट:** रानीगंज, झरिया, बोकारो, गिरिडीह, करणपुरा
	मध्य प्रदेश: सिंगरौली (आंशिक रूप से उ.प्र. में, सीआईएल का संयत्र म.प्र. में है)
	छत्तीसगढ़: कोरबा
	ओडिशा: तालचेर, रामपुर
	महाराष्ट्र: चंदा-वर्धा, कैम्पटी, बांदर
	तेलंगाना: सिंगरेनी
	आंध्र प्रदेश: पांडुर
तृतीयक कोयला	**एन्थ्रेसाइट:** कालाकोटे, जम्मू-कश्मीर
	उप-बिटुमिनस: असम (मकुम, जॉयपुर, नाजिरा); अरुणाचल प्रदेश (नामचिक-नामफुक); मेघालय (दारनगिरी, चेरापूंजी, मेवलोंग, लांग्रिन); नागालैंड (अनुच्छेद 371क के तहत माइनर रैट होल माइनिंग)
लिग्नाइट (तृतीयक कोयला)	**तमिलनाडु:** नेवेली
	गुजरात और पुडुचेरी

भारत में कच्चे तेल के भंडार (Crude Oil Deposits in India)

भारत में पेट्रोलियम भंडार मुख्य रूप से निम्नलिखित स्थानों पर स्थित हैं:

- **असम (Assam):** प्रमुख तेल क्षेत्रों में डिगबोई, नहरकटिया तथा मोरन शामिल हैं, जो पूर्वोत्तर क्षेत्र में भारत के तेल उत्पादन में महत्वपूर्ण योगदान देते हैं।
- **गुजरात (Gujarat):** प्रमुख तेल उत्पादक क्षेत्र अंकलेश्वर, कलोल, मेहसाणा, नवगाम, कोसांबा तथा लुनेज हैं, जो भारत के तटवर्ती तेल उत्पादन में महत्वपूर्ण योगदान देते हैं।
- **महाराष्ट्र (Maharashtra):** मुंबई हाई अपतटीय क्षेत्र भारत के सबसे बड़े तेल भंडारों में से एक है और अपतटीय तेल उत्पादन में महत्वपूर्ण भूमिका निभाता है।
- कृष्णा-गोदावरी (केजी) एवं कावेरी बेसिन में भी अन्वेषण गतिविधियाँ चल रही हैं, जहाँ देश की ऊर्जा सुरक्षा को बढ़ाने के लिए नए भंडारों की खोज की जा रही है।

प्राकृतिक गैस (Natural Gas)

प्राकृतिक गैस तेल के कुओं से प्राप्त की जाती है। हल्की होने के कारण यह तेल के पूल के ऊपर आ जाती है और तेल कुओं की ड्रिलिंग के समय सबसे पहले यही निकलती है। प्राकृतिक गैस का उपयोग मुख्य रूप से रासायनिक उर्वरकों, ताप विद्युत संयंत्रों, उद्योगों को गर्म करने तथा ईंधन (खाना पकाने की गैस) के निर्माण में किया जाता है।

प्राकृतिक गैस की खोज तेल एवं प्राकृतिक गैस निगम लिमिटेड (ONGC) द्वारा की जा रही है। एक अनुमान के अनुसार, भारत में कुल प्राकृतिक गैस भंडार लगभग 1149.46 बिलियन क्यूबिक मीटर है। अधिकतम प्राकृतिक गैस भंडार पश्चिमी अपतटीय यानी बेसिन एवं बॉम्बे हाई (29.3 प्रतिशत) में हैं, इसके बाद पूर्वी अपतटीय यानी केजी बेसिन (23.4 प्रतिशत) तथा असम (14.37 प्रतिशत) का स्थान हैं। प्राकृतिक गैस उत्पादन की प्रवृत्ति तालिका 14.25 में दिखाई गई है।

तालिका 14.25 भारत में प्राकृतिक गैस उत्पादन का रुझान

वर्ष	उत्पादन (बिलियन क्यूबिक मीटर)
2013–14	35.41
2014–15	33.66
2015–16	32.25
2016–17	31.90
2017–18	32.65
2018–19	32.87
2019–20	31.18
2020–21	28.67
2021–22	34.02
2022–23	34.45

स्रोत: पेट्रोलियम योजना विश्लेषण, पेट्रोलियम एवं प्राकृतिक गैस मंत्रालय (भारत सरकार)

चित्र 14.10

भारत में प्रमुख कोयला क्षेत्र

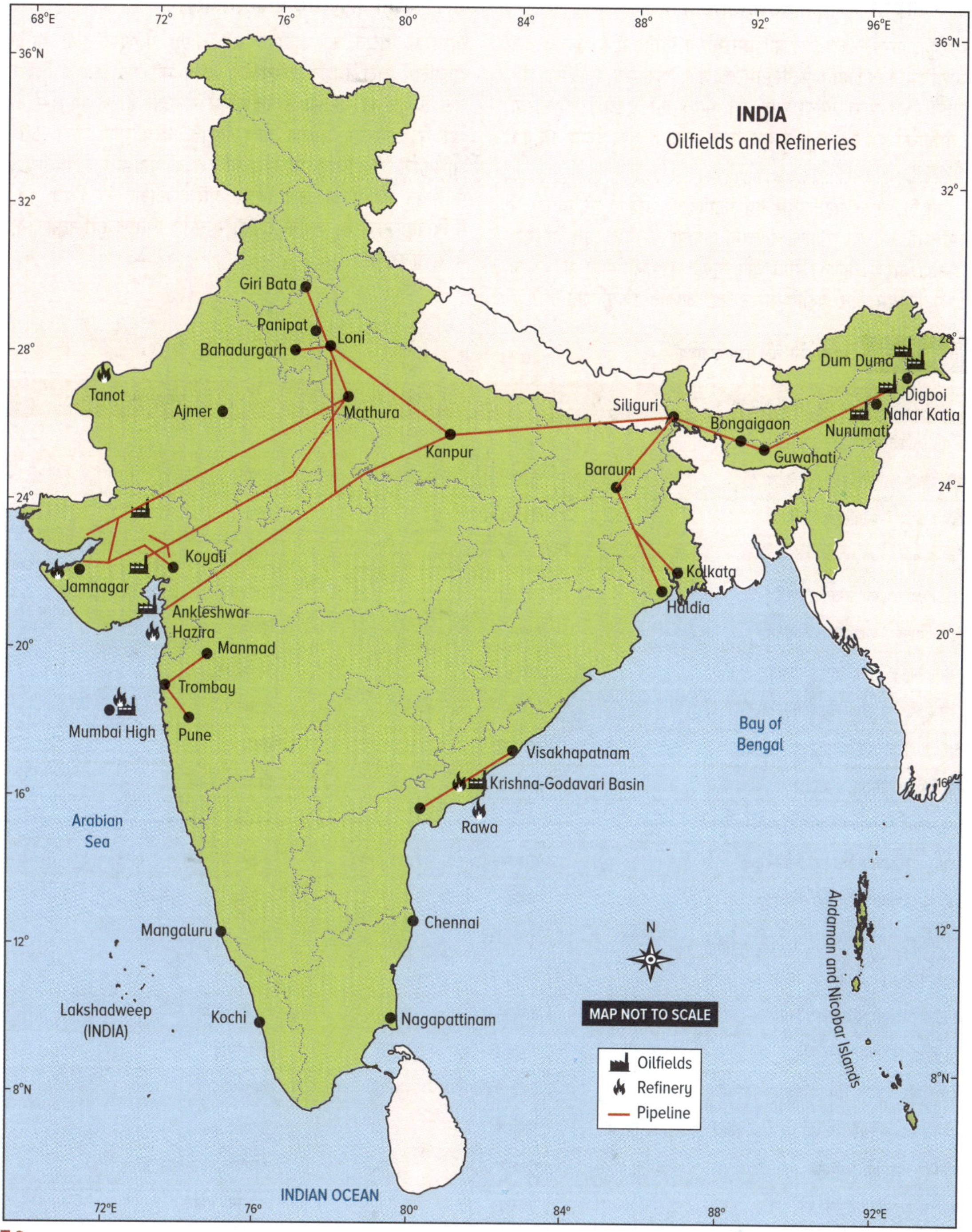

चित्र 14.11
भारत में तेल क्षेत्र एवं पेट्रोलियम रिफाइनरियाँ

तेल रिफाइनरियाँ (Oil Refineries)

तेल रिफाइनरियाँ कच्चे तेल की प्रसंस्करण फैक्ट्रियाँ हैं। कच्चे तेल से अशुद्धियाँ निकालकर पेट्रोलियम, डीजल, केरोसिन, बिटुमिन और विमानन ईंधन प्राप्त किया जाता है। भारत की मुख्य रिफाइनरियों को **तालिका 14.26** में सूचीबद्ध किया गया है तथा **चित्र 14.11** में दिखाया गया है।

यद्यपि, भारत पेट्रोलियम एवं पेट्रोलियम उत्पादों के मामले में आत्मनिर्भर नहीं है। दक्षिण-पश्चिम एशिया के देशों, विशेष रूप से सऊदी अरब, कुवैत, ईरान और यूएई से भारी मात्रा में कच्चा तेल, पेट्रोलियम और पेट्रोलियम उत्पाद आयात किए जाते हैं।

जल विद्युत (Hydro Electricity)

भारत में विद्युत का उत्पादन सन् 1898 में शुरू हुआ था, जब दार्जिलिंग जल विद्युत परियोजना चालू की गई। भारत विश्व में जल विद्युत के अग्रणी उत्पादकों में से एक है। वर्तमान में अपने देश में 200 से अधिक जल विद्युत परियोजनाएँ चल रही हैं। अधिकांश जल विद्युत परियोजनाएँ देश के पहाड़ी एवं पर्वतीय क्षेत्रों में स्थित हैं। प्रमुख जल विद्युत परियोजनाओं को **चित्र 14.12** में दिखाया गया है, जबकि उनका राज्यवार वितरण **तालिका 14.27** में सूचीबद्ध है।

तालिका 14.26 भारत की तेल रिफाइनरियाँ

तेल कंपनी	राज्य	स्थान का नाम
इंडियन ऑयल कॉर्पोरेशन लिमिटेड	बिहार	बरौनी
इंडियन ऑयल कॉर्पोरेशन लिमिटेड	गुजरात	कोयली
इंडियन ऑयल कॉर्पोरेशन लिमिटेड	पश्चिम बंगाल	हल्दिया
इंडियन ऑयल कॉर्पोरेशन लिमिटेड	उत्तर प्रदेश	मथुरा
इंडियन ऑयल कॉर्पोरेशन लिमिटेड	हरियाणा	पानीपत
इंडियन ऑयल कॉर्पोरेशन लिमिटेड	असम	डिबगोई
इंडियन ऑयल कॉर्पोरेशन लिमिटेड	असम	बोंगाईगांव
इंडियन ऑयल कॉर्पोरेशन लिमिटेड	असम	गुवाहाटी
हिंदुस्तान पेट्रोलियम कॉर्पोरेशन लिमिटेड	महाराष्ट्र	मुंबई
हिंदुस्तान पेट्रोलियम कॉर्पोरेशन लिमिटेड	आंध्र प्रदेश	विशाखापत्तनम
एचपीसीएल-हिंदुस्तान मित्तल एनर्जी लिमिटेड	पंजाब	बठिंडा
भारत पेट्रोलियम कॉर्पोरेशन लिमिटेड	महाराष्ट्र	मुंबई
भारत पेट्रोलियम कॉर्पोरेशन लिमिटेड	केरल	कोच्चि
बीपीसीएल-भारत ओमान रिफाइनरी लिमिटेड	मध्य प्रदेश	बीना
चेन्नई पेट्रोलियम कॉर्पोरेशन लिमिटेड	तमिलनाडु	मनाली
चेन्नई पेट्रोलियम कॉर्पोरेशन लिमिटेड	तमिलनाडु	कावेरी बेसिन
नुमालीगढ़ रिफाइनरी लिमिटेड	असम	नुमालीगढ़
ऑयल एंड नैचुरल गैस कॉर्पोरेशन लिमिटेड	आंध्र प्रदेश	टाटीपका
ओएनजीसी-मैंगलोर रिफाइनरीज एंड पेट्रोकेमिकल्स लिमिटेड	कर्नाटक	मैंगलोर
रिलायंस इंडस्ट्रीज लिमिटेड	गुजरात	जामनगर (डीटीए)
रिलायंस इंडस्ट्रीज लिमिटेड	गुजरात	जामनगर (सेज)
एस्सार ऑयल लिमिटेड	गुजरात	वादिनार
बीना, भारत ओमान रिफाइनरीज लिमिटेड (बीओआरएल)	मध्य प्रदेश	–

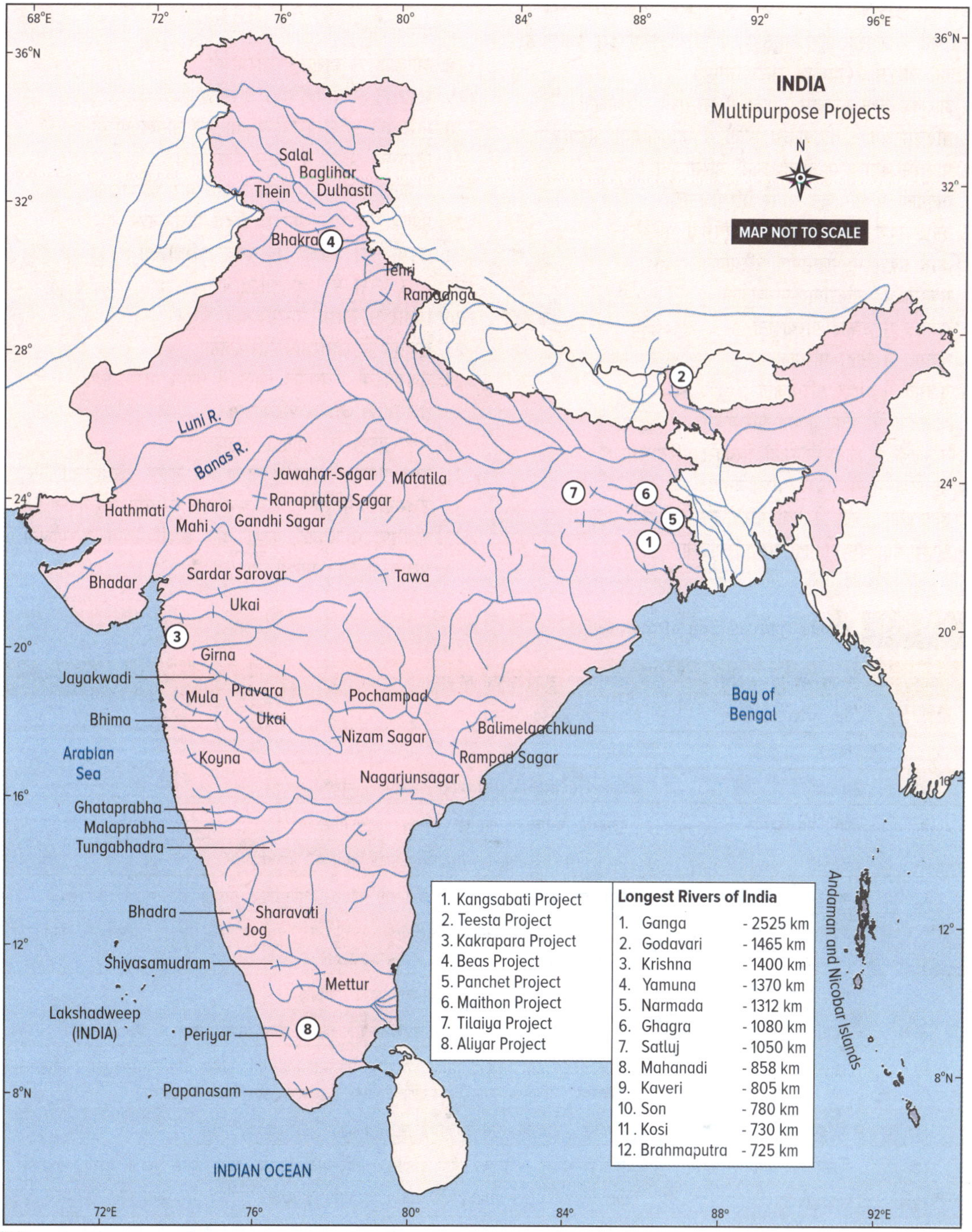

चित्र 14.12

भारत की बहुउद्देशीय परियोजनाएँ

बहुउद्देशीय परियोजनाएँ (Multipurpose Projects)

भारत की कुछ महत्वपूर्ण बहुउद्देशीय परियोजनाएँ इस प्रकार हैं:

1. डी. वी. सी. (दामोदर घाटी निगम)
2. झारखंड तथा पश्चिम बंगाल में मयूराक्षी परियोजना
3. पश्चिम बंगाल के बांकुरा जिले में कांगसबाती परियोजना
4. पश्चिम बंगाल में तीस्ता घाटी परियोजना
5. तेलंगाना में नागार्जुन सागर परियोजना
6. आंध्र प्रदेश तथा कर्नाटक में तुंगभद्रा परियोजना
7. आंध्र प्रदेश में पोचमपाद परियोजना
8. गुजरात में काकरापार परियोजना
9. गुजरात में उकाई परियोजना
10. गुजरात में माही परियोजना
11. गुजरात में भादर परियोजना
12. कर्नाटक में अपर कृष्णा परियोजना
13. कर्नाटक में घाटप्रभा घाटी विकास परियोजना
14. कर्नाटक में मालाप्रभा परियोजना
15. होशंगाबाद जिले में तवा परियोजना (मध्य प्रदेश)
16. सी.वी.डी. चम्बल नदी पर परियोजना
17. महाराष्ट्र के पुणे एवं शोलापुर जिलों में पावना नदी पर भीम परियोजना
18. ओडिशा में हीराकुंड परियोजना
19. महाराष्ट्र में जयकवाड़ी परियोजना
20. हिमाचल प्रदेश/पंजाब में भाखड़ा नांगल परियोजना
21. हिमाचल प्रदेश में ब्यास परियोजना
22. तमिलनाडु में परम्बिकुलम अलियार परियोजना
23. पंजाब एवं राजस्थान में इंदिरा गांधी नहर
24. गंडक नदी, बिहार पर गंडक परियोजना
25. उत्तर प्रदेश में रिहंद परियोजना
26. बिहार में कोसी परियोजना
27. गुजरात में साबरमती परियोजना
28. गुजरात के पंचमहल जिले में पणम परियोजना
29. गुजरात में कर्जन परियोजना
30. मध्य प्रदेश में महानदी जलाशय
31. मध्य प्रदेश में हसदेव बांगो और बरगी परियोजनाएँ
32. उत्तराखंड में सारदा-सहायक एवं रामगंगा परियोजना
33. महाराष्ट्र में उकाई, कृष्णा और ऊपरी पेंगांगा परियोजना
34. पंजाब में थीन परियोजना

तालिका 14.27 राज्यवार मुख्य जलविद्युत परियोजनाएँ

क्र.सं.	राज्य/संघ राज्य क्षेत्र	जलविद्युत ऊर्जा संयंत्रों के नाम
1.	आंध्र प्रदेश	मचकुंड, सिलेरु, श्रीसेलम
2.	बिहार	कोसी
3.	गुजरात	भादर (काठियावाड), हाथमती (साबरमती), उकाई (तापी)
4.	जम्मू एवं कश्मीर	दुलहस्ती, बघलियार, सलाल (चिनाब), निचली झेलम
5.	झारखंड	मैथन, पंचाट, तिलैया (सभी दामोदर घाटी निगम के अंतर्गत)
6.	कर्नाटक	भद्रा, कृष्णराजसागर, महात्मा-गांधी (जोग फॉल्स), मुनिराबाद, सरवती, शिवसमुद्रम (कावेरी)
7.	केरल	इडुक्की (पेरियार), कल्लाडा, कुट्टियाडी, पल्लीवासल, परम्बिकुलम, पेरियार, पोरिंगलकुथु, पोन्नानियार, सबरीगिरी
8.	मध्य प्रदेश	जवाहरसागर एवं प्रतापसागर, (चम्बल), तवा (नर्मदा)
9.	महाराष्ट्र	भोलावली, भाटघर (बीड), गिरनार, खोपाली, कोयना, पूर्णा, पैठन, वैतरणा
10.	उत्तर-पूर्वी राज्य	दिखू, दोयांग (नागालैंड), गोमती (त्रिपुरा), कोपिली (असम), खंडोंग और किर्डेमकुलई (मेघालय), लोकटक (मणिपुर), रंगनदी (अरुणाचल प्रदेश), सेरलुई, और बैराबी (मिजोरम)
11.	ओडिशा	हीराकुंड (महानदी), बालीमेला, रेंगाली (ब्राह्मणी), इंद्रावती
12.	पंजाब और हिमाचल प्रदेश	भाखड़ा-नांगल (सतलुज), देहर (ब्यास), गिरि-बाटा, बिनवा, चमेरा, पोंग, सिउल, बस्सी, भाभानगर
13.	राजस्थान	राणा प्रताप सागर (चम्बल)
14.	तमिलनाडु	मेट्टूर, पेरियार, अलियार, कोडयार, मोयार, पापनासम, सुरुलियार
15.	तेलंगाना	नागार्जुनसागर, निजाम सागर

(Continued)

तालिका 14.27 *(Continued)*

क्र.सं.	राज्य/संघ राज्य क्षेत्र	जलविद्युत ऊर्जा संयंत्रों के नाम
16.	उत्तराखंड	टिहरी-बाँध, कोटेश्वर-बाँध (भागीरथी), रामगंगा, चिब्रो (टोंस)
17.	उत्तर प्रदेश	रिहंद
18.	पश्चिम बंगाल	पंचेत, पुरुलिया दर्रा
19.	सिक्किम	तीस्ता बांध, रंगित, ताशीडिंग

ताप विद्युत (Thermal Electricity)

कोयला और लिग्नाइट आधारित ताप विद्युत संयंत्र भारत में उत्पादित कुल विद्युत का लगभग 75 प्रतिशत योगदान देते हैं। भारत के कुछ महत्वपूर्ण ताप विद्युत संयंत्रों का उल्लेख तालिका 14.28 और चित्र 14.13 में किया गया है।

तालिका 14.28 महत्वपूर्ण ताप विद्युत संयंत्र

क्र.सं.	राज्य/संघ राज्य क्षेत्र	ताप विद्युत केंद्र
1.	आंध्र प्रदेश	भद्राचलम, मनुगुरु, नेल्लोर, विजयवाड़ा, सेम्बकॉर्प गायत्री
2.	असम	बोंगाईगांव, कामरूप, चंदरपुर, गौरीपुर
3.	बिहार	बरौनी, खानगांव, डीवीसी, दुर्गापुर
4.	छत्तीसगढ	कोरबा, रतिजा टीपीपी, नवापारा
5.	दिल्ली	प्रगति
6.	गुजरात	अहमदाबाद, बनास, धुव्रण, गांधीनगर, कच्छ, कांडला, महुवा, पोरबंदर, साबरमती, शाहपुर, सिक्का, उकाई, उतरान, वानाकबोरी
7.	हरियाणा	फरीदाबाद, पानीपत, यमुनानगर
8.	झारखंड	बोकारो, चंद्रपुर, सुवर्णरेखा
9.	मध्य प्रदेश	अमरकंटक, सतपुड़ा, विंध्याचल
10.	महाराष्ट्र	बल्हारशाह, भुसावल, चंद्रपुर, चोल, दाभोल, खापर-खेड़ा, कोराडी, नासिक, पारस, परली, ट्रॉम्बे, उरण
11.	पंजाब	बठिंडा, रूपनगर
12.	राजस्थान	अंता, बांसवाड़ा, कोटा, पलाना, सवाई-माधोपुर
13.	ओडिशा	बालिमेला, तालछेर
14.	तमिलनाडु	एन्नोर, मेट्टूर, नेवेली, तूतीकोरिन, कुड्डालोर आईटीपीसीएल
15.	तेलंगाना	रामगुंडम, कोठागुडेम
16.	उत्तर प्रदेश	बहराइच, दोहरीघाट, गोरखपुर, हरदुआगंज, जवाहरपुर, कानपुर, मऊ, मुरादाबाद, ओबरा, पनकी, पारीछा, सिंगरौली, टूंडला
17.	पश्चिम बंगाल	बीरभूम, बंदेल, दुर्गापुर, फरक्का, कोलाघाट, कोलकाता, मुर्शिदाबाद, संतालडीह, टीटागढ़।

परमाणु ऊर्जा (Nuclear Power)

भारत में यूरेनियम तथा थोरियम के प्रचुर भंडार हैं, जो परमाणु ऊर्जा उत्पादन में इस्तेमाल होने वाला ईंधन है। ट्रॉम्बे में परमाणु ऊर्जा संस्थान (भाभा परमाणु अनुसंधान केंद्र) की स्थापना वर्ष 1954 में की गई थी और वाणिज्यिक उद्देश्यों को ध्यान में रखते हुए परमाणु ऊर्जा उत्पादन कार्यक्रम को लागू करने के लिए वर्ष 1987 में भारतीय परमाणु ऊर्जा निगम की स्थापना की गई थी।

320 मेगावाट क्षमता वाला पहला परमाणु ऊर्जा संयंत्र तारापुर (महाराष्ट्र) में स्थापित किया गया था। इसके बाद, कोटा के पास रावतभाटा परमाणु संयंत्र (300 मेगावाट) 1969 में स्थापित किया गया था, जिसके बाद नरोरा-यू.पी. (1989), कैगा (कर्नाटक) और 1993 में गुजरात में काकरापार की स्थापना की गई (तालिका 14.29 और चित्र 14.14)।

चित्र 14.13
भारत के ताप विद्युत संयंत्र

चित्र 14.14

भारत में परमाणु ऊर्जा संयंत्र

परमाणु ऊर्जा संयंत्रों के लिए नए स्थल बर्गी या चुटका (म.प्र.), हरिपुर (पश्चिम बंगाल), कवाड़ा (आंध्र प्रदेश), कुडनकुलम (तमिलनाडु), कुम्हारिया (हरियाणा) और मेथी-वर्दी-काठियावाड़ (गुजरात) हैं (चित्र 14.14)।

तालिका 14.29 भारत के परमाणु ऊर्जा स्टेशन

क्र.सं.	विद्युत स्टेशन	राज्य	आरंभ होने का वर्ष	क्षमता (मेगावाट में)
1	तारापुर	महाराष्ट्र	1969	1,400
2	रावतभाटा	राजस्थान	1972	1,180
3	कलपक्कम	तमिलनाडु	1984	440
4	नरौरा	उत्तर प्रदेश	1989	440
5	काकरापारा	गुजरात	1993	440
6	कैगा	कर्नाटक	1993	880
7	कुडनकुलम	तमिलनाडु	2002	1,864
8	जैतापुर	महाराष्ट्र	2017	9,900
9	बरगी-चुटका	मध्य प्रदेश	यह प्रस्तावित है। लेकिन वर्ष 2015 से स्थानीय लोगों के कड़े विरोध का सामना करना पड़ रहा है।	1,400
10	कवाड़ा-चुटका	मध्य प्रदेश	यह प्रस्तावित है। लेकिन 2015 से स्थानीय लोगों के कड़े विरोध का सामना करना पड़ रहा है।	4×700
11	छाया मीठी विरदी	गुजरात	प्रारंभ होने की संभावना कम है।	6×1,000
12	कुम्हारिया	गोरखपुर-हरियाणा	प्रस्तावित है।	2×700
13	माही बांसवाड़ा	राजस्थान	प्रस्तावित है।	2×700

स्रोत: परमाणु ऊर्जा विभाग, भारत सरकार, मार्च 2018

सौर ऊर्जा (Solar Energy)

सौर ऊर्जा गैर-परंपरागत ऊर्जा स्रोतों में से सबसे महत्वपूर्ण स्रोत है। सौर ऊर्जा समाप्त नहीं होने वाली, अंतरिक्ष-ताप, विश्वसनीय एवं प्रदूषण मुक्त है। इसका उपयोग वॉटर हीटर, विद्युत उत्पादन उपकरणों, एयर-कंडीशनिंग, अंतरिक्ष हीटिंग, मछली पालन के विकास और पानी एवं प्रशीतन के विविध उपयोगों के लिए किया जा सकता है।

भारत में सौर ऊर्जा की अपार संभावनाएँ हैं, क्योंकि यह एक उष्णकटिबंधीय देश है। 13 नवंबर, 2024 तक भारत में 92.12 गीगावॉट की स्थापित क्षमता है। भारत में सौर ऊर्जा के प्रमुख उत्पादक तमिलनाडु, महाराष्ट्र, गुजरात, राजस्थान और कर्नाटक हैं।

वर्ष 2017 के आर्थिक सर्वेक्षण में अक्षय ऊर्जा की समाज पर आने वाली लागत विषय पर चर्चा की गयी है। इसमें उन तापीय संयंत्रों से जुड़ी डूब लागतों पर चर्चा की गयी है, जो अंततः बंद हो जाएँगे। इसमें कुछ पर्यावरणीय खर्च भी शामिल हैं, जैसे कि सौर पीवी, पवन चक्कियाँ, बैटरी और अन्य वस्तुओं के उत्पादन से पर्यावरण पर पड़ने वाले प्रभाव।

पवन ऊर्जा (Wind Energy)

भारत की कुल स्थापित विद्युत उत्पादन क्षमता में पवन ऊर्जा का योगदान लगभग 10.3 प्रतिशत है। भारत में केवल तटवर्ती पवन ऊर्जा उत्पादन होता है। वर्ष 2016 में अपतटीय पवन ऊर्जा नीति जारी की गयी थी, लेकिन देश में अपतटीय पवन संयंत्रों का कोई विकास नहीं हुआ है।

भारत में पवन ऊर्जा के शीर्ष उत्पादक गुजरात, तमिलनाडु, कर्नाटक, महाराष्ट्र और राजस्थान हैं।

बायोमास ऊर्जा (BIOMASS ENERGY)

भारत में बायोमास ऊर्जा में कई प्रकार के ऊर्जा उत्पादन शामिल हैं:

- **अपशिष्ट से ऊर्जा (Waste to Energy (WtE):** इस प्रक्रिया में मुख्य रूप से भस्मीकरण के माध्यम से नगरपालिका के ठोस अपशिष्ट को ऊर्जा में परिवर्तित करना शामिल है। अपशिष्ट को जलाकर भाप बनाई जाती है, जिससे टर्बाइनों को चलाकर विद्युत पैदा की जाती है।

- **बायोमास सह उत्पादन (Biomass Cogeneration):** इसे संयुक्त ताप एवं शक्ति (CHP) के रूप में भी जाना जाता है, यह विधि बायोमास से विद्युत और एवं ऊष्मा दोनों एक साथ उत्पन्न करती है। यह पारंपरिक विद्युत उत्पादन में खो जाने वाली ऊष्मा का उपयोग करके ऊर्जा दक्षता में सुधार करता है।
- **बायोगैस (Biogas):** कृषि अपशिष्ट, खाद तथा खाद्य अवशिष्ट जैसे कार्बनिक पदार्थों के अवायवीय पाचन के माध्यम से उत्पादित, बायोगैस में मुख्य रूप से मीथेन और कार्बन डाइऑक्साइड होती हैं। इसका उपयोग विद्युत उत्पादन, हीटिंग या वाहन ईंधन के रूप में किया जा सकता है।

भारत में शीर्ष उत्पादक राज्य: महाराष्ट्र, उत्तर प्रदेश, कर्नाटक, तमिलनाडु और पंजाब बायोमास ऊर्जा उत्पादन में अग्रणी राज्य हैं।

भूतापीय ऊर्जा (GEOTHERMAL ENERGY)

भूतापीय ऊर्जा पर अध्याय 8 में विस्तार से चर्चा की गयी है और यहां केवल भारत में इसकी संभावनाओं एवं संस्थापित क्षमताओं का विवरण दिया जा रहा है।

भारत में भूतापीय ऊर्जा की संभावनाएं (Geothermal Energy Potential of India)

- भूतापीय ऊर्जा पृथ्वी की सतह के नीचे संग्रहीत ऊष्मा से प्राप्त की जाती है, जो पृथ्वी के केन्द्र एवं प्राकृतिक रेडियोधर्मी क्षय से उत्पन्न होती है। विद्युत उत्पादन के लिए गहरे भूमिगत जलाशयों से गर्म पानी या भाप को सतह पर लाया जाता है तथा जिसे टर्बाइनों को चलाने के लिए उपयोग में लाया जाता है और विद्युत उत्पन्न की जाती है। यह प्रक्रिया कुशल, पर्यावरण अनुकूल और अक्षय ऊर्जा का एक विश्वसनीय स्रोत प्रदान करती है।
- **संभावित क्षमता:** भारत में अनुमानित भूतापीय ऊर्जा की संभावित क्षमता 10,600 मेगावाट है।
- **भावी योजनाएँ (Future Plans):** देश का लक्ष्य वर्ष 2030 तक 10 गीगावाट भूतापीय ऊर्जा विकसित करना है, जो हिमाचल प्रदेश के मणिकरण जैसे क्षेत्रों पर केंद्रित है। यद्यपि, वर्तमान में भूतापीय ऊर्जा का बड़े पैमाने पर दोहन नहीं किया गया है।
- **पायलट परियोजनाएँ (Pilot Projects):** इस संबंध में सिंगरेनी कोलियरीज कंपनी लिमिटेड (SCCL) एक उल्लेखनीय घटनाक्रम है। इसने तेलंगाना के भद्राद्री कोठागुडेम जिले के मनुगुरु क्षेत्र में 20 किलोवाट का पायलट भूतापीय विद्युत संयंत्र स्थापित किया है। यह भारत में भूतापीय ऊर्जा की खोज की दिशा में एक छोटा कदम है।

ज्वारीय ऊर्जा (Tidal Energy)

ज्वारीय ऊर्जा समुद्र के ज्वार की गति से प्राप्त होती है, जो चंद्रमा और सूर्य के गुरुत्वाकर्षण खिंचाव के कारण समुद्री जल के स्तर में वृद्धि एवं गिरावट के माध्यम से प्राप्त होती है। विद्युत उत्पादन के लिए, ज्वारीय विद्युत संयंत्र पानी के नीचे टर्बाइन या बैराज का उपयोग करते हैं, जो ज्वारीय प्रवाह से गतिज ऊर्जा का उपयोग टर्बाइनों को घुमाने एवं विद्युत उत्पन्न करने के लिए करते हैं। यह अक्षय ऊर्जा स्रोत, विशेष रूप से तेज ज्वारीय धाराओं वाले तटीय क्षेत्रों में पूर्वानुमान योग्य और टिकाऊ है।

भारत में लगभग 12.4 गीगावॉट की ज्वारीय ऊर्जा क्षमता है। भारत ने ज्वारीय ऊर्जा का दोहन करने के लिए परियोजनाएँ शुरू कीं, जिनमें गुजरात के कच्छ क्षेत्र में 50 मेगावाट का प्लांट तथा पश्चिम बंगाल में दुर्गादुआनी क्रीक में 3.75 मेगावाट की सुविधा शामिल है। यद्यपि, ज्वारीय ऊर्जा उत्पादन से जुड़ी उच्च लागतों के कारण दोनों परियोजनाएँ रोक दी गई है।

महासागरीय तापीय ऊर्जा रूपांतरण (Ocean Thermal Energy Conversion)

महासागरीय तापीय ऊर्जा रूपांतरण (ओटीईसी) विद्युत उत्पन्न करने के लिए गर्म सतही समुद्री जल एवं ठंडे गहरे समुद्री जल के बीच तापमान के अंतर का उपयोग किया जाता है। गर्म पानी एक कार्यशील तरल पदार्थ (अमोनिया की तरह) को वाष्पीकृत करता है, जो जनरेटर से जुड़े टरबाइन को चलाता है, जबकि ठंडा पानी वाष्प को वापस तरल में संघनित करता है, जिससे चक्र पूरा हो जाता है। यह तकनीक स्थिर तापमान अंतर वाले उष्णकटिबंधीय क्षेत्रों में सर्वाधिक प्रभावी है।

भारत में ओटीईसी के लिए 180 गीगावॉट की संभावनाएं हैं। यद्यपि, अभी तक हमारे पास केवल 165 किलोवाट का ओटीईसी प्लांट है, जो समुद्र के पानी के विलवणीकरण के लिये ऊर्जा प्रदान करने तथा भारत के लक्षद्वीप के द्वीप क्षेत्र को ताजा पानी उपलब्ध कराने के लिए कवरत्ती में स्थापित किया गया है।

भारत के उद्योग (INDUSTRIES OF INDIA)

भारत में विविध एवं गतिशील औद्योगिक क्षेत्र है। इन उद्योगों की देश की अर्थव्यवस्था में महत्वपूर्ण भूमिका है। कपड़ा, कृषि तथा हस्तशिल्प जैसे पारंपरिक उद्योगों से लेकर आईटी, फार्मास्यूटिकल्स जैसे आधुनिक क्षेत्रों तक, भारत में एक समृद्ध औद्योगिक परिदृश्य है, जो पिछले कुछ वर्षों में लगातार विकसित हो रहा है। देश इस्पात उत्पादन, ऑटोमोबाइल विनिर्माण और वस्त्र उद्योग में विश्व में अग्रणी है, जबकि अक्षय ऊर्जा, इलेक्ट्रॉनिक्स और जैव प्रौद्योगिकी जैसे उभरते क्षेत्र इसकी आर्थिक वृद्धि में तेजी से योगदान दे रहे

हैं। विशाल एवं कुशल कार्यबल, प्रचुर प्राकृतिक संसाधन तथा बढ़ता घरेलू बाजार के कारण भारत के उद्योग अपना विकास कर रहे हैं और वैश्विक प्रतिस्पर्धा में आगे बढ़ रहे हैं।

आने वाले भाग में हम भारत के कुछ महत्वपूर्ण औद्योगिक क्षेत्रों एवं उद्योगों के बारे में अध्ययन करेंगे।

भारत के औद्योगिक क्षेत्र (Industrial Regions of India)

भारत में 8 प्रमुख एवं 13 छोटे औद्योगिक क्षेत्र हैं। संतुलित क्षेत्रीय विकास एवं रोजगार सृजन के लक्ष्य को प्राप्त करने के लिए इनमें से अधिकांश विकसित हो रहे हैं। प्रमुख औद्योगिक क्षेत्रों को **तालिका 14.30** में दिया गया है।

भारत के औद्योगिक गलियारे (Industrial Corridors of India)

भारत वर्तमान में आर्थिक विकास को गति देने, आधारभूत संरचनाओं में सुधार करने और घरेलू एवं विदेशी, दोनों ही तरह के निवेशों को आकर्षित करने के लिए कई औद्योगिक गलियारे विकसित कर रहा है। विभिन्न चरणों में विकसित किए जा रहे प्रमुख गलियारे निम्नवत हैं:

- दिल्ली-मुंबई औद्योगिक गलियारा (DMIC)
- चेन्नई-बेंगलुरु औद्योगिक गलियारा (CBIC)
- CBIC का कोयंबटूर के माध्यम से कोच्चि तक विस्तार
- अमृतसर-कोलकाता औद्योगिक गलियारा (AKIC)
- ईस्ट कोस्ट औद्योगिक गलियारा (ECIC), जिसमें विशाखापट्टणम - चेन्नई औद्योगिक गलियारा (VCIC) शामिल है
- बेंगलुरु-मुंबई औद्योगिक गलियारा (BMIC)
- हैदराबाद-नागपुर, हैदराबाद-वारंगल
- हैदराबाद-बेंगलुरु औद्योगिक गलियारा
- ओडिशा आर्थिक गलियारा (OEC)
- दिल्ली-नागपुर औद्योगिक गलियारा (DNIC)

तालिका 14.30 प्रमुख औद्योगिक क्षेत्र

औद्योगिक क्षेत्र	स्थान	प्रमुख उद्योग	प्रमुख शहर
मुंबई-पुणे औद्योगिक क्षेत्र	महाराष्ट्र	ऑटोमोबाइल विनिर्माण, आईटी, फार्मास्यूटिकल्स	मुंबई, पुणे, नासिक, औरंगाबाद
कोलकाता-हुगली औद्योगिक क्षेत्र	पश्चिम बंगाल	जूट मिलें, स्टील प्लांट, रासायनिक उद्योग	कोलकाता, हावड़ा, हल्दिया
अहमदाबाद-वडोदरा औद्योगिक क्षेत्र	गुजरात	पेट्रोकेमिकल, टेक्सटाइल, इंजीनियरिंग	अहमदाबाद, वडोदरा
मदुरै-कोयंबटूर-बेंगलुरु क्षेत्र	तमिलनाडु, कर्नाटक	टेक्सटाइल, ऑटोमोबाइल, आईटी	मदुरै, कोयंबटूर, बेंगलुरु
छोटानागपुर औद्योगिक क्षेत्र	झारखंड	खनिज आधारित उद्योग (कोयला, लौह अयस्क, स्टील)	जमशेदपुर, बोकारो, धनबाद
आगरा-दिल्ली-कालका-सहारनपुर क्षेत्र	उत्तरी भारत (उत्तर प्रदेश, दिल्ली)	चमड़े के सामान, वस्त्र, हस्तशिल्प	आगरा, दिल्ली
विशाखापत्तनम-गुंटूर क्षेत्र	आंध्र प्रदेश	जहाज निर्माण, पेट्रोकेमिकल्स, फार्मास्यूटिकल्स, कृषि प्रसंस्करण	विशाखापत्तनम, गुंटूर
कोल्लम-तिरुवनंतपुरम क्षेत्र	केरल	आईटी पार्क, काजू प्रसंस्करण, कॉयर उद्योग	कोल्लम, तिरुवनंतपुरम

औद्योगिक गलियारों के लाभ (Benefits of Industrial Corridors)

- **आर्थिक विकास (Economic Growth):** ये गलियारे निवेश को आकर्षित कर, रोजगार पैदा कर और क्षेत्रीय विकास को बढ़ावा देकर, विशेष रूप से कम विकसित क्षेत्रों में राष्ट्रीय सकल घरेलू उत्पाद को बढ़ावा देते हैं।
- **आधारभूत संरचनाओं का विकास (Infrastructure Development):** वे परिवहन, उपयोगिताओं एवं संचार नेटवर्क जैसे एकीकृत आधारभूत संरचनाओं के निर्माण को प्रोत्साहित करते हैं, जिससे कनेक्टिविटी में वृद्धि होती है तथा परिचालन लागत कम होती है।
- **क्लस्टर विकास (Cluster Development):** उद्योगों को एक साथ जोड़कर, बड़े पैमाने की किफायत की जाती है, उत्पादन लागत कम होती है और सहयोग एवं नवाचार को बढ़ावा मिलता है।
- **निवेश आकर्षण (Investment Attraction):** औद्योगिक गलियारे आधुनिक आधारभूत संरचनाओं एवं निवेशक-अनुकूल नीतियों के कारण प्रत्यक्ष विदेशी निवेश

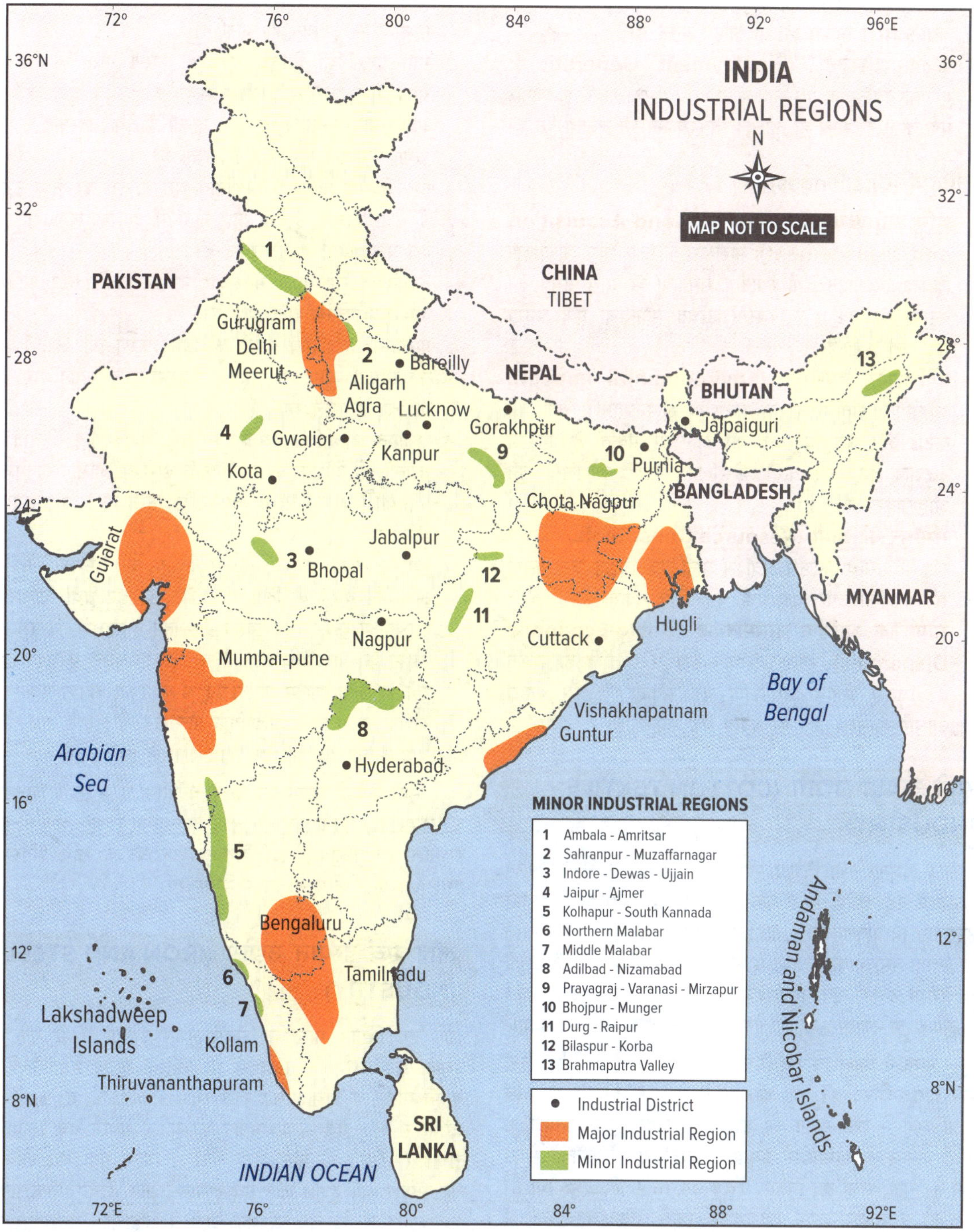

चित्र 14.15
भारत के औद्योगिक क्षेत्र

(एफडीआई) को आकर्षित करने में सहायता करते हैं, जबकि घरेलू निवेश को प्रोत्साहित करते हैं।

- **रोजगार सृजन (Employment Generation):** गलियारे विनिर्माण एवं सेवाओं सहित विभिन्न क्षेत्रों में रोजगार पैदा करते हैं, साथ ही कौशल विकास को भी बढ़ावा देते हैं।

चुनौतियाँ (Challenges)

- **भूमि अधिग्रहण एवं विस्थापन (Land Acquisition and Displacement):** गलियारों के लिए भूमि अधिग्रहण विवाद, विस्थापन तथा स्थानीय समुदायों के साथ संघर्ष का कारण बन सकता है, जिसमें उचित मुआवजा एक प्रमुख मुद्दा बना हुआ है।
- **पर्यावरणीय प्रभाव (Environmental Impact):** औद्योगिक गतिविधियों के परिणामस्वरूप प्रदूषण, वनों की कटाई और जैव विविधता की हानि हो सकती है, जिससे नुकसान को कम करने के लिए स्थायी प्रणालियों की आवश्यकता होती है।
- **संसाधन की कमी (Resource Constraints):** विशेष रूप से संसाधन-दुर्लभ क्षेत्रों में पानी एवं विद्युत जैसे प्रमुख संसाधनों की उपलब्धता एक चुनौती हो सकती है।
- **सामाजिक-आर्थिक असमानताएँ (Socio-Economic Disparities):** लाभ असमान रूप से वितरित हो सकते हैं, जिससे क्षेत्रीय असमानता बढ़ सकती है और शहरी आधारभूत संरचनाओं पर दबाव पड़ सकता है।

सूती कपड़ा उद्योग (COTTON TEXTILE INDUSTRY)

उत्पादन, रोजगार तथा विदेशी मुद्रा के मामले में सूती कपड़ा भारत के सबसे बड़े उद्योगों में से एक है। औद्योगिक उत्पादन में इसकी हिस्सेदारी 14 प्रतिशत है। 1500 ईसा पूर्व से 1500 ईसवी तक भारत को कपड़ा वस्तुओं के उत्पादन में एकाधिकार प्राप्त था। भारतीय सूती एवं रेशमी उत्पादों की पूरे विश्व में बहुत मांग थी। यद्यपि, भारत में अंग्रेजों के आगमन से भारतीय कपड़ा निर्माण का पतन हुआ।

भारत में पहली कपड़ा मिल वर्ष 1854 में मुंबई में सी. एन. देवर द्वारा स्थापित की गयी थी। 19वीं सदी के अंतिम भाग और 20वीं सदी में इस उद्योग का तेजी से विस्तार हुआ। वर्तमान में भारत कपास के सामान के प्रमुख उत्पादकों एवं निर्यातकों में से एक है। सूती वस्त्रों का वितरण **चित्र 14.16** में दिखाया गया है। हाल ही में कपास उद्योग, जो पहले कपास उगाने वाले क्षेत्रों में स्थापित हुआ करता था, विकेंद्रीकरण की आवश्यकता का अनुभव कर रहा है। इसके कारण निम्नवत हैं:

1. कपास एक हल्का कच्चा माल है, जिससे इसे विभिन्न क्षेत्रों में ले जाना आसान हो जाता है।
2. सूती वस्त्रों की विविध मांग के कारण भारत के विभिन्न भागों में बाजार-संचालित उत्पादन का उदय हुआ है, जो क्षेत्रीय प्राथमिकताओं को पूरा करता है तथा बंदरगाह-उन्मुख उत्पादन स्थानों की स्थापना करता है।
3. विकेंद्रीकरण उद्योग को स्थानीय श्रम बाजारों का लाभ उठाने में सक्षम बनाता है, जो कुछ क्षेत्रों में अधिक लागत प्रभावी एवं प्रचुर मात्रा में हो सकते हैं।
4. आधारभूत संरचनाओं में सुधार ने इस विकेंद्रीकरण प्रक्रिया को सुविधाजनक बना दिया है।
5. पारंपरिक औद्योगिक केंद्रों को समूहीकरण की असुविधाओं का सामना करना पड़ रहा है, जिससे अन्य स्थानों पर जाने को बढ़ावा मिल रहा है।
6. स्थापित औद्योगिक क्षेत्रों में कड़े पर्यावरणीय नियमों ने उद्योगों को अधिक उदार नियामक ढांचे या आसान अनुपालन प्रक्रियाओं वाले क्षेत्रों में स्थानांतरित करने के लिए प्रोत्साहित किया है।
7. विभिन्न राज्य सरकारें कपड़ा उद्योग को विभिन्न क्षेत्रों में आकर्षित करने के लिए सब्सिडी, कर छूट तथा आधारभूत संरचनाओं के समर्थन सहित प्रोत्साहन दे रही हैं, जिससे इस उद्योग को पारंपरिक केंद्रों से परे विस्तार करने में मदद मिल रही है। उदाहरणों में तमिलनाडु में एकीकृत कपड़ा पार्कों की योजना, मध्य प्रदेश औद्योगिक प्रोत्साहन नीति तथा 2017 की यूपी कपड़ा एवं परिधान नीति शामिल हैं।

सूती कपड़ा उद्योग की मुख्य चुनौतियाँ हैं – (i) कच्चे माल की कमी, (ii) पुरानी मशीनरी, (iii) अनियमित विद्युत आपूर्ति, (iv) हड़ताल एवं तालाबंदी, (v) सिंथेटिक फाइबर के साथ प्रतिस्पर्धा तथा (vi) अंतर्राष्ट्रीय बाजार में प्रतिस्पर्धा।

लौह एवं इस्पात उद्योग (IRON AND STEEL INDUSTRY)

लौह एवं इस्पात भारत के सबसे पुराने उद्योगों में से एक है। इसका इतिहास 4000 साल से भी अधिक पुराना है। दिल्ली में कुतुब मीनार के पास प्रसिद्ध लौह स्तंभ 350 ई. का है। आधुनिक तरीके से लौह एवं इस्पात बनाने का पहला प्रयास वर्ष 1830 में चेन्नई (मद्रास) के पास पोर्टो नोवा में किया गया था। लेकिन, यह सफल नहीं हुआ। लौह एवं इस्पात उद्योग में वास्तविक प्रगति वर्ष 1907 में हुई जब जे. एन. टाटा ने साकची (जमशेदपुर का पूर्व नाम) में लौह गलाने का कारखाना स्थापित किया। भारत के महत्वपूर्ण इस्पात संयंत्र भद्रावती, सेलम, बोकारो, पारादीप,

चित्र 14.16
सूती वस्त्र

विशाखापत्तनम, विजयनगर, बर्नपुर, कलिंगनगर, दैत्रे गोपालपुर और डोलवी में स्थित हैं।

दामोदर घाटी को भारत के रुर बेसिन के रूप में जाना जाता है। इसमें लौह एवं इस्पात, गलाने, मशीन बनाने तथा उर्वरक उद्योगों के कई परिसर हैं।

अब तक लौह एवं इस्पात उद्योग, कच्चा माल तैयार माल की तुलना में अधिक भारी होने के कारण, लौह अयस्क उत्पादक क्षेत्रों के आसपास केंद्रित था। यद्यपि, अब हम एक विकेंद्रीकृत प्रवृत्ति देख रहे हैं, जहाँ छोटे बाजार (मुंबई, दिल्ली के पास) और निर्यात उन्मुख संयंत्र (विशाखापत्तनम में) उभर रहे हैं, ताकि विशिष्ट घरेलू एवं निर्यात बाजारों की आवश्यकताओं को पूरा किया जा सके।

बंदरगाह होने के कारण यह स्थान एक और कारण से भी आकर्षक हैं। भारतीय कोयला गैर-कोकिंग गुणवत्ता वाला है तथा इसका उपयोग इस्पात उत्पादन के लिए नहीं किया जा सकता है। हम मुख्य रूप से चीन तथा ऑस्ट्रेलिया से कोकिंग कोयला आयात करते हैं। बंदरगाह होने से लौह एवं इस्पात संयंत्र के लिए आवश्यक एवं महत्वपूर्ण इनपुट यहां आसानी से पहुंच पाता है।

भारत में दवा उद्योग (PHARMACEUTICAL INDUSTRY IN INDIA)

भारत में दवा उद्योग की जड़ें 20वीं सदी के प्रारंभ में मिलती हैं, जिसकी शुरुआत वर्ष 1901 में बंगाल केमिकल्स एंड फार्मास्युटिकल्स की स्थापना से हुई थी। स्वतंत्रता के बाद, इस उद्योग ने सरकार की आत्मनिर्भरता को बढ़ावा देने वाली सरकारी नीतियों, विशेष रूप से 1970 के पेटेंट अधिनियम के कारण काफी प्रगति की। इसने उत्पाद पेटेंट के बजाय प्रक्रिया पेटेंट की अनुमति देकर जेनेरिक दवाओं के उत्पादन को सुविधाजनक बनाया। 1990 के दशक के आर्थिक उदारीकरण ने इस क्षेत्र को निजी एवं विदेशी निवेश के लिए खोल दिया, जिससे इस उद्योग में तेजी से विस्तार एवं आधुनिकीकरण हुआ। आज भारत विश्व भर में जेनेरिक दवाओं के अग्रणी उत्पादकों में से एक है, जिसे इसकी मजबूत अनुसंधान एवं विकास क्षमताओं तथा महत्वपूर्ण निर्यात बाजार के लिए जाना जाता है, यद्यपि इसे नियामक अनुपालन एवं गुणवत्ता नियंत्रण से संबंधित चुनौतियों का सामना करना पड़ रहा है।

उद्योग के सामने आने वाली चुनौतियाँ (Challenges Faced by the Industry)

- **विनियामक अनुपालन (Regulatory Compliance):** एफडीए (FDA) के कड़े निरीक्षणों से अमेरिका को निर्यात प्रभावित हो रहा है।
- **कच्चे माल की उपलब्धता (Availability of Raw Materials):** सक्रिय दवा सामग्री (API) के आयात के लिए चीन पर अत्यधिक निर्भरता।
- **गुणवत्ता नियंत्रण (Quality Control):** उत्पाद वापस किए जान की मांग की वजह से प्रतिष्ठा एवं बिक्री को नुकसान पहुँच सकता है।
- **आरएंडडी निवेश (R&D Investment):** नई दवाओं के विकास से जुड़ी उच्च लागत अनिश्चित रिटर्न देती है।
- **वैश्विक प्रतिस्पर्धा (Global Competition):** कम लागत वाले विकल्प पेश करने वाले चीनी निर्माताओं से प्रतिस्पर्धा बढ़ गयी है।
- **आधारभूत संरचना (Infrastructure):** वितरण दक्षता बढ़ाने के लिए बेहतर लॉजिस्टिक्स एवं परिवहन सुविधाओं की सख्त आवश्यकता है।

तालिका 14.31 भारत में फार्मास्युटिकल उद्योगों के लिए प्रमुख क्षेत्र

क्षेत्र	अवस्थिति का कारण
हैदराबाद, तेलंगाना	'फार्मा सिटी' के नाम से मशहूर, यह शहर बेहतरीन आधारभूत संरचना, कुशल कार्यबल तथा सरकारी सहायता के साथ-साथ भारतीय रासायनिक प्रौद्योगिकी संस्थान (IICT) जैसे शोध संस्थानों से निकट है।
मुंबई-पुणे, महाराष्ट्र	कुशल श्रम की उपलब्धता तथा निर्यात के लिए बंदरगाहों की निकटता के कारण ऐतिहासिक रूप से महत्वपूर्ण केंद्र, सिप्ला और ल्यूपिन जैसी प्रमुख कंपनियां यहां स्थित हैं।
अहमदाबाद, गुजरात	अनुकूल सरकारी नीतियों, अच्छी आधारभूत संरचना तथा कच्चे माल और निर्यात बाजारों तक पहुँच का लाभ उठाता है, जाइडस कैडिला और टोरेंट फार्मास्यूटिकल्स जैसी अग्रणी फर्मों का यह उत्पादन स्थल है।
बेंगलुरू, कर्नाटक	एक मजबूत आईटी एवं बायोटेक उद्योग, कुशल कार्यबल एवं अनुकूल सरकारी नीतियों द्वारा समर्थित, बायोकॉन जैसी कंपनियों यहां हैं।
चेन्नई, तमिलनाडु	निर्यात के लिए बंदरगाह सुविधाओं और कुशल श्रम पूल के साथ स्थापित औद्योगिक आधार, जिसमें सन फार्मा और ऑर्किड केमिकल्स जैसी कंपनियाँ शामिल हैं।

भारत में पेट्रोकेमिकल उद्योग (PETROCHEMICAL INDUSTRY IN INDIA)

भारत में पेट्रोकेमिकल क्षेत्र का विकास 1960 के दशक में मुंबई में यूनियन कार्बाइड द्वारा पहला नेफ्था-आधारित पेट्रोकेमिकल कॉम्प्लेक्स स्थापित करने के साथ शुरू हुआ। 1970 और 1980 के दशक के दौरान गुजरात में इंडियन पेट्रोकेमिकल्स कॉर्पोरेशन लिमिटेड (IPCL) तथा पेट्रोफिल्स कोऑपरेटिव लिमिटेड जैसी महत्वपूर्ण सार्वजनिक क्षेत्र की इकाइयों की स्थापना के साथ इस उद्योग का उल्लेखनीय विस्तार हुआ। 1990 के दशक में आर्थिक उदारीकरण के बाद, निजी क्षेत्र की भागीदारी बढ़ी, जिसमें रिलायंस इंडस्ट्रीज एक प्रमुख कंपनी बनकर उभरी। तब से इस क्षेत्र ने घरेलू एवं निर्यात दोनों की आवश्यकताओं को पूरा करने के लिए रसायनों एवं पॉलिमर की एक विविध शृंखला के उत्पादन पर ध्यान केंद्रित करते हुए काफी विकास देखा है। (तालिका 14.32)।

उद्योग के सामने आने वाली चुनौतियाँ (Challenges Faced by the Industry)

- **पर्यावरणीय नियम (Environmental Regulations):** कठोर पर्यावरण मानकों के अनुपालन के लिए महत्वपूर्ण निवेश की आवश्यकता होती है, जिससे परिचालन लागत बढ़ जाती है। इसके अतिरिक्त, टिकाउ पद्धतियों को अपनाने एवं कार्बन फुटप्रिंट को कम करने का दबाव बढ़ रहा है।
- **फीडस्टॉक की उपलब्धता (Feedstock Availability):** उद्योग आयातित कच्चे तेल एवं प्राकृतिक गैस पर बहुत अधिक निर्भर है, जिससे यह वैश्विक आपूर्ति व्यवधानों तथा मूल्य अस्थिरता के प्रति संवेदनशील है। प्रतिस्पर्धात्मकता बनाए रखने के लिए कच्चे माल की स्थिर आपूर्ति का प्रबंधन करना महत्वपूर्ण है।
- **तकनीकी उन्नति (Technological Advancements):** उत्पादन दक्षता एवं गुणवत्ता बढ़ाने के लिए आधुनिक तकनीकों में निरंतर निवेश आवश्यक है। वैश्विक नवाचारों के साथ अपडेट रहना प्रतिस्पर्धात्मकता के लिए बहुत आवश्यक है।
- **आधारभूत संरचना एवं प्रचालन प्रणाली (Infrastructure and Logistics):** बड़ी मात्रा में सामग्री के प्रबंधन के लिए कुशल परिवहन एवं भंडारण आवश्यक है। अपर्याप्त आधारभूत संरचना देरी और अधिक लागत का कारण बन सकती है, जबकि ऊर्जा-गहन संचालन के लिए स्थिर ऊर्जा आपूर्ति महत्वपूर्ण है।
- **वैश्विक प्रतिस्पर्धा (Global Competition):** अंतर्राष्ट्रीय दिग्गजों के साथ प्रतिस्पर्धा करने के लिए लागत दक्षता एवं उच्च गुणवत्ता मानकों को बनाए रखने की आवश्यकता होती है। जटिल व्यापार नीतियों को संचालित करना भारतीय उत्पादों के लिए बाजार तक पहुँच में बाधा डाल सकता है।
- **आर्थिक एवं भू-राजनीतिक कारक (Economic and Geopolitical Factors):** आर्थिक चक्रों के कारण मांग में होने वाले बदलाव उत्पादन एवं लाभप्रदता को प्रभावित कर सकते हैं। रूस तथा ईरान जैसे प्रमुख आपूर्तिकर्ताओं पर प्रतिबंधों सहित पश्चिम एशिया में भू-राजनीतिक अस्थिरता ने चुनौतियों को और बढ़ा दिया है।

तालिका 14.32 भारत में पेट्रोकेमिकल उद्योग के लिए प्रमुख क्षेत्र

क्षेत्र	अवस्थिति का कारण
मुंबई-पुणे, महाराष्ट्र	इसकी तटीय निकटता कच्चे माल के आसान आयात एवं तैयार उत्पादों के निर्यात को सक्षम बनाती है, जो ऐतिहासिक औद्योगिक आधार और सहायक आधारभूत संरचनाओं द्वारा समर्थित है।
गुजरात (वडोदरा, जामनगर)	पास की रिफाइनरियों से कच्चे तेल तक पहुँच, अनुकूल सरकारी नीतियाँ तथा स्थापित आधारभूत संरचना, जिसमें रिलायंस इंडस्ट्रीज और आईपीसीएल जैसी प्रमुख कंपनियाँ हैं।
आंध्र प्रदेश (विशाखापत्तनम)	तटीय स्थान आयात/निर्यात संचालन की सुविधा प्रदान करता है। बंदरगाह की सुविधाओं एवं सरकारी प्रोत्साहनों से सहायता मिलती है। यहां एचपीसीएल की रिफाइनरी जैसे प्रमुख संयंत्र हैं।
तमिलनाडु (चेन्नई)	एक रणनीतिक बंदरगाह, स्थान, कच्चे माल और कुशल कार्यबल तक पहुँच प्रदान करता है, जिसमें चेन्नई पेट्रोलियम कॉर्पोरेशन लिमिटेड (सीपीसीएल) जैसी प्रमुख कंपनियाँ हैं।

भारत में एल्युमीनियम उद्योग (ALUMINIUM INDUSTRY IN INDIA)

भारत में एल्युमीनियम उद्योग का प्रारंभ 20वीं सदी की शुरुआत में वर्ष 1937 में पश्चिम बंगाल के आसनसोल के पास स्थित एल्युमीनियम कॉरपोरेशन ऑफ इंडिया के गठन के साथ हुई थी। स्वतंत्रता के बाद वर्ष 1958 में हिंडाल्को तथा वर्ष 1981 में नेशनल एल्युमीनियम कंपनी लिमिटेड (नाल्को) जैसे सरकारी स्वामित्व वाले उद्यमों की स्थापना के साथ इस उद्योग में महत्वपूर्ण वृद्धि हुई। 1990 के दशक के आर्थिक उदारीकरण ने इस उद्योग को और आगे बढ़ाया, निजी निवेश को आकर्षित किया तथा उत्पादन क्षमताओं में आधुनिकीकरण और विस्तार को बढ़ावा दिया। आज भारत बढ़ती घरेलू मांग एवं निर्यात क्षमता के कारण एल्युमीनियम के सबसे बड़े उत्पादकों में से एक है।

स्थान	अवस्थिति का कारण	प्रमुख कंपनियां
ओडिशा (अंगुल, कोरापुट)	एल्युमीनियम उत्पादन के लिए आवश्यक बॉक्साइट भंडार से समृद्ध है। प्रमुख एल्युमीनियम संयंत्र यहाँ स्थित हैं।	नाल्को, वेदांता एल्युमीनियम
छत्तीसगढ़ (कोरबा)	बॉक्साइट खदानों और कोयला क्षेत्रों से निकटता, कच्चे माल की आपूर्ति और ऊर्जा की उपलब्धता सुनिश्चित करना।	भारत एल्युमिनियम कंपनी (बाल्को)
महाराष्ट्र (हीराकुंड, रेनुकूट)	कच्चे माल तक पहुँच, विश्वसनीय विद्युत आपूर्ति और स्थापित औद्योगिक अवसंरचना।	हिंडाल्को

इस उद्योग के समक्ष आने वाली चुनौतियाँ (Challenges Faced by the Industry)

- **ऊर्जा की खपत (Energy Consumption):** एल्युमीनियम उत्पादन अत्यधिक ऊर्जा-गहन है, जिससे उद्योग विद्युत की लागत में उतार-चढ़ाव एवं आपूर्ति की स्थिरता के प्रति संवेदनशील हो जाता है।
- **कच्चे माल की आपूर्ति (Raw Material Supply):** उद्योग को पर्यावरणीय नियमों एवं स्थानीय विरोध के कारण घरेलू बॉक्साइट खनन से संबंधित चुनौतियों का सामना करना पड़ता है, जिससे समुदायों का विस्थापन हो सकता है। उदाहरण के लिए, स्थानीय विरोध के कारण नियमगिरि में बॉक्साइट खनन की वेदांता की योजना को रोक दिया गया था।
- **पर्यावरणीय प्रभाव (Environmental Impact):** खनन एवं शोधन प्रक्रियाएँ काफी प्रदूषण एवं अपशिष्ट पैदा करती हैं, जिससे शमन एवं अनुपालन प्रयासों में महत्वपूर्ण निवेश की आवश्यकता होती है।
- **वैश्विक प्रतिस्पर्धा (Global Competition):** चीन जैसे प्रमुख अंतर्राष्ट्रीय उत्पादकों के साथ प्रतिस्पर्धा करने के लिए विशेष रूप से उतार-चढ़ाव वाले बाजार मूल्यों के बीच लागत दक्षता एवं उच्च गुणवत्ता बनाए रखना आवश्यक है।
- **तकनीकी उन्नयन (Technological Upgradation):** ऊर्जा दक्षता बढ़ाने, उत्सर्जन कम करने और उत्पाद की गुणवत्ता में सुधार करने के लिए आधुनिक प्रौद्योगिकियों में निरंतर निवेश किये जाने की आवश्यकता है।

भारत में सीमेंट उद्योग (CEMENT INDUSTRY IN INDIA)

भारत के सीमेंट उद्योग की शुरुआत वर्ष 1904 में चेन्नई में इसके पहले प्लांट की स्थापना से हुई थी। शुरुआत में विकास धीमा था, लेकिन स्वतंत्रता के बाद आधारभूत संरचना पर सरकार द्वारा ध्यान दिये जाने के कारण इसकी पर्याप्त प्रगति हुई। 1980 के दशक में विनियमन में ढील के बाद एक महत्वपूर्ण बढ़ावा मिला, जिसने निजी निवेश और क्षमता विस्तार को बढ़ावा दिया। 1990 के दशक के आर्थिक उदारीकरण ने उद्योग के विकास को और तेज कर दिया, जिससे भारत विश्व भर में सबसे बड़े सीमेंट उत्पादकों में से एक बन गया। आज, इस क्षेत्र में बहुराष्ट्रीय कंपनियाँ और छोटी स्थानीय कंपनियां, दोनों ही शामिल हैं, जो घरेलू बाजारों एवं निर्यात दोनों को सेवा प्रदान करते हैं (**तालिका 14.33**)।

उद्योग के सामने आने वाली चुनौतियाँ (Challenges Faced by the Industry)

- **ऊर्जा की खपत (Energy Consumption):** सीमेंट उत्पादन ऊर्जा-गहन है, जिससे परिचालन लागत अधिक हो जाती है तथा स्थिर ऊर्जा आपूर्ति पर निर्भरता होती है।
- **पर्यावरणीय प्रभाव (Environmental Impact):** सीमेंट संयंत्रों से निकलने वाले उत्सर्जन और अपशिष्ट के लिए प्रदूषण नियंत्रण उपायों में महत्वपूर्ण निवेश की आवश्यकता होती है।
- **आधारभूत संरचना एवं परिचालन प्रणाली (Infrastructure and Logistics):** उच्च परिवहन लागत तथा अपर्याप्त आधारभूत संरचना वितरण दक्षता को प्रभावित कर सकता है।
- **कच्चे माल की आपूर्ति (Raw Material Supply):** उच्च गुणवत्ता वाले चूना पत्थर की स्थिर, सस्ती आपूर्ति सुनिश्चित करना उत्पादन निरंतरता के लिए महत्वपूर्ण है।

- **विनियामक अनुपालन (Regulatory Compliance):** उद्योग को कठोर पर्यावरणीय एवं खनन विनियमों का सामना करना पड़ता है, जिससे अनुपालन लागत बढ़ जाती है।

भारत में आईटी उद्योग (IT INDUSTRY IN INDIA)

भारत का आईटी उद्योग 1960 के दशक में टाटा कंसल्टेंसी सर्विसेज (TCS) की स्थापना के साथ शुरू हुआ, जिसने आईटी सेवाओं में इसकी यात्रा की शुरुआत की। 1980 के दशक में आर्थिक उदारीकरण तथा सॉफ्टवेयर प्रौद्योगिकी पार्कों के निर्माण के कारण महत्वपूर्ण वृद्धि हुई। 1990 के दशक में इंटरनेट के उदय ने अपार अवसरों को खोल दिया, जिससे इंफोसिस, विप्रो और एचसीएल जैसी दिग्गज कंपनियों का उदय हुआ। समय के साथ इस उद्योग ने सॉफ्टवेयर विकास, आईटी सेवाओं और बिजनेस प्रोसेस आउटसोर्सिंग (बीपीओ) में विस्तार किया, जिससे भारत आईटी सेवाओं एवं सॉफ्टवेयर निर्यात में विश्व का अग्रणी देश बन गया। आज आईटी क्षेत्र भारत के सकल घरेलू उत्पाद एवं रोजगार में एक प्रमुख योगदानकर्ता है (तालिका 14.34)।

तालिका 14.33 भारत में प्रमुख सीमेंट उद्योग क्षेत्र

क्षेत्र	अवस्थिति का कारण	प्रमुख कंपनियाँ
आंध्र प्रदेश और तेलंगाना	चूना पत्थर के समृद्ध भंडार और वितरण के लिए अनुकूल स्थान	–
राजस्थान (उदयपुर, कोटा)	चूना पत्थर के विशाल भंडार और मजबूत औद्योगिक बुनियादी ढाँचा	अल्ट्राटेक सीमेंट, श्री सीमेंट
मध्य प्रदेश (सतना, मैहर)	उच्च गुणवत्ता वाले चूना पत्थर की उपलब्धता और कोयला क्षेत्रों से निकटता	प्रिज्म सीमेंट, बिड़ला कॉर्पोरेशन
तमिलनाडु (चेन्नई, कोयंबटूर)	निर्यात के लिए चूना पत्थर, कुशल श्रम और बंदरगाह सुविधाओं से निकटता	द इंडिया सीमेंट्स, रामको सीमेंट्स

तालिका 14.34 भारत में आईटी उद्योग के प्रमुख क्षेत्र

क्षेत्र	अवस्थिति का कारण	चुनौतियाँ
बेंगलुरु	भारत की सिलिकॉन वैली के नाम से मशहूर बेंगलुरु में एक बड़ा कुशल कार्यबल, कई शैक्षणिक संस्थान और एक मजबूत स्टार्टअप इकोसिस्टम है। आईटी पार्क और अनुकूल सरकारी नीतियाँ होने के कारण उद्योग यहां स्थित हैं।	तेजी से शहरीकरण के कारण उच्च परिचालन लागत, यातायात भीड़ और आधारभूत संरचनाओं पर दबाव।
हैदराबाद	जिसे 'साइबराबाद' भी कहा जाता है, हैदराबाद में हाईटेक सिटी जैसे आईटी पार्क के साथ मजबूत आईटी आधारभूत संरचना है। सरकारी सहायता, कुशल कार्यबल और बेंगलुरु की तुलना में कम परिचालन लागत प्रमुख कारक हैं।	तेजी से विकास एवं शहरी स्थिरता की चुनौतियों से निपटने के लिए बेहतर आधारभूत संरचना योजना की आवश्यकता है।
पुणे	मुंबई से निकटता, एक बड़ा टैलेंट पूल तथा बढ़ते आईटी पार्क और एसईजेड पुणे को एक महत्वपूर्ण आईटी हब बनाते हैं।	बढ़ती अचल संपत्ति की लागत तथा यातायात भीड़ और प्रदूषण जैसे आधारभूत संरचना के मुद्दे।
चेन्नई	मजबूत शैक्षिक आधारभूत संरचना, कुशल श्रम तथा स्थापित आईटी पार्कों से लाभ। इसका तटीय स्थान वैश्विक कनेक्टिविटी में सहायता प्रदान करता है।	चुनौतियों में मौसमी बाढ़, आधारभूत संरचनाओं की सीमाएँ और अन्य शहरों से प्रतिस्पर्धा शामिल हैं।
दिल्ली-एनसीआर	गुरुग्राम एवं नोएडा सहित, दिल्ली-एनसीआर उत्कृष्ट कनेक्टिविटी, राजधानी से निकटता और मजबूत आधारभूत संरचना है। यहां आधुनिक आईटी पार्कों में बहुराष्ट्रीय आईटी फर्म संचालित हैं।	जीवन की उच्च लागत, यातायात की भीड़, प्रदूषण तथा शहरी नियोजन के संबंध में नियामक चुनौतियाँ।

आईटी उद्योग में सामान्य चुनौतियाँ (General Challenges in the IT Industry)

1. **आधारभूत संरचना एवं शहरी नियोजन (Infrastructure and Urban Planning):** प्रमुख आईटी केंद्रों में तेजी से शहरीकरण के कारण यातायात की भीड़भाड़, नागरिक सुविधाओं पर दबाव तथा अपर्याप्त सार्वजनिक परिवहन प्रणाली होती है।
2. **कुशल कार्यबल (Skilled Workforce):** यद्यपि भारत में एक बड़ा आईटी कार्यबल है, लेकिन उभरती प्रौद्योगिकियों जैसे कि एआई, मशीन लर्निंग तथा साइबर सुरक्षा की

माँगों को पूरा करने के लिए निरंतर कौशल विकास की आवश्यकता है।

3. **डेटा सुरक्षा एवं गोपनीयता (Data Security and Privacy):** साइबर खतरों की बढ़ती संख्या के कारण मजबूत डेटा सुरक्षा एवं अंतर्राष्ट्रीय गोपनीयता विनियमों का अनुपालन सुनिश्चित करना एक बढ़ती हुई चिंता है।
4. **वैश्विक प्रतिस्पर्धा (Global Competition):** भारतीय आईटी कंपनियों को वैश्विक कंपनियों से प्रतिस्पर्धा का सामना करना पड़ रहा है, जिसके लिए उन्हें नवाचार, लागतों का कुशलतापूर्वक प्रबंधन करने तथा अंतर्राष्ट्रीय बाजार में प्रतिस्पर्धी बने रहने की आवश्यकता है।

भारत में खाद्य प्रसंस्करण उद्योग (FOOD PROCESSING INDUSTRY IN INDIA)

देश के समृद्ध कृषि आधार एवं प्रसंस्कृत खाद्य पदार्थों की बढ़ती मांग के कारण भारत का खाद्य प्रसंस्करण उद्योग एक प्रमुख आर्थिक क्षेत्र के रूप में उभरा है। यह उद्योग कई क्षेत्रों में फैला हुआ है, जिसमें फल एवं सब्जियाँ, मांस, डेयरी, समुद्री भोजन, अनाज तथा बहुत कुछ शामिल हैं **(तालिका 14.35)**।

तालिका 14.35 भारत में खाद्य प्रसंस्करण उद्योगों के प्रमुख क्षेत्र

क्षेत्र	अवस्थिति का कारण	चुनौतियाँ
पंजाब और हरियाणा	मजबूत कृषि उत्पादन, विशेष रूप से गेहूँ, चावल एवं डेयरी उत्पाद, खाद्य प्रसंस्करण उद्योगों के लिए एक ठोस आधार प्रदान करते हैं।	कृषि में मौसमी उतार-चढ़ाव, पानी की कमी तथा अपर्याप्त कोल्ड स्टोरेज आधारभूत संरचना।
महाराष्ट्र (मुंबई, पुणे, नासिक)	प्रमुख बाजारों, निर्यात बंदरगाहों, फलों एवं सब्जियों तथा अनाज जैसे विविध कृषि उत्पादों से निकटता। पुणे तथा नासिक फलों के प्रसंस्करण (अंगूर, अनार) के लिए प्रमुख केंद्र हैं।	उच्च परिचालन लागत, कृषि भूमि पर शहरी दबाव और निरंतर कच्चे माल की आपूर्ति बनाए रखने में समस्याएँ।
तमिलनाडु (चेन्नई, कोयंबटूर)	डेयरी, पोल्ट्री और मसाला उत्पादन में मजबूत उपस्थिति, कोयंबटूर पोल्ट्री प्रसंस्करण का केंद्र है।	पानी की कमी, श्रम मुद्दे और स्वच्छता एवं प्रसंस्करण मानकों को बनाए रखने में चुनौतियाँ।
आंध्र प्रदेश तथा तेलंगाना (हैदराबाद, विशाखापत्तनम)	समृद्ध बागवानी एवं समुद्री संसाधन; हैदराबाद मांस प्रसंस्करण और विशाखापत्तनम समुद्री खाद्य प्रसंस्करण के लिए जाना जाता है ।	मौसमी आपूर्ति परिवर्तनशीलता, आधारभूत संरचनाओं की चुनौतियाँ और निर्यात के लिए अंतर्राष्ट्रीय गुणवत्ता आवश्यकताओं को पूरा करना।
उत्तर प्रदेश (लखनऊ, कानपुर)	गन्ना, आलू और दूध का प्रमुख उत्पादक, चीनी, डेयरी तथा आलू प्रसंस्करण उद्योगों को सहायता प्रदान करता है।	सक्षम आपूर्ति शृंखलाओं का अभाव, कोल्ड स्टोरेज की कमी और पानी-गहन कृषि की स्थिरता की चुनौतियाँ।

खाद्य प्रसंस्करण उद्योग में सामान्य चुनौतियाँ (General Challenges in the Food Processing Industry)

- **सक्षम आपूर्ति शृंखलाओं का अभाव (Supply Chain Inefficiencies):** अपर्याप्त परिचालन तंत्र तथा कोल्ड स्टोरेज के कारण विशेष रूप से फलों एवं सब्जियों जैसे जल्दी खराब होने वाले सामानों में कटाई के बाद बहुत अधिक नुकसान होता है ।
- **गुणवत्ता नियंत्रण (Quality Control):** लगातार गुणवत्ता सुनिश्चित करना तथा, विशेष रूप से निर्यात के लिए सुरक्षा मानकों का पालन करना मुश्किल है। स्वच्छता बनाए रखना एवं संदूषण को रोकना मुख्य चिंताएँ हैं।
- **आधारभूत संरचना का विकास (Infrastructure Development):** कई प्रसंस्करण इकाइयाँ विद्युत आपूर्ति की समस्याओं तथा पुराने उपकरणों से ग्रस्त हैं, जिससे उनकी उत्पादन क्षमता एवं दक्षता सीमित हो जाती है।
- **विनियामक बाधाएँ (Regulatory Hurdles):** जटिल विनियामक ढाँचे और लाइसेंसिंग प्रक्रियाएँ प्रसंस्करण इकाइयों की स्थापना और विस्तार को धीमा कर देती हैं।
- **वित्त तक पहुंच (Access to Finance):** इस क्षेत्र में छोटे एवं मध्यम उद्यमों (एसएमई) को प्रसंस्करण सुविधाओं के निर्माण या विस्तार के लिए धन हासिल करने में प्रायः चुनौतियों का सामना करना पड़ता है।

भारत में रेशम उद्योग (SILK INDUSTRY IN INDIA)

भारत के रेशम उद्योग का इतिहास 4,000 साल से भी अधिक पुराना है तथा यह देश वर्तमान में विश्व में रेशम का दूसरा सबसे बड़ा उत्पादक है। भारत की रेशम की किस्में, जिनमें शहतूत, टसर, एरी और मुगा शामिल हैं, अपनी गुणवत्ता एवं विविधता के लिए प्रसिद्ध हैं।

इस उद्योग का आधुनिक विकास स्वतंत्रता के बाद शुरू हुआ, जिसमें वर्ष 1948 में केंद्रीय रेशम बोर्ड की स्थापना जैसी पहल शामिल थी, जिसका उद्देश्य रेशम उत्पादन को बढ़ावा देना तथा विनियमित करना था। भारत में रेशम वस्त्र केंद्रों की विशेषता पारंपरिक शिल्प कौशल और मजबूत स्थानीय रेशम उत्पादन की आधारभूत संरचना है।

तालिका 14.36 भारत में प्रमुख रेशम वस्त्र क्षेत्र

क्षेत्र	अवस्थिति का कारण
कर्नाटक (बेंगलुरु, मैसूर)	शहतूत की कृषि के लिए आदर्श जलवायु, उन्नत रेशम उत्पादन अवसंरचना और मजबूत सरकारी समर्थन। उच्च गुणवत्ता वाले शहतूत रेशम उत्पादन के लिए जाना जाता है।
तमिलनाडु (कांचीपुरम, कोयंबटूर)	कुशल कारीगरों के आधार पर पारंपरिक रेशम बुनाई केंद्र। कांचीपुरम अपनी रेशमी साड़ियों के लिए प्रसिद्ध है।
पश्चिम बंगाल (मुर्शिदाबाद)	एक प्रमुख रेशम उत्पादक के रूप में ऐतिहासिक महत्व, कच्चे रेशम तक पहुँच और सुस्थापित बुनाई परंपराएँ। मुर्शिदाबाद रेशम के लिए जाना जाता है।
असम (सुआलकुची)	मुगा एवं एरी जैसी रेशम की स्वदेशी किस्में, मजबूत बुनाई परंपराएँ तथा राज्य का समर्थन। अपने रेशम उत्पादन के लिए 'पूर्व का मैनचेस्टर' के रूप में जाना जाता है।

रेशम वस्त्र उद्योग में चुनौतियाँ (Challenges in the Silk Textile Industry)

- **कच्चे माल में उतार-चढ़ाव (Raw Material Fluctuations):** जलवायु कारकों तथा रेशम के कीड़ों को प्रभावित करने वाले प्रकोपों के कारण कच्चे रेशम की कीमतों में परिवर्तनशीलता।
- **तकनीकी उन्नयन (Technological Upgradation):** दक्षता एवं गुणवत्ता में सुधार के लिए आधुनिक बुनाई एवं प्रसंस्करण प्रौद्योगिकियों की आवश्यकता।
- **श्रम मुद्दे (Labour Issues):** श्रम लागत का प्रबंधन करते हुए कुशल बुनकरों के लिए उचित वेतन तथा कार्य स्थितियों को संतुलित करना।
- **पर्यावरण संबंधी चिंताएँ (Environmental Concerns):** उद्योग को अधिक टिकाऊ रेशम उत्पादन पद्धतियों को अपनाने और रंगाई और प्रसंस्करण से होने वाले प्रदूषण का प्रबंधन करने की आवश्यकता है।
- **वैश्विक प्रतिस्पर्धा (Global Competition):** शिल्प कौशल एवं गुणवत्ता के उच्च मानकों को बनाए रखते हुए चीन जैसे कम लागत वाले रेशम उत्पादकों के साथ प्रतिस्पर्धा करना।

भारत में जूट उद्योग (JUTE INDUSTRY IN INDIA)

भारत के जूट उद्योग की गहरी ऐतिहासिक जड़ें हैं, जिसकी शुरुआत 19वीं सदी में वर्ष 1855 में कोलकाता के पास पहली जूट मिल की स्थापना के साथ हुई थी। जूट की वैश्विक मांग, विशेष रूप से पैकेजिंग क्षेत्र में होने के कारण ब्रिटिश शासन के दौरान यह उद्योग खूब फला-फूला। भारत आज भी जूट के सबसे बड़े उत्पादकों में से एक है, यद्यपि 20वीं सदी के उत्तरार्ध में सिंथेटिक विकल्पों के उदय ने काफी चुनौतियाँ पेश की हैं (तालिका 14.37)।

तालिका 14.37 भारत में जूट उद्योग के प्रमुख क्षेत्र

क्षेत्र	अवस्थिति का कारण
पश्चिम बंगाल (कोलकाता, हावड़ा)	जल आपूर्ति के लिए हुगली नदी के करीब, तथा जूट की कृषि के लिए उपजाऊ डेल्टाई भूमि। लंबे समय से स्थापित जूट उद्योग की आधारभूत संरचना ।
असम (सिलचर, गुवाहाटी)	जूट की कृषि के लिए अनुकूल कृषि-जलवायु परिस्थितियाँ तथा कच्चे माल की निकटता।
बिहार (पूर्णिया, कटिहार)	जूट की कृषि के लिए अनुकूल उपजाऊ भूमि, सस्ते श्रम की उपलब्धता, तथा बढ़ते स्थानीय बाजार।

जूट उद्योग में चुनौतियाँ (Challenges in the Jute Industry)

- **सिंथेटिक्स से प्रतिस्पर्धा (Competition from Synthetics):** प्लास्टिक जैसे सिंथेटिक पदार्थों के बढ़ने से बोरियों तथा रस्सियों जैसे पारंपरिक जूट उत्पादों की मांग कम हो गयी है, जिससे इस उद्योग की लाभप्रदता प्रभावित हुई है।
- **आर्थिक व्यवहार्यता (Economic Viability):** जूट की कीमतों में वैश्विक स्तर पर उतार-चढ़ाव होता रहता है, जिससे उत्पादकों के लिए वित्तीय अस्थिरता पैदा होती है। इस कारण श्रमिकों एवं मालिकों के लिए आय स्थिरता जटिल हो जाती है।
- **तकनीकी आधुनिकीकरण (Technological Modernisation):** भारत में कई जूट मिलें अब भी पुरानी मशीनरी के साथ काम करती हैं, जिससे दक्षता एवं उत्पाद की गुणवत्ता कम हो जाती है। आधुनिक तकनीकों में निवेश आवश्यक है।

- **पर्यावरण संबंधी चिंताएँ (Environmental Concerns):** जूट प्रसंस्करण में पानी की बहुत अधिक आवश्यकता होती है तथा अपशिष्टों का अनुचित निपटान पर्यावरण प्रदूषण का कारण बन सकता है, जिससे आस-पास के पारिस्थितिकी तंत्र पर प्रभाव पड़ सकता है।

भारत में चीनी उद्योग (SUGAR INDUSTRY IN INDIA)

भारत में चीनी उद्योग की उत्पत्ति प्राचीन काल से है, जिसमें वैदिक काल से ही गन्ने की कृषि का उल्लेख मिलता है। वर्ष 1930 के दशक में गन्ना अधिनियम के लागू होने के बाद संगठित मिलों की स्थापना के साथ आधुनिक चीनी उत्पादन की शुरुआत हुई। स्वतंत्रता के बाद, आत्मनिर्भरता के उद्देश्य से सरकारी पहलों के कारण इस क्षेत्र का काफी विस्तार हुआ। 1950 तथा 1960 के दशक में विशेष रूप से महाराष्ट्र में सहकारी चीनी मिलों की स्थापना एक महत्वपूर्ण घटनाक्रम था। आज भारत विश्व के सबसे बड़े चीनी उत्पादकों एवं उपभोक्ताओं में से एक है, जहाँ यह उद्योग ग्रामीण रोजगार तथा आर्थिक विकास में प्रमुख भूमिका निभा रहा है (तालिका 14.38)।

तालिका 14.38 भारत में प्रमुख चीनी क्षेत्र

क्षेत्र	अवस्थिति का कारण
उत्तर प्रदेश (मुजफ्फरनगर, मेरठ)	उपजाऊ जलोढ़ मृदा और गन्ने की कृषि के लिए अनुकूल जलवायु। उत्तर प्रदेश गन्ना और चीनी उत्पादन में अग्रणी राज्य है।
महाराष्ट्र (कोल्हापुर, पुणे)	मजबूत सहकारी आंदोलन, अनुकूल जलवायु और सिंचाई तक पहुंच। उच्च उपज वाली गन्ने की किस्मों के लिए जाना जाता है।
कर्नाटक (बेलगाम, मांड्या)	कृष्णा और कावेरी जैसी नदियों से सिंचाई तक पहुंच और चीनी उत्पादन के लिए सरकारी सहायता।
तमिलनाडु (विल्लुपुरम, इरोड)	गन्ने की कृषि की लंबी परंपरा, पर्याप्त वर्षा और विकसित सिंचाई प्रणाली।

चीनी उद्योग में चुनौतियाँ (Challenges in the Sugar Industry)

- **पानी की अधिक आवश्यकता (Water Intensity):** गन्ना एक अत्यधिक पानी की आवश्यकता वाली फसल है, जिसके कारण प्राय: भूजल की कमी हो जाती है तथा सूखाग्रस्त क्षेत्रों में जल संसाधनों को लेकर संघर्ष होता है।
- **कीमतों में उतार-चढ़ाव (Price Fluctuations):** वैश्विक चीनी कीमतों में उतार-चढ़ाव के कारण मिलों के लिए लाभ में बने रहना मुश्किल हो जाता है, जिसका असर प्राय: उनकी वित्तीय सेहत पर पड़ता है।
- **भुगतान में देरी (Payment Delays):** किसानों को प्राय: अपने गन्ने के भुगतान में देरी का सामना करना पड़ता है, जिससे वित्तीय संकट तथा कम उत्पादकता होती है।
- **तकनीकी उन्नयन (Technological Upgradation):** कई चीनी मिलें पुरानी मशीनों के साथ काम करती हैं, जिससे दक्षता में सुधार एवं परिचालन लागत को कम करने के लिए आधुनिकीकरण में निवेश की आवश्यकता होती है।
- **सरकारी नीतियाँ (Government Policies):** न्यूनतम समर्थन मूल्य, निर्यात कोटा तथा सब्सिडी जैसे हस्तक्षेप चीनी बाजार की गतिशीलता और उद्योग की स्थिरता को प्रभावित करते हैं।

परिवहन एवं संचार (TRANSPORT AND COMMUNICATION)

परिवहन (Transport)

सड़क मार्ग (Roadways)

भारत का सड़क नेटवर्क, जो वर्ष 2022-23 तक 6.3 मिलियन किलोमीटर से अधिक फैला हुआ है, विश्व भर में सबसे बड़े नेटवर्क में से एक है। यह देश की परिवहन प्रणाली की रीढ़ है, जो दूरदराज के क्षेत्रों को शहरी केंद्रों से जोड़ता है, व्यापार को बढ़ावा देता है तथा आर्थिक विकास को गति प्रदान करता है। इस नेटवर्क में कई सड़क श्रेणियां शामिल हैं, जिनका प्रबंधन अलग-अलग प्राधिकरण करते हैं।

भारत में सड़क मार्गों के प्रकार (Types of Roadways in India)

1. राष्ट्रीय राजमार्ग (National Highways (NH))

- ये राजमार्ग प्रमुख शहरों, राज्य की राजधानियों, बंदरगाहों तथा औद्योगिक क्षेत्रों को जोड़ते हैं, लंबी दूरी की यात्रा को सुविधाजनक बनाते हैं और आर्थिक एकीकरण में सहायता करते हैं।
- ये कुल सड़क नेटवर्क का केवल 2 प्रतिशत हैं, लेकिन काफी मात्रा में यातायात का वहन करते हैं।
- **प्राधिकरण (Authority):** सड़क परिवहन एवं राजमार्ग मंत्रालय (MoRTH) के तहत भारतीय राष्ट्रीय राजमार्ग प्राधिकरण (NHAI) द्वारा प्रबंधित।
- **उदाहरण (Examples):** NH44 (श्रीनगर से कन्याकुमारी), NH48 (दिल्ली से मुंबई)।

2. राज्य राजमार्ग (State Highways (SH))

- ये सड़कें राज्य के महत्वपूर्ण शहरों को जोड़ती हैं तथा राष्ट्रीय राजमार्गों से जुड़ती हैं।
- यह सड़क नेटवर्क का 4 प्रतिशत हिस्सा हैं।
- **प्राधिकरण (Authority):** राज्य लोक निर्माण विभाग (पीडब्ल्यूडी) द्वारा प्रबंधित।
- **उदाहरण (Examples):** महाराष्ट्र राज्य राजमार्ग 4 (पुणे से रत्नागिरी), कर्नाटक राज्य राजमार्ग 1 (बेंगलुरु से मैसूर)।

3. जिला सड़कें (District Roads)

- ये सड़कें जिला मुख्यालयों को जिले के भीतर अन्य स्थानों से जोड़ती हैं तथा इन्हें आगे प्रमुख जिला सड़कों (एमडीआर) और लघु जिला सड़कों में वर्गीकृत किया जाता है।
- ये कुल सड़क नेटवर्क का 14 प्रतिशत हैं।
- **प्राधिकरण (Authority):** जिला परिषदों एवं जिला पीडब्ल्यूडी द्वारा इनका रखरखाव किया जाता है।
- **उदाहरण (Examples):** तमिलनाडु और उत्तर प्रदेश में एमडीआर ग्रामीण क्षेत्रों को जिला केंद्रों से जोड़ते हैं।

4. ग्रामीण सड़कें (Rural Roads)

- ये सड़कें ग्रामीण क्षेत्रों एवं गांवों को पास के शहरों या जिला सड़कों से जोड़ती हैं, जो स्थानीय संपर्क और कृषि परिवहन में महत्वपूर्ण भूमिका निभाती हैं।
- **प्राधिकरण (Authority):** ग्राम पंचायतों जैसे स्थानीय निकायों तथा प्रधानमंत्री ग्राम सड़क योजना (पीएमजीएसवाई) जैसी योजनाओं के तहत प्रबंधित।
- **उदाहरण (Examples):** कई राज्यों में पीएमजीएसवाई के तहत बनाई गयी ग्रामीण सड़कें।

5. शहरी सड़कें (Urban Roads)

- शहर की सीमा के भीतर पाई जाने वाली इन सड़कों में मुख्य तथा उप-मुख्य सड़कें और स्थानीय गलियाँ शामिल हैं।
- **प्राधिकरण (Authority):** नगर निगमों या नगर पालिकाओं जैसे शहरी स्थानीय निकायों द्वारा प्रबंधित।
- **उदाहरण (Examples):** मुंबई में मरीन ड्राइव, दिल्ली में राजपथ।

राष्ट्रीय राजमार्गों का नामकरण (Naming of National Highways)

वर्ष 2010 से पहले भारत में राजमार्गों की संख्या का निर्धारण राष्ट्रीय राजमार्ग अधिनियम, 1956 के अनुसार होता था, जिसमें स्थान एवं दिशा के बारे में स्पष्टता का अभाव था। सड़क परिवहन एवं राजमार्ग मंत्रालय ने दिशा एवं स्थान के आधार पर एक नई प्रणाली शुरू की:

- **उत्तर-दक्षिण राजमार्ग (North-South Highways):** सम संख्या वाले, पूर्व में कम संख्या वाले (जैसे, पूर्वी भारत में NH2) और पश्चिम की ओर बढ़ते हुए (जैसे, NH68)।
- **पूर्व-पश्चिम राजमार्ग (East-West Highways):** विषम संख्या वाले, उत्तर में कम संख्या वाले (जैसे, NH1) और दक्षिण की ओर बढ़ते हुए (जैसे, NH87)।
- **उप-राजमार्ग (Sub-Highways):** प्राथमिक मार्ग से निकलने वाले राजमार्गों में एक संख्यात्मक उपसर्ग होता है और उप-शाखाओं या उप-हाईवे में एक अक्षर प्रत्यय होता है। उदाहरण के लिए NH01 का उप-हाईवे: NH101, NH201 आदि। NH101 की शाखाएँ: NH101A, NH101B।

1 अप्रैल, 2018 से सड़कों को लेन प्रणाली के आधार पर मापा गया, जहाँ प्रत्येक लेन की लंबाई अलग से गणना की जाती है (**तालिका 14.39** और **चित्र 14.17**)।

तालिका 14.39 महत्वपूर्ण राष्ट्रीय राजमार्गों की लंबाई

रा. रा.सं.	मार्ग	लंबाई (किमी. में)
44 (पुराना NH7)	श्रीनगर-कन्याकुमारी	3,745
27	पोरबंदर-सिलचर	3,507
48 (पुराना NH-8)	दिल्ली-चेन्नई	2,807
52	हिसार, जयपुर, कोटा, इंदौर, धुले, औरंगाबाद, बीजापुर, हुबली	2,317
30	सितारगंज (उत्तराखंड) से आंध्र प्रदेश में इब्राहिमपट्टनम	2,010
6	जोराबाट (मेघालय)-जोखावथर (मिजोरम)	1,873
53	हजीरा (गुजरात)-पारादीप बंदरगाह (ओडिशा)	1,781
16 (पुराना NH5)	स्वर्णिम चतुर्भुज का भाग पश्चिम बंगाल से आंध्र प्रदेश	1,659
66 (पुराना NH17)	पनवेल-कन्याकुमारी	1,593

(Continued)

चित्र 14.17

राष्ट्रीय राजमार्गों का नेटवर्क

तालिका 14.39 *(Continued)*

रा. रा.सं.	मार्ग	लंबाई (किमी. में)
19 (पुराना NH2)	दिल्ली-कोलकाता (ग्रैंड ट्रंक रोड का ऐतिहासिक हिस्सा है)	1,435
34	गंगोत्री बांध (उत्तराखंड) से लखनादौन (जबलपुर)	1,426
2	डिब्रूगढ, असम, नागालैंड, मणिपुर, मिजोरम (उत्तर पूर्वी क्षेत्र में दूसरा सबसे लंबा राजमार्ग)	
13 (पुराना NH229)	तवांग (अरुणाचल प्रदेश) से पासीघाट (असम)	
47	बामनबोर (गुजरात) से नागपुर (महाराष्ट्र)	
31	उत्तर प्रदेश से पश्चिम बंगाल	

रेलवे (Railways)

भारत का रेलवे नेटवर्क, जो विश्व स्तर पर सबसे बड़ा तथा सबसे जटिल है, 68,000 किलोमीटर से अधिक फैला है, जो देश के परिवहन में महत्वपूर्ण भूमिका निभाता है तथा विभिन्न क्षेत्रों में यात्री एवं माल ढुलाई दोनों की आवश्यकताओं को पूरा करता है **(तालिका 14.40)**।

तालिका 14.40 भारतीय रेलवे जोन और उनके मुख्यालय

क्र.सं.	जोन	गठन की तिथि	मुख्यालय
1.	दक्षिण	14.04.1951	चेन्नई
2.	मध्य	05.11.1951	मुंबई (सीएसटी)
3.	पश्चिम	05.11.1951	मुंबई (चर्च गेट)
4.	उत्तरी	14.04.1952	नई दिल्ली
5.	उत्तर-पूर्वी	14.04.1952	गोरखपुर
6.	दक्षिण-पूर्व	01.08.1955	कोलकाता
7.	पूर्वी	01.08.1955	कोलकाता
8.	उत्तर-पूर्वी फ्रंटियर	15.01.1958	मालीगांव (गुवाहाटी)
9.	दक्षिण-मध्य	02.10.1966	सिकंदराबाद
10.	पूर्व-मध्य	01.10.2002	हाजीपुर
11.	उत्तर-पश्चिमी	01.10.2002	जयपुर
12.	पूर्वी तट	01.04.2003	भुवनेश्वर
13.	उत्तर-मध्य	01.04.2003	प्रयागराज
14.	दक्षिण-पूर्व मध्य	01.04.2003	बिलासपुर
15.	दक्षिण-पश्चिमी	01.04.2003	हुबली
16.	पश्चिम-मध्य	01.04.2003	जबलपुर
17.	मेट्रो रेलवे	24.10.1984	कोलकाता
18.	दक्षिणी तटीय रेलवे	26.02.2019	विशाखापत्तनम

भारत में रेलवे के प्रकार (Types of Railways in India)

- ब्रॉड गेज (Broad Gauge (BG))
    - **ट्रैक की चौड़ाई (Track Width):** 1,676 मिमी. (5 फीट 6 इंच)।
    - **उपयोग (Usage):** मुख्य रूप से लंबी दूरी की यात्रा एवं माल परिवहन के लिए उपयोग किया जाता है।
    - **प्रभुत्व (Dominance):** भारत में सबसे सामान्य गेज है।
- मीटर गेज (Meter Gauge (MG))
    - **ट्रैक की चौड़ाई (Track Width):** 1,000 मिमी. (3 फीट 3 3/8 इंच)।
    - **उपयोग (Usage):** ग्रामीण क्षेत्रों में पाया जाता है, लेकिन धीरे-धीरे यूनिगेज परियोजना के तहत ब्रॉड गेज द्वारा प्रतिस्थापित किया जा रहा है।

यूनीगेज परियोजना (1 अप्रैल, 1992 को शुरू की गयी)[UNIGAUGE PROJECT (Launched April 1, 1992)]

इस पहल का उद्देश्य भारत में सभी रेल गेज को ब्रॉड गेज में परिवर्तित करना है, ताकि कनेक्टिविटी को मानकीकृत एवं बेहतर बनाया जा सके।

- नैरो गेज (Narrow Gauge (NG))
    - **ट्रैक की चौड़ाई (Track Width):** 762 मिमी. (2 फीट 6 इंच) या 610 मिमी. (2 फीट)।
    - **उपयोग (Usage):** इसका उपयोग पहाड़ी क्षेत्रों में मुश्किल भू-भाग के कारण किया जाता है। इस गेज को चरणबद्ध तरीके से समाप्त किया जा रहा है या ब्रॉड गेज में परिवर्तित किया जा रहा है।
- उपनगरीय रेलवे (Suburban Railways)
    - **भूमिका (Role):** महानगरीय क्षेत्रों में सेवाएं प्रदान करना, दैनिक यात्रा करने वाले यात्रियों को सुविधा प्रदान करना।
    - **उदाहरण (Examples):** मुंबई उपनगरीय रेलवे, दिल्ली उपनगरीय रेलवे।
- मेट्रो रेलवे (Metro Railways)
    - **भूमिका (Role):** यह शहरी यातायात प्रणाली है, जिसे शहरी भीड़भाड़ को कम करने के लिए डिजाइन किया गया है।
    - **उदाहरण (Examples):** दिल्ली मेट्रो, कोलकाता मेट्रो, बेंगलुरु मेट्रो।
- हाई-स्पीड रेलवे (High&Speed Railways)
    - **परियोजनाएँ (Projects):** निर्माणाधीन हाई-स्पीड रेल कॉरिडोर।
    - **उदाहरण (Examples):** मुंबई-अहमदाबाद हाई-स्पीड रेल कॉरिडोर।

जिम्मेदार प्राधिकार (Authorities Responsible)

- **भारतीय रेलवे (Indian Railways (IR)):** इस नेटवर्क की देखरेख करने वाली राज्य के स्वामित्व वाली कंपनी, जिसे 18 क्षेत्रों (+1 यानी कोंकण क्षेत्र जो परिचालन के लिहाज से अलग क्षेत्र नहीं है, लेकिन प्रशासनिक तौर पर एक है) में विभाजित किया गया है, जिसका प्रबंधन रेल मंत्रालय द्वारा किया जाता है।
- **भारतीय समर्पित माल ढुलाई गलियारा निगम लिमिटेड (Dedicated Freight Corridor Corporation of India Limited (DFCCIL)):** माल ढुलाई दक्षता बढ़ाने के लिए समर्पित माल ढुलाई गलियारा का प्रबंधन करता है **(चित्र 14.18)**।

समर्पित माल ढुलाई गलियारा (Dedicated Freight Corridors (DFCs))

- पूर्वी डीएफसी (Eastern DFC)
    - मार्ग (Route): लुधियाना (पंजाब) से दानकुनी (पश्चिम बंगाल)।
    - उद्देश्य (Purpose): कोयला, इस्पात और थोक माल की आवाजाही को सुगम बनाना।
    - स्थिति (Status): निर्माणाधीन, कई परिचालन खंड।
- पश्चिमी डीएफसी (Western DFC)
    - मार्ग (Route): दादरी (उत्तर प्रदेश) से जेएनपीटी (महाराष्ट्र)।
    - उद्देश्य (Purpose): दिल्ली-एनसीआर से मुंबई के बंदरगाह तक व्यापार को बढ़ाना।
    - स्थिति (Status): निर्माणाधीन, परिचालन खंड।

समर्पित माल ढुलाई गलियारों (डीएफसी) के लाभ (Benefits of Dedicated Freight Corridors (DFCs))

- **क्षमता अभिवृद्धि (Increased Capacity):** डीएफसी का निर्माण लंबी एवं भारी मालगाड़ियों को समायोजित करने के लिए किया जाता है, जो माल परिवहन के लिए रेल नेटवर्क की समग्र क्षमता को महत्वपूर्ण रूप से बढ़ाता है।
- **अधिक गति (Higher Speeds):** डीएफसी पर चलने वाली ट्रेनें 100 किमी/घंटा तक की उच्च गति से चल सकती हैं, जो वर्तमान मिश्रित उपयोग वाले रेलवे नेटवर्क की तुलना में पारगमन समय को काफी कम करती हैं।
- **कम भीड़ (Reduced Congestion):** माल परिवहन एवं यात्री आवागमन को अलग करके, डीएफसी मौजूदा रेलवे को भीड़भाड़ से मुक्त करने में सहायक है, जिससे यात्री ट्रेनों के लिए समय की पाबंदी एवं सेवा विश्वसनीयता बेहतर होती है।

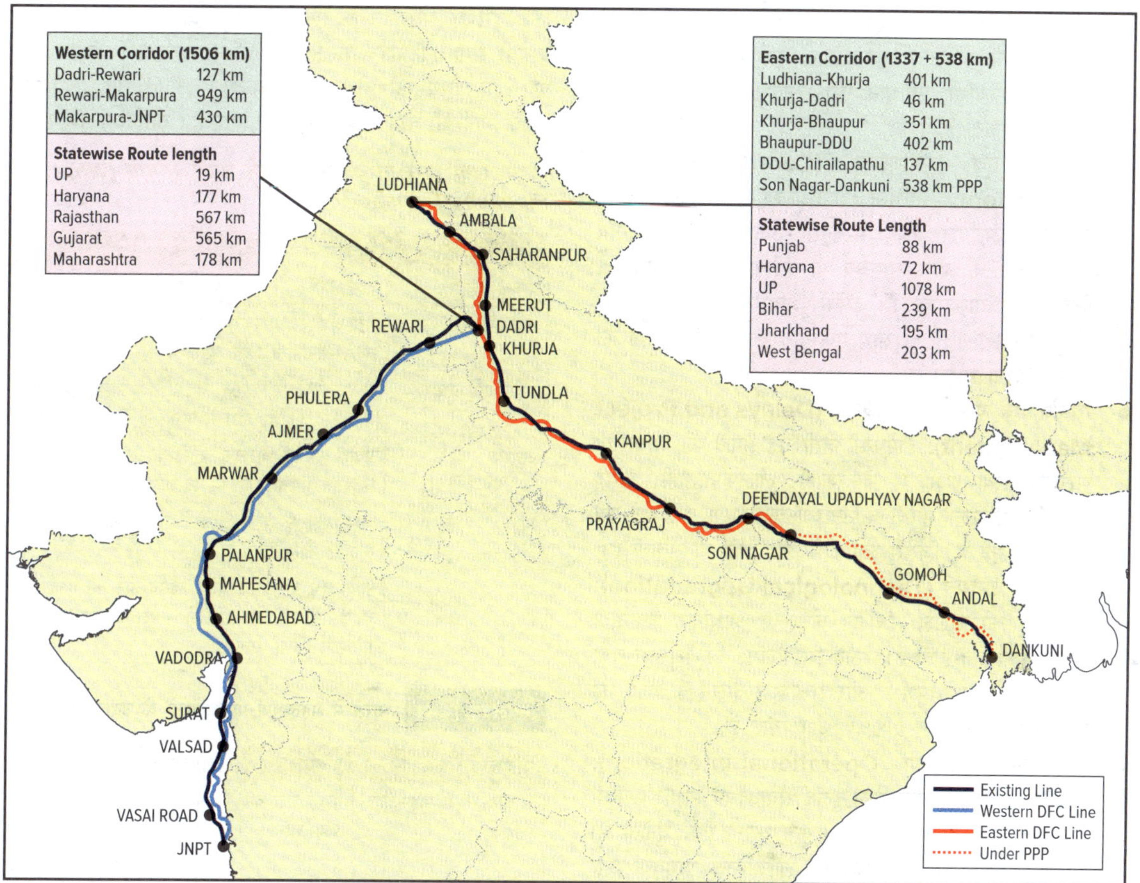

चित्र 14.18
पूर्वी और पश्चिमी समर्पित माल ढुलाई गलियारा

- **पर्यावरणीय लाभ (Environmental Benefits):** माल परिवहन को सड़क मार्ग से अधिक ऊर्जा-कुशल रेल प्रणाली में स्थानांतरित करने से कार्बन उत्सर्जन को कम करने में मदद मिलती है, जिससे पर्यावरणीय प्रभाव कम होता है।
- **आर्थिक विकास (Economic Growth):** बढ़ी हुई रसद एवं परिवहन दक्षता से आर्थिक विकास को बढ़ावा मिलने, औद्योगिक विकास को समर्थन मिलने और रोजगार के अवसर पैदा होने की उम्मीद है।

समर्पित माल ढुलाई गलियारों की चुनौतियाँ (Challenges of Dedicated Freight Corridors)

- **भूमि अधिग्रहण (Land Acquisition):** डीएफसी निर्माण के लिए भूमि अधिग्रहीत करना एक बड़ी बाधा रही है, जिसमें मुआवजा विवाद, कानूनी मुद्दे और भूमि मालिकों के विरोध के कारण देरी हुई है।
- **पर्यावरण एवं सामाजिक प्रभाव (Environmental and Social Impact):** डीएफसी निर्माण के परिणामस्वरूप पर्यावरण का क्षरण हो सकता है तथा स्थानीय समुदायों का विस्थापन हो सकता है। पर्यावरण कानूनों का अनुपालन सुनिश्चित करना और प्रभावित आबादी का पुनर्वास करना महत्वपूर्ण चिंताएँ हैं।
- **वित्त पोषण एवं वित्तीय व्यवहार्यता (Funding and Financial Viability):** डीएफसी परियोजना के लिए पर्याप्त पूंजी की आवश्यकता होती है। इन चुनौतियों में निरंतर वित्त पोषण सुनिश्चित करना, लागत में वृद्धि का प्रबंधन करना और वित्तीय स्थिरता बनाए रखना शामिल है। परियोजनाओं के पूर्ण होने में देरी से लागत और बढ़ सकती है।
- **तकनीकी एवं इंजीनियरिंग चुनौतियाँ (Technical and Engineering Challenges):** डीएफसी के निर्माण में

जटिल इंजीनियरिंग कार्य शामिल हैं, जैसे चुनौतीपूर्ण इलाकों में ट्रैक बनाना एवं उच्च क्षमता वाले पुल बनाना। इसके लिए उन्नत इंजीनियरिंग समाधान तथा सावधानीपूर्वक आयोजना की आवश्यकता होती है।

- **समन्वय एवं एकीकरण (Coordination and Integration):** विभिन्न हितधारकों- भारतीय रेलवे, डीएफसीसीआईएल, राज्य सरकारों, ठेकेदारों तथा स्थानीय अधिकारियों के बीच समन्वय परियोजना की सफलता के लिए बहुत आवश्यक है। इसके अतिरिक्त, डीएफसी को मौजूदा रेलवे प्रणाली के साथ एकीकृत करने में चुनौतियों का सामना करना पड़ता है।
- **विलंब एवं परियोजना प्रबंधन (Delays and Project Management):** डीएफसी जैसी बड़े पैमाने की आधारभूत संरचना परियोजनाओं में नौकरशाही, लालफीताशाही, खरीद मुद्दों तथा प्रचालन संबंधी कठिनाइयों के कारण देरी होने की संभावना रहती है, जिससे लागत में और वृद्धि हो सकती है।
- **तकनीकी उन्नयन (Technological Upgradation):** डीएफसी को कुशल संचालन के लिए आधुनिक तकनीक की आवश्यकता होती है। उन्नत सिग्नलिंग, ट्रैक सिस्टम तथा रोलिंग स्टॉक महत्वपूर्ण हैं और सुचारू संचालन के लिए नई तकनीकों में कार्यबल प्रशिक्षण आवश्यक है।
- **परिचालन एकीकरण (Operational Integration):** भारतीय रेलवे की मौजूदा माल ढुलाई सेवाओं के साथ डीएफसी संचालन को निर्बाध रूप से एकीकृत करना एक चुनौती है। सुचारू संचालन के लिए शेड्यूल, लॉजिस्टिक फ्रेमवर्क और परिचालन प्रक्रियाओं को सरेखित करना महत्वपूर्ण है।
- **राजनीतिक एवं प्रशासनिक बाधाएँ (Political and Administrative Hurdles):** राजनीतिक प्रभाव बड़ी अवसंरचना परियोजनाओं की प्रगति को प्रभावित कर सकता है। सरकारी नीतियों में बदलाव, प्रशासनिक देरी तथा राजनीतिक हस्तक्षेप के कारण इनके समय पर कार्यान्वयन में रूकावट आ सकती है।
- **सुरक्षा एवं संरक्षा (Safety and Security):** डीएफसी अवसंरचना की सुरक्षा एवं संरक्षा सुनिश्चित करना महत्वपूर्ण है। इस समर्पित गलियारों को तोड़-फोड़ तथा चोरी से बचाए जाने की आवश्यकता है, साथ ही श्रमिकों तथा आस-पास के समुदायों की सुरक्षा बनाए रखने की भी आवश्यकता है।

पाइपलाइन (Pipelines)

भारत में पाइपलाइनें राष्ट्रीय आधारभूत संरचना का एक अनिवार्य घटक हैं, जिससे कच्चे तेल, प्राकृतिक गैस, पेट्रोलियम उत्पादों, पानी और अयस्कों जैसी विभिन्न वस्तुओं का परिवहन होता है। ये लंबी दूरी के परिवहन के लिए एक सुरक्षित, कुशल तथा लागत प्रभावी समाधान प्रदान करती हैं। यद्यपि, पाइपलाइनें केवल तरल पदार्थ या गैसों को ही ले जा सकती हैं और उनमें रेलवे एवं सड़क मार्ग की तरह लचीलापन नहीं होता है (तालिका 14.41)।

पाइपलाइनों द्वारा परिवहन की जाने वाली सामग्री (What Pipelines Transport)

वस्तु	विवरण
कच्चा तेल	तेल क्षेत्रों से रिफाइनरियों तक ले जाया जाता है।
प्राकृतिक गैस	गैस क्षेत्रों से प्रसंस्करण संयंत्रों तथा उपभोक्ताओं तक स्थानांतरित किया जाता है।
पेट्रोलियम उत्पाद	रिफाइनरियों से वितरण बिंदुओं तक पहुँचाया जाता है (जैसे, पेट्रोल, डीजल, केरोसिन, विमानन ईंधन)।
अयस्क	प्रवाह को सुविधाजनक बनाने के लिए इन्हें पानी के साथ मिश्रित घोल में ले जाया जाता है।
पानी	जल स्रोतों से शहरी, ग्रामीण एवं औद्योगिक क्षेत्रों तक ले जाया जाता है।
दूध	चूंकि दूध की प्रगति जल्दी खराब होने की होती है, इस कारण कुछ क्षेत्रों में केवल स्थानीय रूप से परिवहन किया जाता है।

तालिका 14.41 भारत में महत्वपूर्ण पाइपलाइनों के उदाहरण

पाइपलाइन का नाम	प्रकार	विवरण
सलाया-मथुरा पाइपलाइन	कच्चे तेल की पाइपलाइन	गुजरात के सलाया से उत्तर प्रदेश के मथुरा तक कच्चे तेल का परिवहन करती है।
हजीरा-विजयपुर-जगदीशपुर (HVJ) पाइपलाइन	प्राकृतिक गैस पाइपलाइन	सबसे बड़ी प्राकृतिक गैस पाइपलाइनों में से एक, जो गुजरात के हजीरा से उत्तर प्रदेश के जगदीशपुर तक गैस ले जाती है।
कांडला-भटिंडा पाइपलाइन	पेट्रोलियम उत्पाद पाइपलाइन	गुजरात के कांडला बंदरगाह से पंजाब के भटिंडा तक पेट्रोलियम उत्पादों को ले जाती है।
मुंबई-मनमाड पाइपलाइन	पेट्रोलियम उत्पाद पाइपलाइन	मुंबई से महाराष्ट्र के मनमाड तक पेट्रोलियम उत्पादों का परिवहन करती है।
दाभोल-बेंगलुरु पाइपलाइन	प्राकृतिक गैस पाइपलाइन	महाराष्ट्र के दाभोल से कर्नाटक के बेंगलुरु तक प्राकृतिक गैस ले जाती है।
राजस्थान नहर (इंदिरा गांधी नहर)	जल पाइपलाइन	राजस्थान के शुष्क क्षेत्रों में सिंचाई और पीने के पानी की आपूर्ति करती है।

रोपवे (Ropeways)

रोपवे में सामान्य रूप से चुनौतीपूर्ण क्षेत्रों में सामान एवं यात्रियों को ले जाने के लिए निलंबित केबल का उपयोग किया जाता है। ये विशेष रूप से पहाड़ी, पर्वतीय एवं दूरदराज के उन क्षेत्रों में लोकप्रिय हैं, जहाँ सड़क एवं रेलवे जैसे पारंपरिक परिवहन के साधन बना पाना मुश्किल है।

पर्वतमाला योजना (Parvatmala Scheme)

भारत के केंद्रीय वित्त मंत्री द्वारा 2022-23 के केंद्रीय बजट में घोषित पर्वतमाला योजना, भारत के पहाड़ी क्षेत्रों में कनेक्टिविटी को बेहतर बनाने के लिए डिजाइन किया गया एक राष्ट्रीय रोपवे विकास कार्यक्रम है। सार्वजनिक-निजी भागीदारी (पीपीपी) मॉडल के तहत शुरू की गयी यह योजना चुनौतीपूर्ण क्षेत्रों में पारंपरिक सड़कों के लिए एक पर्यावरण के अनुकूल विकल्प प्रदान करती है। इसका उद्देश्य यात्रियों की सुविधा बढ़ाना, पर्यटन को बढ़ावा देना तथा संभावित रूप से शहरी भीड़भाड़ को कम करना है।

शुरुआती चरण में उत्तराखंड, हिमाचल प्रदेश, मणिपुर, जम्मू एवं कश्मीर तथा अन्य पूर्वोत्तर क्षेत्रों को लक्षित किया गया है, जिसमें 2022-23 के लिए 60 किलोमीटर की दूरी तय करने वाली आठ रोपवे परियोजनाएँ शामिल हैं। इस कार्यक्रम की देखरेख सड़क परिवहन एवं राजमार्ग मंत्रालय (MORTH) द्वारा की जाती है और इसमें विनियामक संरचना द्वारा सहायता प्रदान की जाती है, ताकि स्तर एवं दक्षता सुनिश्चित की जा सके।

इस योजना के कई महत्वपूर्ण लाभ हैं, जिनमें भूमि अधिग्रहण की कम लागत (सीधे हवाई मार्गों के कारण), तेज परिवहन (सड़क बाधाओं को दरकिनार करके), पर्यावरणीय लाभ (कम धूल उत्सर्जन) तथा अंतिम-मील कनेक्टिविटी में संभावित सुधार शामिल हैं। जनवरी, 2024 में यह घोषणा की गयी थी कि इस योजना के तहत परियोजनाओं की संख्या 400 तक बढ़ जाएगी, जिसमें 5 वर्षों में 1.25 लाख करोड़ रुपये का नियोजित व्यय होगा।

जल परिवहन (Water Transport)

जल परिवहन का सबसे कुशल एवं सस्ता साधन है। ऐसा निम्नलिखित कारणों से है:

- भूमि की तुलना में जल कम घर्षण पैदा करता है, जिसके परिणामस्वरूप परिवहन के लिए कम ईंधन में अधिक दूरी तय की सकती है।
- इसके अतिरिक्त, समुद्री यात्रा के लिए टर्मिनलों के अलावा व्यापक आधारभूत संरचना की आवश्यकता नहीं होती है। इसके विपरीत, भूमि परिवहन के लिए सड़कों, रेलमार्गों तथा पाइपलाइनों के निर्माण की आवश्यकता होती है, जो समग्र लागत में वृद्धि करता है। इस अंतर के कारण समुद्री परिवहन के परिचालन प्रणाली में बचत होती है।

यद्यपि, विश्व के महासागरों का उपयोग अब परिवहन एवं व्यापार के लिए अधिक किया जाता है, लेकिन नदियाँ अतीत में जल परिवहन के लिए एक प्रमुख जीवन रेखा थीं, और अब वे अपनी खोई हुई स्थिति को पुनः प्राप्त कर रही हैं।

अंतर्देशीय जलमार्ग (Inland Waterways)

भारत में अंतर्देशीय जलमार्गों का इतिहास बहुत समृद्ध है, जो प्राचीन काल से चला आ रहा है जब नदियाँ व्यापार एवं परिवहन के लिए आवश्यक मार्ग हुआ करती थीं।

ऐतिहासिक महत्व (Historical Significance)

- **प्राचीन महत्व (Ancient Importance):** गंगा, ब्रह्मपुत्र तथा गोदावरी जैसी प्रमुख नदियाँ लंबे समय से महत्वपूर्ण व्यापार मार्ग रही हैं, जो वाणिज्यिक एवं सांस्कृतिक आदान-प्रदान को सुविधाजनक बनाती हैं।
- **औपनिवेशिक विरासत (Colonial Legacy):** ब्रिटिश शासन के दौरान माल परिवहन के लिए कुछ अंतर्देशीय जलमार्ग विकसित किए गए थे, जो नदी संचालन के रणनीतिक महत्व को उजागर करते थे।

निर्माण एवं विकास (Construction and Development)

- **भारतीय अंतर्देशीय जलमार्ग प्राधिकरण (Inland Waterways Authority of India (IWAI)):** वर्ष 1986 में स्थापित, आईडब्ल्यूएआई भारत भर में अंतर्देशीय जलमार्गों के विनियमन एवं विकास की देखरेख करने वाला मुख्य निकाय है।
- **राष्ट्रीय जलमार्ग अधिनियम (National Waterway Act):** वर्ष 1986 में अधिनियमित इस कानून ने विशिष्ट नदी खंडों, नहरों तथा अप्रवाही जल को उनके विकास एवं विनियमन के लिए राष्ट्रीय जलमार्ग के रूप में नामित किया।
- **आधुनिकीकरण के प्रयास (Modernisation Efforts):** ड्रेजिंग ऑपरेशन, टर्मिनल निर्माण तथा संचालन संबंधी सहायक उपकरणों की स्थापना सहित अंतर्देशीय जलमार्गों की आधारभूत संरचनाओं के आधुनिकीकरण एवं विस्तार के उद्देश्य से निवेश में वृद्धि हुई है।

लाभ (Benefits)

- **लागत-प्रभावी परिवहन (Cost-Effective Transportation):** अंतर्देशीय जलमार्ग सड़क एवं रेल प्रणालियों की तुलना में थोक माल के लिए अधिक किफायती परिवहन विधि प्रदान करते हैं।

- **पर्यावरणीय स्थिरता (Environmental Sustainability):** वे अन्य परिवहन साधनों की तुलना में कार्बन उत्सर्जन को कम करके तथा पारिस्थितिक प्रभावों को कम करके पर्यावरणीय स्थिरता का समर्थन करते हैं।
- **भीड़भाड़ से राहत (Congestion Relief):** जलमार्गों के उपयोग से सड़कों एवं रेलवे पर भीड़भाड़ कम हो सकती है, यातायात प्रवाह को बढ़ावा मिल सकता है और परिवहन खर्च कम हो सकता है।
- **क्षेत्रीय विकास को बढ़ावा (Promotion of Regional Development):** अंतर्देशीय जलमार्गों के आधारभूत संरचना को बढ़ाने से कनेक्टिविटी में सुधार तथा अंतर्देशीय क्षेत्रों में व्यापार को सुविधाजनक बनाकर आर्थिक विकास एवं क्षेत्रीय विकास को बढ़ावा मिल सकता है।

कमियाँ (Drawbacks)

- **आधारभूत संरचनाओं की चुनौतियाँ (Infrastructure Challenges):** अंतर्देशीय जलमार्गों के विकास के लिए आधारभूत संरचनाओं में पर्याप्त निवेश की आवश्यकता होती है, जिसमें ड्रेजिंग, टर्मिनल निर्माण तथा संचालन सहायक उपकरणों की स्थापना शामिल है।
- **विनियामक मुद्दे (Regulatory Issues):** इन जलमार्गों के विकास एवं संचालन के लिए अनुकूल विनियामक वातावरण तथा प्रभावी शासन स्थापित करना आवश्यक है।
- **पर्यावरण संबंधी चिंताएँ (Environmental Concerns):** नदी प्रदूषण, आवास क्षरण तथा जलीय पारिस्थितिकी तंत्र पर पड़ने वाले प्रभावों से संबंधित मुद्दों का समाधान करना महत्वपूर्ण है।
- **तकनीकी उन्नयन (Technological Upgradation):** अंतर्देशीय जलमार्गों पर नौवहन सुरक्षा, दक्षता एवं स्थिरता को बढ़ाने के लिए तकनीकी प्रगति को अपनाने की आवश्यकता है।

आधिकारिक अंतर्देशीय जलमार्ग (Official Inland Waterways)

भारत में 111 आधिकारिक रूप से मान्यता प्राप्त अंतर्देशीय जलमार्ग हैं, जो इसके परिवहन नेटवर्क में महत्वपूर्ण योगदान देते हैं। इनमें से कुछ उल्लेखनीय जलमार्ग मानचित्र 14.19 में देखे जा सकते हैं:

मुक्त समुद्री परिवहन (Open Ocean Transport)

भारत के समुद्री परिवहन का इतिहास बहुत पुराना है तथा यह देश की अर्थव्यवस्था एवं कनेक्टिविटी के लिए बहुत महत्वपूर्ण है। देश का लगभग 95 प्रतिशत विदेशी व्यापार मात्रा के हिसाब से और 70 प्रतिशत मूल्य के हिसाब से समुद्री मार्गों से होता है **(चित्र 14.19)**।

ऐतिहासिक अवलोकन (Historical Overview)

- **प्राचीन काल (Ancient Times):** भारत में समुद्री व्यापार सिंधु घाटी सभ्यता से जुड़ा है, जो मेसोपोटामिया तथा मिस्र जैसे क्षेत्रों के साथ व्यापार संबंधों को दर्शाता है। लोथल जैसे उल्लेखनीय प्राचीन बंदरगाहों ने वाणिज्य में महत्वपूर्ण भूमिका निभाई।
- **मध्य काल (Medieval Period):** इस युग के दौरान भारतीय बंदरगाह अफ्रीका, मध्य पूर्व और दक्षिण पूर्व एशिया के साथ व्यापार के लिए महत्वपूर्ण थे, जिनमें कालीकट, सूरत और कोचीन जैसे प्रमुख बंदरगाह शामिल थे।
- **औपनिवेशिक युग (Colonial Era):** अंग्रेजों ने व्यापार को सुविधाजनक बनाने एवं नियंत्रण करने के लिए मुंबई (पूर्व में बॉम्बे), कोलकाता (पूर्व में कलकत्ता) तथा चेन्नई (पूर्व में मद्रास) जैसे आधुनिक बंदरगाहों की स्थापना की।
- **स्वतंत्रता के बाद (Post-Independence):** स्वतंत्रता के बाद भारत ने आर्थिक विकास तथा अंतर्राष्ट्रीय व्यापार में सहायता प्रदान करने के लिए अपने बंदरगाह की आधारभूत संरचनाओं को बढ़ाने तथा आधुनिक बनाने के लिए कार्य किया।

भारत में वर्तमान में 13 प्रमुख बंदरगाह और 200 से अधिक छोटे और मध्यवर्ती बंदरगाह हैं। मुंबई के पास वधावन में 14वें बंदरगाह की योजना बनाई गयी है, लेकिन निर्माण अभी शुरू होना बाकी है **(चित्र 14.20)**।

पत्तन प्रबंधन (Port Management)

- **पत्तन, पोत परिवहन एवं जलमार्ग मंत्रालय (Ministry of Ports, Shipping, and Waterways):** केंद्र सरकार का यह निकाय भारत में बंदरगाहों के विकास और विनियमन की देखरेख और नीतियां तैयार करता है।
- **पत्तन न्यास (Port Trusts):** प्रमुख पत्तनों का प्रबंधन स्वायत्त पत्तन ट्रस्टों द्वारा किया जाता है, जिनकी स्थापना 1963 के प्रमुख पत्तन ट्रस्ट अधिनियम के तहत की गयी है। प्रत्येक ट्रस्ट सरकार द्वारा नियुक्त न्यासी बोर्ड के मार्गदर्शन में काम करता है।
- **राज्य समुद्री बोर्ड (State Maritime Boards):** छोटे एवं मध्यवर्ती पत्तनों की देखरेख राज्य समुद्री बोर्ड या राज्य पत्तन विभाग करते हैं, जो अपने अधिकार क्षेत्र में पत्तनों के विकास एवं विनियमन का प्रबंधन करते हैं।

13 राष्ट्रीय जलमार्ग अब परिचालन में हैं

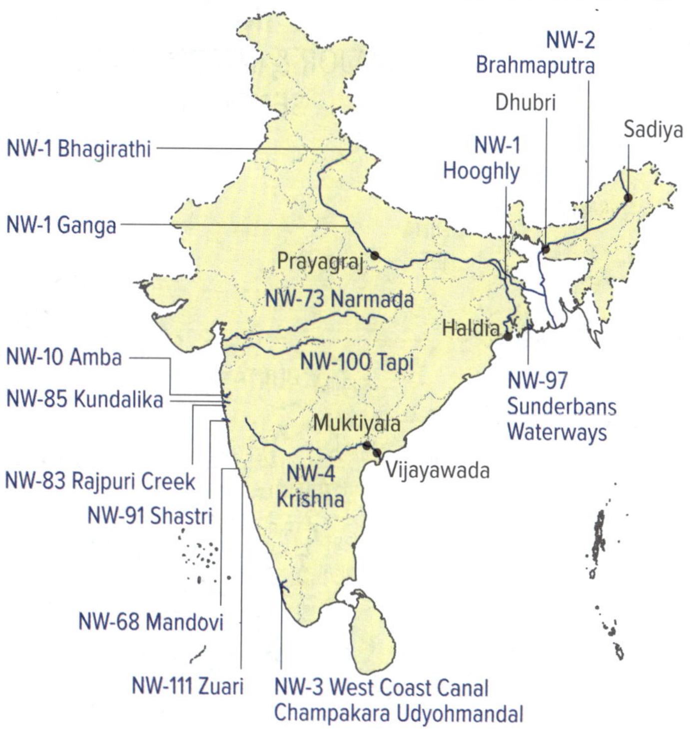

NW-1	Ganga-Bhagirathi-Hooghly (Haldia-Prayagraj)
NW-2	Brahmaputra River
NW-3	West Coast Canal-Champakara Canal-Udyogmandal Canal
NW-4	Krishna (Muktiyala-Vijayawada)
NW-10	Amba River
NW-83	Rajpuri Creek
NW-85	Revadanda Creek- Kundalika River
NW-91	Shastri River-Jaigad Creek System
NW-68	Mandovi River (Usgaon Bridge-Arabian Sea)
NW-111	Zuari River (Sanvordem Bridge-Marmugao Port)
NW-73	Narmada River
NW-100	Tapi River
NW-97	Sunderbans Waterways (Namkhana to Atharabanki Khal in West Bengal)

चित्र 14.19
कुछ महत्वपूर्ण राष्ट्रीय जलमार्ग

- **निजी क्षेत्र की भागीदारी (Private Sector Participation):** हाल ही में सार्वजनिक-निजी भागीदारी (पीपीपी) के माध्यम से पत्तन विकास एवं संचालन में निजी क्षेत्र की उल्लेखनीय भागीदारी रही है, जिसमें निजी फर्म बुनियादी ढांचे, कंटेनर टर्मिनलों और रसद सेवाओं में निवेश कर रही हैं।

लाभ (Benefits)

- **आर्थिक विकास (Economic Growth):** पत्तन अंतर्राष्ट्रीय व्यापार के लिए आवश्यक हैं, जो भारत के सकल घरेलू उत्पाद में महत्वपूर्ण योगदान देते हैं तथा आयात एवं निर्यात के लिए प्रवेश द्वार के रूप में कार्य करते हैं, जो उद्योगों का समर्थन करते हैं और रोजगार पैदा करते हैं।
- **कनेक्टिविटी (Connectivity):** पत्तन कनेक्टिविटी में सुधार करते हैं, भारत को वैश्विक बाजारों से जोड़ते हैं और कुशल माल परिवहन की सुविधा प्रदान करते हैं।
- **लागत-प्रभावी परिवहन (Cost-Effective Transport):** समुद्री परिवहन विशेष रूप से थोक माल एवं बड़ी मात्रा के लिए किफायती है, जो समग्र परिवहन व्यय को कम करने में मदद करता है।
- **ऊर्जा दक्षता (Energy Efficiency):** सड़क एवं हवाई परिवहन की तुलना में शिपिंग एक अधिक ऊर्जा-कुशल विकल्प है, जो कम कार्बन उत्सर्जन में योगदान देता है।
- **पर्यटन (Tourism):** पत्तन समुद्री पर्यटन एवं तटीय पर्यटन गतिविधियों में सहायता प्रदान कर पर्यटन क्षेत्र को बढ़ाते हैं।

कमियाँ (Drawbacks)

- **पर्यावरणीय प्रभाव (Environmental Impact):** पत्तनों एवं शिपिंग से जुड़ी गतिविधियाँ पर्यावरणीय समस्याओं को जन्म दे सकती हैं, जैसे जल प्रदूषण, आवास विनाश तथा तेल रिसाव।

चित्र 14.20
प्रमुख और मध्यवर्ती पत्तन

- **आधारभूत संरचना की चुनौतियाँ (Infrastructure Challenges):** पत्तन की आधारभूत संरचनाओं को विकसित करने तथा उन्हें बनाए रखने के लिए पर्याप्त निवेश और उन्नत तकनीक की आवश्यकता होती है।
- **भीड़भाड़ (Congestion):** प्रमुख पत्तनों में अक्सर भीड़भाड़ होती है, जिसके परिणामस्वरूप माल चढ़ाने-उतारने में देरी होती है तथा लागत बढ़ जाती है।
- **विनियामक बाधाएँ (Regulatory Hurdles):** पत्तन जटिल विनियामक संरचनाओं के तहत काम करते हैं, जो अनुपालन एवं दक्षता संबंधी चुनौतियाँ पैदा कर सकते हैं।
- **सुरक्षा संबंधी चिंताएँ (Security Concerns):** पत्तनों को तस्करी, समुद्री डकैती और आतंकवाद सहित विभिन्न सुरक्षा खतरों का सामना करना पड़ता है।

भारत के समुद्री परिवहन इतिहास तथा वर्तमान चलन के बारे में अधिक विस्तृत जानकारी के लिए आप इस विषय पर अतिरिक्त संसाधनों का पता लगा सकते हैं।

वायु परिवहन (Air Transport)

भारत में हवाई परिवहन का प्रारंभ 20वीं सदी की शुरुआत में हुई थी, जिसका मुख्य आकर्षण 18 फरवरी, 1911 को प्रयागराज से नैनी के लिए उड़ान भरने वाली पहली वाणिज्यिक उड़ान थी, जिसमें लगभग 6 मील की दूरी तय की गयी थी। वर्ष 1947 में स्वतंत्रता के बाद, भारत सरकार ने विमानन क्षेत्र को विकसित करने के लिए वर्ष 1948 में टाटा के स्वामित्व वाली एयर इंडिया में 49 प्रतिशत हिस्सेदारी हासिल करते हुए एक राष्ट्रीय एयरलाइन की स्थापना की थी। 1953 में उद्योग का राष्ट्रीयकरण कर दिया गया, जिसके परिणामस्वरूप सभी निजी एयरलाइनों का एक ही राष्ट्रीय वाहक में विलय हो गया, जिसमें इंडियन एयरलाइंस को घरेलू मार्गों एवं एयर इंडिया को अंतर्राष्ट्रीय सेवाओं के लिए नामित किया गया।

वर्ष 1990 के दशक में विमानन बाजार के उदारीकरण ने निजी एयरलाइनों को उभरने की अनुमति दी, जिससे जेट एयरवेज तथा इंडिगो जैसी कंपनियों का विकास हुआ। आज भारत का विमानन बाजार तेजी से विस्तार कर रहा है, जिसे बढ़ते यात्री यातायात तथा आधारभूत संरचना में निवेश से बल मिल रहा है। वर्ष 2021 में एयर इंडिया को टाटा समूह को बेच दिया गया, आधिकारिक रूप से जनवरी, 2022 में इसका स्वामित्व हस्तांतरित हो गया। भारत में 103 घरेलू हवाई अड्डे, 24 अंतर्राष्ट्रीय हवाई अड्डे तथा 10 सीमा शुल्क हवाई अड्डे हैं।

लाभ (Benefits)

- **तेज कनेक्टिविटी (Rapid Connectivity):** हवाई यात्रा परिवहन का सबसे तेज माध्यम है, जिससे दूरदराज के क्षेत्रों एवं शहरों में तेजी से पहुंचा जा सकता है।
- **आर्थिक विकास (Economic Growth):** विमानन क्षेत्र व्यापार, पर्यटन तथा निवेश को सुविधाजनक बनाकर आर्थिक विकास में महत्वपूर्ण भूमिका निभाता है।
- **रोजगार सृजन (Employment Generation):** यह एयरलाइनों, हवाई अड्डों, ग्राउंड सेवाओं तथा संबंधित क्षेत्रों में कई प्रत्यक्ष एवं अप्रत्यक्ष नौकरियाँ पैदा करता है।
- **पर्यटन को बढ़ावा (Tourism Promotion):** बेहतर हवाई संपर्क यात्रा को और अधिक सुलभ बनाता है, जिससे घरेलू एवं अंतर्राष्ट्रीय दोनों आगंतुकों के लिए पर्यटन उद्योग को बढ़ावा मिलता है।
- **वैश्विक एकीकरण (Global Integration):** हवाई परिवहन भारत को अंतर्राष्ट्रीय बाजारों से जोड़ता है, जिससे व्यापार संबंधों, सांस्कृतिक आदान-प्रदान तथा सहयोग को बढ़ावा मिलता है।

कमियाँ (Drawbacks)

- **उच्च लागत (High Costs):** हवाई यात्रा अन्य परिवहन विधियों की तुलना में अधिक महंगी होती है, जिससे कम आय वाले व्यक्तियों की पहुँच सीमित हो जाती है।
- **पर्यावरणीय प्रभाव (Environmental Impact):** विमानन उद्योग ग्रीनहाउस गैस उत्सर्जन एवं जलवायु परिवर्तन का प्रमुख कारक है।
- **आधारभूत संरचनाओं की चुनौतियाँ (Infrastructure Challenges):** हवाई अड्डे अक्सर भीड़भाड़ तथा अपर्याप्त सुविधाओं से जूझते हैं, जिससे बढ़ते यात्री यातायात को समायोजित करने के लिए निरंतर सुधार की आवश्यकता होती है।
- **सुरक्षा संबंधी चिंताएँ (Security Concerns):** हवाई यात्रा में आतंकवाद एवं अपहरण जैसे सुरक्षा खतरों का जोखिम होता है, जिसके लिए कठोर सुरक्षा प्रोटोकॉल की आवश्यकता होती है।
- **ध्वनि प्रदूषण (Noise Pollution):** हवाई अड्डे एवं उड़ान संचालन ध्वनि प्रदूषण का कारण बनते हैं, जिससे आसपास के समुदाय प्रभावित होते हैं।

भारत में विमान पत्तन प्रबंधन (Airport Management in India)

- **भारतीय विमानपत्तन प्राधिकरण (Airports Authority of India (AAI)):** एएआई भारत में नागरिक उड्डयन आधारभूत संरचनाओं की स्थापना, रख-रखाव तथा प्रबंधन के लिए जिम्मेदार शासी निकाय है, जो 100 से अधिक हवाई अड्डों की देख-रेख करता है।

- **निजी क्षेत्र की भागीदारी (Private Sector Participation):** हाल के वर्षों में कई प्रमुख हवाई अड्डों को सार्वजनिक-निजी भागीदारी (पीपीपी) के माध्यम से विकसित एवं संचालित किया गया है, जिसमें जीएमआर समूह, अडानी समूह तथा जीवीके समूह जैसी निजी कंपनियां एएआई (मुंबई को छोड़कर) के साथ प्रमुख हवाई अड्डों का प्रबंधन करती हैं।
- **राज्य सरकारें (State Governments):** कुछ राज्य सरकारें अक्सर एएआई या निजी हितधारकों के साथ साझेदारी में छोटे हवाई अड्डों के प्रबंधन में शामिल होती हैं।

संचार (Communication)

भारत में औपचारिक डाक प्रणाली की स्थापना से पहले, संचार परिवहन पर बहुत अधिक निर्भर था; व्यक्ति या तो प्राप्तकर्ता से मिलने के लिए यात्रा करते थे या संदेशवाहक नियुक्त करते थे। ब्रिटिश औपनिवेशिक सरकार ने प्रभावी शासन तथा व्यापार के लिए एक कुशल संचार नेटवर्क की आवश्यकता को पहचाना, जिसके परिणामस्वरूप 18वीं शताब्दी के अंत में पहली संगठित डाक प्रणाली का निर्माण हुआ।

डाक प्रणाली (Postal System)

वर्ष 1837 के भारतीय डाकघर अधिनियम ने देश भर में सेवाओं तथा दरों को मानकीकृत करके आधुनिक डाक प्रणाली की नींव रखी। 19वीं शताब्दी के मध्य में रेलवे के विस्तार के साथ ही शुरू हुई रेलवे मेल सेवा की शुरुआत ने डाक वितरण में उल्लेखनीय तेजी ला दी। वर्ष 1854 के भारतीय डाकघर अधिनियम ने डाक प्रणाली को और अधिक पुनर्गठित किया, एक समान डाक दरें लागू कीं और शहरी एवं ग्रामीण दोनों ही क्षेत्रों में डाकघर स्थापित किए। वर्ष 1947 में स्वतंत्रता के बाद, भारतीय डाक प्रणाली ने दूरदराज के क्षेत्रों तक पहुँचने के लिए तेजी से विस्तार किया, जो वैश्विक स्तर पर सबसे बड़े नेटवर्क में से एक बन गया। वर्ष 1986 में निजी कूरियर के साथ प्रतिस्पर्धा करते हुए हाई-स्पीड डाक सेवाएँ प्रदान करने के लिए स्पीड पोस्ट शुरू किया गया था।

टेलीग्राफ (Telegraph)

भारत में टेलीग्राफ की शुरुआत 19वीं सदी के मध्य में हुई थी, जिसकी पहली लाइन 1851 में कोलकाता (तब कलकत्ता) तथा डायमंड हार्बर के बीच स्थापित की गयी थी। 1854 तक कोलकाता, मुंबई (तब बॉम्बे), चेन्नई (तब मद्रास) तथा पेशावर जैसे प्रमुख शहर टेलीग्राफ लाइनों के माध्यम से आपस में जुड़ गए थे, जिससे भारत में ब्रिटिश साम्राज्य के पार संचार में वृद्धि हुई। यद्यपि, डिजिटल संचार के आगमन के साथ टेलीग्राफ का उपयोग कम हो गया तथा वर्ष 2013 में आधिकारिक रूप से सेवाएँ बंद कर दी गई।

टेलीफोन (Telephones)

भारत में पहला टेलीफोन एक्सचेंज वर्ष 1881 में कोलकाता में स्थापित किया गया था, जो टेलीफोन सेवाओं की शुरुआत का प्रतीक था। ये सेवाएँ धीरे-धीरे अन्य प्रमुख शहरों तक फैल गई। यद्यपि, शुरुआत में उनकी पहुँच मुख्य रूप से शहरी केंद्रों एवं सरकारी कार्यालयों तक ही सीमित थी। वर्ष 1990 के दशक में भारतीय अर्थव्यवस्था के उदारीकरण ने निजी दूरसंचार कंपनियों के प्रवेश को बढ़ावा दिया, जिसने मोबाइल फोन सेवाओं की शुरुआत के साथ इस क्षेत्र में क्रांति ला दी। वर्ष 2000 के दशक की शुरुआत में मोबाइल क्रांति देखी गयी, जिससे मोबाइल फोन अधिक आबादी के लिए किफायती तथा सुलभ हो गए। वर्तमान में भारत 5G तकनीक को सर्वाधिक तेजी से लागू करने वाले देशों में से एक है।

रेडियो (Radio)

भारत में रेडियो प्रसारण की शुरुआत वर्ष 1920 के दशक की शुरुआत में निजी रेडियो क्लबों के साथ हुई और पहला वाणिज्यिक स्टेशन, इंडियन ब्रॉडकास्टिंग कंपनी ने वर्ष 1927 में मुंबई तथा कोलकाता में परिचालन शुरू किया। ब्रिटिश सरकार ने वर्ष 1936 में रेडियो प्रसारण का नियंत्रण अपने हाथ में ले लिया और राष्ट्रीय प्रसारक के रूप में ऑल इंडिया रेडियो (एआईआर) की स्थापना की, जिसने द्वितीय विश्व युद्ध के दौरान समाचार प्रसारित करने तथा भारत छोड़ो आंदोलन को गति देने में महत्वपूर्ण भूमिका निभाई। स्वतंत्रता के बाद, एआईआर ने अपनी पहुँच का विस्तार किया, देश भर में और अधिक स्टेशन स्थापित किए तथा विभिन्न भाषाओं में प्रसारण शुरू किया।

टेलीविजन (Television)

भारत के सार्वजनिक सेवा प्रसारक दूरदर्शन ने वर्ष 1959 में टेलीविजन सेवाएँ शुरू कीं, जो 1982 में रंगीन प्रसारण शुरू होने के बाद विशेष रूप से लोकप्रिय हुई। वर्ष 1990 के दशक के उदारीकरण ने निजी टेलीविजन चौनलों को बाजार में प्रवेश करने की अनुमति दी, जिससे दूरदर्शन का एकाधिकार समाप्त हो गया तथा सामग्री में विविधता आई।

डिजिटल संचार (Digital Communication)

भारत में इंटरनेट की शुरुआत वर्ष 1995 में हुई थी, जिसके कारण किफायती डेटा प्लान और स्मार्टफोन के कारण उपयोगकर्ताओं की संख्या में तेजी से वृद्धि हुई। डिजिटल संचार को बढ़ावा देने के लिए ई-गवर्नेंस, ऑनलाइन शिक्षा तथा टेलीमेडिसिन सहित विभिन्न सरकारी पहल शुरू की गई। वर्ष 2015 में शुरू की

गयी डिजिटल इंडिया पहल का उद्देश्य आधारभूत संरचनाओं एवं इंटरनेट कनेक्टिविटी में सुधार करके डिजिटल रूप से सशक्त समाज बनाना था।

उपग्रह संचार (Satellite Communication)

उपग्रह संचार ने भारत की प्रसारण, दूरसंचार तथा इंटरनेट सेवाओं को महत्वपूर्ण रूप से बढ़ाया है। भारतीय अंतरिक्ष अनुसंधान संगठन (इसरो) ने कई संचार उपग्रह विकसित किए हैं, जिनमें दूरसंचार और प्रसारण के लिए इनसैट शृंखला, कनेक्टिविटी के लिए जीसैट शृंखला और दूरदराज के क्षेत्रों में दूरस्थ शिक्षा में सहायता प्रदान करने के लिए वर्ष 2004 में लॉन्च किया गया एडुसैट (जीसैट-3) शामिल है। जीसैट-7 शृंखला के उपग्रह भारतीय नौसेना के लिए सुरक्षित संचार प्रदान करते हैं, जबकि जीसैट-7ए वायु सेना और सेना का समर्थन करता है।

भारत को उपमहाद्वीप क्यों माना जाता है? (Why is India considered a sub-continent?)

यद्यपि, अंतर्राष्ट्रीय संगठन आधिकारिक रूप से इस शब्द को मान्यता नहीं देते हैं, लेकिन भारत को प्रायः इसकी अनूठी भौगोलिक विशेषताओं एवं सांस्कृतिक पहचान के कारण उपमहाद्वीप माना जाता है। इसके कुछ प्रमुख कारण निम्नवत हैं:

- **भौगोलिक अलगाव (Geographical Isolation):** भारत बड़े पैमाने पर पानी से घिरा हुआ है, दक्षिण में हिंद महासागर तथा पश्चिम एवं पूर्व में क्रमशः अरब सागर और बंगाल की खाड़ी है। उत्तर में, शक्तिशाली हिमालय हमें शेष एशिया से अलग करता है।
- **विविधता (Diversity):** इस भौगोलिक अलगाव ने भारत के विशिष्ट सांस्कृतिक एवं ऐतिहासिक विकास में योगदान दिया है। भारत में अनेक भाषा, धर्म तथा सांस्कृतिक परंपराओं वाली विविध आबादी है। यह विविधता, इसके आकार के साथ मिलकर इसे एक विशिष्ट भौगोलिक क्षेत्र बनाती है।
- **भूवैज्ञानिक संरचना (Geological Formation):** भारत का भू-भाग भारतीय प्लेट का हिस्सा है, जिसने लाखों वर्ष पहले यूरेशियन प्लेट से टकराकर हिमालय पर्वत का निर्माण किया है। जहां एशिया लॉरेशिया का भाग था, वहीं भारतीय प्लेट गोंडवानालैंड का हिस्सा थी। यह पूरी तरह से दक्षिणी गोलार्ध में स्थित था और समय के साथ उत्तर की ओर विस्थापित होकर यूरेशियन प्लेट से टकरा गया।
- **ऐतिहासिक महत्व (Historical Significance):** भारत का इतिहास हजारों वर्ष पुराना है।, सिंधु घाटी सभ्यता जैसी इसकी प्राचीन सभ्यताओं का विश्व पर गहरा प्रभाव पड़ा है।

यूपीएससी प्रारंभिक परीक्षा के विगत वर्षों के प्रश्न

1. निम्नलिखित कथनों पर विचार कीजिए
    1. चीन की तुलना में भारत के पास अधिक कृषियोग्य क्षेत्र है।
    2. चीन की तुलना में भारत में सिंचित क्षेत्र का अनुपात अधिक है।
    3. चीन की तुलना में भारत की कृषि में प्रति हेक्टेयर औसत उत्पादकता अधिक है।

    उपर्युक्त में से कितने कथन सही हैं? (2023)

    (a) केवल एक (b) केवल दो
    (c) सभी तीन (d) कोई भी नहीं

2. भारत के कतिपय तटीय क्षेत्रों में, प्रचुर मात्रा में उपलब्ध इल्मेनाइट और रूटाइल निम्नलिखित में से किसके समृद्ध स्रोत हैं? (2023)

    (a) ऐलुमिनियम (b) ताम्र
    (c) लोह (d) टाइटेनियम

3. निम्नलिखित राज्यों पर विचार कीजिए: (2022)
    1. आंध्र प्रदेश
    2. केरल
    3. हिमाचल प्रदेश
    4. त्रिपुरा

    उपर्युक्त में से कितने आम तौर पर चाय-उत्पादक राज्य के रूप में जाने जाते हैं?

    (a) केवल एक राज्य (b) केवल दो राज्य
    (c) केवल तीन राज्य (d) सभी चारों राज्य

4. भारत के सन्दर्भ में, निम्नलिखित कथनों पर विचार कीजिए: (2022)
    1. मोनाजाइट दुर्लभ मृदाओं का स्रोत है।
    2. मोनाजाइट में थोरियम होता है।
    3. भारत की समस्त तटवर्ती बालुकाओं में मोनाजाइट प्राकृतिक रूप में होता है।
    4. भारत में, केवल सरकारी निकाय ही मोनाजाइट संसाधित या निर्यात कर सकते हैं।

    उपर्युक्त कथनों में कौन-से सही हैं?

    (a) केवल 1, 2 और 3
    (b) केवल 1, 2 और 4
    (c) केवल 3 और 4
    (d) 1, 2, 3 और 4

5. निम्नलिखित में से कौन-सी फसल, न्यूनतम जल-दक्ष (लीस्ट वॉटर-एफिशिएंट) फसल है? (2021)

    (a) गन्ना (b) सूरजमुखी
    (c) बाजरा (d) अरहर (रेड ग्राम)

उत्तर कुंजी

1. (b) 2. (d) 3. (d) 4. (b) 5. (a)

यूपीएससी मुख्य परीक्षा के विगत वर्षों के प्रश्न

1. उष्णकटिबंधीय देशों में खाद्य सुरक्षा पर जलवायु परिवर्तन के परिणामों की विवेचना कीजिए। (2023, 10 अंक)
2. भारत की लंबी तटरेखीय संसाधन क्षमताओं पर टिप्पणी कीजिए और इन क्षेत्रों में प्राकृतिक खतरे की तैयारी की स्थिति पर प्रकाश डालिए। (2023, 10 अंक)
3. 'दक्कन ट्रैप' की प्राकृतिक संसाधन-संभावनाओं की चर्चा कीजिये। (2022, 10 अंक)
4. भारत में पवन ऊर्जा की संभावना का परीक्षण कीजिये एवं उनके सीमित क्षेत्रीय विस्तार के कारणों को समझाइये। (2022, 10 अंक)
5. भारत में पवन ऊर्जा की संभावना का परीक्षण कीजिये एवं उनके सीमित क्षेत्रीय विस्तार के कारणों को समझाइये। (2022, 10 अंक)
6. भारत में सौर ऊर्जा की प्रचुर संभावनाएँ हैं हालाँकि इसके विकास में क्षेत्रीय भिन्नताएँ हैं। विस्तृत वर्णन कीजिए। (250 शब्दों में उत्तर दीजिए) (2020, 10 अंक)
7. वर्तमान में लौह एवं इस्पात उद्योगों की कच्चे माल के स्रोत से दूर स्थिति का उदाहरणों सहित कारण बताइए। (150 शब्दों में उत्तर दीजिए) (2020, 10 अंक)

इस अध्याय पर वैचारिक वीडियो देखने के लिए कृपया यहां दिए गए क्यूआर कोड को स्कैन करें

अध्याय

15

भारतीय राज्य एवं संघ राज्यक्षेत्र (INDIAN STATES AND UNION TERRITORIES)

अध्याय की रूपरेखा (Chapter Outline)

भूमिका (INTRODUCTION)

भारत की जनगणना (2011) दो चरणों में आयोजित की गयी थी- मकान सूचीकरण एवं जनसंख्या। उस समय 28 राज्य, 7 संघ राज्यक्षेत्र थे, जिनमें 640 जिले, 497 शहर, 5,767 तहसील तथा 6 लाख से अधिक गाँव शामिल थे। 2014 में आंध्र प्रदेश को दो राज्यों, अर्थात आंध्र प्रदेश एवं तेलंगाना में विभाजित किया गया था; इसके प्रभाव से राज्यों की कुल संख्या 29 हो गयी और 7 संघ राज्यक्षेत्र हो गए। जनवरी, 2020 में दादरा एवं नगर हवेली तथा दमन दीव नामक दो संघ राज्यक्षेत्रों को मिलाकर एक बना दिया गया, जिसका नाम दादरा एवं नगर हवेली और दमन एवं दीव रखा गया। यद्यपि, अनुच्छेद 370 को हटाने के बाद वर्ष 2019 में जम्मू एवं कश्मीर राज्य को दो संघ राज्यक्षेत्रों, अर्थात् जम्मू एवं कश्मीर तथा लद्दाख में विभाजित किया गया है। इस समय भारत में 28 राज्य और 8 संघ राज्यक्षेत्र हैं।

इस अध्याय में राज्यों एवं संघ राज्यक्षेत्रों की एक समग्र झलक प्रदान की गयी है और तालिकाओं, पाठ तथा मानचित्रों के माध्यम से प्रत्येक राज्य और संघ राज्यक्षेत्र के बारे में जानकारी प्रदान की गयी है।

तालिका 15.1 सर्वाधिक जनसंख्या वाले मेट्रो शहर (जनगणना 2011 के आंकड़ों पर आधारित)

शहर	2011
मुंबई	18,394,912
दिल्ली	16,349,831
कोलकाता	14,035,959
चेन्नई	8,653,521
बैंगलोर	8,520,435

तालिका 15.2 शीर्ष साक्षर राज्य/संघ राज्यक्षेत्र (जनगणना 2011 के आंकड़ों पर आधारित)

शहर	2011 (प्रतिशत में)
केरल	93.9
लक्षद्वीप	92.3
मिजोरम	91.6
त्रिपुरा	87.8
गोवा	87.4

तालिका 15.3 सबसे कम साक्षर राज्य (जनगणना 2011 के आंकड़ों पर आधारित)

शहर	2011 (प्रतिशत में)
बिहार	61.8
अरुणाचल प्रदेश	65.4
राजस्थान	66.1
झारखंड	66.4
आंध्र प्रदेश	67.0

तालिका 15.4 सर्वश्रेष्ठ लिंगानुपात वाले राज्य (जनगणना 2011 के आंकड़ों पर आधारित)

शहर	2011
केरल	1,084
पुडुचेरी	1,037
तमिलनाडु	996
आंध्र प्रदेश	993
छत्तीसगढ़	991

तालिका 15.5 न्यूनतम लिंगानुपात वाले राज्य (जनगणना 2011 के आंकड़ों पर आधारित)

शहर	2011 की जनगणना
हरियाणा	1,000 पुरुषों पर 879 महिलाएं
जम्मू एवं कश्मीर	1,000 पुरुषों पर 889 महिलाएं
सिक्किम	1,000 पुरुषों पर 890 महिलाएं
पंजाब	1,000 पुरुषों पर 895 महिलाएं
उत्तर प्रदेश	1,000 पुरुषों पर 912 महिलाएं

तालिका 15.6 जनसंख्या, साक्षरता, लिंगानुपात, घनत्व तथा दशकीय वृद्धि दर के साथ राज्य/संघ राज्य क्षेत्र (जनगणना 2011 के आंकड़ों पर आधारित)

राज्य/संघ राज्यक्षेत्र	राजधानी	भाषा	जनसंख्या	घनत्व (प्रति वर्ग किमी)	लिंगानुपात	साक्षरता
भारत	**नई दिल्ली**		**1,210,854,977**	**382**	**940**	**74.04**
आंध्र प्रदेश (तेलंगाना सहित)	हैदराबाद	तेलुगु	4,580,777	308	993	67.02
अरुणाचल प्रदेश	ईटानगर	अका, मिजी, मोनपा, शेरडुकपेन	1,383,727	17	938	65.38
असम	दिसपुर	असमिया, बंगाली	31,205,576	398	958	72.19
बिहार	पटना	हिंदी, उर्दू	104,099,452	1106	918	61.80
छत्तीसगढ़	रायपुर	हिंदी	25,545,198	189	991	70.28
गोवा	पणजी	कोंकणी, मराठी, गुजराती	1,458,545	394	973	88.70
गुजरात	गांधीनगर	गुजराती, हिन्दी	60,439,692	308	919	78.03

(Continued)

तालिका 15.6 *(Continued)*

राज्य/संघ राज्यक्षेत्र	राजधानी	भाषा	जनसंख्या	घनत्व (प्रति वर्ग किमी)	लिंगानुपात	साक्षरता
हरियाणा	चंडीगढ़	हिंदी	25,351,462	573	879	75.55
हिमाचल प्रदेश	शिमला	हिंदी, पहाड़ी	6,864,602	123	972	82.80
झारखंड	रांची	हिन्दी, संथाली	32,988,134	414	948	66.41
कर्नाटक	बेंगलुरु	कन्नड़	61,095,297	319	973	75.36
केरल	तिरुवनंतपुरम	मलयालम	33,406,061	860	1084	94
मध्य प्रदेश	भोपाल	हिंदी, उर्दू	72,626,809	236	931	69.32
महाराष्ट्र	मुंबई	मराठी, हिंदी, कोंकणी	112,374,333	365	929	82.34
मणिपुर	इंफाल	मणिपुरी	2,855,794	128	985	76.94
मेघालय	शिलांग	खासी और गारो	2,966,889	132	989	74.43
मिजोरम	आइजोल	मिजो, अंग्रेजी	1,097,206	52	976	91.33
नागालैंड	कोहिमा	अंगामी, एओ, चांग, कोन्याक, लोथा	1,978,502	119	931	79.55
ओडिशा	भुवनेश्वर	ओड़िया	41,974,218	270	979	72.87
पंजाब	चंडीगढ़	पंजाबी तथा हिंदी	27,743,338	551	895	75.84
राजस्थान	जयपुर	राजस्थानी, हिन्दी	68,548,437	200	928	66.11
सिक्किम	गंगटोक	लेप्चा, भूटिया, नेपाली	610,577	86	890	81.4
तमिलनाडु	चेन्नई	तमिल	72,147,030	555	996	80.09
त्रिपुरा	अगरतला	बंगाली, कोकबोरक	3,673,917	350	960	87.22
उत्तर प्रदेश	लखनऊ	हिंदी, उर्दू	199,812,341	829	912	67.68
उत्तराखंड	देहरादून	हिंदी	10,086,292	189	963	78.82
पश्चिम बंगाल	कोलकाता	बंगाली	91,276,115	1,028	950	76.26
अंडमान एवं निकोबार द्वीप समूह	पोर्ट ब्लेयर	बंगाली, हिंदी, निकोबारी, तमिल	380,581	46	876	86.6
चंडीगढ़	चंडीगढ़	पंजाबी, हिंदी	1,055,450	9,258	818	86.05
दादर एवं नगर हवेली	दमन	गुजराती, हिन्दी	343,709	700	774	76.2
दमन एवं दीव	दमन	गुजराती, हिन्दी	243,247	2,191	618	87.1
दिल्ली	नई दिल्ली	हिंदी, उर्दू, पंजाबी, अंग्रेजी	16,787,941	11,320	868	86.21
जम्मू एवं कश्मीर (लद्दाख सहित)	श्रीनगर (लद्दाख-लेह)	उर्दू, कश्मीरी, लद्दाखी, दारी, पंजाबी, बाल्टी, पहाड़ी, डोगरी	12,541,302	56	889	67.16
लक्षद्वीप	कवरत्ती	मलयालम	64,473	2,149	946	91.8
पुडुचेरी	पुडुचेरी	तमिल, तेलुगु, मलयालम, फ्रेंच	1,247,953	2,547	1037	85.85

तालिका 15.7 राज्य/संघ राज्यक्षेत्रों का राज्य पशु, राज्य पक्षी, राज्य वृक्ष और राज्य पुष्प

राज्य/संघ राज्यक्षेत्र	राज्य पशु	राज्य पक्षी	राज्य वृक्ष	राज्य पुष्प
आंध्र प्रदेश	काला हिरण/कृष्ण जिंका	गुलाब-छल्ले वाला तोता	नीम	चमेली
अरुणाचल प्रदेश	मिथुन/गयाल	ग्रेट हॉर्नबिल	होलोंग	लेडी स्लिपर आर्किड
असम	एक सींग वाला गैंडा	सफेद पंखों वाला वुड डक	होलोंग	फॉक्सटेल आर्किड
बिहार	गौर	घरेलू गौरैया	पीपल	पॉट मैरीगोल्ड
छत्तीसगढ़	जंगली भैंस	पहाड़ी मैना	साल	मैरीगोल्ड
गोवा	गौर	ब्लैक क्रेस्टेड बुलबुल	मट्टी	लाल चमेली
गुजरात	एशियाई शेर	ग्रेटर फ्लेमिंगो	बरगद	मैरीगोल्ड
हरियाणा	काला हिरण	ब्लैक फ्रैंकोलिन	पीपल	कमल
हिमाचल प्रदेश	कस्तूरी मृग	मोनल	देवदार	रोडोडेंड्रोन
जम्मू एवं कश्मीर	हंगुल	काली गर्दन वाला सारस	चिनार	कमल
झारखंड	हाथी	कोयल	साल	पलाश
कर्नाटक	हाथी	भारतीय रोलर	चंदन	कमल
केरल	हाथी	ग्रेट हॉर्नबिल	नारियल	कनीकोना
मध्य प्रदेश	दलदल मृग	पैराडाइज फ्लाई कैचर	बरगद	सफेद या मैडोना लिली
महाराष्ट्र	विशालकाय गिलहरी	हरा शाही कबूतर	आम	जरुल
मणिपुर	संगाई	श्रीमती ह्यूम का तीतर	टून	शिरॉय लिली
मेघालय	धूमिल तेंदुआ	पहाड़ी मैना	गमारी	लेडी स्लिपर आर्किड
मिजोरम	हिलॉक गिब्बन	श्रीमती ह्यूम का तीतर	आयरन वुड	लाल वनाडा
नागालैंड	मिथुन	ब्लिथ का ट्रैगोपैन	एल्डर	फोडोडेंड्रोन
ओडिशा	हाथी	मोर	बरगद	कमल
पंजाब	काला हिरण	उत्तरी गोशाक	शीशम	ग्लेडियोलस
राजस्थान	चिंकारा	गोडावन (भारतीय बस्टर्ड)	खेजड़ी	रोहिड़ा
सिक्किम	रेड पांडा	रक्त तीतर	रोडोडेंड्रोन	नोबेल ऑर्किड
तमिलनाडु	नीलगिरि तहर	पन्ना कबूतर	पामेरा पाम	कांधल
त्रिपुरा	फिरे का लंगूर	हरा शाही कबूतर	आगर	नागेश्वर
उत्तराखंड	कस्तूरी मृग	हिमालयन मोनाल	बुरांस	ब्रह्म कमल
उत्तर प्रदेश	स्वांप हिरण	सारस क्रेन	अशोक	पलाश
पश्चिम बंगाल	फिशिंग कैट	सफेद गले वाला किंग फिशर	चौटिम	पारिजात
अंडमान एवं निकोबार द्वीप समूह	डुगोंग	अंडमान वुड कबूतर	अंडमान पडौक	प्यिन्मा
चंडीगढ़	भारतीय ग्रे नेवला	भारतीय ग्रे हार्नबिल	आम	पलाश
दादरा एवं नगर हवेली और दमन एवं दीव	–	पहाड़ी मैना	–	–
दिल्ली	नीलगाय	घरेलू गौरैया	अमलतास	अल्फाल्फा
लक्षद्वीप	बटरफ्लाय फिश	सूटी टर्न	ब्रेड फ्रूट	नीलकुरिंजी
पुडुचेरी	भारतीय पाम गिलहरी	एशियाई कोयल	बेल फ्रूट ट्री	नागलिंगम

तालिका 15.8 राज्य/संघ राज्यक्षेत्र तथा उनकी प्रमुख फसलें, उद्योग, पड़ोसी राज्य और खनिज

राज्य/संघ राज्यक्षेत्र	प्रमुख फसलें	मुख्य उद्योग	पड़ोसी राज्य	खनिज
आंध्र प्रदेश	चावल, ज्वार, रागी, मक्का	लोहा, इस्पात, जूट, फार्मास्यूटिकल्स, जहाज निर्माण, विमान	उत्तर में महाराष्ट्र, छत्तीसगढ़, तेलंगाना और ओडिशा, पश्चिम में कर्नाटक और दक्षिण में तमिलनाडु, इसकी पूर्वी सीमा बंगाल की खाड़ी से बनती है।	देश में गुणवत्ता वाले एस्बेस्टस के सबसे बड़े भंडार। तांबा, मैंगनीज, अभ्रक, कोयला, हीरा, कीमती पत्थर और चूना पत्थर
अरुणाचल प्रदेश	चावल, मक्का, गेहूं, सरसों	प्लाईवुड, हस्तशिल्प	अरुणाचल प्रदेश राज्य के उत्तर में तिब्बत (चीन), पूर्व में म्यांमार, दक्षिण में असम और नागालैंड और पश्चिम में भूटान है।	अरुणाचल प्रदेश के महत्वपूर्ण खनिजों में कोयला, चूना पत्थर और निर्माण सामग्री शामिल हैं।
असम	चावल, चाय, जूट	तेल रिफाइनरी, उर्वरक, कागज	असम राज्य के उत्तर में भूटान और अरुणाचल प्रदेश, पूर्व में अरुणाचल प्रदेश, नागालैंड और मणिपुर, दक्षिण में मिजोरम और त्रिपुरा और दक्षिण में पश्चिम बंगाल, बांग्लादेश तथा मेघालय से घिरा हुआ है।	कच्चा तेल, प्राकृतिक गैस, कोयला, चूना पत्थर, रिफ्रेक्टरी क्ले (आग रोक मिट्टी), आदि।
बिहार	चावल, गेहूं, कपास, जूट	चीनी, कागज, रेशम, चमड़ा	बिहार राज्य उत्तर में नेपाल, पूर्व में पश्चिम बंगाल, दक्षिण में झारखंड और पश्चिम में उत्तर प्रदेश से घिरा हुआ है।	भारतीय भूवैज्ञानिक सर्वेक्षण द्वारा यह अनुमान लगाया गया है कि बिहार में सोने के विशाल भंडार हो सकते हैं।
छत्तीसगढ़	चावल, गेहूं, मक्का, दालें, जूट	खनन, लोहा, सीमेंट	यह उत्तर में मध्य प्रदेश, उत्तर प्रदेश एवं झारखंड, पूर्व में झारखंड एवं ओडिशा, दक्षिण में आंध्र प्रदेश एवं पश्चिम में मध्य प्रदेश एवं महाराष्ट्र से घिरा हुआ है। क्षेत्रफल की दृष्टि से छत्तीसगढ़ नौवां सबसे बड़ा राज्य है और जनसंख्या की दृष्टि से यह देश का सत्रहवाँ सबसे बड़ा राज्य है।	छत्तीसगढ़ कोयला, लौह-अयस्क, चूना पत्थर, बॉक्साइट, डोलोमाइट, टिन अयस्क, सोना, ग्रेफाइट, कोरन्डम और हीरे से समृद्ध है। यहाँ सोने, ग्रेफाइट और कोरन्डम के छोटे-छोटे भंडार हैं। यह देश का एकमात्र टिन उत्पादक राज्य है।
गोवा	चावल, रागी	मत्स्य पालन, जहाज निर्माण	गोवा राज्य उत्तर में महाराष्ट्र एवं कर्नाटक, दक्षिण एवं पूर्व में कर्नाटक से घिरा है, जबकि पश्चिम में अरब सागर है।	खनिज उत्पाद फेरो-मैंगनीज, बॉक्साइट और लौह-अयस्क हैं, जो निर्यात के माध्यम से राज्य की अर्थव्यवस्था में महत्वपूर्ण योगदान देते हैं।
गुजरात	चावल, गेहूँ, बाजरा, कपास, ऊन	सीमेंट, कागज	यह उत्तर में पाकिस्तान एवं राजस्थान, पूर्व में मध्य प्रदेश एवं दक्षिण में महाराष्ट्र से घिरा है, जबकि दक्षिण में अरब सागर स्थित है।	गुजरात में भारत के कई जीवाश्म ईंधन संसाधन हैं, जिनमें लिग्नाइट, प्राकृतिक गैस, साथ ही अनुमानित शेल तेल और गैस संसाधन शामिल हैं। इसमें कई अन्य गैर-धात्विक खनिज जैसे परलाइट, फ्लोराइट आदि भी हैं।
हरियाणा	चावल, गेहूँ	डेयरी, ऑटोमोबाइल इंजीनियरिंग, चीनी	यह उत्तर में पंजाब एवं हिमाचल प्रदेश, पूर्व में उत्तर प्रदेश एवं दिल्ली और दक्षिण एवं पश्चिम में राजस्थान से घिरा है।	हरियाणा में भारतीय टिन संसाधनों का 64 प्रतिशत भाग है। इसमें क्वार्ट्ज-सिलिका रेत, क्वार्टजाइट आदि जैसे खनिजों के महत्वपूर्ण भंडार भी हैं।
हिमाचल प्रदेश	गेहूँ, मक्का	वन उत्पाद	हिमाचल प्रदेश राज्य उत्तर में जम्मू एवं कश्मीर, पूर्व में तिब्बत (चीन) और उत्तराखंड, दक्षिण एवं दक्षिण-पश्चिम में हरियाणा और पंजाब से घिरा है।	हिमाचल प्रदेश में पाए जाने वाले महत्वपूर्ण खनिज सेंधा नमक, स्लेट, पत्थर, जिप्सम, चूना पत्थर, डोलोमाइट और पाइराइट हैं।

(Continued)

तालिका 15.8 *(Continued)*

राज्य/संघ राज्यक्षेत्र	प्रमुख फसलें	मुख्य उद्योग	पड़ोसी राज्य	खनिज
झारखंड	चावल, मक्का	लोहा और इस्पात, सीमेंट, कागज	यह उत्तर में बिहार, पूर्व में पश्चिम बंगाल, दक्षिण में ओडिशा एवं पश्चिम में उत्तर प्रदेश, मध्य प्रदेश और छत्तीसगढ़ से घिरा हुआ है।	भारत के सबसे अधिक खनिज समृद्ध राज्यों में से एक। धात्विक खनिजः लोहा, मैंगनीज और बॉक्साइट। गैर-धात्विक खनिजः अभ्रक, कोयला। भारत का पन्ना उत्पादन में लगभग एकाधिकार वाला राज्य है।
कर्नाटक	चावल, गेहूं, तंबाकू, सूरजमुखी, कपास, रेशम	विमान, कांच, आईटी	कर्नाटक राज्य उत्तर में महाराष्ट्र, पूर्व में आंध्र प्रदेश, दक्षिण में तमिलनाडु एवं केरल से घिरा हुआ है, जबकि पश्चिमी सीमा अरब सागर बनाता है।	धात्विक खनिजः लोहा, मैंगनीज, सोना, वैनेडियम और टंगस्टन। गैर-धात्विक खनिजः चूना पत्थर।
केरल	चावल, नारियल, काली मिर्च, इलायची	जहाज निर्माण, कागज, आईटी	केरल राज्य उत्तर में कर्नाटक, पूर्व में तमिलनाडु और पश्चिम में अरब सागर से घिरा हुआ है।	राज्य में इल्मेनाइट, रूटाइल, मोनाजाइट, जिरकोन, सिलिमेनाइट, मिट्टी और क्वार्ट्ज रेत जैसे महत्वपूर्ण खनिजों की प्रचुरता है।
मध्य प्रदेश	चावल, गेहूं, रेशम, चीनी	सीमेंट	मध्य प्रदेश राज्य उत्तर में उत्तर प्रदेश, पूर्व में झारखंड एवं छत्तीसगढ़, दक्षिण में महाराष्ट्र और पश्चिम में गुजरात एवं राजस्थान से घिरा हुआ है।	मध्य प्रदेश एक खनिज समृद्ध राज्य है। मुख्य खनिज कोयला, डोलोमाइट, चूना पत्थर, बॉक्साइट, तांबा, हीरा और कीमती पत्थर हैं।
महाराष्ट्र	चावल, गेहूँ, कपास	चमड़ा, ऑटोमोबाइल इंजीनियरिंग विमान, फार्मा	महाराष्ट्र राज्य उत्तर में गुजरात एवं मध्य प्रदेश, पूर्व में छत्तीसगढ़ एवं आंध्र प्रदेश, दक्षिण में कर्नाटक एवं गोवा से घिरा हुआ है, जबकि पश्चिम में अरब सागर है।	धात्विक खनिजः बॉक्साइट, लौह अयस्क, तांबा, सोना और मैंगनीज की थोड़ी मात्रा। गैर-धात्विकः फ्लोराइट और चूना पत्थर
मणिपुर	चावल, मक्का	हस्तशिल्प	यह उत्तर में नागालैंड, पूर्व में म्यांमार, दक्षिण में मिजोरम एवं पश्चिम में असम से घिरा हुआ है।	चूना पत्थर, वाष्पशील, क्रोमाइट और कुछ लौह खनिज। जेडाइट जैसे कीमती पत्थर भी कम मात्रा में पाए जाते हैं।
मेघालय	चावल, मक्का	हस्तशिल्प	मेघालय राज्य उत्तर एवं पूर्व में असम और दक्षिण तथा पश्चिम में बांग्लादेश से घिरा हुआ है।	चूना पत्थर और कोयला। यह राज्य रैट-होल खनन के लिए जाना जाता है।
मिजोरम	चावल	हस्तशिल्प	यह उत्तर में असम एवं मणिपुर, पूर्व में म्यांमार तथा पश्चिम में बांग्लादेश और त्रिपुरा से घिरा हुआ है।	लिग्नाइट कोयला, बलुआ पत्थर, पाइराइट
नागालैंड	चावल	कागज, प्लाईवुड	यह पश्चिम एवं उत्तर में असम, पूर्व में म्यांमार एवं दक्षिण में मणिपुर से घिरा हुआ है।	कोयला, लौह अयस्क, कोबाल्ट, चूना पत्थर
ओडिशा	चावल	लोहा और इस्पात, एल्युमीनियम	ओडिशा राज्य उत्तर में झारखंड एवं पश्चिम बंगाल, पश्चिम में छत्तीसगढ़, दक्षिण में आंध्र प्रदेश एवं दक्षिण और पूर्व में बंगाल की खाड़ी से घिरा हुआ है।	यह भारत के सर्वाधिक खनिज समृद्ध राज्यों में से एक है। लौह अयस्क, मैंगनीज, बॉक्साइट, तांबा, कोबाल्ट, निकल, आदि। भारत के माणिक के संपूर्ण ज्ञात भंडार यहां स्थित है।
पंजाब	गेहूँ, चावल	साइकिल, खेल सामान, चीनी, कागज, ऊन	पंजाब राज्य पश्चिम में पाकिस्तान, उत्तर में जम्मू एवं कश्मीर तथा हिमाचल प्रदेश, दक्षिण एवं पूर्व में राजस्थान और हरियाणा से घिरा हुआ है।	क्वार्ट्ज और सिलिका रेत; राज्य में सतलुज की रेत में हाल ही में टैंटालम की खोज की गयी है।

(Continued)

तालिका 15.8 *(Continued)*

राज्य/संघ राज्यक्षेत्र	प्रमुख फसलें	मुख्य उद्योग	पड़ोसी राज्य	खनिज
राजस्थान	गेहूँ, बाजरा, ज्वार	संगमरमर, कपड़ा, सीमेंट, चीनी	राजस्थान राज्य पश्चिम में पाकिस्तान, उत्तर में पंजाब एवं हरियाणा, पूर्व में उत्तर प्रदेश एवं मध्य प्रदेश तथा दक्षिण में गुजरात से घिरा हुआ है।	राजस्थान में तांबा, जस्ता, सीसा, चांदी, अभ्रक, संगमरमर, पन्ना, ग्रेनाइट, जिप्सम, अभ्रक, फेल्डस्पार और इमारती पत्थरों के प्रचुर भंडार हैं।
सिक्किम	गेहूँ, चावल, बाजरा	चमड़ा, भोजन	सिक्किम उत्तर में चीन, पूर्व में भूटान, पश्चिम में नेपाल तथा दक्षिण में पश्चिम बंगाल से घिरा हुआ है।	तांबा-जस्ता-सीसा, चांदी, डोलोमाइट, क्वार्टजाइट, चूना पत्थर, संगमरमर के कुछ भंडार।
तमिलनाडु	चावल, दालें	चमड़ा, ऑटोमोबाइल, लोहा इस्पात, सीमेंट	तमिलनाडु राज्य उत्तर में आंध्र प्रदेश एवं कर्नाटक, पश्चिम में केरल से घिरा हुआ है, जबकि पूर्व एवं दक्षिण में बंगाल की खाड़ी तथा हिंद महासागर है।	लिग्नाइट, वर्मीक्यूलाइट, मोलिब्डेनम, रूटाइल, गार्नेट और इल्मेनाइट
तेलंगाना	चावल, मक्का, लाल और हरा चना, मिर्च, मूंगफली, सोरघम	कागज, सीमेंट, फैशन आइटम	महाराष्ट्र, छत्तीसगढ़, आंध्र प्रदेश, कर्नाटक।	चूना पत्थर और कीनाइट का एक प्रमुख स्रोत हैं। राज्य में कुछ लौह अयस्क भी पाये जाते हैं।
त्रिपुरा	चावल, रेशम उत्पादन	हथकरघा	त्रिपुरा राज्य अपने पूर्वी भाग को छोड़कर बांग्लादेश से घिरा हुआ है। पूर्वी भाग की सीमा असम एवं मिजोरम से लगती है।	सबसे महत्वपूर्ण प्राकृतिक गैस है।
उत्तराखंड	गन्ना, चावल, गेहूँ	पर्यटन	उत्तराखंड राज्य 9 नवंबर, 2000 को उत्तर प्रदेश से अलग होकर बना था। यह उत्तर में तिब्बत (चीन), पूर्व में नेपाल, दक्षिण में उत्तर प्रदेश और उत्तर-पश्चिम में हिमाचल प्रदेश से घिरा है।	मुख्य खनिजों में चूना पत्थर, मैग्नेसाइट, स्टीटाइट और टंगस्टन शामिल हैं।
उत्तर प्रदेश	चावल, गेहूँ, मक्का	चीनी, चमड़ा, धातु, कांच का काम	उत्तर प्रदेश राज्य उत्तर में हिमाचल प्रदेश, उत्तराखंड तथा नेपाल, पूर्व में बिहार एवं झारखंड, दक्षिण में छत्तीसगढ़ एवं मध्य प्रदेश और पश्चिम में हरियाणा, दिल्ली तथा राजस्थान से घिरा है।	चूना पत्थर, मैग्नेसाइट, कोयला, रॉक-फॉस्फेट, डोलोमाइट, सिलिका, रेत मुख्य खनिज हैं।
पश्चिम बंगाल	चावल, आलू, जूट	चाय, चीनी, रसायन, उर्वरक	पश्चिम बंगाल राज्य उत्तर में सिक्किम एवं भूटान, पूर्व में असम एवं बांग्लादेश, पश्चिम में नेपाल, बिहार, झारखंड तथा ओडिशा से घिरा हुआ है। दक्षिण में बंगाल की खाड़ी है।	कोयला, एपेटाइट, वोलफ्रेमाइट, कायनाइट, सजावटी पत्थर और रेत।
अंडमान और निकोबार द्वीप समूह	धान, दालें, तिलहन, नारियल	हस्तशिल्प, मत्स्य पालन	बंगाल की खाड़ी में स्थित, अंडमान और निकोबार द्वीप समूह हिंद महासागर के पानी से घिरा हुआ है।	यहाँ पायी जाने वाली सबसे मूल्यवान लकड़ी पडौक और गुर्जन हैं।
चंडीगढ़	कुछ फल और सब्जियाँ, और पेरी-अर्बन के आस-पास के इलाकों में चावल, गेहूँ	फार्मास्यूटिकल्स, आईटी उद्योग	इसका नक्शा एक फ्रांसीसी वास्तुकार, ली कोर्बुसियर द्वारा तैयार किया गया था। यह हरियाणा एवं पंजाब दोनों की राजधानी है।	

(Continued)

तालिका 15.8 *(Continued)*

राज्य/संघ राज्यक्षेत्र	प्रमुख फसलें	मुख्य उद्योग	पड़ोसी राज्य	खनिज
दादरा नगर हवेली और दमन एवं दीव	धान, रागी, बाजरा, ज्वार, गेहूँ, दालें	विनिर्माण, इंजीनियरिंग, पर्यटन, फार्मास्यूटिकल्स, धातु विज्ञान	दादरा एवं नगर हवेली दक्षिण गुजरात में स्थित है। यह एक संघ राज्यक्षेत्र है तथा मुंबई उच्च न्यायालय के अधिकार क्षेत्र में आता है। उत्तर में गुजरात तथा दक्षिण में महाराष्ट्र के बीच 491.00 वर्ग किलोमीटर में फैले दादरा नगर हवेली के क्षेत्र को 2 अगस्त, 1954 को लोगों ने खुद पुर्तगाली शासकों से मुक्त कराया था। 26 जनवरी, 2020 को दादरा एवं नगर हवेली और दमन एवं दीव के नए संघ राज्यक्षेत्र का गठन करने के लिए इस संघ राज्यक्षेत्र को पड़ोसी संघ राज्यक्षेत्र दमन एवं दीव के साथ मिला दिया गया था। दादरा एवं नगर हवेली का क्षेत्र तब दादरा एवं नगर हवेली जिले के रूप में नए संघ राज्यक्षेत्र के तीन जिलों में से एक बन गया।	रेत के भंडार नदी के किनारों और तटीय क्षेत्रों में पाए जाते हैं, जिनका उपयोग मुख्य रूप से विनिर्माण उद्देश्यों के लिए किया जाता है
दिल्ली	गेहूँ, बाजरा, ज्वार	आईटी, दूरसंचार, विनिर्माण, पर्यटन	दिल्ली की सीमा पूर्व में उत्तर प्रदेश से लगती है, जबकि यह चारों तरफ से हरियाणा से घिरी हुई। पुराना शहर यमुना नदी के किनारे स्थित है।	
जम्मू एवं कश्मीर	चावल, गेहूँ, रेशम, ऊन, सूखे मेवे, केसर	पर्यटन, ऊनी और कालीन वस्त्र, खेल उपकरण (लकड़ी के बल्ले)	उत्तर एवं पूर्व में लद्दाख, दक्षिण में हिमाचल प्रदेश और पंजाब तथा पश्चिम में पाकिस्तान से घिरा हुआ है।	कालाकोट में एन्थ्रेसाइट कोयला। हाल ही में, लिथियम के भंडार भी खोजे गए हैं। भारत का शत-प्रतिशत बोरेक्स और नीलम यहां पाया जाता है।
लद्दाख	सी बकथॉर्न, खुबानी, जौ	हस्तशिल्प, पर्यटन, नवीकरणीय ऊर्जा	उत्तर: चीन और अफगानिस्तान; पूर्व: चीन; पश्चिम: पाकिस्तान और जम्मू एवं कश्मीर; दक्षिण: हिमाचल प्रदेश।	चूना पत्थर, बोरेक्स और मैग्नेसाइट
लक्षद्वीप	नारियल, शकरकंद	कॉयर, पर्यटन	यहाँ 36 रीफ-द्वीप हैं, जिनमें से केवल 11 द्वीपों पर ही लोग रहते हैं। ये द्वीप अरब सागर में केरल तट से लगभग 280 से 480 किमी दूर स्थित हैं।	रेत और मूंगा
पुडुचेरी	चावल, दालें, नारियल, कपास	इंजीनियरिंग, पर्यटन, वस्त्र	यह पूर्व में बंगाल की खाड़ी तथा तीन तरफ से तमिलनाडु से घिरा हुआ है।	चूना पत्थर

स्रोत: सड़क परिवहन एवं राजमार्ग मंत्रालय, रेल मंत्रालय, भारत सरकार।

भारतीय राज्यों के मानचित्र (MAPS OF INDIAN STATES)

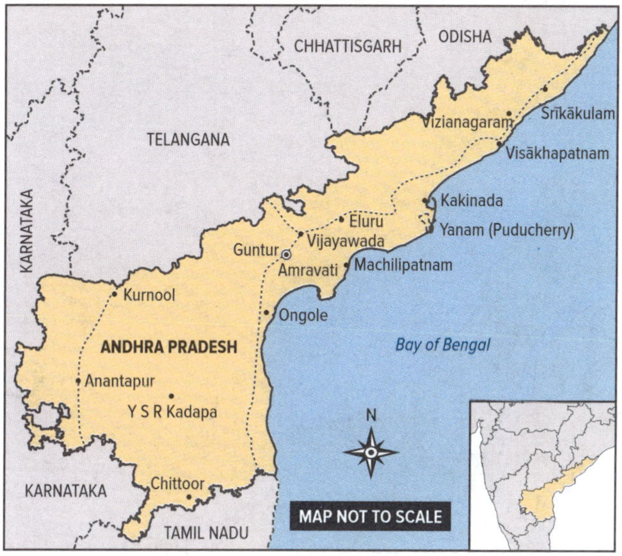

चित्र 15.1
आंध्र प्रदेश

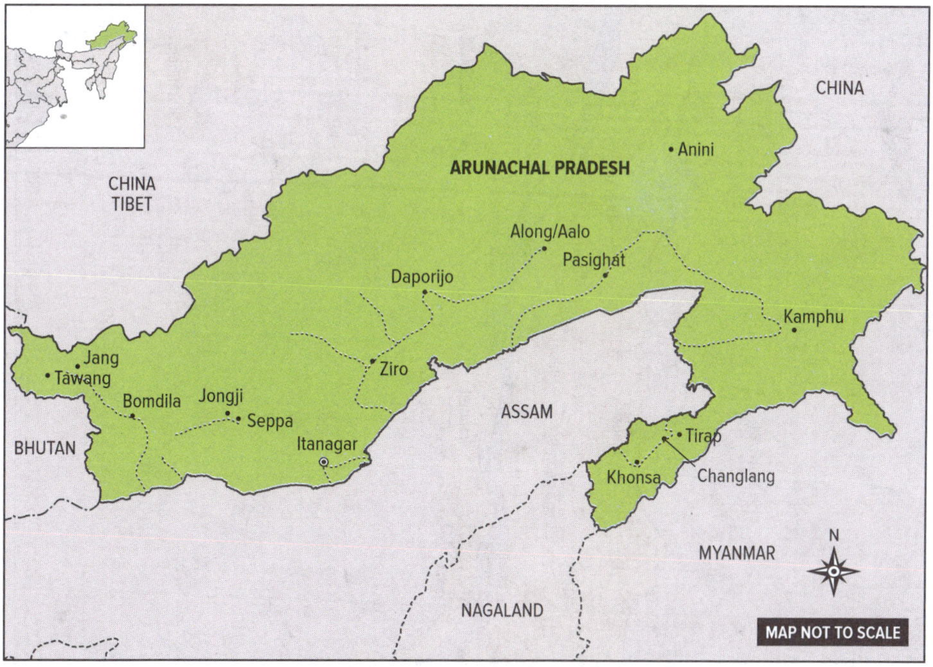

चित्र 15.2
अरुणाचल प्रदेश

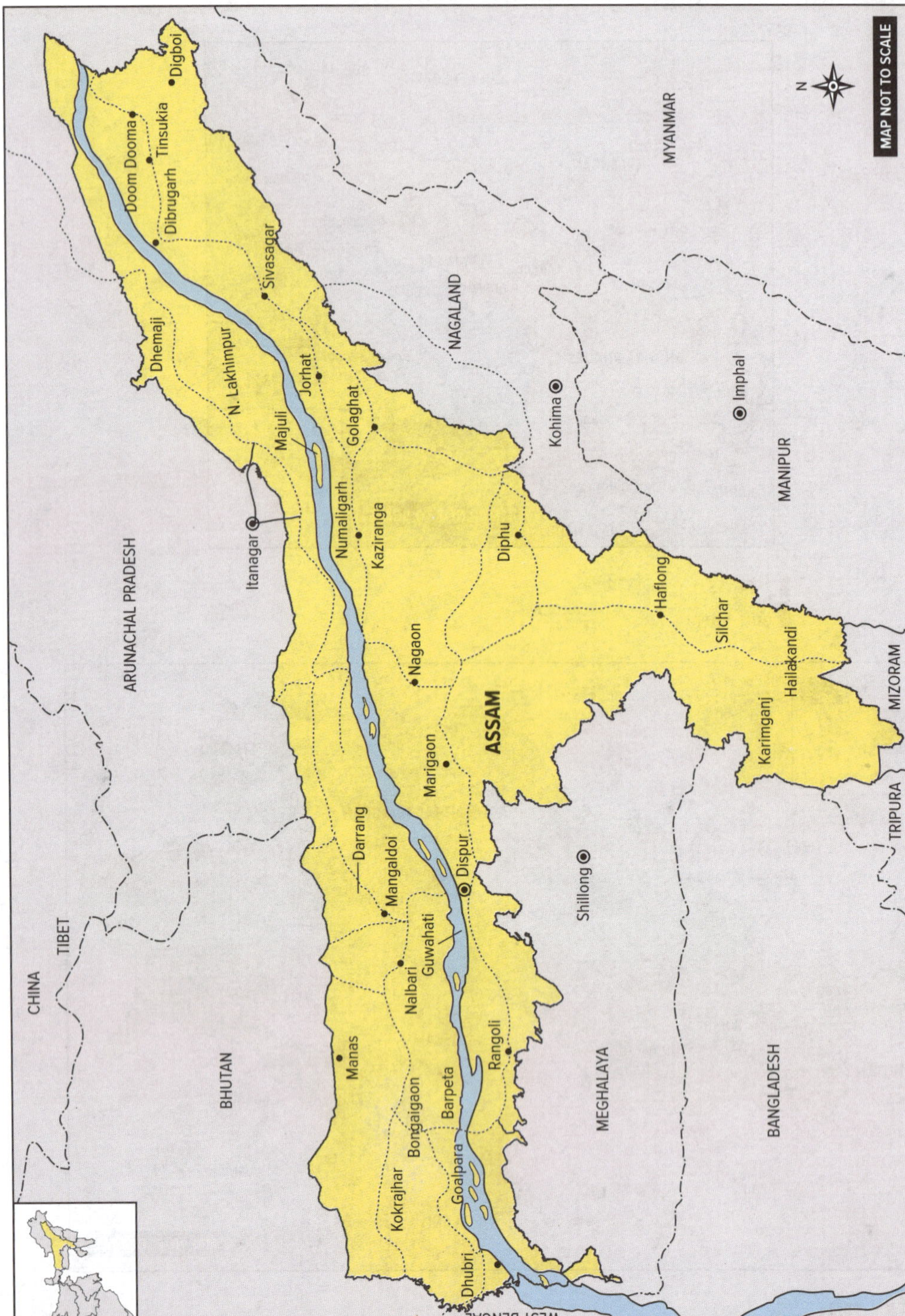
CHINA
TIBET
ARUNACHAL PRADESH
BHUTAN
NAGALAND
MYANMAR
MANIPUR
MEGHALAYA
BANGLADESH
TRIPURA
MIZORAM
WEST BENGAL
ASSAM
Itanagar
Kohima
Imphal
Shillong
Digboi
Tinsukia
Doom Dooma
Dibrugarh
Sivasagar
Dhemaji
N. Lakhimpur
Jorhat
Majuli
Golaghat
Numaligarh
Kaziranga
Diphu
Haflong
Silchar
Hailakandi
Karimganj
Nagaon
Marigaon
Darrang
Mangaldoi
Dispur
Guwahati
Nalbari
Manas
Rangoli
Barpeta
Bongaigaon
Kokrajhar
Goalpara
Dhubri
N
MAP NOT TO SCALE

चित्र 15.3
असम

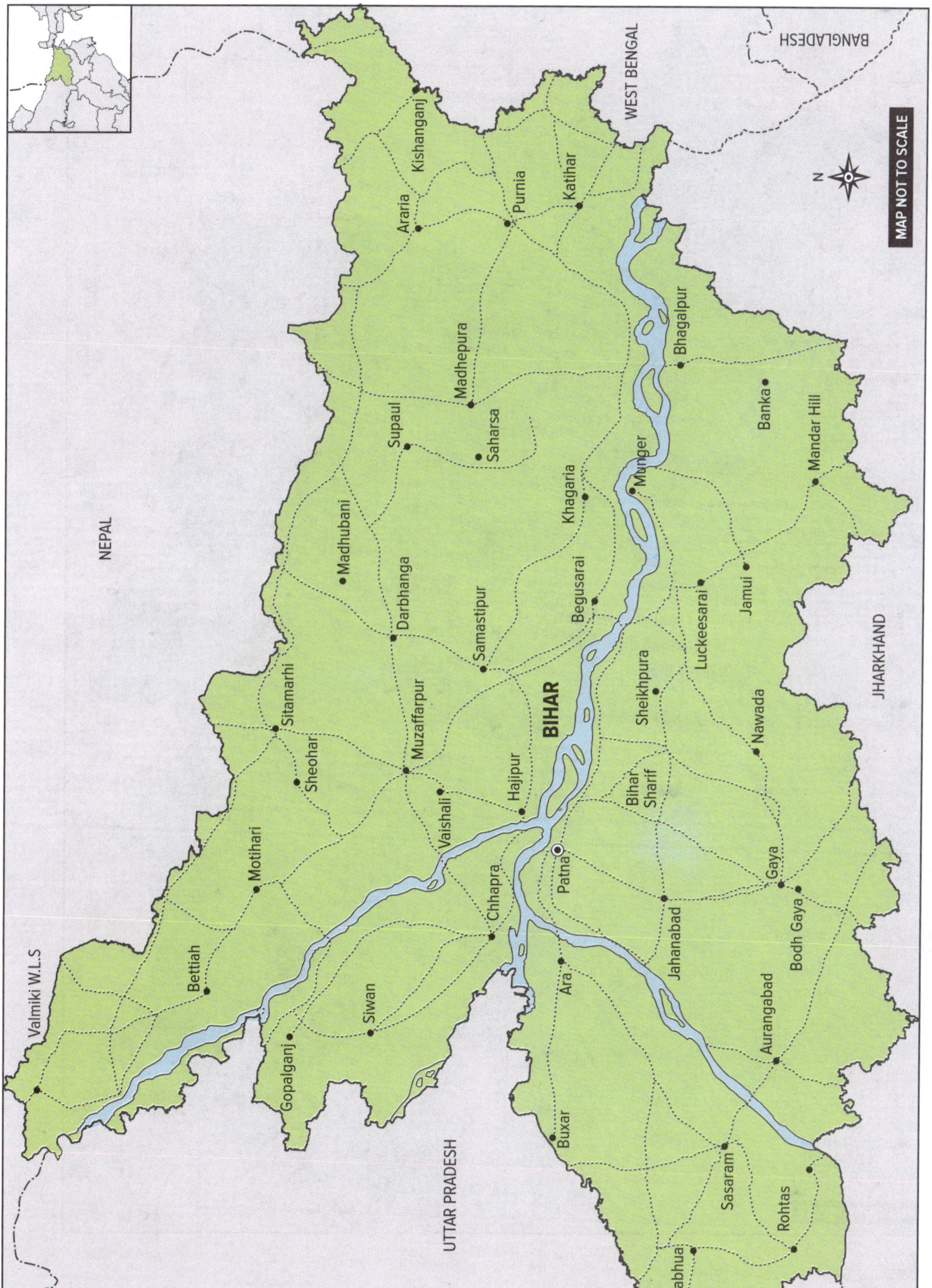
NEPAL
WEST BENGAL
BANGLADESH
JHARKHAND
UTTAR PRADESH
BIHAR
MAP NOT TO SCALE
N
Valmiki W.L.S
Bettiah
Motihari
Gopalganj
Siwan
Chhapra
Sitamarhi
Sheohar
Muzaffarpur
Vaishali
Hajipur
Patna
Ara
Buxar
Bhabhua
Sasaram
Rohtas
Aurangabad
Jahanabad
Gaya
Bodh Gaya
Bihar Sharif
Nawada
Sheikhpura
Luckeesarai
Jamui
Begusarai
Samastipur
Darbhanga
Madhubani
Khagaria
Munger
Supaul
Saharsa
Madhepura
Bhagalpur
Banka
Mandar Hill
Araria
Purnia
Katihar
Kishanganj

चित्र 15.4
बिहार

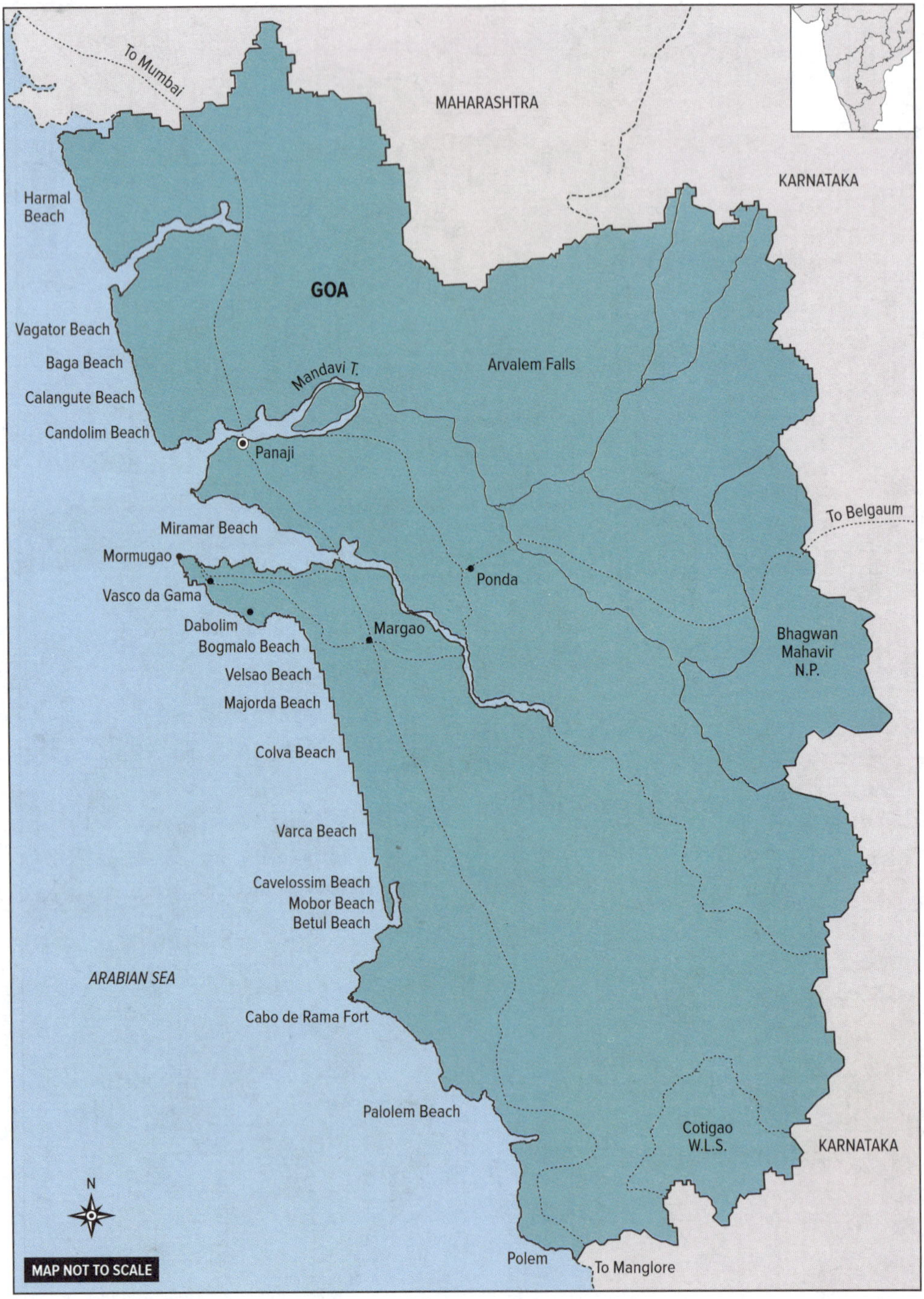
To Mumbai
MAHARASHTRA
KARNATAKA
Harmal Beach
GOA
Vagator Beach
Baga Beach
Calangute Beach
Candolim Beach
Mandavi T.
Arvalem Falls
Panaji
To Belgaum
Miramar Beach
Mormugao
Ponda
Vasco da Gama
Dabolim
Margao
Bogmalo Beach
Bhagwan Mahavir N.P.
Velsao Beach
Majorda Beach
Colva Beach
Varca Beach
Cavelossim Beach
Mobor Beach
Betul Beach
ARABIAN SEA
Cabo de Rama Fort
Palolem Beach
Cotigao W.L.S.
KARNATAKA
N
Polem
To Manglore
MAP NOT TO SCALE

चित्र 15.5
गोवा

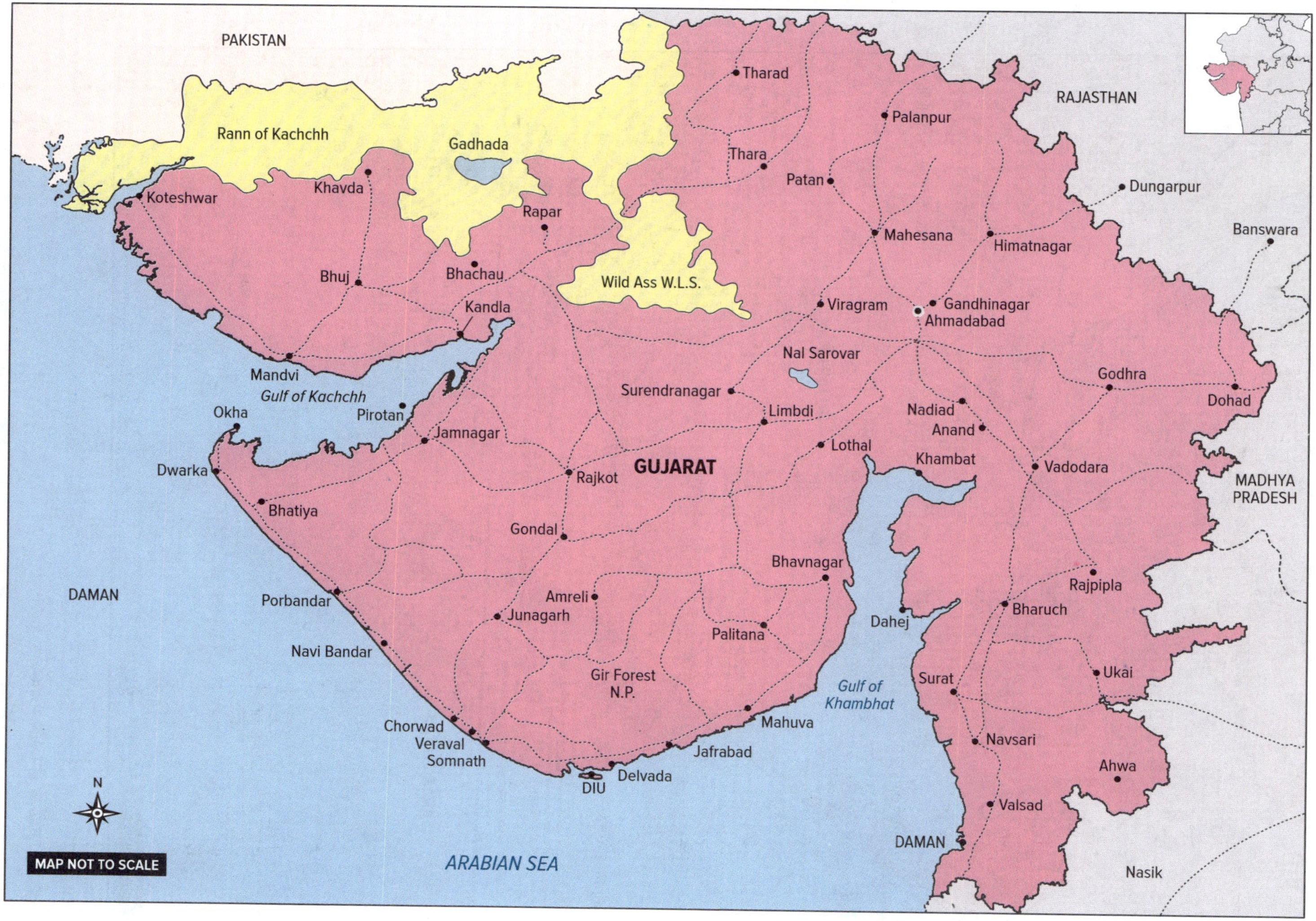
PAKISTAN
RAJASTHAN
MADHYA PRADESH
Rann of Kachchh
Gadhada
Wild Ass W.L.S.
Koteshwar
Khavda
Rapar
Bhuj
Bhachau
Kandla
Mandvi
Gulf of Kachchh
Okha
Pirotan
Jamnagar
Dwarka
Bhatiya
Tharad
Thara
Palanpur
Patan
Mahesana
Himatnagar
Dungarpur
Banswara
Viragram
Gandhinagar
Ahmadabad
Nal Sarovar
Surendranagar
Limbdi
Lothal
Nadiad
Anand
Khambat
Godhra
Dohad
Vadodara
Rajkot
GUJARAT
Gondal
Bhavnagar
Amreli
Junagarh
Palitana
Gir Forest N.P.
Porbandar
Navi Bandar
Chorwad
Veraval
Somnath
DIU
Delvada
Jafrabad
Mahuva
Gulf of Khambhat
Dahej
Rajpipla
Bharuch
Surat
Ukai
Navsari
Ahwa
Valsad
DAMAN
Nasik
DAMAN
ARABIAN SEA
N
MAP NOT TO SCALE

चित्र 15.6
गुजरात

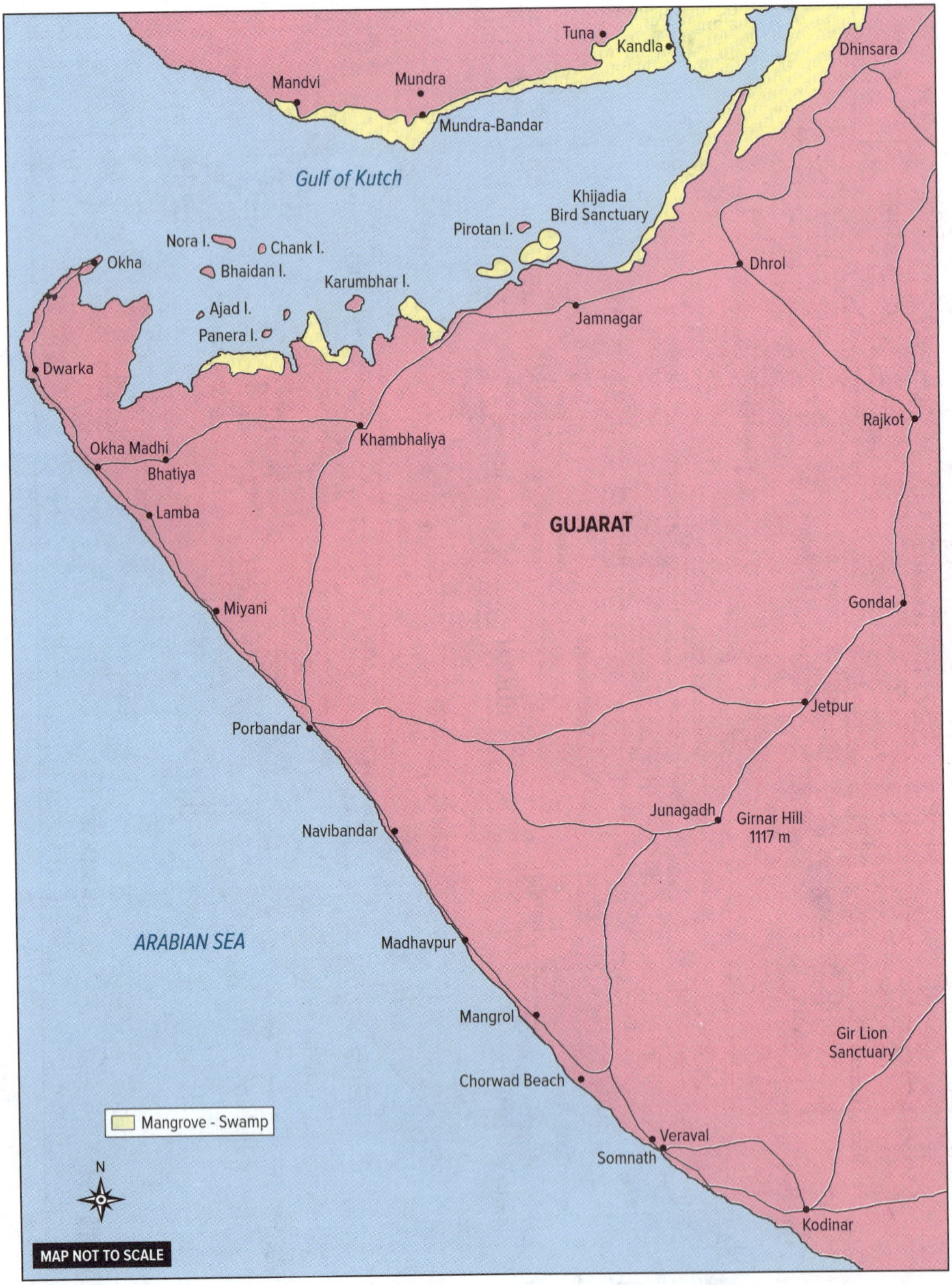

चित्र 15.7
कच्छ की खाड़ी के द्वीप और मैंग्रोव

HIMACHAL PRADESH
Pinjor
Panchkula
PUNJAB
Ambala
Jagadhri
Yamunanagar
Kurukshetra
Kaithal
Karnal
Narwana
Fatehabad
Sirsa
Panipat
UTTAR PRADESH
Jind
Hisar
HARYANA
Sonipat
Rohtak
Bhiwani
Jhajjar
RAJASTHAN
Gurgaon
Faridabad
Mahendragarh
Sohna
Rewari
Nuh
Palwal
Narnaul
Hodal
N
MAP NOT TO SCALE

चित्र 15.8
हरियाणा

चित्र 15.9
हिमाचल प्रदेश

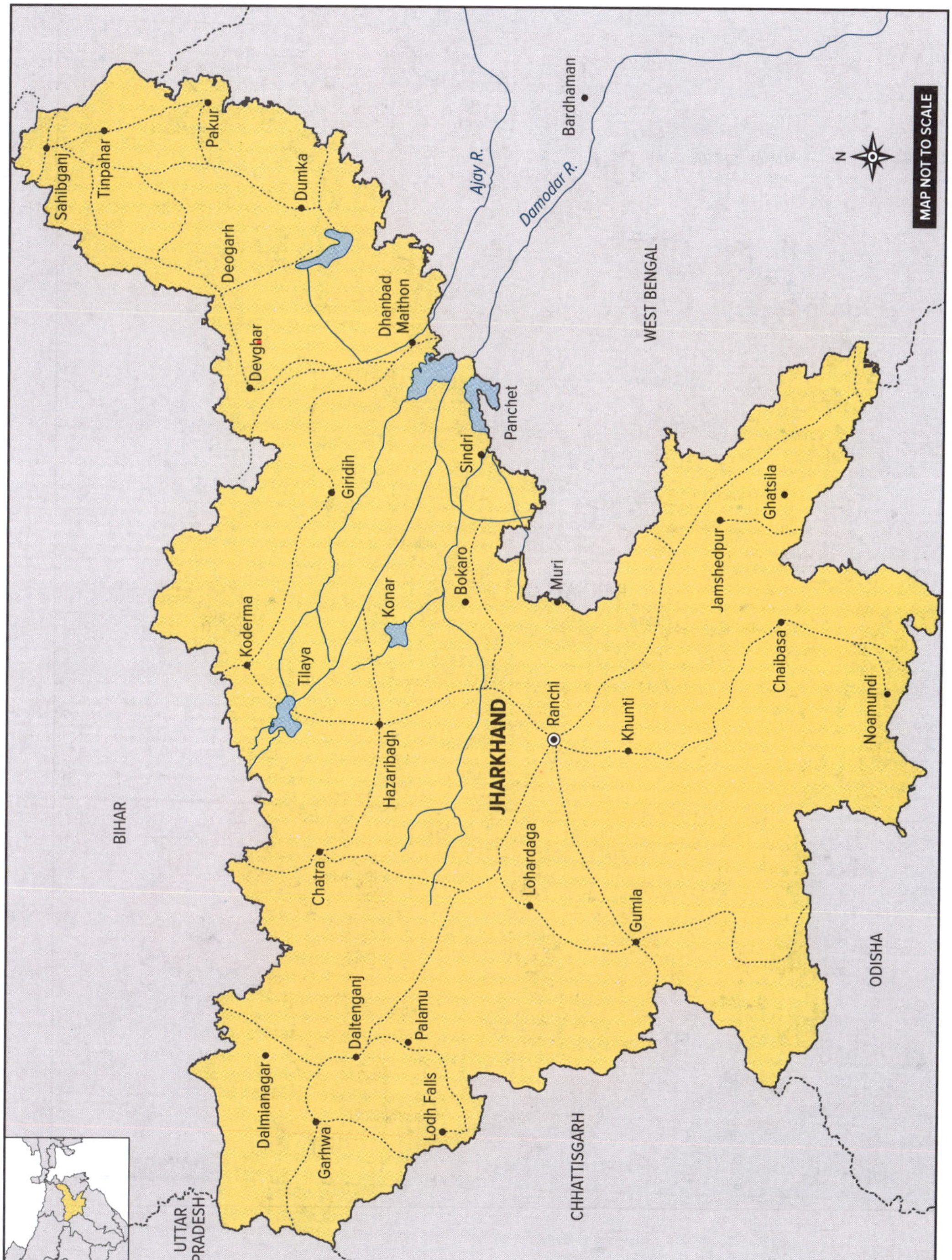

चित्र 15.10
झारखंड

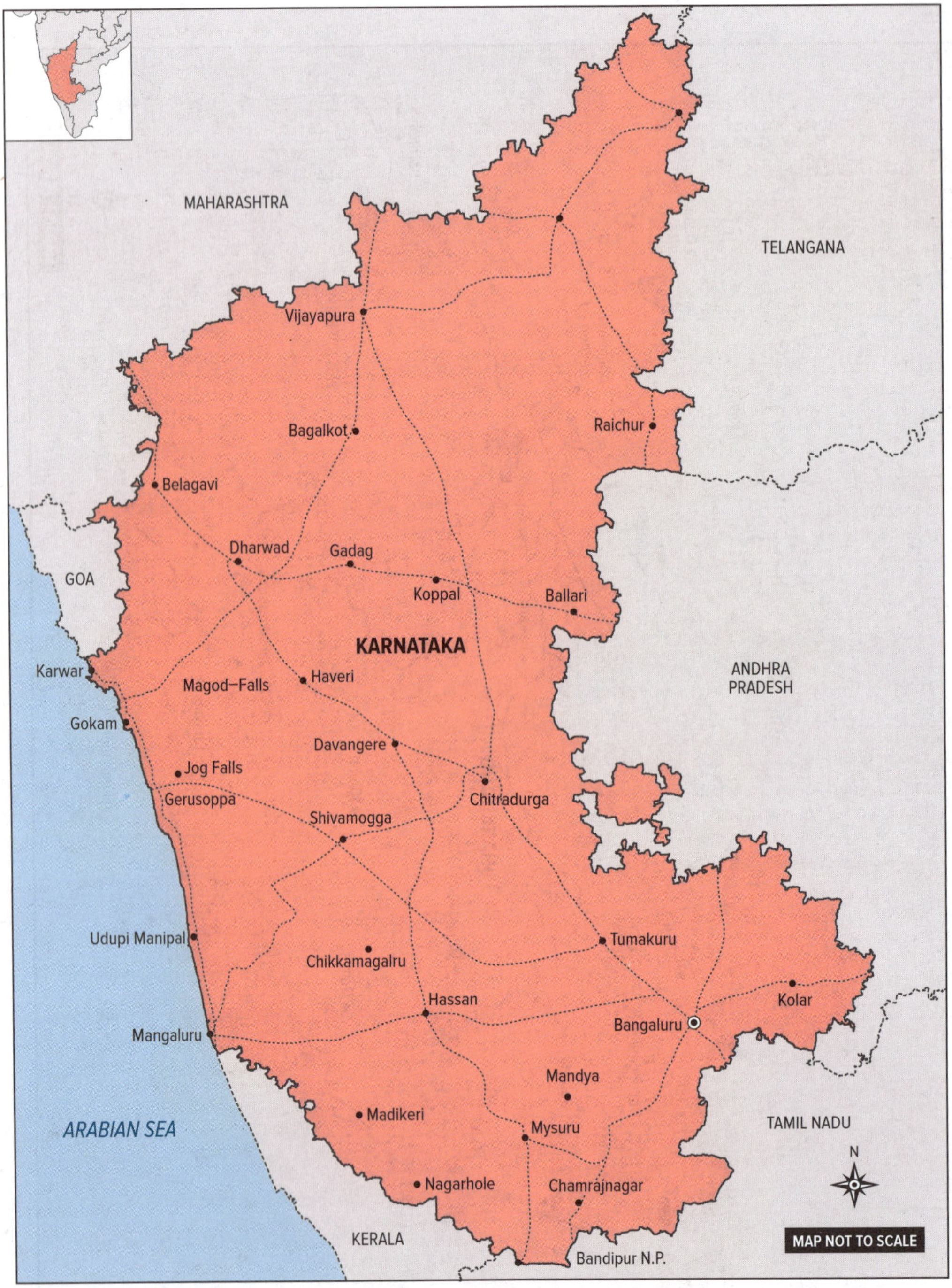

चित्र 15.11
कर्नाटक

Mangaluru
Kasaragod
KARNATAKA
Kunnur
Mahe
Kalpetta
TAMIL NADU
Kozhikode
Coimbatore
Malappuram
ARABIAN SEA
Palakkad
Ponnani
Trissur
LAKSHADWEEP
KERALA
Ernakulam
Painavu
Bitra I.
Chetlat I.
Kiltan I.
Kadmat I.
Agatti I.
Androth I.
Kavaratti I.
Kottayam
Alappuzha
Pattanamtitta
Suheli I.
Kalpeni I.
Nine Degree Channel
Kollam
N
Thiruvananthapuram
Minicoy I.
MAP NOT TO SCALE
Kavalam

चित्र 15.12
केरल

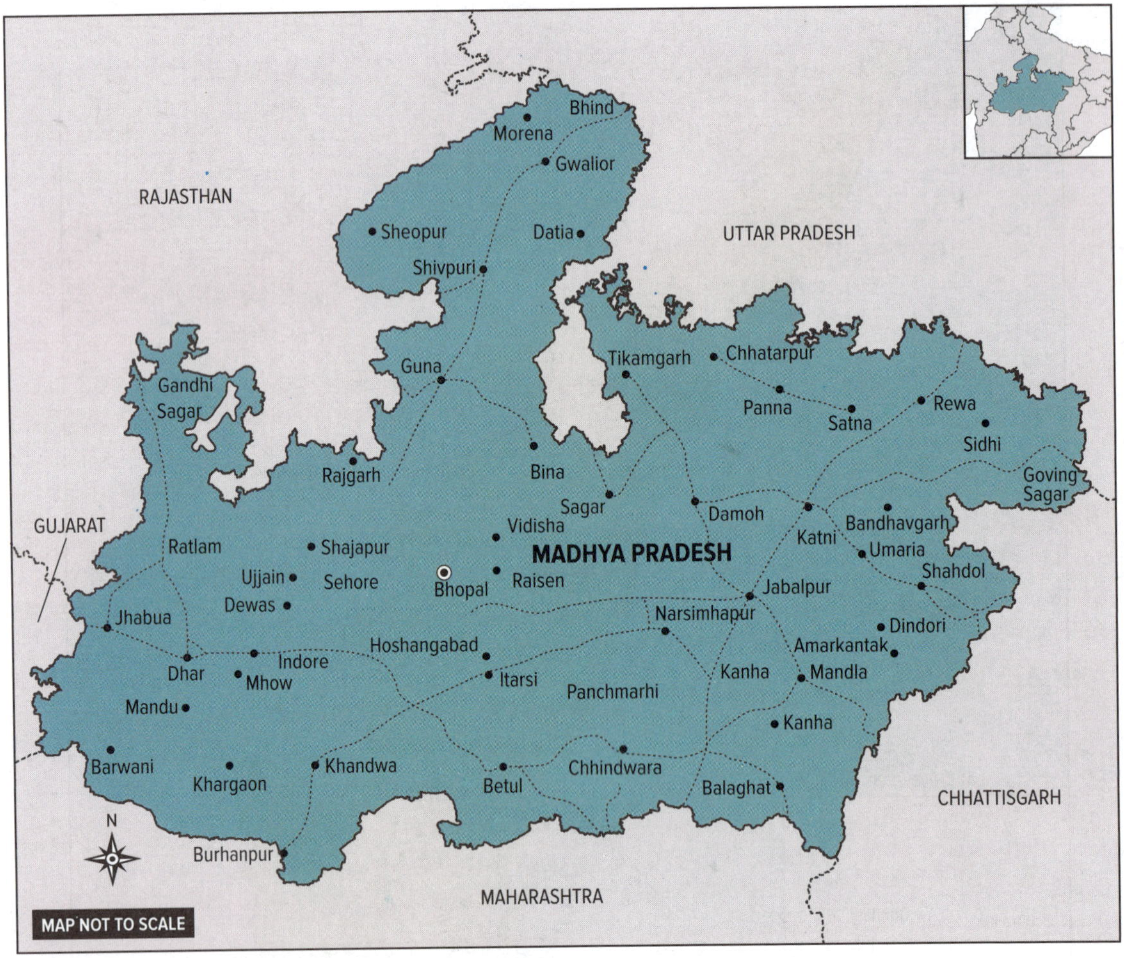

चित्र 15.13

मध्य प्रदेश

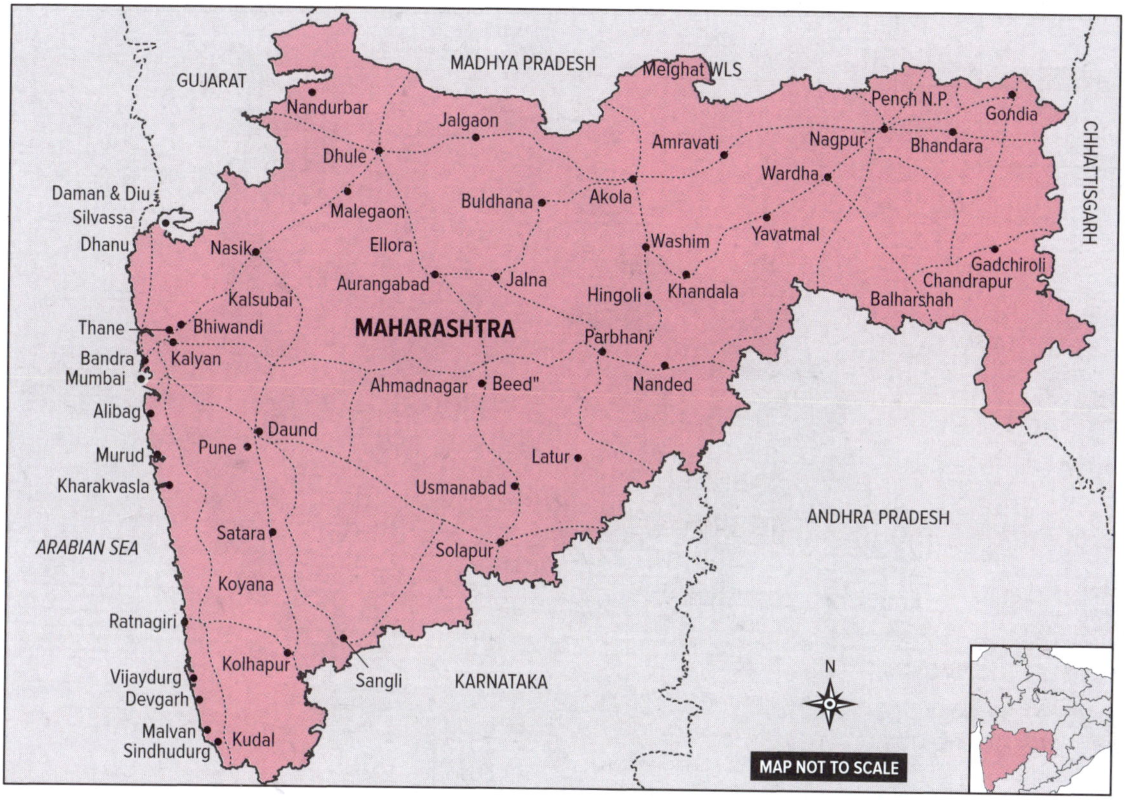

चित्र 15.14
महाराष्ट्र

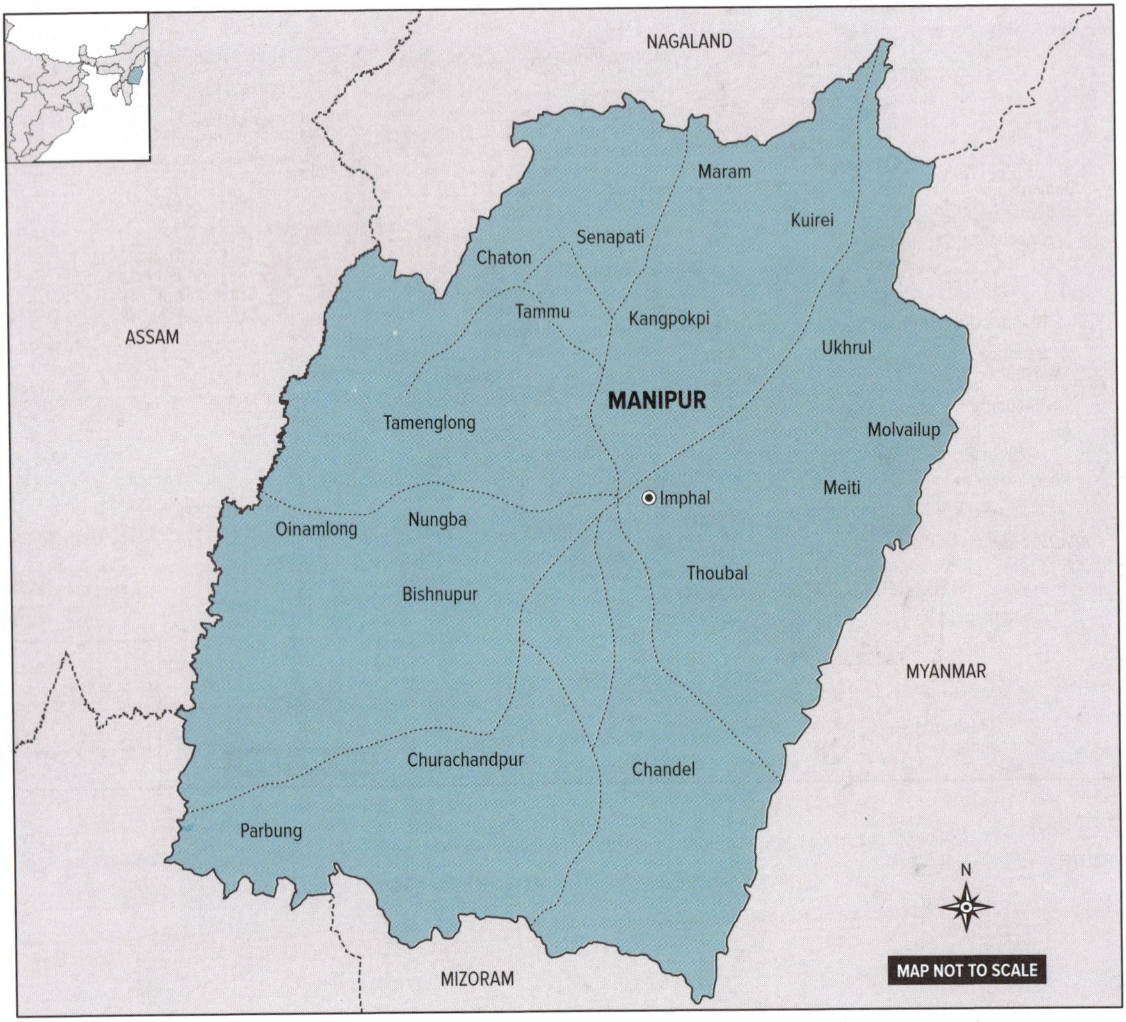

चित्र 15.15
मणिपुर

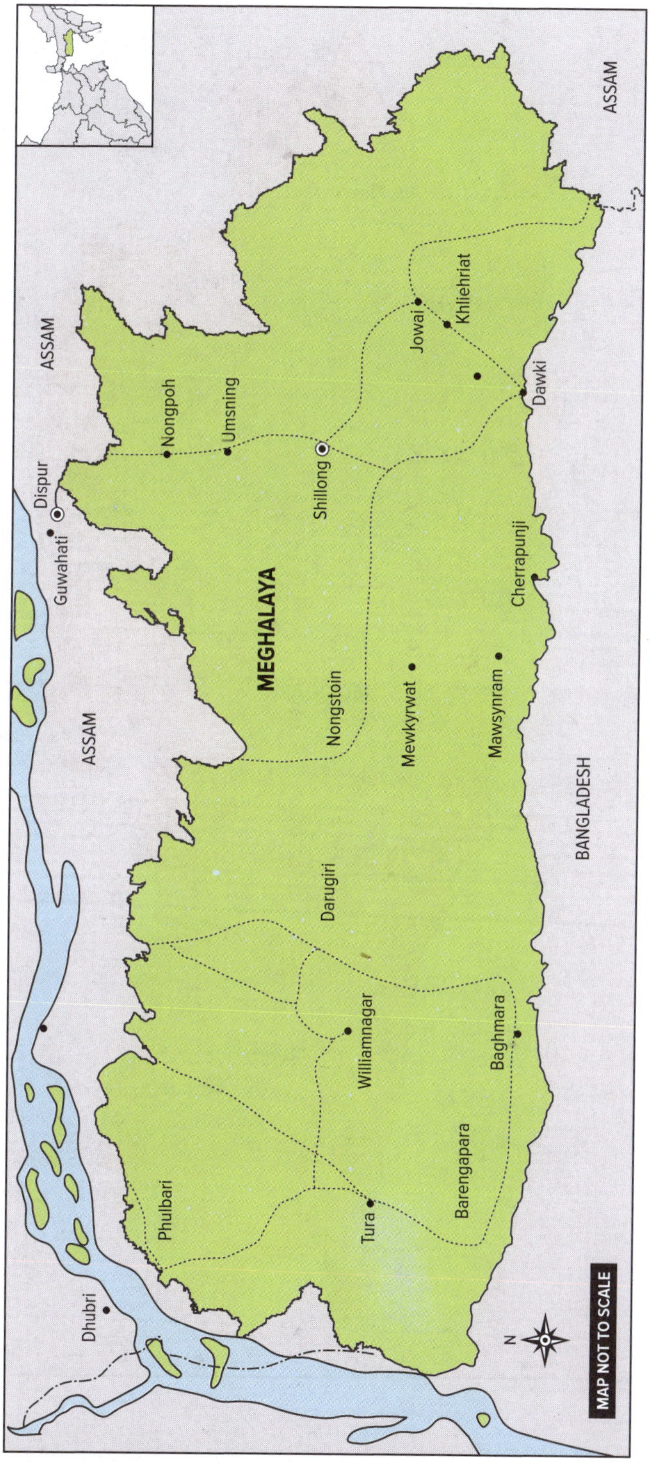

चित्र 15.16
मेघालय

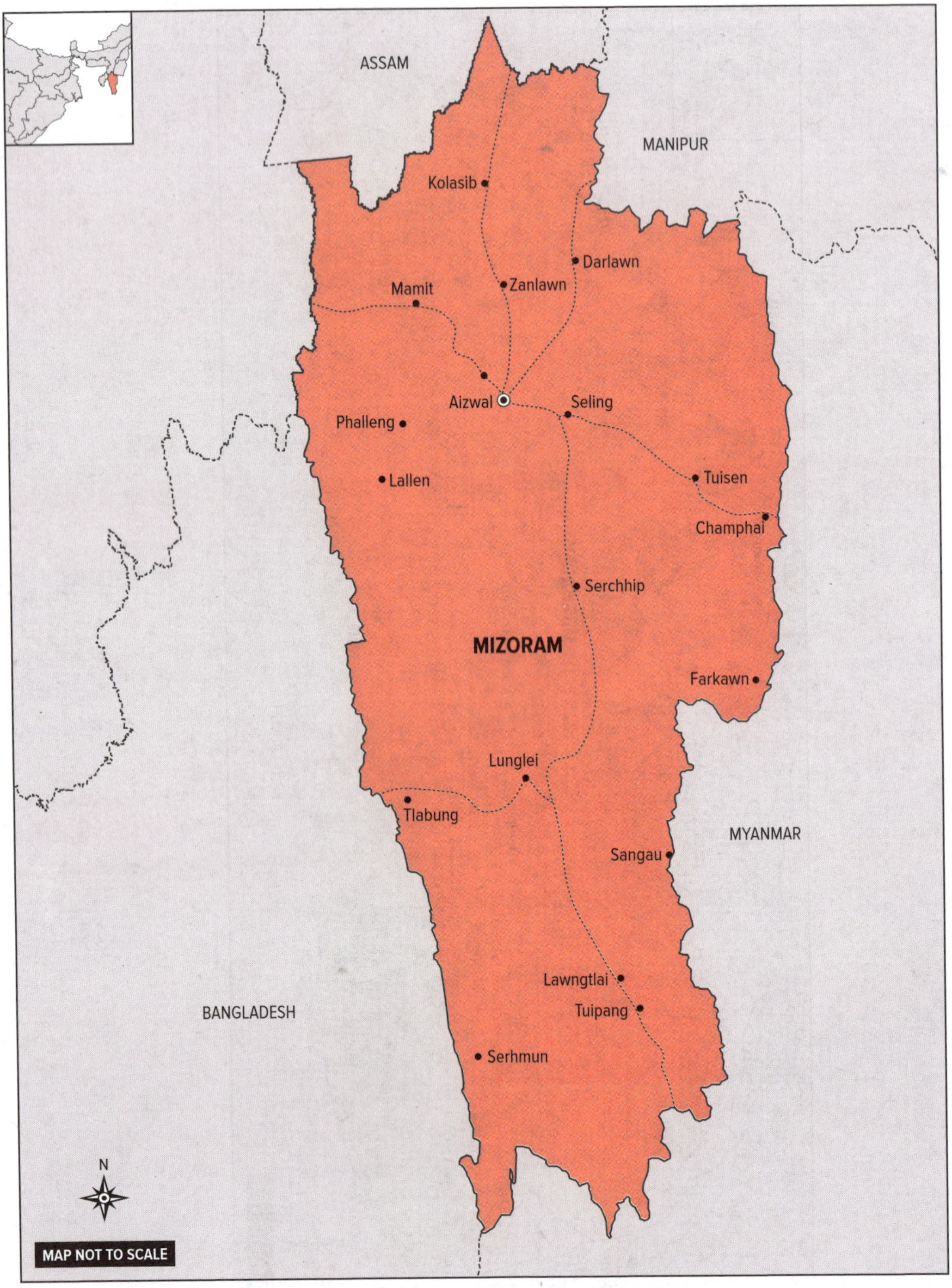

चित्र 15.17
मिजोरम

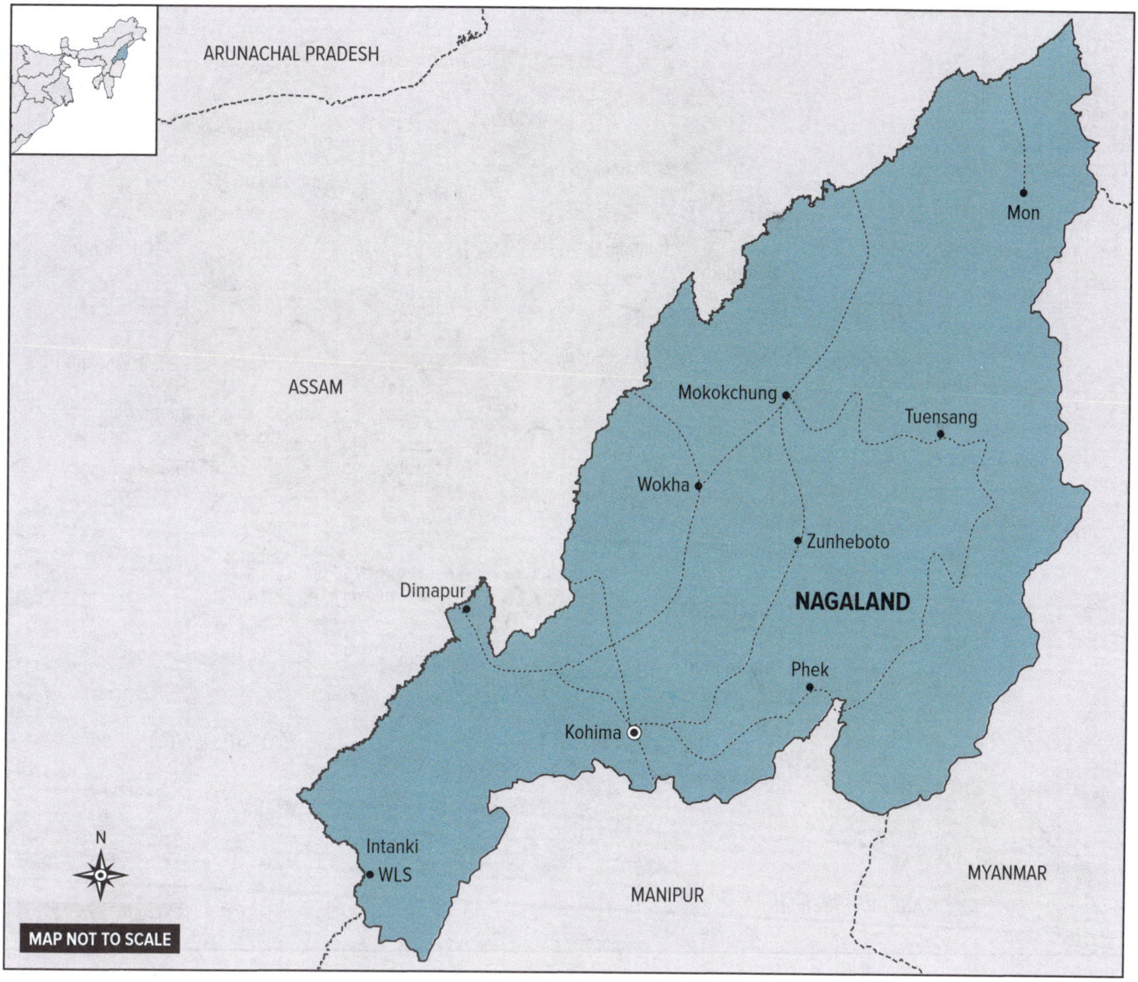

चित्र 15.18
नागालैंड

JHARKHAND
WEST BENGAL
CHHATTISGARH
ANDHRA PRADESH
BAY OF BENGAL
ODISHA
Sundargarh
Rourkela
Baripada
Similipalgarh N.P.
Jharsuguda
Kendujhar
Baleshwar
Chandipur
Brahmani R.
Deogarh
Sambalpur
Bargarh
Bhadrak
Talcher
Nuaparha
Bauda
Anugul
Wheeler I.
Balangir
Sonapur
Dhenkanal
Cuttack
Kendraparha
Mahanadi R.
Phulbani
Bhubaneshwar
Khordha
Paradwip
Kalinga
Nayagarh
Bhawanipatna
Konarka
Puri
Chilika Lake
Chhatrapur
Rayagarha
Gopalapur
Nabarangapur
Koraput
Paralakhemundi
Malkangiri
N
MAP NOT TO SCALE

चित्र 15.19
ओडिशा

JAMMU AND KASHMIR
PAKISTAN
HIMACHAL PRADESH
Ravi R.
Madhopur
Gurdaspur
Dhariwal
Govind Sagar
Bhakra Dam
Beas
Batala
Qadian
Amritsar
Hoshiarpur
Tarn Taran
Kapurthala
Jalandhar
Govind Sagar
Nawanshahr
Satluj R.
Phillaur
Firozpur
Ludhiana
Rupnagar
Satluj R.
Moga
PUNJAB
Faridkot
Chandigarh
Malerkotla
Fazilka
Muktsar
Rajpura
Patiala
Bathinda
Sangrur
Abohar
Mansa
RAJASTHAN
HARYANA
N
MAP NOT TO SCALE

चित्र 15.20
पंजाब

चित्र 15.21
राजस्थान

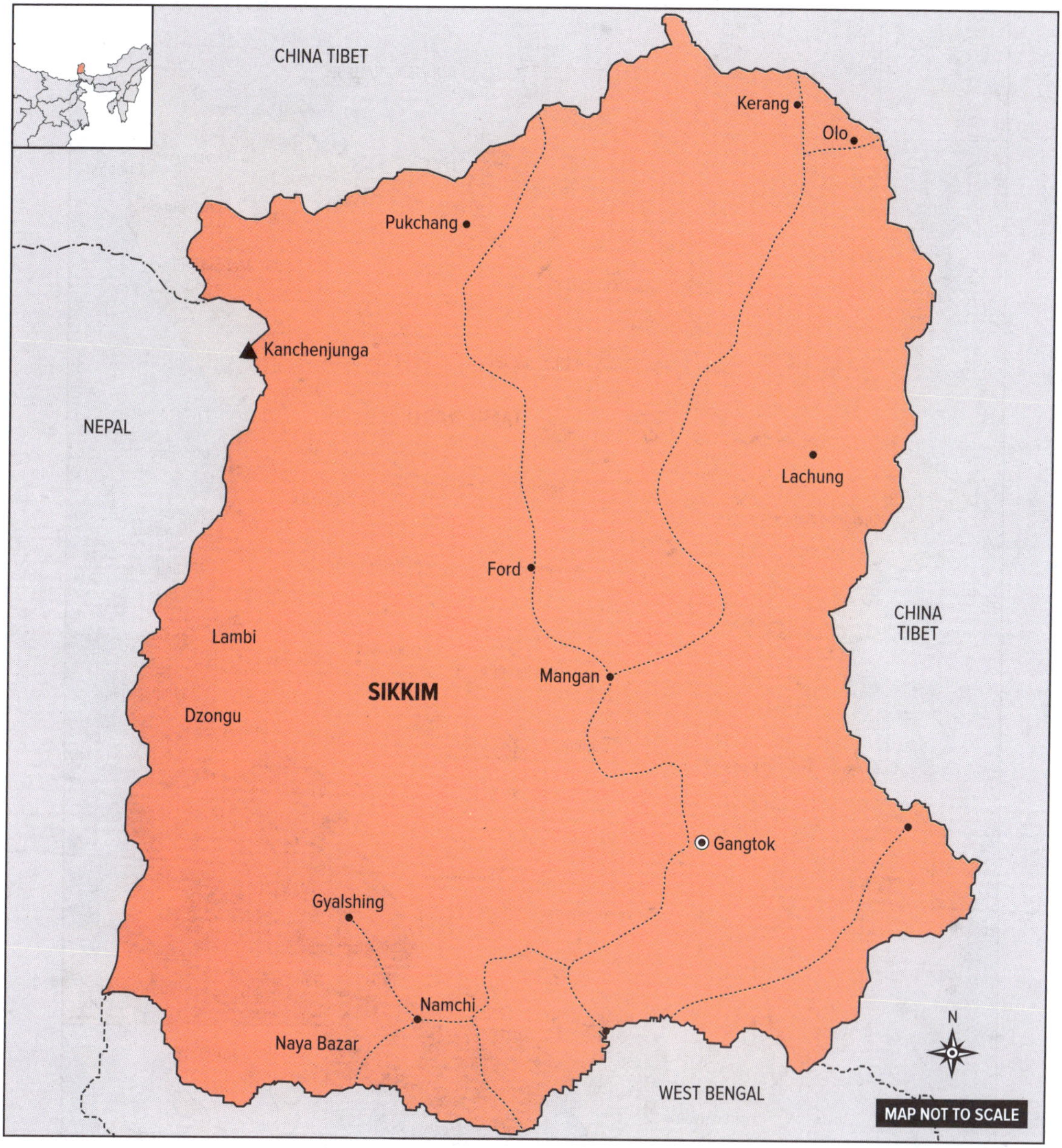

चित्र 15.22
सिक्किम

चित्र 15.23
तमिलनाडु और पुडुचेरी

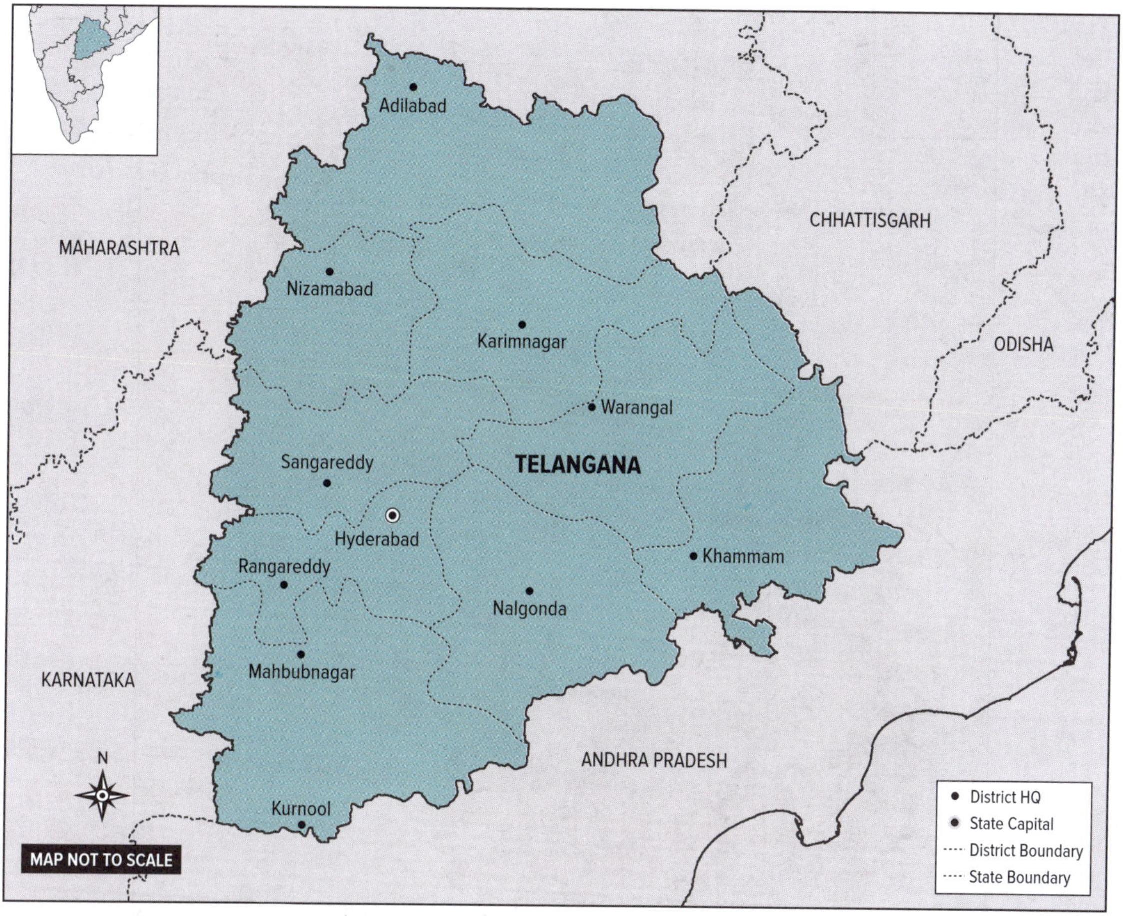

चित्र 15.24
तेलंगाना राज्य (2 जून, 2014 को गठित)

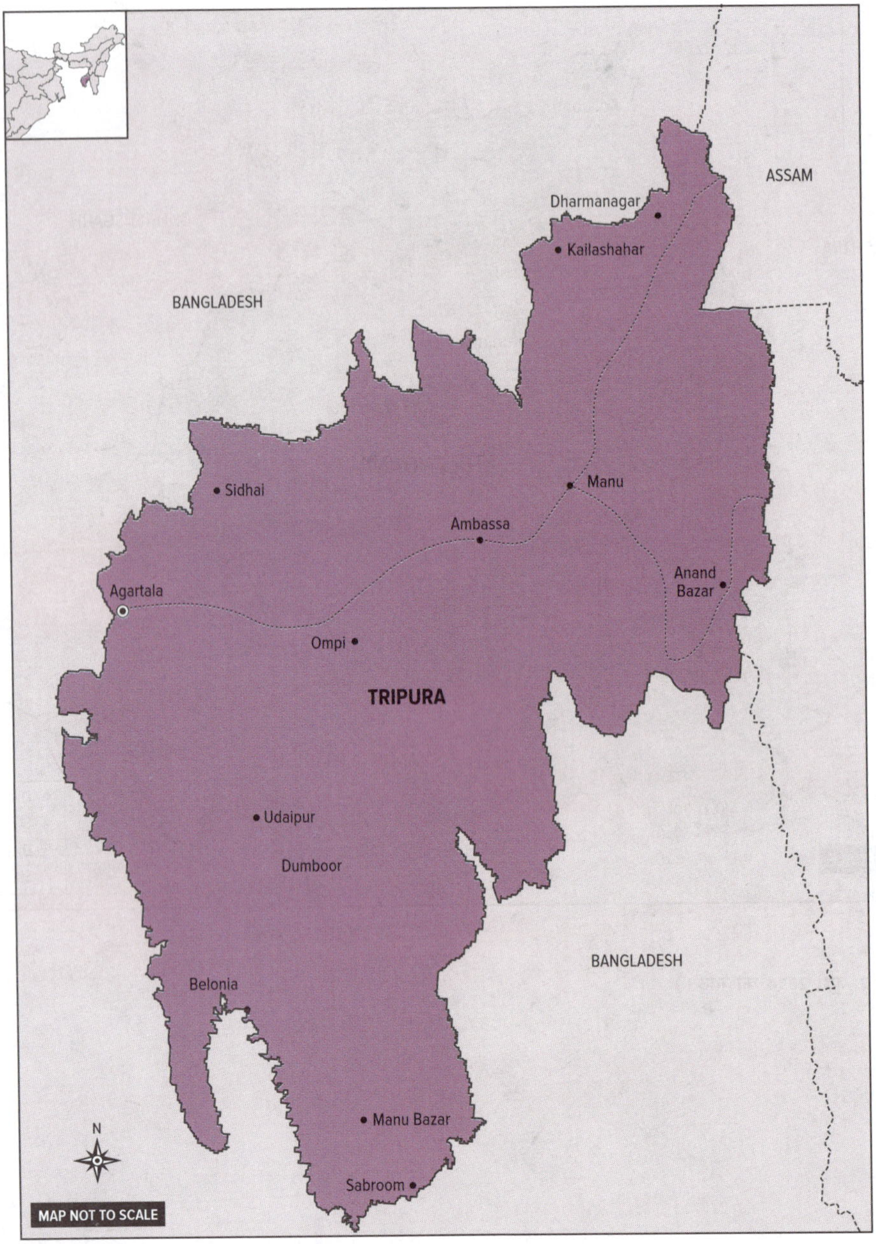

चित्र 15.25
त्रिपुरा

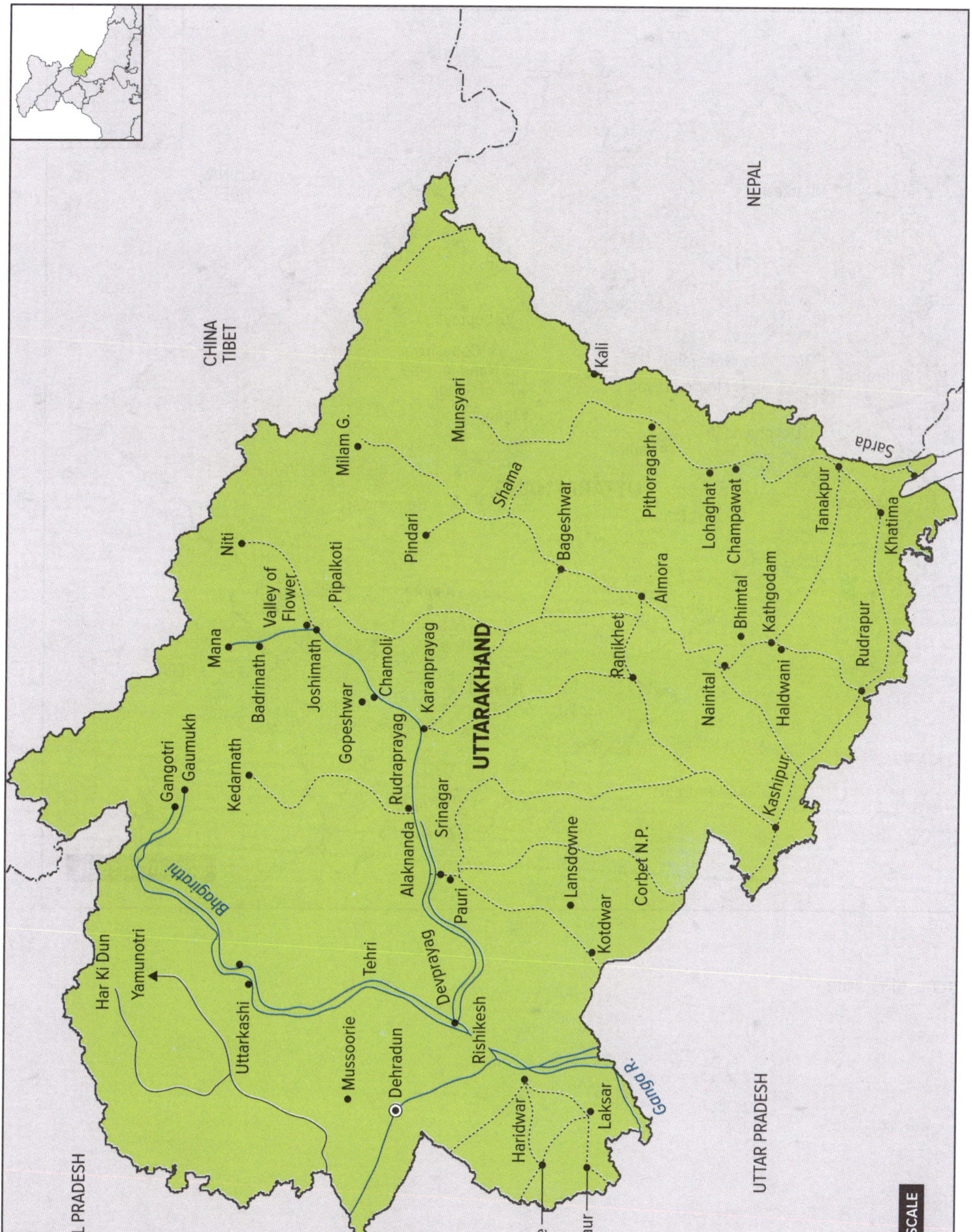

चित्र 15.26
उत्तराखंड

चित्र 15.27
उत्तराखंड: पवित्र स्थान

चित्र 15.28
उत्तर प्रदेश

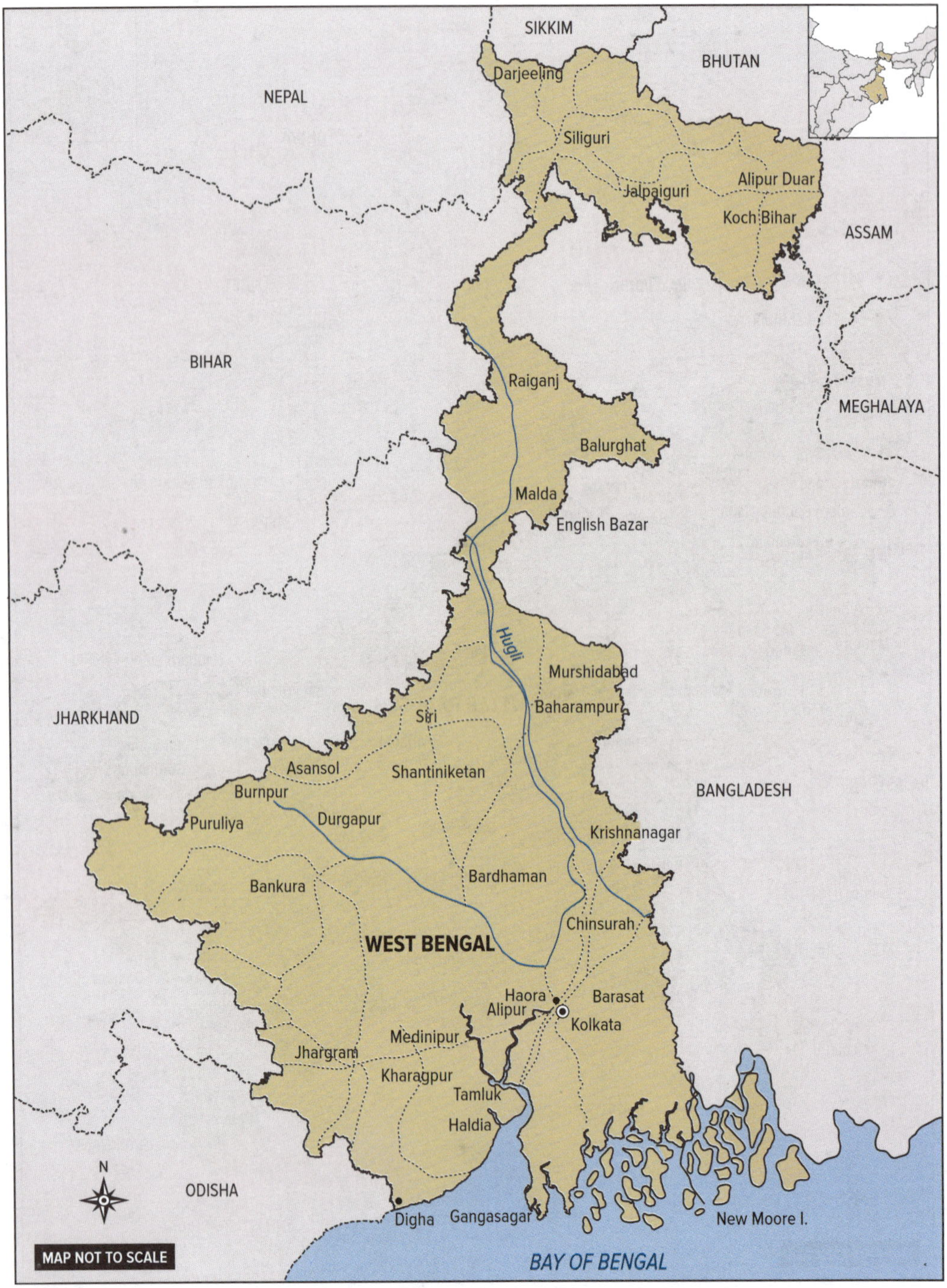

चित्र 15.29
पश्चिम बंगाल

भारत के संघ राज्यक्षेत्रों के मानचित्र (MAPS OF INDIAN UNION TERRITORIES)

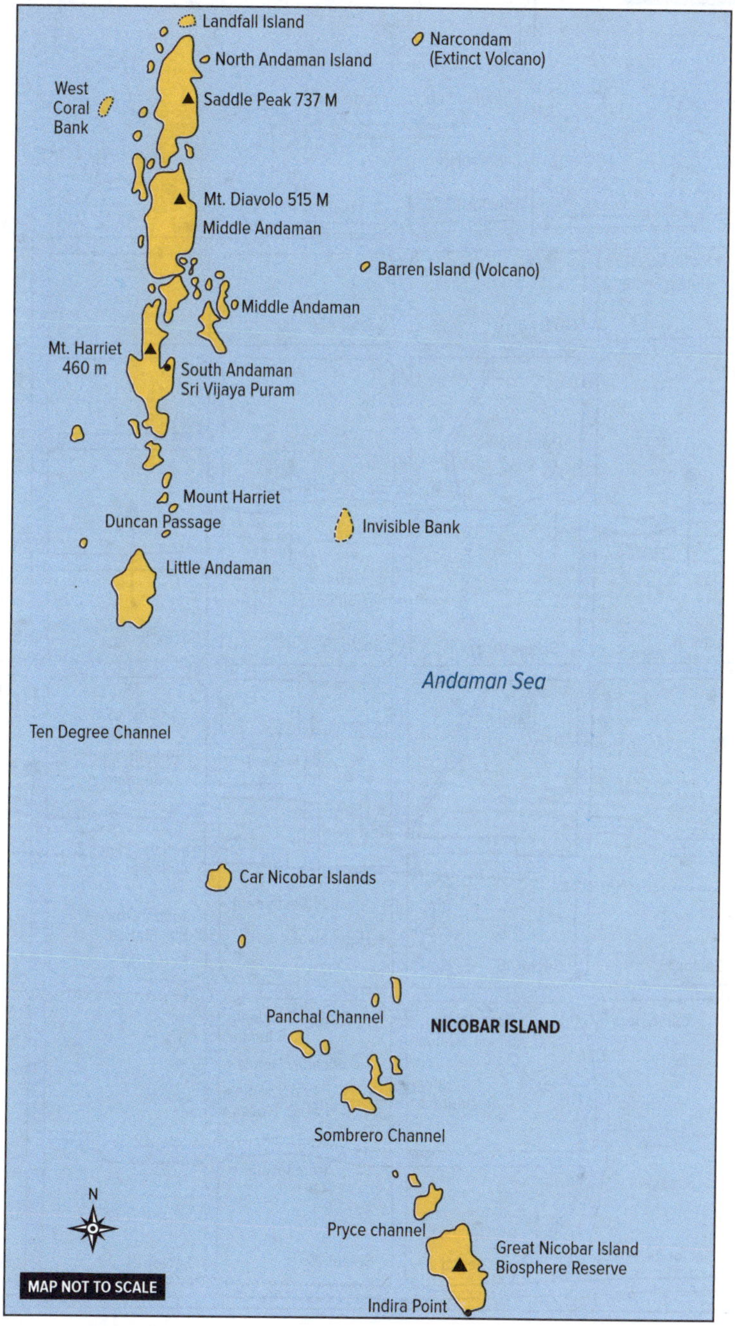

चित्र 15.30

अंडमान एवं निकोबार द्वीप समूह

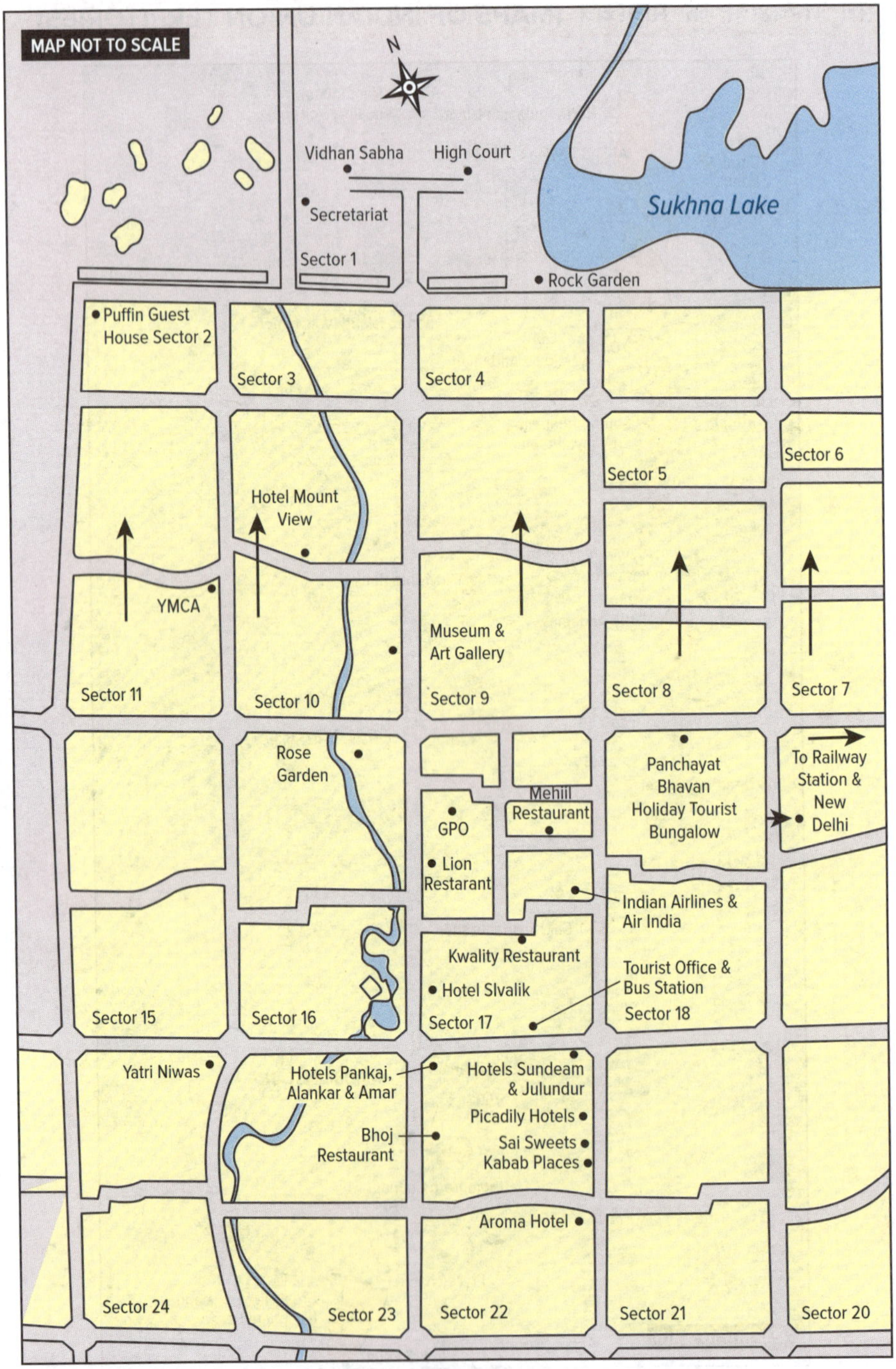

चित्र 15.31
चंडीगढ़

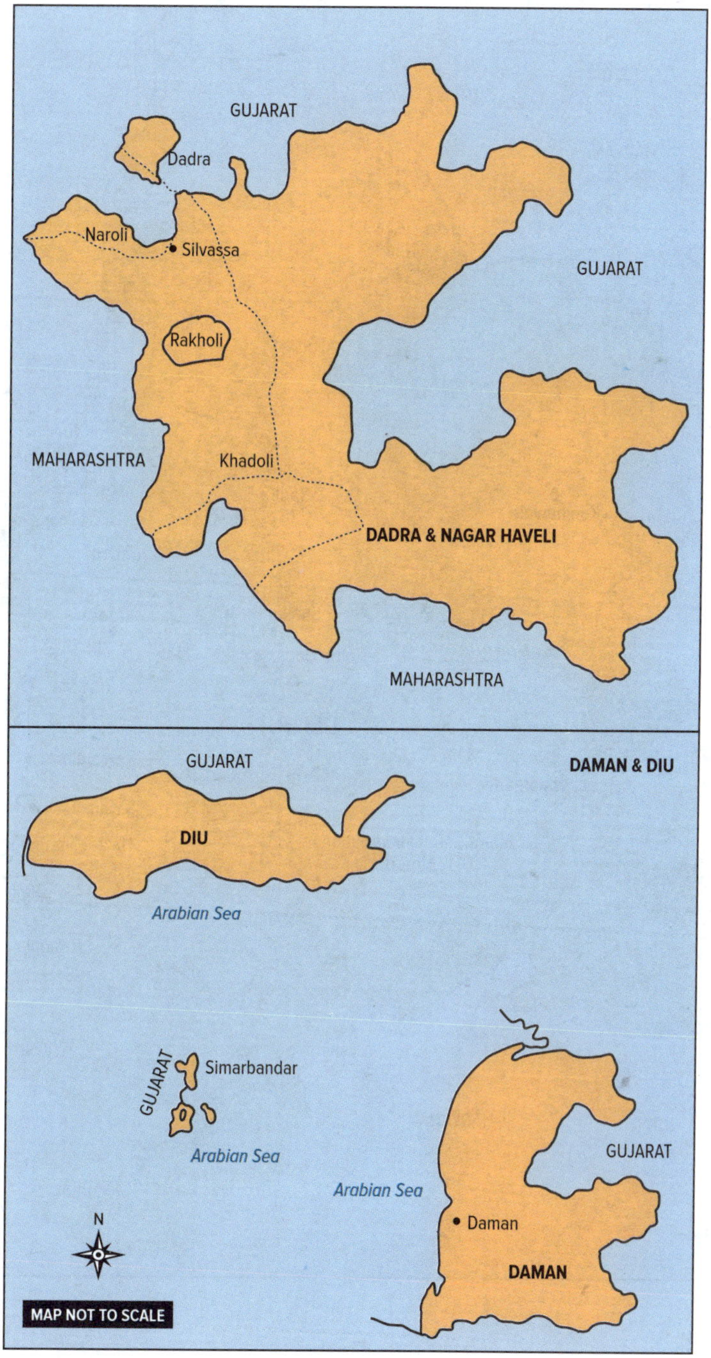

चित्र 15.32
दादरा नगर हवेली एवं दमन दीव

HARYANA
UTTAR PRADESH
Narela
Alipur
Badli
Kanjhawala
Wazirabad
Yamuna R.
Tis Hazari
Nand Nagri
Shakur Basti
Old Delhi
Moti Nagar
Shahdra
Getta Colony
DELHI
Connaught Place
New Delhi
NOIDA
Najafgarh
Patpar Ganj
India Gate
Isapur
Indira Gandhi International Airport
Hazrat Nizamuddin
Safdarjang
Okhla
Mahipalpur
Tughlakabad Fort
Dhansa
Saket
Qutab Minar
Mahrauli
Badarpur
Tughlakabad
HARYANA
N
Bhoti
MAP NOT TO SCALE

चित्र 15.33

दिल्ली

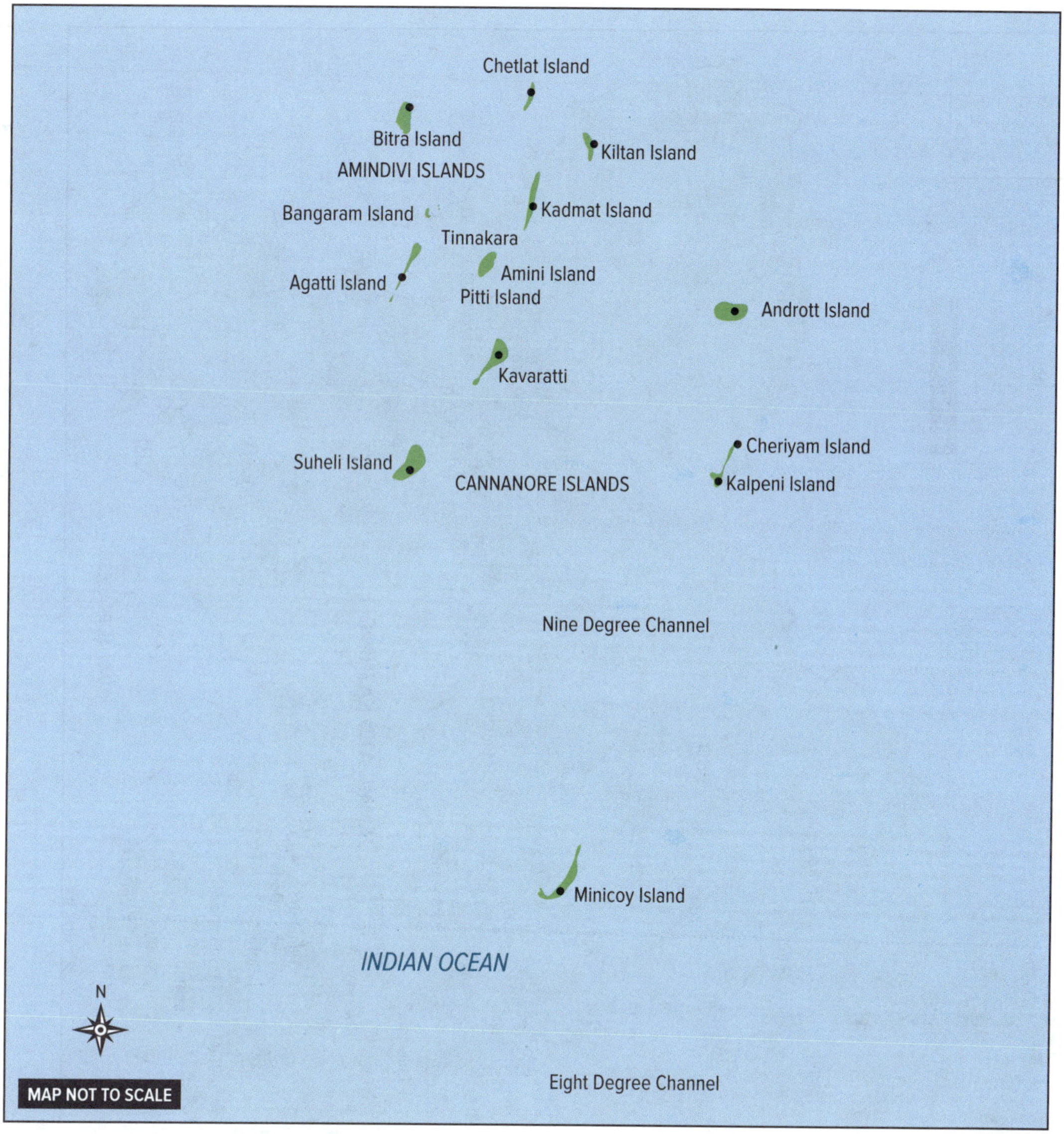

चित्र 15.34
लक्षद्वीप

चित्र 15.35

जम्मू एवं कश्मीर (अनुच्छेद 370 से पहले)

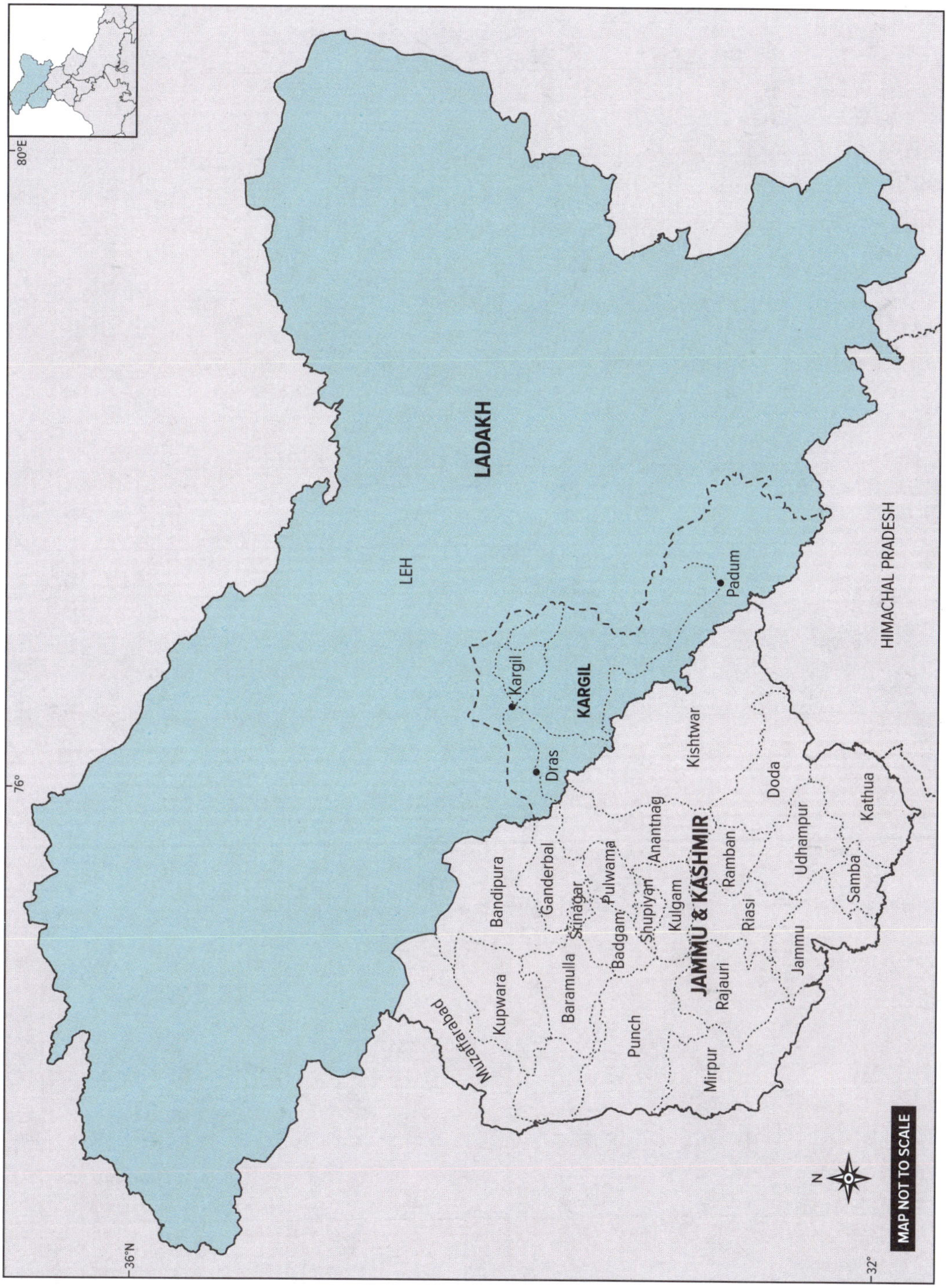

चित्र 15.36
जम्मू एवं कश्मीर, लद्दाख (अनुच्छेद 370 के बाद)